PEUPLES ET CIVILISATIONS
XIV

PEUPLES ET CIVILISATIONS

HISTOIRE GÉNÉRALE

FONDÉE PAR LOUIS HALPHEN ET PHILIPPE SAGNAC

SECRÉTAIRE GÉNÉRAL : MAURICE CROUZET

NAPOLÉON

PAR

GEORGES LEFEBVRE

Professeur honoraire à la Sorbonne

SIXIÈME ÉDITION

PRESSES UNIVERSITAIRES DE FRANCE

108, BOULEVARD SAINT-GERMAIN, PARIS

1969

Dépôt légal. — 1ʳᵉ édition : 1ᵉʳ trimestre 1936
6ᵉ édition : 1ᵉʳ trimestre 1969

Tous droits de traduction, de reproduction et d'adaptation
réservés pour tous pays

INTRODUCTION

Au moment où Bonaparte se saisit de la France, la Révolution et l'Europe étaient en guerre depuis sept ans et plus ; à part une brève interruption, leur conflit devait se prolonger jusqu'en 1815. En lui-même, le 18 brumaire n'y fait pas époque. On pourrait soutenir que l'intervalle de paix qu'inaugura le traité d'Amiens y distinguerait plus logiquement deux périodes. Pour ce qui concerne l'histoire intérieure de la France, le nouveau coup d'État permit sans doute la restauration du pouvoir personnel, et, à cet égard, l'opposition est bien marquée entre la période napoléonienne et la période révolutionnaire. Mais elle ne saurait masquer la solidarité profonde qui les unit. C'est à la Révolution que Bonaparte dut son prodigieux destin ; s'il a pu s'imposer à la France républicaine, c'est qu'une nécessité interne la condamnait à la dictature aussi longtemps que les partisans de l'Ancien régime s'efforçaient de le rétablir, d'accord avec l'étranger ; entre ses méthodes de gouvernement et celles du Comité de salut public, il y a plus de traits communs qu'on ne veut le reconnaître d'ordinaire. C'est parce qu'il a respecté l'œuvre sociale de la Constituante qu'il a pu rester le chef des Français ; ses victoires lui ont procuré la durée et lui ont permis de s'enraciner définitivement. Bien plus, elles ont assuré son expansion à travers l'Europe avec une rapidité et une efficacité que la propagande, et à plus forte raison la diffusion spontanée, n'auraient jamais pu égaler ; dans tous les pays qu'il a dominés, il ne serait rien resté de ses foudroyantes chevauchées, s'il n'y avait implanté les principes fondamentaux de l'État et de la société modernes. En vain s'est-il efforcé de créer une nouvelle légitimité et une nouvelle aristocratie ; pour les contemporains, il est resté le soldat de la Révolution et c'est comme tel qu'il a marqué de son empreinte la civilisation de l'Europe.

Pourtant, dès qu'il fut maître de la France, il s'installa naturellement au centre de l'histoire universelle, en sorte que, malgré l'unité profonde qui soude son règne à la tragédie révolutionnaire, la division traditionnelle, fondée sur son avènement, ne laisse pas de se recommander : c'est elle qui a été adoptée ici.

Il est à peine besoin de dire que ce livre n'est pas une biographie de Napoléon. Comme dans les autres volumes de cette Histoire générale, on s'y efforcera de mettre en lumière, non seulement les traits essentiels de la vie collective des Français et des peuples que l'empereur s'était assujettis, mais aussi l'action des forces indépendantes qu'il n'a pu subjuguer et les caractères particuliers des nations qui ont échappé à son autorité. L'Angleterre et les États-Unis ont maintenu leur tradition libérale ; le capitalisme a continué ses progrès, et la bourgeoisie, ne cessant de se fortifier, s'est préparée à se rendre maîtresse du pouvoir politique ; la vie spirituelle a suivi son cours, et Napoléon n'a pu le modifier ; les nationalités ont réagi contre l'empire universel dont il posait les fondements ; l'Allemagne surtout a fomenté, par le romantisme, des modes nouveaux de penser, de sentir et d'agir ; l'Amérique latine s'est émancipée ; il n'est pas jusqu'à l'Extrême-Orient qui, sous une forme négative, n'ait éprouvé les répercussions du grand conflit, car il eût été exposé bien plus tôt aux assauts de l'Europe si une guerre intestine n'en eût accaparé les forces. La physionomie du xixe siècle, si mobile et si diverse, transparaît sous l'apparente uniformité que le génie de Napoléon s'efforçait de lui destiner. Mais, au cours de cette période, d'ailleurs si brève, tout paraît s'effacer devant lui ; c'est lui qui mène l'histoire. On ne sera donc pas surpris que ce volume soit placé sous son nom (1).

(1) Conformément à la volonté exprimée par Georges Lefebvre avant sa disparition, la révision du texte et la mise à jour des indications bibliographiques ont été l'œuvre, en 1964, de M. Albert Soboul, professeur à la Sorbonne.

LIVRE PREMIER

L'HÉRITAGE DE LA RÉVOLUTION

CHAPITRE PREMIER

LE CONFLIT DE L'ANCIEN RÉGIME ET DE LA RÉVOLUTION[1]

Une évolution de dix années et, par-dessus tout, la guerre avaient profondément modifié le cours de la Révolution ; la physionomie de l'Europe aussi se trouvait déjà sensiblement

1. OUVRAGES D'ENSEMBLE A CONSULTER. — On voudra bien se reporter pour ce chapitre, et généralement pour tout le livre Ier, au précédent volume de cette Histoire *(La Révolution française,* 1re éd., 1930 ; à consulter dans la 3e éd., revue et augmentée, 1963, de la nouvelle rédaction, par G. LEFEBVRE) et aux ouvrages qui y ont été cités. — Sur l'ensemble de la période étudiée dans le présent volume, retenons, parmi les histoires générales (accompagnées d'indications bibliographiques choisies), l'*Histoire générale du IVe siècle à nos jours,* publiée sous la direction d'E. LAVISSE et A. RAMBAUD, t. IX (Paris, 1897, in-8º) ; *The Cambridge modern history,* t. IX (Cambridge, 1906, in-8º) ; *Weltgeschichte in gemeineverständlicher Darstellung,* sous la direction de L. M. HARTMANN, t. VII, 2e partie : *Napoleon und seine Zeit,* par G. BOURGIN (Stuttgart et Gotha, 1925, in-8º) ; *Propyläen Weltgeschichte,* sous la direction de W. GŒTZ, t. VII : *Die grosse Revolution, Napoleon und die Restauration, 1789-1848* (Berlin, 1929, in-4º) ; C. BARBAGALLO, *Storia universale,* t. V 2 : *Dall'età napoleonica alla fine della prima guerra mondiale* (Turin, 1942, in-8º) ; R. R. PALMER, *A history of the modern world* (New York, 1950, in-8º) ; *Histoire générale des civilisations,* sous la direction de M. CROUZET, t. V : *Le XVIIIe siècle. Révolution intellectuelle, technique et politique (1715-1875),* par R. MOUSNIER et E. LABROUSSE, avec la collaboration de M. BOULOISEAU (Paris, 1953, in-8º) ; *Destins du Monde,* sous la direction de L. FEBVRE et F. BRAUDEL : *Les bourgeois conquérants,* par Ch. MORAZÉ (Paris, 1957, in-8º) ; *Historia Mundi,* fondée par F. KERN, t. IX : *Aufklärung und Revolution* (Berne-Munich, 1950, in-8º) ; F. MARKHAM, *Napoleon and the awakening of Europe* (Londres, 1954, in-16) ; W. ANDREAS, *Das Zeitalter Napoleon und die Erhebung der Völker* (Heidelberg, 1955, in-8º) ; M. GÖHRING, *Napoleon, von alten zum neuen Europa* (Göttingen, 1959, in-16). — Des histoires de la France pendant la domination napoléo-

altérée, et la France elle-même, en portant ses limites aux « frontières naturelles », en avait bouleversé l'équilibre. L'héritage que recueillit Bonaparte pesa d'un grand poids sur sa politique et il convient d'en fixer les traits, même si, se séparant d'Albert Sorel, on n'admet pas que le nouveau maître subit son destin bien plutôt qu'il n'en fut l'artisan.

De ces traits, le plus profondément gravé, c'est le caractère revêtu dès l'origine par le conflit de la Révolution et de l'Europe. Avant tout, conflit social : celui des privilégiés et de la bourgeoisie, soutenue par le reste du Tiers État ; conflit politique aussi, car le despotisme des rois était également condamné et, d'ailleurs, en prenant l'aristocratie sous leur protection, ils s'étaient exposés à périr avec elle ; conflit spirituel enfin, la Révolution étant comprise comme la fille du rationalisme cartésien dont la critique impitoyable avait ruiné les mystères et les traditions qui constituaient, croyait-on, les fondements de l'Ancien Régime. Les conflits des puissances, aspirant à l'hégémonie, avaient pu estomper ces oppositions ; ils ne les avaient pas effacées dans la conscience des contemporains. Irréductibles, elles dominent l'histoire de la période napoléonienne.

I. — LE CONFLIT SOCIAL ET POLITIQUE[1].

Depuis le 9 thermidor, le reflux de la Révolution était évident. La constitution de l'an III avait porté au pouvoir une bourgeoisie sincèrement attachée à l'ordre nouveau, mais hostile à la démocratie qu'elle ne distinguait pas de l'expérience jacobine. Avec Mme de Staël et les idéologues, elle rêvait d'une oligarchie, plus moderne que celle de l'Angleterre, mais analogue en ses

nienne, on retiendra A. THIERS, *Histoire du Consulat et de l'Empire* (Paris, 1845-1862, 20 vol. in-8º) ; G. PARISET, *Le Consulat et l'Empire* (Paris, 1921, in-8º), t. III de l'*Histoire de France contemporaine*, publiée sous la direction d'E. LAVISSE, avec d'importantes bibliographies. L'étude de TAINE, formant la 3ᵉ partie des *Origines de la France contemporaine* (Paris, 1891-1894, 2 vol. in-8º), est restée inachevée. L'*Histoire du Consulat et de l'Empire*, par L. MADELIN, s'est achevée avec la publication du t. XVI et dernier : *Les Cent Jours. Waterloo* (Paris, 1954, in-8º). L. VILLAT, *La Révolution et l'Empire*, II : *Napoléon* (Paris, 1936, in-8º de la coll. « Clio »), donne, avec un bref récit, des indications bibliographiques étendues.

1. OUVRAGES A CONSULTER. — Voir le début de la note précédente et notamment le chapitre II, livre VI, de notre t. XIII (1963). Ajouter J. GODECHOT, *La Grande Nation. L'expansion révolutionnaire de la France dans le monde, 1789-1799* (Paris, 1956, 2 vol. in-4º) ; et, DU MÊME, *La contre-révolution. Doctrine et action, 1789-1804* (Paris, 1961, in-8º).

éléments, où s'équilibreraient les intérêts des riches et les lumières des « hommes à talents ». En attendant, elle détruisait peu à peu l'œuvre des Montagnards et n'épargnait même pas celle des Constituants. On avait aboli les tribunaux de famille et la procédure arbitrale, rétabli la contrainte par corps et les droits de greffe ; la rétroactivité des lois successorales de l'an II avait disparu et les droits reconnus aux enfants naturels étaient fort attaqués. La vente des biens nationaux ne profitait plus qu'aux riches ; en l'an VII, on avait fait cadeau des domaines engagés à leurs détenteurs ; le partage des communaux était suspendu et l'on s'efforçait de chasser de nouveau les paysans des forêts dont ils usaient librement depuis 1789.

Mais qu'importait, au fond, à l'aristocratie européenne ? La Révolution avait beau s'embourgeoiser : elle n'en restait pas moins la révolution de l'égalité civile. Partout où ses armées avaient pénétré, en Belgique et en Rhénanie, en Hollande et en Suisse, elle avait entrepris de détruire l'Ancien Régime ; le pape était prisonnier ; le prince d'Orange, les électeurs rhénans et les patriciens helvétiques étaient fugitifs ; seules, les victoires de Souvorov avaient reconquis l'Italie et y avaient ramené les princes légitimes. Chez les voisins de la France, l'infiltration des idées subversives continuait sourdement, moins encore par les soins des écrivains et des journalistes, presque tous découragés par les excès de la Terreur ou réduits au silence, que par la propagation orale des nouvelles sur la libération des paysans français et les victoires des sans-culottes. On signalait partout des hommes disposés à pactiser avec les Français, comme en Allemagne du Sud ; en Prusse même, les refus de corvées et de redevances devenaient plus fréquents ; le bruit courut que le roi allait les supprimer et, à son avènement, Frédéric-Guillaume III fut assailli de pétitions. Au delà de l'océan, Narino avait traduit la Déclaration des droits de l'homme, et, aux États-Unis, l'entourage de Washington soupçonnait Jefferson et les républicains de s'être laissé contaminer par la manie égalitaire.

Partout, l'aristocratie effrayée, et jusqu'aux grandes familles whigs, s'était ralliée autour des trônes ; partout, les gouvernements s'étaient faits rigoureux. Sans parler de la Russie courbée sous l'atroce arbitraire de Paul Ier, la palme revenait à l'Autriche où, dès cette époque, Colloredo était l'âme du régime policier et obscurantiste dont Metternich, plus tard, endossa la paternité. En Prusse, Wöllner qui, jusqu'à la mort de Frédéric-Guillaume II, s'était efforcé d'instaurer le même système, venait à peine d'être renvoyé. A Iéna, Fichte, accusé d'athéisme et abandonné par le duc de Weimar, avait dû renoncer à sa chaire en 1799. En Angleterre, l'*habeas corpus* était suspendu depuis 1794, les associations et publications « séditieuses » interdites ; en 1799, Pitt soumit les imprimeurs à la déclaration et punit de sept ans de transportation les membres des sociétés illégales. Les fédéralistes américains, profitant de leur rupture avec le Directoire, votèrent un *alien bill* qui visait les démocrates français et un *sedition act* contre les associations et les journaux. Dans l'Amérique latine, la liberté avait déjà ses martyrs. Sans être tout à fait vaines, les craintes qu'inspiraient les « jacobins » étaient exagérées. Les rares admirateurs de la France, Kant, Fichte ou le jeune Hegel, qui s'essayait à critiquer le patriciat bernois et l'oligarchie wurtembergeoise, prenaient grand soin de stipuler qu'ils n'aspiraient qu'à des progrès légaux et paisibles. Aucun pays n'imita spontanément la France : ce furent ses armées qui propagèrent les principes de la Révolution.

Si vive que fût la réaction, on n'eût pu dire néanmoins que toutes réformes fussent condamnées, car le despotisme éclairé avait montré que certaines étaient conciliables avec la monarchie absolue et la société aristocratique. Les gouvernements d'Ancien Régime, avouant que tout n'était pas à mépriser dans l'œuvre de la Constituante, enviaient à la France son unité administrative et la suppression des privilèges fiscaux. L'exemple de l'Angleterre démontrait d'ailleurs aux pays agricoles du continent les avantages de l'*enclosure* et les inconvénients du servage. Néanmoins, ce n'était guère qu'en Allemagne, notamment en Bavière et en Prusse, que se préparait une rénovation où les influences occidentales viendraient se combiner avec les traditions nationales.

L'*Aufklärung*, bien qu'elle eût perdu son crédit auprès des lettrés, n'en avait pas moins formé la bourgeoisie et les fonctionnaires : Montgelas, qui venait de prendre le pouvoir en Bavière, était un de ses disciples, et, à Berlin, l'ambassadeur impérial constatait avec amertume que la bureaucratie reprochait aux ennemis de la France de vouloir « bannir de la terre le règne de la raison » à laquelle la Prusse devait sa grandeur. Organisée en collèges et recrutée en fait par cooptation, la haute administration prussienne ne manquait pas d'esprit de corps et ce n'était pas sans mécontentement qu'elle avait vu ses rois étendre sans cesse les attributions du « cabinet », où ils décidaient de tout avec leur « camarilla », et se réserver la direction de la Silésie et des provinces polonaises, ce qui, sous Frédéric-Guillaume II, avait eu d'ailleurs des résultats désastreux. Ces grands fonctionnaires auraient volontiers soumis le prince au règne de la loi, et Carmer, achevant le code Frédéric en 1794, y avait inscrit la liberté individuelle, l'inamovibilité des juges et la tolérance religieuse. Pareillement, ils se rendaient compte qu'avec ses paysans serfs, avec ses provinces jalouses de leurs institutions particulières, séparées les unes des autres par des barrières douanières et se regardant comme des « nations » autonomes, l'État frédéricien, justement, ne formait pas une nation. Enfin, comme tous les pays riverains de la Baltique, la Prusse, depuis un quart de siècle, était devenue grande exportatrice de grains et de textiles et les esprits éclairés prêtaient attention à l'exemple du Danemark où s'introduisaient les méthodes agricoles des Anglais, que Thaer, un agronome saxon, commençait à faire bien connaître. Ils s'intéressaient également au libéralisme économique d'Adam Smith, professé à Hambourg par Büsch, à Vienne par Watteroth et surtout à Königsberg par Kraus, dont l'influence fut grande sur Schön et sur Schrötter, deux des administrateurs éminents de la monarchie. Les plus enclins aux nouveautés étaient les serviteurs que la Prusse avait tirés de l'Allemagne occidentale ou de l'étranger : le Franconien Altenstein, le Hanovrien Hardenberg, qui gouvernait Anspach et Bayreuth, Struensee, venu du Danemark, et surtout Stein, issu de la *Ritterschaft* rhénane, qui, avant d'entrer au ministère en 1804, avait administré les provinces de Clèves et de la Marck, où le « système prussien » n'avait jamais été introduit.

Encore n'est-ce pas tout. A méditer l'exemple de la France, comme Stein lui-même l'a fait, quoi qu'on en ait dit, certains de ces hommes en venaient à comprendre que le gouvernement pouvait accroître sa force et son prestige en associant la nation au vote des lois et de l'impôt ainsi qu'à l'administration. Toutefois, comme ils ne considéraient dans la nation que les nobles et les riches bourgeois, c'était vers l'Angleterre qu'ils tournaient de préférence leurs regards. Elle leur paraissait avoir concilié, par les soins de Pitt, la prérogative royale avec les règles constitutionnelles, la rivalité des partis avec le maintien de l'ordre et la stabilité gouvernementale, la suprématie de la noblesse avec les ambitions de la bourgeoisie, les intérêts de l'aristocratie avec ceux de la nation. Pitt ménageait les lords dont les « bourgs de poche » et les « bourgs pourris » lui assuraient une majorité ; mais il n'avait pas de préjugé nobiliaire et, parmi les quatre-vingtquinze pairs qu'il avait nommés, figuraient des hommes nouveaux, capitaines de la banque et du négoce, qui, rajeunissant l'aristocratie, l'aideraient à demeurer riche et capable. Grâce à Burke, ce miracle d'équilibre et de sagesse avait recruté nombre d'admirateurs parmi les ennemis de la Révolution, surtout quand ils étaient d'origine bourgeoise et protestante comme Mallet du Pan et d'Ivernois. On en trouvait même dans l'émigration française. En Allemagne, ils se multiplièrent naturellement dans les villes hanséatiques et en Hanovre, où ils conquirent l'université de Göttingen. Rehberg et Brandes firent connaître ces idées à Stein qui en nourrit sa pensée politique. On en retrouve la trace dans l'individualisme de Guillaume de Humboldt qui, ne laissant à l'État que la police et l'armée, prétendait abandonner les autres domaines, comme le gouvernement anglais, à l'activité spontanée des citoyens, ce qui, dans sa pensée, revenait à soumettre presque toute la vie sociale au patronage de l'aristocratie.

La grande majorité des privilégiés détestaient ces réformateurs tout autant que les « jacobins » et, devant leurs protestations, les souverains hésitèrent ou reculèrent. Pitt lui-même leur donnait l'exemple : sans répudier ses projets d'autrefois, il les ajournait à d'autres temps. En Autriche, la réforme agraire de Joseph II avait été suspendue par Léopold et, en 1798, son successeur finit par maintenir les redevances et les corvées. En Livonie, Paul Ier s'était contenté d'arracher à la diète quelques atténuations au servage ; Kisselev, son commissaire dans les principautés danubiennes, ne fit pas davantage. En Prusse, les junkers avaient déjà imposé à Frédéric-Guillaume II une revision du code Frédéric. Frédéric-Guillaume III, qui avait envisagé, en 1798, la suppression des privilèges fiscaux, ne tarda pas à y renoncer. Il poursuivit avec résolution, il est vrai, la libération des paysans et la réforme agraire dans ses propres domaines qui étaient très étendus ; mais il n'osa étendre son entreprise au *Gut* seigneurial. La noblesse conserva le monopole des hauts emplois et des grades ; en 1800, sur six à sept mille officiers, on ne comptait que 695 roturiers. Stein lui-même ne put opérer dans les finances que des réformes techniques et n'arriva même pas à faire supprimer les douanes intérieures.

Hors de France, les réformateurs étaient donc presque aussi impuissants que les « jacobins ». C'est la domination de Napoléon ou le choc de ses armées qui rajeunira l'ancien monde. Aussi la France n'a-t-elle jamais cessé d'être la bête noire des rois et de l'aristocratie européenne. « Je ne suis, ni ne puis de ma vie être bien avec les Français », écrit Marie-Caroline de Naples ; « je les regarderai toujours comme les assassins de ma sœur, de la famille royale, comme les oppresseurs de toutes les monarchies. » Stolberg dénonce les *Westhünnen*, et Nelson, qui pourtant n'était pas « né », ne parle qu'avec mépris des *French villains*. L'évolution conservatrice du Consulat et de l'Empire n'a jamais réussi à les amadouer qu'en apparence. On a coutume d'expliquer les coalitions antifrançaises par l'intérêt des États et on ramène tout le drame à une question d'équilibre ou, comme disait Pitt, de sécurité. Ce n'est pas sans raison puisque le mal qu'on voulait aux Français n'a jamais pu empêcher les souverains de traiter avec eux quand ils y trouvaient leurs convenances ; mais ils ne se dépouillaient point, pour autant, d'une hostilité sourde et leur entourage continuait d'afficher sa haine : c'est un impondérable qu'on ne saurait négliger. Les tories eux-mêmes, qui répudiaient publiquement l'intention d'imposer à la France le gouvernement de leur choix, ne s'y résignaient que pour ménager les whigs. Grenville a laissé transpercer sa pensée véritable quand, au nombre des conditions de paix, il plaça, le 22 décembre 1795, l'amnistie pour les émigrés et la restitution de leurs biens et, en janvier 1800, la restauration de la monarchie ; le noble lord n'envisageait qu'avec répugnance la nécessité de traiter avec les républicains qu'il ne pouvait regarder comme des *gentlemen*, et Pitt lui-même ne trouvera pas réjouissant de tolérer celui qu'il appela, le 3 février 1800, « le dernier aventurier dans la loterie des révolutions ».

II. — LE CONFLIT DES IDÉES[1].

La réaction politique et sociale s'exprima naturellement dans le monde des idées. L'autorité et la tradition redevinrent à la

1. OUVRAGES A CONSULTER. — Voir notre t. XIII, livre VI, chap. II, § 4. Sur le rationalisme et les sciences, *ibid.*, livre Ier, chap. IV, § 2. Sur la pensée philosophique, la refonte du grand ouvrage de KUNO FISHER, *Geschichte der neueren Philosophie*, t. IV et V (Heidelberg, 5e éd. 1909-1910, 2 vol. in-8°) ; W. WINDELBAND, *Die Geschichte der neueren Philosophie in ihrem Zuzammenhang mit der allgemeinen Kultur* (Leipzig, 1878-1880, 2 vol. in-8° ; 5e éd., 1910-1911), t. II ; É. BRÉHIER, *Histoire de la philosophie*, t. II (Paris, 1930, in-8°). Sur la pensée politique, P. JANET, *Histoire de la science politique dans ses rapports avec la morale* (Paris, 1872, 2 vol. in-8° ; 4e éd., 1913) ; G. SABINE, *A history of political theory* (Londres, 1937, in-8° ; 4e éd., 1948) ; J. TOUCHARD, avec la collaboration de L. BODIN, P. JEANNIN, G. LAVAU et G. SIRINELLI, *Histoire des idées politiques*, t. II : *Du XVIIIe siècle à nos jours* (Paris, 1959, in-12 ; coll. « Thémis ») ; F. PONTEIL, *La pensée politique depuis Montesquieu* (Paris, 1960, in-8°). — Sur les littératures, P. VAN TIEGHEM, *Histoire littéraire*

mode, et un nombre croissant de nouvellistes et d'écrivains les portèrent aux nues, les uns par conviction, les autres par intérêt, car les gouvernements, appréciant l'importance de la propagande,

de l'Europe et de l'Amérique de la Renaissance à nos jours (Paris, 1941, in-8º) ; W. SCHERER, *Geschichte der deutschen Literatur* (Berlin, 1883, in-8º ; 5e éd., 1922) ; J. SCHMIDT, *Geschichte der deutschen Literatur von Leibniz bis auf unsere Zeit*, t. III (Berlin, 1886, in-8º) ; O. WALZEL, *Deutsche Dichtung von Gottsched bis zur Gegenwart* (Berlin, 1926, in-4º) ; *The Cambridge history of English literature*, t. IX (Cambridge, 1914, in-8º) ; E. LEGOUIS et L. CAZAMIAN, *Histoire de la littérature anglaise* (Paris, 1924, in-12) ; *Histoire de la littérature française*, publiée sous la direction de PETIT DE JULLEVILLE, t. VI (Paris, 1909. in-8º) ; G. LANSON, *Histoire de la littérature française* (Paris, 1895, in-12, souvent rééditée), reprise sous le titre *Histoire illustrée de la littérature française* (Paris, [1923-1924], 2 vol. in-4º), t. II ; J. BÉDIER et P. HAZARD, *Histoire de la littérature française illustrée* (Paris, [1923-1924], 2 vol. in-4º), t. II ; P. HAZARD, *La Révolution française et les lettres italiennes* (Paris, 1910, in-8º) ; F. DE SANCTIS, *A history of Italian Literature* (New York, 1931, 2 vol. in-8º). — Sur la pensée allemande, F. SCHNABEL, *Deutsche Geschichte in neunzehnten Jahrhundert*, t. I (Fribourg-en-Brisgau, 1929, in-8º ; 4e éd., 1949) ; L. LÉVY-BRUHL, *L'Allemagne depuis Leibnitz* (Paris, 1890, in-8º) ; la remarquable synthèse de J. E. SPENLÉ, *La pensée allemande* (Paris, 1934, in-16 ; nº 171 de la « coll. A. Colin ») ; G. P. GOOCH, *Germany and the French Revolution* (Londres, 1920, in-8º) ; A. STERN, *Der Einfluss der französischen Revolution auf das deutsche Geistesleben* (Berlin, 1927, in-8º) ; R. ARIS, *History of political thought in Germany from 1789 to 1815* (Londres, 1936, in-8º) ; J. DROZ, *L'Allemagne et la Révolution française* (Paris, 1949, in-8º) ; Xavier LÉON, *Fichte et son temps* (Paris, 1922-1927, 3 vol. in-8º) ; V. BASCH, *Les doctrines politiques des philosophes classiques de l'Allemagne. Leibnitz, Kant, Fichte, Hegel* (Paris, 1927, in-8º) ; M. GUÉROULT, *L'évolution et la structure de la doctrine de la science chez Fichte* (Strasbourg, 1930, 2 vol. in-8º, vol. 50 et 51 des « Publications de la Faculté des Lettres de Strasbourg ») ; R. LEROUX, *Guillaume de Humboldt. La formation de sa pensée jusqu'en 1794* (Strasbourg, 1932, in-8º, vol. 59 de la même collection) ; N. WALLNER, *Fichte als politischer Denker* (Halle, 1926, in-8º) ; E. VERMEIL, La pensée politique de Hegel, dans la *Revue de métaphysique et de morale*, t. XXVIII (1931), p. 441-510 ; J. RITTER, *Hegel und die französische Revolution* (Cologne-Opladen, 1957, in-8º).

Sur les débuts du romantisme, P. VAN TIEGHEM, *Le pré-romantisme* (Paris, 1924 et 1931, 2 vol. in-8º) ; DU MÊME, *Le romantisme dans la littérature européenne* (Paris, 1948, in-8º). Sur les origines sociales, H. BRUNSCHWIG, *La crise de l'État prussien à la fin du XVIIIe siècle et la genèse de la mentalité romantique* (Paris, 1947, in-8º). Les origines mystiques sont bien mises en lumière par R. BERTHELOT, *Un romantisme utilitaire* (Paris, 1911-1922. 3 vol. in-8º), et aussi par A. VIATTE, *Les sources occultes du romantisme* (Paris, 1928, 2 vol. in-8º). Voir encore : J. DROZ, La légende du complot illuministe et les origines du romantisme politique en Allemagne, dans *Revue historique*, t. CCXXVI, 1961, p. 313-338 ; RENZO DE FELICE, *Note e ricerche sugli « Illuministi » e il misticismo rivoluzionario, 1789-1800* (Rome, 1960, in-8º). — Sur le romantisme allemand, voir R. HAYM, *Die romantische Schule* (Berlin, 1870, in-8º ; 4e éd., par O. WALZEL, 1920) ; Ricarda HUCH, *Die Romantik* (Leipzig, 1911, 2 vol. in-8º ; 7e éd., 1918-1920) ; O. WALZEL, *Deutsche Romantik* (Leipzig et Berlin, lui consacraient quelque argent. Parmi eux, les émigrés français et genevois, Rivarol et l'abbé Barruel, d'Ivernois et Mallet du Pan, prirent une place importante ; en Angleterre, Canning entra en lice avec son *Anti-jacobin.* Le plus souvent, on exploitait les événe-

1908, 2 vol. in-8º ; 4ᵉ éd., 1918) ; bon mémento dans P. KLUCKHOHN, *Deutsche Romantik* (Bielefeld et Berlin, 1924, in-8º) ; excellent résumé dans l'ouvrage de SPENLÉ, cité plus haut ; sur les traits caractéristiques d'ensemble, F. STRICH, *Deutsche Klassik und Romantik* (Munich, 1922, in-8º ; 2ᵉ éd., 1924), et J. PETER-SEN, *Die Wesensbestimmung der deutschen Romantik* (Leipzig, 1926, in-8º). Sur les premiers romantiques allemands, F. ROUGE, *Frédéric Schlegel et la genèse du romantisme allemand, 1791-1797* (Paris, 1904, in-8º) ; J. E. SPENLÉ, *Novalis* (Paris, 1906, in-8º) ; DU MÊME, *Rahel. Histoire d'un salon romantique en Allemagne* (Paris, 1910, in-8º) ; A. SCHLAGDENHAUFEN, *Schlegel et son groupe. La doctrine de l'Atheneum, 1798-1800* (Strasbourg, 1934, in-8º, vol. 64 des « Publications de la Faculté des Lettres de Strasbourg ») ; R. MINDER, *Ludwig Tieck* (Paris, 1936, in-8º ; même collection, vol. 72).— Sur l'Angleterre, É. LEGOUIS, *La jeunesse de Wordsworth* (Paris, 1897, in-8º) ; Ch. CESTRE, *La Révolution et les poètes anglais* (Paris, 1906, in-8º) ; P. BERGER, *W. Blake* (Paris, 1907, in-8º) ; J. M. MIDDLETON, *W. Blake* (Londres, 1933, in-8º) ; J. AYNARD, *Coleridge* (Paris, 1907, in-8º) ; J. H. MUIRHEAD, *Coleridge as philosopher* (Londres, 1930, in-8º) ; R. HUCHON, *G. Crabbe* (Paris, 1907, in-8º). — Sur la France, A. MONGLOND, *Histoire intérieure du pré-romantisme français de l'abbé Prévost à Joubert* (Paris, 1929, 2 vol. in-8º) ; P. VAN TIEGHEM, *Ossian en France* (Paris, 1917, 2 vol. in-8º) ; à titre d'exemple local, L. TRÉNARD, *Histoire sociale des idées. Lyon, de l'« Encyclopédie » au Préromantisme* (Paris, 1958, 2 vol. in-8º).

Sur le courant contre-révolutionnaire, J. MORLEY, *E. Burke* (Londres, 1898, in-8º) ; B. NEWMAN, *E. Burke* (Londres, 1927, in-8º) ; A. COBBAN, *E. Burke and the revolt against the XVIIIth century* (Londres, 1929, in-8º ; 2ᵉ éd., 1960) ; F. BRAUNE, *E. Burke in Deutschland* (Heidelberg, 1917, in-8º, vol. 50 des « Heidelberg Abhandlungen zur mittleren und neueren Geschichte ») ; G. KRÜ-GER, Die Eudämonisten, dans la *Historische Zeitschrift,* t. CXLIII (1930), p. 467-500 ; A. ROBINET DE CLÉRY, *Frédéric de Gentz* (Paris, 1917, in-8º) ; E. GUGLIA, *Friedrich von Gentz* (Vienne, 1901, in-8º) ; de préférence : P. R. SWEET, *Friedrich von Gentz, defender of the old order* (Madison, Wisconsin, 1941, in-8º) ; H. MOULINIÉ, *Bonald* (Paris, 1915, in-8º) ; P. ROHDEN, *Joseph de Maistre als politischer Theoretiker* (Munich, 1929, in-8º) ; on se reportera à l'ouvrage de J. DE MAISTRE, *Des constitutions politiques et autres institutions humaines,* édition critique par R. TRIOMPHE (Strasbourg-Paris, 1959, in-16 ; « Publications de la Faculté des Lettres de Strasbourg ») ; O. KARMIN, *Sir Francis d'Ivernois* (Genève et Paris, 1923, in-8º) ; B. MALLET, *Mallet du Pan and the French Revolution* (Londres, 1902, in-8º) ; N. MATTEUCCI, *Jacques Mallet du Pan* (Naples, 1957, in-8º) ; voir aussi, DU MÊME : Mallet du Pan, genevois et européen, *Bulletin de la Société d'histoire et d'archéologie de Genève,* 1957, t. XI, p. 153-168 ; M. MOEHCLI-CELLIER, *La Révolution française et les écrivains suisses-romands* (Paris, 1931, in-8º) ; F. BALDENSPERGER, *Le mouvement des idées dans l'émigration française* (Paris, 1925, 2 vol. in-8º) ; J. GODECHOT, *La contre-révolution...,* cité p. 4.

Sur le courant rationaliste, F. PICAVET, *Les idéologues* (Paris, 1890, in-8º) ; É. HALÉVY, *La formation du radicalisme philosophique,* t. II (Paris, 1901, in-8º) ;

ments de France pour épouvanter les populations. Barruel avait repris les accusations d'Hoffmann contre les illuminés et les francs-maçons, avec un succès qui ne s'est pas épuisé. Mais certains se faisaient un point d'honneur d'élever le débat, en opposant à la critique rationaliste une apologie nouvelle des idées traditionnelles.

L'entreprise n'était pas originale, car, au cours du xviiie siècle, l'empirisme anglais, devenu conservateur avec Hume et encore avec Bentham, avait prétendu restaurer l'autorité et les conventions morales : de même que la raison, par l'observation et par l'expérience, recherche les lois du monde physique pour le régir en s'y conformant, de même elle constate, en observant la vie sociale, que les institutions coutumières, du fait de leur durée, sont en harmonie avec la « nature des choses ». Chez Burke, ce pragmatisme s'était compliqué d'un vitalisme social emprunté à la médecine, telle que l'enseignaient aussi en France l'école de Montpellier, au xviiie siècle, et Bichat, au temps du Directoire.

et, pour les sciences, *Histoire de la nation française,* publ. sous la direction de G. Hanotaux, t. XIV et XV : *Histoire des sciences en France* (Paris [1924], 2 vol. in-8) ; *Histoire générale des sciences,* sous la direction de R. Taton, t. II (Paris, 1958, in-8º) ; consulter notre t. XIII, livre Ier, chap. IV, § 2. — Sur la maçonnerie, voir notre t. XIII, chap. IV, § 1 ; de même, pour la théosophie. Sur la renaissance religieuse, abbé F. Mourret, *Histoire générale de l'Église,* t. VII (Paris, 1913, in-8º) ; W. Dilthey, *Leben Schleiermachers* (Berlin, 1870, in-8º) ; F. Lichtenberger, *Histoire des idées religieuses en Allemagne depuis le milieu du XVIIIe siècle* (Paris, 1873, 3 vol. in-8º), t. I ; G. Goyau, *L'Allemagne religieuse. Le catholicisme* (Paris, 1905-1909, 4 vol. in-16), t. I ; P. Brachin, *Le cercle de Munster (1779-1801) et la pensée religieuse de F. A. Stolberg* (Paris, 1950 ; thèse dactylographiée) ; É. Halévy, *Histoire du peuple anglais,* t. I : *L'Angleterre en 1815* (Paris, 1912, in-8º) ; le P. Pierling, *La Russie et le Saint-Siège* (Paris, 1912, in-8º) ; M. de Taube, Le tsar Paul Ier et l'ordre de Malte en Russie, dans la *Revue d'histoire moderne,* 1930, p. 161-177 ; P. de La Gorce, *Histoire religieuse de la Révolution française,* t. III (Paris, 1919, in-8º) ; A. Latreille, *L'Église catholique et la Révolution française,* t. I : *Le pontificat de Pie VI et la crise française, 1775-1799* (Paris, 1946, in-8º) ; chanoine J. Leflon, *La crise révolutionnaire, 1789-1846* (Paris, 1949, in-8º ; t. XX de l'*Histoire de l'Église,* publiée sous la direction d'A. Fliche et V. Martin) ; du même, *Monsieur Émery,* t. I : *L'Église d'Ancien Régime et la Révolution* (Paris, 1944, in-8º) ; se reporter à notre t. XIII, livre Ier, chap. IV, § 1 ; A. Latreille, J.-R. Palanque, E. Delaruelle, R. Rémond, *Histoire du catholicisme en France,* t. III : *La période contemporaine* (Paris, [1962], in-8º). — Sur les arts, *Histoire générale de l'art,* publ. sous la direction d'André Michel, t. VIII, 1re partie (Paris, 1926, in-4º) ; P. Lavedan, *Histoire de l'art,* t. II : *Moyen Age et temps modernes* (Paris, 1944, in-8º ; de la coll. « Clio », t. X) ; F. Benoit, *L'art français pendant la Révolution et l'Empire* (Paris, 1897, in-8º) ; J. Combarieu, *Histoire de la musique,* t. II (Paris, 1913, in-8º ; 2e éd., 1919) ; Romain Rolland, *Beethoven* (Paris, 1929, 2 vol. in-8º) ; se reporter à notre t. XIII, livre Ier, chap. IV, § 6.

On considérait l'être vivant comme le fruit d'une germination spontanée et progressive due à une force irrationnelle qu'on appelait la vie ; pareillement, Burke parlait de la société comme d'une plante ou d'un animal, l'individu n'étant qu'un de ses organes, en sorte que l'autorité sociale s'imposerait à lui comme une condition de son existence qu'il ne saurait pas plus répudier que les exigences corporelles. D'Angleterre, ce rationalisme expérimental, mâtiné d'un mysticisme qui le mit en connexion avec le romantisme, passa en Allemagne, où Rehberg et Brandes s'en pénétrèrent. On a soutenu que Gentz, qui traduisit les *Reflections* de Burke dès 1793, et Metternich lui-même en ont tiré leur philosophie politique.

Bonald et Joseph de Maistre qui, en 1796, avaient publié simultanément le premier sa *Théorie du pouvoir politique et religieux* et le second ses *Considérations sur la France*, en sont assez proches. Eux aussi subordonnent l'individu à la société, et Bonald invoque souvent la nature des choses. Mais, à l'opération de la force vitale, ils substituent l'action de la Providence. Selon Bonald, esprit absolu et autoritaire, qui, de plus, chérit la tradition royaliste autant que le catholicisme, les cadres que Dieu a fixés à la société demeurent immuables. Pour Joseph de Maistre, qui a le sens de l'histoire et, en bon ultramontain, est assez indifférent à la forme du gouvernement temporel, le Créateur se borne à conserver la société par l'action infiniment souple que lui inspire sa sagesse, en sorte qu'il faut s'incliner devant le fait.

Il n'était pas jusqu'à l'économie politique qui ne tînt à rabattre parfois la superbe de la raison. Observant l'Angleterre de son temps, Malthus, en 1798, soutint que le progrès indéfini de l'humanité n'est qu'une chimère ; car, en dépit des efforts de la technique, la population tend à croître beaucoup plus vite que les moyens de subsistance. Toute amélioration sociale, aidant à la multiplication de l'espèce, ne fait qu'aggraver le mal, et ce sont la maladie, le vice, la disette et la guerre qui rétablissent l'équilibre. Malthus, étant libéral, avait trouvé une échappatoire : il recommandait au pauvre de se condamner à la chasteté. Mais les traditionalistes étaient unanimes à penser qu'il avait porté un coup fatal aux espérances de Condorcet et de Godwin.

En identifiant la Révolution avec le rationalisme, ils n'allaient pas tarder, en outre, à tourner contre elle l'ennemi le plus redoutable que ce dernier eût encore rencontré, c'est-à-dire le mouvement hostile à la primauté de l'intelligence qui, après avoir inspiré Rousseau et le *Sturm und Drang*, était en train, dans les dernières années du siècle, de s'épanouir dans ce qu'on a coutume d'appeler le premier romantisme allemand. Le rationalisme cartésien promettait à l'esprit qu'il déchiffrerait l'énigme de l'univers et lui commandait de défendre sa liberté contre l'instinct et le sentiment, qui sont du règne de la matière assujettie au mécanisme atomistique ; c'était une philosophie de l'effort où la science et le bonheur apparaissaient comme des récompenses. Il y aura toujours des mystiques pour attendre la connaissance du mystère d'une illumination qui est pure grâce ; des indociles pour espérer le bonheur de la chance ou pour trouver du goût au risque même ; des artistes pour préférer l'imagination et la fantaisie. Par l'alternance des générations, une génération nouvelle, qui avait d'ailleurs besoin de trouver du nouveau pour conquérir sa place au soleil, avait donc réhabilité le sentiment et esquissé une métaphysique qui lui conférait la capacité d'atteindre l'absolu par l'intuition et en déniait l'accès à la raison. Il s'était trouvé des philosophes pour abonder dans le même sens. Kant, notamment, avait ruiné la métaphysique cartésienne ; après quoi, il en avait reconstruit une autre à l'aide du sens moral, qui était, en somme, une intuition divine.

D'autre part, le mysticisme, que le rationalisme n'avait jamais étouffé, avait connu, à la fin du siècle, une vogue extraordinaire. Par l'occultisme de Swedenborg, de Pasqualis et de Saint-Martin, il s'était vulgarisé et infiltré dans la maçonnerie et dans l'illuminisme ; il prétendait s'appuyer sur les théories et les découvertes scientifiques : à la médecine, il emprunta, lui aussi, le vitalisme ; à la physique, le magnétisme, également considéré comme une force irrationnelle ; le baquet de Mesmer, comme le somnambulisme, ramenait l'esprit à l'inconscience extatique où il entrait en contact avec le monde surnaturel. Le catholicisme même ne préserva pas de la séduction tel fidèle comme Joseph de Maistre.

Toutefois, la profondeur de pareil mouvement n'apparaît pas si on ne tient compte que de son idéologie, sans faire place au tempérament et à la condition sociale de ses protagonistes. La plupart sont incapables de s'adapter au milieu ou n'y ont pas encore réussi : des malades ou des instables que leur impuissance voue à la mélancolie et même au suicide ; des jeunes gens, avides d'indépendance et de plaisir, que la contrainte sociale irrite ; d'autres, qui cherchent leur voie et se heurtent aux privilèges du rang, de la fortune ou de la réputation consacrée ; ce n'est pas une surprise qu'ils aient montré de l'inclination pour le « brigand » redresseur de torts et que, l'âge venant ou le succès, beaucoup d'entre eux se soient assagis. Il y a toujours eu des « romantiques » ; mais ils se sont multipliés au xviiie siècle, parce que l'ascension de la bourgeoisie disloquait les cadres sociaux et qu'un nombre croissant de jeunes hommes, capables mais pauvres, s'irritaient ou se désespéraient.

La littérature et l'art avaient plus ou moins subi l'influence de la réaction anti-rationaliste. Au nom de la raison, les Français leur avaient imposé des règles dont la tyrannie rétrécissait le champ de l'invention ; leurs ouvrages avaient été pris partout comme modèles, et les indépendants, en Allemagne surtout, avaient eu beau jeu pour dénoncer dans cet art « classique » une importation étrangère. Dans ce domaine, l'indiscipline individualiste eut d'autant plus de succès qu'elle comportait moins de risques et promettait la renommée. On chercha partout du nouveau dans la nature ; dans les pays mal connus, l'Orient, la Chine, l'Amérique ; dans les œuvres d'un passé oublié. Les Anglais et les Écossais accueillirent avec transport les faux poèmes d'Ossian et les Français inventèrent le genre « troubadour » ; Shakespeare servit à justifier toutes les attaques contre les trois unités et contre la distinction des genres. Pour répudier l'esthétique du xviie siècle, on invoqua jusqu'à l'hellénisme qu'on commençait à découvrir. Les arts plastiques, moins souples, ne s'étaient pas émancipés au même point : à la fin du siècle, l'inspiration classique, qui cherchait ses sources dans l'Antiquité et la renaissance italienne, triomphait de nouveau, grâce au génie de David et de Canova. Inversement, l'esprit nouveau fut puissamment surexcité par les progrès de la musique instrumentale, art moderne, qui ne tenait ses règles que de lui-même, et romantique par excellence parce qu'il suggère au lieu de décrire et s'attache essentiellement à émouvoir la sensualité et le sentiment.

Par plus d'un côté, il sembla que la secousse révolutionnaire dût être favorable à cette rénovation. Elle avait émancipé l'individu et déclaré la guerre à toutes les traditions, proclamé la liberté de la presse et du théâtre, supprimé les corps privilégiés qui veillaient au maintien des disciplines classiques ; elle exaspéra les passions, et ses péripéties multipliées et terribles détraquèrent beaucoup d'esprits qui prirent un goût morbide pour l'instable et l'horrible, comme le prouve le succès des romans d'Anne Radcliffe ; par le spectacle de tant d'infortunes, elle ressuscita le sens du tragique, d'une lutte de l'homme contre les forces hostiles de la nature et du destin. Néanmoins, le mouvement eut des effets très inégaux.

Les pays du midi ne furent pour le moment guère atteints. Même en Angleterre et en France, il ne fit pas de grands progrès. En dépit de Cowper et des *lakists*, c'était le classique Hayley qui, vers 1800, était à la mode chez les Anglais, tandis que Crabbe demeurait fidèle à un réalisme sage et modéré. En France, l'exaltation révolutionnaire avait inspiré des discours et des chants ; mais elle n'avait renouvelé ni le théâtre, ni la poésie, ni le roman. L'explication probable est d'ordre politique et social : dans l'un et l'autre pays, la jeunesse trouvait un autre champ d'action que la spéculation et l'art. En Angleterre, elle était attirée par les affaires et la carrière parlementaire ; la lutte contre la France renforçait peu à peu le conformisme : Wordsworth, Coleridge, Southey finirent par capituler devant l'ostracisme qui les avait frappés. En France, la jeunesse s'était mise au service de la Révolution ou avait émigré, et la guerre, jusqu'en 1815, flatta son imagination, son appétit de fortune et de gloire. Napoléon est un poète romantique qui s'est mué en homme d'action, et il n'a pas tenu à Chateaubriand qu'il n'ait subi la même métamorphose.

Il en alla autrement pour l'Allemagne, encore emprisonnée dans son armature médiévale. Frédéric Schlegel, enthousiaste et velléitaire, est une espèce de Vergniaud qui n'aurait pas connu de révolution ; la guerre même ne l'attira pas : le patriotisme allemand n'ayant encore rien de politique, c'était l'affaire des princes et des nobles qui la conduisaient.

A la vérité, les deux grands poètes de l'Allemagne, Gœthe et Schiller, après une jeunesse tumultueuse, s'étaient adaptés : le premier était devenu ministre de Charles-Auguste de Weimar, le second professeur à Iéna. Grâce à l'antiquité grecque, ils prétendaient avoir découvert comment les tendances divergentes de l'être peuvent s'harmoniser dans l'art, l'élan vital et la passion se concilier avec la raison. Ce nouvel humanisme qui recommandait à l'individu de s'isoler pour se cultiver dans sa « totalité » et qui, philosophiquement, inclinait au panthéisme, exerça quelque temps un vif attrait : on lut avec enchantement *Wilhelm Meister* (1794-1796), la trilogie de *Wallenstein* (1798-1799) et le *Chant de la cloche* (1799). Guillaume de Humboldt s'agrégea au classicisme et Hölderlin ne lui resta pas étranger.

Mais l'attrait fut bref, et ce n'est pas un hasard. Dans aucun pays, le mysticisme n'était plus puissant. Il est l'âme du luthéranisme et, par le piétisme et les frères moraves, il y a filiation entre Bœhme, le cordonnier théosophe du xviie siècle, et les romantiques ; des savants, comme Werner, Ritter et Baader, l'avaient lu et donnaient à leurs connaissances positives les interprétations symboliques les plus imprévues. Après Kant, l'intuitionnisme avait pris dans la philosophie allemande une place toujours plus grande et finalement l'avait amenée à l'idéalisme transcendantal. Fichte, dans sa *Doctrine de la science*, parue en 1794, avait, par une vision spirituelle, saisi le moi comme unique réalité, laquelle est pure activité et construit le non-moi pour se donner une raison d'agir en cherchant à l'absorber. Puis Schelling rendit au non-moi une existence propre, d'ailleurs purement idéale aussi ; la nature et le moi devinrent deux aspects de l'absolu dont la réflexion dissocie l'unité inconsciente, mais que le génie artistique peut atteindre par l'intuition et exprimer dans ses œuvres. Enfin, la musique brillait en Allemagne d'un incomparable éclat : l'art de Haydn qui donnait alors ses plus grandes œuvres, les *Saisons* et la *Création*, respirait encore l'optimisme souriant et confiant du XVIIIᵉ siècle ; mais l'âme tragique de Beethoven animait déjà certaines de ses premières sonates.

Le siècle ne s'était pas achevé qu'un groupe, se détachant de Gœthe et plus encore de Schiller, prenait comme signes de ralliement ces mots de *romantique* et de *romantisme* dont il a fait la fortune. En 1798, Frédéric Schlegel, avec l'aide de son frère Auguste, lançait à Berlin une revue qui s'appelait l'*Athenæum* et qui vécut trois années. A Dresde en 1798, puis en 1799, à Iéna, où Auguste enseignait, ils se rencontrèrent avec Novalis, de son vrai nom baron de Hardenberg, avec Schelling et avec Tieck qui venait de publier les *Épanchements d'un frère lai ami des arts*, laissés par son ami Wackenroder, mort prématurément. Ils esquissèrent une philosophie que Frédéric Schlegel adopta dans son cours de littérature en 1804, mais qui ne prit jamais une forme cohérente et systématique. Disciples des classiques, ils conçurent d'abord le monde comme le flux inépuisable et perpétuellement changeant des créations de la force vitale ; sous l'influence des savants et de Schelling, ils y introduisirent une « sympathie universelle » qui se manifestait par exemple dans l'affinité chimique, le magnétisme et l'amour humain ; les effusions religieuses de Schleiermacher les ayant touchés, ils finirent par emprunter à Bœhme l'idée du *Centrum*, âme du monde et principe divin. De toutes façons, c'est l'artiste de génie qui, seul, par l'intuition ou même par le rêve et la magie, entre en contact avec la réalité véritable : en lui, cette expérience mystérieuse se transmue en œuvre d'art. Le poète est un prêtre et c'est une philosophie du miracle. Malheureusement, on ne peut dire que le miracle se soit vraiment accompli : ces romantiques n'ont pas laissé de grandes œuvres ; les mieux venues sont celles de Novalis, principalement les *Hymnes à la Nuit* (1798-1799).

Ils ont, néanmoins, répandu des idées fécondes ; à cet égard, les conférences qu'Auguste Schlegel donna à Berlin, de 1801 à 1804, et où il définit le romantisme, jouèrent un rôle capital : l'art y apparaît comme l'expression la plus haute de la vie d'une nation et comme le symbole de son âme. L'histoire en a tiré cette leçon qu'il n'y a point de beau universel et qu'un art doit être surtout étudié et apprécié dans ses rapports avec les conditions où il est né ; les nations, de leur côté, en ont conclu que, pour prendre pleine conscience d'elles-mêmes, rien ne vaut l'étude des monuments de leur passé. Par le romantisme, l'Allemagne, qui était déjà au seuil de la rénovation politique et sociale, devint en outre un des pôles de la pensée européenne. Son action sur la France fut tardive. Mais l'Angleterre fut tout de suite touchée : Coleridge, qui avait déjà découvert les vertus de l'intuition, prit contact, au cours d'un voyage en Allemagne, avec la philosophie romantique et s'en pénétra.

En lui-même, le romantisme n'était pas une doctrine politique. Mais, comme, dans ce domaine aussi, c'est au sentiment qu'il s'en rapportait, ses adeptes étaient livrés aux circonstances. La réaction triomphait et ils avaient leur carrière à faire : ils ne tardèrent guère à devenir d'ardents contre-révolutionnaires. D'ailleurs, dans le passé, ils découvrirent le Saint-Empire et la papauté : dès 1799, Novalis chanta les louanges de l'unité chrétienne qui avait fait l'honneur du moyen âge ; le catholicisme les émouvait par sa liturgie et sa musique : le même Novalis dédia un hymne à la Vierge. Il resta protestant ; mais, comme l'Autriche avait plus de fonctions à offrir et résista mieux aux coups de Napoléon, plusieurs de ses amis passèrent ultérieurement à son service et se convertirent au catholicisme.

Quel que soit l'intérêt de toutes ces idées, il faut se garder d'en exagérer l'influence sur l'opinion. La plupart de ceux qui détestaient la Révolution ne s'inspiraient pas de motifs philosophiques et, s'ils en sentaient le besoin, c'était aux églises qu'ils les demandaient. Les dernières années du xviiie siècle furent témoins d'une renaissance religieuse que le pragmatisme conservateur et l'intuitionnisme sentimental ont favorisée, mais qui a germé spontanément. De même qu'elle se rapprochait des trônes, l'aristocratie se sentit solidaire des églises d'État et il fut entendu que Lucifer avait été le premier des jacobins ; par ailleurs, les grandes catastrophes et les longues guerres ramènent toujours vers l'autel les foules inquiètes ou tremblantes.

Le catholicisme avait grand besoin de ce retour, car c'est lui qui avait principalement souffert. La France et les pays qu'elle occupait n'étaient plus que des « pays de mission » ; en Allemagne, un nouveau désastre était imminent, car les traités de Bâle et de Campoformio annonçaient une sécularisation générale et les protestants, même contre-révolutionnaires, envisageaient avec enthousiasme de « pousser l'armée noire hors du Rhin ». D'autre part, le despotisme éclairé maintenait sa tutelle ; en Allemagne et en Autriche, l'État formait le clergé dans ses universités et regardait le curé comme un instituteur beaucoup plutôt que comme un prêtre ; en Espagne, Saavedra et Urquijo, successeurs de Godoy, depuis 1798, se donnaient comme des philosophes : en 1799, les appels en cour de Rome furent interdits, et, pour se procurer de l'argent, c'était aux biens ecclésiastiques qu'on pensait. Pie VI venait de mourir prisonnier du Directoire et l'Autriche ne cachait guère le désir de partager le domaine temporel avec le royaume de Naples. Néanmoins, contre l'attente de ses adversaires, les malheurs de l'Église lui furent salutaires, car ils lui ramenèrent la sympathie. L'Angleterre avait fort bien accueilli les prêtres français déportés et leur dut les premiers germes de sa renaissance catholique. Ajoutons que, pour concilier les Irlandais, Burke n'avait cessé de recommander qu'on leur accordât la liberté religieuse. En Allemagne, autour de Fürstenberg et d'Overbeg, s'était constitué à Münster un petit groupe ardent, « la Sainte Famille », où brillaient la princesse Galitzine et la marquise de Montagu, sœur de Mme de Lafayette : en 1800, la conversion de Stolberg y parut pleine de promesses. Paul Ier donnait aussi de grandes espérances. Joseph de Maistre et le P. Gruber lui avaient persuadé de demander le rétablissement des Jésuites, et il avait pris sous sa protection l'ordre de Malte dont il fut élu grand-maître.

Pour le protestantisme, qui jusqu'alors n'avait guère été éprouvé par la Révolution, la renaissance religieuse fut tout profit. En Allemagne, Schleiermacher en renouvelait l'ardeur mystique par ses *Discours*, qui parurent en 1799, tandis que Wackenroder et les romantiques ramenaient à la religion par l'intuition esthétique. A Emkendorf, dans le Holstein, Reventlow animait un foyer de piété qui faisait le pendant du cercle de Münster ; Stolberg y séjourna avant sa conversion et l'on y vit même le catholique Portalis, futur directeur des cultes après le Concordat. En Angleterre, Wesley était mort en 1791 ; en créant, à côté des *preachers* laïques, une hiérarchie recrutée par cooptation, il avait rapproché le méthodisme de l'Église établie et, en 1797, il en résulta un premier schisme ; mais, en surexcitant le mysticisme populaire, la secte n'en continuait pas moins ses conquêtes. Elle exerça sur le *dissent* une influence profonde ; c'est en adoptant ses méthodes que les baptistes progressèrent, tandis que le presbytéranisme socinien et rationaliste de Priestley et de Price disparaissait rapidement. Il se forma même dans l'Église anglicane un petit noyau d'évangélistes, dont Wilberforce fut le plus notable, qui essayèrent, sans succès du reste, de la revivifier. Le *dissent* rénové abandonna ses sympathies pour la Révolution et, si l'on a exagéré l'influence conservatrice qu'il a exercée sur les masses populaires, elle ne paraît pas contestable.

La France semblait demeurer dans le monde le boulevard du rationalisme, tout au moins sous la forme critique, hostile à la tradition et au christianisme, qu'il avait prise chez elle au xviiie siècle. Ses représentants, Destutt de Tracy, Cabanis, Daunou, Volney, étaient retranchés à l'Institut et dans les grandes institutions d'enseignement supérieur créées par la Convention ; ils tenaient, par Ginguené, la *Décade philosophique* ; leurs disciples enseignaient dans les écoles centrales qui s'étaient organisées dans presque tous les départements. Il est vrai que ce rationalisme évoluait. S'il restait des matérialistes parmi les « idéologues », la plupart ne se souciaient plus de métaphysique et, ne s'intéressant qu'aux phénomènes, tendaient au positivisme expérimental, sous l'influence des sciences. Elles brillaient en France d'un vif éclat, et la Révolution leur avait fait, dans l'enseignement, une place éminente. A leur tour, Destutt de Tracy et Cabanis se proposaient de créer une science des idées, une psychologie détachée de la métaphysique et liée, au contraire, à la physiologie. L'économie politique, avec Garnier et J.-B. Say, prétendait aussi, avec moins de fondement, à la dignité de science expérimentale. C'était un mouvement fécond ; mais il ne devait prendre son essor que bien plus tard. Au surplus, ce positivisme différait profondément de l'empirisme anglais, car l'esprit des Encyclopédistes se perpétuait en lui ; on le retrouvait dans le *Système du monde* de Laplace, chez Lamarck qui s'attaquait au vitalisme, dans le livre de Dupuis sur l'*Origine de tous les cultes*. Le gouvernement et la bourgeoisie républicaine, d'autre part, avaient beau devenir conservateurs du point de vue social, ils n'en demeuraient pas moins hostiles au christianisme. Dans les classes populaires, les habitudes religieuses étaient certainement très affaiblies, puisque Consalvi, au temps du Concordat, écrira que « le peuple est indifférent dans sa plus grande partie ».

Il faut toutefois rappeler que le rationalisme philosophique, au XVIIIe siècle, n'avait pas été adopté, tant s'en faut, par tous les Français et qu'il avait été attaqué par nombre d'écrivains qui manquaient ordinairement de talent, mais non de lecteurs. Les tenants de la tradition, loin d'abandonner leurs convictions, au fort de la tourmente révolutionnaire, s'y étaient plutôt enracinés ; leurs rangs s'étaient grossis d'une partie de l'ancienne bourgeoisie qui, ruinée par l'inflation, s'était dégoûtée des idées nouvelles. L'intuitionnisme sentimental et mystique n'avait pas non plus épargné la France. L'occultisme y avait trouvé des fidèles et il en avait encore vers 1800, notamment à Lyon, autour de Willermoz, et en Alsace, où Oberlin le combinait aux influences allemandes. C'est en France que la philosophie du sentiment avait trouvé son protagoniste le plus illustre et de beaucoup le plus influent. Or le charme de Rousseau n'avait rien perdu de sa force ; au contraire, ceux qui répudiaient ses théories politiques étaient les plus empressés à donner au sentiment la première place dans la littérature et la religion : Chateaubriand en est un exemple fameux. Enfin, comme partout ailleurs, certains revenaient au catholicisme soit par sentiment, comme Joubert, soit par esprit de conservation, comme Fontanes, soit pour y trouver une consolation, comme Bancal des Issarts, l'ami de Mme Roland. Quand Bonaparte fera volte-face, ce public lui fournira un point d'appui pour conclure le Concordat, en dépit de ceux qui l'avaient porté au pouvoir et contre le gré de son armée même.

Si le rationalisme trouvait ainsi ses limites, le pragmatisme contre-révolutionnaire n'y était pour rien, car les ouvrages de Bonald et de Maistre, parus hors de France, n'y avaient pas pénétré ; la pensée allemande non plus. Le romantisme en France n'avait pas de philosophie et n'avait même pas détrôné les formes de l'art classique ; on ne recherchait dans les littératures nordiques que des thèmes à exploiter, des éléments pittoresques ou des procédés émotifs. Ossian était à la mode ; Marie-Joseph Chénier l'avait traduit en vers français ; Arnault lui avait emprunté son *Oscar* et ses *Chants galliques* ; Bonaparte s'en était entiché comme les autres. Mais, en 1800, Mme de Staël, opposant pour la première fois les littératures du nord à celles du midi, se bornait à conseiller aux classiques français d'emprunter aux premières le sens de la mélancolie et de la tristesse. Entre le rationalisme philosophique et la tradition, une bonne partie de la nation demeurait indifférente, et rien sans doute n'est plus important à considérer si l'on veut s'expliquer le succès de Bonaparte. Une nouvelle bourgeoisie de nouveaux riches, engendrée par la vente des biens nationaux, la spéculation et les fournitures, parfaitement ignorante, se souciait fort peu de ce que Beugnot appelait « la maladie des principes ». Au gouvernement, d'anciens nobles, Barras et Talleyrand, concussionnaires avérés et experts en trahison, affichaient à cet égard un mépris cynique. Le beau monde qui hantait les salons à la mode, chez Mme Tallien, Mme Hamelin ou Mme Récamier, ne pensait qu'à jouir. Fait plus grave : les jeunes gens, grandis au milieu des troubles, ne savaient pas grand'chose et ne s'en affligeaient pas ; réalistes, ils ne songeaient qu'à faire carrière ; la guerre en offrait le moyen et la bravoure y suffisait. Mais ces réalistes, s'ils ont laissé faire Bonaparte tant qu'il a été victorieux, ne désiraient nullement le retour de l'Ancien Régime ; indifférents aux idées, ils acceptaient le fait accompli, c'est-à-dire l'œuvre de la Révolution, d'autant qu'ils en tiraient plus ou moins profit. Ainsi la majorité de la nation demeurait attachée à cette œuvre, et le fossé subsistait entre la France et l'Europe.

III. — L'ÉVEIL DES NATIONALITÉS[1].

Le conflit de l'Ancien Régime et de la Révolution, dressant les classes l'une contre l'autre, présentait un caractère universel, et les sentiments nationaux, tout d'abord, ne parurent pas s'en émouvoir. Au xviiie siècle, on ne leur accordait d'ailleurs pas

---

1. OUVRAGES A CONSULTER. — Se reporter au volume précédent de cette *Histoire (La Révolution française)*, livres I, chap. IV, § 7 et VI, chap. II, § 4. Voir F. SCHNABEL, *Deutsche Geschichte*, t. I, cité p. 10 ; F. MEINECKE, *Weltbürgertum und Nationalstaat* (Berlin, 1908, in-8º ; 4e éd., 1917) ; DU MÊME, *Geschichte des Historismus im XVIIIten und XIXten Jahrhundert* (Berlin, 1927, 2 vol. in-8º) ; O. VOSSLER, *Der Nationalgedank von Rousseau bis Ranke* (Munich et Berlin, 1937, in-8º) ; O. TSCHIRCH, *Geschichte der öffentlichen Meinung in Preussen im Friedensjahrzehnt vom Baster Frieden bis zum Zusammenbruch des Staates* (Weimar, 1933, 2 vol. in-8º) ; R. REINHOLD ERGANG, *Herder and the foundation of German nationalism* (New York, 1913, in-8º, vol. 341 des « Publications of the Columbia University ») ; J. GODECHOT, *La Grande Nation*, cité p. 4 ; A. SOBOUL, De l'Ancien Régime à l'Empire : problème national et réalités sociales, *L'Information historique*, 1960, nos 2 et 3.

beaucoup d'importance. Les souverains et les divers rameaux de l'aristocratie formaient une société cosmopolite de maîtres qui se partageaient les peuples comme un troupeau confié à leur garde, sans se soucier de leurs caractères originaux : il y avait des États, non des nations. La bourgeoisie éclairée savait bien que l'espèce humaine comportait des variétés ; mais, en son fond, elle la tenait pour une et capable d'une civilisation unique ; le rationalisme, s'il avait laïcisé la notion de chrétienté, la perpétuait. La Révolution une fois commencée, Louis XVI fit appel à la solidarité des rois et les émigrés à celle de l'aristocratie. Ce ne fut pas en vain. Dès 1790, Burke prêcha la croisade et, vers 1800, Francis d'Ivernois persistait à la recommander. Réciproquement, tous les hommes furent des frères pour les révolutionnaires et tous les tyrans des ennemis. Jusqu'en 1815, la lutte a gardé quelque chose de ce caractère ; la France a conservé jusqu'au bout des amis à l'étranger et, chez elle, ses ennemis en ont toujours eu.

Par son principe, il est vrai, la Révolution, invitant les hommes à se gouverner eux-mêmes, appelait les nations à la vie. Ses partisans s'intitulaient fièrement « patriotes » et pour eux, la France était « la nation ». Mais, à son aurore, persuadée que toutes accueilleraient son évangile et qu'ainsi la civilisation garderait son caractère universel, il ne lui venait pas à l'idée qu'elles pussent être ennemies : c'étaient les tyrans qui les menaient à la guerre ; la démocratie leur rendrait la paix et la fraternité. Inversement, les souverains et l'aristocratie demeurèrent hostiles à l'idée nationale parce qu'elle paraissait liée à la souveraineté du peuple et à l'égalité civile : *Nation, das klingt jakobinisch.* (« cela sonne jacobin »). Aux Pays-Bas, les nobles et le clergé préférèrent retomber sous le joug de l'Autriche plutôt que de perdre leurs privilèges ; pareilles craintes affaiblirent en Pologne la résistance nationale ; en Hongrie, les magnats restèrent fidèles aux Habsbourg et se laissèrent même en partie germaniser, du moment qu'on leur eut abandonné les paysans. Quant aux souverains, ils continuèrent à ne consulter que leurs convenances. Ils achevèrent de partager la Pologne. La Diète hongroise demanda inutilement des concessions à Vienne : le magyar comme langue officielle, des avantages douaniers, un accès à la mer par la réunion de la Dalmatie ou de Fiume ; François II fit la sourde oreille, malgré les recommandations du régent, l'archiduc Joseph. L'Irlande s'étant insurgée en 1798, Pitt se résolut à détruire ce qui lui restait d'indépendance : le gouvernement et le Parlement de Dublin seraient supprimés ; cent députés et trente-deux lords irlandais viendraient siéger à Westminster ; l'île garderait sa dette et ses impôts particuliers, mais paierait deux dix-septièmes des dépenses impériales. On lui fit espérer l'ouverture du marché anglais ; surtout, d'accord avec le lord-lieutenant Cornwallis et le premier secrétaire Robert Stewart, vicomte Castlereagh, Pitt laissa entrevoir l'intention d'abolir le *test*, qui interdisait aux catholiques l'entrée du Parlement, et même d' « établir » leur église en Irlande, pourvu que le gouvernement eût un droit de regard sur le choix des évêques, ce que dix d'entre eux admirent. Il n'en fallut pas plus pour retourner une partie des protestants, que la peur avait d'abord ralliés au projet. On dut leur distribuer des pairies et de grosses sommes, aux frais de l'Irlande d'ailleurs. L'union fut enfin votée à Dublin le 5 février 1800 et ratifiée à Londres, en mai.

Ce fut la guerre qui, peu à peu, substitua le nationalisme au cosmopolitisme. Les Français, attaqués de toutes parts, furent les premiers à se replier sur eux-mêmes ; ils prirent en dédain les peuples qui s'obstinaient à rester « esclaves » et s'enorgueillirent d'être la « grande nation ». La république exploita ce sentiment et, se rendant conquérante, elle le nourrit par l'amour-propre et l'intérêt, mais, tout en même temps, commença de le détacher de l'idéalisme révolutionnaire et lui ôta sa pureté. Dès ses premiers pas, Bonaparte avait favorisé cette évolution qui a tant contribué à préparer sa domination. Parallèlement, à combattre la France, l'Angleterre finit par se passionner. Au début, ce qui restait du parti whig sous la bannière de Fox, d'accord avec les classes populaires, affecta de regarder la guerre comme l'affaire de Pitt et des tories. Les défections commencèrent lorsqu'on vit la France préparer une descente en Irlande et conquérir l'Égypte ; l'invasion de la Suisse convertit Coleridge, qui, dans sa *Palinodie*, stigmatisa l'ennemi impie et perfide, la race légère et cruelle. A partir de ce moment, Pitt put demander à la nation un effort que, par prudence, il lui avait jusqu'alors épargné.

Cependant, en Hollande, en Cisalpine, en Suisse, la France déracinait l'Ancien Régime, réalisait l'unité du territoire et de l'État : elle y favorisait ainsi l'éveil ou le progrès du sentiment national. Son intervention profita surtout à l'Italie où les unitaires, plus nombreux qu'on ne le croit souvent, prirent tout à coup conscience d'eux-mêmes. Mais, cédant aux nécessités de la guerre, elle traitait ces pays en marches militaires et y nourris-

sait son armée ; elle leur faisait mesurer ainsi le prix de l'indépendance et, par un retournement fatal que Robespierre avait prédit,
les dressait contre elle-même. En 1799, les Italiens avaient
accueilli les Russes et les Autrichiens en libérateurs. Le péril
n'était pas encore très grand, parce que l'Allemagne n'était pas
touchée. Si le magnifique essor des lettres et des arts, le retour
au passé que le romantisme avait suscité exaltaient chez les
lettrés le sentiment national, celui-ci n'avait pas pris encore une
forme politique ; on opposait l'Allemagne, *Kulturnation*, aux
peuples politiques et à leurs luttes barbares ; de sa faiblesse même,
on tirait la preuve de sa supériorité et de sa mission divine.
Cette orgueilleuse résignation ne devait pas survivre à l'invasion.

Or, à la conception révolutionnaire de la nation, l'Allemagne
opposait déjà la sienne. Pour la France, la nation reposait virtuellement sur le contrat ; sans ignorer les conditions naturelles
et historiques qui orientent le choix de l'individu, c'est sur sa
libre adhésion qu'elle fondait le pacte de la « Fédération ». Au
contraire, Herder et, après lui, le romantisme regardaient la
nation comme un être vivant, engendré, comme tous les autres,
par l'action inconsciente d'une force vitale, le *Volksgeist*, dont
les coutumes, les modes de vie, la langue, les chants populaires
et l'art n'étaient que les manifestations. Encore une fois, nous
rencontrons l'Allemagne au centre du devenir européen. Contre
la France révolutionnaire, elle allait servir de point de ralliement,
non seulement en se révélant comme nation, mais en lui opposant
une autre conception de la nation, être collectif où la volonté de
l'individu perd toute autonomie, où la liberté, comme chez le
mystique, réside dans l'acceptation joyeuse de la soumission
et qui, répudiant la civilisation rationaliste et universelle, confère
une valeur divine à ses besoins et à ses passions.

Vers ce même temps, une évolution comparable se dessinait
au Japon. Les lettrés chinois avaient fini par y donner à leur
enseignement un tour critique et rationaliste : ils contestaient
l'ascendance solaire du mikado et affirmaient que les dieux ne
font pas de différence entre les hommes. A partir du milieu
du xviiie siècle, sous la direction de Mabouchi Kamo et de son
disciple Norinaga Motoori, qui mourut en 1801, se développa un
retour mystique et sentimental qui, respectant le bouddhisme
et sa doctrine morale, restaura le shintoïsme et, avec lui, le
prestige du passé national. Les conséquences politiques devaient
être considérables. Pour ces novateurs, l'empereur redevint le fils
des dieux, le shogoun un usurpateur et les Japonais la race

élue à qui est promis l'empire du monde. Après la régence autoritaire et réformatrice de Sadanobou Matsudaïra, qui prit fin
en 1793, le shogoun Iyeharou avait rétabli l'accord avec la cour
de Kyoto ; le germe de la révolution impériale n'en était pas
moins semé. On n'est pas surpris de retrouver ici l'alternance
des deux directions éternelles de l'esprit humain ; mais, comme
il n'y avait encore aucun rapport intellectuel entre l'Europe et
l'Extrême-Orient, la concomitance est digne de remarque entre
les deux extrémités de la terre.

CHAPITRE II

LES CONSÉQUENCES DE LA GUERRE ET LES CONDITIONS DE LA PAIX[1]

A défaut des haines nationales, les ambitions traditionnelles des États avaient embrouillé dès le début le conflit de la France et de l'Europe. Entrant en guerre, les coalisés ne voulaient pas seulement écraser la Révolution : les continentaux projetaient de démembrer la France, l'Angleterre de lui prendre ses colonies, d'anéantir son commerce et sa marine, afin de terminer à son profit le duel commencé sous Louis XIV et de rétablir sur les mers l'hégémonie que la guerre d'Amérique avait compromise. Mais les questions qui, au xviiie siècle, avaient mis les puissances aux prises n'étaient pas toutes réglées : celle de Pologne finit par ruiner l'alliance de la Prusse et de l'Autriche ; en Orient et dans la Méditerranée, l'ambition russe inquiétait Pitt ; l'Espagne redoutait toujours l'Angleterre. Les coalisés ne coordonnèrent jamais leurs efforts et l'inégalité de leurs succès acheva de les diviser. Les continentaux furent battus ; la France put traiter avec la Prusse, gagner l'alliance de l'Espagne, atteindre et dépasser les « frontières naturelles ». La seconde coalition lui avait repris, en 1799, l'Italie et une partie de la Suisse ; mais,

---

1. Ouvrages d'ensemble a consulter. — H. von Sybel, *Geschichte der Revolutionszeit* (Düsseldorf, 1859-1879, 5 vol. in-8°), traduction française par Mlle Dosquet, *Histoire de l'Europe pendant la Révolution française* (Paris, 1869-1888, 6 vol. in-8°) ; A. Sorel, *L'Europe et la Révolution française* (Paris, 1885-1904, 8 vol. in-8°) ; A. Wahl, *Geschichte des europäischen Staatensystems im Zeitalter der französischen Revolution und der Freiheitskriege* (Munich et Berlin, 1912, in-8°, dans la coll. « Handbuch der mittelalterlichen und neueren Geschichte » de G. von Below et F. Meinecke) ; Émile Bourgeois, *Manuel de politique étrangère*, t. II (Paris, 1900, in-8°) ; R. Guyot, *Le Directoire et la paix de l'Europe* (Paris, 1911, in-8°) ; H. Fugier, *La Révolution française et l'Empire napoléonien* (Paris [1954], in-8°, t. IV de l'*Histoire des relations internationales*, publiée sous la direction de P. Renouvin) ; J. Godechot, *La Grande Nation*, cité p. 4.

comme la première, elle était en train de se décomposer. L'Angleterre, au contraire, triomphait sur mer ; toutefois, faute d'armée, elle ne pouvait réduire la France à elle seule et sa situation économique n'était pas sans points faibles. La question était de savoir si la France, profitant des divisions de l'Europe, achèverait sa victoire et obtiendrait une paix durable qui lui conserverait les « frontières naturelles ». Pour tous les historiens de Napoléon, cette question domine son destin.

I. — LES PUISSANCES CONTINENTALES[1].

Les monarques étaient fort médiocres : en Autriche, François II, nullité solennelle, qui tenait à l'écart son frère Charles et voulait tout voir et tout faire avec le chef de son cabinet Colloredo, dévoué, mais borné ; en Prusse, Frédéric-Guillaume III, honnête et bienveillant, mais peu intelligent et indécis quoique

1. OUVRAGES A CONSULTER. — Voir notre t. XIII, livres I, chap. V, § 1 et 6, et VI, chap. II, § 2. L. HAEUSSER, *Deutsche Geschichte vom Tode Friedrichs des Grossen bis zur Gründung des Bundes, 1786-1815* (Berlin, 1854-57, 4 vol. in-8° ; 4ᵉ éd., 1869) ; K. VON HEIGEL, *Deutsche Geschichte vom Tode Friedrichs des Grossen bis zur Auflösung des alten Reiches* (Stuttgart, 1899-1911, 2 vol. in-8°, t. X et XI de la « Bibliothek deutscher Geschichte » publiée par H. VON ZWIEDI-NECK-SÜDENHORST) ; *Die französiche Kriege und Deutschland 1792 bis 1815* (Berlin, 1958, in-8° ; ouvrage collectif) ; J. STREISAND, *Deutschland, 1789-1815* (Berlin, 1959, in-8° ; Lehrbuch der deutschen Geschichte herausgegeben von prof. dr. MEUSEL, t. V) ; M. PHILIPPSON, *Geschichte des preussischen Staatswesens vom Tode Friedrichs des Grossen bis zu den Freiheitskriegen* (Leipzig, 1880-1882, 2 vol. in-8°), ouvrage inachevé, s'arrêtant à la mort de Frédéric-Guillaume II ; P. BAILLEU, *Preussen und Frankreich von 1795 bis 1807. Diplomatische Korrespondenz* (Leipzig, 1881-1887, 2 vol. in-8°, t. VIII et XXIX des « Publikationen aus den kgl. preussischen Staatsarchiven »), avec une introduction ; W. TRUMMEL, *Der norddeutsche Neutralitätsverband, 1795-1801* (Hildesheim, 1918, in-8° ; t. VII, fasc. 41 des « Beiträge für die Geschichte Niedersachsens und Westfalens ») ; G. H. FORD, *Hannover and Prussia, 1795-1803* (New York, 1903) ; H. BRUNSCHWIG, *La crise de l'État prussien*, et O. TSCHIRCH, *Geschichte des öffentlichen Meinung in Preussen*, cités p. 10 et 22 ; F. KRONES, *Handbuch der Geschichte Œsterreichs* (Berlin, 1876-79, 5 vol. in-8°) ; K. et M. URLISZ, *Handbuch der Geschichte Œsterreichs und seiner Nachbarländer Böhmen und Ungarn* (Graz et Vienne, 1929, 3 vol. in-8°) ; I. BEIDTEL, *Geschichte der œsterreichischen Staatsverwaltung* (Innsbrück, 1896-98, 2 vol. in-8°) ; Ed. WERTHEIMER, *Geschichte Œsterreichs und Ungarns im ersten Jahrzehnt des XIXten Jahrhunderts* (Leipzig, 1884-1890 ; 2 vol. in-8°) ; *Histoire de Russie*, publiée sous la direction de Ch. SEIGNOBOS, P. MILIOUKOV et L. EISENMANN, t. II (Paris, 1933, in-8°) ; V. GITERMANN, *Geschichte Russlands*, t. II (Zurich, 1947, in-8°) ; N. KIRCHNER, *Geschichte Russlands* (Stuttgart, 1950, in-8°) ; K. WALISZEWSKI, *Catherine II* (Paris, 1893, in-8°) ; DU MÊME, *Le fils de la grande Catherine : Paul Iᵉʳ* (Paris, 1912, in-8°) ; N. IORGA, *Geschichte des osmanischen Reiches*, t. V (Gotha, 1913, in-8°, t. 37 de la coll. « Geschichte der europäischen Staaten », fondée par HEEREN et UKERT).

très jaloux de son autorité ; en Russie, Paul Ier, à demi fou, versatile et cruel. La guerre ne leur avait encore rien appris. L'Autriche, par exemple, recrutait toujours ses soldats, enrôlés pour la vie, au moyen du racolement ou par tirage au sort entre les paysans ; les officiers, presque tous nobles, continuaient d'acheter leurs charges. En 1798, l'archiduc Charles avait projeté d'endivisionner ses régiments, mais la guerre l'avait forcé d'y renoncer. Ni la tactique, ni la stratégie, ni le ravitaillement n'avaient été modifiés.

Les continentaux ne manquaient pas d'hommes : de 1792 à 1799, on estime qu'ils avaient perdu 140.000 tués, 200.000 blessés et 150.000 prisonniers ; c'est beaucoup sans doute, mais ils n'étaient pas épuisés. Ce qui faisait surtout défaut, c'était l'argent. En Autriche, malgré l'augmentation des impôts, le déficit annuel qui, vers la fin du règne de Joseph II, était de 20 millions de *gulden* (ou florins[1]), fut porté à 90 en 1796 ; on était allé jusqu'à l'emprunt forcé, et la dette avait passé de 390 millions en 1793 à 572 en 1798. L'Angleterre avait accordé des subsides, garanti ou autorisé des emprunts à Londres. Malgré tout, on n'avait pu tenir que grâce au papier-monnaie, le *Bancozettel*, auquel on dut donner cours forcé pour soutenir la campagne de 1800 : il en circulait 27 millions en 1793 et 200 en 1801. Le florin commença dès lors à se déprécier ; au change, il perdait 16 % à Augsbourg en 1801. Le rouble était beaucoup plus faible encore : à Leipzig, on le prenait à 60 % ; sous Paul Ier, la dette, contractée surtout en Hollande, s'éleva de 43 à 132 millions de florins, et on émit chaque année 14 millions de roubles-papier. La Suède aussi imprimait des billets, qui perdaient plus du quart en 1798. Sans les subsides anglais, il eût été difficile aux coalisés de continuer la guerre. Mais existait-il encore une coalition ?

Si Paul Ier faisait grand étalage de sa haine pour la Révolution, hébergeait Louis XVIII à Mitau et entretenait l'armée de Condé, il avait pourtant fallu l'expédition d'Égypte pour le décider à la guerre. C'est que, désormais, parmi les préoccupations de la politique russe, une place de plus en plus grande était réservée à la question d'Orient. Catherine II, non contente de démembrer les États du sultan, s'y était acquis une situation privilégiée : un certain droit de regard sur le sort des chrétiens et, pour ses navires marchands, le libre passage des Détroits, qui ne fut accordé à l'Angleterre qu'en 1799 et à la France en 1802. La

---

1. Cette unité monétaire valait près de 50 sols de France.

décomposition de cet empire promettait de nouveaux progrès. Sélim III s'efforçait bien, depuis 1793, de créer une armée moderne ; mais, dans nombre de provinces, il ne possédait plus qu'une autorité nominale. Ali-Tepeleni se taillait un fief en Albanie et en Épire ; Pasvan-Oglou s'était emparé de Vidin et, marchant sur Andrinople, venait de se faire nommer pacha ; en Syrie, Djezzar commandait en maître ; Abd ul-Aziz, chef des Wahabites, avait conquis tout le Nedjd, menaçait les villes saintes et le pacha de Bagdad. Les Grecs et surtout les Serbes donnaient des inquiétudes. Les premiers, profitant de la guerre, se répandaient dans la Méditerranée à la faveur de la neutralité turque et s'introduisaient dans la mer Noire sous pavillon russe ; ils formaient maintenant des colonies dans tous les grands ports ; ils avaient entendu parler de la Révolution par Corai et Rhigas, et vu flotter le drapeau tricolore sur les îles Ioniennes : l'hellénisme était réveillé. Les Serbes, exaspérés par les déprédations des janissaires, avaient prêté leur concours à l'Autriche pendant la dernière guerre ; Kara-Georges et Nénadovitch ne demandaient qu'à recommencer en faveur des Russes.

L'entreprise de Bonaparte donna à ces derniers l'accès de la Méditerranée : devenu l'allié du sultan, Paul Ier fit ouvrir les Détroits à sa flotte de guerre ; de concert avec les Turcs et le pacha de Janina, il occupa les îles Ioniennes et en fit une république sous son protectorat ; élu grand-maître de l'ordre de Malte, il comptait s'installer dans l'île et, le 3 novembre 1799, Grenville dut lui promettre qu'après l'avoir prise, l'Angleterre n'y resterait pas ; il jetait les yeux sur la Corse ; ses troupes débarquèrent dans le royaume de Naples et il promit de rétablir le roi de Sardaigne. Prenant ainsi la Turquie à revers, il y avait acquis une influence que la Russie n'a jamais retrouvée. Voulant ressaisir l'Égypte, l'Angleterre fermait les yeux ; mais l'Autriche n'entendait pas se laisser souffler l'Italie, et Paul Ier, attribuant à sa traîtrise la défaite de Souvorov à Zurich, rappela son armée. Il n'y avait pas de chance qu'elle revînt, puisque Rostopchine, hostile à la coalition, l'emportait sur Panine et avait été nommé chancelier. La défection de Paul isolait l'Autriche et pouvait porter beaucoup plus loin, si l'Angleterre désormais se considérait comme libre de conserver Malte, ce qui la mènerait à un conflit avec la Russie : or on avait déjà vu Catherine II grouper les neutres contre l'hégémonie maritime de l'Angleterre et lui fermer la Baltique, qui était, pour le commerce britannique, d'une importance sans égale.

En attendant, l'Autriche devait supporter seule le poids de la guerre. Le Reichstag la soutenait officiellement ; mais, depuis la paix de Bâle, le Saint-Empire ne paraissait plus qu'une ombre. La Prusse maintenait sous sa garantie la neutralité de l'Allemagne du Nord, y compris le Hanovre. Derrière la ligne de démarcation, ce « cercle enchanté », comme disait l'Autrichien Hudelist, ces États jouissaient d'une paix profonde et de grands profits commerciaux ; le prestige de la Prusse s'en trouvait accru et Frédéric-Guillaume devenait une « étoile polaire », un « anti-empereur ». Il n'était pas nécessaire que Gentz, en 1799, lui recommandât de persister dans cette politique ; il s'en montrait féru et comptait devenir le chef d'une confédération de l'Allemagne du Nord. Il n'en songeait pas moins à s'agrandir, attendait les sécularisations, guettait le Hanovre et manœuvrait pour annexer Nuremberg. Chassée du nord, l'Autriche se sentait déconsidérée dans le sud par l'abandon de la rive gauche du Rhin et desservie par les vues qu'elle conservait sur la Bavière : Maximilien-Joseph qui, en 1799, remplaça Charles-Théodore, craignit un moment pour sa succession. Quant au duc de Wurtemberg, Frédéric II, un conflit chronique l'opposait aux États provinciaux qui avaient, de leur chef, envoyé des agents à Paris. Dans ces conditions, les princes de l'Allemagne du Sud ne suivaient l'Autriche que par peur et n'attendaient que l'occasion pour s'arranger avec la France. Une réunion des Allemands contre la République était donc impossible et la disparition de l'Empire semblait même probable : déjà Görres avait dressé ironiquement son acte de décès. Le chancelier Thugut n'en prenait pas un souci exagéré et regrettait encore moins la perte des Pays-Bas ; sans négliger de se dédommager en Pologne, il portait surtout ses regards sur l'Italie, comme ses prédécesseurs du xviiie siècle ; après avoir absorbé les États vénitiens, il espérait remplacer les Français dans la péninsule dont ils venaient d'être chassés. En ce cas, il estimait, non sans raison, que, tout compte fait, l'Autriche n'aurait pas trop à se plaindre.

Les Français gagneraient-ils les Russes et neutraliseraient-ils l'Autriche en lui abandonnant l'Italie ? Dans l'affirmative, le moins qui pût arriver à l'Angleterre, ce serait de se trouver sans allié.

II. — *L'EFFORT ANGLAIS*[1].

L'administration britannique n'avait pas changé non plus : elle restait désuète et compliquée, encombrée de sinécures et encline à la corruption. Pourtant, le gouvernement parlementaire témoignait d'une stabilité et d'une continuité de vues que les despotes auraient pu envier. L'oligarchie qui menait l'Angleterre regardait la nation comme son patrimoine et, si elle n'abondait pas en talents, la défendait avec ténacité et une certaine discipline. Pitt, son gérant, avait été malheureux dans ses entreprises ; mais elle admirait sa constance et le prudent empirisme qui épargnait aux Anglais les contraintes et les sacrifices jusqu'à ce que, conscients enfin du péril, ils en vinssent à les réclamer. L'Angleterre envoyait à la guerre des équipages recrutés par la « presse » et des soldats racolés, pris les uns et les autres parmi les pauvres gens ; elle les faisait commander par des volontaires de l'aristocratie qui achetaient leurs charges. Pour garder le territoire, on forma des corps de *fencibles* et on porta peu à peu la milice à 100.000 hommes : en principe, ils étaient tirés au sort, mais pouvaient se faire remplacer et les paroisses se procuraient ordinairement leur contingent à prix d'argent, si bien que le recrutement des réguliers finit par en être tari. De 1794 à 1799, l'Angleterre employa ces derniers aux colonies, laissant à

---

1. Ouvrages a consulter. — W. Hunt, *Political history of England from the accession of George III to the close of Pitt's first administration* (Londres, 1905, in-8° ; t. X de *Political history of England*, publiée sous la direction de Hunt et Poole) ; sir Ch. Grant Robertson, *A history of England under the Hanoverians* (Londres, 1911, in-8° ; 14e éd., 1944 ; t. VI de *History of England*, publiée sous la direction de C. Oman) ; J. S. Watson, *The Reign of George III, 1760-1815* (Oxford, 1960, in-8° ; *The Oxford history of England*, t. XII) ; D. G. Barnes, *George III and William Pitt, 1783-1806* (California Stanford University Press, 1939, in-8°) ; J. Deschamps, *Entre la guerre et la paix. Les Iles britanniques et la Révolution française, 1789-1803* (Bruxelles, 1949, in-8°) ; J. Holland Rose, *Pitt and the great war* (Londres, 1911, in-8°) ; A. Bryant, *Years of endurance, 1793-1802* (Londres, 1942, in-8°) ; A. W. Ward et G. P. Gooch, *The Cambridge history of British foreign policy*, t. I (Cambridge, 1912, in-8°) ; R. W. Seton-Watson, *Britain in Europe, 1789-1914* (Cambridge, 1947, in-8°) ; A. T. Mahan, *The influence of sea power upon the French Revolution and Empire* (Londres, 1892, 2 vol. in-8°) ; W. James, *The naval history of Great Britain* (Londres, 1824, 5 vol. in-8° ; 2e éd., 1886, 6 vol. in-8°) ; Sir J. W. Fortescue, *History of the British army*, t. IV (Londres, 1906, in-8°) ; Sir H. Mac Anally, *The irish militia* (Dublin et Londres, 1949, in-8°) ; É. Halévy, *ouvr. cit.*, p. 12 ; A. F. Fremantle, *England in the XIXth century*, t. I et II : 1801-1810 (Londres, 1929-1930, 2 vol. in-8°) ; J. Tramond, *Manuel d'histoire maritime de la France des origines à 1815* (Paris, 1916 ; dernière éd., 1942).

ses alliés le soin d'opérer en Europe une diversion utile à ses intérêts et entretenant leur zèle par des subsides ; Grenville représentait sans détour qu'il valait bien mieux payer les continentaux que de leur envoyer des renforts qui auraient privé l'industrie de main-d'œuvre ; d'ailleurs, cet argent n'était pas perdu : il soldait les fournitures dont les armées avaient besoin.

Cette politique coûtait cher ; les dépenses passèrent de 26 millions de livres en 1792 à 91 en 1801. Pitt éleva un peu les impôts indirects qui, en 1797, fournissaient les trois quarts des recettes. Celles-ci restèrent insuffisantes : elles couvraient 68 % des dépenses en 1792 et moins de 29 % en 1797. La Banque n'escompta les bons du trésor *(exchequer bills)* qu'avec prudence : 8 millions et demi en 1792, 17 en 1797 ; quand l'étalon d'or eut été suspendu, elle devint plus complaisante et cette dette flottante dépassa 24 millions en 1801. Mais la grande ressource fut l'emprunt en consolidés, dont le capital passa de 9 millions en 1792 à 36 en 1801. Pitt maintint les cours en continuant l'amortissement : un pareil effort montre à quel point l'aristocratie anglaise était confiante en son destin ; il prouve aussi que l'Angleterre tirait déjà des sommes énormes de son commerce et de ses colonies. Il n'en restait pas moins que sa résistance reposait sur le crédit. Comme l'activité de ses capitalistes en dépendait également, on comprend que ce système, jusqu'alors inconnu, ait paru aux Français artificiel et fragile ; c'est d'après ce jugement qu'ils ont conduit la guerre économique pendant toute la période.

Lorsque à partir de 1794, la guerre continentale prit mauvaise tournure, le gouvernement s'efforça d'inciter la nation à de nouveaux sacrifices ; mais l'évolution décisive ne se produisit qu'après Campoformio, quand l'Angleterre se vit isolée, attaquée en Irlande et menacée en Égypte. En 1797, l'étalon d'or ayant été suspendu, Pitt, pour limiter l'inflation, exigea une réforme financière. Cette fois, l'aristocratie foncière et la bourgeoisie furent un peu moins ménagées : la *land-tax* fut accrue et l'*income-tax* apparut. L'impôt direct rapporta 10 millions 1/2 en 1801 au lieu de 3 en 1792. Il ne faut pourtant pas exagérer son importance : en 1801, l'impôt indirect représentait encore 65 % des recettes et l'emprunt plus de 65 % des dépenses. A cette date, il devint évident que, pour continuer la guerre, il faudrait un nouvel effort.

Il fut beaucoup plus difficile d'améliorer le recrutement. En 1794, on trouva aisément des volontaires par dizaines de mille pour servir en cas d'invasion, car, en attendant, ils restaient

— 33 —

chez eux et on les avait dispensés de tirer à la milice. Ils s'organisèrent par initiative privée en promettant de combattre jusqu'à une certaine distance qu'ils fixaient eux-mêmes. On comptait qu'ils feraient la guerre « à la vendéenne » ; en fait, ils n'avaient que le nom de commun avec les volontaires de la Révolution et, heureusement pour leur pays, ne furent jamais mis à l'épreuve. Cependant la situation de l'armée de ligne devint si critique qu'en 1796, on se décida à demander aux paroisses 15.000 réguliers tirés au sort, sous peine d'une amende : l'échec fut complet, car elles préférèrent payer l'amende. En 1798, on finit par proposer aux miliciens de passer dans la ligne, moyennant une prime ; les lords-lieutenants des comtés qui nommaient les officiers de la milice et l'entretenaient sur le produit de la *landtax*, s'en considéraient comme les propriétaires et firent opposition : néanmoins, le système finit par être adopté, le 12 juillet 1799, et servit jusqu'en 1815. Les miliciens répondirent à l'appel et firent l'expédition de Hollande, puis celle d'Égypte. Pitt s'en tint là et n'osa pas en venir au service obligatoire. Il n'avait pas mis fin non plus à l'anarchie de l'administration militaire partagée entre Dundas, Windham, le duc d'York et le *Home office*. En réalité, les opérations étaient dirigées par Pitt, Grenville et le roi. La technique fit tout de même quelques progrès : on créa des batteries montées en 1797 et, en 1799, l'artillerie fut constituée en un corps indépendant. Les garnisons déduites, l'armée anglaise ne pouvait envoyer en expédition qu'une dizaine de mille hommes, et, à part celle de Hollande qui, en 1799, échoua piteusement, elle ne combattit qu'aux colonies entre 1794 et 1807. Les îles françaises, puis hollandaises, la Trinité et, en 1801, les Antilles suédoises et danoises succombèrent ; mais 7.500 hommes périrent à Saint-Domingue, qu'il fallut évacuer en 1798 quand Toussaint-Louverture se fut entendu avec Sonthonax pour expulser les Anglais. Les succès mêmes furent naturellement dus à l'action de la flotte, et ce fut elle qui constitua le principal appui à la coalition.

Elle s'était considérablement accrue, non sans difficultés, — car la marine marchande croissait plus vite encore — au point que, dès 1793, on dut l'autoriser à enrôler des étrangers jusqu'à concurrence des trois quarts. La « presse » embarqua pêle-mêle les marins de toutes nations, les prisonniers de guerre, les condamnés, les grévistes et les suspects politiques. Comme la vie à bord restait insupportable, les mutineries furent nombreuses et, en 1797, dégénérèrent en une insurrection générale, qu'on calma par quelques exemples et surtout en augmentant la solde et les parts de prises. La technique ne changea guère ; le vaisseau-type demeura celui de 74 canons, avec 200 pieds de long sur 50 de large au maître-bau, deux ponts de combat et 600 hommes d'équipage ; toutefois, le nombre des vaissaux à trois ponts qui le dominaient augmenta peu à peu. Lord Spencer, premier lord de l'Amirauté jusqu'à 1801, ne rencontra pas de grandes difficultés pour la construction ; au chêne anglais et au *fir* ou pin sylvestre d'Écosse, qui n'étaient pas encore rares, on ajouta les bois de la Baltique, que les Français ne pouvaient plus acheter, et aussi le *pine* ou pin blanc d'Amérique.

Jusqu'en 1796, la guerre navale fut médiocrement conduite, Howe et Bridport tenant leurs vaisseaux au port pendant l'hiver, ce qui suspendait le blocus. Puis la rupture avec l'Espagne provoqua l'abandon de la Corse et de la Méditerranée. La renaissance commença en 1798, où Jervis, comte de Saint-Vincent, organisa des croisières permanentes à courte distance des côtes, à l'aide d'un service de ravitaillement et d'une relève échelonnée, avec ordre de rallier l'entrée de la Manche si les Français forçaient le blocus. La même année, Pitt décida de rentrer en Méditerranée pour sauver Naples : il n'y réussit pas, mais mit la main sur la Sicile et sur Minorque ; les vaisseaux napolitains se réunirent, comme les portugais, à la flotte britannique. La flotte hollandaise fut capturée en 1799 ; déjà Nelson avait détruit l'escadre de Brueys à Aboukir : l'armée d'Égypte était bloquée et Malte assiégée. A moins que Paul Ier ne s'y opposât, la Méditerranée allait devenir anglaise. Pourtant, les Français n'étaient pas encore entièrement éliminés : en avril 1799, Bruix put sortir de Brest, gagner Toulon, puis revenir à son port d'attache. Du moins les amiraux anglais avaient-ils protégé convenablement les lignes de communications, fait échec aux corsaires et détruit la marine marchande de l'adversaire. Grâce à la navigation en convois escortés, les armateurs ne perdirent, en moyenne, que 500 bateaux par an, 3 % de l'effectif, à peine davantage que par les risques de mer ; de 1793 à 1800, l'assurance, au lieu de 50 % pendant la guerre d'Amérique, ne dépassa pas 25 (en 1802, après la paix, elle sera de 12). L'Angleterre captura 743 corsaires et, dès 1798, tenait 22.000 marins prisonniers. Il ne restait aux Français que 200 navires marchands de plus de 200 tonnes, soit un dixième de l'effectif atteint en 1789.

De tous les coalisés, l'Angleterre seule était arrivée à ses fins. Ses alliés s'en rendaient compte et lui reprochaient de ne pas leur envoyer de troupes, ce qui n'était pas pour consolider la coalition. L'Angleterre n'avait pas encore compris que sa flotte ne pouvait réduire la France à capituler et que sa victoire devait être gagnée sur le continent.

III. — LA FRANCE ET SES ALLIÉS[1].

En face des puissances désunies, la situation de la France, précisément, était très forte sur le continent. Outre Avignon, Montbéliard et Mulhouse, elle avait réuni la Belgique, Maëstricht

1. OUVRAGES A CONSULTER. — Sur l'histoire du Directoire, voyez notre t. XIII, livres V et VI et leurs bibliographies ; J. GODECHOT, *Les institutions de la France sous la Révolution et l'Empire* (Paris, 1951, in-8º ; de la coll. « Histoire des institutions », sous la direction de L. HALPHEN). Pour l'histoire économique et sociale, consulter H. SÉE, *Französische Wirtschaftsgeschichte* (Iéna, 1936, 2 vol. in-8º ; de la coll. « Handbuch der Wirtschaftsgeschichte », publiée par G. BRODNITZ), t. II ; version française de cet ouvrage, avec compléments bibliographiques de R. SCHNERB : *Histoire économique de la France* (Paris, 2 vol. in-8º, 1939-1942) ; M. MARION, *Histoire financière de la France depuis 1815*, t. III et IV (Paris, 1921-1925, 2 vol. in-8º) ; Ph. SAGNAC, *La législation civile de la Révolution française* (Paris, 1898, in-8º) ; DU MÊME, La division du sol pendant la Révolution et ses conséquences, dans la *Revue d'histoire moderne et contemporaine*, t. V (1903-4), p. 456-470 ; G. LEFEBVRE, *Les paysans du Nord pendant la Révolution française* (Lille, 1924, 2 vol. in-8º) ; 2e éd. abrégée de l'appendice statistique, Bari, 1959, in-8º) ; DU MÊME, La place de la Révolution dans l'histoire agraire de la France, dans les *Annales d'histoire économique et sociale*, 1929, p. 506-523, ainsi que La Révolution française et les paysans, dans les *Annales historiques de la Révolution française*, 1933, p. 97-128, les *Cahiers de la Révolution française*, 1934, p. 7-49, et dans *Études sur la Révolution française* (Paris, 1954, in-8º ; 2e éd., 1963) ; R. LAURENT, *Les vignerons de la Côte-d'Or au XIXe siècle* (Paris, 1958, 2 vol. in-8º ; t. XIV des « Publications de l'Université de Dijon ») ; P. BOIS, *Paysans de l'Ouest. Des structures économiques et sociales aux options politiques depuis l'époque révolutionnaire dans la Sarthe* (Le Mans, 1960, in-8º) ; E. LEVASSEUR, *Histoire des classes ouvrières et de l'industrie en France depuis 1789 jusqu'à nos jours* (Paris, 1862, 2 vol. in-8º ; 2e éd., 1903) ; DU MÊME, *Histoire du commerce en France*, t. II (Paris, 1912, in-8º) ; P. CHAUVET, *Les ouvriers du livre en France, de 1789 à la constitution de la Fédération du Livre* (Paris, 1956, in-8º) ; L. CHEVALLIER, *Classes laborieuses et classes dangereuses* (Paris, 1958, in-8º ; décrit la situation pour Paris) ; Ch. BALLOT, *L'introduction du machinisme dans l'industrie française* (Lille, 1923, in-8º ; publication du « Comité des travaux historiques : notices, inventaires et documents », t. IX) ; T. S. ASHTON, *La révolution industrielle, 1760-1830* (Paris, 1955, in-16) ; F. PONTEIL, *La situation économique du Bas-Rhin au lendemain de la Révolution française* (Strasbourg, 1927, in-8º, vol. 3 de la « Collection d'études sur l'histoire du droit et des institutions de l'Alsace, publiée par les Facultés de droit et des lettres de Strasbourg ») ; P. LÉON, *La naissance de la grande industrie en Dauphiné (fin du XVIIe siècle-1869)* (Paris, 1954, 2 vol. in-8º). Sur le mouvement des prix, voir F. SIMIAND, *Recherches anciennes et nouvelles sur le mouvement général des prix du XVIe au XIXe siècle* (Paris, 1931, in-8º, cours ronéotypé) ; DU MÊME, *Le salaire, l'évolution sociale et*

et la Flandre hollandaise, la rive gauche du Rhin (tout au moins jusqu'à une ligne qui, partant du fleuve au-dessous de Coblence, atteignait et suivait le cours de la Roer), l'ancien évêché de Bâle (Porrentruy, le val Saint-Imier, le val de Moutier et Bienne),

la monnaie [en France] (Paris, 1932, 3 vol. in-8°) ; A. CHABERT, *Essai sur le mouvement des prix et des revenus en France de 1798 à 1820* (Paris, 1945 et 1949, 2 vol. in-8°) ; R. SCHNERB, La dépression économique sous le Directoire, dans les *Annales historiques de la Révolution française*, 1934, p. 27-49.

Pour l'histoire des départements réunis, voir H. PIRENNE, *Histoire de Belgique*, t. V (Bruxelles, 1920, in-8°) ; P. VERHAEGEN, *La Belgique sous la domination française* (Bruxelles, 1922-1929, 5 vol. in-8°), t. IV et V sur le Consulat et l'Empire ; on trouvera une bibliographie récente de la période dans P. GÉRIN, *Bibliographie de l'histoire de Belgique, 1789-21 juillet 1831* (Louvain-Paris, 1960, in-8° ; Centre universitaire d'histoire contemporaine, cahier n° 15) ; Ph. SAGNAC, *Le Rhin français pendant la Révolution et l'Empire* (Paris, 1917, in-8°), avec une bibliographie ; A. CONRADY, *Die Rheinlande unter die französische Herrschaft* (Bonn, 1922, in-8°) ; M. SPRINGER, *Die Franzosenherrschaft in der Pfalz* (Stuttgart, 1926, in-8°) ; E. CHAPUISAT, *Genève et la Révolution française* (Genève [1912], in-8°) ; DU MÊME, *L'influence de la Révolution française sur la Suisse ; le département du Léman* (Paris, 1934, une brochure in-8°, fasc. 2 des *Cahiers de la Révolution française*, publiés par le Centre d'études de la Révolution), avec une bibliographie.

Sur les alliés de la France, H. F. COLENBRANDER, *Gedenstukken der algemeene geschiedenis van Nederland van 1785 tot 1840*, t. I : *Introduction : Nederland en de Revolution, 1789-1795*, t. II et III : *1795-1801* (La Haye, 1905-1907, 4 vol. gr. in-8°) : cet ouvrage contient un grand nombre de documents inédits qui n'ont pas encore été mis en œuvre ; P. BLOK, *Geschiedenis van het nederlandsche volk*, t. VII (Groningen, 1907, in-8° ; 3e éd., augmentée, t. IV, 1926) ; trad. allemande sous le titre *Geschichte der Nierdelande*, t. VII (Gotha, 1925, in-8°), dans la coll. « Geschichte der europäischen Staaten » fondée par HEEREN et UKERT) ; traduction anglaise : *History of the people of Netherlands* (Londres, 1908-1912, 5 vol. in-8°) ; L. LEGRAND, *La Révolution française en Hollande* (Paris, 1894, in-8°) ; A. PINGAUD, *Bonaparte président de la République italienne*, t. I (Paris, 1914, 2 vol. in-8°) ; St. CANZIO, *La prima republica cisalpina e il sentimento nazionale italiano* (Modène, 1944, in-8°, t. 33 de la « Collezione storica del Risorgimento italiano ») ; M. ROBERTI, *Milano capitale napoleonica ; la formazione di uno stato moderno, 1796-1814* (Milan, 1946-1947, 3 vol. in-8°) ; G. CANDELORO, *Storia dell'Italia moderna*, t. I : *Le origini del Risorgimento (1700-1815)* (Milan, 1956, in-8°) ; L. DAL PANE, *Storia del lavoro in Italia dagli inizi del secolo XVIII al 1815* (Milan, 2e éd., 1958, in-8° ; t. IV de la *Storia del lavoro in Italia* dirigée par A. FANFANI) ; on consultera aussi la *Storia del Piemonte* (Turin, 1960, in-4°), « Da Vittorio Amedeo III al congresso di Vienna (1773-1815) », par G. VACCARINO (p. 245-271) ; A. FUGIER, *Napoléon et l'Italie* (Paris, 1947, in-8°) ; E. HIS, *Geschichte des neueren schweizerischen Staatsrechtes*, t. I : *1798-1803* (Bâle, 1920, in-8°) ; W. ŒSCHLI, *Geschichte der Schweiz im XIXten Jahrhundert*, t. I et II : *1798-1830* (Leipzig, 1903-1913, 2 vol. in-8°) ; A. RUFER, *Pestalozzi, die französische Revolution und die Helvetik* (Berne, 1928, in-8°) ; H. SCHENKEL, *Die Bemühungen der helvetischen Regierung um die Ablösung der Grundlasten, 1798-1803* (Affoltern a. A., 1931, in-8°) ; M. SALAMIN, *Histoire politique du Valais sous la République helvé-*

Genève, la Savoie et Nice. Elle restait le pays le plus peuplé de l'Europe. La guerre lui avait coûté environ 600.000 hommes, morts ou disparus ; ces pertes, que l'opinion jugeait inouïes, ne compromettaient pas ses forces vives ; en ménageant celles-ci, elle pouvait sans nul doute repousser tous les assauts. D'ailleurs, elle n'était plus isolée comme en 1793.

Le service obligatoire, adopté alors comme un expédient temporaire sous le nom de levée en masse, avait été érigé, par la loi Jourdan du 19 fructidor an VI (5 septembre 1798), en règle permanente du recrutement. Sauf en cas d'invasion, cette loi bornait ses exigences à un contingent, désigné par le tirage au sort ou conscription. Mais, en l'an VII, les jeunes gens de la « classe » furent autorisés à s'y soustraire en recrutant solidairement des volontaires pour former le contingent de la commune ; Bonaparte n'ajoutera que le remplacement individuel, accordé d'abord, puis supprimé par ses prédécesseurs. Le Directoire avait en outre achevé l'amalgame, amélioré sensiblement la cavalerie et transformé les cadres, le rôle de l'élection ayant beaucoup diminué depuis la loi du 14 germinal an III (3 avril 1795). L'esprit de l'armée avait évolué. Comme chez les civils, l'ardeur révolutionnaire s'était apaisée ; l'amour de la gloire et même de l'argent prenait peu à peu sa place ; néanmoins, en dépit de mutineries suscitées par la propagande royaliste, l'armée restait le bouclier de la Révolution. Comme instrument de guerre, elle était incomparable. L'avancement rapide à quiconque était brave y restait le symbole populaire de l'égalité et y attirait la jeunesse guerrière et ambitieuse. L'exaltation des forces individuelles, dont la Révolution a fait le principe essentiel du monde moderne, y témoignait ses vertus, et cette supériorité sociale la maintenait bien au-dessus des armées d'Ancien Régime.

Le point faible de la France, comme de ses ennemis, était la difficulté croissante de financer la guerre. Le Directoire avait dû

tique (1798-1802) (Sierre, 1957, in-8° ; extrait de *Vallesia*, t. XII) ; R. ALTA-MIRA, *Historia de la nación e de la civilización española*, t. IV (Barcelone, 1911, in-12) ; A. MURIEL, *Historia de Carlos IV* (Madrid, 1893-1895, 6 vol. in-8°, t. XXIX à XXXIV du *Memorial histórico español*, publié par l'Académie royale d'histoire) ; R. HERR, *The eighteenth century Revolution in Spain* (Princeton, 1958, in-8°) ; M. DEFOURNEAUX, *Pablo de Olavide ou l'Afrancesado (1725-1803)* (Paris, 1959, in-8°) ; G. DEMERSON, *Don Juan Meléndez Valdés et son temps (1754-1817)* (Paris, 1962, in-8°) ; P. VILAR, *La Catalogne dans l'Espagne moderne. Recherches sur les fondements économiques des structures nationales* (Paris, 1962, 3 vol. in-8°) ; A. FUGIER, *Napoléon et l'Espagne* (Paris, 1930, 2 vol. in-8°), t. I, introduction.

liquider le papier-monnaie par la banqueroute et revenir au numéraire. Réduit au seul produit des impôts, il se trouva exposé par surcroît aux embarras ordinaires de la déflation : ajustement des prix, paralysie de l'économie et baisse des recettes. Cette situation financière, dont il n'était pas responsable, a dominé toute son histoire, et lui a valu sa fâcheuse réputation. Il fit pourtant de grands efforts pour l'améliorer, remania heureusement l'assiette des impôts directs, en créa même un nouveau et s'appliqua, non sans résultats, à presser la rédaction des rôles et les recouvrements, sans oser toutefois en priver les corps électifs. Il accrut les contributions indirectes, donna, en l'an VII, leur organisation définitive à l'enregistrement, au timbre, aux hypothèques, établit une taxe sur les transports et un droit de passe sur les routes, aida les villes en autorisant des octrois ; il se rendait bien compte que, pour obtenir des recettes abondantes et régulières, il eût fallu atteindre des denrées de grande consommation, le sel par exemple, mais ne se jugea pas assez fort pour s'y risquer. Il fallut donc comprimer les dépenses, ce qui l'obligea d'amputer la dette des deux tiers et de laisser les services en souffrance.

Eût-il même équilibré le budget ordinaire qu'il eût encore dû nourrir la guerre, et on ne le peut jamais qu'à crédit. Les conditions politiques lui interdisaient tout emprunt, sinon forcé. Il ne trouvait même pas d'avances chez les banquiers pour alimenter la trésorerie. Comme les receveurs gardaient leurs fonds le plus longtemps possible pour les faire valoir à leur profit, on parla de rétablir les « rescriptions », c'est-à-dire les obligations qu'ils souscrivaient, avant 1789, en représentation de leurs recettes futures ; mais qui les escompterait ? Les banquiers proposaient bien de créer une banque d'État, mais pour lui faire prendre leur propre papier. Bref, le Directoire fut contraint de payer la rente, les pensions et les traitements en bons, ce qui le rendit odieux, et d'abandonner les fournitures militaires à des compagnies qui le rançonnèrent et qu'il remboursait en assignations sur les biens nationaux, les coupes de bois, les impôts à venir ou avec des ordonnances de paiement qu'aucune caisse ne pouvait acquitter.

Ces expédients, qui constituaient une inflation déguisée, provoquèrent une spéculation frénétique ; ils démoralisèrent les agents de l'État et plus d'un homme politique, parce qu'on cherchait à les corrompre pour être payé. L'armée souffrit horriblement et en voulut aux « avocats ». L'ordre public fut de plus en plus compromis, les gendarmes manquant de moyens pour courir sus aux brigands que la crise économique multipliait comme toujours. La vie et le moral de la nation ne furent pas seuls affectés : la pénurie inclina le Directoire à exploiter la Hollande et à s'étendre en Italie et en Suisse, afin d'y faire vivre ses armées ; les fournisseurs poussaient à la roue ; généraux et commissaires des guerres ne s'oubliaient pas non plus. La guerre nourrissant l'armée et même l'État, elle se créa un parti, qui s'incarna en Bonaparte.

La restauration de l'ordre public et des finances exigeait du temps — on le vit bien sous le Consulat — mais, avant tout, de l'autorité. Le Directoire organisa très bien son travail, et sa « secrétairerie d'État » fut reprise par Bonaparte, de même que son ministère de la police, y compris Fouché, qui y était entré en l'an VII. Mais il ne put s'affermir. D'abord, la constitution de l'an III avait rétabli une décentralisation étendue et organisé à Paris une séparation des pouvoirs qui ôtait à l'exécutif l'énergie qu'exigeait la guerre : il ne disposait pas de la Trésorerie, et son action fut entravée par des conflits insolubles avec les Conseils ou entre les Conseils eux-mêmes. D'autre part, aussi longtemps que les anciens privilégiés ne se soumettaient pas à l'ordre nouveau, il subsistait en France un incoercible ferment d'opposition factieuse, de guerre civile et de trahison, qui énervait le gouvernement ou l'acculait à la violence En l'an VII, l'ouest avait repris les armes ; le sud-ouest s'était soulevé ; on préparait pour le printemps une révolte en Provence et en Franche-Comté, d'accord avec l'étranger et à l'aide d'argent anglais.

Il n'y avait pas à compter que la contre-révolution désarmerait aussi longtemps qu'elle conserverait l'appui d'une partie du clergé catholique. Le 18 septembre 1794, la Constitution civile avait disparu avec le budget du culte. On ne demandait plus aux prêtres que de jurer fidélité à la République. Mais beaucoup d'entre eux s'y étaient refusés, et on les pourchassait pour les interner sur les pontons de Rochefort ou de l'île de Ré et les déporter à la Guyane. Ils étaient plus ou moins en rapport avec Rome et avec les anciens évêques réfractaires, dont la plupart vivaient en Angleterre des subsides de Pitt. Qu'ils le voulussent ou non, leurs fidèles étaient d'éventuelles recrues pour l'insurrection. Les prêtres romains qui s'étaient soumis aux lois et les anciens constitutionnels qui avaient réorganisé leur Église après la Terreur n'étaient pas favorables au Directoire, car il ne perdait aucune occasion de manifester, comme la bourgeoisie républicaine et les idéologues, son hostilité pour le catholicisme. Il avait vendu beaucoup d'églises, imposait l'observation du « décadi », interdisait toutes manifestations religieuses en public, conformément à la loi, et installait en rivaux du catholicisme, dans les églises mêmes, le culte décadaire et la théophilanthropie. Après le 18 fructidor, il s'en était pris aux écoles libres, qui étaient principalement catholiques, en avait autorisé la fermeture si l'enseignement civique n'y était pas assuré et défendu aux fonctionnaires d'y envoyer leurs enfants. En abandonnant cette attitude agressive et en pratiquant une sincère neutralité confessionnelle, l'État républicain aurait sans doute rallié constitutionnels et soumissionnaires, affaibli le prestige des réfractaires ; mais c'était une politique à longue échéance ; pour agir vite, il aurait fallu traiter avec le pape : le Directoire aurait eu trop de chemin à faire, l'ayant emprisonné et déporté ; ses partisans ne le lui auraient d'ailleurs pas permis. L'unité nationale, au moins apparente, serait propre à fortifier l'État ; mais, pour la réaliser, il fallait que l'État fût fort.

Des alliés de la France, l'Espagne, qui, seule, méritait vraiment ce nom, faisait ce qu'elle pouvait ; une de ses escadres était même à Brest. La guerre lui était pourtant ruineuse ; sa flotte, écrasée à Saint-Vincent, avait laissé prendre Minorque et la Trinité ; l'argent des Indes arrivait difficilement et on éprouvait des craintes pour les Amériques ; le sort du pape et celui des Bourbons de Parme et de Naples attristaient Charles IV. Cependant le Directoire, méprisant le pays de l'Inquisition et un roi que sa femme bafouait avec Godoy, multipliait ses exigences, convoitait la Louisiane, protestait contre les ménagements témoignés au Portugal, sans remarquer que Talleyrand, acheté par ce dernier, y prêtait la main. L'Espagne, excédée, avait fini par écouter les propositions anglaises. Tout n'était pas compromis ; mais il aurait fallu ménager cette monarchie d'Ancien Régime qui ne disposait que de moyens limités et ne savait agir qu'avec lenteur. Ses finances, elles aussi, étaient en piteux état : en 1799, on venait de donner cours forcé aux *vales reales*, qui perdaient 50 %. Déjà Ouvrard, en rapport avec Cabarrus, fondateur de la banque de Saint-Charles, avait pris la fourniture de la flotte espagnole et rêvait de spéculations grandioses dans ce pays que les Français regardaient comme un eldorado.

A l'Espagne s'ajoutaient les républiques vassales. Celles d'Italie étaient perdues. A Zurich, Masséna ne put sauver qu'une moitié de l'Helvétique. La Batave fut préservée de justesse et les Anglais emmenèrent ses vaisseaux. L'une et l'autre nourrissaient des troupes et offraient d'importantes positions stratégiques. Pour fournir davantage, il leur eût fallu un gouvernement stable, et le Directoire n'avait pas réussi à le leur procurer. Le problème y était aussi d'ordre social. Les Français annonçaient la fin de l'Ancien Régime : les privilégiés émigraient donc ou se tenaient à l'écart ; la bourgeoisie restait mieux disposée à condition qu'on lui remît le pouvoir que réclamaient justement les jacobins, les seuls francophiles sincères. Les uns et les autres intriguaient près des représentants de la République pour organiser des coups d'État. C'est seulement en juillet 1798 que Schimmelpenninck, chef de la bourgeoisie modérée, qui voulait rénover la Hollande d'accord avec la France, en attendant que la paix lui rendît l'indépendance, avait pu présenter le Directoire batave comme définitivement constitué, et il n'était pas solide. En Suisse, Laharpe imposait sa dictature à la faveur de la guerre ; mais les modérés projetaient de le renverser. Les classes populaires, accablées par l'occupation militaire, se montraient hostiles en Hollande, hésitantes en Suisse. Pour les gagner, il eût fallu favoriser les paysans, comme en France. En Hollande, on ne fit rien. En Suisse, on abolit sans indemnité, en 1798, les droits féodaux personnels et les petites dîmes, mais les droits réels et les grosses dîmes furent déclarées rachetables ; l'État, il est vrai, prit à sa charge une partie de l'indemnité, mais il comptait la payer en biens nationaux, qui ne pourraient donc point passer aux paysans ; en outre, on introduisit l'impôt foncier avant que les charges anciennes fussent éteintes. Finalement, le régime français mécontenta tout le monde. Dans ces pays aussi, une réforme de l'État paraissait nécessaire. Tel était l'avis du Directoire, et il y avait même fait, dans ce sens, des tentatives qu'il ne pouvait se permettre chez lui ; mais il manquait d'autorité. Dans sa lutte contre l'Europe, ce qui faisait surtout défaut à la France, c'était un gouvernement qui eût l'énergie du Comité de salut public.

IV. — *LE BLOCUS ET LES NEUTRES*[1].

Toutefois, la guerre continentale ôtait à la France l'espoir de contester avec succès la domination de l'Angleterre sur les mers ; c'est pourquoi elle avait donné à la guerre économique une tour-

1. OUVRAGES A CONSULTER. — MAHAN, cité p. 32 ; E. F. HECKSHER, *The continental system* (Oxford, 1922, in-8°) ; L. AMÉ, *Étude économique sur les tarifs de douane et les traités de commerce* (Paris, 1860, in-8°) ; W. FREEMAN GALPIN, *The grain supply of England during the Napoleonic period* (New York, 1925,

nure nouvelle, en essayant de retourner contre les Anglais les méthodes qu'ils avaient mises au point durant le XVIIIe siècle. A cette époque, si le blocus gênait l'ennemi, il ne pouvait le paralyser. Attachés au mercantilisme, les maîtres de la mer y virent surtout le moyen de supprimer les exportations de l'adversaire pour s'emparer de ses marchés et rafler le numéraire à sa place. Toutefois, on pouvait trouver avantage à lui acheter certaines matières premières ou, à l'occasion, des vivres. Du point de vue mercantile, il n'y avait pas de raisons non plus pour refuser de lui vendre, la contrebande de guerre mise à part. L'Angleterre appliquait donc le blocus avec un sage empirisme, accordant des licences à sa convenance, même pour des ports effectivement fermés par ses escadres. Comme ces ports ne pouvaient jamais être nombreux, les neutres avaient beau jeu pour déjouer cette

in-8º, « Publications of the University of Michigan, History and political sciences », t. VI) ; R. GREENHALG ALBION, *Forests and sea power* ; *the timber power of the royal navy, 1652-1862* (Cambridge, U. S. A., 1926, in-8º, « Economical Harvard studies », nº 29) ; J. HOLLAND ROSE, British West-India commerce as a factor in the Napoleonic wars, dans *The Cambridge historical journal*, t. III (1929), p. 34-46 ; J. KULISCHER, *Russische Wirtschaftsgeschichte* (Iéna, 1925, in-8º, de la coll. « Handbuch der Wirtschaftsgeschichte », publiée par G. BRODNITZ) ; E. BAASCH, *Holländische Wirtschaftsgeschichte* (Iéna, 1925, in-8º, même collection) ; A. NIELSEN, *Dänische Wirtschaftsgeschichte* (Iéna, 1933, in-8º, même collection) ; J. B. MANGER, *Recherches sur les relations économiques de la France et de la Hollande pendant la Révolution française* (Paris, 1923, in-8º) ; J. G. BÜSCH, *Geschichtliche Beurteilung der am Ende des XVIIIten Jahrhunderts enstandenen grosses Handelsverwirrung* (Hambourg, 1800, in-8º) ; A. WOHLWILL, *Neuere Geschichte der Freien und Hansestadt Hamburg, inbesondere von 1789 bis 1815* (Gotha, 1914, in-8º) ; R. EHRENBERG, *Grossen Vermögen, ihre Entstehung und ihre Bedeutung* (Iéna, 1902, in-8º), sur la banque Hope et la maison Parish ; K. VON EICHBORN, *Das Soll und Haben von Eichborn und Cº in 200 Jahren* (Leipzig, 1928, in-8º), pour la Silésie ; A. DIETZ, *Frankfurter Handelsgeschichte* (jusqu'en 1792), t. V (Francfort, 1910, in-8º) ; E. HASSE, *Geschichte der Leipziger Messen* (Leipzig, 1885, in-4º) ; E. GOTHEIN, *Geschichtliche Entwickelung der Rheinschiffahrt im XIXten Jahrhundert* (Leipzig, 1903, in-8º, nº 101 des « Schriften des Vereins für Sozialpolitik ») ; A. KÖNIG, *Die sächsische Baumwollenindustrie am Ende des vorigen Jahrhunderts und während der Kontinentalsperre* (Leipzig, 1899, in-8º, fasc. 3 des « Leipziger Studien auf dem Gebiete der Geschichte » publiés par BUCHHOLTZ, LAMPRECHT, MARCKS et SEELIGER, t. V) ; E. BURON, Statistics on Franco-American trade, 1778-1806, dans *The journal of economic and business history*, 1932, p. 571-580 ; S. E. MORISON et H. S. COMMAGER, *The rise of American Republic*, t. I (New York, 1931 ; nouv. éd., 1939, 1942, in-8º) ; S. M. BEMIS, *A diplomatic history of the United States* (New York, 1936 ; nouv. éd., 1946, 1950 ; in-8º) ; H. ADAMS, *History of the United States*, t. I et II (New York, 1889-1891, in-8º) ; E. CHANNING, *History of the United States*, t. IV : *1789-1815* (New York, 1920, in-8º). Pour la France, voir les ouvrages cités p. 36.

politique. Aussi avait-elle élaboré un droit maritime de sa façon : la propriété de l'ennemi était de bonne prise même sous pavillon neutre ; on réputait tout ou partie de ses côtes en état de « blocus fictif », en sorte que le vaisseau qui en provenait ou qui se dirigeait vers elles était réputé en contravention ; enfin, on assurait le contrôle par la visite en haute mer de tous les navires marchands. L'océan devenait ainsi un empire anglais.

Les neutres s'indignaient surtout des règles qui visaient les colonies. Le trafic avec celles-ci tenait toujours la première place dans le commerce international et, en temps de paix, chaque métropole s'en réservait le monopole. Mais, en guerre avec l'Angleterre, la France, et plus tard l'Espagne, renoncèrent à « l'exclusif » en faveur des neutres. Dès 1793, l'Angleterre, comme en 1756, leur interdit de profiter de cette aubaine afin d'imposer ses propres navires aux colonies ennemies. Toutefois, pour ménager les Américains qui s'estimaient les plus lésés, elle autorisa le « circuit » : les neutres purent charger « aux Iles » à destination d'un port neutre non européen et réexporter ensuite la cargaison si elle était devenue leur propriété. Bientôt, manquant de navires et tirant parti des neutres pour exporter en France, elle suspendit l'Acte de navigation et, en 1798, leur permit d'aller aux Iles pour le compte de leur pays ou pour le sien même. Tout en conservant, à peu de chose près, le monopole des denrées coloniales, elle les transforma ainsi en auxiliaires. A eux aussi, elle accordait des licences suivant ses besoins, en sorte que son commerce prit, dans une certaine mesure, l'allure d'une économie dirigée. En dépit de leurs griefs, les neutres, Scandinaves et Prussiens, Hanséates et Américains, firent de gros profits. La Hollande occupée, Hambourg prit sa place comme intermédiaire entre l'Angleterre et l'Allemagne, et devint la plus grande place de banque du continent ; c'était par la maison Parish que les subsides passaient aux coalisés. Les ventes des Américains montèrent de 20 millions de dollars en 1790 à 94 en 1801, dont moitié en denrées coloniales ; ils ravitaillèrent les Antilles et l'Amérique espagnole, portèrent à l'Angleterre des bois et des grains, conquirent un bon rang à Hambourg et en France ; ce fut chez eux que la construction navale se perfectionna : on regarda le *clipper* de Baltimore comme un modèle. Il résulta de cette prospérité que, chez les neutres, les négociants et les financiers s'avouèrent résolument anglophiles.

Il n'aurait tenu qu'à la France de conserver par mer une part notable de ses relations commerciales, même avec l'Angleterre, d'autant que les neutres enfreignaient de leur mieux les prescriptions britanniques. Du temps de la guerre d'Amérique, elle avait admis que le pavillon neutre couvrait la marchandise, ce qui lui avait permis de continuer à commercer et lui avait valu l'alliance de la Hollande, tandis que la Ligue des neutres se formait contre l'Angleterre. La Convention adopta la politique opposée. La raison profonde en fut le traité de 1786 qui avait soumis l'industrie française à la concurrence anglaise et dont la guerre fut une excellente occasion de prendre le contre-pied ; les cotonniers surtout réclamaient ardemment le retour à la prohibition, et Fontenay, le grand négociant rouennais, se faisait leur avocat ; ils guidèrent la Convention, comme ils guideront Napoléon. En outre, la conviction se conservait que l'économie de l'Angleterre, et par conséquent son crédit, dépendaient de l'exportation et que le coup le plus rude qu'on pût lui porter était de lui fermer la France, sa meilleure cliente ; en janvier 1793, Brissot et Kersaint raisonnèrent comme plus tard l'empereur. Le 9 mai, un décret déclara la propriété ennemie de bonne prise sous pavillon neutre et, le 9 octobre, les marchandises anglaises furent prohibées.

Ces mesures étaient illusoires tant qu'on admettait les neutres, puisque les Anglais ne les laissaient venir en France que pour écouler leurs produits. Le peuple les voyait d'ailleurs de mauvais œil, parce que leurs achats faisaient monter les prix : dès le mois d'août, on avait prescrit un embargo. La France conféra ainsi au blocus un caractère hermétique que les Anglais ne lui donnaient pas. Elle ne tarda pas à manquer de denrées coloniales et de matières premières, à commencer par le coton. Les hommes d'affaires ne l'entendaient pas ainsi : le blocus devait être assoupli, comme chez l'adversaire, à la convenance des intérêts mercantiles. Le Comité de salut public, soucieux de pourvoir l'armée, rouvrit les ports aux neutres et les thermidoriens leur rendirent les privilèges concédés par traité. Aussitôt, les marchandises anglaises reparurent. Lorsque, après Campoformio, l'Angleterre resta la seule ennemie et que le trafic eut repris par terre, les prohibitionnistes revinrent à la charge : le Directoire interdit de nouveau les produits britanniques et, le 29 nivôse an VI (18 janvier 1798), il prit à l'égard des neutres une mesure encore inouïe : leurs vaisseaux seraient de bonne prise si l'on y trouvait un objet quelconque originaire de Grande-Bretagne ou s'ils avaient seulement relâché dans ce pays. Ils disparurent, mais les États-Unis rompirent les relations diplomatiques. La contrebande resta, néanmoins, fort active et les alliés de la France y prêtèrent les mains. C'est en partie pour la contrarier que Genève et Mulhouse furent annexées en 1798. La France et la Hollande qui, en 1792, absorbaient 18 % des exportations britanniques, en recevaient encore 12 % en 1800. Le Directoire se rendit bien compte que, pour être efficace et, en même temps, supportable, cette politique exigeait que la France disposât d'un vaste marché continental. Dans une certaine mesure, la conquête devint la condition de la guerre économique ; les pays occupés et l'Espagne se fermèrent aux Anglais, et l'on signalait que l'occupation des villes hanséatiques livrerait le marché allemand. Le blocus continental était en germe, et déjà le monde se divisait en deux parts très inégales : d'un côté, la France et ses alliés ; de l'autre, l'Angleterre et tous les autres pays. Dans leurs domaines respectifs, les deux principaux belligérants devaient s'organiser pour durer.

La France subissait de graves dommages. Le coup le plus terrible avait été la perte du trafic colonial qui, en 1789, comptait pour un tiers à l'entrée et pour un cinquième à la sortie. Une partie du continent lui restait fermée et, ailleurs, elle n'avait pu reprendre sa place d'autrefois ; de 441 millions en 1789, ses ventes tombèrent à 272 en 1800, bien qu'elle se fût agrandie. La crise révolutionnaire avait atteint toutes les industries et certaines ne reprenaient qu'avec peine : Lyon employait moitié moins de métiers et la draperie était réduite de plus des deux tiers par rapport à 1789. Après avoir souffert de l'inflation torrentielle, la France se voyait maintenant en proie aux maux de la déflation qu'aggravait le sentiment général d'insécurité. Le numéraire demeurait rare et le crédit nul : l'argent coûtait 3 % par mois et allait jusqu'à 7 ; la baisse des prix paralysait l'entreprise ; une série de bonnes récoltes, favorable en soi à la tranquillité, provoquait un effondrement des cours et diminuait le pouvoir d'achat des paysans. Le Directoire n'y pouvait rien, sinon multiplier les encouragements. Mais c'était une crise passagère. Que le gouvernement reprît force et que la paix continentale se rétablît, on verrait peu à peu le numéraire reparaître, des débouchés se rouvrir et la production se ranimer.

La Révolution avait créé des conditions favorables au progrès économique : la liberté grâce à l'abolition des corporations, l'unité du marché national par la suppression des douanes intérieures, le recul des barrières et l'adoption du système décimal, un nouveau champ d'action dans les pays réunis, où la métallurgie, par exemple, disposait maintenant des ressources de la Belgique et de la Sarre. La main-d'œuvre était toujours abondante dans les campagnes. Appliqué avec opportunisme et non pas uniquement à des fins guerrières, le blocus n'aurait eu que des résultats bienfaisants en assurant au capitalisme naissant la protection nécessaire. Tel quel, il exerçait une influence favorable sur la métallurgie, l'industrie chimique et surtout celle du coton qui continuait à se montrer la plus novatrice et la plus attrayante pour les capitalistes : les *jennies* se multipliaient et Oberkampf avait mis en marche la première machine à imprimer les indiennes en 1797 ; quelques capitaines d'industrie apparaissaient et fondaient des manufactures : Boyer-Fonfrède à Toulouse, Richard et Lenoir à Charonne, Bauwens à Passy et à Gand. La machine n'en était qu'à ses débuts ; la draperie l'ignorait encore et, à Verviers, Cockerill, un ouvrier anglais passé sur le continent, venait seulement d'être appelé ; la soie se filait toujours d'après les procédés de Vaucanson et Jacquard n'avait pas encore mis au point son métier à tisser. La métallurgie ne réalisait aucun progrès. A part les mines d'Anzin, personne n'employait la vapeur jusqu'à ce que Bauwens l'adoptât à Gand en 1799. Mais, mise à l'abri de la concurrence anglaise, la France pouvait s'outiller à loisir.

En tout cas, la République, où les paysans, qui pratiquaient pour une grande part l'économie naturelle, formaient l'immense majorité de la population, pouvait, à la rigueur, vivre sur elle-même. Bien que libérée aussi, la culture ne s'améliorait que lentement ; la communauté rurale conservait ses habitudes : l'assolement obligatoire, la vaine pâture et autres droits d'usage ; elle y tenait si fort que personne, dans les assemblées révolutionnaires, n'osa jamais proposer, pour les déraciner, d'imposer le remembrement des terroirs. Beaucoup de communaux n'avaient pas, non plus, été partagés. Si les prairies artificielles, le tabac, la chicorée, la pomme de terre, gagnaient légèrement, les desséchements, l'irrigation et les plantations étaient en recul, les chemins en mauvais état et la police rurale inexistante. Mais la structure sociale des campagnes s'était améliorée et la force de résistance du pays s'en trouvait accrue. Le nombre des petits propriétaires avait sensiblement augmenté, au moins dans certaines régions : de 13.000 en Moselle, d'un cinquième en Côte-d'Or, de 10.000 dans le Nord. En même temps, les grandes exploitations reculaient généralement au profit des moyennes. Évidemment, il restait beaucoup de journaliers dépourvus de terre, plus ou moins condamnés à la mendicité, et l'équilibre de la population rurale dépendait toujours de la récolte. Mais, depuis que la dîme et les droits féodaux avaient disparu, le gouvernement n'avait plus à redouter que des émotions passagères.

L'Angleterre ne pouvait réduire la France par le blocus, non plus qu'avec les canons de sa flotte. Bien plus, si la République parvenait à rétablir la paix continentale, sa situation économique pouvait redevenir satisfaisante. La question de savoir si sa rivale se trouvait, à cet égard, exposée à une défaillance est beaucoup plus complexe.

V. — PUISSANCE ET DIFFICULTÉS DU CAPITALISME BRITANNIQUE. L'EXPANSION EUROPÉENNE DANS LE MONDE[1].

L'Angleterre profitait d'une avance énorme dans la voie de la production capitaliste. Son essor restait favorisé par la hausse

1. OUVRAGES A CONSULTER. — Se reporter aux bibliographies de notre t. XIII, livre Ier, chap. II, chap. III, § 4 et 6 ; livre VI, chap. IV ainsi qu'aux ouvrages de HECKSHER, GALPIN, ALBION, cités p. 42. Pour les finances de l'Angleterre, voir sir J. CLAPHAM, *The Bank of England* (Cambridge, 1944, 2 vol. in-8°) ; en ce qui concerne la banque privée, on trouvera quelques pages sur les débuts de BARING dans R. W. HIDY, *The house of Baring in American trade and finance, 1763-1861* (Cambridge, U. S. A., 1949, in-8° ; n° 14 des « Harvard studies in business history ») ; R. G. HAWTREY, *Currency and credit* (Londres, 1919, in-8°) ; et surtout les remarquables études de N. J. SILBERLING, Financial and monetary policy of Great Britain during the Napoleonic wars, dans le *Quarterly journal of economics*, t. XXXVIII (1924), p. 214-333 et 397-439 ; A. HOPE-JONES, *Income tax in the Napoleonic wars* (Cambridge, 1939, in-8°) ; W. SMART, *Economic annals of the XIXth century, 1801-1820* (Londres, 1910, 2 vol. in-8°). — Sur les prix, N. J. SILBERLING, British prices and business cycles 1779-1850 (indice 100 : année 1790), dans *Harvard review of economic statistics*, t. V, 1923, p. 223-261 ; Élizabeth SCHUMPETER, English prices and public finance, 1660-1822 (indice 100 : année 1700), dans la même revue, t. XX, 1938, p. 21-99 ; W. B. SMITH, Wholesale commodities prices in the United States, 1795-1824, dans la même revue, ann. 1927, p. 171-183. — Sur le développement économique et social de l'Angleterre, P. MANTOUX, *La révolution industrielle en Angleterre* (Paris, 1905, in-8° ; 2e éd., 1959, texte conforme à l'édition anglaise révisée par l'auteur, avec un supplément bibliographique par A. BOURDE), trad. anglaise mise à jour, par Marjorie VERNON, *The industrial revolution in the XVIIIth century* (Londres, 1928, in-8°) ; T. S. ASHTON, *The industrial revolution, 1760-1830* (Oxford, 1948, in-12 ; trad. française, Paris, 1955, in-16) ; DU MÊME AUTEUR, *An economic history of England. The XVIIIth century* (Londres, 1955, in-8°) ; J. H. CLAPHAM, *An economic history of modern Britain*, t. Ier : *The early railway age, 1820-1830* (Cambridge, 1926, in-8° ; 2e éd., 1930), qui donne beaucoup de renseignements sur la période précédente ; H. D. GAYER, W. W. ROSTOW, A. J. SCHWARTZ et I. FRANK, *The growth and fluctuations of British economy, 1790-1850. An historical, statistical and theorical study of Britain's economic development* (Oxford, 1953, 2 vol. in-8°). — Sur l'histoire agraire, lord EARLE (avant 1919, R. E. PROTHERO), *English farming past and present* (Londres, 1912, in-8° ; 5e éd. mise à

des prix qui avait commencé vers le milieu du xviiie siècle et qui, à travers la période révolutionnaire et napoléonienne, s'est perpétuée jusqu'à la seconde décade du xixe. La cause essentielle

jour par A. D. Hall, 1936), trad. française par Cl. Journot, *Histoire rurale de l'Angleterre* (Paris, 1952, in-8º) ; W. Curtler, *The enclosure and redistribution of land* (Oxford, 1920, in-8º) ; E. Davies, The small landowner, 1780-1832, dans *The economic historical review*, t. I (1927), p. 87-113 ; D. Grove Barnes, *A history of the English corn-laws* (New York, 1930, in-8º) ; J. L. et B. Hammond, *The village labourer, 1760-1832* (Londres, 1911, in-8º) ; des mêmes, *The town labourer* (Londres, 1917, in-8º) ; des mêmes, *The skilled labourer* (Londres, 1919, in-8º) ; C. R. Fay, *Great Britain from A. Smith to the present day* (Londres, 1928, in-8º) ; E. Cannan, *A history of the theories of production and distribution in English political economy from 1776 to 1848* (Londres, 1893, in-8º ; trad. franç. par Barrault et Alfassa, Paris, 1910, in-8º). — Sur le commerce britannique, W. Schlote, *Entwicklung und Strukturwandlungen des englischen Aussenhandels von 1700 bis zur Gegenwart* (Iéna, 1938, in-8º) ; trad. anglaise par O. Henderson et W. H. Chaloner, *British overseas trade from 1700 to the 1930's* (Oxford, 1952, in-8º) ; surtout A. H. Imlah, Real values in British foreign trade, dans *The Journal of economic history*, t. VIII, 1948, p. 133-152. Les exportations et les importations de la Grande-Bretagne sont connues par les estimations douanières, calculées d'après un barème des prix établi à la fin du xviie siècle et au début du xviiie. Ces *valeurs officielles* ne correspondent donc pas exactement aux *valeurs réelles*. A. H. Imlah a effectué un nouveau calcul des importations, exportations et réexportations d'après ces valeurs réelles ; mais ce ne lui fut possible qu'à partir de 1798. Il conclut que, contrairement à l'opinion courante, la balance commerciale de la Grande-Bretagne était déficitaire, à de très rares exceptions près. Voir une comparaison critique des publications de Gayer, Schlote et Imlah dans F. Crouzet, *L'économie britannique et le blocus continental, 1806-1813* (Paris, 1958, 2 vol. in-8º).

Sur l'empire anglais et l'expansion européenne, *The Cambridge history of the British Empire*, t. III : *The growth of the new Empire, 1785-1870* (Cambridge, 1948, in-8º) ; t. IV : *British India, 1497-1858* (1929 ; aussi paru comme t. V de *The Cambridge history of India*) ; t. VI : *Canada and Newfoundland* (1930) ; t. VII : *Australia and New Zealand* (1933) ; V. A. Smith, *The Oxford history of India* (Oxford, 1919, in-12 ; 2e éd., 1923) ; C. H. Philips, *The East India, 1784-1834* (Manchester, 1940, in-8º) ; C. Northcote Parkinson, *Trade in Eastern seas, 1793-1813* (Cambridge, U. S. A., 1937, in-8º) ; du même, *The trade winds. A study of British overseas during the French wars, 1793-1815* (Londres, 1948, in-8º) ; Sir J. W. Fortescue, *ouv. cit.*, p. 32, t. V *(Guerres dans l'Inde)* ; W. J. Gardner, *History of Jamaica* (Londres, 1873, in-8º ; 2e éd., 1909). — Sur les colonies portugaises, espagnoles et hollandaises, voir notre t. XIII, livre Ier, chap. III ; sur les découvertes, *ibid.*, chap. I, § 1 ; sur les humanités étrangères, *ibid.*, chap. I, § 5 ; H. Cordier, *Histoire générale de la Chine et de ses rapports avec l'étranger*, t. III (Paris, 1920, in-8º) ; Ch. B. Maybon, *Histoire moderne du pays d'Annam* (Paris, 1919, in-8º) ; J. Murdoch et J. Yamagata, *History of Japan* (Londres, 1925, 2 vol. in-8º), t. I. — Sur les missions, F. Mourret et J. Leflon, cités p. 12 ; J. Schmidlin, *Katholische Missionsgeschichte* (Steyl, 1924, in-8º), avec appendice sur les missions protestantes ; R. Lovett, *The history of the London missionary society* (Londres, 1899, 2 vol. in-8º) ; E. Stock,

4

en était la multiplication des signes monétaires, d'abord grâce aux mines d'Amérique qui avaient augmenté leur production, mais aussi par l'apparition de la monnaie fiduciaire en de nombreux pays, le Danemark, la Suède et la Russie, l'Autriche, la France et l'Espagne, les États-Unis, dont les émissions furent ordinairement accélérées par la guerre. La crise révolutionnaire, en faisant fuir les capitaux, accrut le stock métallique de l'étranger. L'Angleterre, la Hollande, la Prusse, Hambourg, reçurent beaucoup de numéraire français ; un syndicat international, que Napoléon retrouvera sur sa route et où figuraient Baring, de Londres, Hope et Labouchère, d'Amsterdam, Parish, de Hambourg, sans parler de Boyd, installé à la fois en Angleterre et en France, ou des banquiers étrangers de Paris, notamment Perregaux, avait réalisé de grands profits en spéculant sur l'assignat, d'ordinaire à la baisse. Sur le continent, les conséquences de l'inflation sont mal connues ; les prix des denrées coloniales augmentèrent beaucoup à Hambourg de 1793 à 1799, mais il semble que l'abondance monétaire ait favorisé la spéculation plutôt que la production. En tout cas, ce fut à l'Angleterre, qu'elle profita surtout.

La Banque de Londres était le seul institut d'émission qui inspirât confiance et, après l'occupation de la Hollande, l'Angleterre devint le plus sûr refuge des capitaux ; dès 1794, la Banque acheta pour 3 millions 3/4 de métaux précieux au lieu d'une moyenne de 650.000 livres sterling. La circulation de ses *banknotes*, de 11 millions de livres sterling, en 1790, se trouva portée à 15 en 1800 ; elle escomptait les effets de commerce à moins de 3 % jusqu'en 1795 ; le taux ne s'éleva qu'après la suspension de l'étalon d'or en 1797 : en 1800, il dépassait 6 %. De plus,

The history of the Church missionary society (Londres, 1899, 3 vol. in-8°) ; E. Descamps, *Histoire générale et comparée des missions* (Bruxelles, et Paris, 1932, in-4°). — Sur les États-Unis, H. Adams et E. Channing, cités p. 43 ; Thurman W. Van Metre, *Economic history of the United States* (Londres, 1925, in-8°) ; L. C. Gray, *History of agriculture in the southern United States to 1860* (Washington, 1933, 2 vol. in-8°) ; K. W. Porter, *John Jacob Astor businessman* (Cambridge, U. S. A., 1931, 2 vol. in-8°. vol. I et II des « Harvard studies in business history ») ; J. B. Mac Master, *The life and times of Stephen Girard, mariner and merchant* (Philadelphie, 1918, 2 vol. in-8°).

Pour ce qui concerne les difficultés de l'Angleterre, le point de vue généralement adopté est celui d'une lutte entre elle et la France, comme si les crises internes du capitalisme et les conflits qui pouvaient mettre la Grande-Bretagne en conflit avec les autres puissances n'étaient pas de nature à favoriser son adversaire.

c'était le seul pays où l'organisation bancaire se fût développée en province : en 1792, on y comptait 350 banques qui émettaient des billets sans aucun contrôle ; elles finançaient les entreprises locales, en sorte qu'à l'inflation monétaire s'adjoignit une inflation de crédit. Un moment compromises, en 1793, ces banques prospérèrent ensuite de plus belle : en 1804, on en comptait près de 500. Les prix montèrent de manière à peu près continue ; par rapport à l'indice 100 pour 1790, ils parvinrent à 156 en 1799 et le *quarter* de blé, qui avait valu en moyenne 45 sh. de 1780 à 1789, bondit à 55 pendant la décade suivante. Les salaires s'accrurent beaucoup moins et la marge des profits s'élargit. Comme l'inflation mettait l'argent à bon marché, tout excitait l'esprit d'entreprise.

Peut-être la hausse aurait-elle fini par gêner l'exportation, mais la suspension de l'étalon d'or lui vint en aide. Bien que Pitt eût ménagé la Banque, grâce aux emprunts que l'abondance monétaire favorisait, il avait pourtant dû lui imposer l'escompte d'une quantité croissante d'*exchequer bills* : en 1795, elle en détenait pour près de 13 millions, alors que son encaisse n'atteignait pas 5 1/2. Comme il lui fallait, d'autre part, solder en numéraire les dépenses des forces expéditionnaires, les achats de grains de 1796 et les subsides (au total, plus de 28 millions de 1793 à 1799), il la contraignit, malgré la loi, à lui avancer une partie de son encaisse, qui, au début de 1797, ne dépassait pas beaucoup le million. On dut alors déclarer la banknote inconvertible et elle le resta jusqu'en 1823. La Banque étant la clef de voûte de l'échafaudage de crédits qui soutenait l'économie, les conséquences auraient pu être terribles. Pourtant, il n'y eut point de panique, parce que le peuple, n'ayant connu ni le système de Law ni l'assignat, ne comprit pas que la livre était menacée ; quant aux capitalistes, Pitt les rassura en les convainquant, par un redressement fiscal énergique, qu'il n'avait nullement l'intention de s'abandonner au papier-monnaie. La paix continentale s'étant rétablie, il n'exporta que 2 millions en 1797 et 1798 pour les forces armées entretenues en Europe et pour les subsides ; la livre fit prime et l'encaisse put être rétablie à 7 millions en 1799. En réalité, la Banque accepta désormais une plus grande quantité d'*exchequer bills* et il y eut une certaine inflation gouvernementale ; mais elle fut assez modérée pour ne pas ruiner la monnaie comme en France et elle épargna aux Anglais cette déflation qui accablait le Directoire. Toutefois, ce ne fut qu'une accalmie. En 1799, la guerre reprit sur le continent et la disette exigea de nouveaux achats de grains : il en coûta près de 3 millions 1/2 ; l'encaisse de la Banque diminua, et cette fois le change fléchit : dès 1799, la livre perdit 8 % à Hambourg et 5 à Cadix. Cette crise n'allait pas tarder à compromettre le moral de la nation, mais, en elle-même, la baisse de la livre favorisait les chefs de l'économie : ils purent continuer d'exporter, étant payés en numéraire, tandis qu'ils acquittaient les salaires en papier déprécié. En son empirisme, la politique monétaire et financière de l'Angleterre témoigna d'une maîtrise dont aucun pays n'était alors capable.

Grâce à elle, la révolution industrielle put continuer ses progrès ; mais elle avançait moins vite qu'on ne le croit parfois. Dans l'industrie cotonnière, la plus évoluée, on tissait toujours à la main ; le métier de Cartwright ne fut adopté pour la première fois qu'en 1801, à Glasgow, et ne se répandit qu'après l'invention, par Radcliffe, de la machine à apprêter, vers 1804. L'industrie de la laine en restait aux essais ; elle employait même peu la *jenny*, et le métier de Cartwright pour la filature des peignés ne se trouva au point qu'en 1803. L'exploitation charbonnière restait arriérée, malgré l'extension croissante du rail et l'emploi de la machine à vapeur. Cette machine n'était encore utilisée, dans l'industrie, que par quelques filatures de coton, les autres se contentant du *water-frame*. Quant aux communications, on s'intéressait toujours aux canaux par préférence et il y avait peu de bonnes routes. Grâce à la lenteur des transports et à des salaires sans cesse plus bas, les fabrications traditionnelles se défendaient énergiquement et la concentration continuait à se manifester sous la forme commerciale plutôt que par la création d'usines. Des capitaines d'industrie de ce temps, David Dale, beau-père de Robert Owen, et Radcliffe, de Stockport, ont commencé par faire travailler à domicile. Mais le *mule*, bien qu'il ne fût pas employé partout, conférait à la filature de coton une puissance irrésistible ; la bonneterie et la dentelle au métier étaient prospères ; la métallurgie était en grande partie modernisée et les *engineers*, dont le plus fameux était Bramah, l'inventeur de la presse hydraulique, multipliaient les machines-outils. Dans toutes les branches où elle triomphait, la machine assurait à l'Angleterre la suprématie dans le monde entier.

Selon la statistique douanière, calculée d'après un barème des prix établi à la fin du xviie siècle, la balance du commerce britannique aurait été constamment favorable : en 1799, par exemple, le solde créditeur ressort à 5 millions de livres sterling.

On ne manque jamais de l'attribuer aux progrès de l'industrie. En réalité, le recours aux valeurs réelles des marchandises importées et exportées suggère la conclusion contraire : à l'exception de rares années (une seule — 1802 — de 1798 à 1815), le trafic de la Grande-Bretagne demeurait déficitaire : de 10 millions 1/2 de livres en 1799 ; de près de 20 en 1801. Si l'exportation industrielle augmentait en quantité, ses prix s'abaissaient, ce qui lui permit d'ailleurs de conserver et de gagner des marchés en dépit des difficultés que lui opposait la guerre. L'Angleterre ne s'enrichissait pas moins ; la balance des comptes se redressait grâce au fret, à l'assurance, à la commission, et surtout grâce à l'exploitation des pays d'outre-mer : traite négrière, fonds engagés dans les plantations, traitements et retraites des fonctionnaires de la Compagnie des Indes, spéculations individuelles des trafiquants coloniaux, épargnes que les « nababs » rapportaient des colonies, revenus des capitaux qui s'y étaient investis.

La hausse des prix avait aussi profité à l'agriculture. L'Angleterre, maintenant, ne produisait plus assez de grains pour se nourrir et la guerre rendait les achats coûteux, si bien que la *corn-law* ne jouait plus, tant le blé était cher ; il rapportait plus que l'élevage et on en semait davantage. Aussi étendait-on plus que jamais l'enclosure : ce fut un âge d'or pour les *landlords* et aussi pour les fermiers. La technique poursuivait ses progrès et, en 1793, on avait mis J. Sinclair et A. Young à la tête d'un *Board of agriculture*. La révolution agraire avait gagné l'Écosse, où les chefs de clan, reconnus *landlords*, évinçaient, pour se consacrer à l'élevage, les tenanciers des Highlands, réduits à émigrer. Cette prospérité agricole renforçait la puissance de l'Angleterre puisqu'elle la rendait peu vulnérable quant à ses moyens de subsistance ; elle aidait aussi les petits propriétaires à se maintenir, ou même à augmenter en nombre dans certains comtés ; il n'en restait guère à la vérité ; du moins étaient-ils contents de leur sort et, avec les fermiers, constituaient un élément de stabilité.

Malgré ses progrès, le capitalisme anglais ne pensait pas encore au libre-échange. Loin de renoncer à la *corn-law*, propriétaires et fermiers demandaient qu'on la renforçât ; les industriels demeuraient fidèles au mercantilisme, au point d'interdire l'exportation des machines. Mais, à l'intérieur, ils éludaient de plus en plus la réglementation qui limitait le nombre des apprentis et autorisait la fixation d'un minimum de salaires. Au contraire, les ouvriers continuaient à invoquer les *statutes of labourers* et soutenaient leurs réclamations par la mise à l'index et la grève, défendues en principes, mais que les *justices of peace* hésitaient à condamner, alors que les patrons donnaient eux-mêmes l'exemple de violer la loi. Aussi le *Combination act* du 12 juillet 1799, qui punit la grève sans distinction, ainsi que les associations et collectes destinées à la soutenir, alors que l'autorité laissait tomber en désuétude les règlements favorables aux ouvriers, est-il digne de mémoire. Déprimés par l'emploi des enfants assistés, des femmes et des paysans déracinés et par le progrès du machinisme, les salaires ne suivaient que de loin la hausse des denrées et on les rognait encore par le *truck-system* ; ou paiement en nature, et par des amendes arbitraires ; mais on les complétait, depuis 1795, aux frais de la *poor-tax*, par des secours proportionnés au prix du pain, et c'est ce qui explique la résignation relative des classes populaires.

La France écartée, l'industrie anglaise n'apercevait guère de rivale. A part quelques entreprises minières et la grosse métallurgie silésienne, monopole de quelques magnats ou de l'État, le capitalisme, sur le continent, ignorait la machine et ne dépassait pas la forme commerciale. Le travail du coton prospérait en Saxe, en Suisse et en Souabe ; mais on n'introduisit la *jenny* qu'en 1786 à Chemnitz, et la machine à tricoter qu'en 1797. La guerre atteignit d'ailleurs les industries traditionnelles : celle de la toile fut ruinée en Silésie.

Pour l'agriculture, les pays de la Baltique, qui produisaient pour l'exportation, commençaient à imiter l'Angleterre. Il s'agissait, avant tout, de dissoudre la communauté de village et de remembrer les parcelles en exploitations cohérentes qui pussent se soustraire à l'assolement obligatoire et à la vaine pâture, bref d'acclimater l'enclosure. L'État désirait aussi abolir le servage et organiser le rachat des dîmes, redevances et corvées, de manière à transformer le paysan, soit en propriétaire, soit en journalier salarié. Depuis 1781, cette réforme s'opérait en Danemark ; en 1800, elle fut, en principe, étendue au Slesvig-Hosltein ; en Prusse, le roi l'appliquait dans son domaine propre. Comme l'Angleterre importait des grains, elle ne pouvait qu'y trouver profit. Elle voyait de même œil les progrès des États-Unis, encore purement agricoles, satisfaite surtout par le progrès du coton *sea island*, apporté des Bahamas en 1786, offert à Glasgow pour la première fois en 1792 et aussitôt apprécié des filateurs. Quand les difficultés de l'égrenage eurent été résolues par la machine de Whitney, en 1793, l'exportation fut aussitôt de 8 millions de livres pesant, et elle avait déjà doublé en 1798. Ce fut un événement de grande portée pour les États-Unis, car l'esclavage devint dès lors, pour le Sud, une institution fondamentale et les planteurs se mirent à convoiter la Floride et la Louisiane. Mais, pour le moment, le Nord n'y vit qu'une occasion d'employer ses capitaux et ses navires ; c'est à peine si les mécaniques anglaises venaient d'y être introduites ; les grandes fortunes d'Astor et de Girard s'édifiaient par le commerce, la navigation et les spéculations foncières.

Privée des marchés que contrôlait la France, mais débarrassée de la concurrence française, l'Angleterre se dédommagea aux dépens de ses alliés et des neutres. Par les ports hanséatiques, elle s'était élancée à la conquête de l'Allemagne : de 1789 à 1800, ses exportations vers Brême et Hambourg sextuplèrent ; aux foires de Francfort et de Leipzig, elle entrait en contact avec les Suisses et les Autrichiens, les Polonais et les Russes ; ses cotonnades et surtout ses filés en expulsèrent les produits helvétiques et saxons. La finance s'orienta vers Londres. L'électeur de Hesse y plaçait des fonds, et c'est en l'y aidant que Meyer Amschel Rothschild, de Francfort, développa ses affaires ; en 1798, son fils Nathan alla s'installer en Angleterre et y fut bientôt riche. La Baltique, d'autre part, devint un domaine anglais, d'importance capitale d'ailleurs, puisqu'on en tirait des fournitures navales, des grains et des textiles : au début du XIXe siècle, 72 % des importations britanniques venaient de la Prusse et de la Russie ; les trois quarts des grains du seul port de Dantzig. En Méditerranée, la France résista mieux ; conquérant l'Italie, elle gêna l'Angleterre sans l'éliminer ; mais, à partir de 1798, elle fut chassée du Levant.

Entre la Méditerranée et les mers septentrionales, la guerre navale accrut l'importance de la liaison continentale. Assurée jusque-là, pour une bonne part, à travers la France, l'Italie, la Suisse et la Hollande, elle avait été compromise par la fermeture de la voie rhénane. Dès 1790, la France avait interrompu le transit par la rive gauche en portant sa douane au fleuve ; l'occupation de la Rhénanie et de la Hollande fut un nouveau coup pour cette route ; l'embouchure étant bloquée, le trafic de Cologne, en 1800, était réduit à moins d'un tiers ; une partie seulement du trafic se faufila par Emden vers Francfort ; d'un autre côté, la Suisse se trouva coupée de Gênes. La transversale européenne recula donc vers l'est, comme au temps de Louis XIV : elle passa désormais par Hambourg et Leipzig, pour gagner Venise et, de préférence, Trieste.

Sur les fluctuations du commerce britannique, on ne possède

jusqu'en 1798 que les estimations problématiques des valeurs en douane *(valeurs officielles)*, mais le sens en est clair : de 20 millions de livres en 1790, l'exportation aurait passé à 35 en 1801 ; et l'ensemble, de 39 à 67 millions. En *valeurs réelles*, l'exportation passe de 42,6 millions de livres en 1798 à 52,3 en 1800, l'ensemble de 99,1 à 118,8. Le tonnage des navires sortis augmenta d'un tiers et atteignit près de 2 millions de tonneaux. Ce fut pendant la guerre que l'on construisit les docks de Londres, qui furent dotés du régime de l'entrepôt. Plus qu'aucune autre, l'industrie cotonnière profita de cet essor : de 1 million 1/2 de livres, ses ventes à l'étranger montèrent à 6 millions en 1800 ; en 1797, elle n'importait encore que 734 000 livres pesant de coton ; elle en était à 1 663 000 livres trois ans après. Cette même année 1800, on exporta 2 millions de tonnes de houille et 1 million 1/2 de tonnes de fonte et de fer.

L'Angleterre doubla aussi ses envois aux États-Unis. Comme ces derniers, d'autre part, elle ne quittait pas des yeux l'Amérique espagnole, et l'occupation de la Trinité servit surtout à la contrebande. La fermentation qui s'y manifestait ouvrait de vastes perspectives. Tout le système colonial était ébranlé par l'émancipation des États-Unis, la suspension de l' « exclusif » et l'abolition de l'esclavage dans les Antilles françaises. Avant tout, les créoles désiraient la liberté commerciale ; à Buenos-Aires, Belgrano en était l'apôtre, et l'Espagne avait dû admettre les neutres dans ses ports coloniaux. Mais on commençait aussi d'aspirer à l'indépendance politique. Au Mexique et au Venezuela, des complots provoquèrent une répression sanglante. Miranda, après s'être adressé à la France, se tourna vers l'Angleterre quand l'Espagne eut changé de camp ; à Londres, il rencontra Narino et O'Higgins ; il y aurait fondé une « loge Lautaro » pour préparer une insurrection générale. En tout cas, au nom d'un comité constitué en Espagne à son instigation, il sollicita, en 1798, le concours de Pitt, qui se contenta de l'adresser aux États-Unis, brouillés, pour l'instant, avec la France.

Dans les autres parties du monde, l'Angleterre, maîtresse des mers, était seule capable d'imposer alors l'autorité du blanc ; elle ne s'y montrait pas fort encline. L'opinion mercantile n'avait pas adopté l'hostilité de Bentham pour les colonies ; mais l'émancipation des États-Unis ne l'encourageait pas à les multiplier ; son impérialisme était plutôt commercial. L'empire britannique s'agrandissait pourtant : les Antilles françaises étaient tout de même bonnes à prendre ; d'énormes capitaux allèrent s'investir dans la Guyane hollandaise et y décuplèrent la production ; la marine avait besoin d'escales comme le Cap ; les chefs coloniaux, fils de l'aristocratie, satisfaisaient leur goût de l'action en poussant spontanément la conquête. En Afrique, la colonie de Sierra Leone fut fondée en 1792 ; Mungo-Park explora le Niger jusqu'à Tombouctou ; on prit le Cap aux Hollandais. En Australie, Phillip avait débarqué le premier convoi de *convicts* à Sydney en 1788. C'était dans l'Inde surtout que les Anglais s'étendaient depuis l'arrivée de Richard Cowley, comte de Mornington, puis marquis de Wellesley. Après la mort de Tippou, en 1799, il annexa une partie du Mysore et, en 1800, établit son protectorat sur le Nizam qui avait obtenu le reste ; ensuite, il s'en prit aux Mahrattes. Il surveillait le Pundjab, où Randget Singh s'était fait céder Lahore par les Afghans en 1794, sans négliger ni la Perse, dont Malcolm obtint, en 1801, un traité qui ouvrait au commerce anglais la côte du golfe, ni la mer Rouge, où Périm fut occupé en 1798 et où Popham allait être envoyé pour obtenir le monopole du café d'Arabie et préparer une expédition de cipayes contre l'Égypte.

Sans la guerre européenne, il est très probable que l'Extrême-Orient eût été abordé. En Indochine, l'évêque Pigneau de Béhaine, ayant aidé Nguyen-Anh à reprendre la Cochinchine aux montagnards insurgés qu'on appelait les Tay-son, resta son conseiller jusqu'à sa mort ; Nguyen reconquit peu à peu l'Annam et le Tonkin, où la dynastie des Lê avait été détrônée, et ceignit la couronne en 1803 sous le nom de Gia-Long. Mais l'influence française était tombée à rien. En Chine, la dynastie mandchoue avait atteint l'apogée avec K'ien-Long, mort en 1799, après avoir achevé la conquête des provinces extérieures ; non contents de coloniser ces provinces, les Chinois se répandaient déjà en nombre dans la Cochinchine et les Philippines ; ils atteignaient le Siam et le Bengale et ils étaient les seuls étrangers admis au Japon. Chez eux, ils ne trafiquaient avec l'Européen que dans le comptoir portugais de Macao, où ne venaient plus guère que les Anglais et les Américains, depuis la dissolution de la compagnie hollandaise des Indes. En 1793, l'Anglais Macartney envoyé à Pékin n'avait pu obtenir aucune concession. Toutefois, après la mort de K'ien-Long, son fils K'ia-Ling (1796-1820), ivrogne et cruel, menacé par les révoltes que fomentaient les sociétés secrètes, n'était plus en mesure de tenir tête à qui viendrait l'attaquer en force ; mais les Anglais avaient autre chose à faire. Quant au Japon, il était plus fermé encore. Bien qu'il ne pût nourrir sa population, constamment décimée par la famine, il ne permettait pas l'entrée des grains et défendait d'émigrer. Il n'admettait chaque année que quelques jonques chinoises et, à Nagasaki, un navire hollandais, pour lui vendre un peu de cuivre. Très faible militairement, il n'avait pas vu sans inquiétude des navires anglais et surtout russes aborder Sakhalin, les Kouriles et même Yéso en 1792.

En ce temps, les missionnaires, qui ont souvent frayé la voie au marchand et au soldat, s'occupaient surtout de l'Amérique. En Chine, K'ien-Long persécuta les Lazaristes, successeurs des Jésuites, et leur mission, dont le recrutement avait été arrêté par la Révolution, disparut en 1800. La nouveauté fut l'entrée en lice des protestants que, seuls, quelques frères moraves avaient représentés outre-mer jusqu'alors ; ce fut précisément l'Angleterre qui renversa la situation : en 1792, les baptistes prirent l'initiative ; en 1795, les anglicans fondèrent la *London missionary society* ; en 1799, Marshman débarqua au Bengale, où la Compagnie l'accueillit d'ailleurs fort mal.

Quant à l'émigration blanche, elle était devenue à peu près nulle. C'est par l'excédent des naissances que les colons de l'Amérique du Nord se multipliaient et s'avançaient vers l'ouest, faisant reculer la forêt. Aux États-Unis, le Kentucky et le Tennessee avaient été admis comme États en 1791 et en 1796 ; l'Ohio se constitua en 1802. Mais l'Ouest ne comptait encore, en 1800, que 370.000 habitants sur plus de 5 millions. Entre l'Atlantique et le Pacifique, où Vancouver explora la côte de 1790 à 1795 et où les Russes venaient d'apparaître, il n'y avait pas d'autre liaison que les postes de la compagnie de la baie d'Hudson qui s'étaient avancés jusqu'à la Columbia. Mackenzie, en 1793, préféra s'aventurer dans les solitudes arctiques.

L'Amérique latine n'étant qu'une espérance, l'Europe et les États-Unis constituaient le marché dont dépendait l'existence de l'Angleterre. Or on ne jugeait nullement impossible qu'il se trouvât menacé un jour ou l'autre. L'industrie continentale ne laissait pas de s'irriter de la concurrence britannique. Pour sauver leur filature, la Suisse et surtout la Saxe se voyaient obligées de renouveler leur outillage : le premier *water-frame* apparut à Chemnitz en 1798 ; la prohibition leur aurait été aussi précieuse qu'à la France. D'autre part, le blocus anglais suscitait à chaque instant des difficultés diplomatiques. En 1794, le Danemark et la Suède avaient esquissé une nouvelle ligue des neutres ; par eux-mêmes, ils ne pouvaient rien ; mais, si la Russie entrait en ligne, la Prusse et l'Allemagne du Nord suivraient et la Baltique se fermerait. Du côté des États-Unis, le péril était encore plus visible. A la question du blocus s'ajoutait celle des matelots américains volontiers confondus par l'Angleterre avec les nationaux qu'elle recherchait et enlevait sur les bâtiments neutres. Washington et les fédéralistes se bornaient à protester ; mais, en 1800, Jefferson accéda à la présidence ; il était probable qu'il serait moins accommodant.

Il ne faut pas oublier non plus que les conditions du commerce mondial n'étaient pas tout à fait saines, du chef de la guerre. Londres, Amsterdam, Hambourg, spéculaient sur les denrées coloniales en s'accordant réciproquement des crédits et en immobilisant leurs capitaux pour constituer des stocks. En 1799, à la fin de l'hiver, la hausse devint vertigineuse à Hambourg, parce que, l'Elbe prise, les arrivages étaient suspendus. Quand la débâcle survint, avant les foires du printemps, les navires affluèrent et la baisse s'ensuivit : sur le sucre, elle atteignit 72 %. En même temps, la guerre reprit et, en août, les banquiers d'Amsterdam, à la veille de l'invasion, coupèrent les crédits. Cent trente-six maisons de Hambourg sautèrent et les Parish perdirent plus d'un million de marks. Cette crise se répercuta dans toutes les places de l'Europe, mais surtout à Londres, où vingt négociants au moins firent faillite ; l'industrie cotonnière, ébranlée, chôma ou diminua les salaires ; ce fut pour comprimer l'agitation qu'on porta le *Combination act*. Précisément, la situation financière et monétaire s'assombrissait, comme on l'a vu, et enfin la récolte de 1799 et celle de 1800 furent exceptionnellement mauvaises : de 49 sh. au début de 1799, le *quarter* de blé atteignit 101 sh. en février 1800.

En se fermant aux Anglais, la France n'avait donc pas atteint son but : le commerce britannique avait trouvé des débouchés nouveaux et se sentait plus prospère que jamais. Quand les Français jugeaient artificielle et fragile la structure économique de l'Angleterre, ils se trompaient, parce qu'ils ignoraient les « miracles du crédit ». Il est pourtant vrai que son mécanisme délicat s'enraye automatiquement par intervalle et pouvait se trouver faussé par une série de conjonctures extérieures comme la politique des États et les mauvaises récoltes : pareille menace se dessinait précisément en Angleterre, et il n'était nullement impossible que le moment vînt où, déconcertée, elle accepterait de faire la paix.

VI. — *LES CONDITIONS DE LA PAIX*[1].

Pour profiter d'une telle occurrence, il fallait que la République rétablît la paix continentale. Elle devait donc combattre et vaincre encore une fois, puis, le traité signé, rétablir l'ordre à l'intérieur et désarmer la contre-révolution : sinon, l'appel à l'étranger persisterait et, à la première crise, celui-ci ne manquerait pas de renouveler l'assaut. Mais le succès dépendait aussi de ce que la France prétendait garder de ses conquêtes.

Après le 9 thermidor, la politique française s'était peu à peu orientée vers l'acquisition des frontières naturelles. Par la constitution de l'an III, les thermidoriens avaient interdit de céder une portion quelconque du territoire. Au moment du vote, le territoire ne comprenait, en fait de conquêtes, que la Savoie et Nice. Mais, le 9 vendémiaire an IV (30 septembre 1795), la Convention réunit la Belgique, et on tint cette annexion pour sanctionnée par le plébiscite constitutionnel. Dès ce moment, on invoquait en outre, pour garder la rive gauche du Rhin, les plébiscites de 1793 ; la Prusse à Bâle, l'Autriche à Campoformio, l'Empire à Rastadt l'avaient abandonnée. Directeur jusqu'au 18 fructidor, Carnot n'approuvait pas de tels agrandissements, et les idéologues, qui poussèrent Bonaparte au pouvoir, ne pensaient guère autrement, car, le 1er novembre 1799, dans la *Décade philosophique*, l'un d'eux, Daunou probablement, déclarait que la constitution de l'an III, en fixant les limites de la République, avait décrété « la guerre éternelle et l'anéantissement total des Français ». Il n'en résultait pas que les républicains dussent traiter sur la base des « anciennes limites », comme les royalistes étaient obligés de le promettre à l'étranger ; la France pouvait s'étendre en Wallonie et dans la Sarre. La plus grande partie de la nation eût sûrement approuvé cette modération : ce qu'elle désirait avant tout, c'était la paix, et l'article de la *Décade*, destiné à préparer le coup d'État, en est bien la preuve. Néanmoins, il ne faut pas méconnaître les difficultés. Dans sa lutte contre le royalisme, le Directoire n'avait cessé de faire appel au sentiment national, en sorte que les républicains, prenant l'habitude de ne pas séparer la Révolution de la conquête des frontières naturelles, s'enorgueillissaient d'avoir achevé l'œuvre de la monarchie. L'armée n'eût pas vu d'un bon œil la perte de ses conquêtes ; si elle assurait la paix par de nouvelles

---

1. OUVRAGES A CONSULTER. — Les mêmes que p. 27 et 36.

victoires, comment le gouvernement pourrait-il se montrer moins exigeant que ses prédécesseurs ?

Au delà des frontières naturelles, le Directoire avait laissé Bonaparte créer un dangereux précédent par la formation de la Cisalpine ; il l'imita ultérieurement à Rome et à Naples, s'installa en Piémont et fit du Valais une république pour tenir les routes alpestres ; il se comportait en maître dans la Hollande et la Suisse. Mais on pouvait expliquer que cette politique ne se justifiait que par la guerre. La paix signée, la France ne se désintéresserait assurément pas de ce qui se passerait au voisinage de ses « frontières naturelles ». Mais il n'en résultait pas qu'elle dût maintenir ses armées dans les pays qui la touchaient : elle pouvait se contenter de garantir leur indépendance, d'accord avec les autres puissances. Il n'y a aucun doute que l'opinion, à cet égard, eût approuvé le gouvernement. Après tant d'expériences décevantes, l'enthousiasme des Girondins pour la propagande s'était évanoui ; personne ne blâmera Bonaparte de ne pas rétablir la République romaine, ni la parthénopéenne.

Il n'y avait aucune probabilité de paix durable si la France dépassait les frontières naturelles ; mais, en admettant qu'elle s'en contentât, les puissances continentales se résigneraient-elles à les lui laisser ? On l'a nié, mais sans raison probante. La Prusse ne pensait qu'aux indemnités promises en Allemagne ; ce n'était pas pour reprendre la rive gauche du Rhin que la Russie était entrée en guerre ; l'Autriche serait la plus récalcitrante, mais des compensations la calmeraient, surtout si l'on renonçait à l'Italie. Restait l'Angleterre. Pitt avait plusieurs fois déclaré qu'il ne traiterait pas, aussi longtemps que la sécurité de son pays ne serait pas assurée et qu'elle ne pouvait l'être si la France restait aux Pays-Bas ; il fallait même lui arracher la majeure partie au moins de la rive gauche du Rhin et, en 1795, Grenville ajoutait qu'on la réunirait à la Belgique entre les mains de l'Autriche. Il n'était pas vrai que la sécurité de l'Angleterre fût leur seul souci, puisqu'ils voulaient aussi reprendre la Savoie. Mais on ne peut contester qu'un des points essentiels de la politique anglaise eût toujours été de soustraire les Pays-Bas à la domination de la France. Seulement, il fallait les reprendre et, sans les continentaux, l'Angleterre n'y réussirait pas. Si la France s'arrangeait avec eux, il s'agirait donc d'une guerre d'usure, et les circonstances économiques pouvaient induire sa rivale à se résigner, surtout si on lui abandonnait la mer et les colonies. La crise de 1797 avait obligé Pitt à offrir un tel accommodement et, en 1799, tout annonçait pareille conjoncture. Le péril était justement que la France n'attribuât aux difficultés britanniques d'autre cause que le blocus opposé par elle à celui de sa rivale. En ce cas, la tentation pouvait naître de contester aussi l'empire de la mer à l'Angleterre, en accentuant la pression par l'extension de ce blocus à toute l'Europe. Alors, la guerre continentale se rouvrirait et ce serait vraiment la « guerre éternelle », non parce que la France avait atteint les « frontières naturelles », mais parce qu'elle les aurait dépassées.

Si la sagesse eût prévalu chez elle, ce n'est pas à dire que l'Europe, si violemment hostile à la République régicide, eût renoncé pour toujours à lui reprendre tout ou partie de ses prodigieuses conquêtes. Mais la question ne se pose pas ainsi : en 1799 comme en tout temps, le problème, pour un homme d'État, n'était pas d'arrêter le cours de l'histoire. Il s'agissait seulement de savoir si la France avait des chances de s'assurer une paix d'une ou deux décades en conservant ses prétendues frontières naturelles et de reprendre haleine pour se préparer à les défendre avec plus de force encore qu'elle ne l'avait fait jusqu'alors. L'affirmative n'est pas douteuse. Les républicains directoriaux auraient-ils su les saisir ? Ce n'est aucunement certain ; mais, à la fin de 1799, le choix ne dépendait plus d'eux. De leur propre volonté, ils l'avaient remis entre les mains d'un homme.

CHAPITRE III

L'AVÈNEMENT DE BONAPARTE

Que la Révolution recourût à la dictature, ce n'était point un hasard ; une nécessité interne l'y poussait, et non pour la première fois. Qu'elle ait fini par la dictature d'un général, ce ne fut pas un hasard non plus. Mais il se trouva que ce général était Napoléon Bonaparte, dont le tempérament, plus encore que le génie, ne pouvait s'accommoder spontanément de la paix et de la modération. Ce fut l'imprévisible qui fit pencher la balance du côté de la « guerre éternelle ».

I. — LA DICTATURE EN FRANCE[1].

Les républicains désiraient depuis longtemps renforcer l'autorité gouvernementale, comme le montrent les constitutions qu'ils donnèrent aux pays vassaux : sans parler de la Cisalpine, fief de Bonaparte, les directeurs, en Hollande, disposaient de la trésorerie ; en Suisse, ils nommaient les fonctionnaires ; à Rome, aussi les juges ; dans ces deux dernières républiques, les départements avaient déjà un « préfet ». Malheureusement, la procédure de revision fixée par la constitution de l'an III exigeait un délai de sept ans au moins. Le coup d'État du 18 fructidor avait fourni une occasion que Sieyes, Talleyrand et Bonaparte songèrent à exploiter ; on la laissa échapper. Mais, en l'an VII, on pensait à en provoquer une nouvelle. Sans qu'ils s'en rendissent compte, les républicains obéissaient à la tendance qui, depuis que la guerre civile et la guerre étrangère avaient commencé, poussait la Révolution vers l'institution d'un exécutif permanent

1. OUVRAGES A CONSULTER. — Voir le précédent volume de cette histoire : *La Révolution française*, livre V, chap. X, et livre VI, chap. I, § 11 ; en outre, A. VANDAL, *L'avènement de Bonaparte*, t. I : *La genèse du Consulat, Brumaire* (Paris, 1903, in-8º) ; A. MEYNIER, *Les coups d'État du Directoire*, t. III : *Le 18 brumaire an VIII* (Paris, 1928, in-8º).

et omnipotent, c'est-à-dire vers la dictature. C'est qu'elle était une révolution sociale et que l'aristocratie dépossédée ne se bornait pas à l'insurrection : avec l'argent de l'ennemi, elle exploitait les exigences de la guerre, source inépuisable de mécontentement, et notamment la crise monétaire et économique, pour dresser la population contre le gouvernement. Les Français ne voulaient pas revenir à l'Ancien Régime ; mais ils souffraient et en rendaient leurs chefs responsables. A chaque élection, la contre-révolution espérait ressaisir le pouvoir. En 1793, les Montagnards aperçurent le péril et perpétuèrent la Convention jusqu'à la paix. Les thermidoriens prétendirent restaurer le régime électif ; tout de suite après, par le décret des deux tiers, ils avaient repris l'expédient jacobin. Puis, le Directoire, débordé par les élections de l'an V, était revenu à la dictature, le 18 fructidor. Mais, tant que la constitution de l'an III subsistait, cette dictature, remise en question chaque année, exigeait coup de force sur coup de force et ne pouvait s'organiser. Restait à faire revivre le principe de 1793 et à en rendre l'application permanente jusqu'à ce que la paix, définitivement rétablie, persuadât la contre-révolution d'accepter l'ordre nouveau. C'est par là que la dictature de Napoléon est intimement soudée à l'histoire de la Révolution ; quoi qu'il ait dit et fait, ni lui ni ses adversaires ne purent jamais rompre cette solidarité, et l'aristocratie européenne l'a parfaitement compris.

Comme en 1793, les jacobins de l'an VII proposaient d'instituer une dictature démocratique en s'appuyant sur les sansculottes pour l'imposer aux Conseils. A la faveur de la crise qui précéda la victoire de Zurich, ils réussirent à arracher plusieurs mesures révolutionnaires : l'emprunt forcé, l'interdiction aux conscrits de se faire remplacer, la loi des otages, l'annulation des délégations sur les revenus publics qui avaient été délivrées aux banquiers et aux fournisseurs, la retenue sur la rente et sur les traitements, les réquisitions. Elles atteignirent la bourgeoisie dans ses intérêts, et la décidèrent à l'action ; c'est un symbole que les délégations aient été rétablies le soir même du 19 brumaire. Les idéologues qui se réunissaient autour de Mme de Condorcet à Auteuil ou dans le salon de Mme de Staël, ne voulaient pas de dictature démocratique, ni même de démocratie. Dans des fragments de 1799, sur les moyens de « terminer la Révolution » et sur « les principes qui doivent fonder la Révolution », Mme de Staël a exposé leur vœu : combiner un système représentatif qui assurât le pouvoir aux « notables », de l'argent et du talent. S'inspirant du décret des deux tiers, Sieyes, qui était devenu directeur, voulait composer lui-même, avec ses amis, les nouveaux corps constitués qui se recruteraient ensuite par cooptation, la nation n'élisant plus que des candidats. Les hommes en place y voyaient d'ailleurs l'avantage de se perpétuer au pouvoir.

Pour instituer la dictature de la bourgeoisie, du moment qu'on éliminait le peuple, il ne restait que l'armée. Le 18 fructidor an V, le Directoire avait déjà recouru à elle, sans que le pouvoir civil, en dépit de graves dommages, eût perdu la haute main. Le cas, cette fois, était bien différent, car il s'agissait de chasser d'incontestables républicains, non des royalistes. Seul, un général populaire avait chance de l'entraîner. Le retour inopiné de Bonaparte voulut que ce fût lui. Le vœu de la nation qu'on a invoqué pour justifier le 18 brumaire n'y fut pour rien. Elle se réjouit de savoir Bonaparte en France parce qu'elle le connaissait bon général ; mais la République avait vaincu sans lui et le triomphe de Masséna profitait au Directoire. La responsabilité du 18 brumaire incombe à cette partie de la bourgeoisie républicaine qu'on appela les « brumairiens », au premier rang desquels brille Sieyes. Ils n'entendaient pas s'abandonner à Bonaparte et ne le choisirent que comme instrument. Néanmoins, ils le poussèrent au pouvoir sans poser de conditions, sans même fixer au préalable les traits essentiels du régime nouveau, et c'est une preuve d'inconcevable médiocrité. Bonaparte ne répudiera pas les « notables », car lui non plus n'était pas démocrate et, seul, leur concours lui permettrait de gouverner. Mais, le soir du 19 brumaire, quand ils eurent bâclé l'organisation du Consulat provisoire, ils n'auraient pas dû conserver d'illusions. L'armée avait suivi Bonaparte et lui seul. Il était donc le maître. Quoi qu'en aient dit et lui-même et ses apologistes, son pouvoir, de par son origine, fut une dictature militaire, donc absolue. C'était lui qui allait trancher les questions dont dépendait le sort de la France et de l'Europe.

II. — *NAPOLÉON BONAPARTE*[1].

Qu'était-il donc ? On ne peut tracer de lui un portrait, car son image évolue singulièrement, de l'officier studieux et rêveur

1. Ouvrages a consulter. — Sur les origines de la famille Bonaparte, utiles renseignements dans F. Pomponi, *Essai sur les notables ruraux en Corse au XVIIe siècle* (Aix-en-Provence, 1962, in-8º ; Publications des « Annales de la Facultés des Lettres d'Aix-en-Provence », nº XX). — Sur les débuts de Bona-

de Valence ou d'Auxonne, et même du jeune général qui, à la
veille de Castiglione, tenait encore un conseil de guerre, à l'empereur des dernières années, enivré de sa toute-puissance et

parte, voir le précédent volume de cette histoire : *La Révolution française,*
livre V, notamment chap. III, § 1. F. MASSON et G. BIAGI, *Napoléon inconnu*
(Paris, 1895, 2 vol. in-8º) ; A. CHUQUET, *La jeunesse de Napoléon* (Paris,
1897-1899, 3 vol. in-8º) ; V. MARCAGGI, *La genèse de Napoléon* (Paris, 1902,
in-8º). — Sur sa vie privée, Dr A. CABANÈS, *Au chevet de l'Empereur* (Paris,
1924, in-8º) ; DU MÊME, *Dans l'intimité de l'Empereur* (Paris [1924], in-8º) ;
ARTHUR-LÉVY, *Napoléon intime* (Paris, 1893, in-8º) ; F. MASSON, *Napoléon
et les femmes* (Paris, 1893, in-8º) ; DU MÊME, *Napoléon chez lui* ; *la journée de
l'Empereur* (Paris, 1894), in-8º) ; voir aussi les ouvrages relatifs aux rapports
de Napoléon avec les siens, p. 79, 314 et 435 ; A. DECAUX, *Laetizia, mère de
l'empereur* (Paris, 1959, in-8º). — Pour connaître Napoléon, le mieux est de
lire la *Correspondance de l'empereur Napoléon Ier*, publiée par ordre de Napoléon III (Paris, 1857-1869, 28 vol. in-8º), suivie des œuvres de Napoléon à
Sainte-Hélène, t. XXIX à XXXII (1870) ; cette publication est incomplète ;
depuis ont paru notamment L. LECESTRE, *Lettres inédites de Napoléon* (Paris,
1897, 2 vol. in-8º) ; L. DE BROTONNE, *Lettres inédites de Napoléon Ier* (Paris,
1898, in-8º), et *Dernières lettres inédites de Napoléon* (Paris, 1903, in-8º) ;
E. PICARD et A. TUETEY, *Correspondance inédite de Napoléon Ier conservée
aux Archives de la Guerre* (Paris, 1912-1913, 4 vol. in-8º, publication de la
Section historique de l'État-Major) ; A. CHUQUET, *Ordres et apostilles de Napoléon* (Paris, 1911-1912, 4 vol. in-8º) ; *Lettres de Napoléon à Joséphine et lettres
de Joséphine à Napoléon* (Paris, 1959, in-8º) ; *Lettres inédites de Napoléon Ier
à Marie-Louise écrites de 1810 à 1814*, publiées par L. MADELIN (Paris, 1935,
petit in-8º) ; *Marie-Louise et Napoléon. Lettres inédites (1813-1814)*, réunies et
commentées par C. F. PALMSTIERNA (Paris, 1955, in-8º), réponses aux lettres
de Napoléon publiées en 1935 et heureusement rééditées dans ce volume. —
Les mémoires rapportent beaucoup de propos caractéristiques de Napoléon ;
les plus dignes de foi paraissent être les suivants : THIBAUDEAU, *Mémoires sur
le Consulat* (Paris, 1827, in-8º) ; CHAPTAL, *Mes souvenirs sur Napoléon* (Paris,
1893, in-8º) ; RŒDERER, *Journal* (Paris, 1909, in-8º) ; *Mémoires* du comte DE
MÉNEVAL (Paris, 1894, 3 vol. in-8º) et du baron FAIN (Paris, 1908, in-8º),
tous deux secrétaires de l'empereur ; MOLLIEN, *Mémoires* (Paris, 1837, 4 vol.
in-8º ; rééditions en 1847 et 1898, en 3 vol. in-8º) ; marquis DE NOAILLES,
Le comte Molé, t. I (Paris, 1922, in-8º), fragments des *Mémoires* ; CAULAIN-
COURT, *Mémoires* (Paris, 1933, 3 vol. in-8º). Les *Mémoires* de Mme DE RÉMU-
SAT (Paris, 1879-1880, 3 vol. in-8º) sont célèbres, mais hostiles et peu sûrs
(extraits dans *Mémoires de Mme de Rémusat, 1802-1808*, Paris, 1957, in-8º,
avec une importante préface critique par Ch. KUNSTLER). Voir aussi Charles
DE RÉMUSAT, *Mémoires de ma vie*, t. I : *Enfance et jeunesse, la Restauration
libérale (1797-1820)*, présentés et annotés par Charles-H. POUTHAS (Paris,
1958, in-8º). On consultera encore *Bourrienne, Bonaparte intime, tiré des
« Mémoires »*, par B. MELCHIOR-BONNET (Paris, [1961], in-16). — Les biographies
de Napoléon sont innombrables. Citons les plus remarquables : August
FOURNIER, *Napoléon I. Eine Biographie* (Vienne et Leipzig, 1886-1889, 3 vol.
in-8º ; 2e éd., 1904-1906), trad. fr. inachevée, par E. JÆGLÉ, *Napoléon Ier* (Paris,
1891-1892, 2 vol. in-8º) ; J. HOLLAND ROSE, *The life of Napoleon I* (Londres,
1901, 2 vol. petit in-8º; 11e éd. en un vol., 1929) ; celle de P. LANFREY, *Histoire de*

infatué de son omniscience. Mais, à travers toute sa carrière, les traits essentiels se retrouvent ; le pouvoir n'a pu qu'en accentuer quelques-uns ou en atténuer quelques autres.

Petit et bas sur jambes, assez musclé, sanguin et encore sec à trente ans, le corps est endurant et toujours prêt. La sensibilité et la résistance des nerfs sont admirables, les réflexes d'une promptitude foudroyante, la capacité de travail illimitée ; le sommeil vient au commandement. Voici pourtant le revers : le froid humide provoque l'oppression, la toux, la dysurie ; la contrariété éveille des colères effrayantes ; le surmenage, en dépit des bains chauds et prolongés, d'une extrême sobriété, d'un usage modéré, mais constant, du café et du tabac, engendre parfois de brèves défaillances qui vont jusqu'aux pleurs. Le cerveau est un des plus parfaits qui aient existé : l'attention, toujours en éveil, happe infatigablement les faits et les idées ; la mémoire les enregistre et les classe ; l'imagination en joue librement et, par une tension permanente et secrète, invente, sans se lasser, les thèmes politiques et stratégiques qui se manifestent en des illuminations soudaines, comparables à celles du mathématicien et du poète, de préférence la nuit, dans un réveil soudain, ce qu'il appelle lui-même « l'étincelle morale », « la présence d'esprit d'après minuit ». Cette ardeur spirituelle illumine, par les yeux fulgurants, le visage encore « sulfuré », à son avènement, du « Corse aux cheveux plats ». C'est elle qui le rend insociable et non pas, comme Taine a voulu le faire croire, on ne sait quelle brutalité de condottiere un peu taré,

Napoléon Iᵉʳ (Paris, 1867-1875, 5 vol. in-12), qui s'arrête à 1810, est pénétrante, mais sans bienveillance. Les plus récentes sont celles d'É. Driault, *Napoléon le Grand* (Paris, 1930, 3 vol. in-4º) ; Jacques Bainville, *Napoléon* (Paris, 1931, in-12) ; F. Kircheisen, *Napoleon I, sein Leben und seine Zeit* (Munich et Leipzig, 1911-1934, 9 vol. in-8º) ; du même, *Napoleon I* (Stuttgart, 1927-1929, 2 vol. in-8º), traduit en français par J. Guidau, *Napoléon. Une vie* (Paris, 1934, 2 vol. in-8º) ; E. Tarlé, *Napoléon*, traduit du russe par Ch. Steber (Paris, 1937, in-8º) ; J. M. Thompson, *Napoleon. His rise and fall* (Oxford, 1952, in-8º) ; E. Tersen, *Napoléon* (Paris, 1959, in-8º). Voir aussi L. Salvatorelli, *Leggenda e realtà di Napoleone* (Turin, 1960, in-8º). — On hésite à classer parmi les livres d'histoire le brillant et célèbre essai psychologique de l'écrivain allemand Emil Ludwig, *Napoléon* (1924), dont une traduction française a été donnée par Mlle A. Stern (Paris, 1930, in-8º). — Sur l'historiographie napoléonienne en France, consulter l'étude critique de P. Geyl, *Napoleon voor an tegen de Franse Geschiedschryving* (Utrecht, 1946, in-8º ; trad. anglaise : *Napoleon for and against*, Londres, 1949, in-8º) ; et en Angleterre : W. Moilahn, *Napoleon in der englischen Geschichtsschreibung von den Zeitgenossen bis zur Gegenwart* (Berlin, 1937, in-8º).

sauvagement déchaîné à travers le monde. Il se rendait justice :
« Je suis même assez bon homme » ; et c'est vrai : il se montra
généreux et même aimable pour ceux qui l'approchaient de près.
Mais, entre l'ordinaire des hommes, qui expédient leur tâche au
plus vite pour s'abandonner au loisir et au divertissement, et
Napoléon Bonaparte, qui était tout effort et toute concentration,
il n'y avait point de commune mesure ni de société véritable.
Organisation physique et cérébrale d'où sourd cette irrésistible
impulsion vers l'action et la domination que l'on appelle son
ambition. Il a vu clair en lui-même : « On dit que je suis ambitieux,
on se trompe : je ne le suis pas ou, du moins, mon ambition est
si intimement unie à mon être qu'elle n'en peut être distinguée. »
Que dire de mieux ? Avant tout, Napoléon est un tempérament.

Dès Brienne, encore enfant, étranger pauvre et moqué, ardent
et timide, il a pris appui sur l'orgueil de soi et le mépris des
autres. Mais, en faisant de lui un officier, le destin a merveilleusement servi son instinct qui était de commander sans avoir
à discuter. Si le chef militaire peut s'éclairer ou même prendre
avis, il en est seul maître et c'est toujours lui qui décide. Le
goût spontané de Bonaparte pour la dictature est devenu un
pli de métier. En Italie et en Égypte, il l'a transporté dans le
gouvernement. En France, il a voulu se donner pour un civil ;
mais l'empreinte était indélébile : s'il a consulté beaucoup, il
n'a jamais pu supporter une opposition libre ; mieux, devant un
groupe d'hommes habitués à la discussion, il perdait ses moyens
et c'est pourquoi il a poursuivi les « idéologues » d'une haine si
furieuse ; la foule, confuse et indisciplinée, redoutable pourtant,
lui a toujours inspiré autant de crainte que de mépris. C'est
le général Bonaparte qui a conquis le pouvoir et c'est comme
tel qu'il l'a exercé. Les costumes et les titres n'y ont rien
changé.

Toutefois, sous l'habit du soldat, il y avait plusieurs hommes,
et son attrait fascinant vient de cette diversité autant que de
la variété et de l'éclat de ses dons. Il a brûlé des mêmes appétits
que les autres, le Bonaparte de l'an III, errant sans le sou au
milieu de la fête thermidorienne, frôlant les puissants du jour,
les hommes d'argent et les jolies femmes. Il lui en est toujours
resté quelque chose : un certain plaisir à subjuguer ceux qui
l'avaient traité de haut ; un goût pour la magnificence ostenta-
toire ; le soin de gaver sa famille, le « clan », qui avait souffert
de la même misère ; et aussi quelques paroles mémorables de
bourgeois gentilhomme, comme, au jour du sacre, « Joseph,

si notre père nous voyait ! » Il n'en a pas moins été animé, et beaucoup plus tôt, d'un goût plus noble : celui de tout savoir et de tout comprendre, qui l'a servi assurément, mais qu'il a satisfait d'abord sans arrière-pensée.

Jeune officier, c'était un liseur et un compilateur infatigable, un écrivain aussi, et l'on voit bien que, s'il n'avait passé par Brienne, il eût pu devenir homme de lettres. Entré dans l'action, il est resté un cérébral ; cet homme de guerre ne sera jamais plus heureux que dans le silence de son cabinet, au milieu de ses fiches et de ses dossiers. Le trait s'est atténué ; la pensée est devenue pratique et il s'est vanté d'avoir répudié « l'idéologie » ; il n'en est pas moins demeuré l'homme du XVIIIe siècle, rationaliste et philosophe. Loin de se confier à l'intuition, c'est sur le raisonnement qu'il compte, sur le savoir et l'effort méthodique. « J'ai l'habitude de prévoir trois ou quatre mois d'avance ce que je dois faire et je calcule sur le pire » ; « toute opération doit être faite d'après un système, parce que le hasard ne fait rien réussir » ; ses illuminations, il y voit le fruit naturel de sa patience. Il est tout classique dans sa conception de l'État unitaire, construit d'une pièce, suivant un plan simple et symétrique. En de rares instants, l'intellectualisme se révèle même en lui par son trait le plus aigu : le dédoublement de la personnalité, la faculté de se regarder vivre et de réfléchir avec mélancolie sur son propre destin. Du Caire, il avait écrit à Joseph, après avoir appris la trahison de Joséphine : « J'ai besoin de solitude et d'isolement. Les grandeurs m'ennuient, le sentiment est desséché, la gloire est fade. A vingt-neuf ans j'ai tout épuisé. » Se promenant à Ermenonville, avec Girardin, il dira bientôt : « L'avenir apprendra s'il n'eût pas mieux valu, pour le repos de la terre, que ni Rousseau ni moi n'eussions jamais existé. » Comme Rœderer, visitant avec lui les Tuileries abandonnées, soupire « Général, cela est triste », Bonaparte, premier consul depuis deux mois, réplique : « Oui, comme la grandeur. » Ainsi, par un retour saisissant, l'intellectualisme vient insinuer la tristesse romantique de Chateaubriand et de Vigny dans ce ferme et sévère esprit. Mais ce n'est jamais qu'un éclair et il se reprend aussitôt.

Tout paraît le vouer à la politique réaliste et tout, en effet, dans l'exécution, est réaliste jusque dans le moindre détail. Au cours de son ascension, il a fait le tour des passions humaines et appris à en jouer ; il sait comment exploiter l'intérêt, la vanité, la jalousie et jusqu'à l'improbité ; il a vu ce qu'on peut obtenir des hommes en excitant leur sentiment de l'honneur et en exaltant leur imagination ; il n'ignore pas davantage qu'on les asservit par la terreur. Dans l'œuvre de la Révolution, il a distingué, d'un œil sûr, ce qui tenait le plus au cœur de la nation et ce qui convenait à son despotisme. Pour gagner les Français, il s'est présenté tout à la fois comme l'homme de la paix et comme le dieu de la guerre. C'est pourquoi il advient qu'on le range parmi les grands réalistes de l'histoire.

Il ne l'est pourtant que dans l'exécution. En lui vit un autre homme encore, qui a quelques traits du héros et qui a dû naître, dès le collège, de son désir de dominer le monde où il se sentait dédaigné et surtout de s'égaler aux personnages à demi légendaires de Plutarque et de Corneille. Ce qu'il ambitionne pardessus tout, c'est la gloire : « Je ne vis que dans la postérité » ; « la mort n'est rien, mais vivre vaincu et sans gloire, c'est mourir tous les jours. » Ses regards sont pour les maîtres du monde : Alexandre, vainqueur de l'Orient, rêvant de la conquête de la terre ; César, Auguste, Charlemagne, créateurs et restaurateur de l'Empire romain, dont le nom même impliquait l'idée de l'universel. Il ne s'agit pas là d'une notion concrète et qui servirait de règle, de mesure et de terme à une entreprise politique : ce sont des exemples qui fécondent l'imagination et prêtent à l'action un charme inexprimable. Il se passionne moins pour l'œuvre des héros que pour l'ardeur toute spirituelle dont elle est le témoignage. Artiste, poète de l'action, pour qui la France et l'humanité ne furent que des instruments, il a exprimé, à Sainte-Hélène, son sentiment de la grandeur, lorsque, évoquant la victoire de Lodi et l'éveil, en sa conscience, de la volonté de puissance, il a dit magnifiquement : « Je voyais le monde fuir sous moi, comme si j'étais emporté dans les airs. » C'est pourquoi il est vain de rechercher le but que Napoléon assignait à sa politique et le terme où il prétendait s'arrêter : il n'y en a pas. Aux partisans qui s'en inquiétaient, a-t-il rapporté, « je répondais toujours que je n'en savais rien », ou encore, avec profondeur, en dépit de la forme triviale : « La place de Dieu le Père ? Ah ! je n'en voudrais pas ; c'est un cul-de-sac ! » Voilà donc retrouvé, sous forme psychologique, ce dynamisme du tempérament qui frappe dès le premier abord. C'est le Napoléon romantique, une force qui se détend et pour qui le monde n'est qu'une occasion d'agir dangereusement. Or, le réaliste ne se reconnaît pas seulement à l'agencement des moyens ; il détermine aussi son but en tenant compte du possible, et, si l'imagination et le goût de la grandeur peuvent le pousser, il sait où il devra s'arrêter.

Toutefois, si Napoléon, comme Molé l'a bien observé, s'est évadé du réel, que son esprit, par ailleurs, était si capable de saisir, sa nature n'en est pas seule responsable, mais aussi ses origines. Quand il arriva en France, il s'y considérait comme un étranger et, jusqu'à ce qu'il eut été expulsé de Corse par ses compatriotes en 1791, il demeura hostile aux Français. Assurément, il s'était suffisamment pénétré de leur civilisation et de leur esprit pour se nationaliser parmi eux ; sinon, il n'aurait jamais pu devenir leur chef. Mais il n'avait pas eu le temps de s'incorporer à la communauté française et de s'approprier sa tradition nationale au point de considérer ses intérêts comme la règle et la limite de sa propre action. Il est resté en lui du déraciné. Du déclassé aussi : ni tout à fait gentilhomme, ni tout à fait peuple, il a servi le roi et la Révolution sans s'attacher ni à l'un ni à l'autre. Ce fut une des causes de son succès, puisqu'il se trouva ainsi parfaitement à l'aise pour s'élever au-dessus des partis, et se présenter comme le restaurateur de l'unité nationale. Mais, ni dans l'Ancien Régime, ni dans le nouveau, il ne puisa de principes qui pussent lui tenir lieu de norme et de borne. Il n'a pas été contenu, comme Richelieu, par le loyalisme dynastique qui aurait subordonné sa volonté à l'intérêt de son maître ; il ne l'a pas été non plus par une vertu civique qui l'aurait mis au service de la nation.

Soldat parvenu, élève des philosophes, il a détesté la féodalité, l'inégalité civile, l'intolérance religieuse ; voyant dans le despotisme éclairé une conciliation de l'autorité et de la réforme politique et sociale, il s'en est fait le dernier et le plus illustre des représentants ; en ce sens, il fut l'homme de la Révolution. Son individualisme forcené n'a pourtant jamais accepté la démocratie et il a répudié la grande espérance du xviiie siècle qui vivifiait l'idéalisme révolutionnaire : celle d'une humanité assez civilisée un jour pour être maîtresse d'elle-même. Le souci de sa propre sécurité ne l'a même pas ramené à la prudence comme les autres hommes, car, au sens vulgaire de l'expression, il était désintéressé, ne rêvant que de grandeur héroïque et périlleuse. Restait le frein moral ; mais il ne communiait pas avec les autres hommes dans la vie spirituelle ; s'il connaissait bien leurs passions et les tournait merveilleusement à ses fins, il retenait uniquement celles qui permettent de les asservir et il a vilipendé tout ce qui les élève au sacrifice : la foi religieuse, la vertu civique, l'amour de la liberté, parce qu'il y sentait pour lui des obstacles. Non qu'il fût imperméable à ces sentiments, du moins au temps de sa jeunesse, car ils tournent aisément à l'action héroïque ; mais les circonstances l'ont orienté autrement et l'ont muré en lui-même. Dans l'isolement splendide et terrible de la volonté de puissance, la mesure n'a pas de sens.

Les idéologues le croyaient des leurs et ne soupçonnaient pas en lui l'impulsion romantique. Le seul moyen peut-être de la contenir eût été de le maintenir dans une position subordonnée, au service d'un gouvernement fort. En le poussant au pouvoir suprême, les brumairiens avaient justement écarté toute précaution de cet ordre.

LIVRE II

LA PACIFICATION DE LA FRANCE ET DE L'EUROPE
(1799-1802)

CHAPITRE PREMIER

L'ORGANISATION DE LA DICTATURE EN FRANCE

Bonaparte entreprit aussitôt d'organiser sa dictature. Une part au moins de cette œuvre était destinée à durer et forme encore l'armature administrative de la France contemporaine. Mais elle était de longue haleine ; il n'a jamais cessé d'y travailler jusqu'à sa chute, et les résultats n'en pouvaient apparaître que peu à peu. Cependant les nécessités de l'action ne permettaient pas d'attendre : il fallait préparer la campagne de 1800 ; Bonaparte improvisa donc, au hasard des circonstances. Ces deux traits persisteront jusqu'au bout. Il ne s'arrêtera jamais de construire pour l'avenir. Mais, acharné à se dépasser, il restera condamné à improviser chacune de ses entreprises.

1. Ouvrages d'ensemble a consulter. — Citons d'abord F. Kircheisen, *Bibliographie napoléonienne* (Berlin, 1902, in-8° ; 2e éd., en 2 vol. in-8°, 1908-1912), inachevée, et rappelons les histoires générales de la période, ainsi que les biographies de Napoléon indiquées p. 3, n. 1, et 65, n. 1. Sur le Consulat, voir en outre A. Aulard, *Histoire politique de la Révolution française* (Paris, 1901, in-8° ; 5e éd., 1921), 4e partie ; A. Vandal, *L'avènement de Bonaparte*, t. II (Paris, 1905, in-8°) ; L. de Lanzac de Laborie, *Paris sous Napoléon Ier*, t. I : *Le Consulat provisoire et le Consulat à temps* (Paris, 1905, in-8°) ; G. Hanotaux, Du Consulat à l'Empire ; issue napoléonienne de la Révolution, dans la *Revue des Deux Mondes*, 7e série, t. XXVI, 1925, p. 66-106 ; du même, Comment se fit l'Empire, *ibid.*, p. 344-377, 573-609, 774-807 ; J. Godechot, *La contre-révolution* (cité p. 4).

I. — *LE CONSULAT PROVISOIRE ET LA CONSTITUTION DE L'AN VIII*[1].

Le soir du 19 brumaire an VIII (10 novembre 1799), quelques députés avaient sanctionné en toute hâte la création d'un gouvernement provisoire, chargé d'élaborer une constitution nouvelle. Trois consuls, Bonaparte, Sieyes et Roger-Ducos, reçurent la plénitude de l'exécutif et l'initiative législative ; le 20, ils convinrent de présider tour à tour ; mais, dès le premier moment, Bonaparte mena tout. Les deux commissions de vingt-cinq membres, divisées chacune en trois sections, que les Anciens et les Cinq-Cents s'étaient substituées, ne s'intéressèrent qu'à la préparation de la nouvelle constitution.

L'événement ne suscita aucune opposition sérieuse ; ni la Révolution, ni la République ne parurent en question : ce n'était qu'un coup d'État de plus. D'enthousiasme, pas davantage : on attendit Bonaparte à l'œuvre ; qui savait même s'il durerait ? Néanmoins, une minorité se dessina tout de suite à droite et à gauche. Par ses origines, le Consulat était anti-jacobin. On avait motivé la « journée » par un prétendu complot des « anarchistes » ; c'était la gauche qui avait résisté à Saint-Cloud et, çà et là, en province ; 61 députés avaient été exclus ; 56 jacobins, dont 20 députés, furent désignés pour la Guyane et l'île de Ré, et beaucoup d'autres arrêtés. Les mesures « terroristes » de l'an VII — emprunt forcé, loi des otages, réquisitions — furent rapportées ; les fournisseurs et les banquiers triomphaient. Puisque les « honnêtes gens » se disaient contents, les royalistes affectèrent de l'être dans leurs journaux et au théâtre ; ils espéraient trouver Monck en Bonaparte, et l'on signala partout une vive poussée cléricale : les réfractaires ne se cachèrent plus. Aussitôt le maître désavoua la contre-révolution et la réprima sans peine, car, dans les départements, les administrations directoriales restaient en place sous le contrôle de délégués des consuls, et Fouché, dès le premier jour, prit parti à gauche : il fit rapporter la proscription des jacobins. Bonaparte demeura fidèle à l'esprit de brumaire

---

1. OUVRAGES A CONSULTER. — Voir la note précédente. Sur la préparation de la constitution, la thèse de J. BOURDON, *La constitution de l'an VIII* (Rodez, 1941, in-8o), présente des documents nouveaux et des vues originales. Pour l'étude de la constitution, ajouter P. POULLET, *Les institutions françaises de 1795 à 1814* (Bruxelles et Paris, 1907, in-8o) ; M. DESLANDRES, *Histoire constitutionnelle de la France de 1789 à 1870*, t. Ier (Paris, 1932, in-8o) ; J. GODECHOT, *Les institutions de la France sous la Révolution et l'Empire*, cité p. 36 ; M. DUVERGER, *Constitutions et documents politiques* (Paris, 1957, in-16 ; coll. « Thémis »).

et gouverna avec les « notables » attachés ou résignés à l'œuvre de la Révolution.

Cependant, l'élaboration de la constitution se poursuivait par les soins des deux sections des commissions législatives spécialement affectées à cette tâche. On alla consulter Sieyes. L'oracle, déclarant n'avoir rien de prêt, exposa oralement ses vues dont Boulay de La Meurthe, Daunou et Rœderer nous ont conservé des résumés, lesquels d'ailleurs ne concordent pas tout à fait. Deux traits en sont à retenir. En premier lieu, les brumairiens s'installeraient dans les corps constitués qui se recruteraient ensuite par cooptation parmi les notabilités ; de même, les fonctionnaires électifs disparaîtraient : l'autorité doit venir d'en haut, disait Sieyes. Toutefois, il ajoutait que la confiance doit venir d'en bas : le peuple, souverain, auquel on restituerait d'ailleurs le suffrage universel, serait donc admis à dresser les listes de notabilités. La grande pensée qui avait été l'origine du 18 brumaire ne s'en trouverait pas moins réalisée : ce serait la dictature des notables. D'autre part, les pouvoirs devaient être minutieusement divisés ; le législatif entre trois assemblées, l'exécutif entre un grand électeur nommé à vie, mais que le Sénat pourrait « absorber », et deux consuls désignés par lui, l'un pour l'administration intérieure, l'autre pour les « affaires extérieures », tous deux indépendants dans leur sphère avec leurs ministres et leur conseil d'État. Ici apparaissait la pensée vraiment personnelle de Sieyes : par ces dispositions compliquées, il pensait protéger la liberté de l'individu contre le despotisme de l'État. Mais il faisait ainsi litière de cette nécessité de renforcer l'autorité gouvernementale qui avait été le second motif du coup d'État, et il accordait trop peu aux ambitions de son complice.

Bonaparte ne fit aucune objection, cela va de soi, à la disparition de l'élection non plus qu'à la multiplicité des assemblées ; mais il exigea catégoriquement le pouvoir exécutif pour lui seul et une entrevue que Talleyrand ménagea entre les deux consuls ne fit qu'envenimer le conflit. Les membres des deux sections y mirent fin en se prononçant contre Sieyes : ils instituèrent un premier consul et, s'ils lui maintinrent deux adjoints, ne lui en attribuèrent pas moins la prééminence et la nomination des fonctionnaires. Le reste du plan de Sieyes ne trouva même pas grâce : ils rétablirent le suffrage censitaire et surtout l'élection, se rendant compte probablement qu'autrement, les assemblées seraient sans force devant Bonaparte.

Le projet une fois mis au net par Daunou, Bonaparte réunit

chez lui les deux commissions. Dans ces nouvelles délibérations, Sieyes fit rétablir la cooptation, les listes de notabilités et le suffrage universel, apparemment sans peine puisque Bonaparte ne pouvait qu'approuver. En retour, celui-ci fit accroître sensiblement ses attributions : ses deux collègues se virent réduits à la voix consultative ; le pouvoir réglementaire lui fut dévolu ; le Tribunat perdit toute participation à l'initiative législative. L'ouvrage semblait donc un compromis. En fait, ce que Sieyes avait obtenu ne pouvait que favoriser Bonaparte, du moment que celui-ci s'était fait accorder l'intégralité du pouvoir exécutif. On ne peut guère douter qu'une partie des brumairiens aient fait son jeu pour s'attacher à sa fortune ; d'autres, pourtant, ont sans doute visé plus haut : à leurs yeux, le salut de la Révolution exigeait un chef.

Ces débats étaient restés officieux ; la discussion légale aurait donc dû s'ouvrir à la commission des Cinq-Cents pour se transporter ensuite dans l'autre. Mais on désirait en finir et, quand, dans la nuit du 22 frimaire (13 décembre), le maître invita les députés à signer le projet en signe d'acceptation et y fit insérer, séance tenante, les noms des trois consuls qui furent, avec lui, Cambacérès et Lebrun, personne ne protesta contre ce nouveau coup d'État. La constitution, soumise au peuple, fut adoptée, au scrutin public, par trois millions de voix contre 1.562. Mais, de même qu'elle avait été préparée irrégulièrement, elle fut mise en vigueur avant d'avoir été ratifiée, dès le 4 nivôse (25 décembre), par une illégalité supplémentaire.

Cette constitution de l'an VIII, en 95 articles entassés confusément, ne fait pas mention des droits du citoyen, à part la sûreté qu'elle garantit du reste uniquement contre les perquisitions nocturnes, et elle n'organise les pouvoirs publics que très incomplètement : elle est « courte et obscure », comme l'avait voulu Bonaparte pour garder ses coudées franches. Avant tout, elle institue l'omnipotence du premier consul : la totalité du pouvoir exécutif lui appartient, sauf le droit de paix et de guerre qui, pour le moment, n'avait pas grande importance ; il nomme les ministres et les fonctionnaires, les juges de paix seuls étant cités comme électifs ; ses ministres peuvent être mis en accusation par le Corps législatif et, au fond, n'en seront que mieux dans sa main ; quant à lui, il est irresponsable et ses fonctionnaires pareillement, ne pouvant être poursuivis que par autorisation du Conseil d'État qu'il nomme lui-même. Il possède seul l'initiative des lois : le pouvoir législatif est réduit à délibérer et à voter par oui ou par non sur les projets présentés par Bonaparte après consultation de son Conseil d'État. Encore la discussion et le vote sont-ils séparés : à un Tribunat de cent membres, la première ; au Corps législatif, les trois cents « muets », le second. Enfin, Bonaparte exerce sans restriction le pouvoir réglementaire que les assemblées révolutionnaires accordaient à l'exécutif pour ordonner l'application de la loi sans jamais la compléter ou l'interpréter. Quant au Sénat conservateur, il peut annuler les lois inconstitutionnelles : c'est une sinécure et il constitue surtout un corps électoral.

Ce qu'on voit dans la constitution, c'est donc Bonaparte : le mot est fameux et il exprime la vérité. Non pas toute cependant ; il s'y trouve un autre fait capital et qui explique la nullité des assemblées : c'est la suppression de l'élection. Leurs membres seront désignés sans la participation du peuple. Les deux consuls sortants et les deux collègues de Bonaparte choisiront 31 sénateurs qui s'en adjoindront 29 autres ; à l'avenir, ils se complèteront par cooptation. Ce sont les sénateurs qui nommeront les tribuns et les législateurs ; ils éliront aussi les consuls à l'expiration des pouvoirs de ceux que la constitution institue pour dix ans. Ultérieurement, il est vrai, tous ces choix devront se faire parmi les « notabilités » élues au suffrage universel à plusieurs degrés : les citoyens désigneront un dixième d'entre eux dans chaque « arrondissement communal » ; ces « notabilités communales » se réduiront au dixième pour former la liste départementale ; les notabilités départementales de même, pour constituer la liste nationale. Qu'est-ce que cet « arrondissement communal » ? Personne n'en sait rien encore ; d'ailleurs, le système se révélera inapplicable et les listes, établies vaille que vaille en l'an IX, ne serviront autant dire pas.

Le peuple est souverain, c'est entendu ; mais on ne le consulte plus. Les brumairiens ont satisfaction : les voilà en place. Seulement, ils ne représentent qu'eux-mêmes, et Bonaparte ne tardera pas à leur dire : « Moi seul suis le représentant du peuple. » Ils forment des corps « représentatifs », entendez par là qu'ils sont des notables appelés par l'exécutif à collaborer avec lui dans la mesure où il le juge bon : le roi, sous la Restauration, en dira autant. Au premier moment, les brumairiens n'en jugèrent pas ainsi. Maîtres du Sénat, que Sieyes composa comme il lui plut, tenant par là le Tribunat et le Corps législatif, ils s'imaginaient qu'ils pourraient imposer à Bonaparte leur collaboration. De fait, les assemblées manifestèrent des velléités de résistance.

Comme la constitution n'offrait aucun moyen de résoudre les conflits, l'évolution procéda par coups d'État successifs dont Bonaparte seul avait les moyens. Pour une part, l'histoire du Consulat et même de l'Empire est faite de l'asservissement progressif du pouvoir législatif. Dès le début, Bonaparte empiéta sur ses droits : le 5 nivôse an VIII (26 décembre 1799), il attribua au Conseil d'État la fonction d'interpréter les lois par des « avis » ; lui-même ne se gêna pas d'ailleurs pour modifier les lois ou les tourner à l'occasion, au gré de ses desseins, par voie de règlements ; la constitution de l'an X lui permettra de déposséder le Tribunat et le Corps législatif en recourant aux sénatus-consultes ; il en viendra, élargissant abusivement le pouvoir réglementaire, à légiférer directement par décret.

On a pris plaisir à dire que Bonaparte et Sieyes avaient rempli leurs assemblées de jacobins, les « jacobins nantis ». Pas si sots ! Ils ont préféré de beaucoup les modérés. Le Sénat devint, après l'Institut, la forteresse des idéologues. Au Tribunat, on plaça les écrivains et les orateurs : Daunou, Chénier, Ginguené, Say et surtout Benjamin Constant ; les plus obscurs furent casés au Corps législatif. En tout, 330 avaient été membres des Conseils du Directoire, 57 des trois premières assemblées révolutionnaires. Les jacobins et les nobles ralliés ne formèrent qu'une petite minorité. Bonaparte n'avait pu donner une couleur bien différente au Conseil d'État et au ministère, ayant dû puiser dans le même personnel, dont il ne pouvait pas encore se passer. C'est pourquoi le Conseil a montré, lui aussi, une certaine indépendance. Mais, par le choix de ses deux collègues, il avait manifesté sa véritable tendance ; Cambacérès était un conventionnel de la Plaine, imposant et décoratif, d'ailleurs loyal et s'efforçant de modérer le maître ; Lebrun avait été le secrétaire de Maupeou et s'était tenu à l'écart pendant la Révolution : Bonaparte lui-même le savait royaliste. Aux finances, il appela Gaudin et Mollien qui provenaient du Contrôle général. C'était une fusion symbolique de la bourgeoisie révolutionnaire et des hommes de l'Ancien Régime réconciliés avec le nouveau ; en augmentant progressivement la proportion des « revenants », Bonaparte mettra son personnel en harmonie avec l'évolution vers la monarchie.

II. — *ORGANISATION ET EXTENSION DES POUVOIRS DE BONAPARTE*[1].

Bonaparte s'installa aux Tuileries le 30 pluviôse an VIII (19 février 1800) et aussitôt, pour travailler en paix, se retrancha dans son cabinet, où personne ne pénétrait que le secrétaire qui

1. Ouvrages a consulter. — Aulard, Vandal, Poullet, Godechot, cités p. 73, 74. Sur l'organisation du travail de Bonaparte, F. Masson, *Napoléon chez lui*, et *Mémoires du baron Fain*, cités p. 66 ; se reporter aussi aux études de J. Bourdon sur l'administration centrale et sur le ministère de la Justice, dans l'ouvrage relatif à la réforme judiciaire, cité plus loin. — Sur ses collaborateurs, P. Vialles, *L'archichancelier Cambacérès* (Paris, 1908, in-8°) ; F. Papillard, *Cambacérès* (Paris, 1961, in-8°) ; J. Bourdon, Le rôle de Cambérès sous le Consulat et l'Empire, dans le *Bulletin de la Société d'histoire moderne*, 1928, p. 71-72 ; L. Madelin, *Fouché* (Paris, 1901, 2 vol. in-8° ; les *Mémoires* de Fouché ont été réédités et annotés par le même auteur, en 1945) ; G. Lacour-Gayet, *Talleyrand* (Paris, 1930-1934, 3 vol. in-8°), les tomes I et II ; E. Tarlé, *Talleyrand* (Moscou, 1958, in-8°) ; E. Dard, *Napoléon et Talleyrand* (Paris, 1935, in-8°) ; baron Ernouf, *Maret, duc de Bassano* (Paris, 1878, in-8°) ; J. Pigeire, *La vie et l'œuvre de Chaptal* (Paris, 1931, in-8°). — Sur le Conseil d'État, l'ouvrage fondamental est aujourd'hui celui de Ch. Durand, *Études sur le Conseil d'État napoléonien* (Paris, 1949, in-8°) ; du même auteur, *Le fonctionnement du Conseil d'État napoléonien* (Gap, 1954, in-8° ; Bibliothèque de l'Université d'Aix-Marseille, Droit-Lettres, n° 7), *Les auditeurs du Conseil d'État de 1803 à 1814* (Aix-en-Provence, 1958, in-8°), *La fin du Conseil d'État napoléonien* (Aix-en-Provence, 1959, in-8° ; extrait des *Annales de la Faculté de Droit d'Aix-en-Provence*, nouv. série, n° 51) ; A. Gazier, Napoléon au Conseil d'État, dans la *Revue de Paris*, 1903, t. II, p. 160-174 ; A. Marquiset, *Napoléon sténographié au Conseil d'État* (Paris, 1913, in-8°) ; J. Bourdon, *Napoléon au Conseil d'État. Notes et procès-verbaux inédits de Jean-Guillaume Locré, secrétaire général du Conseil d'État* (Paris, 1963, in-8°) ; Pelet, *Opinions de Napoléon* (Paris, 1833, in-8°) ; *Mémoires* de Thibaudeau et de Molé, cités p. 66. — Sur l'organisation et le fonctionnement des pouvoirs, Ch. Durand, *L'exercice de la fonction législative de 1800 à 1814*, et *Le régime de l'activité gouvernementale pendant les campagnes de Napoléon* (Aix-en-Provence, 1955 et 1957, 2 vol. in-8° ; extraits des *Annales de la Faculté de Droit d'Aix-en-Provence*, nos 48 et 49).

Sur l'œuvre administrative, F. Ponteil, *Napoléon Ier et l'organisation autoritaire de la France* (Paris, 1956, in-16 ; coll. A. Colin). Les caractères généraux de l'administration napoléonienne sont fort bien mis en lumière par J. Bourdon, L'administration militaire sous Napoléon Ier et ses rapports avec l'administration générale, dans la *Revue des études napoléoniennes* ; t. XI (1917), p. 17-47 ; consulter aussi A. Aulard, *La centralisation napoléonienne ; les préfets*, au t. VII de ses *Études et leçons* (Paris, 1913, in-12), p. 113-195 ; J. Bourdon, L'administration communale sous le Consulat, dans la *Revue des études napoléoniennes*, t. V (1914), p. 289-304 ; du même, Les conditions générales de nomination des fonctionnaires au début du Consulat, dans le *Bulletin de la Société d'histoire moderne*, 1931, p. 31-33. Il existe plusieurs bonnes monographies sur l'administration préfectorale : L. Passy, *Frochot, préfet de la Seine* (Paris, 1867, in-8°) ; E. Dejean, *Un préfet du Consulat : Beugnot* (Paris, 1897, in-8°),

écrivait sous sa dictée, Bourrienne d'abord, plus tard Méneval ou Fain. Pour conférer avec ses collaborateurs, il passait dans une salle voisine. L'exemple de la monarchie d'Ancien Régime

sur l'administration de la Seine-Inférieure ; G. SAINT-YVES et J. FOURNIER, *Le département des Bouches-du-Rhône de 1800 à 1810* (Paris, 1899, in-8°) ; *Les Bouches-du-Rhône*, encyclopédie publiée sous la direction de P. MASSON, t. V : *Vie politique et administrative*, par R. BUSQUET et J. FOURNIER (Marseille, 1929, in-4°) ; G. CHAVANON et G. SAINT-YVES, *Le Pas-de-Calais de 1800 à 1810* (Paris, 1907, in-8°) ; P. DARMSTÄDTER, Die Verwaltung des Unter-Elsass [Bas-Rhin] unter Napoleon I, dans la *Zeitschrift für die Geschichte des Ober-Rheins*, t. XVIII (1903), p. 283-330, 538-563 ; t. XIX (1904), p. 122-147, 284-309 et 631-672 ; L. PINGAUD, *Jean Debry* (Paris, 1909, in-8°), sur l'administration du Doubs ; H. PARISOT, De l'organisation départementale et communale par un préfet de la Meurthe (Marquis), dans les *Annales de l'est et du nord*, 1908, p. 399-412 et 578-591 ; P. VIARD, *L'administration préfectorale dans le département de la Côte-d'Or sous le Consulat et l'Empire* (Lille, 1914, in-8°) ; L. BENAERTS, *Le régime consulaire en Bretagne ; le département d'Ille-et-Vilaine durant le Consulat* (Paris, 1914, in-8°) ; R. DURAND, *L'administration des Côtes-du-Nord sous le Consulat et l'Empire* (Paris, 1925, 2 vol. in-8°), seule étude complète ; F. L'HUILLIER, *Recherches sur l'Alsace napoléonienne de brumaire à l'invasion* (Strasbourg, 1944, in-8°) ; G. ROCAL, *De brumaire à Waterloo, en Périgord* (Paris, 1942, 2 vol. in-8°) ; J. GODECHOT, Les premiers préfets de l'Aude, dans *Actes du Congrès régional des Fédérations historiques du Languedoc* (Carcassonne, 1952). On trouvera aussi beaucoup de renseignements dans H. CONTAMINE, *Metz et la Moselle de 1814 à 1870* (Nancy, 1932, 2 vol. in-8°). A l'organisation du pouvoir central se réfère l'étude d'A. OUTREY, L'administration française des Affaires étrangères, dans la *Revue française de science politique*, 1953 (tirage à part, Paris, 1954, in-8°). La réorganisation de la justice est étudiée par J. BOURDON, *La réforme judiciaire de l'an VIII*, et *Les premières nominations judiciaires* (Rodez, 1941, 2 vol. in-8°).

Sur la police, L. MADELIN, *Fouché*, cité ci-dessus ; E. d'HAUTERIVE, *Napoléon et sa police* (Paris, 1943, in-8°). — Sur les finances, l'excellent livre de R. STOURM, *Les finances du Consulat* (Paris, 1902, in-8°) ; *Mémoires* de MOLLIEN, cités p. 66, et de GAUDIN (Paris, 1826, 2 vol. in-8° ; nouv. éd., 1926, in-8°) ; M. MARION, *Histoire financière de la France* (cité p. 36), t. IV (1925) ; G. RAMON, *Histoire de la Banque de France* (Paris, [1929], in-4°) ; Ch. BALLOT, Les banques d'émission sous le Consulat, dans la *Revue des études napoléoniennes*, t. VII (1905), p. 289-323 ; R. BIGO, *La Caisse d'escompte et les débuts de la Banque de France* (Paris, 1927, in-8°) ; DU MÊME, *Les origines historiques de la finance moderne* (Paris, 1933, in-16, n° 161 de la coll. « Armand Colin ») ; L. DE LANZAC DE LABORIE, *Paris sous Napoléon*, t. VI (Paris, 1910, in-8°) ; G. WEILL, Le financier Ouvrard, dans la *Revue historique*, t. CXXVII (1918), p. 31-61 ; ARTHUR-LÉVY, Ouvrard dans la *Revue de Paris*, 1929, t. IV, p. 500-531, 899-930, et t. V, p. 116-147 ; O. WOLFF, *Die Geschäfte des Herrn Ouvrard* (Francfort, 1932, in-8°) ; M. PAYARD, *Le financier Ouvrard, 1770-1846* (Reims, 1958, in-8°).

Sur l'opposition royaliste, CHASSIN, *Les pacifications de l'ouest*, t. III (Paris, 1899, in-8°) ; L. DUBREUIL, *Histoire des insurrections de l'ouest*, t. II (Paris, 1930, in-8°) ; J. GODECHOT, *La Contre-révolution*, cité p. 4 ; L. DE LA SICOTIÈRE, *L. de Frotté* (Paris, 1888, 3 vol. in-8°) ; E. DAUDET, *La police et les chouans sous le Consulat et l'Empire* (Paris, 1895, in-12) ; E. d'HAUTERIVE, l'emplissait d'ailleurs de défiance à l'égard des ministres et de leurs empiétements. Il les habitua à communiquer avec lui par écrit ; bientôt, il eut sous la main leurs « carnets », mis à jour périodiquement, les états de situation du ministère de la Guerre, plus tard les registres du Domaine extraordinaire. Il conserva la secrétairerie d'État créée par le Directoire, en fit un ministère et y installa Maret, qui centralisa les dossiers des divers services et leur distribua les ordres qu'il venait prendre matin et soir : les ministres furent ainsi transformés en commis. D'ailleurs, Bonaparte en augmenta le nombre ; il sépara le Trésor des Finances en l'an IX, l'administration de la guerre de l'état-major général, en l'an X. En outre, il délégua des conseillers d'État dans les ministères : aux cultes, à l'instruction publique, aux biens nationaux, aux forêts, aux ponts et chaussées ; c'est l'origine de nos directeurs. Les ministres en prirent ombrage ; mais ces rivalités enchantaient Napoléon, comme elles avaient plu à Louis XIV. Seul, Talleyrand, aux Affaires extérieures, obtint le privilège de travailler avec le maître : il affectait à son égard une véritable adoration, et Bonaparte, qui le méprisait, avait pour lui une déférence involontaire, celle d'un parvenu pour le talon rouge qui savait l'étiquette, en imposait par ses grands airs et s'entendait mieux que personne à recevoir. Les ministres étant privés du droit de décision et ne formant pas corps, Bonaparte seul « raccordait » tout, comme a dit Beugnot, et il gouvernait, du fond de son cabinet, de même que Frédéric II.

N'ayant point passé par le même apprentissage, une foule de notions techniques lui manquaient, et son omniscience instantanée est pure légende. Il apprit beaucoup par lui-même ; mais son grand mérite fut de reconnaître que les hommes qui avaient

La contre-police royaliste en 1800 (Paris, 1931, in-16). — Sur l'opposition républicaine, Mlle A. GOBERT, *L'opposition des assemblées pendant le Consulat* (Paris, 1925, in-8º) ; A. GUILLOIS, *Le salon de Madame Helvétius, Cabanis et les idéologues* (Paris, 1894, in-12) ; DU MÊME, *La marquise de Condorcet* (Paris, 1897, in-12) ; J. GAULMIER, *Un grand témoin de la Révolution et de l'Empire, Volney* (Paris, 1959, in-8º) ; P. GAFFAREL, L'opposition militaire sous le Consulat, dans la revue *La Révolution française*, t. XII (1887), p. 865-887, 982-997 et 1096-1111 ; DU MÊME, L'opposition républicaine sous le Consulat, *ibid.*, t. XIII (1887), p. 530-550 ; t. XIV (1888), p. 609-639 ; DU MÊME, L'opposition littéraire sous le Consulat, *ibid..* t. XVI (1889), p. 307-326, et 397-432 ; P. GAUTIER, *Madame de Staël et Napoléon* (Paris, 1902, in-8º) ; Lady BLENNERHASSET, *Frau von Staël* (Berlin, 1887-1889, 2 vol. in-8º), trad. fr. : *Madame de Staël*, par A. DIETRICH (Paris, 1891, 3 vol. in-8º) ; P. S. LARG, *Madame de Staël* (Paris, 1924, in-8º) ; ajouter les ouvrages sur Benjamin Constant et Mme de Staël, cités p. 422.

gouverné pendant la Révolution en savaient plus long que lui, de les consulter abondamment et de les utiliser. Dès le 4 nivôse an VIII (25 décembre 1799), il choisit parmi eux la majorité des 29 membres dont il composa le Conseil d'État. Leur passé les réputait généralement modérés, Brune et Réal faisant exception ; ils ne comptaient dans leurs rangs que trois conventionnels dont un seul régicide, Berlier : encore avait-il opiné pour le sursis. A côté d'eux, figuraient des hommes dont les sympathies royalistes ne laissaient pas de doute et à qui l'Ancien Régime inspirait en tout cas bien des regrets, tels Champagny, Fleurieu, Moreau de Saint-Méry. Les deux groupes se recrutèrent inégalement au cours des années suivantes : au premier s'adjoignirent par exemple Thibaudeau et Treilhard ; au second, Barbé-Marbois, Portalis, Dumas, Bigot de Préameneu, Muraire. Tous ne conservèrent pas la confiance de leur chef. Au retour de Marengo, le 7 fructidor an VIII (25 août 1800), celui-ci introduisit une modification propre à lui permettre d'évincer sans esclandre ceux qui lui déplaisaient, car, en fin politique, il n'aimait pas porter atteinte trop rudement aux situations acquises : désormais, il dressa, tous les trois mois, une liste des conseillers en service ordinaire et une autre des conseillers en service extraordinaire, c'est-à-dire chargés de mission et, par là même, écartés des séances bien que gardant le titre et les honneurs ; la mission terminée, rien n'obligeait à l'opération inverse et il suffisait donc de faire passer un conseiller de la première liste à la seconde pour voiler une disgrâce.

Le Conseil se divisait en cinq sections travaillant séparément, mais qui se réunissaient en assemblée générale, d'ordinaire sous la présidence de Bonaparte. Il possédait un secrétariat général, dirigé par Locré. Nommé par le premier consul et révocable, il lui manqua l'indépendance que procuraient au Conseil d'État de la royauté la vénalité, l'inamovibilité qui en résultait, la cohésion et l'esprit de corps qu'engendrent la communauté d'origine sociale et de carrière. Il ne pouvait se saisir d'une affaire et n'émettait que des avis qui ne liaient pas le maître.

Le rôle du Conseil n'en apparaît pas moins considérable, surtout dans les premières années. On y vit beaucoup des grands administrateurs du régime : Rœderer, Regnaud, Chaptal, Cretet, Fourcroy, Portalis, Berlier, Thibaudeau. Les grandes lois organiques et les codes y furent élaborés. Constitué en juridiction administrative suprême, le Conseil, siégeant au contentieux, se trouva aussi en mesure de régulariser peu à peu le fonctionnement de toute la machine. Bonaparte s'y plaisait ; il laissait les conseillers parler assez librement et lui-même, se sentant à l'aise, discourait avec une verve intarissable ; il n'exceptait des délibérations que les mesures politiques, notamment le Concordat et la loi du 18 germinal an X, qu'il savait exposées à une vive résistance.

Toutefois, il n'accorda jamais au Conseil le monopole de la consultation. Il donnait aussi l'impulsion au sein d'autres réunions, d'abord improvisées, plus tard en partie périodiques et dénommées « conseils d'administration » ; il y appelait les ministres intéressés, leurs chefs de service, quelques conseillers d'État et même des fonctionnaires spécialement appelés de la province. Moins connus que le Conseil d'État, ils ont joué un rôle qui ne le cède guère au sien.

Dès le premier jour, le nouveau gouvernement fut obsédé, comme le Directoire, par la situation du Trésor ; il l'avait trouvé à peu près vide et mendiait des avances au jour le jour chez les banquiers, en mêlant les menaces aux bonnes paroles. Aussi la réforme administrative commença-t-elle par les finances, et ce fut dans ce domaine que la centralisation remporta ses premiers succès. On n'attendit même pas que la constitution fût faite : au début de frimaire, Gaudin, appelé dès la première heure, prit des mesures décisives pour assurer les recettes et renflouer la trésorerie. D'abord, le 3 frimaire (24 novembre 1799), il ôta aux pouvoirs locaux l'assiette et, pour une part, la perception de l'impôt direct, qu'il réserva aux agents du pouvoir central. A la tête, un directeur général des contributions directes et des directeurs départementaux ; au-dessous, des contrôleurs et des inspecteurs chargés de la répartition, dans chaque commune, entre les contribuables, avec la collaboration, il est vrai, de répartiteurs désignés par ces derniers, mais seuls responsables de la confection des rôles. En réalité, on ne se soucia pas, pour l'instant, de la répartition, et les contrôleurs se mirent à dresser les rôles arriérés et ceux de l'an VIII en recopiant les précédents. L'État s'attribua aussi la nomination d'un trésorier et d'un payeur par département, des receveurs généraux et particuliers, ainsi que des percepteurs dans les villes où les rôles dépassaient 15.000 francs. Pour les autres communes, les municipalités conservèrent la recette et, en général, continuèrent à l'adjuger au moins-disant. Enfin, le 6 frimaire, les rescriptions annuelles des receveurs généraux furent rétablies, au nombre de douze, payables en vingt mois. Au ministère, les principaux services — domaines, douanes, dette — reçurent assez vite des directeurs, et, bien entendu, la trésorerie eut le pas : dès le 1er pluviôse (21 janvier 1800), elle fut confiée à Dufresne qu'on y avait employé avant 1789 et sous la Constituante, en attendant qu'en l'an X on créât un ministre du Trésor, qui fut Barbé-Marbois.

Le grand problème était de négocier les rescriptions. Pour leur donner crédit, Gaudin avait créé la caisse de garantie, qu'il garnit en rétablissant le cautionnement des comptables et en lui attribuant le service des dépôts et consignations. Confiée à Mollien, elle fut chargée en outre de soutenir la rente par des achats en bourse, afin de faire baisser le loyer de l'argent et de mettre ainsi la trésorerie plus à l'aise, ce qui lui valut bientôt le nom de caisse d'amortissement. L'escompte des rescriptions n'en dépendait pas moins des banquiers. La Révolution leur ayant donné la liberté, ils avaient récemment organisé, d'accord avec de grands manufacturiers, plusieurs instituts d'émission pour leurs besoins personnels. Les principaux étaient la caisse des comptes courants, qui datait de l'an IV et où régnaient Perregaux, Récamier et Desprez, et la caisse d'escompte du commerce, fondée en l'an VI. La première avait les moyens de secourir le trésor, mais une banque d'État eût été préférable. Justement, les maîtres de la caisse des comptes courants désiraient en obtenir le privilège pour donner de l'extension à leurs affaires. Ce fut ainsi que se scella leur accord définitif avec le régime. Le 24 pluviôse (13 février 1800), leur caisse fut transformée en Banque de France, au capital de 30 millions par actions de 1.000 francs. Les deux cents plus forts actionnaires élisaient quinze régents et trois censeurs ; les régents chargeaient trois d'entre eux de répartir les fonds disponibles pour l'escompte et d'en fixer le taux. La Banque s'engagea à mettre en portefeuille trois millions de rescriptions ; en retour, la caisse d'amortissement plaça la moitié des cautionnements en actions de la Banque et lui confia l'autre moitié ; on lui délégua aussi le service des rentes et pensions. Toutefois, elle ne reçut pas le monopole de l'émission, car on se doutait bien qu'elle réserverait l'escompte à ses actionnaires pour obliger les gens d'affaires à passer par leurs guichets : c'était en effet une des conditions tacites de l'accord. Si justement admirée que soit l'œuvre de Gaudin, on se ferait une fausse idée de l'histoire du Consulat, si on oubliait que, durant des mois, elle ne constitua qu'une façade. Les rôles ne furent à jour qu'à la fin de l'an VIII ; la Banque n'escompta qu'une faible partie des rescriptions ; les eût-elles absorbées en totalité, qu'elles n'eussent pas suffi à faire vivre l'État. Pendant longtemps, Bonaparte, comme le Directoire, fut à la merci des banquiers et des fournisseurs.

La réforme de l'administration provinciale, indispensable pour donner toute sa valeur à celle du pouvoir central, produisit plus rapidement des résultats. Bonaparte la mit en train en janvier, et elle fut réglée par la loi du 28 pluviôse (17 février 1800), dont le rapporteur fut Chaptal. On conserva les départements, les cantons, les communes, ces dernières récupérant leur autonomie par la suppression des municipalités cantonales de l'an III. Entre elles et le département, la véritable unité intermédiaire devint l'arrondissement, qui ressuscita le district, avec une superficie plus grande. Chaque circonscription fut confiée à un seul homme : dans le département, le préfet, assisté d'un secrétaire général, remplaça l' « administration centrale » ; l'arrondissement reçut un sous-préfet ; dans la commune, on rétablit le maire accolé d'un ou plusieurs adjoints. La réforme capitale fut de supprimer, là aussi, l'élection : tous furent désormais nommés par le gouvernement, le préfet recevant délégation pour le choix des maires et adjoints dans les communes ayant moins de 5.000 habitants. On maintint, il est vrai, les assemblées : conseil général de département, conseil d'arrondissement, conseil municipal ; mais leurs membres furent également désignés par le pouvoir central ou par le préfet. En outre, leurs sessions et leurs attributions se réduisent à peu de chose : elles entendent les comptes ; les conseils de département et d'arrondissement répartissent l'impôt, votent des centimes additionnels pour les dépenses locales, peuvent formuler des vœux ; le conseil municipal règle l'usage des communaux et assure l'entretien des bâtiments qui lui appartiennent ; sur les centimes et les emprunts, il ne donne qu'un avis : la commune est strictement remise en tutelle. Pour les grandes villes, on n'eut garde de supprimer le morcellement établi en l'an III : Lyon, Marseille et Bordeaux reçurent un conseil unique, mais conservèrent plusieurs maires jusqu'en l'an XIII ; à Paris, on maintint les douze arrondissements et leurs municipalités ; presque tous les pouvoirs administratifs furent transférés au préfet de la Seine, et la capitale n'eut pas de conseil municipal, le conseil général de la Seine en tenant lieu.

Bonaparte ne connaissait pas assez le personnel politique pour dresser lui-même la liste des préfets. Le travail fut surtout l'œuvre de son frère Lucien, ministre de l'Intérieur, ou plutôt du secrétaire de ce dernier, Beugnot, ancien député à la Législative. Mais Cambacérès, Lebrun, Talleyrand, Clarke firent aussi des propositions, et les membres des assemblées, comme Chauvelin et Cretet pour la Côte-d'Or, intervinrent également. En général,

Bonaparte s'en tint aux choix de Lucien. La plupart des départements furent pourvus le 11 ventôse (2 mars) ; de nouveau, on prit surtout des modérés, dont la moitié environ provenaient des assemblées révolutionnaires ; Letourneur avait même été directeur et Jeanbon-Saint-André, dont le jacobinisme tranche sur la couleur générale, mais qu'on expédia dans un département annexé, le Mont-Tonnerre, avait fait partie du Comité de salut public. On leur adjoignit des généraux et des diplomates. Tous étaient expérimentés ; la plupart très capables. Ce corps préfectoral, qui a beaucoup servi la renommée de Bonaparte, était un legs de la Révolution. Comme le personnel central, il évoluera dans le sens de l'Ancien Régime.

On n'y trouve pas trace de recrutement régional ; mais il n'en alla pas de même pour les subalternes et pour les conseils locaux qui furent désignés, en fait, par les préfets et les hommes politiques du cru. En général, ils marquèrent la même préférence pour des notabilités modérées qui avaient siégé dans les assemblées locales ou dirigé des services techniques pendant la Révolution : en Seine-Inférieure, par exemple, la moitié du conseil général de 1790 se retrouve en place en 1800. Ce furent les villages qui donnèrent le plus de peine. La Révolution avait souffert de n'y rencontrer qu'un petit nombre de municipaux instruits et assez cultivés pour avoir le sens de l'intérêt général et de la probité administrative. Les préfets se heurtèrent à la même difficulté, et ce fut souvent un argument pour livrer l'administration communale aux aristocrates.

Si la réforme de Bonaparte se caractérise avant tout par la centralisation, elle marque aussi un progrès dans la spécialisation des fonctions aux mains de fonctionnaires indépendants les uns des autres et directement responsables devant le pouvoir central. Leur capacité technique devait en être accrue ; mais l'autonomie locale se trouva encore affaiblie. La Révolution avait confié aux corps administratifs la juridiction contentieuse, l'impôt direct, la police ; la loi de pluviôse attribua la première au conseil de préfecture, présidé à la vérité par le préfet ; Gaudin leur avait enlevé le second ; la municipalité perdra bientôt le jugement des contraventions.

Il eût été dans la logique du système que Bonaparte séparât également la police de l'administration pour en faire une institution centralisée, d'autant qu'il conserva le ministère de la Police générale que Fouché achevait de réorganiser, de concert avec Desmaret, ancien curé rouge, fonctionnaire sous le Directoire, qui était son bras droit comme directeur de la sûreté. A Paris, on lui donna un coadjuteur en rétablissant l'ancien lieutenant de police sous le nom de préfet de police, le 17 ventôse (8 mars) ; on chargea ce préfet de maintenir l'ordre dans la capitale et, plus tard, on lui subordonna la garde municipale, créée le 4 octobre 1802. Le premier titulaire fut Dubois, ancien procureur au parlement et créature de Fouché. En province, le ministre n'avait pas de représentants permanents ; le 5 brumaire an IX seulement (27 octobre 1800), on commença de créer dans les grandes villes et aux frontières des commissaires généraux qui dépossédèrent l'autorité locale ; il y eut aussi quelques commissaires spéciaux, comme à Boulogne. A part cela, dans la plupart des départements, les seuls agents stables du ministre restèrent les préfets, qui avaient le droit de lancer des mandats d'arrêt et de perquisition, comme autrefois les intendants. Mais le ministre n'était pas leur seul chef ; en outre, comme ils manquaient de subordonnés spécialisés, ils ne furent, plus d'une fois, renseignés que par lui-même ou par les agents qu'il dépêchait en province. A côté de la police, la gendarmerie, soigneusement réorganisée sous le commandement de Moncey, opérait à part.

Les uns et les autres exercèrent, dès le début, un pouvoir exorbitant. Fouché répandit partout une nuée de mouchards recrutés jusque dans les plus hautes classes de la société ; le cabinet noir, dirigé par Lavalette, surveilla les correspondances ; les arrestations arbitraires furent monnaie courante, et les préfets eux-mêmes lancèrent des lettres de cachet, non seulement contre les suspects politiques, mais contre les accusés de droit commun qu'on ne pouvait convaincre ou qui avaient été acquittés, et aussi dans l'intérêt des familles. Il n'en est pas moins vrai que l'unité et la centralisation manquèrent. C'est sans doute que Bonaparte se méfiait de Fouché qui était le plus nécessaire, le plus redouté et le plus indépendant des ministres. Demandant peu au budget, il avait ses ressources propres : la ferme des jeux, les droits de port d'armes et de passeport, les fonds saisis sur les conspirateurs et toutes sortes de contributions arbitrairement exigées des établissements de plaisir. Pour le tenir en bride, Bonaparte préféra qu'il y eût plusieurs polices ; il eut la sienne, sans parler d'informateurs, parmi lesquels figurèrent Fiévée, Mme de Genlis et Montlosier ; il laissa Dubois se mêler de politique et se poser en rival de son ministre. Il en résulta que les polices concurrentes firent du zèle aux dépens des citoyens dépourvus de tout recours.

La réorganisation administrative était à peine en train quand

celle des tribunaux fut également décidée par la loi du 27 ventôse an VIII (18 mars 1800). Au civil, le canton conserva son
juge de paix ; l'arrondissement, comme autrefois le district, reçut
un tribunal dit de première instance ; la nouveauté fut l'institution de vingt-neuf tribunaux d'appel qui évoquaient le souvenir
des parlements. Au criminel, la justice de paix devint tribunal
de simple police, tandis que le tribunal de première instance et le
tribunal d'appel reçurent compétence correctionnelle ; le tribunal
criminel du département fut conservé, mais eut désormais ses
propres juges ; les jurys d'accusation et de jugement subsistèrent
ainsi que les juridictions commerciales, militaires et maritimes,
et aussi le tribunal de cassation. Enfin, on vit poindre ultérieurement la constitution des offices ministériels. Bonaparte continua
de nommer les notaires ; il s'attribua en outre le choix des huis-
siers (sauf ceux des juges de paix) et des procureurs qu'il rétablit
sous le nom d'avoués, sans toutefois rendre leur emploi obligatoire. La profession d'avocat resta seule libre.

Mais les remaniements de la hiérarchie judiciaire ne constituent pas le trait le plus important de la loi de ventôse. D'abord,
l'élection des juges fut supprimée, sauf pour les juges de paix
et consulaires ; à part les membres du tribunal de cassation
désignés par le Sénat, le premier consul s'empara de leur nomination. A la vérité, ils furent déclarés inamovibles ; mais le traitement et l'avancement dépendirent désormais de l'État. Lebrun
dut se plaire à voir réalisée la réforme de Maupeou et il est probable qu'il y fut pour quelque chose. En second lieu, le ministère
public fut reconstitué et, par là, se manifeste la raison d'ordre
public qui inspirait la réforme : il ne s'agissait pas seulement
d'épurer le personnel et de contrôler son loyalisme, mais aussi de
renforcer la répression dans un pays troublé. Les fonctions d'ac-
cusateur public près le tribunal criminel furent réunies à celles
du commissaire du gouvernement qui avait toujours été le délégué
du pouvoir central : il reçut la direction de la police judiciaire.
Le juge de paix et l'officier de gendarmerie gardèrent le droit de
décerner des mandats d'amener et de commencer l'instruction.
Celle-ci fut continuée, comme auparavant, par le président du
tribunal de première instance, chef du jury d'accusation, mais
désormais l'État le nommait. La concentration, il est vrai, demeurait incomplète : on ne tardera pas à l'accroître.

Le choix des magistrats fut plus difficile que celui des préfets,
parce qu'ils étaient beaucoup plus nombreux et qu'il fallait les
prendre sur place. Bonaparte fut donc obligé de s'en rapporter à

d'autres. On demanda des propositions, par circulaire, aux membres des assemblées et on sollicita des renseignements de personnages très divers. Abrial, ministre de la Justice, dressa des listes par arrondissement d'appel ; puis Cambacérès les examina avec le concours des hommes politiques de la région. Malgré ces soins, la formation des tribunaux comporta du désordre et surtout des choix dont on eut à se repentir. Là aussi, on fit large part aux révolutionnaires et, grâce à l'inamovibilité, le personnel judiciaire évolua moins vite que les autres dans le sens de l'Ancien Régime.

La réforme administrative et judiciaire de l'an VIII ne le cède en importance, dans l'histoire de France, qu'à l'œuvre de la Constituante ; mais elle lui doit beaucoup. La Constituante avait aboli les privilèges et les corps intermédiaires ; l'unité nationale était réalisée : Bonaparte n'eut qu'à y mettre son empreinte et c'est pourquoi il put aboutir si vite. D'un autre côté, il ne fit que reprendre le précédent de l'an II. Le Comité de salut public n'avait pas eu le temps d'organiser la centralisation avec la même perfection ; mais son intention était la même. Saint-Just avait rêvé d'un magistrat unique qui, dans chaque département ou district, représenterait le pouvoir central, et Chaptal parla comme l'aurait pu faire Robespierre : « La force d'un système d'administration est toute dans la certitude de l'exécution entière de la loi et des actes du gouvernement... La chaîne d'exécution descend sans interruption du ministre à l'administré et transmet la loi et les ordres du gouvernement jusqu'aux dernières ramifications de l'ordre social, avec la rapidité du fluide électrique. » C'est la comparaison qu'affectionnaient les sans-culottes. On a souvent attribué les lois de l'an VIII au dessein de Bonaparte d'accroître son autorité ; ce n'est pas sans raison : il n'avait pas été parlé dans la constitution de supprimer l'élection des conseils locaux, et les contemporains ont bien compris que la dictature personnelle venait de faire un pas de géant. Mais on aperçoit à ces lois des causes plus profondes et qui décourageaient la résistance : la décentralisation opérée par la Constituante avait mis la France en péril au cours de la guerre et, aussi longtemps que celle-ci se prolongerait, il en irait de même ; c'est pourquoi le Comité de salut public avait ressaisi les rênes ; les thermidoriens les avaient de nouveau laissé flotter ; Bonaparte les reprenait. D'un expédient temporaire, il faisait un idéal de gouvernement ; mais, s'il a pu satisfaire son instinct de domination, c'est que cet idéal concordait alors — et les brumairiens en tombèrent d'accord — avec l'intérêt de la nation révolutionnaire.

Cependant Bonaparte, tout en construisant, se voyait obligé de se défendre. Les notables étaient débarrassés du péril démocratique et occupaient toutes les places ; mais, ne décidant plus de rien, ils n'étaient pas contents, et Mme de Staël ne s'en cachait pas, qui avait espéré gouverner la France par l'intermédiaire de Bonaparte ou, au moins, de Benjamin Constant. L'opposition se déclara dans le Tribunat, qui ne manquait pas de moyens. Il siégeait en permanence, élisait son bureau et porta Daunou à la présidence ; il pouvait émettre des vœux, discuter les pétitions, mettre les ministres en accusation et dénoncer au Sénat les actes inconstitutionnels du gouvernement ; surtout, l'on y pouvait parler, et Benjamin Constant en profita dès le 5 janvier. Aussitôt, le maître se fâcha et tout le monde se terra ; Sieyes partit pour la campagne, pourvu d'ailleurs d'une dotation qui le déconsidéra. Pour tenir les modérés, Bonaparte n'avait qu'à leur dire : « Voulez-vous que je vous livre aux jacobins ? » Ceux-ci naturellement se sentaient encore moins satisfaits. En province et surtout dans l'ouest, ils étaient retenus par les menaces des « blancs » ; l'installation des préfets leur ôta les appuis qui leur restaient dans les anciennes administrations. Mais ils frondaient souvent, comme à Dijon et à Toulouse. Ils ne furent vraiment abattus qu'au cours de l'été. Quant aux royalistes, ils déchantaient, car Hyde de Neuville et d'Andigné, étant venus trouver Bonaparte, n'en avaient rien obtenu. Comme ils tenaient la plupart des journaux, ils menèrent grand tapage contre les nouvelles assemblées, réclamant leur épuration immédiate. Le 17 janvier 1800, Bonaparte en profita pour supprimer d'un coup soixante journaux sur soixante-treize ; d'autres disparurent ensuite : à la fin de 1800, il n'en resta que neuf. Le *Moniteur* était devenu officiel dès le 27 décembre 1799 et Maret le dirigeait. On ne rétablit pas officiellement la censure, mais Fouché l'exerçait nonobstant ; le 5 avril 1800, Lucien en institua une pour les théâtres. La presse de gauche, bien entendu, fut emportée aussi par la débâcle.

L'opposition légale devenue impossible, les extrémistes commencèrent à penser à la violence. En germinal, on reparla d'un complot jacobin. De ce côté, le seul danger sérieux ne pouvait venir que de l'armée, où il restait beaucoup de républicains et plus encore de mécontents, car il n'était pas de général qui ne se sentît l'étoffe d'un premier consul. Bonaparte usa de ménagements : il appela Carnot à la Guerre et multiplia les concessions à Moreau, qui commandait sur le Rhin. Ses ennemis les plus redoutables demeurèrent toujours les royalistes, ceux du moins qui étaient résolus à repousser toutes les concessions ; mais ils ne s'accordaient ni sur les principes, car il y avait parmi eux des partisans de la monarchie constitutionnelle, ni sur les moyens d'action. Louis XVIII, installé à Mitau avec d'Avaray et Saint-Priest, combinait la négociation et la conspiration. A Paris, un conseil royal, où figurait Royer-Collard, reçut mission de sonder Bonaparte et lui fit passer deux lettres du prétendant qui restèrent sans réponse. En Souabe, une agence dirigée par Précy et Dandré travaillait, avec l'argent de Wickham, à préparer l'invasion de la Provence par les émigrés et correspondait avec les royalistes de Lyon, de Toulouse et surtout de Bordeaux, où l'*Institut philanthropique* de l'an V avait poussé de fortes racines. Le comte d'Artois, demeuré en Angleterre, entretenait, de son côté, des agences à Jersey et à Paris, où les menées d'Hyde de Neuville furent découvertes en mai. Toutefois, la principale force des royalistes était dans l'ouest. La chouannerie y avait repris en l'an VII ; mais elle dégénéra vite en guerre de bandes, qu'à partir d'octobre l'arrivée des troupes — Hédouville au nord de la Loire et Travot en Vendée — réduisit promptement. Hédouville entra en discussion avec les chefs nobles, qui conclurent un armistice le 4 janvier 1800. Bonaparte avait grand intérêt à la pacification, afin de tourner toutes ses forces contre l'Autriche ; pourtant, il n'entendait pas traiter d'égal à égal comme les thermidoriens et il était résolu à désarmer les paysans. Contre remise des armes, il offrit une amnistie. N'ayant pas reçu de réponse, il dirigea Brune et Lefebvre vers l'ouest, y fit suspendre la constitution et ordonna de fusiller quiconque serait pris les armes à la main ou prêcherait la révolte. On n'eut guère à combattre. Les nobles, d'Autichamp, Bourmont, capitulèrent en janvier. Les chefs populaires tinrent plus longtemps en Bretagne ; Cadoudal traita le dernier, le 14 février. En Normandie, Frotté, qui était venu négocier à Alençon avec un sauf-conduit, fut arrêté dans la nuit du 15 au 16. L'escorte qui le menait à Paris rencontra, le 29, à Verneuil, un courrier qui ordonnait de le traduire devant une commission militaire. On le fusilla le même jour avec six de ses compagnons. Dans sa lutte contre les partis, Bonaparte a donc continué aussi la tradition de l'an II : c'est un terroriste. « On n'a jamais vu de lois si sévères du temps du règne de Robespierre », notait un annaliste chinonais.

Mais il se garda bien de généraliser le système. Plus habile que les jacobins, il s'en tint à faire des exemples et, simultanément, accueillit toutes les offres de soumission. Bien plus, sans attendre que la paix désarmât la contre-révolution, il prit des mesures pour hâter son ralliement. Il était sûr de plaire ainsi à bien des gens, car la fin des troubles ramènerait la prospérité et tranquilliserait ceux qui avaient profité de la Révolution. Il était à craindre, il est vrai, que le ralliement ne fût pas sincère, et, là-dessus, Bonaparte n'a jamais eu d'illusions ; mais qu'importait, aussi longtemps qu'il serait victorieux ?

Le difficile était de faire accepter par la bourgeoisie républicaine et surtout par l'armée des mesures favorables aux prêtres réfractaires et aux émigrés. Aussi s'en tint-il jusqu'à Marengo à des mesures assez modestes. Le 28 décembre 1799, il avait confirmé aux catholiques la jouissance des églises non aliénées et autorisé le culte tous les jours, même le dimanche, à l'exception du décadi, réserve peu importante, car il abandonna en fait le culte décadaire et presque toutes les fêtes révolutionnaires. Il se contenta de demander aux prêtres une promesse de fidélité à la constitution de l'an VIII et paraît avoir cru un temps qu'ils profiteraient de l'occasion pour se soumettre. Il n'en fut rien : la plupart de ceux qui s'étaient refusés aux serments antérieurs persistèrent, malgré l'avis d'Émery. Le culte secret continua ; les sonneries de cloches et les processions restèrent le sujet de nombreux conflits. Bonaparte conclut promptement que, pour mater le clergé, il lui fallait s'arranger avec le pape. D'autre part, le Conseil d'État déclara que la constitution abrogeait implicitement l'exclusion des fonctions publiques qui frappait les nobles et les parents des émigrés. A la vérité, il conclut également au maintien des lois contre les émigrés eux-mêmes. Mais, le 3 mars 1800, la liste en fut déclarée close à la date du 25 décembre précédent, et une commission, chargée d'examiner les demandes de radiation, en accepta beaucoup ; Barère et Vadier, les fructidorisés, les constituants de la majorité patriote, dont La Fayette, furent rappelés sans discussion. Il y avait pourtant 145.000 inscrits, et la commission ne pouvait pas aller vite ; Fouché lui-même conseillait de les gracier en bloc, à part quelques exceptions. Il était trop tôt ; pour s'y risquer, comme pour conclure un concordat, il fallait que le prestige de Bonaparte fût accru par la victoire et la paix.

III. — IMPROVISATION DE LA CAMPAGNE DE 1800[1].

Aussi prépara-t-il avec passion la campagne dont dépendaient le maintien et l'extension de sa puissance. Des hommes, il pouvait s'en procurer : le 8 mars, tous les conscrits de l'année furent mis à sa disposition. Mais il déclamait contre les jacobins et le Directoire : ce n'était pas le moment d'imiter la grande conscription de l'an VII ; d'ailleurs, l'argent manquait. Il savait en outre, à en croire un historien qui lui est très favorable, « que, chez un peuple, l'esprit belliqueux croît en raison inverse du nombre d'hommes qui vont à la guerre » et se contenta de 30.000 hommes. Les aisés furent ménagés : la même loi leur donna la faculté de se faire remplacer. L'armée du Rhin remise sur pied, on dut, pour former « l'armée de réserve », faire flèche de tout bois, vider les dépôts, ramener les troupes de l'ouest, créer une légion italienne, faire marcher des conscrits qui ne savaient pas charger leurs fusils. Peu de cavalerie, encore moins d'artillerie. Il a fallu à Bonaparte une audace et une confiance en soi incroyables pour se lancer, dans ces conditions, à la conquête de l'Italie.

Le plus difficile fut de financer une campagne qui exigeait, dit-on, 65 millions. La subvention extraordinaire de guerre substituée à l'emprunt forcé et les mesures prises pour hâter la perception des contributions ne donnèrent pas de ressources immédiates, d'autant qu'on permettait de les acquitter à l'aide des bons et mandats du Directoire, les « valeurs mortes », et qu'on avait rétabli les délégations des fournisseurs qui en hypothéquaient le produit. Gaudin voulait recourir aux taxes indirectes, mais Bonaparte ne se jugeait pas assez fort et l'on se contenta de généraliser les octrois au profit des hospices et des municipalités. Les dépenses furent comprimées à outrance. Mais, en fin de compte, le Consulat dut recourir aux mêmes expédients que le Directoire. Les délégations furent de nouveau suspendues et les réquisitions rétablies, bien qu'on refusât simultanément d'admettre, pour l'acquit des impôts, les bons correspondants. On ajourna partiellement les paiements : chaque décade, on distribuait aux divers ministères le peu qu'il y avait en caisse et, pour le reste, on délivrait des mandats irrécouvrables. En dernier ressort, on recourut aux banquiers et aux fournisseurs, qui acceptèrent les rescriptions à 5 % par mois, et aux étrangers,

---

1. Ouvrages a consulter. — Voir p. 73 et 79 et, ci-dessous, p. 96, les ouvrages relatifs à la campagne.

dont Gênes et Hambourg, qui, contraints et forcés, avancèrent 6 millions et demi.

Le seul trait nouveau, c'est que ce gouvernement autoritaire le prit de haut avec la finance. Les délégataires, à qui on avait fermé les caisses, furent pourtant mis en demeure de verser 52 millions s'ils voulaient être remboursés en assignations nouvelles, qui perdirent aussitôt 50 % ; Ouvrard, jeté en prison, dut donner 14 millions. On vécut ainsi au jour le jour. L'effort fut prodigieux ; mais on ne saurait se leurrer sur ses résultats. L'armée du Rhin, la mieux traitée par raison politique, reçut en tout 6.200.000 francs et, en pluviôse, on lui devait 15 millions de solde ; l'armée de réserve chemina sans solde et sans autres vivres que ce qu'elle trouva en route chez les paysans ; comme pendant la Révolution, les lacunes énormes de la préparation se soldèrent par les souffrances des troupes. Tout était suspendu à la victoire, les finances comme la politique. On ne pouvait pas continuer longtemps cette guerre sans demander au pays les sacrifices qui avaient rendu impopulaires la Convention et le Directoire.

Tout le monde raisonnait ainsi et se préparait en conséquence. Quand Bonaparte eut quitté Paris le 6 mai, les brumairiens envisagèrent quelles solutions seraient possibles s'il ne revenait pas. Sieyes reparut ; on parla d'un directoire, d'un nouveau premier consul, Carnot, La Fayette, Moreau ; on fit allusion au duc d'Orléans ; les frères de Bonaparte, Joseph et Lucien, brûlaient de se dévouer. La situation prêtait à la réflexion ; mais il est difficile de croire que plus d'un homme en vue n'ait pas envisagé la défaite avec complaisance. Les libéraux et certains jacobins n'avaient plus d'autre espoir. « Je souhaitais que Bonaparte fût battu, puisque c'était le seul moyen d'arrêter les progrès de la tyrannie », écrira plus tard Mme de Staël. Quant aux royalistes, ils faisaient, comme d'habitude, ce qu'ils pouvaient pour aider l'ennemi : Cadoudal rentra d'Angleterre le 3 juin pour ranimer la chouannerie. En même temps que Bonaparte, la nation et la Révolution auraient succombé. Entre ses rivaux et lui, le peuple français ne pouvait plus hésiter.

CHAPITRE II

LA PACIFICATION DE L'EUROPE[1]

Bonaparte avait intérêt à combattre et à dicter la paix ; mais il lui importait tout autant de persuader les Français qu'il n'était pas responsable de la guerre. Il n'aurait pas été fâché de conclure un armistice pour achever ses préparatifs, et surtout pour secourir l'armée d'Égypte, dont la perte devait constituer pour la France un échec irréparable dans la Méditerranée et en Orient. Quant à faire la paix sur la base des frontières naturelles, il n'y pensait pas. Il a dit plus tard qu'abandonner l'Italie « eût flétri les imaginations », c'est-à-dire atteint son prestige. Il ne prêta pas non plus attention aux propos du roi de Prusse indiquant à Beurnonville, comme conditions d'une paix sincère, l'évacuation de la Hollande, de la Suisse et du Piémont. On peut considérer comme l'expression de sa pensée cet *État de la France en l'an VIII* que d'Hauterive, bras droit de Talleyrand, allait bientôt publier pour proposer à l'Europe de substituer à la politique traditionnelle de l'équilibre une sorte de société des États continentaux sous l'hégémonie de la France.

L'ennemi lui rendit le service de rejeter ses offres. Thugut, à la vérité, eut l'habileté de s'enquérir des conditions de la paix ; mais, quand Talleyrand parla des limites de Campoformio, il poussa les hauts cris et, lorsqu'on lui offrit de négocier sur la

1. OUVRAGES D'ENSEMBLE A CONSULTER. — Sur la diplomatie, voir les ouvrages de SYBEL (qui s'arrête à la paix de Lunéville), SOREL, t. VI, BOURGEOIS et WAHL, cités p. 27 ; É. DRIAULT, *Napoléon et l'Europe*, t. Ier : *La politique extérieure du Premier Consul* (Paris, 1910, in-8°) ; A. HERMANN, *Der Aufstieg Napoleons. Krieg und Diplomatie von Brumaire bis Lunéville* (Berlin, 1912, in-8°) ; H. FUGIER, *La Révolution française et l'Empire napoléonien*, cité p. 27. — Histoire générale des campagnes : colonel E. BOURDEAU, *Campagnes modernes, 1792-1815* (Paris, 1912-1921, 2 vol. in-8° et un atlas) ; général DESCOINS, *Étude synthétique des principales campagnes modernes* (Paris, 1901, in-8° ; 7e éd. refondue, avec croquis, par le général CHANOINE, 1928) ; lieut.-colonel J. COLIN, *Napoléon Ier* (Paris, 1914, in-8°).

base des limites présentes, il éluda. Tant qu'il n'était pas vaincu, il rêvait de reprendre Nice et la Savoie pour obliger le roi de Sardaigne à céder en retour à l'Autriche une part du Piémont ; l'archiduc Charles, qui conseillait de traiter, perdit le commandement de l'armée d'Allemagne. A l'Angleterre, Thugut laissait entrevoir des conquêtes en France, qui serviraient de monnaie d'échange contre le rétablissement de la monarchie. Du moins était-il assez fin pour n'en rien dire en public. Pitt et Grenville commirent la maladresse de révéler la pensée profonde de la coalition aristocratique. Ils expliquèrent aux Communes qu'un traité avec Bonaparte n'assurerait pas l'avenir et signifièrent avec impertinence à la République que la meilleure garantie serait « la restauration de cette lignée de princes qui, pendant tant de siècles, avait maintenu la prospérité de la France au dedans et lui avait valu la considération et le respect des autres nations ». Gentz, acheté par eux, se prit tout à coup d'un zèle extrême pour la croisade contre-révolutionnaire. Il ne restait donc plus qu'à combattre.

I. — LES CAMPAGNES DE 1800 ET LE TRAITÉ DE LUNÉVILLE[1].

La Russie s'était retirée de la lutte. Frédéric-Guillaume III n'eût pas demandé mieux que de la réconcilier avec la France

1. OUVRAGES A CONSULTER. — Voir la note précédente ; H. HÜFER, *Quellen zur Geschichte des Zeitalters der französischen Revolution*, 1re partie : *Quellen zur Geschichte der Kriege von 1799-1800* ; t. II : *Quellen zur Geschichte von 1800* (Leipzig, 1901, in-8o) ; les ouvrages de TSCHIRCH, cité p. 22, de HAEUSSER, HEIGEL, BAILLEU, FORD, TRUMMEL, de KRONES, URLISZ, BEIDTEL, WERTHEIMER, cités p. 28 ; É. DRIAULT, *Napoléon et l'Italie* (Paris, 1906, in-8o). — Sur la campagne d'Italie, capitaine DE CUGNAC, *La campagne de l'armée de réserve en 1800* (Paris, 1900-1901, 2 vol. in-8o, publication de la Section historique de l'État-Major) ; abrégé par LE MÊME, *La campagne de Marengo* (Paris, 1904, in-8o) ; A. HERMANN, *Marengo* (Münster, 1903, in-8o). Sur la campagne d'Allemagne, les volumes suivants (publiés par la Section historique de l'État-Major, sous le titre général : *La campagne de 1800 en Allemagne*) : E. PICARD, *Le passage du Rhin* (Paris, 1907, in-8o) ; P. AZAN, *Du Rhin à Ulm* (Paris, 1909, in-8o) ; E. PICARD, *Hohenlinden* (Paris, [1909], in-8o ; voir A. CHUQUET, *Historiens et marchands d'histoire*, Paris, 1914, in-8o, p. 161-185) ; DU MÊME, *Bonaparte et Moreau* (Paris, 1903, in-8o). — Sur la présentation des événements par Napoléon, M. REINHARD, L'historiographie militaire officielle sous Napoléon Ier. Étude d'une origine méconnue de la légende napoléonienne, dans la *Revue historique*, t. CXCVI (1946), p. 165-184. — Sur les négociations, miss L. M. ROBERTS, The negociations preceding the peace of Lunéville, dans les *Transactions of the royal historical society*, t. XV (1901), p. 47-130.

pour se garantir de tout risque. Il ne pouvait convenir à Bonaparte de le choisir pour arbitre ; mais, reprenant la politique de Dumouriez et de Danton, héritiers eux-mêmes de la tradition anti-autrichienne de la diplomatie française, il lui offrit son alliance qui aurait réduit la Prusse à la condition d'auxiliaire. Le roi se déroba et la lutte demeura ainsi un duel franco-autrichien.

Thugut, ne pensant qu'à l'Italie, maintint Kray sur la défensive derrière le Rhin, tandis que Mélas, péniblement renforcé à un peu plus de 100.000 hommes, reçut l'ordre d'attaquer les Français retirés, depuis novembre, derrière les Apennins et d'entrer en Provence, où Willot et le marquis de Puyvert devaient provoquer l'insurrection. On comptait sur les Anglais de Minorque ; mais, comme d'ordinaire, Dundas ne trouva pas les forces nécessaires ; Stuart, n'ayant reçu que 5.000 hommes, donna sa démission et Abercromby, son successeur, n'arriva qu'après Marengo. Quant à Mélas, il dispersa la moitié de ses troupes dans la plaine et aux débouchés des Alpes ; avec l'autre, il prit l'offensive, le 6 avril, rompit l'armée française en deux, assiégea Masséna dans Gênes et rejeta Suchet sur le Var. La stratégie purement politique de Thugut l'avait enfoncé vers le sud-ouest, où il n'obtint rien de décisif, tandis que la Suisse restait aux Français d'où ils pouvaient prendre à revers les deux armées autrichiennes.

Bonaparte avait échelonné l'armée de réserve de Chalon à Lyon. En mars, il tâcha de persuader Moreau de franchir le Rhin en masse vers Schaffouse pour couper les communications de Kray et le battre en détail ; l'armée de réserve serait entrée en Suisse et, renforcée par une partie de l'armée du Rhin victorieuse, aurait mené le même jeu contre Mélas, en passant les Alpes le plus loin possible vers l'est, au Saint-Gothard pour le moins. Mais Moreau ne comprit rien à cette stratégie foudroyante et, sur ces entrefaites, Mélas attaqua. Bonaparte abandonnant Moreau à son sort, concentra l'armée de réserve, à la fin d'avril, dans le bas Valais ; le 27, sur le rapport des ingénieurs, il décida de la diriger vers le Grand-Saint-Bernard, route bien connue des armées françaises, qui l'avaient utilisée en 1798 et en 1799. Toutefois, le 5 mai, il prescrivit à Moreau de lui envoyer Moncey avec 25.000 hommes par le Gothard. Moreau s'en tint à 15.000 ; il n'en fut pas moins affaibli au cours de son offensive qui venait de commencer, tandis que le coup décisif fut réservé à Bonaparte. Ce fut le point de départ de leurs dissentiments.

Le passage du Saint-Bernard commença dans la nuit du 14 au 15 mai et s'acheva le 23 ; comme on dut défiler péniblement

— 97 —

sous les canons du fort de Bard, on ne put faire passer que dix canons et, jusqu'à Milan, on n'en eut pas d'autres ; à l'avant-garde, Lannes s'empara d'Ivrée, où commence la plaine. De là, Bonaparte pouvait marcher sur Gênes en ralliant Turreau qui descendait du Cenis et du Genèvre : en ce cas, Mélas resterait maître de se concentrer et de se retirer sur la Lombardie s'il était battu. L'alternative était de marcher sur Milan pour lui couper la retraite : la victoire serait alors décisive et livrerait l'Italie. On risquait gros : tant que l'armée n'aurait pas regagné, à Milan, une ligne d'opérations par le Gothard, Mélas pouvait couper ses communications par une offensive au nord du Pô. Il fallait à Bonaparte un triomphe, et immédiat ; il choisit le second parti, périlleux, mais dont le succès serait d'un effet prodigieux. L'armée tourna vers l'est, couverte par Lannes, atteignit Milan le 2 juin et y fut rejointe par Moncey ; Wukassovitch s'étant replié derrière l'Oglio, les Autrichiens se trouvèrent séparés en deux masses très inégales. Les divisions françaises se dirigèrent alors vers le sud, franchirent le Pô, firent une conversion vers l'ouest et saisirent le défilé de la Stradella, où Lannes enleva Montebello, le 9, puis débouchèrent dans la plaine de Marengo ; le 13, l'avant-garde parvint sur les rives de la Bormida, en vue d'Alexandrie. Bonaparte avait combiné leur avance avec une sûreté prestigieuse et en avait esquissé le groupement en corps d'armée autonomes, les tenant concentrés autant qu'il était possible. Masséna, le 4, avait dû consentir à évacuer Gênes et avait rejoint Suchet qui refoulait Œlsnitz en lui infligeant de grosses pertes ; Bonaparte comptait qu'ils prendraient Mélas à revers ; s'ils ne le purent pas, ils attirèrent pourtant vers eux une grande partie de la cavalerie ennemie.

Sur plus de 70.000 hommes qui lui restaient encore, Mélas n'en concentra que 30.000 à Alexandrie ; comme par gageure, il s'était privé de sa cavalerie, mais il avait près de 200 canons. Bonaparte ne savait où il était au juste ; il se rendait compte pourtant que l'ennemi pouvait franchir le Pô ou filer le long des Apennins. Le 13, il envoya une division au nord du fleuve et deux autres avec Desaix vers le sud, ne gardant que 22.000 hommes avec 22 ou 24 canons ; il avait commis en outre la faute énorme de ne pas couper les ponts de la Bormida. Le 14, à 9 heures, son avant-garde fut attaquée par 20.000 Autrichiens ; deux divisions vinrent à la rescousse et furent débordées par la gauche ennemie ; les Français reculèrent en désordre, perdant leur artillerie. Heureusement pour eux, la gauche et la droite autrichiennes, ne regardant que devant elles, ne cherchèrent pas à les envelopper. Bonaparte s'était hâté de rappeler les divisions envoyées en mission ; mais seule celle de Boudet (5.000 hommes et cinq canons), fut ramenée à temps par Desaix. Ayant rallié les débris de l'armée, elle attaqua de front les Autrichiens qui s'avançaient. Le combat restait indécis lorsque Kellermann, avec 400 chevaux, les chargea en flanc : pris de panique, ils se débandèrent ; leur gauche et leur droite, restées intactes, couvrirent la retraite ; Desaix avait été tué dans la mêlée sans qu'on s'en aperçût. C'était la victoire que Bonaparte avait voulue, et elle couronnait une campagne admirable ; mais, telle que la bataille s'engagea, il aurait dû la perdre ; aussi prit-il soin d'en répandre un récit maquillé qui a longtemps trompé l'histoire. Battue, son armée, conservant sa ligne de retraite, pouvait se retirer ; mais la carrière de Bonaparte eût sans doute pris fin. Jamais le rôle de l'imprévisible à la guerre et dans la vie de l'homme, fût-il un génie, ne s'est mieux manifesté. La défaite de l'armée autrichienne ne la réduisait pas non plus au désespoir ; ses adversaires étaient épuisés et sans munitions. Mais le moral de Mélas défaillit : on le voyait « aussi tremblant que son physique », a dit Neipperg, promis à une certaine renommée, qui fut un des officiers chargés de négocier avec la « racaille ». En vertu de la convention d'armistice, signée le 15 à Alexandrie, les Autrichiens se retirèrent derrière le Mincio, gardant d'ailleurs la Toscane et les Légations.

Pendant ce temps, Moreau s'avançait lentement en Allemagne. Ses divisions avaient franchi le Rhin, de Brisach à Schaffouse, faisant en outre une feinte sur Kehl, du 28 avril au 1er mai ; elles marchèrent ensuite, à travers la Forêt-Noire, vers Lecourbe, qui tenait la droite, perdant beaucoup de temps et sans pouvoir se concentrer pour le combat ; Moreau seul, avec le centre, put soutenir Lecourbe. Mais Kray, surpris, ne sut pas non plus rassembler son armée et profiter de ce désarroi. A Engen et à Stokach, le 3 mai, à Mösskirch, le 5, Moreau eut le dessus, grâce à la solidité du soldat ; il put s'avancer vers l'Iller et le Vorarlberg, séparant son adversaire des troupes qui occupaient le Tirol. Kray se retira sous Ulm, et Moreau, affaibli de 15.000 hommes envoyés en Italie, n'en ayant plus que 90.000 contre 140.000, manœuvra sans oser l'attaquer. Finalement, le 19 juin, il força le passage du Danube à Hochstädt ; les Autrichiens quittèrent Ulm par le nord, se rabattirent ensuite vers le fleuve et, le franchissant, vinrent occuper la ligne de l'Isar. Les Français les en délogèrent, occupant

Munich, et les rejetèrent sur l'Inn ; un armistice fut conclu à Parsdorf, le 15 juillet.

Dès le 16 juin, Bonaparte avait de nouveau écrit à François II pour l'inviter à traiter. Il tombait mal : le 20, Thugut signait avec lord Minto un traité de subsides qui excluait toute paix séparée. Pour gagner du temps, le comte de Saint-Julien fut pourtant chargé de s'enquérir officieusement des conditions : circonvenu par Talleyrand et menacé par Bonaparte, il se laissa entraîner à signer des préliminaires qui cédaient la rive gauche du Rhin en totalité contre des compensations à déterminer en Italie ; il fut désavoué et emprisonné. Cependant, pour faire le jeu de l'Autriche, l'Angleterre se déclara prête à prendre part à une conférence et, dès lors, Thugut accepta de négocier officiellement. Comme les armistices touchaient à leur terme, Bonaparte en profita pour demander une suspension générale des hostilités avec le droit de ravitailler Malte et de se renforcer en Égypte. Grenville finit par refuser ; Malte avait d'ailleurs capitulé le 5 septembre. L'Autriche fit les frais de cet échec : les armistices ne furent prorogés que moyennant la cession de Philippsbourg, Ulm et Ingolstadt. A Vienne, la lutte était ardente entre les partis de la guerre et de la paix, entre Thugut, que soutenaient Caroline de Naples et l'impératrice, et l'archiduc Charles. Thugut refusa de ratifier le compromis et se retira ; la chancellerie fut donnée à Louis de Cobenzl, qui avait négocié à Saint-Pétersbourg les deux derniers partages de la Pologne ; mais Thugut conserva son influence par l'intermédiaire de Colloredo, car Cobenzl partit pour traiter en personne à Lunéville. D'abord appelé à Paris, il ne put commencer à s'entretenir avec Joseph Bonaparte que le 5 novembre ; ces conférences de Lunéville n'aboutirent à rien, car le premier consul se refusait à préciser les concessions qu'il ferait en Italie. Il s'installait en Cisalpine, à Gênes et dans le Piémont. Murat y conduisit la troisième armée de réserve. Bien mieux, sous prétexte que les Anglais étaient à Livourne, Dupont occupa la Toscane en violation de l'armistice. Quand celui-ci prit fin, une campagne d'hiver commença.

Les Français avaient maintenant 100.000 hommes en Italie ; mais Brune n'en tenait que 57.000 sur le Mincio en face de Bellegarde, qui disposait de 80.000 hommes, du Vorarlberg au Pô. Macdonald, avec les 18.000 de la seconde armée de réserve, avait occupé les Grisons ; par le Splügen, il devait venir prolonger la gauche de Brune en attaquant le Tirol. En Bavière, Moreau commandait à 95.000 hommes auxquels les Autrichiens en opposaient 100.000, commandés nominalement par le jeune archiduc Jean et, en fait, par Lauer. Sur le Mein, Augereau avait amené 16.000 Français et Bataves. Il aurait été naturel de réunir à Moreau les troupes d'Augereau, de Macdonald et même de Murat pour foncer sur Vienne, mais Bonaparte comptait porter lui-même le coup mortel en Italie.

L'affaire fut décidée beaucoup plus vite qu'il ne le supposait. Moreau, se disposant à passer l'Inn, avait échelonné ses divisions le long de la rivière et n'avait que 60.000 hommes sous la main quand Lauer prit l'offensive avec 65.000 par sa droite et, non sans habileté, vint menacer la gauche des Français à Ampfing. Ils firent front ; puis Moreau concentra précipitamment les forces disponibles en bordure de la forêt de Hohenlinden où les Autrichiens, le 3 décembre, s'engagèrent en plusieurs colonnes sans lien entre elles, qui ne purent pas déboucher. Pendant ce temps, Decaen et Richepanse les tournaient par leur gauche et le second vint prendre en queue la colonne du centre, qui se débanda. L'armée autrichienne perdit 12 à 15.000 hommes et 100 canons. Moreau poursuivit cette fois assez rapidement, bousculant l'ennemi disloqué et raflant 25.000 prisonniers. Pour sauver sa capitale, l'Autriche signa, le 25 décembre, l'armistice de Steyer et consentit à conclure une paix séparée. Pendant ce temps, Macdonald, par une campagne de montagne remarquable, avait atteint le haut Adige et Brune avait enfin attaqué ; il combina fort mal le passage du Mincio et, à Pozzolo, le 25 décembre, si Dupont évita un désastre, c'est que l'adversaire n'était pas mieux commandé. L'Adige et la Brenta franchies, l'armistice de Trévise, le 15 janvier 1801, repoussa les Autrichiens derrière le Tagliamento. C'était donc Moreau qui avait terminé la guerre, et Bonaparte ne le lui pardonna pas. Quant à Murat, il était entré en Toscane et à Lucques, avait achevé d'en chasser les Autrichiens et contraint les Napolitains, le 18 février, à signer l'armistice de Foligno.

A Lunéville, Cobenzl avait résisté de son mieux aux exigences de Bonaparte, reculant pied à pied à mesure que les nouvelles empiraient. Après avoir accepté de traiter au nom de l'Empire et abandonné Mantoue, il essaya de sauver la Toscane. Mais l'Angleterre était impuissante et Paul Ier, rompant définitivement avec elle, se rapprochait de la France. La paix fut signée, le 9 février 1801, telle que la dicta le premier consul. L'Empire cédait purement et simplement toute la rive gauche du Rhin, sous réserve des indemnités à distribuer aux princes aux dépens des domaines de l'Église catholique ; e duc de Modène recevait le Brisgau ; le duc de Toscane serait aussi dédommagé en Allemagne. La France mettait la main sur le nord et le centre de l'Italie : la Cisalpine s'avançait jusqu'à l'Adige, annexant le Véronais et la Polésine ; déjà, on lui avait réuni le Novarais, pris au Piémont, pour lui ouvrir la route du Simplon ; les Légations, enlevées aux États pontificaux, lui furent également attribuées. Le traité ne disait rien des rois de Sardaigne et de Naples, ni du pape, ce qui les mettait à la discrétion de Bonaparte. Il garantissait, il est vrai, l'indépendance de la Cisalpine et de Gênes, de la Hollande et de la Suisse ; mais que valait cette promesse ?

Pour ce qui concernait l'Italie, on ne tarda pas à être édifié. Déjà, il avait réorganisé la Cisalpine en lui donnant une « consulte », puis un triumvirat de sa façon ; il avait installé à Gênes une commission. Charles-Emmanuel IV ayant refusé de rentrer à Turin, il y établit un gouvernement provisoire ; après la mort de Paul Ier, les négociations avec l'ambassadeur Saint-Marsan, poursuivies jusque-là par égard pour le tsar, furent rompues : le Piémont fut transformé en division militaire, partagé en départements et soumis au même régime administratif et financier que la France. Ferdinand de Naples avait signé la paix à Florence, le 28 mars : il évacua Rome, céda l'île d'Elbe et Piombino, ferma ses ports aux Anglais et autorisa l'occupation d'Otrante et de Brindisi, pendant un an, par un corps de troupes qui pourrait s'y embarquer pour l'Égypte. Lucques devint une république. Quant à la Toscane, elle servit d'atout à Bonaparte dans sa politique espagnole et même coloniale ; par le traité d'Aranjuez, le 21 mars 1801, elle fut donnée, comme royaume d'Étrurie, au fils du duc de Parme, neveu de la reine d'Espagne et époux d'une infante ; on payait ainsi à l'Espagne la restitution, faite le 1er octobre 1800, de la Louisiane à la France, qui devait aussi recevoir Parme ; le vieux duc, il est vrai, fit la sourde oreille, et Bonaparte le laissa en paix jusqu'à sa mort. Partout ses agents parlaient en maîtres : Brune à Milan, Jourdan à Turin, Dejean à Gênes, Saliceti à Lucques, Clarke à Florence, Moreau de Saint-Méry à Parme, Alquier à Naples, Murat à Rome où Pie VII, élu en février 1800 par le conclave de Venise, s'était réinstallé l'été suivant. De même que les autres princes de la péninsule, le pape était à sa merci et, comme Marignan, Marengo allait permettre de négocier un concordat dans des conditions avantageuses.

Du premier coup, Bonaparte avait tranché le nœud gordien. Au lieu de confirmer la conquête des frontières naturelles et d'en préparer la consolidation en ménageant l'Autriche, il les avait dépassées. Il était personnellement difficile au créateur de la Cisalpine de ne pas la reprendre. Mais, loin de s'en tenir là, il manifestait clairement qu'il entendait exclure l'Autriche de l'Italie, tandis que le traité de Lunéville fournissait le moyen de lui disputer l'Allemagne. S'il persistait dans ces dispositions, la pacification continentale ne pouvait être qu'une trêve.

II. — *LA LIGUE DES NEUTRES ET LA CRISE ANGLAISE*[1].

En même temps qu'il privait l'Angleterre de ses alliés, Bonaparte s'efforçait de la menacer directement et esquissait contre elle, avec le concours de Paul Ier, une fédération continentale, première ébauche du système de Tilsit.

Au cours de l'année 1800, il avait entrepris la réorganisation administrative de la marine et poussait les armements, surtout à Brest. Après Lunéville, il forma le camp de Boulogne en vue d'une descente en Angleterre où l'opinion, sinon le gouvernement, prit aussitôt alarme. En août 1801, Nelson vint attaquer à deux reprises la flottille de Latouche-Tréville et subit un échec retentissant. La Hollande ne pouvant plus rien sur mer, Bonaparte se montra d'autant plus exigeant pour l'Espagne. C'était en partie pour la mieux maîtriser qu'il s'étendait en Italie, car il dira plus tard que quiconque la tient, tient l'Espagne : souvenir du XVIIIe siècle et de la politique du pacte de famille. Il ne dépendit pas de lui que les Bourbons de Naples ne fussent associés à la résurrection de ce dernier ; en 1802, un double mariage, du fils

1. Ouvrages a consulter. — Sur la politique de Bonaparte, voir p. 95. Sur la Russie, Waliszewski, *Paul Ier*, et l'*Histoire de Russie*, publiée sous la direction de Milioukov, Seignobos et Eisenmann, cités p. 28 ; remarquable résumé dans T. Schiemann, *Geschichte Russlands unter Kaiser Nicolas I* (Berlin, 1904, 3 vol. in-8o), t. I ; ajouter les travaux relatifs à Alexandre Ier, cités ci-dessous, p. 184. Sur la ligue des neutres, consulter aussi J. Brown Scott, *Armed neutralities of 1780 and 1800* (New York, 1908, in-8o ; « Publication of the Carnegie endowment for International peace »). — Sur l'histoire de l'Angleterre, se reporter aux bibliographies des pages 32, 42 et 48 ; ajouter : Holden Furber, *Henry Dundas, first viscount Melville* (Oxford, 1931, in-8o). — Sur l'Égypte, F. Rousseau, *Kléber et Menou en Égypte* (Paris, 1900, in-8o, publication de la Société d'histoire contemporaine) ; G. Rigault, *Le général Abdallah Menou et la dernière phase de l'expédition d'Égypte* (Paris, 1911, in-8o) ; F. Charles-Roux, *L'Angleterre et l'expédition française d'Égypte* (Le Caire, 1925, 2 vol. in-8o, publication de la Société royale de géographie d'Égypte). L'ouvrage du commandant de La Jonquière, *L'expédition d'Égypte* (Paris, [1899-1907], 5 vol. in-8o ; publication de la Section historique de l'État-Major), s'arrête au départ de Bonaparte.

de Ferdinand IV avec une infante et du prince des Asturies avec Marie-Antoinette de Naples, donna quelques espérances.

Malheureusement, Bonaparte n'avait pas d'autre idée sur l'Espagne que le Directoire : il méprisait lui aussi le pays de l'Inquisition, son roi, sa reine et leur favori Godoy qui, après la disgrâce d'Urquijo, le 13 décembre 1800, avait repris la direction des affaires, sous le couvert de Cevallos. Il les traita donc cavalièrement. Croyant ce royaume fort riche, il lui demanda beaucoup et attribua ses lenteurs à la mauvaise volonté. Son entourage le considérait comme une proie ; Talleyrand en tirait de riches pourboires, qu'il partageait avec Berthier, sans perdre une occasion de manifester son hostilité pour Charles IV, qui n'avait pas su lui cacher son mépris. Ouvrard aussi était à l'affût et entretenait des rapports avec Hervas, banquier espagnol installé à Paris, qui prit Duroc pour gendre. Par elle-même, la flotte espagnole ne pouvait rien, et sa principale escadre, sous Gravina, se trouvait toujours à Brest ; mais, à travers l'Espagne, le Portugal, fief britannique, était vulnérable. Lucien se rendit à Madrid et fit décider une expédition. Elle fut une pure comédie ; Godoy, méfiant, n'attendit pas les Français, prit Olivenza le 16 mai 1801, assiégea Elvas le 18 et, aussitôt, mettant fin à cette « guerre des oranges », signa la paix moyennant la cession d'Olivenza et la promesse de 15 millions ; Lucien y prêta les mains et revint à Paris avec un butin énorme ; la connivence s'étendait à Talleyrand aussi, vendu au Portugal et ancien amant de Mme de Flahaut, remariée à l'ambassadeur de ce pays. L'Angleterre elle-même avait refusé tout concours militaire au prince Jean, investi de la régence au nom de sa mère folle, et à son ministre Coutinho, en leur conseillant de traiter pour éviter l'occupation ; au besoin, elle en aurait profité pour s'emparer du Brésil. Bonaparte, joué de toutes parts, tempêta inutilement et ne put que faire porter l'indemnité à 20 millions.

Le principal secours lui vint de Paul Ier, de plus en plus hostile aux Anglais, et des neutres que l'exemple de la Russie entraîna. A leur égard, Bonaparte avait montré une modération qui contrastait avec la politique du Directoire et ne laissait pas pressentir le blocus continental. Dès le mois de décembre, il avait rapporté les mesures exorbitantes de ses prédécesseurs et en était revenu à l'attitude adoptée par la France pendant la guerre d'Amérique ; il réorganisa en outre la juridiction des prises. Bientôt arrivèrent les ambassadeurs des États-Unis que le président Adams, désireux d'éviter la guerre, avait consenti à envoyer.

Puisque la France reconnaissait que le pavillon neutre couvrait la marchandise, sauf la contrebande de guerre, l'accord était facile et fut conclu à Mortefontaine, le 30 septembre 1800. Les Américains s'étaient surtout montrés désireux que Bonaparte n'insistât plus sur l'alliance de 1778, afin de pouvoir suivre la politique d'isolement *(no entanglement)*, que Washington n'avait cessé de leur recommander. L'attitude de Bonaparte rendit plus irritante encore celle de l'Angleterre aux yeux des Scandinaves, des Prussiens et des Russes. Paul Ier, d'ailleurs, était de plus en plus inquiet sur le sort de Malte. Le 29 août, il mit l'embargo sur les navires anglais et, quand il eut appris la chute de l'île, il récidiva ; au reste, le 17 octobre, Grenville avait pris la résolution de conserver Malte. La Suède et le Danemark suivirent la Russie et formèrent avec elle, le 16 décembre, une ligue pour la protection du commerce neutre. La Prusse adhéra le 18. La Baltique fut fermée aux Anglais ; les Danois occupèrent Hambourg, et la Prusse le Hanovre, sous prétexte de prévenir une occupation française ; les fleuves allemands et les villes hanséatiques furent ainsi interdits au trafic britannique. Or les pays de la Baltique et l'Allemagne étaient ses deux marchés essentiels.

Bonaparte espérait bien que Paul ne s'en tiendrait pas là et qu'une alliance franco-russe unirait officiellement le continent contre l'Angleterre. Dès juillet 1800, il avait offert au tsar de lui rendre les prisonniers qui ne pouvaient faire l'objet d'un échange, la Russie n'en détenant pas chez elle ; Sprengporten vint en France pour régler l'affaire. En décembre, Bonaparte et Paul s'adressèrent simultanément des lettres amicales ; le premier suspendit les actes d'hostilité contre les vaisseaux russes ; le second expulsa Louis XVIII. Puis, en mars 1801, Kolytchev fut dépêché à Paris pour signer la paix et discuter une alliance. Paul était très animé contre les Anglais : il décida de faire une expédition aux Indes et mit en marche une avant-garde de cosaques vers les steppes de l'Asie centrale. Il n'entendait nullement renoncer, pour autant, aux avantages qu'il avait acquis ou envisagés. Rostopchine lui avait présenté un projet de remaniement de l'Europe qui comportait le partage de l'empire turc entre la Russie et l'Autriche, et la création d'un vaste État grec, protégé de la première. Paul Ier voulait toujours Malte ; il entendait que le royaume de Naples fût évacué et le roi de Sardaigne rétabli ; il maintenait aussi son protectorat sur l'Allemagne. Ayant refusé l'Italie à l'Autriche, ce qui aurait assuré la paix, Bonaparte n'était pas disposé à la céder à la Russie. Il n'aurait pas davantage livré le Grand Turc. Mais comment gagner la Russie, sans lui rien donner ? D'autant qu'en réalité, Kolytchev, comme plus tard Markov qui le remplaça en juillet, représentait avec raideur non seulement Paul Ier, mais l'aristocratie russe, très hostile toujours à la France, et se faisait un point d'honneur de défendre les princes italiens. Il fallait opter. Mais, pour l'Angleterre, les perspectives n'en devenaient pas moins extraordinairement périlleuses.

La ligue des neutres lui portait un coup d'autant plus rude que son industrie avait souffert de la crise de 1799 et que la disette sévissait depuis la récolte de cette même année : de 1800 à 1802, l'Angleterre importa près de 3 millions 1/2 de *quarters* de blé. L'arrêt des arrivages de la Baltique provoqua une panique sur le marché des grains et le *quarter* monta à 151 sh. le 25 avril 1801. La livre de pain coûta jusqu'à plus de 5 d. ou 7 sous de France : bien que le Parlement eût édicté les mesures traditionnelles en pareil cas, des troubles éclatèrent çà et là, car on incriminait la spéculation ; et, de fait, les fermiers se coalisaient pour tenir les prix. Des placards menaçants, tel *Bread or blood*, qu'on imputait au jacobinisme et à la propagande française, affolaient l'opinion. Parallèlement, la situation financière paraissait inquiétante : l'or faisait prime de 9 % en 1801 et l'argent de 17 ; l'encaisse de la Banque redescendit à 4 millions 1/2 ; les subsides (5.600.000 livres), l'entretien des garnisons (2.800.000 livres), les achats de grains drainèrent vers le continent 23.300.000 livres, en 1800 et 1801. Le change perdit près de 16 % sur l'Espagne en 1801 et 13 % sur Hambourg. Pourtant l'idée d'une augmentation de l'*income-tax* ne plaisait pas à l'aristocratie et aux gens d'affaires. Dans ces conditions, la paix redevint rapidement populaire, comme en 1797, et Fox en prit avantage. Le frère de Grenville écrivait, dès le 9 octobre 1800 : « La rareté du pain et la détresse du pauvre qui en est la conséquence vous obligeront, je crois, si elles continuent, à faire la paix avec la France, que vous le vouliez ou non. » Et le *Monthly Magazine* représenta que, « comme l'humaine et louable politique d'affamer la France ne peut être réalisée, il serait peut-être de bonne politique d'essayer d'empêcher que notre propre peuple ne soit lui-même affamé, en faisant la paix ».

Il aurait été difficile à Pitt et à Grenville de s'y résoudre : un incident de politique intérieure leur épargna cette humiliation. L'union irlandaise étant réalisée, il s'agissait de tenir la promesse tacitement faite aux catholiques d'abolir le *test*. Dès le 30 septembre, le chancelier Loughborough se déclara hostile ; toute la coterie protestante fit chorus, et le roi se prononça publiquement dans le même sens ; le cabinet se divisa et Pitt donna sa démission le 5 février 1801. Le roi appela au pouvoir Addington, dont la médiocrité devait lui assurer plus d'influence encore dans la conduite des affaires. Le tracas lui procura une nouvelle crise de folie. Il guérit promptement et rejeta sur Pitt la responsabilité de sa maladie. Celui-ci se montra disposé à reprendre le pouvoir et promit, sans vergogne, de ne plus soulever la question catholique du vivant de Georges III. Mais Grenville refusa de se prêter à cette palinodie et, d'ailleurs, Addington ne voulut pas céder la place. Pitt dut se résigner le 14 mars. On peut supposer que, dans ces circonstances, ses regrets furent mitigés : le nouveau secrétaire au Foreign Office, Hawkesbury, avait offert à la France, dès le 21 février, d'ouvrir des négociations de paix. Le gouvernement d'Addington ne pouvait vivre que par la tolérance de Pitt : or il approuva cette politique jusqu'à la paix d'Amiens inclusivement. Il est à croire que, la jugeant inévitable, il fut heureux de n'en pas prendre la responsabilité.

La discussion entre Hawkesbury et Talleyrand se heurta immédiatement à la question d'Égypte. Le premier ne refusait pas d'y laisser les Français et envoya même à l'expédition chargée de la reprendre un contre-ordre qui arriva trop tard ; mais, en compensation, il voulait conserver la plupart des conquêtes britanniques, tandis que le second se contentait froidement de céder l'Inde ! Au fond, l'offre anglaise exaltait les espérances de Bonaparte, qui comptait écraser la rivale grâce au concours de la Russie, tandis qu'Addington, quoique résolu à traiter, conservait quelque espoir de conclure à meilleur compte, si les entreprises en cours donnaient de bons résultats. L'atermoiement tourna au profit de la Grande-Bretagne.

III. — *LA PAIX D'AMIENS (25 MARS 1802)*[1].

Deux événements à peu près simultanés firent s'évanouir le rêve d'une coalition continentale. Dans la nuit du 23 au

---

1. Ouvrages a consulter. — Voir p. 95 et 103 ; en outre, M. Philippson, La paix d'Amiens, dans la *Revue historique*, t. LXXV (1901), p. 236-318, et t. LXXVI (1901), p. 48-78 ; du même, *Die äussere Politik Napoleons I. Der Friede von Amiens* (Leipzig, 1913, in-8°) ; O. Brandt, *England und die napoleonische Weltpolitik, 1800-1803* (Heidelberg, 1916, in-8°, fasc. 48 des « Heidelberg Abhandlungen zur mittleren and neueren Geschichte ») ; H. Bowman, Preliminary stages of the peace of Amiens, 1800-1801, dans les *University of Toronto studies*, 2e série, t. I (1899), p. 75-155 ; C. Gill, The relations between

24 mars 1801, Paul Ier fut assassiné. Il fallait s'y attendre. L'aristocratie russe, déjà exaspérée par sa versatilité sanguinaire qui menaçait tous les dignitaires, avait été poussée à l'action par la rupture avec l'Angleterre qui allait l'empêcher de vendre ses grains et son bois. Le complot fut ourdi par Panine et par Pahlen, de connivence avec Alexandre, qui paraît avoir stipulé qu'on n'attenterait pas aux jours de son père et qui manifesta ensuite une grande douleur, mais dont les illusions, en ce cas, étaient bien naïves. Un de ses premiers soins fut de s'accommoder avec l'Angleterre.

Or, le 28 du même mois, l'escadre de Parker, où servait Nelson, entrait dans le Sund ; Copenhague fut bombardée et la flotte danoise très éprouvée. Le Danemark conclut un armistice et, à la nouvelle de la mort du tsar, signa la paix, le 28 mai ; la Suède en avait fait autant, le 18 ; Alexandre les imita le 17 juin. La ligue des neutres avait pris fin ; formée au cours de l'hiver, elle n'avait pas causé de grandes pertes matérielles à l'Angleterre ; mais elle laissait une impression qui ne s'effaça pas de sitôt. Il ne resta plus à Bonaparte qu'à composer avec la Russie ; Alexandre consentit, le 8 octobre, à rétablir officiellement la paix. Il se fit reconnaître la situation que son père avait acquise, soit dans la Méditerranée où il garda le protectorat des Sept Iles et une garnison à Corfou, soit en Turquie, car Bonaparte l'accepta comme médiateur auprès du sultan. On convint également que Naples serait évacuée après le règlement de la question d'Égypte et que le roi de Sardaigne se verrait traité avec les égards que comportait la situation. Enfin, on arrangerait les affaires d'Allemagne d'un commun accord. Bref, Bonaparte accorda, ou peu s'en faut, à Alexandre ce qu'il avait chicané à Paul et ce, sans rien obtenir en échange qu'un traité de paix. C'était un échec retentissant.

L'Égypte lui en procura un autre. Kléber y avait pris sa succession, avec l'intention arrêtée de le suivre à bref délai, en signant une convention d'évacuation. Le commandant de l'armée turque qui arrivait de Syrie et l'Anglais Sidney Smith traitèrent avec lui à El-Arych, le 24 janvier 1800 ; mais le commandant de l'escadre anglaise, Keith, refusa sa ratification.

England and France in 1802, dans *The English historical review*, t. XXIV (1909), p. 61-78 ; Thérèse EBBINGHAUS, *Napoleon, England und die Presse, 1800-1803* (Munich, 1914, in-8°, fasc. 55 de la « Historische Bibliothek », publiée par la *Historische Zeitschrift*).

Kléber mit en déroute les Turcs à Héliopolis, le 20 mars ; malheureusement, il fut assassiné le 14 juin. Menou, qui le remplaça, manquait d'autorité, et sa conversion à l'islam n'avait pas accru son prestige. Il se querellait avec ses lieutenants et prenait ses soldats pour juges. Afin de sauver l'armée, Bonaparte lui envoya l'escadre de Ganteaume qui partit de Brest le 23 janvier 1801 ; elle n'aurait trouvé que peu de forces devant elle, mais alla relâcher à Toulon ; quand elle repartit fin mars, l'expédition anglaise avait déjà débarqué : Ganteaume se retira. Il reprit la mer à la fin d'avril et essaya de conduire les renforts à Tripoli, dont le pacha avait consenti un traité ; l'attitude des Arabes fit renoncer à l'entreprise. A ce moment, le sort de l'Égypte était déjà décidé. Peu après la prise de Malte, Dundas avait ordonné de préparer l'envoi d'une armée sous le commandement d'Abercromby : elle fut mise à terre le 6 mars, et, le 21, repoussa l'attaque de Menou à Canope. L'escadre de Popham ayant maîtrisé la mer Rouge, 6.000 cipayes, envoyés par Wellesley, atteignirent Kosséir ; 25.000 Turcs débouchèrent par l'isthme. Le Caire capitula le 28 juin et Alexandrie le 30 août.

Après la débâcle des neutres et l'échec de la tentative contre le Portugal, Bonaparte avait fait, à la fin de juillet, de nouvelles propositions : les belligérants se restitueraient leurs conquêtes respectives ; seule, la Hollande perdrait Ceylan et ouvrirait le Cap au trafic international. En somme, la France rendait l'Égypte sur le sort de laquelle Bonaparte affectait une grande tranquillité, mais dont la perte était certaine, et conservait toutes ses conquêtes continentales ; l'Angleterre abandonnait Malte, Minorque, l'île d'Elbe, la Trinité, les Antilles françaises et, en fait, l'Égypte, pour ne garder que Ceylan. Bien que sa situation fût redevenue assez favorable pour que cette inégalité l'offensât, elle se contenta d'exiger la Trinité en sus. Elle restait soucieuse de ménager Alexandre, et c'est pourquoi elle ne fit pas d'objection à la restitution de Malte ; mais elle n'aurait pu que lui plaire en demandant des garanties pour Naples et la Sardaigne ; elle n'en fit pourtant rien. Hawkesbury tenta seulement d'obtenir des assurances à l'égard de la Hollande et réclama pour Malte une garnison fournie par une grande puissance qui deviendrait ainsi garante de la neutralité de l'île ; excellente occasion pour la France de mettre la Russie en avant et de ressusciter sa rivalité avec l'Angleterre. Néanmoins, Bonaparte la dédaigna et, quand il eut signifié qu'il fallait signer les préliminaires ou rompre, Hawkesbury céda, le

1er octobre 1801, sans même demander une indemnité pour le prince d'Orange, ni un traité de commerce.

On a expliqué cette capitulation par l'incapacité du ministère Addington ; la raison n'est pas suffisante. Au vrai, le gouvernement anglais demeurait sous l'impression de la crise qui venait de marquer les premiers mois de l'année et dont les effets, dans le pays, restaient encore sensibles ; il voulait à tout prix des économies et comptait que la paix ramènerait la prospérité. La joie très vive du public manifesta que telle était l'opinion dominante. Toutefois, au Parlement et dans la presse, des protestations et des réserves se firent jour. Windham s'éleva contre ce « fatal traité » qu'il regardait comme « l'arrêt de mort du pays » et qui allait permettre à Bonaparte de nouvelles conquêtes. Addington répliqua que, pour le moment, une coalition nouvelle étant impossible, il valait mieux essayer de la paix ; peut-être la France satisfaite y prendrait-elle intérêt ; dans le cas contraire, l'Angleterre retrouverait des alliés. Une lettre de Castlereagh témoigne qu'il partageait cet avis et Pitt, l'approuvant, donna, le 3 novembre, des explications surprenantes : la Trinité constituait un gain plus précieux que Malte, dont l'acquisition d'ailleurs aurait rendu la paix impossible ; Ceylan lui paraissait préférable au Cap. Il attribuait une grande valeur à la Trinité, île à sucre et précieux entrepôt pour la contrebande dans l'Amérique espagnole. On reconnaît ici les vues mercantilistes sur les buts de guerre qui avaient toujours dominé la politique de l'oligarchie britannique. Pour l'Angleterre, la paix ne représentait pas uniquement une trêve, mais bien une expérience d'hommes d'affaires.

Les chances ne tardèrent pas à en paraître assez médiocres aux gens perspicaces : Bonaparte expédiait une armée à Saint-Domingue ; en janvier, il devint président de la Cisalpine transformée en « république italienne ». En discutant le traité définitif, il refusa d'y insérer un accord commercial et réclama des concessions coloniales, l'ouverture de l'Inde au commerce libre, une station aux Falkland, exigences qui furent rejetées, mais firent sensation. Néanmoins, Addington persista dans sa voie. Il est certain que, dans les négociations qui se poursuivirent à Amiens, les intérêts britanniques souffrirent encore une fois de l'incapacité du gouvernement et de son représentant, Cornwallis, honnête homme, bon soldat et fâcheux diplomate. Les alliés de la France qui faisaient les frais de la paix, et surtout Schimmelpenninck, l'auraient volontiers appuyé ; aussi Bonaparte ne consentit-il à les admettre aux conférences qu'après adhésion aux préliminaires.

Le débat porta principalement sur les conquêtes de la France et sur Malte. Bonaparte aurait voulu que l'Angleterre reconnût les nouvelles républiques ; elle y était disposée à condition qu'on accordât « quelque chose » au roi de Sardaigne. N'obtenant rien, elle déclina la requête. Sur quoi, Bonaparte déclara qu'elle n'aurait pas à se plaindre si « son commerce en souffrait » et si l'un de ces États s'incorporait « à une grande puissance continentale ». Fâcheux pronostic ! Pour Malte, l'Angleterre accepta la garantie collective des grandes puissances proposée par Talleyrand ; toutefois, elle refusa le démantèlement et imposa une garnison napolitaine en attendant que l'ordre, reconstitué, pût se procurer des forces suffisantes. Bonaparte voyait son succès confirmé : il avait arraché l'île aux Anglais. Pourtant, la renonciation était subordonnée à tant de conditions qu'au fond ces derniers n'avaient pas lieu non plus d'être trop mécontents et pouvaient voir venir. Les instructions de Cornwallis lui ordonnaient de tenir bon sur deux autres points : la cession de Tabago, en échange des frais d'entretien des prisonniers français, et l'indemnité réclamée pour le prince d'Orange. Bonaparte refusa de céder aucune terre française et, quant aux « Nassaus », il observa qu'on négociait à Berlin sur le dédommagement à leur accorder ; le prince héritier, grand admirateur du premier consul, se montrait tout disposé à s'arranger avec lui et avait quitté l'Angleterre. Cornwallis prit sur lui de signer, le 25 mars 1802.

En Angleterre, l'opinion publique, quoique un peu refroidie, demeurait satisfaite et un grand nombre d'insulaires accouraient en France pour examiner curieusement un pays que de si grands événements avaient transformé et dont un personnage si étonnant était devenu le maître. Dans les cercles politiques, les critiques se multipliaient ; néanmoins, le Parlement, cette fois encore, suivit le gouvernement.

En tant que chef national, Bonaparte avait atteint, en signant la paix d'Amiens, le point culminant de sa destinée : l'Europe avait consenti à déposer les armes sans lui contester les frontières naturelles. Mais sa volonté de puissance, incapable de se refréner dès qu'une occasion s'offrait, l'avait empêché de s'en contenter, comme la France, maîtresse d'elle-même, aurait pu le faire, si elle n'eût écouté que sa tradition et son intérêt. Tout n'était pas absolument perdu, si Bonaparte s'abstenait d'inquiéter l'Angleterre sur mer et aux colonies, s'il consentait à lui rouvrir le marché français, s'il se contentait d'exercer dans les pays voisins de la France la légitime influence que sa puissance lui permettait et que la sécurité de ses frontières lui commandait d'exercer. Avant même que la paix d'Amiens eût été conclue, il avait administré la preuve qu'il ne l'entendait pas ainsi.

IV. — *LA RÉORGANISATION DES ÉTATS VASSAUX*[1]

A la vérité, la France ne pouvait pas abandonner à eux-mêmes les États qui couvraient ses frontières et qu'elle occupait, sans s'être assurée qu'ils se trouvaient en état de se gouverner et de se défendre. Or, après les changements politiques et sociaux qu'elle y avait introduits, il leur était difficile de se constituer par leurs propres forces. Ni en Hollande, ni en Cisalpine où les « Olonistes », c'est-à-dire les Milanais, qui suivaient Melzi, se chamaillaient avec les *Oltrepadani* ou Émiliens, dirigés par Aldini, ni surtout en Suisse, où les cantons regrettaient passionnément leur autonomie, les unitaires et les fédéralistes ne s'accordaient sur les principes mêmes du gouvernement.

Beaucoup plus grave encore, se manifestait le conflit social. Les démocrates jacobins se remuaient beaucoup ; ils parlaient haut dans leurs clubs et brimaient volontiers les nobles et les prêtres ; ne constituant qu'une minorité, ils étaient les meilleurs amis des Français, qu'ils avaient appelés, et tout disposés à en passer par leurs volontés. Les bourgeois, comme Schimmelpenninck en Hollande, Usteri et Rengger en Suisse, Corvetto à Gênes, et les nobles ralliés, tel Melzi d'Eril en Cisalpine, approuvaient, avec plus ou moins d'ardeur, l'unité et le nouveau régime social ; mais, hostiles à la démocratie, ils souhaitaient que la prééminence fût assurée aux notables comme dans la France consulaire ; toutefois ils n'étaient pas toujours d'accord, surtout en Suisse, pour agréer la constitution de l'an VIII en tant qu'elle supprimait le fonctionnement normal du régime électif. S'ils

---

1. OUVRAGES A CONSULTER. — Voir, p. 95, n. 1 ; en outre, sur l'Italie, DRIAULT, *Napoléon et l'Italie*, cité p. 96, n. 1 ; A. PINGAUD, ST. CANZIO, M. ROBERTI et A. FUGIER, cités p. 37 ; P. MARMOTTAN, *Le royaume d'Étrurie* (Paris, 1896, in-8°) ; DU MÊME, *Bonaparte et la république de Lucques* (Paris, 1896, in-12) ; G. DREI, *Il regno d'Etruria, 1801-1807* (Modène, 1937, in-8°) ; BOULAY DE LA MEURTHE, *Histoire de la négociation du Concordat* (Paris, 1920, in-8°) ; *I carteggi di Francesco Melzi d'Eril, duca di Lodi : La vice-prezidenza della Republica italiana* (Milan, 1958-1961, 5 vol. in-8°, couvrant la période du 26 janvier 1802 au 27 janvier 1804) ; sur la Hollande, la Suisse, l'Espagne, les ouvrages cités p. 37 ; ajouter : A. WYSS, *Alois Reding Landeshauptmann von Schwyz und erster Landamman der Helvetik, 1765-1818* (Stanz, 1936, in-8°) ; A. RUFER, *Pestalozzi auf der Konsulta in Paris*, dans *Neue schweizer Rundschau*, 1953 ; sur le recès, HEIGEL, cité p. 28.

sentaient le besoin de s'appuyer sur la France, ils lui témoignaient moins de docilité ; en Hollande et en Suisse, ils lui demandaient de conserver l'intégrité de leur pays ; partout, ils souhaitaient l'évacuation et l'indépendance. Quant aux aristocrates, ils désiraient la défaite de la France afin de rétablir l'Ancien Régime : pour y arriver, ils auraient livré sans scrupule leur pays à d'autres étrangers ; les Français étant là, ils avaient la partie belle pour se poser en patriotes ; d'ailleurs, en attendant, ils se résignaient à filer doux si Bonaparte leur laissait la bride sur le cou.

Aux luttes des partis, les difficultés budgétaires venaient s'ajouter pour rendre impossible tout gouvernement régulier : les charges de la guerre et de l'occupation avaient, d'emblée, ruiné les finances et accablaient l'économie. La Cisalpine, avec quatre millions d'habitants, payait 33 millions aux troupes françaises et leur fournissait en nature des réquisitions dont on évalua le montant à 160 millions ; en outre, les militaires s'attribuaient des suppléments à volonté et les généraux, Murat surtout, menaient les autorités tambour battant ; les civils, comme Sémonville en Hollande, n'étaient pas désintéressés non plus. Les uns et les autres se mêlaient de la politique locale et soutenaient tel ou tel parti, au gré de leurs préférences. De tous côtés, on s'adressait donc à Bonaparte, soit pour réorganiser l'État à son gré, soit pour obtenir un allégement des charges et lui demander justice contre ses propres subordonnés. Entre les partis, il avait les mains aussi libres qu'en France : il détestait les démocrates, se méfiait des modérés, trop indépendants à l'égard de la France, et ne voulait pas rétablir l'aristocratie. Aussi longtemps que le concordat ne fut pas conclu avec le pape, qui espérait toujours récupérer les Légations, et que la guerre continua contre l'Angleterre, il montra de la réserve et n'y perdit pas : plus les choses iraient mal, plus sa tâche serait facile et, tant que l'occupation durait, ses troupes ne lui coûtaient rien. Dès que les préliminaires de la paix maritime furent signés, les changements allèrent leur train.

En Hollande, où quelque indocilité s'était manifestée, Sémonville, d'accord avec le directoire, prépara une constitution qui mettrait le pouvoir entre les mains d'hommes sûrs et la fit proposer d'autorité à la ratification populaire. Les conseils annulèrent ces décisions illégales ; Augereau les dispersa. Au plébiscite, on obtint une majorité en déclarant que les abstentionnistes étaient censés avoir approuvé, et la constitution fut promulguée le 6 octobre 1801. Elle créait un *Staats-bewind*, ou régence, investi de l'initiative législative et du pouvoir exécutif, y compris la nomination des fonctionnaires, et un corps législatif renouvelable par tiers, au moyen d'élections à deux degrés. En fait, le directoire nomma lui-même sept des régents sur douze et ils se complétèrent par cooptation ; il choisit aussi les législateurs. Le nouveau gouvernement, comme le souhaitait Bonaparte, travailla à la fusion des partis, mais en éliminant les démocrates et en donnant tous les postes aux notables.

En Italie, où Bonaparte entendait gouverner lui-même, l'affaire prit un peu plus de temps. La Cisalpine lui avait envoyé, en juillet 1801, une députation pour se plaindre de son intolérable situation. En octobre, on convint de réunir à Lyon une « consulte » qui établirait un régime nouveau. Elle comprit des membres de droit, des délégués de l'armée et de la garde nationale que le gouvernement désigna, et des élus des tribunaux, des chambres de commerce, des universités et des administrations départementales et municipales ; ces choix se firent d'ailleurs sous la surveillance attentive de Murat. Quatre cent quarante-deux députés se trouvèrent réunis à Lyon le 29 décembre. Talleyrand, arrivé la veille, les groupa en sections régionales pour examiner le projet de constitution et dresser les « listes de confiance » où l'on prendrait le nouveau personnel ; il attisa les rivalités particularistes pour réserver l'arbitrage à Bonaparte. Celui-ci parut le 11 janvier 1802, fit son enquête personnelle, comme à l'ordinaire, et régla tout. Il avait pensé à Joseph pour la présidence ; cet important personnage refusa parce qu'on ne lui donnait pas le Piémont en sus. Le 21, la commission chargée de l'élection désigna Melzi et Aldini, qui tous deux se dérobèrent ; le 24, Bonaparte fut alors prié d'accepter la charge et il accepta, en prenant Melzi comme vice-président. Le 26, il donna à la Cisalpine le nom de « république italienne » qui éveilla de grands espoirs. L'installation du nouveau gouvernement fut fixée au 9 février. Le pouvoir exécutif exerçait les mêmes prérogatives qu'à Paris ; il avait à son service un secrétaire d'État et des ministres. En outre, il désignait lui-même les membres du conseil législatif parmi les candidats présentés par trois collèges électoraux. Pour cette fois, ce fut, bien entendu, Bonaparte qui forma lui-même le conseil et les collèges. Enfin, la république italienne fut dotée d'une institution originale : la « consulte d'État » ; inamovible, elle était chargée des affaires étrangères et de la sûreté de l'État. A Gênes, une constitution, fabriquée par Saliceti en octobre 1801, fut promulguée en juin 1802. Bonaparte nomma le sénat et le doge qui constituaient le pouvoir exécutif ; la consulte, qui devait être élue par trois collèges, ne fut point formée. Lucques avait reçu une organisation similaire, le 28 décembre.

La république helvétique eut une histoire plus tourmentée. Le coup d'État proposé par Laharpe à ses collègues en novembre 1799 n'avait pas reçu leur assentiment, et les conseils avertis avaient riposté en déclarant le directoire dissous, le 7 janvier 1800, au profit d'une commission exécutive où domina Dolder. Elle ne tarda pas à se brouiller aussi avec les conseils et fit appel à Bonaparte. Le 7 août, les conseils, cernés par les troupes, chargèrent un gouvernement provisoire, pris dans leurs rangs, de préparer une nouvelle constitution. C'étaient les unitaires modérés, partisans surtout de la suprématie des notables, qui avaient fait le coup. Contre les jacobins, ils recherchèrent l'appui des aristocrates, suspendirent la loi sur la dîme et les droits féodaux, puis la rapportèrent en maintenant la faculté de rachat, mais aux frais des paysans. En janvier 1801, ils mirent sur pied un projet, fortement unitaire encore, qui introduisait la cooptation dans le recrutement des corps constitués. Comme ils s'entêtaient à réclamer le Valais et l'évêché de Bâle, Reinhard, représentant de la France, proposa de fomenter une nouvelle révolution en s'appuyant sur les aristocrates. Bonaparte ne le permit pas ; il se contenta de rejeter le projet et de lui en substituer un autre, qu'on appela l' « acte de la Malmaison », le 29 avril 1801. C'était une première esquisse de l'acte de médiation. Bonaparte jugeait le fédéralisme trop profondément enraciné pour qu'on ne rendît pas aux cantons une large part de souveraineté ; toutefois, il est probable qu'ayant l'intention d'évacuer là Suisse pour tirer profit de sa neutralité, il ne tenait pas à l'unité qui l'aurait rendue trop forte. Les dix-sept cantons reçurent une large autonomie et furent autorisés à établir leur propre constitution, pourvu que le suffrage fût censitaire. La diète fédérale élisait un sénat de vingt-cinq membres, qui choisissaient parmi eux deux « landammans », l'un pour présider le sénat, l'autre pour former, avec quatre autres sénateurs, un petit conseil qui exerçait le pouvoir exécutif. L'autorité fédérale gardait un pouvoir étendu et, notamment, désignait les *statthalter* des cantons.

Cette solution ne contenta personne. Les unitaires s'assurèrent une majorité dans la diète, exclurent du sénat les fédéralistes qui firent sécession, refusèrent d'appliquer l'acte de la Malmaison, votèrent une nouvelle constitution et, pour comble, défièrent

Bonaparte en acceptant dans leurs rangs les députés du Valais. Verninac, l'agent français, et le général Choin de Montchoisy déclarèrent la diète dissoute, le 28 octobre, et formèrent un gouvernement provisoire dont le maître fut Reding, la meilleure tête des aristocrates. Il épura l'administration, supprima la presse, amnistia les émigrés, abolit l'impôt foncier et rétablit les couvents. Bonaparte refusa de le reconnaître et exigea qu'il fît une place aux modérés, ce qui introduisit la discorde dans le conseil. Reding vint à Paris, n'obtint rien et promulgua, de son chef, une nouvelle constitution le 26 février 1802. Au moment des fêtes de Pâques, Verninac profita de son absence pour la faire annuler par ses adversaires : on convoqua une assemblée de notables qui approuva enfin l'acte de la Malmaison, le 29 mai 1802, et nomma Dolder landamman. Le Valais fut constitué en république indépendante et la vallée des Dappes cédée à la France.

Entre l'évolution de la France et ces transformations, le rapport est évident. Partout, la constitution de l'an VIII avait encouragé les notables à s'emparer de l'autorité par les mêmes procédés. Partout, le pouvoir exécutif avait été fortifié, ce qui promettait la stabilité et l'ordre. Partout, Bonaparte avait exigé qu'on écartât les démocrates et qu'on réconciliât les modérés et les aristocrates de bonne volonté. Mais, en Italie, où il se considérait comme maître plutôt qu'arbitre, il venait de dévoiler ses secrètes préférences, qu'il n'osa jamais faire prévaloir en France, et encore moins en Hollande et en Suisse, où il maintint de véritables élections pour l'avenir. Dans les constitutions italiennes, les collèges électoraux n'eurent point pour fondement le suffrage, même censitaire : c'étaient des groupements professionnels, formés le premier d'un certain nombre de propriétaires fonciers *(possidenti)*, le second de négociants et d'industriels *(commercianti)*, le troisième de membres des professions libérales *(dotti)*. Les deux premiers se recrutaient par cooptation ; le troisième, suspect évidemment d' « idéologie », se bornait à présenter des candidats au gouvernement. Il ne restait plus qu'un pas à faire pour atteindre la perfection : c'était d'attribuer au chef de l'État la nomination pure et simple des membres des collèges.

La réorganisation des États voisins de la France n'offrait rien en soi d'inquiétant pour l'Europe. Au contraire, on pouvait espérer que la France, les ayant mis en situation de se gouverner, rappellerait ses troupes et leur rendrait l'indépendance qu'elle leur avait promise, sans précision à la vérité, par le traité de

Lunéville. De fait, en juillet 1802, Bonaparte donna l'ordre d'évacuer la Suisse ; il consentit aussi à réduire le corps qui séjournait en Hollande, le prince d'Orange ayant renoncé à ses droits, le 24 mai, moyennant la cession à son fils de Fulda et de Corvey, en Allemagne : cela pouvait passer pour une promesse d'évacuation prochaine. Melzi espérait bien obtenir, un jour ou l'autre, le même avantage : la présidence de Bonaparte pouvait n'être que temporaire. Pures illusions à nos yeux. Mais, sans elles, l'expérience, qu'Addington et Pitt avaient consenti à tenter, n'aurait pas eu de raison d'être.

CHAPITRE III

BONAPARTE CONSUL A VIE[1]

La victoire et la paix avaient fait de Bonaparte un héros national ; il en profita pour accroître encore son pouvoir et poursuivre sa politique personnelle. Si le pays l'a suivi parce qu'il était satisfait des résultats, ce ne fut pas toujours sans regret ni sans inquiétude qu'il le vit accentuer sa dictature alors que la paix paraissait le gage d'un retour à la liberté. En tout cas, les résistances se multiplièrent et Bonaparte ne put les briser que par de nouveaux coups de force.

I. — *LA CRISE DE L'AN IX*[2].

Après le départ de Bonaparte pour l'Italie, la nation avait été prise d'angoisse. Sa défaite entraînerait peut-être l'invasion et sûrement de nouveaux troubles, d'autant que le pain était redevenu cher depuis la récolte de l'an VII ; à Toulouse, au cours d'une émeute, la foule taxa les grains. La bourse de Paris se mit à la baisse. La nouvelle de Marengo, comme par magie, rasséréna l'opinion et, du même coup, grandit le vainqueur de cent coudées. Il ne négligea d'ailleurs pas les précautions à cet

1. Ouvrages d'ensemble a consulter. — Voir p. 73 et 79.
2. Ouvrages a consulter. — Outre les ouvrages généraux, en particulier J. Godechot, *La contre-révolution*, cité p. 4, on peut consulter F. Masson, Les complots jacobins au lendemain de brumaire, dans la *Revue des études napoléoniennes*, t. XVIII (1922), p. 5-28 ; du même, L'affaire Becdelièvre, l'affaire Duchâtellier : la contre-police de Cadoudal, *ibid.*, t. XX (1923), p. 57-112 ; E. d'Hauterive, *L'enlèvement du sénateur Clément de Ris* (Paris, 1925, in-8º) ; J. Lorédan, *La machine infernale de la rue Saint-Nicaise* (Paris, 1924, in-16) ; G. Hue, *Un complot de police sous le Consulat. La conspiration de Ceracchi et d'Arena* (Paris, 1909, in-12) ; J. Destrem, *Les déportations du Consulat et de l'Empire* (Paris, 1885, in-12) ; R. Cobb, Note sur la répression contre le personnel sans-culotte de 1795 à 1801, *Annales historiques de la Révolution française*, 1954, p. 23-49. — Sur la justice répressive, voir Poullet et Godechot, cités p. 74.

effet, car il savait le pouvoir de la presse et avait le sens du journalisme, l'orgueil autant que l'ambition altérant spontanément la vérité dans son esprit pour la transformer en légende. Il avait publié un *Bulletin de l'armée de réserve*, qui, avec le *Moniteur* et les journaux plus ou moins officieux, tourna toute la campagne à sa gloire. Hohenlinden vint trop tard pour atténuer son prestige et il prit, d'ailleurs, soin d'en étouffer le retentissement. Aurait-on su la vérité sur Marengo que son auréole en aurait sans doute brillé d'un éclat plus vif ; la chance séduit les hommes plus encore que le génie et leur inspire un respect superstitieux. Celui qui avait miraculeusement échappé par deux fois aux croisières anglaises n'eût pas été diminué par le coup de dés de Marengo.

Lui, cependant, informé de ce qui s'était dit et tramé en son absence, se hâtait vers Paris où il rentra le 2 juillet. Il revenait, « le cœur vieilli », plein d'une rancune amère contre son entourage, d'une méfiance hostile pour les généraux qui avaient guetté sa succession, d'une mélancolie romantique aussi, maintenant que, l'effort détendu et le danger passé, le tragique de l'aventure le pénétrait avec le sentiment de sa fragilité. Mais pareilles réflexions ne faisaient jamais qu'assombrir son esprit et durcir sa volonté. Il profita sans tarder du désarroi de ses ennemis.

Les royalistes s'effondrèrent immédiatement. De leurs préparatifs d'insurrection, il ne resta que des bandes de brigands. Wickham rentra dans sa patrie et l'agence d'Augsbourg se dispersa ; elle essaya de se reformer à Bayreuth, où Fouché fit emprisonner ses membres par la police prussienne. L'Angleterre cessa de payer l'armée de Condé, passée à son service, et la licencia. Le 7 septembre 1800, Bonaparte répondit enfin à Louis XVIII : « Vous ne devez pas souhaiter votre retour en France ; il vous faudrait marcher sur cent mille cadavres. » Expulsé de Mitau, le roi se réfugia à Varsovie, d'où il passa ensuite en Angleterre. La rupture était consommée.

Les républicains comprirent également que la victoire allait « river leurs fers ». Dans l'entourage de Bonaparte, beaucoup de ceux qui avaient envisagé sa mort ou sa chute n'en étaient que plus ardents à lui représenter qu'il lui fallait donner à son pouvoir la stabilité qui lui manquait, en rétablissant à son profit la monarchie et l'hérédité. Au premier rang brillaient Rœderer et les Feuillants, ralliés à la République, mais restés monarchistes au fond. Talleyrand naturellement les appuyait. Lucien, turbulent à son ordinaire, attacha le grelot en lançant un *Parallèle entre*

César, Cromwell et Bonaparte, qu'il avait probablement fait rédiger par Fontanes, dont la fortune se dessinait depuis que le premier consul l'avait désigné, aussitôt rentré en France, pour prononcer l'éloge de Washington, sans compter qu'il était devenu l'amant d'Élisa Bonaparte. Toutefois, ces manœuvres rencontraient de la résistance, et Fouché, quoique lié avec tout le monde et apprécié même par le faubourg Saint-Germain à raison de services personnels qu'il rendait sous main, passait toujours pour le chef d'une faction de gauche. Ce n'était pas sans motifs. Sceptique et sans illusions sur les hommes, il pensait avant tout à lui-même, aimant passionnément l'argent et le pouvoir. Néanmoins, il gardait plus qu'on ne pense de son passé : en premier lieu, sa vie simple et familiale, son énergie et sa résolution froides, son goût pour la répression terroriste, quoique sagement limitée, qui s'adaptait naturellement à ses fonctions policières ; en outre, un désir sincère de sauver ce qu'il pourrait de la Révolution, d'empêcher l'aristocratie de reprendre la haute main dans l'État ; enfin et surtout, une chaleur de tempérament, dissimulée sous une apparence flegmatique, qui lui conservait des habitudes frondeuses, un parler caustique et le regret du temps où, représentant en mission, il avait, lui aussi, parlé en maître au nom du peuple souverain. Bonaparte estimait ses talents et le redoutait, le sentant toujours prêt à s'émanciper. Or, jusqu'en 1804, Fouché demeura hostile aux projets monarchiques. Il trouvait appui dans l'entourage immédiat du maître, car Joséphine, n'ayant pas d'enfants, redoutait que l'hérédité n'entraînât le divorce. Bonaparte lui-même n'avait pas à se louer de son clan insatiable et s'attendait à des tempêtes s'il se trouvait obligé de choisir un héritier parmi ses frères. Au surplus, il n'entendait pas qu'on lui forçât la main et jugeait prématuré de parler de monarchie : la paix n'était pas conclue, la réorganisation du pays n'était pas achevée et les conseils, enfin, n'étaient pas domestiqués. Lucien fut disgracié : il céda l'Intérieur à Chaptal et devint ambassadeur.

Bonaparte n'en guettait pas moins l'occasion d'accroître son pouvoir ; les complots la lui fournirent. Ce fut encore une conséquence de Marengo : les jacobins et les royalistes ayant perdu tout espoir, il se trouva parmi eux des désespérés pour recourir à l'attentat. A partir des derniers jours de l'an VIII, trois complots jacobins furent successivement dénoncés : on arrêta trois individus le 14 septembre ; puis, le 10 octobre, Aréna, Topino-Lebrun et deux autres ; enfin, le 8 novembre, Chevalier et un prétendu complice. La réalité de ces conspirations est problématique. La seconde paraît avoir été révélée à l'insu de Fouché qui, se sentant menacé, fit grand bruit de la troisième. Le gouvernement préparait un projet de proscription contre les jacobins, lorsque les royalistes, entrant en scène, lui facilitèrent la besogne. En juin, Cadoudal avait envoyé de Bretagne quelques chouans préparer un mouvement à Paris. La police, qui était sur leur piste, ne saisit qu'un certain chevalier de Margadel qu'on fusilla. Saint-Réjant, Limoëlan et Carbon purent fabriquer une machine infernale, qui éclata, le 24 décembre au soir, rue Saint-Nicaise, sur le passage de Bonaparte allant à l'Opéra : elle fit 22 morts et 56 blessés sans que le premier consul fût touché. Dans l'état de l'opinion, il n'y eut naturellement qu'un cri : « Ce sont les jacobins. » Lui-même, assez près du trône déjà pour haïr par-dessus tout ces régicides, paraît l'avoir cru : le 25, devant les corps constitués qui le félicitaient, il éclata en imprécations furieuses contre « les gens qui ont déshonoré la République et souillé la cause de la liberté par toutes sortes d'excès, et notamment par la part qu'ils ont prises aux journées de septembre et autres semblables ». « Il faut du sang », déclara-t-il le 26 au Conseil d'État. De fait, on fusilla ou guillotina peu après, les 13, 20 et 31 janvier 1801, les jacobins précédemment accusés.

Pourtant, l'essentiel était la déportation sans jugement de ceux qu'on arrêtait maintenant en masse. Fouché, il est vrai, avait dénoncé dès le premier jour « l'or anglais », et il tenait la trace des coupables. Limoëlan, caché par le jésuite Clorivière et par la sœur de Champion de Cicé, parvint à échapper et devint plus tard un prêtre édifiant ; mais Carbon fut arrêté le 8 janvier et Saint-Réjant le 28. Trop tard ; au surplus, Bonaparte ne se serait pas détourné de son but. Le Conseil d'État refusa de se prononcer, déclarant qu'il s'agissait d'un « acte de gouvernement ». On fit endosser la proscription par le Sénat comme « mesure conservatrice de la constitution », le 5 janvier. Parmi les cent trente déportés se trouvaient Choudieu et deux anciens députés, Talot et Destrem, à qui Bonaparte ne pardonnait pas leurs véhémentes protestations du 19 brumaire ; puis quelques révolutionnaires célèbres : Fournier l'Américain, Rossignol, Lepeletier. Gagnant du temps, Fouché en sauva environ un tiers ; vingt-six ne partirent pour la Guyane qu'en 1804 ; dès 1801, soixante-huit furent embarqués pour les Seychelles. Plus de la moitié moururent en exil. Un grand nombre d'autres républicains furent en outre mis en surveillance. Parallèlement, Fouché arrêta une centaine de royalistes, qu'il garda en prison ou interna sans jugement. Quant à Carbon et à Saint-Réjant, on put alors leur faire leur procès et les guillotiner, le 21 avril. La terreur bonapartiste avait ainsi frappé encore une fois à gauche et à droite. « C'est le seul genre de justice distributive dont il ne se soit jamais écarté », a écrit Mme de Staël, « il se faisait ainsi des amis de ceux dont il servait les haines ». La gauche, pour ce coup, venait d'être l'objet d'une préférence marquée ; on peut dire qu'elle en fut anéantie. Mais les jacobins n'étaient pas seuls atteints ; les conseils n'avaient pas été appelés à voter la loi d'exception parce qu'on ne se sentait pas absolument sûr qu'ils l'accepteraient. Aussi, le 26 décembre, Bonaparte les menaça-t-il clairement : « Les métaphysiciens sont une sorte de gens à qui nous devons tous nos maux. » Après quoi, il s'adressa au Sénat qui, en qualité de « conservateur de la constitution », se vit investir tacitement du droit de la violer et, à plus forte raison, de la modifier. L'acte du 13 nivôse an IX (5 janvier 1801) fut ainsi le premier de ces « sénatus-consultes » qui permirent à Bonaparte de légiférer sans le concours légal des assemblées et de reviser à son profit la constitution de l'an VIII qui ne prévoyait aucune procédure à cet effet.

Dès novembre 1800, en même temps que la proscription des jacobins, Bonaparte envisageait des mesures répressives qui, moins célèbres, exercèrent pourtant une influence bien plus grande sur l'état général du pays. Il s'agissait tout à la fois de venir à bout de la chouannerie et du brigandage. Cadoudal, ayant ranimé la première, battait la campagne bretonne, toujours traqué et toujours insaisissable. Par Bourmont, Fouché réussit à corrompre des individus qui, trempant dans la chouannerie, se chargèrent soit de le tuer, soit de le livrer. Mais les royalistes avaient une contre-police extrêmement active, dont les ramifications pénétraient jusque dans les ministères. Cadoudal put arrêter Becdelièvre et Duchatellier qu'il mit à mort. Le préfet d'Ille-et-Vilaine, Borie, aurait lui-même livré le secret du second. Les exploits des chouans exaspéraient Bonaparte. Le 23 septembre, Clément de Ris, ancien administrateur d'Indre-et-Loire, sénateur et grand acquéreur de biens nationaux, avait été enlevé dans son château d'Azay-sur-Cher ; le 19 novembre, Audrein, évêque du Finistère, fut assassiné ; les bandes guettaient les convois qui transportaient les fonds du trésor, les arrêtaient et les pillaient. Comme en l'an VIII, on recourut aux grands moyens. Le 18 floréal an IX (8 mai 1801) trois colonnes accompagnées de commissions militaires se mirent en mouvement, sous la direction de Bernadotte. Le nettoyage fut rapide. A la fin de l'année, Cadoudal regagna l'Angleterre. Il resta pourtant des chouans, çà et là. A côté de quelques hommes convaincus, c'étaient surtout des irréguliers qui regardaient la rébellion comme un métier.

Qu'ils invoquassent ou non la religion et le roi, il y avait un peu partout des brigands, non seulement dans les pays de montagne, comme les « barbets » des Alpes et de l'Apennin, mais dans les pays riches comme le Nord et la Beauce. On les appelait ordinairement « chauffeurs », parce qu'ils exposaient leurs victimes au feu pour les obliger à livrer leur argent. Ce n'était pas une nouveauté ; la population rurale comptait beaucoup de journaliers qui chômaient une partie de l'année et de paysans qui ne pouvaient pas vivre du produit de leur terre, surtout dans les mauvaises années ; les mendiants et les vagabonds pullulaient donc toujours et il était inévitable qu'une partie d'entre eux devinssent des hors-la-loi. Les troubles et la guerre, en bouleversant l'économie et en désorganisant la police des campagnes, avaient terriblement envenimé cette plaie. Le paysan prise la sûreté beaucoup mieux encore que le citadin, parce qu'il se trouve plus exposé. Comme elle est la première condition d'un travail soutenu et fructueux, rien ne pouvait être aussi utile à la nation et, par conséquent, rehausser davantage le renom de Bonaparte, comme autrefois celui de Henri IV et de Louis XIV.

La difficulté n'était pas seulement de saisir les brigands : en renforçant la gendarmerie par l'armée, on pouvait y arriver ; c'était aussi d'obtenir leur condamnation. Les jurés et les témoins se savaient exposés aux représailles ; les uns se taisaient, les autres acquittaient. En l'an VIII, on avait déjà correctionnalisé nombre de délits et, en outre, attribué au préfet un droit de regard sur le choix des jurés, qui appartenait aux juges de paix. Les résultats demeuraient médiocres et, d'ailleurs, la lenteur de la répression la privait d'une partie au moins de son efficacité. Sous la monarchie, en pareille circonstance, on recourait à une juridiction extraordinaire, la justice prévôtale, qui condamnait et exécutait sommairement : « pris, pendu. » Dans l'ouest, en Provence, en Rhénanie, Bonaparte recourait, à titre exceptionnel, aux commissions militaires ; il n'y renonça aucunement. Mais il voulait aussi ressusciter, sous une forme permanente et régulière, la répression expéditive de l'Ancien Régime.

Tel fut l'objet de la loi du 18 pluviôse an IX (7 février 1801). Elle autorisait le gouvernement à créer, dans les départements où il le jugerait convenable — il en choisit trente-deux —, un tribunal criminel spécial composé du président, de deux juges du tribunal criminel ordinaire et de cinq autres personnes, trois militaires et deux civils, désignés par le premier consul, pour juger, sans appel ni recours en cassation, les vagabonds et les repris de justice, *ratione personae*, et un grand nombre de crimes coutumiers aux brigands : vols avec effraction et sur les routes, assassinats, incendies, fausse monnaie, rassemblements séditieux, port d'armes. L'année suivante, le 23 floréal an X (13 mai 1802), on constitua, dans chaque département, pour les crimes de faux, un autre tribunal spécial, qui, à défaut d'autre, put aussi connaître de plusieurs des crimes de brigandage. En outre, le 26 vendémiaire an XI (18 octobre 1802), un sénatus-consulte suspendit le jury dans une série de départements, ce qui érigea les juges du tribunal criminel en une sorte de tribunal spécial, toutefois sans l'intervention des militaires. En résumé, Bonaparte supprima le jury dans une grande partie du territoire, car ces juridictions fonctionnèrent jusqu'à sa chute. Le jury d'accusation disparut par la même occasion, car le tribunal spécial déléguait l'instruction à l'un de ses membres. Enfin la justice ordinaire, là où elle subsista, se trouva renforcée par un nouveau progrès du ministère public et une réforme de procédure. Le 7 pluviôse an IX (27 janvier 1801), un « magistrat de sûreté » fut substitué au commissaire du gouvernement près du tribunal de première instance, avec mission de dresser les actes d'accusation ; l'instruction devint en partie secrète, les témoins étant entendus en l'absence du prévenu ; le jury d'accusation eut à décider sur pièces, sans comparution du dénonciateur et des témoins qu'il s'agissait de soustraire à la vengeance des bandes.

Malgré tout, il ne faudrait pas croire que Bonaparte ait réussi à rétablir promptement un ordre parfait dans les campagnes. Quoi qu'il en pensât, il ne dépendait pas de lui de supprimer la mendicité et le vagabondage. Même le brigandage proprement dit fut très long à réduire ; en Rhénanie, on eut bien de la peine à prendre Schinderhannes, véritable Cartouche qui trouvait dans la population une certaine complaisance parce qu'il s'en prenait particulièrement aux juifs. Toutefois, dans les premières années de l'Empire, l'amélioration apparut comme incontestable. Les tribunaux spéciaux ne furent pas tournés à des fins politiques ; aussi l'opinion ne les condamna-t-elle pas : ils n'attei-

gnaient que les misérables et les dévoyés. Pour les suspects
politiques, Bonaparte disposait des commissions militaires, et
il en usa. Pourtant, la juridiction nouvelle ne sévit pas seulement
contre les brigands de profession : elle tint en respect le peuple
des pauvres gens que le désespoir pouvait pousser à l'émeute
comme en 1789. Les « honnêtes gens » affublaient du nom de
« brigands » des affamés attroupés tout aussi bien que les mal-
faiteurs, et la loi de l'an IX les atteignait pareillement. Telle
était sûrement la volonté de Bonaparte qui, au dire de Chaptal,
ne redoutait rien tant que les émeutes de la faim.

Succédant à la proscription des jacobins, les tribunaux spéciaux inquiétèrent profondément les républicains des assemblées ;
au Tribunat, le débat fut très vif ; au Corps législatif, il se
trouva 88 opposants contre 192. N'ayant plus d'illusions sur
Bonaparte, ils ne perdaient pas une occasion de lui faire pièce.
Il faut pourtant leur rendre justice : ces notables avaient voulu
un pouvoir fort, mais non pas arbitraire, et les mesures d'exception ne leur paraissaient pas plus conformes aux principes sous
le Consulat qu'au temps de la Convention montagnarde. Le
maître n'entendait pas qu'on lui opposât aucune règle, même
constitutionnelle ; en l'an X, il s'expliqua sans détours au
Conseil d'État : « Une constitution doit être faite de manière à ne
pas gêner l'action du gouvernement et à ne pas le forcer à la
violer... Chaque jour, on est obligé de violer les lois positives ;
on ne peut pas faire autrement, sans cela il serait impossible
d'aller. » « Il ne faut pas que le gouvernement soit tyrannique... ;
mais il est impossible qu'il ne fasse pas quelques actes arbitraires. »
Bref, la constitution était un paravent qui couvrait un despotisme éclairé. Aussi les débats du Tribunat avaient-ils excité
sa fureur. « Ils sont là douze ou quinze métaphysiciens bons à
jeter à l'eau. C'est une vermine que j'ai sur mes habits. Je suis
soldat, fils de la Révolution, et je ne souffrirai pas qu'on m'insulte
comme un roi. » La crise de l'an IX consacra donc sa rupture avec
la bourgeoisie républicaine qui l'avait porté au pouvoir. Or il
voulait faire ratifier le Concordat, et, de toutes ses entreprises,
c'était bien celle qu'elle approuvait le moins.

Dans le pays, cette opposition parlementaire, qui ne tenait
son mandat que d'elle-même, n'avait aucun appui. Les intérêts
étaient satisfaits. La paix et les progrès de l'ordre public favorisaient la reprise des affaires. Il s'était créé à Paris un nouvel
institut d'émission : le comptoir commercial ou caisse Jabach ;
les billets de la Banque de France et de ses rivales permettaient

aux spéculateurs d'expédier le numéraire en province où il stimulait l'économie. Une série de mauvaises récoltes provoquait un renchérissement inouï des denrées agricoles et renforçait le pouvoir d'achat des paysans propriétaires ou fermiers ; après la déflation qui, sous le Directoire, les avait tant mécontentés, ils étaient ravis de l'aubaine et en savaient gré au premier consul qui manifestait, d'ailleurs, un grand intérêt pour la production nationale et ne lui ménageait pas les encouragements. L'amélioration des finances devenait également apparente. La conquête soulageait le budget en permettant de faire vivre les armées hors de France. L'impôt se percevait maintenant régulièrement et, en l'an X, l'exercice se termina par un léger excédent. Dans les grandes villes, la personnelle-mobilière fit place progressivement à des octrois, ce qui fut très agréable aux riches ; pour l'impôt foncier, on étudiait le moyen d'assurer une plus juste répartition entre les communes et, en l'an XI, on entreprendra d'en cadastrer un certain nombre dans chaque département, par masses de cultures, arpentées et évaluées quant au produit net.

C'était la trésorerie qui continuait à donner du souci. On essaya d'échapper aux « faiseurs de services » en constituant, le 30 thermidor an X (18 août 1802), une agence ou syndicat des receveurs généraux, pour les contraindre à escompter euxmêmes leurs obligations ; mais la tentative ne réussit pas. Les ordonnances de paiement continuaient à se négocier à perte. Pour le public, le grand événement fut la liquidation de la dette, qu'on assura par la banqueroute, tout comme le Directoire : les bons des deux tiers créés en 1797 s'échangèrent à volonté au vingtième de leur valeur contre des titres de rente à 5 %, si l'on ne préférait les remettre, comme auparavant, en paiement de biens nationaux ; on consolida les bons de l'an VI et les créances arriérées avec une extrême lenteur, en rentes à 3 % et à 5 %. Les porteurs ne s'en tinrent pas moins pour très heureux que cette loi du 30 ventôse an IX (21 mars 1801) leur eût apporté quelque chose, et l'impression dominante résulta de la reprise, à la fin de l'an VIII, des paiements en numéraire, au moins pour les rentiers et les fonctionnaires, car les fournisseurs continuèrent de se voir remboursés quand il plaisait à Bonaparte.

Ce n'est pas à dire que la confiance fût bien solide. Malgré les manœuvres de la caisse d'amortissement, les cours de la bourse restaient faibles : après la paix d'Amiens, le 5 % se tint entre 48 et 53 francs, alors que le 3 %, en Angleterre, cotait de 66 à 79. Toutefois, si la bourgeoisie se sentait à la merci d'une nouvelle crise, elle ne songeait pas à la précipiter en créant des difficultés à Bonaparte. Seules, les classes populaires souffraient. Après la récolte de l'an VIII, le pain était monté à 13 sous les quatre livres à Paris ; en 1801, le renchérissement atteignit toutes les denrées et atténua la joie que causa la paix de Lunéville. La récolte de l'an IX fut franchement mauvaise, même dans les pays de grande culture ; au cours de l'hiver, on paya le pain 18 sous à Paris ; dans les petites villes et dans les campagnes, il monta jusqu'à 7 sous la livre et coûta autant qu'en Angleterre ; la Bretagne, qui ne pouvait plus exporter, fit seule exception.

Bonaparte recourut aux méthodes de l'Ancien Régime. Le préfet de police réorganisa la boulangerie en corporation et l'astreignit à constituer un grenier de réserve, ce qui condamna beaucoup de petits fournils à disparaître. Le 27 novembre 1801, Chaptal reçut mission d'acheter à l'étranger ; comme l'argent manquait, il fallut encore une fois s'adresser aux banquiers : cinq d'entre eux furent chargés de procurer 50.000 quintaux par mois ; ils ne suffirent pas et, en floréal an X, on vit Ouvrard sortir de la disgrâce et se rendre à l'appel de Bonaparte. On réussit de la sorte à alimenter Paris et à y maintenir le pain à 18 sous ; il y fallut un million de quintaux et davantage, qui coûtèrent plus de 22 millions ; comme il revendait à perte, l'État en sacrifia 15 1/2. Hors de la capitale, on revit les scènes ordinaires : les mendiants en bandes, les sommations aux fermiers et les incendies, les émeutes sur les marchés ; si cette agitation ne prit pas un aspect menaçant, alors que le pain était plus cher qu'en 1789, c'est qu'elle ne se compliqua point de troubles politiques et sociaux, mais aussi que la répression venait d'être vigoureusement réorganisée : la loi du 18 pluviôse an IX porta ici ses fruits. En tout cas, l'excitation populaire ne pouvait qu'attacher les possédants à Bonaparte : il devint le rempart de la société. La crise atteignit l'apogée durant l'été de l'an X, au moment où il préparait le consulat à vie, et l'a précieusement servi.

II. — LE CONCORDAT[1].

Néanmoins, pour achever de rétablir l'ordre, le point capital restait toujours de désarmer, à l'intérieur, la contre-révolution

---

1. Ouvrages a consulter. — Abbé F. Mourret, chanoine J. Leflon, A. Latreille, cités p. 12 ; P. de La Gorce, *Histoire religieuse de la Révolution française*, t. V (Paris, 1923, in-8°) ; A. Debidour, *Histoire des rapports de l'Église et de l'État en France de 1789 à 1870* (Paris, 1898, in-8°) ; abbé G. Cons-

et Bonaparte estimait depuis longtemps que, pour y parvenir, il lui fallait se réconcilier avec l'Église romaine. Les réfractaires demeuraient intraitables. « Il n'y a pas de paix à espérer avec les prêtres insermentés », écrivait, de Redon, un des commissaires extraordinaires des consuls. Qu'espérer de l'avenir, si l'on maintenait la séparation des églises et de l'État ? Les catholiques romains ne pouvaient reconnaître la laïcité de l'État et la liberté de conscience ; ils se résigneraient seulement à la tolérance, à la condition qu'on leur constituât en retour une situation privilégiée ; à ce prix seulement, ils désarmeraient, du moins provisoirement. Bonaparte en prit son parti. Dès le 30 thermidor an VIII (17 août 1800), il condamnait, devant Rœderer, ceux qui « pensent qu'il faut laisser les prêtres de côté, ne pas s'occuper d'eux quand ils sont tranquilles et les arrêter quand ils sont perturbateurs. C'est comme si l'on disait : Voilà des hommes avec des torches allumées autour de votre maison ; laissez-les ; s'ils y mettent le feu, vous les arrêterez ». Que faire donc ? « Tenir les chefs par leur intérêt », et tout d'abord les bien choisir. « Cinquante évêques émigrés et soldés par l'Angleterre », dira-t-il un peu plus tard à Thibaudeau, « conduisent aujourd'hui le clergé

TANT, *L'Église de France sous le Consulat et l'Empire* (Paris, 1928, in-16) ; J. SCHMIDLIN, *Papstgeschichte der neuesten Zeit*, t. I : *Papsttum und Päpste im Zeitalter der Restauration, 1800-1846* (Munich, 1933, in-8º) ; trad. fr. : *Histoire des papes de l'époque contemporaine*, t. Iᵉʳ : *Pie VII* (Paris, 1938, in-8º) ; abbé J. BOUSSOULADE, *L'Église de Paris du 9 thermidor au Concordat* (Paris, 1950, in-8º) ; A. LATREILLE, *L'Église catholique et la Révolution française*, t. II : *L'ère napoléonienne et la crise européenne, 1800-1815* (Paris, 1950, in-8º). Sur Pie VII avant son pontificat, et en attendant la suite de cet ouvrage, J. LEFLON, *Pie VII*, t. I : *Des abbayes bénédictines à la Papauté* (Paris, 1958, in-8º). Les ouvrages essentiels sont ceux de BOULAY DE LA MEURTHE, *Documents sur la négociation du Concordat et sur les autres rapports de la France avec le Saint-Siège* (Paris, 1891-1905, 6 vol. in-8º), et *Histoire de la négociation du Concordat* (Paris, 1920, in-8º) ; résumé très étendu dans G. PARISET, ouvr. cité p. 4 (copieuse bibliographie). — Sur le protestantisme, Ch. DURAND, *Histoire du protestantisme français pendant la Révolution et l'Empire* (Paris, 1902, in-16) ; A. LODS, Étude sur les origines des articles organiques des cultes protestants, dans la *Revue illustrée des provinces de l'ouest*, t. XV (1895), p. 53-64, 112-116 et 177-191 ; B. C. POLAND, *French protestantism and the French Revolution. A study in Church and State, Thought and Religion, 1685-1815* (Princeton, 1957, in-8º). L'ouvrage essentiel est celui de D. ROBERT, *Les églises réformées de France, 1800-1830* (Paris, 1961, in-8º). Sur les rapports de Genève et du protestantisme français, du même auteur : *Genève et les églises réformées de France de la « réunion » (1798) aux environs de 1830* (Genève et Paris, 1961, in-8º). Ajouter, du même auteur encore : *Textes et documents relatifs à l'histoire des Églises réformées en France (période 1800-1830)* (Genève et Paris, 1962, in-8º). — A. MATHIEZ, *La théophilanthropie* (Paris, 1903, in-8º).

français. Il faut détruire leur influence. L'autorité du pape est nécessaire pour cela. » Telle fut la raison fondamentale du Concordat.

En appeler au pape pour déposer des évêques français, comme Louis XIV y avait déjà pensé, revenait à porter un coup mortel au gallicanisme ecclésiastique, une des plus vieilles traditions de la France. Mais elle était absolument étrangère à Bonaparte, qui ne s'intéressa jamais qu'au gallicanisme royal. Le seul argument capable de le toucher lui fut opposé par Thibaudeau : « Jamais on ne les attachera sincèrement à la Révolution. » Il passa outre parce que, comme tous ceux qui ont invoqué le concours de l'Église romaine, il se croyait de taille à la tenir en bride.

Désarmer les royalistes en leur retirant l'appui du clergé, ce ne serait pas, néanmoins, le seul avantage du concordat. Dans les pays réunis, la Belgique et la Rhénanie surtout, indifférents, cela va de soi, à la cause des Bourbons, le ralliement du clergé ne s'en présentait pas moins comme d'importance capitale, car ces régions, n'ayant jamais constitué des nations, obéissaient avant tout aux prêtres : il convenait donc de gagner ces derniers, si on voulait attacher leurs fidèles à la France. Puis, il n'échappait pas à Bonaparte que, parmi les partisans de la Révolution eux-mêmes, ils n'étaient pas rares ceux qui restaient attachés à la religion traditionnelle et regrettaient le schisme ; quelle reconnaissance ne voueraient-ils pas à celui qui aurait ménagé une réconciliation au moins apparente entre l'Église et les principes de 1789 ? Et quel acquéreur de biens ecclésiastiques apprendrait sans plaisir que le clergé renonçait à les lui réclamer jamais ?

Pour l'avenir, Bonaparte comptait sur un autre profit encore : voulant se rallier l'aristocratie et la bourgeoisie contre-révolutionnaire, il ne pouvait dédaigner la renaissance religieuse qui les gagnait. Au début de 1801, le P. Delpuich institua la congrégation de la Vierge, destinée à tant de célébrité : Mathieu de Montmorency et son frère y entrèrent promptement, ainsi que Laënnec. Des congrégations charitables réapparaissaient aussi ; Chaptal à Paris, des préfets, tel J.-A. De Bry à Besançon, les favorisaient volontiers. La religion redevenait de bon ton dans la société, et la littérature s'en emparait, enchantée de renouveler ses thèmes et très précieuse pour orienter la mode intellectuelle. Mme de Genlis, s'érigeant en « mère de l'Église », multipliait ses romans édifiants ; Chateaubriand, flairant le vent, préparait le *Génie du christianisme* qui allait paraître à la veille du *Te Deum* de 1802 et démontrer le catholicisme par ses mérites artistiques.

Les politiques, comme Fontanes, voyaient beaucoup plus loin :
à la restauration du culte, ils attribuaient une valeur sociale ; elle
devait épauler la nouvelle hiérarchie. Cette hiérarchie, Bonaparte
voulait précisément la consolider et tombait donc d'accord avec
eux. Il disait à Rœderer, et il le répéta plus tard à Molé :

« La société ne peut exister sans l'inégalité des fortunes et l'inégalité des fortunes ne peut exister sans la religion. Quand un homme
meurt de faim à côté d'un autre qui regorge, il lui est impossible
d'accéder à cette différence s'il n'y a pas une autorité qui lui dise :
Dieu le veut ainsi ; il faut qu'il y ait des pauvres et des riches dans
le monde ; mais, ensuite et pendant l'éternité, le partage se fera
autrement. »

Fontanes, d'ailleurs, observait habilement que le gouvernement
ne profiterait pas moins d'un accord. « Point de culte, point de
gouvernement », a-t-il écrit à Lucien, le 18 avril 1801, « les conquérants habiles ne se sont jamais brouillés avec les prêtres. On peut
les contenir et s'en servir à la fois... On peut rire des augures, mais
il est bon de manger avec eux les poulets sacrés ».

Si le plus malaisé ne semblait pas de gagner le pape, ce ne fut
tout de même pas facile. Le 25 juin 1800, passant à Verceil,
Bonaparte avait fait des ouvertures à l'évêque Martiniani, qui
les transmit à Rome. Pie VII n'était pas un pape de combat
comme son prédécesseur ; il avait l'âme douce et le caractère un
peu faible. Pourtant, il jugeait bien dur de traiter avec la Révolution et surtout d'abandonner les évêques qui s'étaient, disaient-
ils, sacrifiés pour le pontife ; on risquait aussi de s'aliéner
Louis XVIII et les puissances catholiques. Les cardinaux, peu
favorables, déclarèrent illicite, en août 1800, la promesse de
fidélité à la constitution, décision que Pie VI n'avait jamais osé
prendre et que Pie VII, d'ailleurs, garda prudemment secrète. Il
parut, néanmoins, impossible de repousser une offre si avanta-
geuse à l'Église, si profitable aussi à la papauté. Cette dernière
considération, à coup sûr, pesa d'un grand poids. D'abord les
Français pouvaient arriver à Rome, tandis que Pie VII ne se
fiait aucunement aux Napolitains, qui occupaient sa capitale,
non plus qu'aux Autrichiens, qui tenaient encore les Légations ;
puis, en déposant les évêques français, il acquerrait sur le clergé
gallican un droit qu'on ne lui avait jamais reconnu.

Ce point étant accordé d'avance par Bonaparte, et pour cause,
on convint de lui demander, au préalable, le rétablissement du
catholicisme comme « religion dominante », et le cardinal Spina
fut envoyé à Paris. Arrivé le 6 novembre, il fut aussitôt

abouché avec Bernier, ancien directeur de conscience des Vendéens, mais qui venait de changer de camp, avec le ferme espoir d'obtenir l'archevêché de Paris et le chapeau. Le projet français, bien entendu, ne parlait pas de religion d'État ; mais, à la demande de Spina, Bernier l'y introduisit, et Bonaparte n'y vit point de mal. Il y avait quiproquo, car, sur ce terrain aussi, les notions techniques lui faisaient défaut : en l'appelant religion d'État ou dominante, il entendait conférer à l'Église une dotation et des préséances. Talleyrand et Hauterive lui ouvrirent les yeux et lui montrèrent qu'il s'agissait de supprimer la liberté de conscience et la laïcité de l'État. Dès lors, il s'en tint à reconnaître que le catholicisme était la religion de la majorité des Français et n'en voulut pas démordre.

L'autre point litigieux fut la démission des évêques ; malgré ses scrupules, le pape y avait trop d'intérêt pour que, finalement, Spina ne cédât pas. Si les pourparlers traînèrent, c'est que la cour pontificale attendit de connaître l'issue de la guerre ; quand les Français eurent occupé les Légations et Rome même, il fallut bien céder. A la fin de février 1801, le projet fut expédié, et Bonaparte envoya Cacault suivre l'affaire ; la réponse tardant, il lui ordonna, le 19 mai, d'exiger une adhésion pure et simple et de se retirer en cas de refus. Le pape venait justement d'écrire pour proposer des modifications ; mais Cacault prit sur lui, en partant pour Paris, d'emmener le cardinal Consalvi. Arrivé le 2 juin, ce dernier disputa le terrain pied à pied et finit par signer le Concordat, le 16 juillet 1801, à deux heures du matin.

Le catholicisme y était déclaré religion de la majorité des Français et aussi celle des consuls, une nouvelle négociation devant s'ouvrir si un dissident accédait au gouvernement. Le culte serait public, sous réserve des règlements que l'autorité temporelle jugerait nécessaires pour assurer la tranquillité. L'État accordait un traitement aux évêques ainsi qu'aux curés, à raison d'un par justice de paix, autorisait la reconstitution des chapitres et des séminaires, mais sans dotation, et accordait le rétablissement des fondations. Le pape s'engageait à prier les évêques réfractaires de renoncer à leurs sièges, faute de quoi il les leur retirerait ; comme Bonaparte devait aussi demander leur démission aux évêques constitutionnels, le schisme était supprimé. Il n'était pas question des ordres monastiques qui, par conséquent, demeuraient sans réserve aucune sous l'obédience directe du pape. Le pouvoir des évêques s'accroissait également de manière considérable, dans le sens de l'édit de 1695, puisqu'on leur accordait le droit de nommer curés et desservants, qu'ils ne possédaient pas sous l'Ancien Régime. En échange, Bonaparte obtenait le renouvellement du corps épiscopal, le serment de fidélité du clergé, les prières publiques pour la République, la promesse que l'Église ne contesterait plus la vente de ses biens et un remaniement des circonscriptions ecclésiastiques. Les évêques seraient nommés par le premier consul et institués par le pape. Pour Bonaparte, c'était l'essentiel : tenant les évêques, il croyait qu'il tiendrait leurs prêtres et, redoutant les réfractaires, avait préféré mettre le clergé paroissial sous la coupe de l'épiscopat plutôt que de le surveiller lui-même. Quant aux religieux, il entendait ne les tolérer que dans la mesure où il y trouverait son compte.

Le pape ratifia le Concordat et envoya, comme légat, le cardinal Caprara pour en surveiller l'application ; Bonaparte, de son côté, le 7 octobre, nomma directeur des Cultes le conseiller d'État Portalis, dont la piété fervente s'accompagnait de gallicanisme, mais qui ne tarda pas à multiplier les concessions. Les évêques constitutionnels, qui avaient tenu un concile en 1801 et dont le plus illustre, Grégoire, avait présenté des observations sur le Concordat, se soumirent sans résistance. Il n'en alla pas de même des réfractaires : 36 refusèrent contre 46, et l'un des 13 évêques des pays réunis en fit autant. Les récalcitrants protestèrent contre leur dépossession et trouvèrent des fidèles pour leur demeurer attachés. Dans plusieurs diocèses, il se maintint donc une église anticoncordataire, la « petite Église », qui s'est perpétuée jusqu'à nos jours, bien que ses adhérents n'aient jamais été nombreux. On prépara aussitôt la liste des nouveaux évêques. Comme le Concordat ne réservait pas de place aux constitutionnels, Rome émit la prétention de la leur refuser, et il fallut toute la fermeté de Bonaparte pour en imposer douze, parmi lesquels Grégoire ne figurait pas. On prit seize des anciens évêques réfractaires, dont Champion de Cicé à Aix, Boisgelin à Tours et d'Aviau à Bordeaux. Trente-deux nouveaux évêques leur furent adjoints, pris en général parmi les prêtres soumissionnaires. Au dernier moment, tout parut compromis quand Caprara exigea des constitutionnels une rétractation qu'ils refusèrent, n'entendant pas faire amende honorable. Bernier arrangea l'affaire par une équivoque, comme on avait fait en 1668 pour concilier le pape et les prélats jansénistes : il assura que les schismatiques avaient fait une déclaration orale satisfaisante. Ce trop habile homme n'obtint, d'ailleurs, que l'évêché d'Orléans pour récompense.

Restait maintenant à faire ratifier le traité par les assemblées.

Le Conseil d'État se montra hostile et sa séance du 12 octobre fut très agitée. Bonaparte venait d'interdire les réunions des théophilanthropes, ce qui n'était pas pour calmer les esprits. Le 22 novembre, le Corps législatif élut président Dupuis, l'auteur de l'*Origine de tous les cultes* ; le 30, le Sénat s'adjoignit Grégoire ; l'opposition du Tribunat passait pour à peu près unanime ; Volney fut victime d'une algarade célèbre de la part du premier consul. L'irritation se manifesta à propos du traité de paix avec la Russie, sévèrement critiqué parce qu'il faisait mention des « sujets » français, et aussi du Code civil, dont les premiers titres furent repoussés, le 28 décembre, à l'exception de celui qui concernait l'état civil, parce que, précisément, il excluait implicitement toute religion d'État. Les sentiments de l'armée n'étaient pas douteux, et Fouché, le 20 juillet, avait ordonné, au lendemain de la signature du Concordat, de rechercher et d'arrêter les prêtres non soumissionnaires ; Bonaparte avait dû lui faire rapporter sa circulaire. L'échec semblait donc assuré.

Talleyrand conseilla de jeter du lest et en fournit le moyen en observant que l'application du Concordat nécessitait des règlements. On lui adjoignit donc, sans consulter le pape, qui n'osa protester, les *Articles organiques du culte catholique*. Le gallicanisme y devint loi de l'État : la déclaration de 1682 serait enseignée dans les séminaires ; la publication des bulles, la tenue des conciles, les ordinations, la création des séminaires, la rédaction des catéchismes furent subordonnées à l'approbation du gouvernement. Le pouvoir temporel s'attribuait la réglementation des sonneries de cloches, des processions, du costume des prêtres. Les articles fixèrent aussi les nouvelles circonscriptions ecclésiastiques et les traitements, dont les pensions accordées par les lois révolutionnaires devaient être déduites. Les communes pourraient loger et payer les succursalistes et les desservants, mais à titre facultatif.

Ce ne fut pas tout. Pour bien marquer que la religion catholique ne redevenait pas religion d'État, on rédigea aussi des *Articles organiques des cultes protestants*. Les pasteurs réformés et luthériens reçurent également un traitement ; les calvinistes seraient administrés par des consistoires formés des fidèles les plus imposés sous la présidence du pasteur le plus ancien ; les luthériens furent pourvus de consistoires généraux. On réunit cette charte du protestantisme au Concordat flanqué des articles organiques catholiques pour constituer une seule et unique loi. Il n'est pourtant pas certain que, même accommodé de la sorte, l'accord avec le pape aurait trouvé grâce. Mais Bonaparte avait pris ses précautions, d'autant qu'il caressait d'autres desseins, dont le vote souffrait aussi des difficultés. Un nouveau coup d'État suffit à faire capituler les assemblées.

III. — *L'ÉPURATION DU TRIBUNAT ET LE CONSULAT A VIE*[1].

Le 4 janvier 1802, Bonaparte retira tous les projets présentés aux assemblées et mit celles-ci, comme Portalis l'avait prédit, à la « diète des lois ». Le 7, le Conseil d'État opina que la session devait donc être considérée comme close et qu'on pouvait procéder au premier renouvellement du cinquième des représentants, qui était prévu pour l'an X. La constitution n'ayant rien ordonné pour la désignation des membres sortants, le Sénat fut saisi de la question. Le tirage au sort allait de soi, et l'on aurait pu croire qu'il s'y tiendrait, car il n'éprouvait pas moins d'inquiétude que les autres assemblées. Il est probable qu'on le menaça d'employer la force s'il ne se montrait pas docile et surtout qu'on lui promit de nouveaux avantages s'il cédait. En tout cas, il décida, par 46 voix contre 13, de désigner lui-même les membres qui seraient exclus et il y comprit l'état-major des idéologues du Tribunat, Constant, Chénier, Daunou, Ginguené, Laromiguière et Say, que remplacèrent des hommes de second plan, officiers et fonctionnaires. Carnot fit seul exception. Lucien devint aussi tribun et rentra dans la vie politique pour jouer le même rôle qu'en brumaire. Il proposa au Tribunat le règlement du 11 germinal an X (1er avril 1802), qui le divisa en trois sections délibérant à huis clos sur les projets de loi. En outre, un arrêté consulaire stipula peu après que ces projets seraient examinés au préalable par les rapporteurs des sections et les conseillers d'État compétents, en conseil particulier, sous la présidence du premier consul. De la sorte, tout différend en séance publique devint improbable. « Il ne

---

1. Ouvrages a consulter. — Voir les ouvrages cités p. 73 et 79, notamment ceux d'Aulard, Vandal, Poullet, Godechot ; Ph. Sagnac, Le Consulat à vie, dans la *Revue des études napoléoniennes*, t. XXIV (1925), p. 133-154 et 193-211 ; P. Gaffarel, cité p. 81 ; E. Guillon, *Les complots militaires sous le Consulat et l'Empire* (Paris, 1894, in-12) ; Gilbert Augustin-Thierry, *Conspirateurs et gens de police : le complot des libelles* (Paris, 1903, in-12) ; du même, *La mystérieuse affaire Donnadieu* (Paris, 1909, in-12) ; A. Aulard, Le centenaire de la légion d'honneur, dans le recueil de ses *Études et leçons*, t. IV (Paris, 1904, in-12), article d'abord paru dans la *Revue de Paris*, 1902, t. III, p. 539-566 ; E. L'Hommedé, Les sénatoreries, dans la *Revue des études historiques*, 1932, p. 19-40.

faut point d'opposition », avait dit Bonaparte. « Qu'est-ce que le gouvernement ? Rien, s'il n'a pas l'opinion. Comment peut-il balancer l'influence d'une tribune toujours ouverte à l'attaque ? » Le Conseil d'État, devenu lui aussi suspect, fut également atteint, puisque les lois seraient ainsi mises au point en dehors de lui ; enfin, Bonaparte se mit à préparer les grandes mesures qu'il méditait dans des conseils extraordinaires composés de fidèles choisis et dont le résultat ne fut soumis au Conseil d'État que pour la forme.

Les assemblées subjuguées, le seul danger subsistant fut une sédition militaire. On avait profité de la paix pour disperser et épurer les armées ; celle d'Italie avait fourni le corps destiné au Portugal ; celle du Rhin les troupes de Saint-Domingue. Néanmoins, le mécontentement y restait visible, la solde n'étant pas payée régulièrement et les soldats regrettant, surtout par ces temps de disette, la vie de hasards profitables qu'ils menaient en campagne. Paris fourmillait de généraux désœuvrés qui jalousaient leur chef ; c'étaient eux qui croyaient le moins à son génie militaire : ils ne lui reconnaissaient que de la chance. « Pas un qui ne se croie les mêmes droits que moi », disait Bonaparte. Tous se donnaient pour républicains, mais leur civisme inspire de grands doutes ; ils parlaient de partager la France en commandements ; s'ils avaient réussi, ils n'auraient pas tardé à se battre entre eux et tout aurait sombré dans l'anarchie. Du moment qu'on en était venu à la dictature militaire, il fallait du moins qu'il n'y eût qu'un dictateur, et la nation, sur ce point encore, approuvait Bonaparte.

Parmi les plus en vue se distinguaient Moreau et Bernadotte. Le premier se trouvait définitivement brouillé avec son rival ; sa femme et sa belle-mère l'avaient même poussé à rompre avec lui les relations mondaines, tandis que le *Moniteur* donnait à entendre qu'il avait malversé en Allemagne ; mais il était encore plus hésitant dans le civil qu'à la tête d'une armée. Bernadotte passait pour plus énergique et, commandant à Rennes les troupes de l'ouest, aurait pu organiser un pronunciamento ; en fait, malgré ses airs de tranche-montagne, il se souciait trop de ses intérêts pour ne pas mesurer le risque ; ministre de la Guerre, il avait manqué l'occasion pendant l'été de l'an VII, et les circonstances étaient présentement beaucoup moins favorables ; pour se déclarer, il exigea que le Sénat prît les devants. A Paris, de mars à juin, on tint de nombreux conciliabules, et des civils furent pressentis, parmi lesquels Fouché. Cependant, le 7 mai, on arrêta trois officiers, dont Donnadieu ; le 20, le général Simon, chef d'état-major de Bernadotte, expédia des proclamations à l'armée qui furent livrées, à Paris, au préfet de police Dubois, lequel se félicita de prendre son ministre en défaut. Fouché fit alors emprisonner Simon et les complices du « complot des libelles ». Bonaparte étouffa l'affaire : il ne lui convenait pas qu'on pût dire qu'il avait l'armée contre lui. Les officiers arrêtés furent gardés en prison sans jugement ; on embarqua le 82ᵉ de ligne pour Saint-Domingue d'où il ne revint pas ; Richepanse et Decaen se virent envoyés aux colonies, Lannes à Lisbonne et Brune à Constantinople. Lahorie fut mis à la retraite et Lecourbe en disponibilité. Bernadotte, toujours ménagé par considération pour sa femme Julie Clary, l'ancienne fiancée de Bonaparte qu'il avait abandonnée pour Joséphine, n'en perdit pas moins son emploi. Rien ne contribua davantage à accentuer ce qu'on a appelé l'antimilitarisme de Bonaparte et qui n'était que défiance pour ses anciens camarades ; elle date du 4 mai 1802, la fameuse déclaration qu'il fit au Conseil d'État : « La prééminence appartient incontestablement au civil. » Pour la circonstance, il se comptait comme tel. Quant aux hommes politiques compromis, Fouché les avisa de se terrer, et Mme de Staël partit pour Coppet ; quand elle essaya de revenir en 1803, on l'expulsa.

Les inquiétudes de Bonaparte n'ont jamais dû être bien sérieuses, car elles ne ralentirent aucunement la marche des événements. La paix d'Amiens avait été signée le 25 mars 1802 ; ce fut comme un signal. En moins de deux mois, du 8 avril au 19 mai, tout le régime se métamorphosa ; la République fut transformée en monarchie, la contre-révolution officiellement ralliée, la prédominance des notables renforcée. Le 18 germinal an X (8 avril 1802), le Corps législatif adopta la loi sur les cultes et, dix jours après, un *Te Deum* à Notre-Dame célébra la réconciliation de la Révolution et de l'Église romaine. Le 6 floréal (26 avril), un sénatus-consulte, préparé quinze jours auparavant dans un conseil extraordinaire, accorda l'amnistie aux émigrés, exception faite pour un millier d'entre eux particulièrement compromis, à condition de rentrer avant le 1ᵉʳ vendémiaire an XI (23 septembre 1802) et de prêter serment à la constitution. Le 11 floréal (1ᵉʳ mai) fut décidée la création des lycées, où la distribution de bourses devait assurer le recrutement des fonctionnaires et des professions libérales dans un sens favorable au gouvernement. Le 29 floréal (19 mai), une loi institua la légion d'honneur : elle devait se composer de quinze cohortes de 250 membres chacune, choisis par Bonaparte dans les rangs des notables, tant civils que militaires, auxquels une dotation de

200.000 francs en biens nationaux par cohorte promettait un traitement, des logements et des maisons de retraite, et qui devaient jurer « de se dévouer au service de la République », « de combattre... toute entreprise tendant à rétablir le régime féodal », « de concourir... au maintien de la liberté et de l'égalité » ; véritable milice du régime et non pas décoration nationale, aucune marque distinctive n'étant même accordée à ses membres. Enfin, du 8 au 14 mai, s'effectua la transformation du pouvoir de Bonaparte en consulat à vie.

Bien que la capitulation du Sénat et l'épuration du Tribunat eussent ôté tout espoir à ce qui restait de la bourgeoisie brumairienne, une certaine résistance ne laissa pourtant pas de se manifester. Au Conseil d'État, la légion d'honneur fut âprement critiquée et le Corps législatif ne l'adopta que par 166 voix contre 110. Quant à la constitution, Bonaparte ne réussit à la bouleverser que par une série d'abus de pouvoir, avec le concours de la fraction monarchique de son entourage, Cambacérès, Rœderer, Talleyrand et Lucien. Le 6 mai, la paix d'Amiens fut notifiée au Sénat, et l'on obtint qu'il examinât quel témoignage de « reconnaissance nationale » il convenait de décerner au premier consul ; mais, le 8, quand l'un de ses membres proposa le consulat à vie, l'assemblée se contenta de réélire pour dix ans « Napoléon Bonaparte » ; c'est en cette circonstance que le prénom fameux apparut pour la première fois dans les actes officiels. Le coup était manqué. Sur le conseil, dit-on, de Cambacérès, Bonaparte renoua le fil en répliquant, le 9, qu'il accepterait « si le vœu du peuple » le lui commandait. Un conseil extraordinaire adopta un projet de Rœderer qui, au consulat à vie, ajoutait le droit de désigner le successeur ; on le fit ratifier par le Conseil d'État, bien qu'incompétent ; Fouché n'était pas venu et cinq ou six conseillers s'abstinrent. Ensuite, Bonaparte se reprit et supprima l'adjonction de Rœderer. Le plébiscite sur le seul consulat à vie fut adopté par le Tribunat et le Corps législatif, qui n'avaient aucune qualité pour intervenir dans une revision de la constitution. Le Sénat, ainsi mis à l'écart, se vit ironiquement chargé de recenser le vote populaire, qui fut public comme en l'an VIII ; le 14 thermidor (2 août), il proclama Bonaparte consul à vie.

Aussitôt, ce dernier dicta une nouvelle constitution que le Conseil d'État et le Sénat votèrent, le 16, sans désemparer : l'un des articles l'autorisait à présenter au Sénat, tel jour qu'il lui plairait ou par testament, un candidat à sa succession et, au besoin, successivement deux autres, le dernier seul ne pouvant être repoussé ; il s'attribua ainsi le droit qu'il avait refusé de demander au peuple. On a cherché à expliquer cette marche tortueuse par la difficulté que ce choix avait d'abord présenté. Bonaparte n'ayant pas d'enfant, Joseph et Lucien se disputaient l'héritage éventuel de leur frère, comme s'il avait été, ainsi que ce dernier le disait, celui de « feu leur père ». Préférer un brumairien, c'était exaspérer les autres. L'obstacle aurait été levé par la naissance de Charles, fils de Louis et d'Hortense, que son oncle pensa, en effet, à adopter dans la suite ; mais il ne naquit que le 10 octobre. Il semble donc que Bonaparte, en dépit de l'asservissement de la presse et des assemblées, jugea dangereux de soumettre au plébiscite un projet par trop monarchique ; il prit ensuite de force ce qu'il n'avait pas osé solliciter. D'autre part, on a soutenu que les hommes de la Révolution qui avaient lié sa fortune à la sienne et qui le considéraient comme le seul capable de défendre les frontières naturelles, se trouvèrent logiquement obligés de le transformer en monarque, pour se procurer la stabilité qu'ils souhaitaient. En fait, comme Thibaudeau l'a très bien vu, le consulat à vie et l'hérédité elle-même n'apportaient, à cet égard, que des garanties illusoires. Le pouvoir de Bonaparte, dictature militaire et fondée sur la victoire, n'en avait pas besoin aussi longtemps qu'il vaincrait sur les champs de bataille. Si les coalisés arrivaient à Paris, « que signifieraient des sénatus-consultes » ? Et, lui mort, qui se soucierait de ses volontés ? « Le testament de Louis XIV a-t-il été respecté ? » La France qui l'admirait, les brumairiens qui étaient ses prisonniers ont cédé à ses exigences. Bonaparte seul, que ne pouvait combler la gloire d'être l'homme de la nation et le premier de ses citoyens, a conçu le désir d'être roi, sans même se leurrer sur l'éternelle incertitude de sa grandeur improvisée.

Encore faut-il observer que la bourgeoisie républicaine, en se prêtant à ses volontés, ne laissa pas de lui rappeler discrètement le pacte de brumaire. Rœderer lui-même, entre autres, avait parlé de grands corps qui seraient les représentants des intérêts sociaux prédominants et qu'on associerait au gouvernement, en les dotant de garanties constitutionnelles : sans doute s'agissait-il de rendre aux assemblées, et surtout au Sénat, un droit de contrôle véritable. On représenta aussi que l'exécutif était maintenant assez fort pour restituer aux citoyens une part de liberté. En apportant à Bonaparte la loi relative au plébiscite, Chabot, qui, au Tribunat, avait proposé le vœu en faveur de la « récompense nationale », fit une allusion timide à cette nécessité : « Bonaparte a les idées trop grandes et généreuses pour s'écarter des principes libéraux qui ont fait la Révolution et fondé la République. Il aime trop la véritable gloire pour flétrir jamais par des abus de pouvoir la gloire immense qu'il s'est acquise. » Jordan parla plus clairement dans une brochure qui fut saisie. Le maître ne pardonnera pas : Fouché sera disgracié le 26 fructidor (13 septembre), son ministère étant réuni à celui de la Justice ; Rœderer perdra sa présidence de section au Conseil d'État et la direction de l'Instruction publique. Dans l'immédiat, Bonaparte répliqua que la dictature restait nécessaire : l'opposition en Angleterre se plaçait sur le terrain constitutionnel ; en France, elle serait l'apanage des contre-révolutionnaires et des jacobins. Maintenant qu'il avait rendu leurs droits civiques aux premiers, il eut beau jeu à rappeler aux « hommes de la Révolution » que, si l'on recourait aux élections, ils n'en profiteraient pas nécessairement. « Il faut que le gouvernement reste aux hommes de la Révolution ; ils n'ont que cela pour eux. » Ses complices ne le contestaient pas, mais ils lui rappelaient qu'ils avaient entendu le partager avec lui.

La constitution de l'an X rogna, au contraire, leur part. Le premier consul s'attribua la conclusion des traités, le droit de grâce, la désignation exclusive des candidats au Sénat, au tribunal de cassation et aux fonctions de second et troisième consuls, le choix des juges de paix parmi les personnages proposés par les électeurs. Il se réserva surtout la faculté de compléter ou d'interpréter la constitution par voie de sénatus-consultes organiques, ce qui permit plus tard d'instituer l'Empire sans aucune des difficultés qu'avait suscitées la création du Consulat à vie. Il s'arrogea pareillement le droit, par sénatus-consultes ordinaires, de suspendre la constitution, de dissoudre le Tribunat et le Corps législatif et d'annuler les jugements des tribunaux. De ces sénatus-consultes, il avait seul l'initiative et, pour les préparer, il forma un conseil privé dont il désignerait les membres pour chaque réunion. Le Sénat, investi de cette autorité exorbitante, fut convenablement remanié : s'il continuait à se recruter par cooptation, c'était parmi les seuls candidats de Bonaparte, et ce dernier pouvait désigner quarante membres supplémentaires ; bientôt, le 14 nivôse an XI (4 janvier 1803), il s'emparera de la nomination du bureau et créera une « sénatorerie » par ressort de cour d'appel, dotée d'une résidence seigneuriale et de domaines nationaux, pour compléter, au profit des plus dociles, le traitement dont ils jouissaient déjà ; en outre, la nouvelle constitution autorisait les sénateurs à cumuler leur mandat avec le ministère et divers hauts emplois. Au contraire, les autres assemblées furent abaissées. Le Corps législatif perdit le droit de tenir des sessions régulières et d'élire son président ; le Tribunat fut réduit à 50 membres et la constitution s'incorpora le règlement qui le condamnait au silence ; le Conseil d'État céda la préséance au Sénat et se vit opposer le conseil privé ; Bonaparte ne cessa pas de lui soumettre les lois nouvelles, mais il pouvait désormais se passer de lui en légiférant par sénatus-consulte.

Une autre modification capitale fut la suppression des listes de notabilités que le Sénat venait enfin de publier en mars. Bonaparte prit prétexte des difficultés qu'on avait éprouvées à les établir ; mais la vérité, c'est qu'elles lui paraissaient laisser trop de latitude aux choix des assemblées : sans doute voulait-il aussi plaire aux notables en restituant à chaque département une députation qui lui fût propre. Il institua donc les collèges électoraux. A la base, l'assemblée cantonale des citoyens présentait des candidats aux justices de paix et aux conseils municipaux, et nommait les membres des collèges d'arrondissement et ceux du collège de département, ces derniers parmi les six cents plus imposés, de sorte que le cens fit ainsi son apparition. Le collège d'arrondissement choisissait deux candidats par siège vacant au Tribunat et au Corps législatif ; le collège du département, deux par siège vacant au Corps législatif et au Sénat, ce qui restituait aux membres des assemblées le caractère de représentants régionaux. Comme les collèges devaient prendre au moins un candidat sur deux hors de leur sein, ils ne furent pas tout à fait des oligarchies. Le premier consul y exerçait une influence puissante, car il nommait leurs présidents, pouvait ajouter dix membres au collège d'arrondissement, vingt à celui de département, et avait autorisé les fonctionnaires à en faire partie.

Les élections furent, d'ailleurs, réduites au minimum, les membres des collèges étant nommés à vie, sans qu'on les remplaçât tant qu'il n'en manquait pas le tiers ; en outre, jusqu'en l'an XII, les notables communaux qui venaient d'être désignés constituèrent seuls les assemblées cantonales, et les collèges qu'ils formèrent restèrent en fonctions sans changement jusqu'à la fin de l'Empire. Ainsi le monopole des notables se trouvait confirmé et même renforcé. Il faut écouter Lucien haranguant, le 24 mars 1803, le collège du département de la Seine : « Les principes de notre nouveau droit électoral... ne reposent plus sur des idées chimériques, mais sur la base même de l'association civile, sur la propriété qui inspire un sentiment conservateur de l'ordre public. Aujourd'hui, le droit d'élire est devenu, d'une manière graduelle et tempérée, le partage exclusif de la classe la plus éclairée et la plus intéressée au bon ordre. » Mais, en fait, c'était de Bonaparte qu'elle tenait désormais les places.

IV. — *LA POLITIQUE SOCIALE DE BONAPARTE*[1].

Les grandes lois de l'an X ne se bornèrent donc pas à étendre le pouvoir personnel de Bonaparte : elles laissèrent entrevoir quelles conceptions sociales mûrissaient dans son esprit. Au

1. OUVRAGES A CONSULTER. — G. HANOTAUX, *La transformation sociale à l'époque napoléonienne*, dans la *Revue des Deux Mondes*, 1926, 7e période, t. XXIII, p. 89-123 et 562-597. — Sur le Code civil, Ph. SAGNAC, *La législation civile de la Révolution*, cité p. 36 ; *Le Code civil, livre du centenaire* (Paris, 1904, 2 vol. in-8o) ; M. LEROY, *L'esprit de la législation napoléonienne* (Nancy, 1898, in-8o) ; DU MÊME, Le centenaire du Code civil, dans la *Revue de Paris*, 1903, t. V, p. 511-533 et 762-780 ; J. RAY, *Essai sur la structure logique du Code civil français* (Paris, 1926, in-8o) ; DU MÊME, *Index du Code civil* (Paris, 1926, in-8o) ; P. VIARD, *Histoire générale du droit privé français de 1789 à 1830* (Paris, 1931, in-8o) ; M. GARAUD, *Histoire générale du droit privé français (de 1789 à 1804)*, t. I : *La Révolution et l'égalité civile* (Paris, 1953, in-8o ; avant-propos de G. LEFEBVRE), t. II : *La Révolution et la propriété foncière* (Paris, 1959, in-8o). — Sur l'application du Concordat, BOULAY DE LA MEURTHE, *Histoire du rétablissement du culte de 1802 à 1805* (Paris, 1925, in-8o) ; A. LATREILLE, *Napoléon et le Saint-Siège, 1801-1808. L'ambassade du cardinal Fesch à Rome* (Paris, 1935, in-8o) ; A. MATHIEZ, Les prêtres révolutionnaires devant le cardinal Caprara, dans les *Annales historiques de la Révolution française*, 1926, p. 1-15 ; C. LATREILLE, *L'opposition religieuse au Concordat* (Paris, 1910, 2 vol. in-12) ; L. LÉVY-SCHNEIDER, *L'application du Concordat par un prélat d'Ancien Régime. Monseigneur Champion de Cicé, archevêque d'Aix et d'Arles, 1802-1810* (Paris, 1921, in-8o) ; chanoine J. LEFLON, *Étienne-Alexandre Bernier, évêque d'Orléans, et l'application du Concordat* (Paris, 1938, 2 vol. in-8o) ; DU MÊME, *Monsieur Émery*, t. II : *L'Église concordataire et impériale* (Paris, 1947, in-8o) ; P. MOULY, *Le Concordat en Lozère-Ardèche* (Mende, 1942, in-8o) ; sur l'application du Concordat dans un évêché de Wallonie réunie, celui de Liège, voir *La correspondance de Mgr Zaepffel, 1801-1808* (s. l., 1951, in-8o) ; voir aussi p. 409. — Sur les classes populaires, l'ouvrage de LEVASSEUR, cité p. 36 ; sur la disette de l'an X, L. DE LANZAC DE LABORIE, *Paris sous Napoléon*, t. V (Paris, 1908, in-12), et P. VIARD, Les subsistances en Ille-et-Vilaine sous le Consulat et l'Empire, dans les *Annales de Bretagne*, t. XXII (1917), p. 328-352, 471-488, et t. XXIII (1918), p. 131-154, ainsi que les *Tableaux des prix moyens de l'hectolitre de blé de 1800 à 1870*, publiés par le ministère de l'Agriculture et du Commerce (Paris, 1873, in-4o). — Sur l'enseignement, consulter la bibliographie et l'exposé de G. PARISET, *ouv. cit.*, p. 4 ; A. AULARD, *Napoléon et le monopole universitaire* (Paris, 1911, in-12) ; L. DE LANZAC DE LABORIE, *Paris sous Napoléon*, t. IV (Paris, 1907, in-12) ; DU MÊME, La haute administration de l'enseignement sous le Consulat et l'Empire, dans la *Revue des études napoléoniennes*, t. X (1916), p. 185-219 ; M. GONTARD, *L'enseignement primaire en France de la Révolution à la loi Guizot, 1789-1833* (Paris, 1959, in-8o). — Sur l'assistance, J. IMBERT, *Le droit hospitalier de la Révolution*

Conseil d'État, il critiquait la société individualiste engendrée par la Révolution : ce ne sont que « grains de sable » ; il faut « jeter sur le sol de la France quelques masses de granit » pour « donner une direction à l'esprit public ». En clair, il s'agit de constituer des faisceaux d'intérêts qui soient attachés au régime par le profit et les honneurs, et qui, réciproquement, puissent lui assurer l'obéissance des classes populaires, grâce à l'influence qu'ils exercent sur les salariés. Cela revient à ressusciter les corps intermédiaires ou les groupements corporatifs de l'Ancien Régime, en prenant des précautions pour qu'ils ne puissent plus opposer leur puissance à celle de l'État et dégénérer en oligarchies. Bonaparte a eu l'adresse de montrer que la bourgeoisie y trouverait avantage : l'aristocratie formait bloc par le sang, le préjugé nobiliaire, la hiérarchie ecclésiastique ; « nous, nous sommes épars » ; la légion d'honneur devait « grouper les partisans de la Révolution ». Mais c'était lui, et lui seul, qui devait créer les corps sociaux ; le code pénal ira jusqu'à subordonner à son autorisation toute société de plus de vingt personnes ; aussi tout le monde a-t-il compris que son pouvoir personnel en grandirait d'autant. Les assemblées formaient un de ces corps ; la légion d'honneur un autre ; les collèges électoraux d'autres encore ; les fonctionnaires, qu'il multipliait, groupés en services hiérarchisés, venaient s'y adjoindre ; les boursiers allaient en former la pépinière et, le 19 germinal an XI (9 avril 1803), il créa, près des ministres et du Conseil d'État, seize auditeurs (ce n'était qu'un début) qui devaient lui fournir le moyen de recruter la haute administration sans être obligé de s'adresser, comme jusqu'alors, au personnel de la Révolution ou de l'Ancien régime. Les juges avaient une place d'honneur dans ce système ; assez peu payés, ils ne pouvaient se recruter que dans la bourgeoisie aisée ; la constitution de l'an X leur attribua une hiérarchie et une disci-

et de l'Empire (Paris, 1954, in-8º ; « Publications de l'Université de la Sarre ») ; A. CHERUBINI, *Dottrine e metodi assistenziali dal 1789 al 1848, Italia, Francia, Inghilterra* (Milan, 1958, in-8º). — Sur la cour et les mœurs, P. LACROIX, *Directoire, Consulat et Empire. Mœurs et usages, lettres, sciences et arts* (Paris, 1883, gr. in-8º) ; R. PEYRE, *Napoléon et son temps* (Paris, 1888, gr. in-8º) ; P. BONDOIS, *Napoléon et la société de son temps* (Paris, 1895, in-8º) ; F. MASSON, *Madame Bonaparte* (Paris, 1920, in-8º) ; É. HERRIOT, *Madame Récamier et ses amis* (Paris, 1904, 2 vol. in-8º) ; L. DE LANZAC DE LABORIE, *Paris sous Napoléon*, t. III, VII, VIII (Paris, 1906, 1911, 1913, in-12) ; G. THIBAULT-LAURENT, *La première introduction du divorce en France, 1792-1816* (Clermont-Ferrand, 1938, in-8º) ; consulter aussi les bibliographies de mémoires et de récits de voyages d'étrangers dans G. PARISET, *ouv. cit.*, p. 4.

pline professionnelle. Les officiers ministériels furent aussi réunis en corporations : il y avait des chambres d'avoués depuis l'an VIII, de notaires et de commissaires-priseurs depuis l'an IX. Les gens d'affaires n'étaient pas oubliés : les chambres de commerce, celles des manufactures, les compagnies d'agents de change, le rétablissement des courtiers ne répondaient pas seulement à des besoins techniques, mais aussi à un dessein social. S'il n'avait tenu qu'à Bonaparte, on aurait vu renaître les corps de métier.

Telle qu'il la concevait alors, la hiérarchie sociale reposait sur la richesse ; il n'en pouvait être autrement, puisqu'il avait saisi le pouvoir d'accord avec la bourgeoisie. Les idéologues, il est vrai, avaient voulu, en offrant l'instruction aux frais de la nation, associer le talent à la fortune dans la direction de l'État. Mais la richesse acquise tend naturellement à se réserver le pouvoir dirigeant et, comme elle, Bonaparte se méfiait des « gens à talents » tant qu'ils restaient pauvres : c'est un ferment révolutionnaire. On était donc d'accord pour ne les employer qu'en qualité de fonctionnaires techniques, ainsi que l'ancienne aristocratie et la monarchie absolue l'avaient toujours fait. Lorsque Bonaparte se donne comme le représentant de la Révolution, c'est toujours pour la réduire à l'abolition des privilèges, dont la conséquence est l'avènement de la bourgeoisie censitaire. Que son despotisme disparaisse, et l'on se rendra compte que le régime social de l'an X posa les fondements de la monarchie de Juillet.

Le Code civil en fut la Bible. Préparé par une commission nommée dès le 12 août 1800, où figuraient Tronchet, Portalis, Bigot de Préameneu et Malleville, le projet en fut prêt en janvier 1801. Mais le conflit de Bonaparte et des assemblées suspendit la discussion, qui ne reprit qu'en 1803. Il fut promulgué le 21 mars 1804 sous le nom de Code civil des Français, changé plus tard en Code Napoléon. Bonaparte ne prit intérêt direct à son élaboration qu'en ce qui concernait la famille : il tenait à renforcer l'autorité paternelle et maritale, à priver de l'héritage les enfants naturels non reconnus et à réduire la part de ceux qui l'étaient, à conserver aussi le divorce, par souci personnel.

Comme toute l'œuvre de Napoléon, le Code présente un double caractère. Il confirme la disparition de l'aristocratie féodale et adopte les principes sociaux de 1789 : la liberté personnelle, l'égalité devant la loi, la laïcité de l'État et la liberté de conscience, la liberté du travail. C'est à ce titre qu'il est apparu en Europe comme le symbole de la Révolution et qu'il a fourni, partout où il a été introduit, les règles essentielles de la société moderne. Si ce trait, aujourd'hui, est devenu fruste, on fausserait l'histoire des temps napoléoniens à ne pas lui restituer toute sa fraîcheur et l'on se condamnerait à ne pas comprendre la portée de la domination française. Mais il confirme aussi la réaction contre l'œuvre démocratique de la République ; conçu en fonction des intérêts de la bourgeoisie, il s'occupe avant tout de consacrer et de sanctionner le droit de propriété, regardé comme naturel, antérieur à la société, absolu et individualiste, et le garantit par la possession qui vaut titre. Les contrats qu'il réglemente visent presque uniquement la propriété, le louage de services tenant en deux articles. La famille elle-même, pour une bonne part, est envisagée sous cet angle : le règlement minutieux du contrat de mariage fait de ce dernier une affaire d'argent et, si le Code s'intéresse tant à la filiation, c'est en vue de la succession.

L'intérêt de l'État, tel que le conçoivent Bonaparte et ses juristes, est leur autre boussole ; c'est lui qui, dans une certaine mesure, limite le droit du propriétaire en ce qui concerne le sous-sol ou le cas d'expropriation pour cause d'utilité publique, par exemple, et surtout à l'égard de la faculté de tester. La famille est précieuse à l'État, car elle constitue un de ces corps sociaux qui disciplinent l'activité des individus. L'autorité du père, affaiblie par la Révolution, se voit donc renforcée : il peut faire emprisonner ses enfants pour une durée de six mois sans contrôle de l'autorité judiciaire ; il est maître de leurs biens ; pareillement, il administre ceux de sa femme et, le régime communautaire étant de droit commun, il peut en disposer le plus souvent. Mais, comme tous les groupes, la famille peut devenir trop puissante en face de l'État, et d'autant plus facilement qu'engendrée spontanément par la nature, sa cohésion est très forte ; par elle, une aristocratie indépendante pourrait se reconstituer. Aussi la place-t-on sous tutelle ; au père, le droit de tester se trouve mesuré par le rétablissement de la « légitime », et le droit de succession, déclaré d'ordre social, est soumis à la réglementation de la loi. De ce point de vue, le Code a été amèrement critiqué par l'ancienne noblesse et une partie de la bourgeoisie, dont il limite la puissance en assurant la division des patrimoines.

Pourtant, de ceux qui ne possèdent rien, il ne trouve rien à dire si ce n'est pour défendre leur liberté personnelle en interdisant les baux et la location de services à titre perpétuel. Proclamant le travail libre et les citoyens égaux en droit, il abandonne en fait le travail salarié, comme l'avait voulu la Constituante, à tous les hasards de la concurrence économique et n'y voit qu'une marchandise comme une autre. Il répudie l'idée, qui s'était fait jour en 1793, de reconnaître au citoyen un droit à la vie. Contre le salarié, il déroge même au principe de l'égalité juridique, car, en matière de gages, le maître seul est cru sur parole. En outre, l'État intervient au nom de son droit de police, attendu que, ne possédant rien, le pauvre triompherait du Code et déjouerait l'action que lui intenterait l'employeur pour châtier son indiscipline ; la loi du 22 germinal an XI (12 avril 1803) renouvelle l'interdiction des coalitions ouvrières ; l'arrêté du 1er décembre suivant oblige les ouvriers à se munir d'un livret soumis au contrôle de l'autorité, sans la production duquel il est défendu de les embaucher.

Le Code se présente donc comme le fruit de l'évolution de la société française en tant qu'elle a produit la bourgeoisie et l'a portée au pouvoir. La marque historique y apparaît mieux encore dans le détail, car les juristes napoléoniens ont puisé dans Domat et dans Pothier, qui avaient déjà commencé la codification raisonnée, l'un du droit romain ou écrit, que le Midi conservait, l'autre du droit coutumier. Ils ont combiné cette œuvre avec celle de la Révolution, en expurgeant l'une et l'autre, de sorte que le Code est un compromis. Son caractère historique se reconnaît aussi en ce qu'il s'occupe surtout de la propriété foncière, qui restait encore la forme principale de la richesse, tandis qu'il s'intéresse fort peu à la propriété industrielle, aux sociétés et au crédit. Bref, il n'est pas du tout l'ouvrage de théoriciens qui auraient imposé à une société un droit abstrait sans rapport avec la réalité vivante, et les critiques de Savigny et autres juristes allemands sont sans aucun fondement. Ce qui les a inspirées au fond, c'est le sentiment aristocratique dont le Code est la négation.

L'instruction publique, telle que Bonaparte l'a conçue, s'harmonise avec cette organisation sociale et avec le caractère autoritaire du pouvoir. Elle doit « constituer la nation » et elle est « le premier ressort du gouvernement ». Préparée par Fourcroy, dont le projet fut substitué à celui de Chaptal, jugé trop ambitieux, la loi du 11 floréal an X (1er mai 1802) abandonna l'école populaire aux municipalités, comme sous l'Ancien Régime, Bonaparte, avec beaucoup de bourgeois de ce temps, estimant, comme autrefois Voltaire, qu'il n'y a que des inconvénients politiques et sociaux à instruire le pauvre. Il en alla autrement pour l'enseignement secondaire qui devait éduquer ses chefs. On prit comme modèle le Prytanée, ancien collège Louis-le-Grand, le seul que la

Révolution eût conservé : sous le Directoire, y reparut l'internat dont les écoles centrales étaient privées et, dès l'an VIII, Lucien Bonaparte, alors ministre de l'Intérieur, le réorganisa. Dans chaque ressort de tribunal d'appel, devait être établi un « lycée » aux frais de l'État. On prévoyait en outre des « écoles secondaires », dirigées par des particuliers, mais sous l'autorisation et le contrôle de l'État qui, en l'an XII, s'attribua la nomination de leurs professeurs. Six mille quatre cents bourses furent créées dans les lycées : 2.400 au profit des fils d'officiers et de fonctionnaires, les autres étant réservées aux meilleurs élèves des écoles secondaires. Dans une certaine mesure, elles répondaient au vœu des idéologues ; mais, ne pouvant être, dans la réalité, sollicitées par les pauvres, elles constituaient une dotation en faveur des fonctionnaires civils et militaires et, pour la petite bourgeoisie, un appât qui la rattacherait à la grande et la dépouillerait de ses éléments les plus capables : engagés au service de l'État ou des directeurs de l'économie, ils ne risqueraient plus ainsi de devenir des ferments d'agitation. L'enseignement libre ne disparut pas en principe, bien que, à Paris tout au moins, le préfet Frochot se soit attribué le droit de l'autoriser et de le surveiller. Le clergé catholique en profita aussitôt. Pour ce qui concerne l'instruction primaire, Bonaparte ne lui opposera jamais d'obstacle ; les frères des écoles chrétiennes reparurent et obtinrent, en l'an XII, la fondation d'un institut à Lyon. Comme il n'attachait aucune importance à l'instruction des femmes, il autorisa aussitôt la reconstitution de plusieurs ordres de religieuses enseignantes. Mais, entre les lycées et les écoles secondaires catholiques de garçons, le conflit n'allait pas tarder à se manifester ; il conduira Napoléon au monopole.

Pourtant, au moment même où il consacrait la domination sociale de la bourgeoisie, le premier consul lui témoignait déjà de la méfiance. Au Conseil d'État, il parlait durement de la richesse : « On ne peut faire un titre de la richesse. Un riche est souvent un fainéant sans mérite. Un riche négociant même ne l'est souvent que par l'art de vendre cher ou de voler. » Il se montrait encore moins bien disposé pour la finance. Visiblement, ce n'est pas à toutes les richesses qu'il s'en prend, mais à la richesse mobilière qui, précisément, a créé la bourgeoisie. C'est d'abord qu'elle est difficilement saisissable, qu'on veuille l'imposer ou la confisquer. C'est aussi qu'elle suscite à chaque instant des individualités nouvelles qui, fières de ne rien devoir qu'à elles-mêmes et d'autant plus jalouses de leur indépendance, tendent à briser les cadres sociaux que Bonaparte s'efforçait de constituer. Gravissant les marches du trône, il tournait naturellement les yeux vers les sociétés monarchiques où le prince s'appuyait sur une aristocratie foncière, à laquelle, en retour, il garantissait la servitude du paysan. Cet idéal n'était pas réalisable et, à cette époque, il ne pensait même pas à rétablir une noblesse ; mais il se trouvait porté par ces préférences, plus encore que par l'intérêt national, à se réconcilier avec la contre-révolution. Dans les mois qui suivirent la constitution de l'an X, le trait qui frappa le plus les contemporains fut justement le progrès du ralliement.

L'application du Concordat suivait son cours. Le légat Caprara, auprès duquel Émery, redoutant les empiétements de Napoléon, insinua l'abbé Le Surre, se montrait conciliant et Portalis, sans laisser de manifester parfois quelque attachement aux traditions gallicanes, s'appliquait à le contenter.

Par la force des choses, les réfractaires prenaient dans le nouveau clergé la place prépondérante. Les évêques d'origine constitutionnelle eux-mêmes étaient contraints par le gouvernement à la leur accorder et, en eût-il été autrement, qu'ils n'auraient pas trouvé un nombre suffisant d'assermentés. Dans le Bas-Rhin, par exemple, Saurine n'en put nommer que 16 aux cures et succursales, sur 351, soit moins de 5 %, alors que La Tour d'Auvergne, dans le Pas-de-Calais, et Caffarelli, dans les Côtes-du-Nord, bien qu'anciens réfractaires, leur accordèrent, le premier 78 places sur 634, le second 43 sur 340, soit 12 %. D'autre part, plusieurs évêques imposèrent aux jureurs une formule de soumission qui constituait une rétractation et, quand les préfets s'y opposèrent, ils obtinrent tout au plus que la rédaction de la formule perdît de sa précision. Les évêques réconciliés furent exposés aux avanies de leurs subordonnés, et ce fut pire encore pour les simples prêtres. Les circulaires de Fouché avaient insisté sur le maintien de la liberté de conscience et affecté, non sans impertinence, de traiter les évêques en fonctionnaires et même en auxiliaires de la police, en tant que gendarmes spirituels ; mais il était disgracié et Portalis prit presque toujours parti contre les préfets ; ceux du Pas-de-Calais et des Bouches-du-Rhône finirent par être déplacés pour plaire aux évêques. Dès l'an X, les articles organiques reçurent maints accrocs. On donna du Monseigneur aux prélats ; le costume ecclésiastique redevint d'usage ; les sonneries de cloches et les processions se rétablirent librement ; les évêques furent autorisés à s'intituler « par la miséricorde divine et la grâce du Saint-Siège ». Portalis refusa de rendre obligatoire l'observation du dimanche, sans dissimuler qu'il lui était favorable et comptait que les mœurs y pourvoiraient bientôt. Il permit le rétablissement des bans de mariage ; surtout, il approuva les efforts des évêques pour s'attribuer un droit de surveillance sur les fonctionnaires. « Vous êtes mieux à portée que tout autre », écrivait-il à Champion de Cicé, « de renseigner le gouvernement sur tout ce qui peut toucher à la chose publique. » Le sous-préfet de Boulogne, Masclet, pourtant méfiant à l'égard du clergé, n'en fit pas moins observer aux maires que, s'ils restaient maîtres de leurs convictions, ils étaient tenus au conformisme de par leurs fonctions.

Tout de suite, les desservants se plaignirent de leur condition misérable. Les paysans les recevaient sans déplaisir ; mais beaucoup demeuraient indifférents et personne ne voulait payer. Bien que les articles organiques eussent déclaré le culte gratuit, ils avaient réglé le partage des oblations entre curés et vicaires, et elles ressuscitèrent aussitôt ; les évêques promulguèrent des tarifs et se firent autoriser à créer des fabriques destinées à assurer la vie matérielle des paroisses. Comme, pourtant, les desservants n'obtenaient ni logement ni traitement de leurs ouailles, Bonaparte, en l'an XI, commença d'exercer une pression sur les corps administratifs en leur ordonnant de « délibérer » sur ces objets ; il rendit aussi aux cures les biens non aliénés. L'efficacité de ces mesures fut médiocre. L'Empire allait bientôt accroître ses libéralités, et ainsi le Concordat devint le point de départ d'une évolution qui allait préparer le clergé catholique aux triomphes de la Restauration.

La rentrée des émigrés ne suscita point pareils débats, mais fit une impression plus profonde encore, et il est digne de remarque que, si Bonaparte reçut beaucoup d'adresses de félicitations à l'occasion du Consulat à vie, il ne lui en parvint pas une seule à propos de l'amnistie. Celle-ci plaçait les émigrés sous la surveillance de la police pendant dix ans, et ils pouvaient être emprisonnés comme les autres par lettre de cachet. Aussi se montrèrent-ils d'ordinaire fort prudents. Cela ne les empêcha pas de se poser en maîtres dans les villages et de chercher à imposer aux acquéreurs de leurs biens soit une restitution, soit une transaction. Les acquéreurs de biens nationaux s'alarmèrent, d'autant plus que, le 23 juillet 1803, Bonaparte ordonna d'apurer les décomptes de leurs paiements, ce qui provoqua des tracasseries et même des folles enchères, et donna l'impression que les ventes pourraient être remises en question. S'il n'avait tenu qu'à Bonaparte, la loi du 17 juillet 1793 qui avait éteint sans indemnité les rentes foncières entachées de féodalité aurait pu se voir revisée de manière à procurer un dédommagement aux propriétaires et aussi un revenu au Trésor public, beaucoup de ces redevances comptant parmi les biens nationaux ; il n'osa passer outre à l'avis du Conseil d'État, qui, le 19 février 1803, déclara la loi intangible. Plusieurs des émigrés avaient déjà fait adhésion au régime. Ségur entra au Conseil d'État ; Séguier siégeait au tribunal d'appel de Paris et le duc de Luynes au Sénat ; en 1804, M.-J. de Gérando deviendra directeur au ministère de l'Intérieur. Bonaparte, d'autre part, maria plusieurs de ses compagnons d'armes, Junot, Ney, Lannes, Augereau, Savary, à des filles nobles ; quelques-uns, il est vrai, comme Duroc et Marmont, préférèrent la finance.

La fusion se fit surtout à la cour du premier consul qui prit rapidement, aux Tuileries plus encore qu'à la Malmaison, une allure d'Ancien Régime. Duroc était déjà gouverneur du palais ; en novembre 1802, Joséphine reçut un rang officiel et on la flanqua de quatre dames choisies parmi l'ancienne noblesse. Dans cet équipage, elle accompagna Bonaparte en Belgique. L'étiquette se fit sans cesse plus minutieuse ; Bonaparte lui-même mit des bas de soie et porta le « régent » au pommeau de son épée ; le costume, les voitures, les domestiques en livrée, les fêtes et les bals de l'Opéra éblouirent de nouveau le populaire. En janvier 1803, le deuil de cour fut rétabli à l'occasion de la mort à Saint-Domingue de Leclerc, le mari de Pauline Bonaparte. Le 15 août 1802 avait été instituée la Saint-Napoléon, et les fêtes républicaines du 14 juillet et du 1er vendémiaire ne furent plus célébrées, jusqu'en 1804, que pour la forme. En 1803, les monnaies furent frappées à l'effigie de Bonaparte.

Les salons se mirent avec empressement au ton de la cour. Cette aristocratie nouvelle tint à l'écart les nouveaux riches et les financiers. Bonaparte lui imposait une tenue que n'avait pas eue l'ancienne ; il avait éloigné Joséphine de ses anciennes amies, Mme Tallien et Mme Hamelin, et ramené les femmes à la décence. Cette sévérité de mœurs était toute de façade ; lui-même se passait toutes les fantaisies : il ne tenait qu'à la correction extérieure et en donnait d'ailleurs l'exemple. Par là aussi, cette société était toute bourgeoise : elle répudiait le laisser-aller et la désinvolture de l'aristocratie du xviiie siècle par souci de la « considération ». Que d'ailleurs l'évolution fût loin d'être achevée, le sort de la légion d'honneur le prouvait clairement ; après avoir violé sa propre loi en s'emparant de la nomination du conseil d'administration, Bonaparte ajourna la désignation des légionnaires ; déjà, l'institution, telle qu'il l'avait façonnée, lui semblait liée de trop près au souvenir de la Révolution.

A la fin de 1802, tant de symptômes ne pouvaient plus laisser de doute sur ses véritables desseins. Du point de vue national, c'est donc la paix d'Amiens qui marque son apogée. Le peuple français désirait avant tout la paix : Bonaparte la lui avait donnée ; il était attaché à l'œuvre sociale de la Révolution : Bonaparte l'avait conservée ; satisfait et fier de son chef, il n'avait pas encore le sentiment que celui-ci abusât de son pouvoir et se proposât des fins qui fussent contraires aux siennes. Mais il ne souhaitait pas que ce chef devînt roi, et encore moins qu'il créât une noblesse, tandis que, dans son cœur, Bonaparte avait rompu avec la République et l'égalité ; flatté d'avoir atteint les frontières naturelles, il ne désirait nullement les dépasser, alors que déjà, les ayant franchies, son maître rendait la guerre inévitable. Il ne voyait en lui qu'un héros national, au moment où il cessait de l'être.

LIVRE III

LA CONQUÊTE IMPÉRIALE JUSQU'A TILSIT
(1802-1807)[1]

———

Pour les contemporains et pour ses premiers historiens, la
conquête impériale comme l'Empire lui-même s'expliquaient par
ce qu'ils appelaient « l'ambition » de Napoléon. Non que cette
ambition eût tout fait : des occasions s'étaient offertes ; mais elle
s'en saisit alors que la sagesse et l'intérêt national commandaient

---

1. Ouvrages d'ensemble a consulter. — Sur la politique extérieure de
Napoléon, les principales thèses sont représentées par Thiers, cité p. 4 ;
A. Sorel, *L'Europe et la Révolution française*, t. VI à VIII (Paris, 1903-1904,
in-8°) ; É. Bourgeois, cité p. 27 ; É. Driault, *Napoléon et l'Europe* (Paris,
1910-1927, 5 vol. in-8°) ; Arthur-Lévy, *Napoléon et la paix* (Paris, 1902, in-8°).
Elles sont résumées et discutées par Pierre Muret, Une conception nouvelle de
la politique étrangère de Napoléon Iᵉʳ, dans la *Revue d'histoire moderne et
contemporaine*, t. XVIII (1903), p. 177-200 et 353-380. Pour Thiers, l'objet
essentiel de l'Empereur est de vaincre l'Angleterre qui répond en fomentant
les coalitions ; mais l'ambition de Napoléon contribue à provoquer ces dernières. Bourgeois attribue aussi à l'Empereur une volonté offensive et l'explique
par le mirage oriental. Driault lui découvre un dessein constructif : le rétablissement de l'unité européenne, à l'image de l'empire carolingien d'abord, puis
de l'empire romain. Pour Sorel, il n'a fait que défendre les frontières naturelles,
dont la conquête impliquait des coalitions sans cesse renaissantes ; les annexions
étaient destinées à les couvrir contre les agressions ultérieures (thèse reprise
purement et simplement par Bainville, *ouv. cit.*, p. 67) ; Arthur-Lévy soutient
même qu'il a toujours souhaité la paix. Dans son remarquable article, Muret a
montré qu'aucune de ces thèses ne rend compte de tous les faits et a exprimé
l'opinion qu'on ne saurait assigner à la politique de Napoléon un but unique et
précis qui, une fois atteint, l'aurait pleinement satisfait. Sur le fond, Muret a
raison : l'âge seul aurait pu calmer le tempérament de Napoléon et le porter
à suspendre ses conquêtes. Néanmoins, chacune des autres thèses conserve
sa valeur : les guerres napoléoniennes sont bien le dernier épisode de la
rivalité anglo-française pour la domination de la mer et du monde ; le désir,
chez toutes les puissances, de reprendre à la France ses conquêtes, si le moyen
s'en présente, n'est pas douteux ; et la tendance de l'Empereur à organiser le

de les dédaigner. Pareille opinion, depuis, a paru trop simpliste à certains. Les uns ne voulurent voir en lui que le défenseur des frontières naturelles : les républicains l'avaient fait consul, puis empereur, pour qu'il les leur conservât ; cette tâche impossible, legs funeste de la Révolution, le contraignit à conquérir l'Europe et, finalement, l'accabla. Ces historiens ne faisaient que transposer, on voit dans quel sens, l'idée légendaire que les « grognards » se formaient de leur dieu et que lui-même, à Sainte-Hélène, a popularisée : soldat de la Révolution, il n'avait jamais fait que se défendre contre les rois de l'Ancien Régime. D'autres, répugnant à réduire le rôle de l'individu dans le devenir historique et à regarder Napoléon comme le simple instrument du destin, persistèrent à chercher en lui-même le ressort de sa politique et pensèrent le trouver dans un grand dessein qui ramènerait celle-ci à l'unité. Pour tel, il se proposait d'arracher à l'Angleterre la domination de la mer, en sorte que son histoire à partir de la rupture de la paix d'Amiens tout au moins, n'est que le suprême épisode de la lutte commencée sous Louis XIV et s'encadre dans la tradition de l'ancienne France. Pour tel autre, c'est le mirage oriental qui l'attira vers l'abîme. Pour cet autre encore, il fut moins français qu'européen et prétendit reconstituer l'empire carolingien d'abord, l'empire romain plus tard, l'οἰκουμένη de la civilisation occidentale et chrétienne.

Dans chacune de ces interprétations, on retrouve une partie de la réalité ; mais celle-ci les dépasse toutes. Il est vrai que ceux qui portèrent Bonaparte au pouvoir voulaient conserver les frontières naturelles et que, pour les défendre, on pouvait être tenté de les franchir ; mais il n'est pas exact que ce fût le seul ni le plus sûr moyen de les protéger et qu'il n'ait pensé, en étendant ses conquêtes, qu'à l'intérêt de la nation. Il est vrai que l'Angleterre a été son ennemie constante et tenace et qu'elle a définitivement, en l'abattant, triomphé de la France ; mais, s'il l'avait visée seule,

continent est évidente à partir de 1806 ; on peut même concéder que Napoléon aurait volontiers conservé la paix pourvu qu'on lui laissât faire tout ce qu'il voulait ; enfin l'hostilité de l'Europe s'explique aussi par la haine de l'aristocratie contre la France révolutionnaire et contre le parvenu, et il est singulier qu'aucun auteur n'ait insisté sur ce point. C'est le rôle du mirage oriental qui semble le moins important. La question a été reprise par H. C. Deutsch, *The genesis of Napoleonic imperialism* (Cambridge, U. S. A., 1938, in-8°), qui ne formule pas de thèse originale, et par A. Fugier au t. IV de l'*Histoire des relations internationales*, cité p. 27, qui insiste sur « les haines nationales » et souligne le caractère « profondément » social de la lutte de la vieille Europe contre Napoléon.

par un dessein mûrement réfléchi, sa politique continentale eût été bien différente ; le blocus lui-même, dont on fait grand état, a été suggéré par la constitution du Grand Empire beaucoup plutôt qu'il ne l'a engendré. Rien n'aurait plu au nouvel Alexandre comme une chevauchée vers Constantinople ou vers l'Inde ; mais la plupart de ses entreprises ne se rattachent à ce rêve que par une vue de l'esprit. Il est constant qu'il s'est comparé à Charlemagne et à César et qu'il tendait à fédérer politiquement le monde occidental ; mais ce n'est pas le désir intellectuel de restaurer le passé qui le poussait à l'action. En dénonçant la haine que les coalisés avaient vouée au soldat de la Révolution, la légende témoigne d'une clairvoyance aiguë, et il est remarquable que tant d'historiens l'aient oublié ; mais il ne s'est pas borné à la défensive.

Il n'y a pas d'explication rationnelle qui ramène à l'unité la politique extérieure de Napoléon ; il a poursuivi simultanément des fins qui, dans le présent du moins, étaient contradictoires. En dernier ressort, c'est à son « ambition » qu'il faut revenir. Les contemporains, toutefois, qui avaient sous les yeux l'apparat théâtral, d'une richesse lourde et criarde dans sa nouveauté, les aventures galantes, les querelles d'une famille rapace et les voleries des serviteurs, la rabaissaient, sans nier le génie, au niveau du commun des hommes. Dans l'éloignement, l'image s'épure et livre son secret : l'attrait héroïque du risque, l'ensorcelante séduction du rêve, l'impulsion irrésistible du tempérament.

CHAPITRE PREMIER

LE NOUVEAU DUEL DE LA FRANCE ET DE L'ANGLETERRE
(1802-1805)[1]

A aucun moment, ces traits de la personnalité napoléonienne n'apparaissent en meilleure lumière que pendant les années décisives qui vont de la paix d'Amiens à la guerre de 1805. Le traité signé avec l'Angleterre ne dura pas beaucoup plus d'un an. Aussi longtemps, toutefois, que la lutte n'eut pas repris sur le continent, la solution qui restait possible à l'avènement de Bonaparte — une France agrandie, mais pacifique, en face d'une Angleterre maîtresse des mers — ne fut pas définitivement écartée. A partir de la paix de Presbourg, le problème changea de face.

I. — LA POLITIQUE ÉCONOMIQUE DE BONAPARTE ET LA RUPTURE DE LA PAIX D'AMIENS[2].

Que le ministère Addington fût résolu à tenter sérieusement l'expérience de la paix et la crût de quelque durée, il est difficile

1. OUVRAGES D'ENSEMBLE A CONSULTER. — Voir p. 73, 79 et 103.
2. OUVRAGES A CONSULTER. — Les ouvrages cités p. 107, notamment PHILIPPSON ; ajouter l'important article de H. BEELEY, A project of alliance with Russia in 1802, dans *The English historical review*, 1934, p. 497-501. — Sur la situation économique, F. CROUZET, Les conséquences économiques de la Révolution. Un inédit de sir Francis d'Ivernois, dans les *Annales historiques de la Révolution française*, 1962, p. 183-217 et p. 336-362 (il s'agit d'un « Mémoire sur les avantages et les désavantages d'un traité de commerce avec la République française », datant de 1802) ; *Documents sur l'état de l'industrie et du commerce de Paris et du département de la Seine (1778-1810)*, publiés avec une étude sur les essais d'industrialisation de Paris sous la Révolution et l'Empire, par B. GILLE (Paris, 1963, in-4° ; « Documents pour servir à l'histoire économique de Paris », fasc. I) ; J. VIDALENC, La crise économique dans les départements méditerranéens pendant l'Empire, *Revue d'Histoire moderne et contemporaine*, 1954, n° 3 ; F. ROQUES, *Aspects de la vie économique niçoise sous le*

de le contester. Il supprima l'*income-tax* et réduisit les dépenses navales de deux millions de livres. Saint-Vincent suspendit les constructions et licencia les ouvriers ; comme il leur imposa un contrôle, ses fournisseurs de bois rompirent avec lui, et l'approvisionnement fut bientôt à rien. Toutefois, le gouvernement rencontrait des opposants dans sa propre majorité : assurant que la paix allait permettre à la France de préparer un nouvel assaut contre l'empire britannique, ces tories prêchaient la guerre à outrance, comme les whigs cent ans auparavant ; ils tenaient une partie de la presse et l'émigré Peltier les aidait en vitupérant la Révolution et la dictature militaire de Bonaparte. Entre les deux

Consulat et l'Empire (Aix-en-Provence, 1957, in-8° ; extrait des *Annales de la Faculté de droit*, n° 49) ; O. Festy, *Les délits ruraux et leur répression sous la Révolution et le Consulat. Étude d'histoire économique* (Paris, 1956, in-8°). — Sur la politique économique Amé, cité p. 42 ; F. Braesch, *Finances et monnaies révolutionnaires*, fasc. 5 : *La livre tournois et le franc de germinal* (Paris, 1936, in-8°) ; M. Reinhard, La statistique de la population sous le Consulat et l'Empire. Le bureau de statistique, dans la revue *Population*, 1950, p. 103-120 ; A. de Saint-Léger, Les mémoires statistiques des départements pendant le Consulat et l'Empire, dans la revue *Le bibliographe moderne*, ann. 1918-1919, n⁰ˢ 1-3 ; A. Fabre, *Les origines du système métrique* (Paris, 1931, in-8°) ; P. Darmstaedter, Studien zur napoleonischen Wirtschaftspolitik, dans la *Vierteljahrschrift fur Sozial- und Wirtschaftsgeschichte*, t. II, 1904, p. 559-615 ; t. III, 1905, p. 112-141 ; E. Tarlé, Napoléon Iᵉʳ et les intérêts économiques de la France, dans la *Revue des études napoléoniennes*, t. XXVI, 1926, p. 117-137 ; J. Holland Rose, Napoleon and the British commerce, dans ses *Napoleonic studies* (Londres, 1904, in-8°, p. 166-203) ; Miss Audrey Cunningham, *British credit in the last Napoleonic wars* (Cambridge, 1910, in-12) ; J. Chaptal, Un projet de traité de commerce avec l'Angleterre sous le Consulat, dans la *Revue d'économie politique*, t. VI (1893), p. 83-98. — Sur les doctrines, Ch. Gide et Ch. Rist, *Histoire des doctrines économiques depuis les physiocrates* (Paris, 1909, 2 vol. in-8° ; 3ᵉ éd., 1920) ; G. Dionnet, *Le néo-mercantilisme au XVIIIᵉ siècle et au début du XIXᵉ* (Paris, 1901, in-8°) ; E. Allix, La méthode et la conception de l'économie politique dans l'œuvre de J. B. Say, dans la *Revue d'histoire des doctrines économiques et sociales*, t. IV (1911), p. 321-360. — Sur la politique coloniale, J. Saintoyant, *La colonisation française pendant la période napoléonienne* (Paris, 1931, in-8°) ; E. Wilson Lyon, *Louisiana in French diplomacy, 1759-1804* (Oklahoma, 1934, in-8°) ; colonel Nemours, *Histoire militaire de la guerre d'indépendance de Saint-Domingue* (Paris, 1925-1928, 2 vol. in-8°) ; du même, *Histoire de la captivité et de la mort de Toussaint-Louverture* (Paris, 1929, in-8°) ; E. D. Charlier, *Aperçu sur la formation historique de la nation haïtienne* (Port-au-Prince, 1954, in-8°) ; A. Césaire, *Toussaint-Louverture. La Révolution française et le problème colonial* (Paris, 1960, in-8° ; coll. « Portraits de l'Histoire », n° 26) ; G. Roloff, *Die Kolonialpolitik Napoleons I* (Munich et Leipzig, 1899, in-8°, fasc. 10 de la « Historische Bibliothek » de la *Historische Zeitschrift*). — Sur les pourparlers intéressés à la veille de la rupture, C. L. Lokke, Secret negotiations to maintain the peace of Amiens, dans l'*American historical review*, t. XLIX (1943), p. 55-64.

politiques, les hommes d'affaires hésitaient. La paix lésait bien des intérêts : les industries de guerre s'arrêtaient ; on allait perdre le monopole du commerce de la Baltique et de l'Allemagne, et surtout celui des denrées coloniales ; la restitution des conquêtes signifiait une diminution du trafic : pour la seule Guyane hollandaise, on l'évaluait à 10 millions de livres ; enfin, la paix signée, les prix baissèrent au point que les neutres, principalement les États-Unis, la regardèrent eux aussi comme une calamité. Ce n'était pourtant, disait-on, qu'un mauvais moment à passer. Les cris d'alarme des tories ne laissaient pas d'impressionner ; mais, sur mer et aux colonies, le péril ne paraissait pas imminent et, pour ce qui concernait le continent, l'opinion anglaise n'inclinait pas à se passionner. La vraie question était de savoir si Bonaparte rouvrirait au commerce britannique la France et les pays qu'elle contrôlait, car l'accord ne durerait pas avec les Anglais si l'on n'établissait avec eux des relations d'affaires qu'ils jugeassent profitables. En mai 1802, Hawkesbury répéta que, pour « intéresser le plus de personnes possible à la paix », il fallait se hâter de rétablir les échanges commerciaux. La clef du problème était donc dans la politique économique du premier consul.

Comme tous les despotes éclairés, Napoléon a toujours prêté grande attention aux progrès de l'économie, non parce qu'ils améliorent la condition des hommes et permettent aux classes populaires d'accéder à la civilisation, mais pour des motifs politiques : parce qu'ils promettent de bonnes finances, favorisent l'accroissement de la population et par conséquent le recrutement de l'armée, assurent l'ordre, enfin, par la diminution du chômage et l'abondance des denrées. Les différentes branches de la production éveillaient inégalement sa sympathie. Orienté vers la guerre, il se défiait du négoce et de la finance, cosmopolites par nature et engagés partout avec l'Angleterre ; l'industrie l'intéressait surtout si elle consommait les matières premières indigènes ; la force d'un grand État militaire, de Sparte et de Rome, résidait à ses yeux dans l'agriculture qui prépare de bons soldats et permet, à la rigueur, de vivre en économie fermée. En cela, il était physiocrate et, à mesure qu'il se détournait de la bourgeoisie et méditait de reconstituer une aristocratie foncière, il rejoignait l'école par un autre côté. Mais, comme il arrivait toujours quand il se heurtait à une difficulté concrète, il n'avait garde de s'en rapporter à une théorie. Favorable à l'agriculture, il lui chicana toujours le droit d'exporter ses grains, parce que le peuple remuait quand le pain renchérissait, comme il le vérifia en l'an X ; contre les accapareurs et « l'égoïsme » des cultivateurs, il partageait, par raison d'État, les idées populaires. Une crise industrielle, d'autre part, mettant les ouvriers sur le pavé, entraînerait le même inconvénient ; ainsi lui fallait-il veiller sur l'industrie cotonnière, bien qu'elle utilisât une matière première venue du dehors.

De toutes les considérations positives, ce fut la question monétaire qui s'imposa le plus à son attention. Alors que l'Angleterre se livrait à une inflation, prudemment dirigée, mais qui n'en soutenait pas moins les prix et stimulait sa production, la France, à part les émissions limitées des banques, était réduite au numéraire que l'on persistait à thésauriser et elle continuait à manquer de « signes ». Son économie s'en trouvait gênée, les capitaux demeurant toujours rares et chers ; Bonaparte ne cessait de reprocher à la Banque de France d'escompter trop chichement le papier commercial et aurait voulu lui voir créer des succursales en province pour en développer l'usage. Ses finances aussi souffraient de la rareté des espèces qui obérait la trésorerie ; après l'aventure de l'assignat, il ne voulait pourtant, à aucun prix, recourir au papier-monnaie, car il aurait perdu son autorité à tenter de l'imposer. De même que Colbert, obligé, dans des circonstances qui ne sont pas sans analogie, à financer les entreprises du Grand Roi, Bonaparte se trouva donc converti au mercantilisme : il fallait que la France défendît son métal en achetant peu et s'en procurât aux dépens de l'étranger, soit en augmentant ses exportations, soit par la conquête.

Aussi le Consulat s'est-il appliqué à encourager la production et notamment celle de luxe. Un bureau de statistique, formé en 1800, reprenant les enquêtes du Comité de salut public et les tentatives de François de Neufchâteau, commença un inventaire économique et démographique de la France, par les soins des préfets : une partie importante de leurs recherches parut au cours des années suivantes. On acheva l'unification du marché national en imposant le système métrique qui ne s'acclimata, il est vrai, que très lentement, et, le 17 germinal an XI (7 avril 1803), en fixant le système monétaire sur la base d'un rapport de 1 à 15 1/2 entre l'argent et l'or, sans pouvoir toutefois, faute de ressources, assurer une frappe suffisante pour remplacer les anciennes pièces. Le nouveau régime n'en raffermit pas moins la monnaie, parce que le franc fut défini légalement par un poids d'argent (4 grammes et demi d'argent fin ou 5 grammes d'argent au titre de 9/10), alors que la livre ne l'avait jamais été, en sorte que, pour la pre-

mière fois, la monnaie de compte et la monnaie réelle se trouvèrent identifiées. On dota le commerce d'un conseil général et,
plus tard, au début de l'Empire, d'une section au Conseil d'État ;
le 19 mars 1801, les bourses avaient été réorganisées ; le 24 décembre 1802, reparurent les chambres de commerce et, le 28 avril 1803,
l'entrepôt réel fut accordé à seize ports de mer. A la fin de 1801,
se constitua la « Société pour l'encouragement de l'industrie nationale », que présida Chaptal ; comme ministre de l'Intérieur, ce
dernier avait rouvert les expositions inaugurées par le Directoire ;
le 12 avril 1803 apparurent les chambres des manufactures. Quant
à la Société d'agriculture de Paris, elle s'était déjà reformée,
en 1798. L'inclination naturelle de Bonaparte l'eût porté à régle-
menter, comme Colbert, au moyen de corporations. Les artisans
auraient volontiers récupéré leur monopole et certains négociants
n'auraient pas été fâchés d'obtenir des règlements contre les
façonniers ou contre les ouvriers. Invoquant des motifs d'ordre
public, le préfet de police avait pu rétablir la boulangerie parisienne en corps de métier et il en fit autant pour la boucherie.
Mais, pour le moment, le premier consul n'osa pas aller plus loin,
car les banquiers et les grands industriels, soutenus par le Conseil
d'État, s'opposaient énergiquement à toute restriction de la
liberté du travail. La loi du 22 germinal an XI (12 avril 1803) se
contenta d'instituer les marques de fabrique. D'un autre côté,
l'état des finances ne permit pas non plus de pousser les travaux
publics comme il aurait fallu, ni d'encourager directement les
entreprises. Même plus tard, quand il sera plus à l'aise, Napoléon
ne leur consentira jamais que des commandes et, en temps de
crise, des avances remboursables, pour éviter le chômage en
constituant des stocks. Du système colbertiste, il ne restait donc
à utiliser que la protection douanière.

Un puissant faisceau d'intérêts la recommandait. L'économie
libérale, que défendait Jean-Baptiste Say, était loin de rallier
tous les suffrages ; Ferrier, dans le livre qu'il publia en 1805,
Du gouvernement considéré dans ses rapports avec le commerce,
demeura fidèle au mercantilisme colbertiste. Même avant la
paix d'Amiens, on ne cessait de dénoncer la contrebande anglaise ;
quand la guerre eut pris fin, ce fut pis encore, et les cotonniers
surtout annoncèrent que, si l'on revenait au traité de 1786, la
crise si grave qui l'avait suivi ne manquerait pas de recommencer.
Le tissage restait extrêmement prospère ; mais, si les filatures
étaient en progrès, puisque, de 5 millions de kilos pendant la
décade précédente, l'importation annuelle du coton en balles

atteignit, en l'an XII, près de 11 millions, ce n'était pas au point qu'on eût souhaité ; pour les hauts numéros notamment, les filés anglais défiaient la concurrence. Bonaparte n'avait pas rapporté l'interdiction prononcée par le Directoire contre les marchandises anglaises ; en outre, le 19 mai 1802, il se fit autoriser à élever provisoirement les droits de douane et taxa les produits coloniaux, qui en fait étaient tous anglais, à 50 % au moins au-dessus des envois des possessions françaises.

Pourtant, au premier moment, il n'avait pas repoussé l'idée de conclure un traité de commerce avec l'Angleterre. Coquebert de Montbret et des agents commerciaux y furent envoyés et se virent proposer de revenir au traité de 1786, sauf à le modifier et à permettre que la France prît des mesures temporaires pour ménager son industrie. Dans l'été de 1802, le conseil de commerce se prononça nettement contre les prohibitions et Chaptal conseilla d'accepter les offres de Londres, de demander l'entrée des soieries, ainsi que l'admission des vins aux mêmes conditions que le porto et le sherry, et de ne pas exagérer les droits de douane. « Je m'attends, observait-il, que les fabricants élèveront des cris » ; mais on pourrait les soutenir par des faveurs appropriées. Coquebert, au contraire, recommanda de n'admettre les cargaisons britanniques qu'à charge de réexporter une valeur égale en produits français. Chaptal répliqua qu'il faudrait distribuer des licences et constituer un monopole du commerce extérieur au profit de quelques personnes : ce système, qu'il déclarait « absurde », sera celui de 1811. Entre la libre concurrence et la prohibition, il y avait donc place, du consentement des Anglais, pour la protection raisonnable que proposait Chaptal et dont l'industrie française avait besoin. Entre les exigences des chefs de celle-ci et l'intérêt national qui exigeait la paix, il appartenait à Bonaparte d'arbitrer et il en était le maître. Il finit pourtant par se rallier implicitement à la prohibition.

C'est qu'il ne désirait pas que la paix durât. « Un premier consul, avait-il dit à Thibaudeau, ne ressemble pas à ces rois par la grâce de Dieu qui regardent leurs États comme un héritage... Il a besoin d'actions d'éclat et par conséquent de la guerre. » Il se garderait bien de la déclarer, car la nation ne l'approuverait pas : « J'ai trop d'intérêt à laisser l'initiative aux étrangers » ; mais, ajoutait-il, « ils seront les premiers à reprendre les armes. » Avec de pareilles dispositions, il était enclin à les y encourager ; en tout cas, la prohibition permettrait de se préparer aux hostilités en accumulant du numéraire, jusqu'à ce qu'elle devînt une arme de guerre, comme pendant la Révolution. Plus que jamais, on représentait que les finances de l'Angleterre et son économie, fondées sur l'emprunt et sur l'inflation, étaient vulnérables. Hauterive en l'an VIII, le chevalier de Guer en 1801, Lassalle en 1803, le *Moniteur* lui-même le répétèrent sur tous les tons. Sans se tromper quant aux périls qui la menaçaient, on se laissait de nouveau entraîner à croire qu'il dépendait de la France seule de les rendre mortels. Bonaparte n'était que trop encouragé à partager cette illusion par le mépris que, soldat et dictateur, il avait voué à cette oligarchie de marchands, sans armée et sans gouvernement. Comparant l'Angleterre à Carthage, il serait pour elle Caton et Scipion. On ne parla plus de traité de commerce ; des vaisseaux se virent saisis parce qu'on y avait trouvé des objets de provenance britannique. Cependant, le commerce extérieur de la France passait de 553 millions en 1799 à 790 en l'an X. Les capitalistes anglais comprirent que la guerre économique continuerait et se dégoûtèrent d'une paix qui ne leur rapportait rien.

Les denrées coloniales formant un des objets essentiels du trafic, il importait que la France récupérât au plus tôt les Antilles qui lui étaient laissées. Avant même que la paix fût signée, Bonaparte envoya une expédition à Saint-Domingue. Toussaint-Louverture, maintenant maître de l'île entière, avait promulgué, le 9 mai 1801, une constitution qui lui attribuait le gouvernement sous l'autorité purement nominale de la France. Il fit pourtant sa soumission à Leclerc, mais fut arrêté le 7 juin 1802 et embarqué pour la France où il mourut au fort de Joux, le 7 avril 1803. En même temps, Richepanse avait réoccupé les petites Antilles. Si les Anglais ne pouvaient guère y trouver à reprendre, ils s'inquiétèrent des projets de Bonaparte en Louisiane : une expédition se préparait dans la mer du Nord pour y transporter Victor ; le départ, fixé à mars 1803, en fut retardé. En attendant, les Espagnols avaient fermé le Mississipi aux Américains. Comme la France était alliée de l'Espagne et maîtresse de la Hollande, le golfe du Mexique parut à sa discrétion et, par conséquent, la contrebande aux Indes espagnoles, où il pouvait d'ailleurs advenir qu'elle se fît concéder un privilège. Toutefois, ces perspectives s'évanouirent sans que l'Angleterre eût à intervenir. Les Américains, qui rêvaient déjà de prendre la Floride à l'Espagne, ne voulaient pas entendre parler de Français à la Nouvelle-Orléans. Jefferson, qui venait de s'installer avec ses secrétaires Madison et Gallatin, essayait d'appliquer le programme républicain : paix, désarmement, économies ; il était bien disposé pour la France et avait signé avec plaisir le traité de Mortefontaine ; mais il ne put résister à l'opinion et ne cacha pas que, si la France restait en Louisiane, les États-Unis se joindraient à l'Angleterre dans la guerre qui s'annonçait. Monroe, son ambassadeur, apporta, le 12 avril 1803, une proposition d'achat que Bonaparte avait déjà décidé d'agréer. Le traité du 3 mai lui valut 80 millions dont il resta 55, après déduction des indemnités dues aux États-Unis et de la commission des banquiers, Hope et Baring, chargés du transfert.

A ce moment, l'insurrection était déjà générale à Saint-Domingue. Le rétablissement de l'esclavage en porte la responsabilité. Dans l'entourage de Bonaparte où les colons ne manquaient pas d'avocats, sans parler de Joséphine, on le représentait comme le moyen le plus expédient de ranimer promptement la production des denrées coloniales. Pourtant, il ne s'imposait pas, car, dans les colonies où le décret du 16 pluviôse an II avait été appliqué, les commissaires du Directoire et Toussaint-Louverture lui-même instituèrent le travail forcé. Bonaparte inclina d'abord à y confirmer ce régime, en se bornant à maintenir la servitude dans les îles où elle subsistait : les Mascareignes qui tenaient pour lettre morte le décret de la Convention et la Martinique qui, occupée par les Anglais, ne put le recevoir. Finalement, il céda. La loi du 20 mai 1802, à la vérité, « maintint » l'esclavage dans les colonies, d'où l'on pouvait déduire qu'elle ne le rétablissait pas dans celles où il avait été aboli. Mais Bonaparte, en décidant autrement, prescrivit à Richepanse de le réintroduire à la Guadeloupe, ce qui provoqua une révolte. A Saint-Domingue, Leclerc déclara la mesure prématurée ; mais, les noirs prévoyant ce qui les attendait, les lieutenants de Toussaint, Christophe et Dessalines, soulevèrent sans peine Saint-Domingue en septembre. L'armée, décimée par la fièvre jaune, s'affaiblit rapidement. Leclerc mourut, et son successeur, Rochambeau, dévoué aux colons, acheva de tout perdre en s'en prenant aux mulâtres, à qui Bonaparte avait interdit d'ailleurs l'entrée en France et les mariages mixtes. Port-au-Prince capitula le 19 novembre 1803, et quelques garnisons ne traînèrent, jusqu'en 1811, qu'une existence misérable.

S'il ne pouvait plaire aux Anglais de voir la France se reconstituer un empire colonial, peut-être n'eussent-ils pas recommencé la guerre de sitôt pour l'en empêcher. Encore ne fallait-il pas les menacer dans leurs propres possessions. C'est pourtant ce que fit Bonaparte : une autre grande pensée l'animait qui visait la

Méditerranée, c'est-à-dire l'Égypte. Le traité d'Amiens ayant enfin déterminé la Turquie à signer la paix avec les Français, le 26 juin 1802, et à leur ouvrir les Détroits, Ruffin s'occupa aussitôt de rétablir les consulats du Levant. On avait aussi conclu des pactes avec le pacha de Tripoli en 1801 et avec le bey de Tunis en 1802 ; en août, une flotte contraignit le dey d'Alger à les imiter. Déjà, on s'inquiétait à Constantinople d'intrigues françaises en Morée, à Janina et chez les Serbes ; on s'y croyait menacé d'un partage. A la fin d'août, Sébastiani partit pour l'Égypte par Tripoli et visita ensuite la Syrie, essayant partout de se lier avec les chefs indigènes. Cavaignac avait été envoyé à Mascate et Decaen était destiné à l'Inde avec un état-major important, propre à encadrer des cipayes : il partit le 6 mars 1803. De tout cela, les Anglais conclurent que Bonaparte méditait une nouvelle attaque contre l'Égypte et l'Inde, et que la prudence interdisait de lui laisser achever ses préparatifs et surtout d'abandonner Malte. Conserver l'île, c'était violer le traité d'Amiens.

La politique continentale de Bonaparte vint en fournir le prétexte. En dépit des instances de Schimmelpenninck, il refusait d'évacuer la Hollande, alléguant que les conditions de paix n'étaient pas remplies. Il avait abandonné les ports napolitains et les États du pape, mais il annexait l'île d'Elbe en août 1802, le Piémont en septembre, et occupait Parme, en octobre, après la mort du duc. En Suisse, à peine les Français partis, Reding souleva les cantons montagnards dans la nuit du 27 au 28 août et réunit une diète à Schwyz. Zurich, Berne, Fribourg tombèrent entre ses mains. Le gouvernement, réfugié à Lausanne, accorda en vain au canton de Vaud l'abolition des redevances en promettant d'indemniser les propriétaires en biens nationaux : il ne lui resta qu'à faire appel à Bonaparte. Le 30 septembre, celui-ci imposa sa médiation et le désarmement. Ney entra en Suisse ; la diète, n'obtenant que de bonnes paroles des Anglais et des Autrichiens, se dispersa, et Reding fut arrêté. Une consulte se réunit à Paris, le 10 décembre ; Bonaparte lui fit discuter son projet avec des sénateurs et rédiger les constitutions particulières des cantons, qu'on lui annexa pour constituer l'*acte de médiation* du 19 février 1803. Chacun des dix-neuf cantons reçut sa constitution propre, censitaire dans la majorité des cas et surtout dans les anciens cantons aristocratiques, où l'on s'arrangea pour assurer le pouvoir au patriciat urbain d'ancien régime ; ils récupérèrent également une large autonomie et notamment la disposition des biens nationaux, le règlement de la question des redevances et les affaires religieuses. La réaction put ainsi triompher presque partout, la liberté religieuse n'étant même garantie que là où elle existait déjà. De l'unité, il ne resta que l'égalité des cantons, à qui toute ligue particulière fut interdite, la liberté de domicile et de propriété pour les Suisses dans toute la confédération, la suppression des douanes intérieures et un faible gouvernement central composé d'une diète, où chaque canton avait une ou deux voix, selon son importance, et d'un exécutif qui revenait alternativement au chef de l'un des six cantons directeurs, en qualité de landamman. Bonaparte désigna le premier landamman qui fut Louis d'Affry, ancien officier des mercenaires suisses en France, au nom du canton de Fribourg. Le 27 septembre suivant, la confédération helvétique signa un traité d'alliance défensive avec la France pour une durée de cinquante ans et renouvela les capitulations pour le recrutement de quatre régiments de 4.000 hommes chacun. Mais elle n'eut pas d'armée, et Bonaparte ne lui permit même pas de constituer un état-major.

Pendant ce temps, l'influence française faisait en Allemagne des pas de géant à la faveur du règlement des indemnités promises aux princes autrefois possessionnés sur la rive gauche du Rhin. Le Reichstag avait refusé de l'abandonner à l'empereur et chargé un comité d'en discuter avec la France, que Cobenzl essaya vainement de gagner par une offre d'alliance. Bonaparte était convenu avec Alexandre de régler l'affaire en commun. En fait, tous les princes allemands, le roi de Prusse en tête, négocièrent à Paris et achetèrent Talleyrand, qui reçut dix à quinze millions, pour s'assurer la plus belle part possible. Georges III lui-même accepta l'évêché d'Osnabrück. Dalberg, électeur de Mayence, fit avec zèle le jeu de la France. Seule, la Saxe bouda parce qu'elle n'avait droit à rien. Le 3 juin 1802, la France et la Russie invitèrent la diète à ratifier le plan élaboré à Paris. L'Autriche refusa son approbation et s'empara de Passau, destiné à la Bavière, mais dut l'évacuer devant les protestations unanimes. Ce fut Bonaparte qui lui sauva la face en lui réservant sa part dans un traité du 26 décembre. Le 25 février 1803, le Reichstag adopta le « recès ».

Cet acte supprimait les principautés ecclésiastiques, complétant ainsi les sécularisations de 1555 et de 1648, et aussi 45 villes libres sur 51. La Prusse reçut les évêchés de Paderborn, Hildesheim, Erfurt et une bonne part de celui de Münster ; la Bavière l'évêché de Freising et une partie de celui de Passau ; Bade les villes de Mannheim et de Heidelberg, ainsi que les territoires des évêchés de Spire, Strasbourg et Bâle à droite du Rhin ; les autres à proportion. L'Autriche, la moins favorisée, annexait pourtant Brixen, Trente, une partie de l'évêché de Passau ; elle avait fait donner ceux de Salzbourg et d'Eichstädt au duc de Toscane, mais cédé le Brisgau et l'Ortenau au duc de Modène ; elle confisqua les biens et les fonds que possédaient chez elle les princes disparus. Pour l'Église catholique, le recès figurait une catastrophe comparable à celle du XVIe siècle : elle perdait près de deux millions et demi de sujets et 21 millions de florins de revenu ; dix-huit universités furent sécularisées ainsi que tous les couvents ; des archevêques-électeurs, seul surnagea Dalberg, transféré de Mayence à Ratisbonne. L'Autriche, outre qu'elle était atteinte dans son prestige, devait s'attendre à perdre l'Empire, car le Wurtemberg, Bade et Hesse-Cassel, États protestants, devenaient des électorats, en sorte que la majorité changeait de sens dans le collège des électeurs comme dans celui des princes ; on pouvait prévoir aussi que la *Ritterschaft*[1] et les ordres de chevalerie ne tarderaient pas à disparaître, malgré la réserve que l'Autriche avait fait adopter en leur faveur. La dislocation de l'Allemagne ne pouvait profiter qu'à la France : toute l'Allemagne du Sud s'était tournée vers elle pour contrecarrer le Habsbourg. La Prusse gagnait beaucoup, mais pas autant qu'elle eût voulu, ayant refusé le Hanovre et l'alliance française, pour ne pas se brouiller avec l'Angleterre. Avec la paix, sa domination sur l'Allemagne du Nord avait disparu. Frédéric-Guillaume III obtint du tsar une entrevue à Memel, le 10 juin 1802, et Alexandre y noua avec la reine Louise une amitié amoureuse qui le lia pour toujours aux Hohenzollern. Mais le roi se sentait le protégé, plutôt que l'allié de la Russie, et se jugeait diminué.

L'Angleterre assistait, impuissante, à ces bouleversements ; ils n'étaient pas contraires à la lettre du traité d'Amiens, mais elle ne les estimait pas conformes à son esprit. Comme elle savait d'ailleurs que le sort de la Suisse préoccupait la Russie et l'Autriche et que celle-ci ne se consolait pas d'avoir perdu l'Allemagne après l'Italie, elle se sentait réconfortée en même temps qu'irritée : ainsi qu'Addington l'avait prévu, l'Angleterre allait retrouver des alliés. Jusqu'en octobre 1802, ses rapports avec la France demeurèrent assez bons. Sur les réclamations de Bonaparte, Addington, qui avait pourtant à se plaindre du *Moniteur*, engagea même des poursuites contre Peltier. A la date du 10 septembre,

1. Voir ci-dessous, p. 189.

les instructions de Whitworth, désigné pour l'ambassade de Paris, sont encore nettement pacifiques. Les annexions italiennes et surtout l'intervention en Suisse, qui fit la même sensation que celle de 1798, provoquèrent la volte-face. Hawkesbury exprima son « profond regret ». « Nous voulons la paix..., mais nous avons besoin de l'assistance du gouvernement français. » « L'Angleterre veut l'état du continent tel qu'il était lors de la paix d'Amiens et rien que cet état » ; dans son esprit, l'idée se précisait que tout agrandissement de la France exigeait une compensation. L'intérêt de la France conseillait au moins d'atermoyer ; elle n'avait que 43 vaisseaux de ligne et allait en construire 23 qui ne seraient achevés qu'en 1804 ; dans ses instructions à Decaen, Bonaparte prévoyait la guerre, mais pas avant l'automne de cette dernière année. Pourtant, il répliqua que l'Angleterre « aurait le traité d'Amiens et rien que le traité d'Amiens ». Talleyrand fit pire encore, il menaça : « Le premier coup de canon peut créer subitement l'empire gaulois » et déterminer Bonaparte à « ressusciter l'empire d'Occident ». Comme Hawkesbury n'insista pas et laissa les ambassadeurs, Andréossy et Whitworth, rejoindre leurs postes, cette apparente faiblesse ne fit qu'exciter le premier consul et, le 30 janvier 1803, au moment que l'évacuation de l'Égypte par les Anglais touchait à sa fin, il publia au *Moniteur* le rapport de Sébastiani qui affirmait notamment que « dix mille hommes suffiraient à la reconquérir ». Cette provocation confond l'esprit. Il aurait dit à Lucien qu'il comptait ainsi décider « John Bull à guerroyer » : il savait pourtant bien qu'il n'était pas prêt. Mais, en octobre, Talleyrand avait dit aussi que, si l'Angleterre donnait à penser au monde que « le premier consul n'a pas fait telle chose parce qu'il ne l'a point osé, à l'instant même il la fera ». Comme l'intérêt de la nation, la raison ici perd ses droits.

En réalité, la résignation d'Hawkesbury était toute provisoire. « Il serait impossible, dans les circonstances actuelles, en admettant même que cela soit prudent », écrivait-il à Whitworth le 25 novembre 1802, « d'engager le pays dans une guerre, en invoquant quelqu'une des agressions commises par la France. Notre politique doit être de chercher à faire de ces agressions la base d'un système défensif pour l'avenir conjointement avec la Russie et l'Autriche. » Dès le 27 octobre, il avait effectivement proposé une alliance à la première pour le maintien de l'état des choses en Europe. Occupé alors à régler les affaires d'Allemagne de concert avec la France, Alexandre fit d'abord la sourde oreille.

Mais la politique orientale de Bonaparte finit par l'émouvoir lui aussi, et, comme l'expédition d'Égypte en 1798, elle rapprocha la Russie de l'Angleterre : si Malte ne pouvait lui revenir, mieux valait qu'elle fût aux Anglais qu'aux Français. Le 8 février 1803, Hawkesbury apprit donc que le tsar désirait voir ajourner l'évacuation. Au lendemain de la publication du *Moniteur*, la nouvelle tombait à point : le 9, Hawkesbury signifiait à Whitworth que l'Angleterre, avant d'abandonner l'île, exigeait des « explications rassurantes ».

Bonaparte eut avec l'ambassadeur des entrevues orageuses et, le 20 février, dans un message au Corps législatif, dénonça les menées du parti de la guerre à Londres. Georges III répondit, le 8 mars, en signalant, dans le discours du trône, les armements de la France ; le Parlement convoqua les milices. Pour le moment, l'Angleterre était fondée à ne pas quitter Malte, car les conditions convenues restaient à remplir : Alexandre subordonnait sa garantie à des réserves qui supposaient une revision du traité et la Prusse l'imitait. Mais Addington, décidé maintenant à conserver l'île, avait avantage à brusquer les événements. Le 15 mars, il la demanda pour dix ans, en compensation des agrandissements de la France, à quoi Talleyrand répondit en offrant de négocier dans le cadre de la paix d'Amiens. Sur ces entrefaites, Hawkesbury fut informé, le 14 avril, que la Russie, tout en déclinant de nouveau l'alliance, promettait son concours si la Turquie était attaquée, et renouvelait son conseil à l'égard de Malte. Le 26, Whitworth remit à Paris un ultimatum.

L'attitude résolue, adoptée tout à coup par les Anglais, déconcerta l'entourage du premier consul. Fouché lui aurait dit au Sénat : « Vous êtes vous-mêmes, ainsi que nous, un résultat de la Révolution et la guerre remet tout en question. » En mars, des intermédiaires assurèrent Whitworth que des parents du premier consul pourraient le calmer, moyennant honnête pourboire, et que Talleyrand appuierait, à condition qu'on lui fît sa part. Bonaparte lui-même s'émut des inquiétudes de la Russie ; le 11 mars, il avait écrit au tsar pour le rassurer et le prier de calmer les Anglais. Il demanda maintenant sa médiation et proposa de laisser Malte à la Grande-Bretagne pendant un an ou deux, après quoi elle serait remise à la Russie. Addington répondit que celle-ci n'accepterait pas et Whitworth quitta Paris le 12 mai. Le gouvernement britannique se réservait la faculté de considérer la rupture diplomatique comme une déclaration de guerre, contrairement à l'usage des continentaux : des navires de guerre capturèrent en mer, sans avis préalable, les bâtiments de commerce français, ce qui fut imputé à la « perfide Albion » comme un acte inqualifiable de piraterie.

En réalité, Alexandre avait accepté la médiation ; outre que l'offre de Bonaparte le flattait, il lui eût convenu d'occuper Malte pour soustraire l'Orient à l'Angleterre comme à la France. A Voronzov qui demandait des explications, Addington répliqua qu'il n'avait pas eu le temps de consulter le roi. Son attitude roide, qui contrastait si fort avec sa conduite passée, ne peut s'expliquer que par l'intervention du parti de la guerre et, peut-être, de Pitt. Elle ne fit pas bonne impression, et les whigs eurent beau jeu à la dénoncer ; il fallut quelque temps à l'Angleterre pour se mettre à la hauteur des circonstances ; mais Bonaparte était si redoutable que le redressement fut beaucoup plus rapide qu'au temps de la Révolution.

La responsabilité de la rupture a été passionnément discutée. Si les provocations de Bonaparte sont incontestables, il n'en est pas moins vrai que l'Angleterre rompit le traité et prit l'initiative d'une guerre préventive, dès qu'elle put espérer le concours de la Russie. Elle se justifia par le souci de défendre l'équilibre européen. Mais il n'était pas question qu'il s'étendît à l'océan, le dieu de la Bible ayant créé celui-ci pour qu'il fût anglais. Entre Bonaparte et l'Angleterre, ce n'était en réalité que le conflit de deux impérialismes.

II. — L'ÉTABLISSEMENT DE L'EMPIRE EN FRANCE (1804)[1].

La guerre gêna le commerce de l'Angleterre et fit baisser son change, tandis qu'elle réjouissait les marines neutres ; mais elle atteignit surtout le trafic de la France. A la rafle de ses vaisseaux marchands, Bonaparte riposta par le séquestre des biens ennemis

1. Ouvrages a consulter. — Voir p. 73 et 79 et, en outre, F. Masson, *Napoléon et sa famille* (Paris, 1897-1919, 13 vol. in-8°), t. II, et, pour les rapports de Napoléon et de Pie VII à l'occasion du sacre ainsi que sur la soumission des constitutionnels : A. Latreille, et chanoine Leflon, cités p. 12 et 141 ; les ouvrages cités, p. 12 et 127 ; F. L'Huillier, La doctrine et la conduite d'un évêque concordataire, ci-devant assermenté, Saurine, dans la *Revue historique*, t. CLXXXV (1939), p. 286-317 ; sur le complot de l'an XII, G. Caudrillier, Le complot de l'an XII, dans la *Revue historique*, t. LXXIV (1900), p. 278-286, LXXV (1901), p. 257-285, LXXVIII (1902), p. 45-71 ; Boulay de la Meurthe, *Correspondance du duc d'Enghien et documents sur son enlèvement et sa mort* (Paris, 1904-1913, 4 vol. in-8° ; publication de la « Société d'histoire contemporaine ») ; bibliographie et clair exposé dans G. Pariset, cité p. 4 ; J. Godechot, *La contre-révolution*, cité p. 4.

et surtout par l'arrestation et l'internement des sujets britanniques, mesure qu'il justifia par la saisie de ses navires de commerce, mais qu'on jugea inouïe et qui n'apporta point de secours aux négociants français. Après la paix d'Amiens, ils avaient entrepris de grands armements et beaucoup firent faillite, dont Barrillon, régent de la Banque de France. Celle-ci ayant, comme les autres, financé directement ou non ces opérations, la rafale risquait de l'emporter. La Bourse fut atteinte également, et le 5 % tomba de 65, en mars, à 47 vers la fin de mai. Bonaparte, prévoyant le cas, avait réorganisé la Banque de France par la loi du 24 germinal an XI (14 avril 1803). Comme Mollien ne cessait de dénoncer les actionnaires, qui se réservaient l'escompte et s'attribuaient de gros dividendes pour spéculer sur la hausse du titre, on limita le revenu à 6 % et on confia la direction de l'escompte à un comité de négociants, sans plus de succès d'ailleurs, ainsi qu'on eut en 1805 l'occasion de le constater. Pour Bonaparte, l'essentiel était de renforcer la puissance de la Banque. Son capital fut porté à 45 millions et un fonds de réserve institué ; elle reçut le monopole de l'émission à Paris et s'incorpora la caisse d'escompte du commerce. En échange, elle consentit à prendre toutes les rescriptions des receveurs à un ou deux mois de date. Grâce à son concours, la trésorerie et le commerce purent tourner le cap sans dommages excessifs.

Le prestige de Bonaparte ne souffrit pas. L'Angleterre ayant déchiré le traité d'Amiens et commencé les hostilités sans déclaration de guerre, suivant son habitude, il eut la partie belle pour lui imputer tous les torts, d'autant que personne ne pouvait élever la voix pour le contredire. La France attaquée ne vit rien d'autre à faire que de se serrer autour de son chef et sa résolution s'affermit encore par la reprise des complots royalistes, que le gouvernement anglais se remit aussitôt à encourager et à stipendier. Le premier résultat de la nouvelle guerre fut ainsi de valoir à Bonaparte la dignité impériale et l'hérédité.

Cadoudal n'avait jamais cessé de tenir ses complices en haleine ; depuis le début de 1803, on tenait en prison deux de ses agents. Le 21 août, lui-même débarqua à Biville dans la Seine-Inférieure, gagna Paris et s'y cacha grâce à de nombreuses complicités. Il voulait, a-t-il dit, enlever Bonaparte et non l'assassiner ; toutefois, étant décidé à l'abattre en cas de résistance, sa tentative se serait certainement signalée par un meurtre. L'arrivée du comte d'Artois en devait donner le signal ; mais il ne vint pas. En attendant, l'agitation royaliste se ranima partout et des bandes reparurent dans l'ouest. D'un autre côté, le général Lajolais essayait de réconcilier Pichegru et Moreau, que l'abbé David, arrêté à la fin de 1802, avait déjà mis en relations ; parti pour Londres à la fin d'août, il rentra en décembre, suivi bientôt par Pichegru. Moreau accepta de se rencontrer avec ce dernier, sans consentir à l'aider, du moment que Cadoudal trempait dans l'affaire. Enfin Méhée de la Touche, un ancien jacobin, suivait la piste d'une troisième branche de la conspiration ; s'étant présenté en Angleterre aux émigrés pour leur proposer de lier partie avec les républicains, il put passer de là en Allemagne où, à Munich, l'agent anglais Drake le mit au courant de ses menées ; on espérait insurger la Rhénanie et on entretenait des intelligences en Alsace pour favoriser l'entrée du duc d'Enghien à la tête d'un corps d'émigrés.

La trahison d'ailleurs était partout, et le premier consul n'en a jamais connu qu'une partie. De Dresde, le comte d'Antraigues, espion d'Alexandre, était renseigné sur sa vie privée par « l'amie de Paris », une des intimes de Joséphine, et sur sa politique par « l'ami de Paris », un collaborateur de Talleyrand qui livrait à l'ennemi les documents diplomatiques et qui paraît n'avoir été rien de moins que le père de Daru, futur intendant de la Grande armée, si ce n'est Daru lui-même. La police, médiocrement dirigée par le grand-juge Régnier, était sur les dents, et bien que Fouché, ayant gardé la sienne, renseignât Bonaparte, ce dernier ne savait pas encore grand'chose au début de 1804. En février, il résolut d'agir. Deux prisonniers, mis à la torture, révélèrent l'arrivée prochaine d'un prince et les pourparlers avec Moreau. On arrêta aussitôt ce dernier, et la Terreur parut de nouveau à l'ordre du jour ; les barrières furent fermées ; les visites domiciliaires se multiplièrent ; on suspendit le jury et Murat devint gouverneur de Paris. La police ne tarda pas à mettre la main sur Pichegru et sur Cadoudal. Sur ces entrefaites, Méhée annonça que le duc d'Enghien se trouvait à Ettenheim, en Bade, non loin de Strasbourg, et que des émigrés s'assemblaient à Offenburg. Bonaparte admit que le duc était le prince attendu par les conspirateurs et, le 10 mars, dans un conseil où figuraient Fouché et Talleyrand, décida de le faire enlever.

L'opération fut confiée au ci-devant marquis de Caulaincourt, à qui on subordonna Ordener. A Offenburg, Caulaincourt ne trouva rien ; mais, à Ettenheim, Ordener arrêta le duc dans la nuit du 14 au 15. Le 20, un autre conseil régla la mise en scène : le duc, amené à Vincennes à 5 heures du soir, fut traduit à 11 heures devant une commission militaire et fusillé à 2 heures du matin. Si l'on ne trouva pas dans ses papiers la preuve de sa complicité avec Cadoudal, ceux-ci démontraient qu'il était à la solde de l'Angleterre et qu'il brûlait d'entrer en Alsace. Il fut condamné non comme conspirateur, mais comme émigré payé par l'étranger pour envahir la France. Arrêté sur le territoire de la République ou dans un pays en guerre avec elle, il aurait encouru légalement la peine de mort. En le faisant enlever en pays neutre, Bonaparte n'en avait pas moins compromis, de la manière la plus évidente, les intérêts de la nation et fourni aux puissances continentales le prétexte qu'elles souhaitaient. On procéda ensuite au jugement des conspirateurs. Vingt furent condamnés à mort le 9 juin. Bonaparte en gracia douze, nobles pour la plupart, et fit guillotiner les autres, dont Cadoudal. Pichegru avait été trouvé étranglé dans sa prison. Moreau fut acquitté ; mais une seconde délibération fut imposée à ses juges ; ils se décidèrent à lui infliger deux ans de prison, qui furent commués en bannissement. Au cours du procès, l'agitation fut extrême dans la bourgeoisie et les salons. « L'animosité, le déchaînement contre le gouvernement, écrivait Rœderer le 14 juin, ont été aussi violents et aussi généralement marqués que je l'aie jamais vu dans les temps précurseurs de la Révolution. » On manifesta au tribunal et dans les théâtres. Le ralliement s'arrêta un moment, et Chateaubriand, qui avait accepté un poste diplomatique, donna sa démission. Mais les frondeurs ne songeaient pas à s'adresser au peuple et, la presse demeurant silencieuse, le pays se montra indifférent ou approuva Bonaparte.

L'entourage de ce dernier et, cette fois, Fouché lui-même, pour rentrer en grâce, le pressèrent d'en profiter. On fit valoir que l'hérédité désarmerait les assassins ; argument enfantin, car, en tuant Bonaparte, on aurait sûrement atteint le régime : ce qui a mis fin aux attentats, c'est la terreur et la perfection de la surveillance policière. Les assemblées feignirent de prendre le prétexte au sérieux pour qu'on ne se passât point d'elles. Les républicains, d'ailleurs, avaient été satisfaits de l'exécution du duc d'Enghien : « Je suis enchanté, avait dit le tribun Curée ; Bonaparte s'est fait de la Convention. » Le 23 mars, le Sénat émit l'opinion qu'il y avait lieu de « modifier les institutions ». Le Conseil d'État, consulté, éleva des objections contre l'hérédité ; mais, le 23 avril, Curée fit adopter par le Tribunat un vœu en sa faveur. Bonaparte répondit alors au Sénat : « Vous avez jugé l'hérédité nécessaire » ; le Sénat, qui n'avait rien dit de

pareil, approuva. Une constitution fut rédigée du 16 au 18 mai
et devint le sénatus-consulte du 28 floréal an XII (18 mai 1804),
qu'un plébiscite ratifia. « Le gouvernement de la République »
était confié à un empereur héréditaire ; il recevait une liste
civile de 25 millions et jouissait d'un domaine de la couronne
distinct du domaine privé ; on lui abandonna le soin d'organiser le palais et de donner un statut à la famille impériale.

La grande difficulté avait été de régler la succession. Qui dit
hérédité dit primogéniture. Or Bonaparte n'avait pas de fils et
n'était pas l'aîné de ses frères. Le plus simple eût été de lui
conserver le droit de désigner son héritier, comme dans l'empire
romain : de fait, il se réserva le droit d'adoption, qui fut dénié
à ses successeurs. Il était pourtant trop attaché à son clan
pour le dépouiller, et ses frères refusèrent d'abandonner leurs
droits en faveur du fils de Louis. Gorgés d'argent et d'honneurs,
ils ne lui savaient aucun gré et, avec l'appui de leur mère, lui
créaient mille ennuis. Lucien venait d'épouser Mme Jouber-
thon ; Jérôme, expédié en croisière aux Antilles, s'en alla aux
États-Unis et s'y maria avec la fille d'un négociant ; Paulette,
devenue Pauline, se remaria au prince Borghèse, sans consulter
son frère ; Annunziata, rebaptisée Caroline, femme de Murat,
et Marianna, transformée en Élisa, épouse de l'impossible
Bacciochi, tempêtaient parce qu'il ne les avait pas promues
princesses. Finalement, on décida qu'à défaut de fils ou d'adopté,
l'héritier serait Joseph et, après lui, Louis. Refusant de divorcer,
Lucien fut écarté et partit pour l'Italie.

Comme en l'an X, le Sénat avait profité de la circonstance
pour exprimer le vœu, et cette fois officiellement, d'obtenir des
garanties constitutionnelles. Il aurait voulu se transformer en
corps héréditaire avec un droit de veto qui lui permît de défendre
les droits fondamentaux du citoyen ; Fontanes avait demandé
qu'on rendît aux législateurs le droit de parler et qu'on procurât
la « stabilité » à leur président, c'est-à-dire à lui-même. Tout ce
qu'on obtint, ce fut, pour le Sénat, la nomination de deux commissions chargées de garantir la liberté individuelle et celle de
la presse : elles ne pouvaient que recevoir des pétitions et déclarer,
après enquête, qu'il y avait « présomption » que ces libertés
avaient été violées. Au contraire, la police fut réorganisée et fit
des progrès dans la voie de la centralisation. Fouché en redevint
ministre, le 10 juillet, et la France fut partagée en quatre arrondissements dirigés, sous ses ordres, par quatre conseillers d'État.
A part cela, les pouvoirs publics furent peu modifiés. Napoléon

profita notamment de l'occasion pour s'attribuer le droit de choisir des sénateurs en nombre illimité ; il décréta que les princes, ses frères, et les six grands dignitaires de l'empire le seraient de droit.

En instituant ces derniers et, en outre, les grands officiers, dont dix-huit maréchaux et les chambellans, la constitution de l'an XII marqua une étape dans la constitution d'une nouvelle aristocratie. La cour s'amplifia et son luxe devint plus magnifique encore. Le décret du 24 messidor an XII (13 juillet 1804), sur les préséances, étendit l'étiquette à toute l'administration. Le ralliement reprit bientôt son cours. Dès ce moment, Napoléon caressa l'idée d'instituer une nouvelle noblesse, et il ne tarda pas à transformer la légion d'honneur en une simple décoration. En ordonnant d'inviter à son sacre les représentants des collèges électoraux, il ordonna de les choisir parmi les anciennes familles investies de la considération publique et, le jour de la cérémonie, exprima son mépris pour les classes populaires : « Le véritable peuple de France, ce sont les présidents de canton et les présidents des collèges électoraux ; c'est l'armée », et non « 20 ou 30.000 poissardes ou gens de cette espèce... ; je n'y vois que la populace ignare et corrompue d'une grande ville ».

Aussi la ratification populaire ne lui parut-elle pas fonder convenablement la nouvelle légitimité. Comme Pépin le Bref, il demanda au pape de la consacrer pour restaurer le droit divin et l'inscrire dans le catéchisme. La négociation fut menée à Paris, avec Caprara, par Talleyrand et Bernier, et à Rome, avec Consalvi, par Fesch, oncle de l'empereur, qui, ancien prêtre constitutionnel, avait été nommé archevêque de Lyon, cardinal et ambassadeur auprès du Saint-Siège. Au lendemain de l'exécution du duc d'Enghien, Pie VII, craignant de froisser les puissances, avait de quoi hésiter ; espérant obtenir des corrections aux articles organiques et, peut-être, les Légations, il finit par consentir. Ce fut un beau tapage chez les royalistes, et Joseph de Maistre écrivit qu'il s'était « dégradé jusqu'à n'être plus qu'un polichinelle sans conséquence ». Il n'obtint d'ailleurs rien, sinon la soumission des évêques constitutionnels conservés qui avaient persisté à se montrer récalcitrants. Encore Saurine, à Strasbourg, maintint-il toujours qu'il ne désavoua pas la Constitution civile du clergé. Pie VII ne se vit même pas épargner les mortifications. A Notre-Dame, le 2 décembre 1804, Napoléon saisit la couronne et la posa lui-même sur sa tête ; il prêta serment à la liberté et à l'égalité, après que Pie VII se fût retiré. Joséphine fut aussi couronnée par son époux ; mais, la veille, elle lui avait joué le mauvais tour de révéler au pape qu'ils n'étaient mariés que civilement : l'empereur avait dû se prêter à une consécration religieuse qui rendrait le divorce plus difficile.

Si le caractère théâtral du sacre, que David devait illustrer, combla d'aise Napoléon, il n'ajouta rien à son prestige ; le peuple contempla d'un œil sceptique le cortège étrange et les fêtes multiples qui se succédèrent pendant tout le mois de décembre. Personne ne crut que son pouvoir en fût consolidé. En rétablissant la monarchie et en accentuant le caractère aristocratique du régime, il séparait davantage encore sa cause de celle de la nation. « L'histoire de la Révolution, a dit Chaptal, était alors pour nous à la même distance que celle des Grecs et des Romains. » Pour lui et ses semblables, soit ; mais, dans le peuple, l'esprit ne s'en était pas évanoui. Napoléon l'avait séduit en lui promettant la paix ; il avait achevé de s'imposer en ranimant la guerre. Rien maintenant ne l'empêchera plus de s'abandonner à sa propre nature : la conquête impériale, le despotisme et l'aristocratie vont se donner carrière, sous les yeux de la nation, étonnée, inquiète, mais réduite à suivre, pour ne pas périr, le char du César triomphant.

III. — LES PROJETS DE DÉBARQUEMENT EN ANGLETERRE. TRAFALGAR (1805)[1].

Pendant plus de deux ans, la guerre traîna entre la France et l'Angleterre, sans résultats décisifs. Les deux adversaires éprouvèrent à la soutenir plus de difficultés qu'ils n'avaient cru. En 1803, l'Angleterre possédait 55 vaisseaux de ligne, contre 42

---

1. Ouvrages a consulter. — E. Chevalier, *Histoire de la marine française sous le Consulat et l'Empire* (Paris, 1886, in-8º) ; J. Tramond, *Manuel d'histoire maritime de la France*, cité p. 32 ; E. Desbrières, *Projets et tentatives de débarquement aux Iles britanniques* (Paris, 1900-1902, 5 vol. in-8º) ; du même, *Le blocus de Brest de 1793 à 1805* (Paris, 1903, in-8º) ; du même, *La campagne maritime de 1805. Trafalgar* (Paris, 1907, in-8º) ; J. Holland Rose, cité p. 32 ; Mahan, *ouv. cit.*, p. 32 (t. II) ; du même, *Life of Nelson* (Londres, 1897, 2 vol. in-8º) ; F. B. Wheeler et A. M. Broadley, *Napoleon and the invasion of England* (Londres, 1910, 2 vol. in-8º) ; sir J. Corbett, *The campaign of Trafalgar* (Londres, 1919, in-8º) ; H. C. Deutsch, Napoleonic policy and the project of a descent upon England, dans *The Journal of modern history*, t. II (1930), p. 541-568 ; amiral Castex, *Théories stratégiques*, t. II : *La manœuvre stratégique* (Paris, 1930, in-8º) ; A. Thomazi, *Trafalgar* (Paris, 1932, in-8º) ; du même, *Napoléon et ses marins* (Paris, 1950, in-8º) ; P. Mackesy, *The war in the Mediterranean* (Londres, 1957, in-8º).

dont 13 seulement étaient prêts. Une telle avance la rendit immédiatement maîtresse de la mer. Les ports français furent encore une fois bloqués et leur commerce supprimé, tandis que les navires marchands britanniques n'eurent guère à redouter que les corsaires, contre lesquels on les protégea en reprenant l'usage des convois escortés. Les Anglais réoccupèrent sans tarder Sainte-Lucie, Tabago et la Guyane hollandaise. Pourtant, on accusa Addington de mener la guerre mollement. Beaucoup de vaisseaux étaient vieux et il s'en construisait peu, Saint-Vincent ne réussissant pas à reconstituer les approvisionnements de bois ; bien qu'on eût augmenté les impôts indirects, les finances donnaient des inquiétudes ; le ministère restait en froid avec la Russie depuis l'affaire de la médiation, et le complot de l'an XII lui fit du tort.

Napoléon poussait les armements, mais manquait d'argent. Dès l'an XII, le déficit reparut. Sûr de son pouvoir, il prêta enfin l'oreille aux conseils de Gaudin et rétablit les contributions indirectes. « N'ai-je pas mes gendarmes, mes préfets et mes prêtres ? Si l'on se soulève, je ferai pendre cinq ou six rebelles et le reste paiera. » Le 5 ventôse an XII (25 février 1804), il institua l'administration des droits réunis et en confia la direction à Français de Nantes, en se bornant, toutefois, à un droit modéré sur les boissons. Quant à la trésorerie, Barbé-Marbois, incapable de l'alimenter, dut s'abandonner aux banquiers et aux fournisseurs. Després, régent de la Banque, constitua, avec Michel et Séguin, une « compagnie des négociants réunis » qui finit par se charger, en 1805, de toutes les rescriptions ; elle était affiliée à celle des vivres dirigée par Vanlerberghe ; par derrière se tenait Ouvrard. En avril 1805, ce dernier offrit une avance de 50 millions à 9 %, à condition qu'on prît pour argent comptant 20 millions de créances, ce qui porta l'intérêt à 15 % ; en juin, il en donna 150, dont 42 de créances. Barbé-Marbois remit en gage des délégations d'impôts et des obligations du trésor. Després faisait escompter tout ce papier par la Banque, qui se livra ainsi à une inflation déguisée. Les alliés furent mis à contribution. Flessingue et le Brabant hollandais reçurent garnison dès avril 1803 ; bien que la Hollande eût souhaité rester neutre, elle dut accorder, le 25 juin, 16.000 hommes et toutes les constructions qu'on voulut. Il fallut un ultimatum pour faire céder Godoy ; le 19 octobre, il promit 6 millions par mois ; le 19 décembre, on accepta aussi, à Lisbonne, de verser 16 millions ; toutefois, ni l'Espagne ni le Portugal ne déclarèrent la guerre. D'autre part, les Français réoccupèrent les ports napolitains et, en mai 1803, Mortier, partant de la Hollande, envahit le Hanovre, dont il désarma l'armée, puis saisit Cuxhaven, à l'embouchure de l'Elbe, et Meppen, sur l'Ems. Tout cela ne pouvait pas suffire à faire capituler l'Angleterre ; la guerre navale elle-même, en admettant qu'on pût la faire avec succès, n'offrait que des perspectives éloignées. Aussi Napoléon se résolut-il à menacer l'ennemi d'une invasion.

Il ne négligea pas l'Irlande : une insurrection y éclata en 1803 ; mais elle fut écrasée et Russell et Emmett pendus, sans que la France pût venir au secours. Ce fut au projet de 1801 que Napoléon revint surtout : l'armée fut massée au camp de Boulogne et, le 2 décembre 1803, reçut le nom d'armée d'Angleterre. Cette concentration avait l'avantage de la séparer de la nation et de l'attacher à son chef par l'espoir d'une grande entreprise ; elle permettait aussi éventuellement de frapper un grand coup sur le continent. En janvier 1805, Napoléon prétendit qu'elle n'avait pas d'autre but. En réalité, il voulut ainsi pallier un échec qui paraissait alors évident. Il n'est pas douteux qu'il ait été, à plusieurs reprises, sérieusement résolu à passer le détroit, et l'on comprend que cette idée l'ait séduit quand on considère la situation militaire du Royaume-Uni. Au début de 1804, il ne s'y trouvait pas 100.000 réguliers. La milice comptait en principe 72.000 hommes et les volontaires affluaient de nouveau pour échapper au *ballot* : on disait qu'ils étaient plus de 300.000. Le 27 juillet 1803, on avait voté aussi une *levy en masse*, qui astreignait tous les hommes de 17 à 55 ans à faire l'exercice ; enfin, le 6 juillet, on avait décidé de constituer une *additional force* recrutée par le tirage au sort. Mais toutes ces formations n'avaient aucune valeur. Il paraît que le gouvernement, en cas de débarquement, comptait se retirer dans le pays de Galles et organiser une guerre de guérillas. On peut tenir pour certain que les Français auraient occupé Londres à peu près sans coup férir. Il n'en fallait pas plus pour tenter Napoléon.

Les Anglais en eurent bien le sentiment, et un mouvement national se manifesta, qui fut plus vif encore qu'en 1797 et dont Wordsworth a laissé un témoignage célèbre. En février 1804, Pitt se mit à attaquer le ministère ; la majorité s'effrita et, à la fin d'avril, Addington se retira. Pitt souhaitait un gouvernement d'union nationale ; le roi ne voulut pas accepter Fox ; dès lors Grenville, qui s'était réconcilié avec ce dernier, refusa son concours. Pitt dut former son cabinet avec les amis d'Addington et même s'adjoindre celui-ci en 1805. Aussi ne retrouvat-il jamais la forte situation parlementaire dont il avait joui autrefois. Une enquête sur l'Amirauté qui, entre autres concussionnaires, compromit son ami Dundas, devenu lord Melville, et le contraignit à donner sa démission, l'affaiblit encore. Pitt n'en rendit pas moins, à la politique anglaise, la fermeté qui lui avait fait défaut. Tout en ourdissant la nouvelle coalition que la Russie, ramenée à l'Angleterre par la politique de Napoléon, finit par lui offrir, il organisa les volontaires qu'il plaça enfin sous le contrôle de l'État, réunit la milice et l'*additional force* en une sorte de réserve de l'armée régulière et en tira une dizaine de mille hommes pour renforcer celle-ci, rendit aux fournisseurs, afin de s'assurer leur concours, la haute main sur l'approvisionnement de la flotte, qu'il porta peu à peu à 115 vaisseaux de ligne, pourvut soigneusement à la défense des côtes et restaura les finances en rétablissant l'*income-tax*. La mesure la plus heureuse fut de confier l'Amirauté, en avril 1805, à sir Middleton, devenu lord Barham, lequel dirigea en maître la guerre d'escadres qui finit à Trafalgar. Jusqu'à ce triomphe, l'opinion ne se rassura pas ; mais Pitt et Barham ne perdirent jamais leur sang-froid. Or c'était peu de chose pour Napoléon que d'avoir une armée : la difficulté restait de lui faire franchir le détroit.

Évidemment, il a toujours fait une grande part au hasard : malgré les escadres anglaises, n'avait-il pas atteint l'Égypte et n'en était-il pas revenu ? D'un autre côté, ce méditerranéen ne se rendait pas compte, au début, des difficultés que lui opposerait le Pas-de-Calais, avec ses fortes marées, ses courants violents et ses vents instables. Il conçut d'abord le projet de se frayer la route à l'aide de canonnières et de « bateaux plats », analogues aux bélandres des canaux flamands, qu'on chargerait de canons et mènerait à la rame. Pour l'armée, des vaisseaux de commerce la transporteraient ; mais on dut s'avouer qu'on n'en trouverait pas assez, et, en septembre 1803, on décida de l'embarquer aussi sur des bateaux plats. Il en fut construit partout, de la Hollande à l'océan ; les Anglais ne permirent pas qu'on les réunît tous ; néanmoins en 1804, plus de 1.700 se concentrèrent à Boulogne et dans les ports voisins, où l'on creusa des bassins pour entraîner les équipages. Decrès, ministre de la Marine, et Bruix, chef de la flottille, observèrent alors qu'on n'en pouvait pas faire sortir de Boulogne plus de cent par marée : l'ennemi aurait le temps d'accourir. La tempête ou les vents l'écarteraient peut-être ; mais les bateaux plats ne pouvaient se risquer en mer que par beau temps. Napoléon fut ainsi amené à la nécessité de faire balayer le détroit par sa flotte de guerre et, par conséquent, de revenir à la guerre d'escadres.

A cet égard, son infériorité demeurait évidente. Les Anglais ne possédaient pas seulement la supériorité du nombre ; ils comptaient beaucoup plus de vaisseaux à trois ponts qui dominaient les vaisseaux classiques à 74 canons et portaient, sur le *spardeck*, des caronades qui augmentaient encore la force de leur artillerie. Popham avait aussi inauguré une nouvelle méthode de signaux. Leurs navires, surtout, étaient en meilleur état, les équipages mieux aguerris et les chefs sélectionnés par les croisières qui, par exemple, avaient mis Nelson en lumière. Les navires et les équipages français, renfermés dans les ports, n'offraient pas les mêmes qualités ; les chefs non plus, qui se montraient seulement de bons commandants d'unités. Toutefois, les escadres anglaises isolées les unes des autres risquaient de se voir accablées séparément. Elles ne serraient de près que le seul port de Brest ; il n'en allait pas de même pour Rochefort, le golfe de Gascogne étant dur à tenir, ni pour Toulon, que Nelson surveillait des eaux napolitaines où le retenait le voisinage de lady Hamilton. Les Français pouvaient donc sortir. Il est vrai qu'en ce cas l'Amirauté britannique prescrivait de rallier Ouessant ; tant que les Anglais gardaient solidement l'entrée de la Manche, leur pays n'avait rien à craindre. Néanmoins, il fallait compter avec la surprise, dont le rôle, quoi qu'on en ait dit, n'était pas méprisable.

En mai 1804, Napoléon décida donc que ses escadres, forçant le blocus, viendraient délivrer Ganteaume à Brest, puis nettoyer la Manche ; en août, il se rendit à Boulogne où, le 16, il distribua les insignes de la légion d'honneur. Mais les préparatifs ne parurent pas suffisants ; Bruix, puis Latouche-Tréville moururent. De septembre 1804 à mars 1805, l'Autriche semblant sur le point d'attaquer, à la suite des empiétements de Napoléon en Italie, le projet parut abandonné. Les escadres furent alors dépêchées aux Antilles pour y attaquer les colonies anglaises. Seul, Missiessy put quitter Rochefort ; il ne rencontra personne en Amérique et s'en retourna.

Le péril continental se dissipa ensuite en apparence : jusqu'au 15 juillet, Napoléon se laissa tromper par les coalisés. D'autre part, l'Angleterre, après avoir longtemps menacé l'Espagne, enleva, le 5 octobre 1804, plusieurs galions ; en décembre, Godoy déclara la guerre et mit sa flotte à la disposition de la France ; sourdement miné par la princesse des Asturies, il envoya Izquierdo proposer à Napoléon le partage du Portugal, où il se taillerait une principauté. Ainsi encouragé, Napoléon revint à son grand dessein, et le voyage aux Antilles, d'expédition coloniale, se transforma en opération stratégique : les escadres devaient s'y réunir, puis, ayant semé le désarroi chez l'ennemi, revenir dans la Manche et au besoin y livrer bataille. Peut-être ce plan était-il génial ; mais il postulait un matériel et des chefs qui manquaient et, chez Napoléon lui-même, de la fermeté dans la direction, alors que, après avoir accepté enfin de recourir au combat, il interdit à Ganteaume de forcer le blocus, ce qui le réduisit à l'inaction et reporta toute la responsabilité sur Villeneuve, de l'escadre de Toulon, chef sans audace qu'elle écrasa.

Sorti le 30 mars 1805 avec onze vaisseaux, auxquels les Espagnols en ajoutèrent six, Villeneuve négligea de détruire Orde, qui gardait le détroit de Gibraltar et se dirigea vers la Martinique, qu'il atteignit le 14 mai seulement. Les escadres anglaises rallièrent Ouessant à l'exception de Nelson qui enfreignit ses instructions. Jusqu'au 19 avril, il guetta le fugitif sur la route de l'Égypte ; enfin renseigné, il courut à Gibraltar, où il sut que Villeneuve avait pris route vers l'ouest ; le 11 mai, il partit pour les Antilles, à toutes voiles. C'était risquer gros, car il se pouvait que l'adversaire eût tourné vers la Manche ou qu'il rejoignît en Amérique des forces suffisantes pour l'accabler ; l'Amirauté, il est vrai, l'approuva, l'affolement de l'opinion, qui craignait pour la Jamaïque, lui ayant inspiré la même idée. Il n'en est pas moins certain que l'initiative de Nelson, très admirée, aurait pu le mener au désastre : il joua et gagna. Aux Antilles, Villeneuve ne vit rien venir, si ce n'est une dépêche de Napoléon qui lui révéla enfin le grand dessein en lui prescrivant d'attendre un mois encore, puis d'aller rallier les escadres du Ferrol et de Rochefort pour débloquer Ganteaume.

Arrivé le 4 juin, Nelson le cherchait. Villeneuve prit sur lui de repartir aussitôt, espérant en vain le dépister. Le 13 juin, Nelson mit le cap sur l'Europe, après avoir expédié un brick pour renseigner l'Amirauté. Mais, obsédé par l'Égypte, il gagna Gibraltar et, comme Barham avait dépêché Calder pour barrer la route à Villeneuve au large du cap Finisterre, les escadres britanniques se trouvèrent à nouveau dispersées. Le 22 juillet, Villeneuve rencontra Calder qui, après lui avoir pris deux vaisseaux, se retira, le laissant entrer au Ferrol. De son côté, Allemand, sorti de Rochefort, erra plusieurs mois dans l'océan, sans joindre jamais amis ou ennemis. Les Anglais, concentrés de nouveau, du 12 au 15, vers Ouessant, furent aussitôt dispersés par Cornwallis qui craignait pour le convoi des Indes et pour Craig, réfugié à Lisbonne avec les troupes destinées à Naples : Calder fut renvoyé au Ferrol ; Nelson retourna en Angleterre. Villeneuve ne sut rien de cette circonstance favorable et n'en tira aucun profit ; car, ayant repris la mer le 14 août, il se laissa décourager par l'état de ses navires et par la fausse nouvelle que l'ennemi arrivait en force. Des instructions du 16 juillet l'autorisaient à regagner Cadix en cas d'obstacle insurmontable : il y vint mouiller le 18. Eût-il débloqué Brest et battu Cornwallis qu'il fût arrivé trop tard, puisque, le 24, Napoléon mit la Grande Armée en marche vers l'Allemagne en ordonnant de démobiliser la flottille.

Villeneuve commit l'erreur de ne pas rentrer aussitôt à Toulon et se laissa bloquer par Cornwallis et Calder, que d'autres escadres renforcèrent successivement ; finalement, Nelson vint prendre le commandement le 28 septembre. Cependant la flotte franco-espagnole était à l'abri et immobilisait 33 vaisseaux anglais. Napoléon fit le jeu de Nelson en prescrivant de sortir à tout prix pour aller attaquer Naples. Ayant appris, le 19 octobre, que six vaisseaux ennemis étaient allés se ravitailler à Tétouan, Villeneuve se mit en route avec 33 bâtiments. Le 21, au large du cap Trafalgar, ils voguaient en ligne sur six kilomètres de longueur, quand Nelson vint les attaquer. Dans un mémorandum du 9 octobre, il avait indiqué qu'on aborderait l'ennemi, non point parallèlement et bord à bord suivant l'habitude, mais perpendiculairement, sur deux lignes qui rompraient son centre, l'une devant ensuite contenir l'avant-garde, tandis que l'autre détruirait l'arrière-garde. En fait, ses vaisseaux ne conservèrent pas l'alignement et assaillirent assez confusément les alliés qui, à sa vue, avaient viré pour rentrer à Cadix. Toutefois le dessein de Nelson se réalisa : le centre et l'arrière-garde furent anéantis. Dumanoir, à l'avant-garde avec dix navires, ne vint que tardivement au feu et s'éloigna avec quatre d'entre eux qui furent capturés quelques jours après. Dans la nuit, une tempête acheva le désastre. Neuf vaisseaux seulement regagnèrent le port. Les alliés comptaient 4.398 tués contre 449. Nelson avait été blessé mortellement. Villeneuve fait prisonnier, accablé d'outrages par l'empereur, se tua lors de son retour en France.

L'Angleterre respira. La coalition, il est vrai, avait rendu le débarquement impossible ; mais Napoléon victorieux pouvait revenir à son projet ; le triomphe de Nelson l'ajournait à un avenir indéterminé. Il mit fin aussi à la guerre d'escadres. Ulté-

rieurement, il en résulta que les Anglais furent libres de porte:
la guerre sur le continent, à la faveur de l'insurrection espagnole
pour le moment, ils y étaient moins disposés que jamais, el
sorte que le seul effet positif de Trafalgar fut de sauver Naples
Ainsi sembla-t-il que la bataille n'avait fait que leur confirme:
l'empire de la mer, et l'on comprend que Napoléon n'y ait vo
qu'un pénible épisode : tant qu'il restait victorieux sur terre
l'Angleterre ne pouvait pas l'abattre.

IV. — LE BLOCUS[1].

Les entreprises de Napoléon, du moins, avaient eu l'avantage
de lui assurer l'initiative ; l'Angleterre, réduite à se défendre
ne pouvait s'occuper de la conquête de colonies nouvelles. Seul
Wellesley continuait à s'étendre dans l'Inde. Il avait annexé une
partie de l'Oudh, assumé le gouvernement du Carnatic et le
protectorat de Surate et de Tanjore, et, profitant de leurs
conflits, s'en était pris aux Mahrattes. Holkar, un de leurs
princes, ayant expulsé de Poona le peshwa Baji Rao, Wellesley
l'y ramena et en fit son protégé. Il mena ensuite la guerre contre
Daoulat, le fils de Sindhia, qui, quinze ans auparavant, avail
semblé en passe de créer un grand empire et mis la main sur
Delhi, et contre Raghouji Bhonsle, raja du Bérar. Défaits, le
premier à Assaye, le 23 septembre 1803, le second à Argaon, ils
cédèrent une partie de leurs possessions. En 1804, Holkar prit
les armes à son tour, tailla en pièces la colonne du colonel Monson
mais finit par être accablé. L'année suivante, le Grand Mogol,
Chah Alam, accepta le protectorat britannique. Mais l'indépendance et l'audace de Wellesley irritaient la Compagnie et alar-
maient le gouvernement que d'autres soucis tourmentaient. Il
se rembarqua le 15 août 1805.

La grande préoccupation de l'Angleterre restait toujours de
profiter de la maîtrise de la mer pour s'attribuer le monopole
du trafic. Elle remit en vigueur ses prescriptions relatives au
blocus. De 1803 à 1805, le blocus fictif fut même appliqué au
Hanovre occupé par les Français. Simultanément, elle rétablissait
les licences dès le 18 mai 1803 et en accordait même pour l'importation de marchandises ennemies sur vaisseaux neutres. Aux

1. OUVRAGES A CONSULTER. — Voir p. 42 ; ajouter : A. STEPHEN, *War in
disguise or the fraud of neutral flags* (Londres, 1805, in-8° ; réédité en 1917),
et le t. I de F. CROUZET, *L'économie britannique et le blocus continental,
1806-1813* (Paris, 1958, 2 vol. in-8°).

colonies de ses adversaires, elle appliquait de nouveau la règle de 1756 avec les tempéraments adaptés pour mettre les neutres à son service. En Europe, ils se plièrent aux circonstances ; avec les États-Unis, au contraire, les difficultés ne tardèrent pas à reparaître. Leurs progrès excitaient une jalousie croissante et, en 1805, J. Stephens, dans son *War in disguise*, démontra que le « circuit » favorisait la fraude, les marchandises ennemies soi-disant neutralisées n'étant même pas débarquées et assujetties aux douanes américaines. L'Amirauté n'ayant jamais précisé à quelles conditions la neutralisation devenait effective, les cours de prises se mirent à multiplier les confiscations. En avril 1806, le Congrès finit par riposter en interdisant l'importation des marchandises britanniques à partir du 15 novembre. A ce moment, Napoléon inaugurait le blocus continental et la situation se trouva changée.

La Baltique et l'Adriatique demeurant ouvertes, l'Angleterre n'eut qu'à réorganiser son commerce suivant le précédent de la dernière guerre et elle souffrit peu. Les exportations baissèrent de 25 millions 1/2 de livres sterling à 20,4 en 1803, mais remontèrent à 23,3 en 1805 ; les réexportations furent plus atteintes et, de 12,7 en 1802, tombèrent à 7,6 en 1805 ; la production du sucre continuant d'augmenter aux Antilles anglaises, maîtresses de la traite, le prix ne cessa de baisser, car, malgré l'accroissement de la consommation en Angleterre, il y avait un excédent d'importation ; de 55 sh. en 1805, le quintal finit par tomber à 32 en 1807. Grâce à une série de bonnes récoltes et au progrès des défrichements, que favorisa l'acte général d'enclosure de 1801, le pain descendit à 2 d. la livre, si bien que les propriétaires fonciers demandèrent et obtinrent, en 1804, une aggravation de la *corn law*. On s'explique donc que, jusqu'à Tilsit, l'opinion anglaise, délivrée du cauchemar d'un débarquement des Français, soit retombée dans l'apathie et n'ait suivi que distraitement les événements du continent.

Pendant cette période, la politique économique de Napoléon ne donna pas beaucoup de souci à sa rivale. Le 20 juin 1803, il avait de nouveau prohibé les marchandises anglaises ; mais, espérant envahir la Grande-Bretagne, puis absorbé par ses campagnes, il ne considéra cette mesure, durant toute la période, que comme une arme d'importance secondaire, contrairement à ce qu'on a souvent prétendu, et ne s'en servit même pas bien sérieusement. Il resta fidèle, en effet, à la politique de modération qu'il avait, dès son avènement, substituée à celle du Directoire et ne porta aucune atteinte au trafic des neutres, qui continuèrent, en conséquence, à servir d'intermédiaires entre les belligérants au moyen de neutralisations simulées. Le blocus s'encadra simplement dans le système protectionniste que lui recommandaient ses idées mercantilistes et fut envisagé comme le désiraient les industriels, de manière à exclure la concurrence étrangère, sans les priver des matières premières indispensables et sans entraver l'exportation. Le tarif douanier montre que l'Angleterre n'était pas seule visée. En l'an XI, les sucres raffinés et les mélasses avaient été prohibés sans distinction. Le 13 mars 1804 et le 6 février 1805, on augmenta les droits sur les cotonnades et les denrées coloniales ; ces dernières furent encore surtaxées le 4 mars 1806. Puisqu'elles venaient surtout d'Angleterre, on admettait implicitement par là que le blocus ne jouait pas et que cette politique n'était pas, au fond, un expédient de guerre.

Comme toujours, les protectionnistes les plus enragés étaient les cotonniers, principalement les filateurs, car l'importation des filés anglais passa de 310.000 kgs en 1804 à 1.368.000 en 1806. De même, les Lyonnais s'appliquaient avec acharnement à écarter la concurrence italienne et exigeaient qu'on leur réservât les soies du Piémont. De l'accroissement progressif du tarif, il ressort que leur influence fut décisive et qu'ils arrachèrent peu à peu à Napoléon des mesures dont il n'avait pas pris l'initiative et que Chaptal désapprouvait, d'accord avec les négociants, qui, à Paris, par l'intermédiaire de la chambre de commerce, protestèrent, en 1803, contre toute prohibition et contre toute disposition hostile aux neutres. Finalement, le 22 février 1806, il prohiba les toiles de coton, blanches ou peintes, les mousselines, les cotons filés pour mèches, ainsi que la quincaillerie ; mais il continua d'admettre les autres filés, la mercerie, les rubans, tout en les surtaxant. La filature de coton, qui avait dépassé le million de broches en 1805, fit alors de grands progrès et sa production passa de 2 millions de kilos en 1806 à plus de 4 1/2 en 1808. Les Lyonnais obtinrent aussi des satisfactions ; il est vrai que les lois de 1803 et de 1806 autorisèrent la sortie des soies du Piémont par Gênes et par Nice aussi bien que par leur ville ; mais la fermeture de la mer leur en assura le monopole. Ils s'en prirent aussi au royaume d'Italie et lui firent imposer, en 1808, un traité de commerce qui dégreva les importations françaises en ce pays et, par un jeu de taxes, garantit à Lyon le commerce de ses soies.

A certains signes, on reconnaît pourtant que Napoléon, glissant sur la même pente que le Directoire, s'irritait de sentir le blocus inopérant. Le 13 mars 1804, il prohiba les marchandises « venant directement d'Angleterre » et imposa aux neutres des certificats d'origine. D'un autre côté, son inclination pour le nationalisme économique se combinait naturellement avec l'ardeur guerrière et se révèle par la taxation du coton en balles qui, au grand déplaisir sans doute des industriels, apparut tout à coup le 22 février 1806 et devait favoriser le lin et le chanvre. Enfin, la politique française contre l'Angleterre était peu à peu imposée aux alliés, à la Hollande, à l'Espagne, à l'Italie et même, en 1806, à la Suisse, qui n'excepta que les filés. Par le Hanovre et Cuxhaven, on gênait aussi le trafic britannique avec l'Allemagne, ce que le Directoire n'avait pas pu faire. L'idée qu'on pouvait abattre l'Angleterre en l'empêchant d'exporter était toujours dans l'air, et les écrits de Montgaillard l'avaient exprimée une fois de plus.

Tout compte fait, néanmoins, Napoléon n'avait rien opposé au blocus anglais qui dépassât les mesures traditionnelles du mercantilisme et les rigueurs habituelles aux belligérants, et il supportait patiemment l'autorité que l'adversaire s'arrogeait sur les neutres. D'après le discours qu'il prononça au Conseil d'État, le 4 mars 1806, on constate même, non sans surprise, que, loin de songer alors à exagérer la rigueur du blocus, c'était la paix qu'il attendait pour porter le système prohibitif à sa perfection : « Quarante-huit heures après la paix avec l'Angleterre, je prohiberai les marchandises étrangères et je promulguerai un acte de navigation qui ne permettra l'entrée de nos ports qu'aux navires français. » Tout changea brusquement le jour où sa politique continentale eut exalté sa volonté de puissance par des victoires foudroyantes et par la fondation du Grand Empire.

V. — LES ORIGINES DE LA TROISIÈME COALITION[1].

On ne peut donc pas dire que cette politique continentale de Napoléon ait été la conséquence de sa guerre contre l'Angleterre,

1. OUVRAGES A CONSULTER. — Les ouvrages généraux cités p. 66 et 151 ; les ouvrages sur la Prusse et l'Autriche, p. 28, et sur l'Angleterre, p. 32 ; G. BRODRICK et J. FOTHERINGAM, *The history of England from Addington's administration to the close of Williams IV' s reign, 1801-1837* (Londres, 1906, in-8° ; t. XI de la *Political history of England*, publiée sous la direction de HUNT et POOLE) ; A. BRYANT, *Years of victory, 1802-1812* (Londres, 1944, in-8°) ;

comme si, ne pouvant la vaincre sur mer ni l'atteindre chez elle, il eût pris le parti de la ruiner en lui fermant le marché européen. Pareille idée ne pouvait naturellement lui être inconnue ; mais, quand elle prit corps, c'est que la conquête lui avait conféré l'efficacité, et elle ne peut expliquer les imprudences et les empiétements qui ont exaspéré les puissances. On est plus près de la vérité quand on observe que, si les monarques du continent ne s'irritaient pas moins que l'Angleterre des agrandissements de Bonaparte, s'ils restaient animés d'une secrète animosité contre le chef de la nation révolutionnaire — qu'ils appelaient cou-

A. Fournier, *Gentz und Cobenzl. Geschichte der œsterreichischen Diplomatie in den Jahren 1801-1805* (Vienne, 1880, in-8º) ; H. Ullmann, *Russisch-preussische Politik unter Alexander I und Friedrich-Wilhelm III bis 25 Februar 1806* (Leipzig, 1899, in-8º) ; P. Bailleu, *Briefwechsel König Friedrich-Wilhelm's III und der Königin Luise mit Kaiser Alexander I* (Leipzig, 1900, in-8º, publications des Archives royales de Prusse, t. LXXV) ; commandant M. H. Weil, *D'Ulm à Iéna. Correspondance inédite du chevalier de Gentz avec F. J. Jackson, ministre de Grande-Bretagne à Berlin, 1804-1806* (Paris, 1921, in-8º) ; J. Holland Rose, *Select dispatches relating to the formation of the third coalition against France* (Londres, 1904, in-8º). — Sur Alexandre Iᵉʳ, les histoires de Russie citées p. 28 ; grand-duc Mikhailovitch, *Les relations de la Russie et de la France d'après les rapports des ambassadeurs d'Alexandre Iᵉʳ et de Napoléon Iᵉʳ* (Pétersbourg, 1905, 6 vol. in-8º) ; du même, *Le tsar Alexandre Iᵉʳ*, trad. fr. par la baronne Wrangel (Paris, 1931, in-8º) ; K. Waliszewski, *Le règne d'Alexandre Iᵉʳ* (Paris, 1923-1925, 3 vol. in-8º) ; N. Brian-Chaninov, *Alexandre Iᵉʳ* (Paris, 1934, in-8º) ; L. Czartoryski, *Alexandre Iᵉʳ et le prince Czartoryski. Correspondance particulière et conversations*, avec introduction de Ch. de Mazade (Paris [1905], in-8º) ; *Mémoires et correspondance du prince Czartoryski avec l'empereur Alexandre Iᵉʳ*, publiés par Ch. de Mazade (Paris, 1887, in-8º) ; Hildegard Schæder, *Die dritte Koalition und die Heilige Allianz* (Königsberg, 1934, in-8º ; t. XVI des *Osteuropäischen Forschungen*). — Sur la politique orientale, Iorga, cité p. 28 ; B. Mouravieff, *L'alliance russo-turque au milieu des guerres napoléoniennes* (Neuchâtel, 1954, in-8º) ; V. J. Purgear, *Napoleon and the Dardanelles* (Berkeley et Los Angeles, 1951, in-8º) ; G. Lebel, *La France et les principautés danubiennes (du XVIᵉ siècle à la chute de Napoléon Iᵉʳ)* (Paris, 1955, in-8º ; « Publications de la Faculté des Lettres d'Alger », t. XXVII) ; M. Samič, *Les voyageurs français en Bosnie à la fin du XVIIIᵉ siècle et au début du XIXᵉ et le pays tel qu'ils l'ont vu* (Paris, 1962, in-8º) ; C. Yaktchich, *L'Europe et la résurrection de la Serbie, 1804-1834* (Paris, 1907, in-8º) ; E. Haumant, *Les origines de la liberté serbe d'après les mémoires du protopope M. Nénadovitch*, dans la *Revue historique*, t. CXVIII (1915), p. 54-69 ; sur l'expansion russe en Orient, Schiemann, cité p. 103. — Sur l'Italie, A. Fugier, cité p. 37 ; Ch. Auriol, *La France, l'Angleterre et Naples, de 1803 à 1806* (Paris, 1905, 2 vol. in-8º) ; J. von Helfert, *Maria-Karolina von Œsterreich, Königin von Neapel und Sicilien* (Vienne, 1884, in-8º) ; A. Bonnefous, *Marie-Caroline, reine des Deux-Siciles* (Paris, 1905, in-8º). — Pour la Suède, R. Carr, *Gustavus IV and the British government*, dans *The English historical review*, t. LX, 1945, p. 36-66.

ramment « le Corse » et « l'usurpateur » ou, comme Marie-Caroline,
« le successeur de Robespierre », sans parler d'autres aménités —,
ils ne pouvaient recourir aux armes, désunis et sans argent
qu'ils étaient, sans le concours de la Grande-Bretagne : la rupture
de la paix d'Amiens leur ouvrit la perspective de l'obtenir,
puisque, capable de financer une coalition, elle avait le plus grand
intérêt à sa formation. Pourtant, en 1803, l'esprit d'offensive
manquait, tout au moins aux puissances allemandes, et l'Autriche avait même reconnu, le 26 décembre 1802, les modifications
réalisées en Italie depuis la paix de Lunéville. Si la coalition était
possible et même probable, elle n'était pourtant pas fatale.
Travailler à l'ajourner pour attendre patiemment que l'Angleterre
se trouvât aux prises, comme en 1801, avec des difficultés qu'il
n'appartenait pas uniquement à la France de faire naître,
l'intérêt national le commandait ; mais, d'une telle politique sans
prestige, qui ne flattait pas l'imagination, Napoléon n'eut même
pas l'idée. Ne ménager personne, s'agrandir au contraire, c'était
précipiter la coalition, courir des risques effrayants, se condamner
à des hostilités dont le terme ne pouvait être que la conquête
de l'Europe entière. Aucune perspective, justement, ne convenait
mieux à son tempérament.

Jusqu'en 1803, l'entente avec la Russie avait été la pierre
angulaire de sa politique ; la rupture vint du tsar, ainsi désigné
pour prendre l'initiative de la coalition. Alors âgé de vingt-six ans,
Alexandre Ier, petit-fils d'une femme dépravée, fils d'un fou,
portait les germes d'une instabilité morbide que les circonstances
de sa jeunesse et un mariage prématuré avaient encore accentuée.
Confié par Catherine au Vaudois Laharpe qui lui avait vanté
le libéralisme sans lui former l'esprit, dressé par Paul au capo-
ralisme prussien, exposé aux embûches d'une cour atroce, il
était devenu un tissu de contradictions : simple et raffiné, timide
et têtu, agité et indolent, prêcheur et débauché, un « Talma
du Nord » enclin à séduire, et un « Grec du Bas-Empire » qui
trahissait sans effort. Parvenu au pouvoir, il s'acquit à peu de
frais la réputation d'un libéral : ayant disgracié promptement
les assassins de son père, Pahlen et Panine, il s'entoura d'hommes
qui avaient contracté quelque goût pour la civilisation de l'Occident, soit à Genève et à Londres comme Novossiltsov et Kotchoubey, soit à Paris comme Stroganov, l'élève de Romme,
et leur adjoignit son compagnon de plaisir, Adam Czartoryski,
un Polonais transfuge, intelligent et sans caractère. Ainsi se
constitua le « comité des amis », ou « comité secret », dans lequel

on agita des projets de réforme constitutionnelle, tandis que l'aristocratie sénatoriale demandait qu'on l'associât au gouvernement. En même temps, il garda près de lui des partisans de l'ancien régime, son aide de camp Dolgorouki, Araktcheiev, directeur de l'artillerie, Galitzine, procureur du Saint-Synode, qui, peu à peu, le gagna au mysticisme. Comme les « amis » ne jugeaient pas que la Russie fût mûre pour la liberté et avaient de bonnes raisons pour ne pas insister sur la libération des serfs, Alexandre put impunément donner la prépondérance à l'un ou à l'autre groupe au cours de son règne, suivant qu'il se rapprocha de la France ou revint à la coalition, sans jamais cesser d'être un autocrate. Le 20 septembre 1802, le Sénat se vit attribuer le contrôle de la justice et, en matière législative, un droit de remontrance, dont il n'essaya d'user que pour être aussitôt rembarré. Huit ministères furent institués ; mais leurs titulaires prirent simplement place à la tête des collèges administratifs. On ne fit rien de sérieux pour les serfs, sauf en Livonie où Sievers leur fit accorder quelques satisfactions par l'oukaze du 21 février 1804. Le seul progrès véritable fut la création, par le nouveau ministère de l'Instruction publique, des universités de Dorpat, Kharkov et Kazan.

Infatué, moins ambitieux encore que vaniteux, Alexandre transporta dans la politique extérieure son goût pour le verbiage libéral et humanitaire, et surtout pour la popularité théâtrale, en sorte que Bonaparte, dès le début, lui apparut comme un rival. Il se trouva aussitôt des Allemands pour l'encenser comme le protecteur de leur pays et le futur libérateur de l'Europe ; ce fut surtout le cas d'anciens admirateurs de la Révolution, désillusionnés par Bonaparte restaurateur de la monarchie, et notamment de Klinger qui avait jadis participé au *Sturm und Drang* et que Paul Ier s'était attaché comme médecin : « Il est réservé à un prince de l'Europe brutalisée, écrivait-il, de devenir le protecteur de l'humanité, du droit et de la lumière contre l'audace des obscurantistes et des oppresseurs politiques qui nous menacent... et ce sera lui ! » A mesure qu'il versa dans le mysticisme, Alexandre se persuada qu'il était un nouveau Messie. Il concilia sans peine cette vocation divine avec la volonté de conserver et d'accroître le patrimoine de ses ancêtres. De par le traité de Teschen et comme garant du recès de 1803, il se considérait comme le protecteur du corps germanique où il comptait de nombreux parents. Czartoryski, par tradition de famille, lui conseillait de reconstituer la Pologne et de s'en proclamer roi. Toutefois, ses rêves comme les ambitions historiques de la Russie se tournaient de préférence vers Constantinople, et Czartoryski, dès qu'il fut devenu, en 1804, ministre des Affaires étrangères, dressa un plan de partage de l'empire ottoman qu'il combinait avec le rétablissement de la Pologne, à la faveur d'un remaniement complet de la carte du continent. Pour le moment, Alexandre contraignait le sultan à lui reconnaître une sorte de protectorat sur les principautés danubiennes : un firman de 1802 en exclut les Turcs, hormis les garnisons des forteresses ; il fut convenu que les fonctionnaires y seraient tous grecs ou roumains et que les hospodars ne pourraient être destitués que d'accord avec la Russie. En 1803, la Géorgie, dont le prince était le protégé du tsar depuis 1783, fut annexée à la mort d'Héraclius : la domination russe franchit ainsi le Caucase. Les ambitions positives d'Alexandre le tournaient donc contre Bonaparte, le conquérant de l'Égypte ; laisser celui-ci s'installer en Allemagne, c'était peut-être lui livrer Constantinople. Alexandre n'a jamais envisagé de partager l'Europe avec lui qu'en attendant de la lui prendre.

La politique orientale de Bonaparte l'ayant inquiété, il fit un pas vers l'Angleterre et l'encouragea indirectement à rompre la paix. La France ayant fait appel à sa médiation, il fit un pas en arrière ; l'offre comblait ses vœux : le rôle de Salomon était à sa convenance et il pouvait y gagner Malte. En dépit de Markov et de Voronzov qui, à Paris et à Londres, faisaient le jeu des Anglais, il accepta officiellement le 5 juin 1803. Il notifia ses propositions le 19 juillet : Malte recevrait une garnison russe ; l'Angleterre prendrait la petite île voisine de Lampédouse ; la France garderait le Piémont à condition que le roi fût indemnisé ; l'Europe prendrait sous sa garantie la neutralité des États italiens, de la Hollande et de la Suisse, de l'Allemagne et de la Turquie. Bref, sous prétexte de médiation entre la France et l'Angleterre, il se posait en arbitre du continent. La France ne risquait rien à accepter, puisque ses frontières naturelles n'étaient pas mises en question, ni même sa domination dans l'Italie du Nord. Du point de vue de Bonaparte, qui ne voulait pas se lier ainsi les mains, la condescendance eût été sans conséquence, car, dès le 27 juin, l'Angleterre avait signifié qu'elle ne rendrait pas Malte. Mais il avait occupé le Hanovre et les ports napolitains, ce que le tsar regarda comme une insulte, et, le 29 août, il rejeta finalement le plan russe comme d'une partialité révoltante en faveur de son ennemie. Il traita fort mal Markov et demanda son rappel. Alexandre lui donna satisfaction le 28 octobre, ne laissant à Paris que d'Oubril, comme chargé d'affaires. Ayant compris que Bonaparte ne le reconnaîtrait jamais comme le souverain juge de l'Europe, il était profondément irrité. L'enlèvement du duc d'Enghien consomma la rupture. Comme tuteur de l'Allemagne, Alexandre protesta devant la diète contre la violation de la neutralité germanique. Bonaparte retira son ambassadeur de Pétersbourg, en demandant, avec une ironie insultante, si Alexandre, au cas où les assassins de son père, payés par l'Angleterre, se fussent trouvés à proximité de ses frontières, « n'eût pas été empressé de les faire saisir ». Oubril, à son tour, prit ses passeports et partit à la fin de septembre 1804.

Brouillé avec Bonaparte, Alexandre devait nécessairement revenir à l'Angleterre. Toutefois, comme il gardait aussi rancune à Addington, il ne précisa ses insinuations qu'après le retour de Pitt aux affaires. Encore ne fut-il pas facile de s'entendre. Fidèle à son rôle, Alexandre voulait organiser une ligue générale pour pacifier l'Europe en remaniant toute la carte du continent ; il parlait même de rétablir la liberté des mers ! Le 29 juin 1804, Pitt proposa tout bonnement une coalition anglo-russe pour reprendre à la France la Belgique et le Rhin. Le 11 septembre, Novossiltsov lui fut envoyé avec des instructions calquées sur un mémoire de son adjoint, l'abbé Piatoli. L'esprit en demeurait ambitieux ; mais, pour plaire à Pitt, la France se trouvait ramenée à ses anciennes limites. Leveson-Gower ayant été expédié à Pétersbourg en novembre, les conditions de l'action commencèrent à se préciser : le 3 décembre, Gustave IV s'allia aux Anglais et, en janvier 1805, à la Russie ; Alexandre demanda que Pitt secourût Naples de concert avec le corps russe de Corfou et, en avril 1805, Craig s'embarqua pour la Méditerranée. Pourtant, ce fut seulement le 11 avril qu'on signa le traité qui promit à la Russie un subside d'un million et quart de livres par cent mille hommes engagés. On remit le partage des conquêtes à plus tard, étant néanmoins entendu que la Hollande recevrait la Belgique, et la Prusse la partie septentrionale de la rive gauche du Rhin ; sans imposer la monarchie à la France, on s'efforcerait de la lui faire accepter. Aussitôt, Alexandre sollicita des modifications : il prétendit offrir une dernière fois un arrangement à Napoléon, par l'intermédiaire de Novossiltsov, aux frais des Anglais qui n'en voyaient vraiment pas la nécessité.

On continua ainsi de négocier tout en se préparant aux hostilités. Il fut convenu que les Russes et les Anglais viendraient renforcer les Suédois en Poméranie pour envahir le Hanovre et la Hollande. A Naples, on se mit d'accord avec Marie-Caroline, qui s'était saisie du gouvernement après que Napoléon eut exigé le renvoi d'Acton, en mai 1804 ; en novembre, une convention avait été signée, et un émigré, le baron de Damas, prit le commandement de l'armée ; en Sicile, Nelson était le maître. On agit aussi à Constantinople où le sultan refusa de reconnaître Napoléon comme empereur. Cependant, il ne pouvait pas suffire de menacer la France au nord et au midi : pour la vaincre, les Russes devaient s'assurer le passage soit par l'Allemagne, soit par l'Autriche.

De l'Allemagne, ils n'obtinrent rien. L'exécution du recès continuait à dresser les princes contre l'Autriche qui prétendait faire rétablir la parité des voix à la diète entre catholiques et protestants, et qui surtout défendait la *Ritterschaft*. On comprenait sous ce nom environ 350 seigneurs, dont bon nombre de comtes et de barons, possédant 1.500 domaines, soit plus de 110.000 hectares, et qui, groupés en trois cercles, Souabe, Franconie et Rhin, ne dépendaient que de l'empereur et s'administraient eux-mêmes. Besogneux la plupart du temps, leurs enfants entraient dans l'Église ou prenaient du service, de préférence en Autriche. Les Metternich, les Stadion, Dalberg et Stein n'avaient pas d'autre origine. Atteints déjà par les sécularisations, ils se croyaient maintenant en butte aux convoitises des princes, qui prétendaient les « médiatiser », c'est-à-dire les transformer en sujets. La Prusse donna l'exemple en Franconie et fut imitée ; le 13 janvier 1804, Stein protesta contre l'annexion de deux de ses villages par le duc de Nassau. L'Autriche annula ces médiatisations au nom du recès et menaça la Bavière, qui demanda secours à la France. Peut-être savait-on quelque chose à Vienne du complot de l'an XII. Le 3 mars 1804, une semaine avant d'ordonner l'arrestation du duc d'Enghien, Bonaparte adressa un ultimatum à l'Autriche, qui désarma aussitôt. Il résulta de cette crise que les protestations de la Suède et de la Russie contre la violation du territoire allemand furent accueillies en silence dans l'Allemagne du Sud. A l'automne, Napoléon visita la Rhénanie et un certain nombre de princes vinrent lui faire leur cour à Mayence. On y échangea des vues sur une ligue du Rhin ; Napoléon conçut l'idée de marier Eugène de Beauharnais à Augusta de Bavière, fiancée pourtant à un prince badois ; Dalberg vint parler d'un concordat d'Empire dont les États ne voulurent pas, préférant accroître leur indépendance en traitant directement avec le pape. En tout cas, l'Allemagne du Sud s'orientait maintenant vers la France.

Peut-être en eût-il été autrement si la Prusse l'avait nettement soutenue contre l'Autriche ; mais cette puissance ne songeait qu'à elle-même et, dans l'entourage du roi, il existait toujours un parti « français » dont Lombard était le plus bel ornement et qui aurait volontiers accepté l'alliance de Bonaparte. Haugwitz affectait plus de réserve et, parfois, conseillait la fermeté ; néanmoins, il tenait trop à son poste pour prétendre imposer sa volonté. Hardenberg, qui le remplaça au début d'avril 1804, s'est vanté d'avoir été plus énergique ; en fait, il ne le fut guère davantage. La guerre anglo-française mit Frédéric-Guillaume dans un terrible embarras. Comme électeur de Hanovre, Georges III s'était déclaré neutre ; à la rigueur, il eût préféré l'occupation prussienne à la conquête française, magnifique occasion pour la Prusse de reconstituer la ligue de neutralité de 1795, qui lui avait valu la domination de l'Allemagne du Nord, et de se réinstaller en Hanovre, comme en 1801. Elle crut devoir demander l'approbation du tsar, qui la soupçonna d'accord secret avec la France et protesta. Haugwitz conseilla de mobiliser et d'exiger que la France se contentât d'imposer au Hanovre une contribution pécuniaire : le roi refusa. Invoquant le tort causé au commerce prussien par l'occupation du Hanovre et de Cuxhaven, le ministre revint à la charge, le 28 juin 1803. Son maître préféra envoyer Lombard à Bonaparte, qui visitait alors la Belgique, pour lui proposer encore une fois d'entrer en tiers dans une alliance avec la Russie, à condition qu'il rétablît le trafic et ne se renforçât pas en Hanovre. Ce fut en vain. Haugwitz offrit ensuite de garantir la neutralité de l'Allemagne entière si les Français se retiraient. Bonaparte consentit seulement à rouvrir les ports à condition que la Prusse devînt son alliée. Le roi s'y résigna. Sur quoi, le premier consul prétendit l'obliger à garantir aussi l'état actuel de l'Italie et de la Turquie, ce qui revenait à l'enrôler contre l'Autriche et la Russie, en lui laissant espérer le Hanovre. En avril 1804, les pourparlers furent abandonnés : la Prusse désirait passionnément l'électorat, mais comme prix de sa seule neutralité.

A ce moment, l'enlèvement du duc d'Enghien ayant ravivé les craintes que lui inspirait le voisinage des Français installés en Hanovre, Frédéric-Guillaume renonçait enfin à se tenir en équilibre entre la France et la Russie. Dès juillet 1803, Alexandre lui avait offert une alliance défensive : elle fut conclue le 24 mai 1804, la Russie promettant 50.000 hommes si Napoléon se renforçait en Hanovre ou s'étendait à l'est du Weser. En octobre, ce *casus belli* parut réalisé lorsque Fouché fit enlever à Cuxhaven le résident anglais Rumboldt, espérant trouver dans ses papiers les traces du complot de l'an XII. Hardenberg voulait en profiter pour réclamer l'évacuation en mobilisant. Le roi se contenta d'exiger la libération du prisonnier et, Napoléon l'ayant accordée, tout fut dit.

Pendant longtemps, l'Autriche ne donna pas plus d'espérances que la Prusse. Depuis Lunéville, elle avait grand'peine à se rétablir. L'archiduc Charles s'efforçait d'amener son frère à réformer ses méthodes de gouvernement en laissant ses ministres administrer sous leur responsabilité et délibérer en conseil ; le 12 septembre 1801, fut créé un *Staatsministerium* en trois départements ; inutilement, car François continua de vouloir tout faire. Du moins laissait-il l'archiduc, élevé le 9 janvier 1801 à la présidence du *Hofkriegsrath*, reconstituer l'armée avec son chef d'état-major Duka et son conseiller Fassbender. Mais l'argent manquait : de 1801 à 1804, la dette passa de 613 à 645 millions de *gulden*, et les *Banco-zettel* de 201 à 337. L'inflation exerçait maintenant ses ravages. De 16 % en 1801, la perte du papier en était venue à 35 ; les prix montaient ; on était obligé d'augmenter la solde et les traitements ; la spéculation enrichissait quelques hommes et ruinait les rentiers ; en 1804, une disette qui atteignit toute l'Allemagne accrut encore la misère. Cependant, on se refusait toujours à imposer les privilégiés, ce qui aurait permis de rétablir aisément les finances. Dans ces conditions, l'Autriche, comme l'observait Charles, avait avant tout besoin de repos. Cobenzl et Colloredo n'y contredisaient pas ; le premier, qui se flattait de rétablir l'alliance avec la France, faisait bon ménage avec l'ambassadeur Champagny et cédait chaque fois que Bonaparte élevait la voix.

Il y avait, néanmoins, à Vienne un parti de la guerre. Des Autrichiens, comme Starhemberg et Stadion, y figuraient ; mais les ambassadeurs des puissances déjà coalisées, le Russe Razoumovski, l'Anglais Paget et le Suédois Armfelt, menaient le jeu principal et c'était dans les salons de quelques grandes dames moscovites que l'intrigue allait son train. Par Jean de Müller, alors bibliothécaire de la cour, ils se tenaient en rapport avec d'Antraigues, agent du tsar à Dresde, qui ne dédaignait pas l'argent autrichien ; par Stadion et par Metternich, alors ambassadeur en Saxe, ils avaient gagné Gentz qui, perdu de dettes à Berlin, accepta un poste de conseiller à la chancellerie en septembre 1802, sans cesser de recevoir les subsides britanniques.

Tout en servant ceux qui les payaient, ils exécraient personnellement la Révolution, notamment Armfelt, fougueux aristocrate, « le dernier des Romains », dira Gentz. Ce dernier lui-même, n'ayant pu mener Frédéric-Guillaume à la croisade, pensait convertir François ; les ministres se méfiaient de lui et ne l'avaient engagé que comme publiciste ; traité en subalterne, il prit ardemment parti contre Cobenzl et Colloredo dont il s'exagérait la faiblesse.

En réalité, Cobenzl ne restait pas inactif. La guerre franco-anglaise l'inquiétait parce qu'il redoutait que Bonaparte, incapable de triompher sur mer, ne cherchât une revanche sur le continent aux dépens de l'Autriche ; en même temps, il se rendait compte que ce conflit lui rendait quelque liberté d'action et il avait demandé à Londres, dès 1803, quels subsides on lui accorderait éventuellement. La rupture franco-russe lui ouvrit de nouvelles perspectives : le 1er septembre 1803, Dolgorouki parut à Vienne ; on lui fit bon accueil et on lui demanda des propositions. En janvier 1804, la Russie offrit 100.000 hommes pour ramener la France aux stipulations de Lunéville. Cobenzl déclara ce secours insuffisant ; d'ailleurs, il ne voulait pas prendre l'offensive et François II encore moins : « La France ne m'a rien fait », disait-il.

La proclamation de l'Empire modifia ces dispositions. Les contre-révolutionnaires s'exclamèrent : « La Révolution est sanctionnée et presque ratifiée, écrivit Gentz, par l'incroyable dénouement de la sanglante tragédie de nos jours. » Toutefois, si l'événement émut la cour de Vienne, ce fut surtout par les conséquences qu'il comportait pour le Saint-Empire et pour les intérêts des Habsbourg. En adoptant le titre d'empereur et non pas celui de roi, Bonaparte ne se proposait pas seulement de ménager la tradition révolutionnaire ; il attachait à son choix une valeur européenne, car il n'y avait eu jusqu'ici qu'un empereur, héritier de Rome et chef théorique de la chrétienté. Pour les légistes, l'empire n'était pas spécifiquement allemand et le couronnement par le pape, que les Habsbourg avaient d'ailleurs laissé tomber en désuétude, paraissait aussi valable à Paris qu'à Rome. Napoléon eut beau nationaliser la dignité, s'intituler empereur des Français et dénier toute prétention à la domination universelle : tout le monde comprit que le Saint-Empire romain germanique ne survivrait pas du moment qu'il naissait un nouvel empereur. Aussi François II, s'il consentit à reconnaître Napoléon, exigea-t-il en retour qu'il lui rendît la pareille lorsqu'il prit, le 11 août 1804, le titre d'empereur d'Autriche. Il n'en resta pas moins, pour l'instant, l'empereur du Saint-Empire, mais il s'attendait évidemment à être chassé de l'Allemagne ; en outre, comme la tradition liait au Saint-Empire le royaume d'Italie, il ne manqua pas de craindre une nouvelle extension de la puissance française dans ce pays, en quoi il ne se trompait pas. Ainsi l'érection de l'Empire en France précipita la coalition.

Le premier mouvement de Cobenzl fut de tâter la Prusse : mais en vain, parce qu'il ne lui offrit rien. Quand il apprit, en octobre, le départ de Novossiltsov pour Londres, il se dit que la Russie, alliée à l'Angleterre, abandonnerait peut-être l'Autriche à son sort et prit le parti de signer avec Alexandre la convention du 6 novembre ; bien qu'elle fût défensive, elle n'en prévoyait pas moins qu'on se concerterait au cas où « les circonstances... seraient de nature à exiger autrement l'emploi des forces mutuelles ». Or, en janvier 1805, on apprit que la république italienne allait être érigée en royaume héréditaire ; pour se donner les mains libres, Cobenzl résolut alors d'évincer l'archiduc Charles qui n'approuvait pas l'alliance russe. Les allures indépendantes de ce dernier indisposaient depuis longtemps l'empereur, qui multiplia les chicanes au point que Charles abandonna ses fonctions. Duka et Fassbender furent éloignés, et l'on rappela Mack, dont les Anglais conservaient une haute opinion, pour le mettre à la tête de l'état-major. Pourtant, François restait opposé à une agression et Cobenzl lui-même hésitait, si bien que la Russie, impatiente, menaçait de renoncer à l'accord. Les nouveaux envahissements de Napoléon le scellèrent définitivement.

Aucun des États vassaux et alliés ne se conduisait comme il l'entendait. La Hollande laissait libre cours à la contrebande et ses députés ne voulaient voter ni impôts ni emprunts pour les armements ; en septembre 1804, Napoléon avait signifié qu'il fallait modifier la constitution. Le 22 mars 1805, Schimmelpenninck reçut le titre de grand pensionnaire avec le pouvoir exécutif ; le législatif fut réservé à l'assemblée de « Leurs Hautes Puissances » ; ses membres devaient être élus par les citoyens parmi les candidats du gouvernement ; pour la première fois, Schimmelpenninck les choisit. Le ministre Gogel put alors entreprendre la réforme des finances.

De bien plus grande conséquence fut la fin de la république italienne. Melzi y avait organisé l'administration et la justice sur le modèle de la France, négocié un concordat, créé un Institut et rouvert les universités. Pour réduire le brigandage, il supprima le jury, nomma un préfet de police, établit des tribunaux spéciaux et forma une gendarmerie. Les travaux publics prenaient de l'essor et la route du Simplon s'achevait. Prina, énergique et compétent ministre des Finances, introduisit les contributions indirectes, liquida la dette, épura le personnel, assura le contrôle. Enfin, l'armée prenait consistance, la conscription ayant été enfin appliquée avec succès en 1803. Loin de plaire, ces réformes irritaient plutôt, et l'opinion restait fort hostile aux Français. Bien que Melzi favorisât les nobles, il ne trouvait guère de concours ; le corps législatif se montrait récalcitrant ; il rejeta l'introduction de l'enregistrement ainsi que l'impôt sur les successions. Melzi lui-même souhaitait l'évacuation et l'indépendance. En mai 1803, il avait soumis à l'Autriche un étrange projet dont la connaissance excita les soupçons de Bonaparte : il s'agissait de grouper toute l'Italie du Nord, y compris la Vénétie, sous le sceptre de l'ancien duc de Toscane. Napoléon était donc enclin à conclure qu'il lui fallait prendre en mains la direction de la république.

La proclamation de l'Empire vint donner à ce projet la forme la plus périlleuse. Depuis Charlemagne, les empereurs romains avaient tous été rois des Lombards ou rois d'Italie : Napoléon devait donc l'être. Dès le mois de mai 1804, il marqua sa volonté à Melzi. Une constitution, où l'empereur s'irrita de rencontrer des limites à son autorité, fut élaborée par une consulte ; il fit venir celle-ci à Paris et régla tout. Il semble avoir eu conscience du danger qu'il courait en prenant lui-même la couronne, car il l'offrit à Joseph et, le 1er janvier 1805, écrivit à l'empereur d'Autriche pour l'assurer que le nouveau royaume resterait à jamais séparé de la France. Mais Joseph comptait régner sur la France et refusa ; de même Louis, au nom de son fils. En conséquence, Napoléon fit voter, le 18 mars, un sénatus-consulte qui le reconnaissait comme roi d'Italie, se fit couronner à Milan le 18 mai et désigna Eugène de Beauharnais comme vice-roi. Quant à l'Autriche, il se contenta de lui promettre qu'il céderait la place à l'un de ses parents lorsque, à la paix, Malte et Corfou seraient évacuées. Le traité de Lunéville se trouva ainsi violé. Il le fut de nouveau quand Saliceti eut fait voter à Gênes un vœu en faveur de l'annexion à la France et que Napoléon l'eut prononcée le 6 juin, en formant de la Ligurie trois nouveaux départements. En outre, il attribua Piombino à sa sœur Élisa, le 18 mars, et transforma Bacciochi en prince de Lucques, le 23 juin ; ces deux domaines étaient fiefs impériaux et, par ces donations, il faisait apparaître qu'il se considérait bien comme l'héritier des empereurs romains. L'Autriche n'hésita plus. Le 17 juin, le consei aulique avait décidé d'accéder à l'alliance anglo-russe. A ce moment, Novossiltsov était à Berlin, en route pour Paris, avec autorisation de laisser à la France le Rhin et la Belgique à l'exception d'Anvers ; le 25 juin, sa mission fut annulée ; le 16 juillet, Wintzingerode et Mack discutèrent le plan d'opérations. Le 28, Pitt et Alexandre ratifièrent enfin le traité du 11 avril, sans toutefois s'être mis d'accord sur le sort de Malte. L'Autriche donna sa signature le 9 août. Pourtant, elle fit encore quelques ouvertures à Paris sur les concessions qui pouvaient la retenir. Ne voyant rien venir, elle envahit la Bavière, le 11 septembre.

Dans l'intervalle, on avait fait, de part et d'autre, de grands efforts pour persuader les Allemands. Frédéric-Guillaume fermait obstinément l'oreille aux objurgations du tsar ; le 15 juillet, il refusa le passage aux troupes réunies en Poméranie, rendant ainsi à Napoléon un service inestimable. Alexandre, qui lui demandait en vain une entrevue, parla de se frayer la route à travers la Silésie. Czartoryski concevait de grands espoirs : le 23 septembre, le tsar était arrivé à Pulavy, le château de la « famille » ; on parlait d'enlever à la Prusse les provinces qu'elle avait arrachées à la Pologne et de restaurer cette dernière. Au fond, Alexandre trompait son ami ; il ne voulait qu'intimider le roi de Prusse et comptait bien l'entraîner.

Quant à Napoléon, après s'être inquiété au cours de l'hiver d'une concentration de troupes en Vénétie, il ne soupçonna plus rien jusqu'à la fin de juillet et ne s'avoua le péril que le 23 août. Néanmoins, il essaya encore une fois de gagner la Prusse en lui offrant le Hanovre, le 8 août, et en lui envoyant Duroc, le 22. Le roi déclara qu'il ne conclurait d'alliance que pour maintenir la paix sur les bases de Lunéville. A la cour et dans l'armée, un parti de la guerre commençait à se dessiner ; la reine Louise ne cessait de manifester sa sympathie pour Alexandre et sa haine pour Napoléon ; toutefois, la majorité des Prussiens, sans en excepter les militaires, restaient favorables à la neutralité. Ayant besoin du corps de Bernadotte, l'empereur décida d'évacuer le Hanovre et ordonna d'y laisser entrer les troupes de Frédéric-Guillaume, s'il profitait de l'occasion, ce qui ne manqua pas. Napoléon prévoyait que le roi en éprouverait tant de satisfaction que, pendant un temps au moins, il éloignerait toute décision belliqueuse ; c'était bien calculer. Le succès fut plus net dans l'Allemagne du Sud, que menaçait l'Autriche : le 25 août, la Bavière s'allia à la France et, le 5 septembre, le Wurtemberg adhéra en principe. La dislocation de l'Allemagne s'acheva ainsi, telle qu'on pouvait la prévoir depuis 1803. En Italie, Napoléon agit avec la même dextérité. Le 10 septembre, Marie-Caroline avait conclu l'alliance avec la Russie ; or, le 21, l'empereur signa avec l'ambassadeur napolitain, marquis de Gallo, une convention d'évacuation parce qu'il avait besoin de ses forces sur l'Adige. Il fit d'ailleurs occuper l'Étrurie et même Ancône, malgré les protestations du pape. Craignant l'arrivée de Villeneuve, Ferdinand IV ratifia l'accord. Après Trafalgar, la reine jeta le masque et, le 19 novembre, une flotte anglo-russe débarqua 19.000 hommes à Naples. Il était trop tard ; Napoléon allait gagner la partie.

On a représenté la troisième coalition comme une tentative délibérée de reprendre à la France ses frontières naturelles. Que les alliés dussent lui enlever tout ou partie de ses conquêtes s'ils parvenaient à la vaincre, cela va de soi. Mais, ce qu'il faudrait démontrer, c'est que l'Angleterre en 1803, la Russie et l'Autriche en 1805 n'ont pris les armes qu'à cette fin, et c'est ce qu'on n'a point fait, même en ce qui concerne la première. D'abord, l'esprit d'agression, s'il est évident, était entretenu par des passions et des intérêts dont on ne tient nul compte : les préoccupations économiques et l'impérialisme maritime des Anglais, la mégalomanie et la jalousie personnelle d'Alexandre, l'hostilité — dont les racines étaient d'ordre social — de l'aristocratie européenne si influente à Vienne. Puis, il est plus apparent encore que Napoléon a surexcité, comme par gageure, cette animosité sournoise, alarmé toutes les puissances et poussé à bout jusqu'à la molle Autriche. Sans parler des intérêts de la nation française, et du simple point de vue de sa politique personnelle, il n'était pas indispensable au maintien de son autorité qu'il fît enlever le duc d'Enghien et instituât l'Empire, qu'il irritât prématurément l'Angleterre, inquiétât les ambitions orientales de la Russie et surtout érigeât la république italienne en royaume héréditaire ou annexât Gênes. Bien qu'il ne partageât point leur ardeur révolutionnaire, il lança aux rois et à l'aristocratie les mêmes défis qu'on a reprochés aux Girondins et poursuivi la politique turbulente d'envahissement qui a valu au Directoire tant de critiques méprisantes.

Quoi qu'il en soit, la formation de la troisième coalition, après la rupture de la paix d'Amiens, acheva d'orienter sa destinée. Non que sa perte fût désormais fatale, comme on le donne à entendre ; il faudra beaucoup d'autres erreurs encore et d'imprévisibles hasards pour le condamner à l'échec. Mais il ne restait plus d'autre issue que la conquête du monde.

CHAPITRE II

L'ARMÉE DE NAPOLÉON[1]

Après le traité de Lunéville, Bonaparte avait entrepris d'épurer l'armée de ses éléments fatigués ou suspects. Il réforma beaucoup d'officiers et libéra les soldats qui comptaient au moins quatre campagnes, un huitième de l'effectif. De 1801 à 1805, il disposa de plus de quatre années pour réorganiser ses troupes et réfléchir à son système de guerre, dont il allait donner en 1805 et en 1806 les applications les plus saisissantes. Dans l'élaboration des principes de sa stratégie et dans la constitution des unités tactiques qui en étaient les instruments indispensables, son génie novateur apparaît dans toute sa puissance. Pour le reste, il resta fidèle, quant à l'essentiel, aux méthodes de la Révolution : les traits les plus caractéristiques de son armée restèrent toujours l'amalgame et l'avancement par le rang ; la préparation de la guerre, bien qu'on y retrouve ses qualités d'organisateur et son souci du détail, fut une improvisation perpétuelle.

I. — *LE RECRUTEMENT ET L'AVANCEMENT*[2].

Le recrutement demeura fondé sur la loi de l'an VI, que complétèrent une foule de règlements administratifs, finalement

---

1. OUVRAGES D'ENSEMBLE A CONSULTER. — J. MORVAN, *Le soldat impérial* Paris, 1904-1907, 2 vol. in-8°) ; P. CANTAL, *Études sur l'armée révolutionnaire* Paris, [1907], in-8°), fort instructif.
2. OUVRAGES A CONSULTER. — L'ouvrage de G. VALLÉE, *La conscription dans le département de la Charente* (Paris, 1936, in-8°), en dépit du titre, décrit l'évolution générale de l'institution ; il s'arrête à 1807. DU MÊME AUTEUR, *Compte général de la conscription de A. A. Hargenvilliers* (Paris, 1937, in 8°), et *Population et conscription, 1798-1814* (Rodez, 1938, in-8°, 31 p.). Consulter aussi P. VIARD, Études sur la conscription militaire napoléonienne, dans la *Revue du Nord*, ann. 1924, p. 287-304, et 1926, p. 273-302, exclusivement consacrées à la région du nord ; sur la conscription dans les départements belges, E. FAIRON et H. HEUSE, *Lettres de grognards* (Liège, 1936, in-4°) ; H. LACHOUQUE and A. S. K. BROWN, *The anatomy of glory, Napoleon and his Guard, a study in*

codifiés en 1811. Cette loi astreignait au service militaire tous les Français de 20 à 25 ans ; mais elle accordait de nombreuses dispenses : d'abord aux hommes mariés et aux veufs ou divorcés pères de famille à la date du 12 janvier 1798, parce qu'il aurait fallu assister leurs femmes et leurs enfants. Ne tenant pas compte de la date-limite, l'opinion considéra généralement l'exemption comme permanente. Le texte de la loi était pourtant formel et, jusqu'en 1808, les levées, même rétroactives, n'épargnèrent pas les hommes mariés et les veufs pères de famille. Toutefois, on se montrait enclin à les réformer ou à les inscrire dans le « dépôt », c'est-à-dire parmi les conscrits qui, ayant tiré un bon numéro, ne se voyaient appelés qu'à défaut d'autres. Finalement, le sénatus-consulte du 10 septembre 1808 leur accorda dispense ; aussi les mariages hâtifs se multiplièrent-ils vers la fin de l'Empire. D'autre part, les soutiens de famille profitèrent d'une tolérance relative et, plus encore, les séminaristes à partir du Concordat. Enfin le « remplacement », de simple faveur en l'an VIII, devint un droit de par la loi du 28 floréal an X (18 mai 1802).

Par raison financière et aussi économique, car on voulait ménager la main-d'œuvre, la loi de l'an VI, sauf le cas où la patrie était en danger, n'appelait d'ailleurs pas tous les inscrits,

leadership (Providence, U.S.A.-Londres, 1961, in-4°), valable surtout pour l'iconographie ; P. Conard, Napoléon et les vocations militaires, dans la *Revue de Paris*, 1902, t. VI, p. 345-365 ; E. Bucquoy, *Les gardes d'honneur de l'Empire* (Nancy, 1908, in-8°) ; lieut.-colonel Sauzay, *Les Allemands sous les aigles françaises* (Paris, 1902-1912, 6 vol. in-8°). — Lieut.-colonel Philip, *Études sur le service d'état-major pendant les guerres du premier Empire* (Paris, 1900, in-8°) ; sur le même sujet, voir Lechartier et Guignes, cités p. 206. — G. Six, *Dictionnaire biographique des généraux et amiraux français de la Révolution et de l'Empire, 1792-1814* (Paris, 1934-1935, 2 vol. in-8°) ; du même, *Les généraux de la Révolution et de l'Empire* (Paris, 1947, in-8°) ; J. Valynseele, *Les maréchaux du Premier Empire, leur famille et leur descendance* (Paris, 1957, in-8°). Parmi les biographies, on citera : S. J. Watson, *By command of the Emperor, a life of marshal Berthier* (Londres, 1957, in-8°), et, sous un angle plus particulier, J. Courvoisier, *Le maréchal Berthier et sa principauté de Neuchâtel (1806-1814)* (Neufchâtel, 1959, in-8°) ; marquise de Blocqueville, *Le maréchal Davout* (Paris, 1879-1880, 4 vol. in-8°) ; général H. Bonnal, *La vie militaire du maréchal Ney* (Paris, 1910-1914, 3 vol. in-8°) ; général Ch. Thomas, *Le maréchal Lannes* (Paris, 1891, in-8°) ; P. Saint-Marc, *Le maréchal Marmont, duc de Raguse, 1744-1852* (Paris, 1957, in-8°) ; H. Aureas, *Un général de Napoléon, Miollis* (Paris, 1961, in-8° ; « Publications de la Faculté des Lettres de l'Université de Strasbourg », fasc. 143) ; *Les cahiers du général Brun, baron de Villeret, pair de France, 1773-1845*, présentés par P. Desachy (Paris [1953], in-8°) ; *Les cahiers du colonel Girard, 1766-1846* (Paris [1951], in-8°), édités par L. de Saint-Pierre.

se limitant à un contingent fixé tous les ans par les Conseils, en commençant par la classe la moins âgée. Sous le Consulat, les opérations furent à peu près conduites comme sous la Révolution : le contingent, fort modéré, était voté par le Corps législatif, qui le répartissait entre les départements ; en principe, les conseils généraux et d'arrondissement achevaient de le distribuer ; la municipalité examinait les appelés avec un médecin de son choix, désignait les partants et admettait les remplaçants, le préfet n'ayant qu'à décider des réclamations.

Le système évolua dans le même sens que les autres institutions. Dès le début, le remplacement avait favorisé les notables ; le 24 septembre 1805, Napoléon fixa le contingent par sénatus-consulte et, à cet égard, le Corps législatif se trouva désormais dépouillé de ses attributions ; d'autre part, on eut à se plaindre de la négligence volontaire, de l'incapacité, des abus scandaleux de beaucoup de municipaux, ce qui conduisit à leur enlever leurs fonctions, comme on avait fait pour les finances, et à les confier aux fonctionnaires, très heureusement pour les petites gens. Il fut interdit aux municipalités de désigner les conscrits au scrutin, et elles se virent encouragées à user du tirage au sort ; les préfets et les sous-préfets intervinrent de plus en plus fréquemment dans les opérations ; le 18 thermidor an X (6 août 1802), on institua dans chaque département un conseil de recrutement ambulant, composé du préfet et d'officiers, pour reviser toutes les exemptions motivées par l'inaptitude physique. De nouveau la campagne de 1805 provoqua la transformation décisive ; le décret du 26 août ôta leur rôle aux conseils locaux. Désormais, la répartition du contingent incombe au préfet et aux sous-préfets ; le sous-préfet dresse la liste d'appel, désigne les conscrits par tirage au sort et préside à l'examen médical sous réserve des droits du conseil de recrutement. Les « conscrits prêts à marcher » gardent le droit de se procurer d'un commun accord des volontaires pour les remplacer : c'est la substitution ; chacun d'eux peut aussi fournir un « suppléant » : c'est ce qu'on a coutume d'appeler le « remplacement » ; même incorporé, il peut être autorisé à présenter un « remplaçant » proprement dit. L'affectation était réglée par l'empereur ou par son ministre ; chaque régiment envoyait un de ses officiers qui assistait aux opérations du recrutement à titre consultatif et qui, aidé par un cadre de conduite, emmenait ses conscrits au dépôt. A part le bureau de la conscription, confié dès 1800 à Hargenvilliers et subordonné, en 1807, à un directeur qui fut Lacuée de Cessac, le recrutement ne constitua donc pas une institution spécialisée ; sa technique n'en fit pas moins de grands progrès. Quant à la corruption et aux abus des notables, Napoléon a, sans nul doute, réduit leur importance ; pourtant il ne réussit pas à les supprimer.

Si le système présentait l'avantage de ménager les forces du pays, il comporta l'inconvénient d'altérer le caractère national du service militaire en supprimant l'égalité et en rejetant surtout la charge sur les pauvres. De 1805 à 1811, le prix d'un homme n'augmenta pas beaucoup ; mais, en Côte-d'Or, il en coûtait de 1.900 à 3.600 francs, et 5 % seulement du contingent put faire les frais du remplacement. Toutefois, si la conscription finit par devenir odieuse, c'est qu'à partir de 1805 il n'y eut plus de paix. Le contingent ne fut donc jamais destiné à la caserne et on l'expédia au feu dans le plus bref délai possible ; pour la même raison, il n'était pas non plus libérable et le conscrit ne revenait qu'estropié ; en 1803, on retenait encore 174.000 hommes des classes 1792 à 1799, et ils continuèrent à faire campagne indéfiniment. D'autre part, à mesure que les entreprises de l'empereur se multiplièrent, le contingent alla grossissant et, à partir de 1806, on l'appela par anticipation, bien que la loi n'en dît rien. Il est vrai que, jusqu'en 1813, aucune classe ne fut appelée tout entière d'un seul coup ; néanmoins, les bons numéros et même les remplacés ne jouissaient d'aucune sécurité, car rien n'empêchait de demander un supplément, par voie de rappel, à la classe qui n'était pas épuisée : dès 1805, Napoléon réclama 30.000 hommes à chacune des classes 1800 à 1804.

Ces exigences parurent insupportables aux contemporains, parce que l'Ancien Régime ne les avait pas connues. Il faut pourtant observer que, tout compte fait, Napoléon, de 1800 à 1812, n'a levé que 1.300.000 hommes, dont un peu plus des trois quarts dans l'ancienne France. Même si l'on tient compte des énormes appels de 1812 et de 1813 (plus d'un million d'hommes), la proportion, par rapport aux inscrits, ne dépasse pas 41 %. La Côte-d'Or n'a fourni en tout que 11.000 hommes sur 350.000 habitants, soit 3,15 % ; les Côtes-du-Nord 19.000 sur 500.000, soit 3,80 %. Comme la Révolution, Napoléon dut faire la chasse aux réfractaires et aux déserteurs ; dès l'an VIII, leurs parents furent frappés d'une amende et, à partir de 1807, on leur imposa à nouveau des garnisaires ; la gendarmerie et des colonnes mobiles de gardes nationaux battirent la campagne. Ces mesures ne manquèrent pas d'efficacité, car, jusqu'en 1812, le nombre des défaillants resta modéré : la Côte-d'Or, par exemple, n'en compta pas 3 % de 1806 à 1810. A trois reprises, en l'an VIII, en l'an X et en 1810, Napoléon leur offrit d'ailleurs l'amnistie. La nation s'est beaucoup mieux pliée à l'obligation qu'on ne l'a prétendu ; elle ne redevint rétive que vers la fin, quand, avec la défaite, reparut en fait la levée en masse.

Guerroyant continuellement, l'armée napoléonienne se recruta donc par un amalgame continu, dont le principe lui venait de la Révolution. Au début de chaque campagne, un contingent de recrues, habillées et armées vaille que vaille, partait, par petits groupes, vers le front. « Les conscrits n'ont pas besoin de passer plus de huit jours au dépôt », écrit l'empereur le 16 novembre 1806. On leur apprenait l'essentiel en route, et encore ! Versés dans les régiments, ils se mêlaient aux soldats aguerris et apprenaient ce qu'ils pouvaient en combattant ; dans les instants de repos, on ne se souciait pas de faire l'exercice, le regardant comme inutile. Le soldat napoléonien n'a rien du soldat de caserne : c'est un combattant improvisé comme celui de la Révolution ; il garde le même esprit d'indépendance ; les officiers, sortis du rang, étant ses camarades de la veille, et lui-même pouvant être promu demain, il s'empreint fort peu d'esprit « militaire » ; la discipline extérieure et mécanique lui est insupportable ; il déserte sans scrupule, pour revenir à son heure, et n'obéit volontiers qu'au feu. Peu d'armées ont poussé l'insubordination à pareil degré ; les manifestations collectives, les rébellions individuelles, les mutineries sont monnaie courante ; Napoléon fulmine, mais se montre toujours plus indulgent que les représentants du peuple. Dans le soldat, il ne voit au fond que le combattant et ce qui lui importe, c'est qu'il désire la bataille et s'y jette à corps perdu.

Cette ardeur qui, devant l'ennemi, exalte l'initiative individuelle, l'audace, la confiance en soi et, en même temps, rend à l'armée son âme collective est aussi un legs de la Révolution. Chez le soldat napoléonien, les passions du sans-culotte, l'amour de l'égalité, la haine de l'aristocratie, un vif anticléricalisme, se sont sans doute assoupies avec le temps, mais non pas éteintes ; en 1805, elles restent fort vives ; pour les « grognards », le « Tondu » n'a jamais été un roi, mais un chef de guerre contre les rois. De la Révolution leur vient aussi l'exaltation du sentiment national, l'orgueil d'appartenir à la « grande nation », sentiments que l'empereur entretient soigneusement par ses proclamations, en quoi il continue le Comité de salut public, qui a « popularisé » la guerre.

Toutefois, le principal de sa force, l'armée napoléonienne,

comme celles de la Convention et du Directoire, le tient de la révolution sociale qui a ouvert la carrière aux énergies individuelles en proclamant l'égalité dont le symbole militaire est l'avancement par le rang. La constitution de l'an VIII confère à son chef le choix des officiers ; mais, s'il manifeste quelques velléités de reconstituer une aristocratie militaire, c'est la valeur personnelle qui guide essentiellement ses désignations. L'ancienneté ne compte pour rien ; par elles-mêmes, les qualités intellectuelles n'attirent pas beaucoup l'attention, et il n'est pas nécessaire d'être fort instruit pour réussir ; l'audace et la bravoure éclipsent tout. Après chaque bataille, le colonel, maître des promotions, comble les vides en puisant parmi ceux qui se distinguent dans son régiment, et celui-ci est le meilleur juge de sa justice. Pour les grades supérieurs, Napoléon ne procède pas autrement. Ainsi, dans une société où il cherche à consolider la hiérarchie, c'est l'armée qui offre au mérite la meilleure chance et elle exerce, par suite, un vif attrait sur la jeunesse ambitieuse. Ses meilleurs éléments aspirent naturellement à la bataille, s'y portent au premier rang, entraînent les autres ou parent leurs défaillances. Napoléon ne cesse de stimuler cet appétit en distribuant d'abord des armes d'honneur, puis les insignes de la légion d'honneur, en multipliant les compagnies et les corps d'élite, dont le plus envié est la garde et que distinguent des uniformes de parade, éclatants et multicolores.

Il résulte de ce système que les officiers se trouvent relativement aussi peu instruits que la troupe. L'inconvénient est minime, parce que Napoléon ne partage avec personne la conception et les directives générales de l'exécution ; pour le reste, des généraux entreprenants et rompus à la manœuvre suffisent. Les officiers d'état-major ne constituent pas un corps autonome, capable d'exercer une influence sur la marche des opérations ; ceux qui travaillent dans les bureaux ne remplissent qu'une tâche matérielle : l'empereur « parle » ses instructions et ils les transmettent. Leur chef, Berthier, général indécis et médiocre, mais esprit ponctuel et passif, n'est qu'un major « expédiant les ordres de Sa Majesté ». « Tenez-vous-en strictement aux ordres que je vous donne, lui écrit Napoléon en 1806 ; moi seul sais ce que je dois faire » ; et Berthier lui-même dit à un maréchal : « Personne ne connaît sa pensée et votre devoir est d'obéir. » Les officiers d'ordonnance, tels Marbot, Fesensac, Castellane, Gourgaud, et les aides de camp, comme Duroc, Mouton, Rapp, Drouot, Savary, Bertrand, pris dans les régiments à raison de leur coup d'œil et de leur allant, ne possèdent aucune autorité sur les chefs de corps ; ils sont simplement l'œil du maître ; sans cesse en mission, ils vont se rendre compte sur place de la situation et renseignent. Si pourtant Napoléon, ne pouvant être partout, juge nécessaire de se faire suppléer, il délègue un homme de confiance, Murat, Lannes, Davout, Masséna, véritables lieutenants-généraux ou chefs d'armée temporaires, qui, seuls, ont à prendre des initiatives stratégiques. Il n'est donc pas nécessaire que les hommes vraiment capables soient très nombreux.

Ainsi, l'armée napoléonienne n'a pas d'institutions ; elle est une improvisation continue, dont la puissance repose sur l'exaltation de la valeur individuelle et sur le génie de son chef. Dans l'organisation des différentes armes, les innovations furent d'importance médiocre. L'infanterie resta partagée en régiments de ligne et en infanterie légère ou voltigeurs, sans que leur tactique différât. Le 1er vendémiaire an XII (24 septembre 1803), la cavalerie reçut la division désormais classique en cavalerie légère (hussards, chasseurs), de ligne (dragons) et de bataille (cuirassiers) ; elle était mieux instruite que l'infanterie grâce aux efforts de la Convention et du Directoire et, menée par Murat et une pléiade de cavaliers intrépides, n'eut plus rien à craindre de la cavalerie autrichienne. L'artillerie fut groupée en régiments à cheval et à pied, et les canons d'infanterie supprimés. On constitua le génie en unités indépendantes et on le dota de corps de pontonniers. La garde reçut son organisation définitive le 10 thermidor an XII (29 juillet 1804) : composée alors pour deux tiers de vieux soldats, elle comprit 5.000 fantassins et 2.800 cavaliers, les uns et les autres dénommés grenadiers, chasseurs et vélites, plus 100 Mamelouks, une artillerie légère, des marins, des gendarmes et même un train des équipages, avantage dont elle jouissait seule à cette date. Quant au matériel, il resta ce qu'il était : le fusil de 1777, tirant quatre balles en trois minutes, au plus, bon jusqu'à 200 mètres, et les canons de Gribauval, envoyant deux boulets pleins de 4, 8 ou 12 livres par minute, excellents à 600 mètres ; les obus et les boîtes à mitraille, utiles jusqu'à 400, s'employaient peu ; on disposait aussi d'un obusier de 6. Napoléon attachait une extrême importance à la puissance du feu et, par conséquent, à l'artillerie ; pourtant, la sienne resta peu nombreuse : douze pièces par division jusqu'en 1806 ; cette année-là seulement apparut le parc général, soit 59 pièces. On n'en compta deux par millier d'hommes qu'en 1808. Marmont fut, pour une part, responsable de ce retard : en 1803, il avait entrepris de refondre tout le matériel, travail que la guerre de 1805 fit abandonner. Mais le fait s'explique aussi par des causes plus profondes : l'insuffisance de l'outillage et surtout des transports ; on n'aurait pas pu se procurer beaucoup plus d'attelages, ni amener suffisamment de munitions.

Les ressorts de l'armée napoléonienne se détendirent peu à peu par leur jeu même, par l'extension de la conquête et par les inclinations de plus en plus aristocratiques de Napoléon. A mesure que les soldats de la République disparurent et que le contingent s'accrut, l'amalgame devint de moins en moins efficace et, en 1809, on finit par constituer des divisions de conscrits. L'avancement par le rang n'eût conservé toutes ses vertus que si la mort, à chaque campagne, eût fait place nette pour les générations nouvelles ; jusqu'en 1812 au moins, elle n'alla pas jusquelà ; les cadres supérieurs surtout s'encombrèrent et, une fois parvenus, les maréchaux, comblés d'argent et d'honneurs, ne songeant plus qu'à les conserver, aspirèrent à la paix et au repos. S'il n'avait tenu qu'à l'empereur, le mal eût fait des progrès plus rapides. Il correspondait à ses desseins politiques et à son idéal social de créer une élite militaire de nobles, de riches et de fils d'officiers. Il institua un prytanée militaire, une école de cavalerie à Saint-Germain et une école militaire à Fontainebleau, transférée à Saint-Cyr en 1808. Il songeait à rétablir les gardes du corps : il eut « les volontaires de la réserve » en 1800 et les « gendarmes d'ordonnance » en 1806. Il encouragea la constitution de « gardes d'honneur » locales, recrutées parmi les gardes nationaux de bonne famille et, le 30 septembre 1805, transforma ces corps d'apparat en formations militaires. Mais, si les fils d'officiers entrèrent aux écoles, la noblesse et la haute bourgeoisie répugnèrent à y envoyer les leurs. D'autre part, il sentit le danger de mécontenter l'armée et surtout la garde : les gendarmes d'ordonnance et les gardes d'honneur disparurent en 1806, et ces dernières ne reparurent qu'en 1813. Ce fut seulement dans le royaume d'Italie, où leur institution date du 26 juin 1805, qu'elles constituèrent une pépinière d'officiers, révélant ainsi la pensée secrète de Napoléon.

Le caractère national de l'armée s'affaiblit aussi. Dès 1800, il y avait dans les troupes françaises une importante proportion de récents annexés ; avec la conquête, elle alla croissant. De plus, Napoléon reprit, de l'Ancien Régime, l'habitude d'enrôler le plus d'étrangers possible ; il entretint des régiments suisses et polonais, des légions hanovrienne et irlandaise constituées en 1803, deux régiments « étrangers » créés en 1805. Cet élément aussi ne fera qu'augmenter. Enfin, l'armée impériale englobait également les forces des vassaux et des alliés ; c'étaient, dès 1805, les Hollandais, les Italiens, les Allemands du Sud. Leur nombre grossira plus encore, si bien que les Français de l'ancienne France ne formeront plus, en 1812, qu'une minorité parmi les soldats de Napoléon.

Par ses succès mêmes, le système révéla pareillement certaines de ses faiblesses. Les théâtres d'opérations se multiplièrent et, le plus souvent, l'absence de Napoléon montra qu'il n'avait pas beaucoup de lieutenants aptes à commander en chef. Laissés à eux-mêmes, Ney, Oudinot, Soult se montrèrent médiocres. On l'a tenu responsable de cette médiocrité, parce qu'il privait ses chefs de corps de toute initiative. Ce reproche n'est pas fondé. Si, comme tous les maîtres de la guerre, il ne partageait avec personne la direction d'ensemble, il laissait aux exécutants une grande latitude dans le choix des moyens. Seulement, dans le recrutement du haut commandement, rien n'était prévu pour une initiation intellectuelle à la grande guerre. D'un autre côté, la conquête étendit les lignes de communications et les territoires à occuper. Improvisée pour terminer la guerre d'un coup par une bataille décisive, l'armée n'avait pas de réserves organisées. Pour la compléter, pas d'autre ressource que de lever un contingent par anticipation ; pour garder le pays envahi, on recourait aux alliés et aux vassaux les moins sûrs ; au front, la proportion des effectifs combattants alla toujours diminuant. La garde nationale, maintenue par la constitution de l'an VIII, sur la base de la loi du 28 prairial an III (16 juin 1795), aurait pu fournir les éléments d'une armée territoriale. En 1805, elle n'existait que sur le papier ; le 24 septembre, l'empereur ordonna de la reconstituer en se réservant le choix des officiers ; en fait, il ne s'occupa guère que de former des compagnies d'élite et des gardes d'honneur. Ultérieurement, il mobilisa partiellement les gardes nationaux, par exemple pour la défense des côtes ; jusqu'en 1812, il ne les associa pas étroitement à son système militaire.

En 1805, aucun symptôme inquiétant ne se manifestait encore. La « Grande Armée », comme Napoléon l'avait baptisée au camp de Boulogne, qui se mit en marche, le 26 août, vers l'Allemagne, était la meilleure du monde. Près d'un quart de ses soldats avaient fait toutes les guerres de la Révolution, et un autre, ou peu s'en faut, la campagne de 1800 ; le reste, incorporé sous le Consulat, avait eu le temps de s'amalgamer solidement aux anciens ; presque tous les sous-officiers et officiers avaient combattu ; ils étaient même trop âgés : 90 lieutenants dépassaient 50 ans et quelques-uns 60. Au contraire, les officiers supérieurs étaient très jeunes et pleins de mordant. Trois ans suffirent à la Grande Armée pour porter au Niémen les frontières du Grand Empire.

II. — *LA PRÉPARATION DE LA GUERRE*[1].

Sous l'Ancien Régime, la guerre s'improvisait toujours : quand elle éclatait, on recrutait des officiers et des hommes ; les fournisseurs, devenus les maîtres, achetaient à tout prix de quoi constituer des magasins et former des équipages ; ils grugeaient le roi et leurs agents volaient le soldat. On s'efforçait d'organiser le contrôle ; mais les commissaires des guerres n'avaient pas assez de conscience professionnelle pour se montrer incorruptibles. La cause visible de ces maux était la pénurie financière ; l'origine profonde résidait dans l'économie du pays, encore trop faible pour nourrir la guerre moderne et entretenir une bureaucratie honnête et compétente : la politique de la monarchie fut toujours au-dessus de ses moyens. Obligés aussi d'improviser, les Montagnards firent un effort surhumain pour se passer des fournisseurs, nationaliser les services et exiger des fonctionnaires le dévouement et le désintéressement. Après le 9 thermidor, la République se retrouva au même point que la royauté et cette situation se perpétua sous Napoléon, aggravée encore par l'accroissement démesuré des effectifs et la permanence des hostilités.

Son aversion pour les fournisseurs égalait celle des jacobins ; mais, obligé comme eux de faire vite sans disposer du personnel

1. Ouvrages a consulter. — Voir l'article de Bourdon, cité p. 79, et l'ouvrage de Morvan, cité p. 197 ; capitaine Lechartier, *Les services de l'arrière à la Grande Armée* (Paris, 1910, in-8°), qui concerne les années 1806 et 1807 ; colonel Guignes, *L'organisation des services de la Grande Armée* (Paris, 1939, in-8°) ; sur l'intendant général de la Grande Armée, et à défaut d'une biographie valable : *Les Archives Daru aux Archives nationales*, inventaire par S. d'Huart (Paris, 1962, in-8°) ; G. Nigay, Le comte Pierre Daru, intendant général de la Grande Armée. Documents inédits, dans les *Cahiers d'histoire* publiés par les Universités de Clermont-Lyon-Grenoble, t. VII, 1962. Ajouter les travaux relatifs aux campagnes ; A. Meynier, Levées et pertes d'hommes sous le Consulat et l'Empire, dans la *Revue des études napoléoniennes*, t. XXX (1930), p. 26-51 ; cet article, revu et complété, a été publié à part sous ce titre : *Une erreur historique. Les morts de la Grande Armée et des armées ennemies* (Paris [1934], in-8°, 34 p.) ; P. Triaire, *D. Larrey et les campagnes de la Révolution et de l'Empire* (Paris, 1902, in-8°).

et de l'argent nécessaires, il ne pouvait pas recourir aux mêmes moyens, parce qu'il s'appuyait sur les notables. Il fut donc contraint de recourir aux financiers pour nourrir l'armée, comme pour alimenter sa trésorerie. En 1805, Vanlerberghe et autres assuraient la fourniture des vivres et des fourrages à l'intérieur ; quand la guerre commença, des compagnies se chargèrent, en régie intéressée, du pain, de la viande, des fourrages, des hôpitaux et de tous les transports, y compris ceux de l'artillerie : un unique bataillon du train d'artillerie avait été créé en l'an IX et la garde seule possédait un train des équipages. Napoléon fit de grands efforts pour assurer le contrôle. En l'an X, l'administration de la guerre fut constituée en ministère et attribuée à Dejean. La trésorerie de l'armée devint un service indépendant. Dès l'an VIII, la vérification des effectifs, enlevée aux commissaires des guerres, avait été confiée à des inspecteurs aux revues : les uns et les autres dépendaient de l'intendant général de la Grande Armée, Villemanzy, que Daru remplaça en 1806. L'empereur se délectait à examiner le déluge d' « états » qu'il exigeait et à y dénicher les erreurs : s'il comptait ce qui entrait et sortait, il ne découvrait que par hasard ce qui n'entrait pas ou se payait indûment. Les commissaires des guerres, recrutés au hasard, restèrent malhonnêtes et haïs. « On me fait payer tous les soldats tués », écrivait Napoléon le 18 mai 1808. Il ne put jamais empêcher non plus ses généraux de lever des contributions et de les garder.

En 1805, il avait déjà près de 400.000 hommes sur pied et se trouvait incapable de les entretenir convenablement en temps de paix. Le soldat touchait cinq sous par jour ; mais l'État ne lui donnait que le pain de munition et, en temps de guerre, la viande. Cette solde insuffisante n'était pourtant pas payée régulièrement. En 1805, au moment du départ, « la solde manque », observe l'empereur ; à la fin de 1806, il est dû cinq mois. Impossible, par conséquent, d'accumuler les vivres, les souliers et les vêtements, les moyens de transport que supposait l'entrée en campagne. Napoléon se bornait aux armes et aux munitions. En 1800, il avait dit qu'il lui fallait une réserve de trois millions de fusils : il ne les eut jamais, et la production nationale aurait été incapable de les fabriquer ; en 1805, elle en livra 146.000, et l'on estimait qu'une campagne en détruisait à peu près autant. L'artillerie était encore plus mal pourvue ; les pertes ne se comblaient qu'en vidant les arsenaux ennemis. Si les munitions ne donnèrent jamais beaucoup d'inquiétudes, c'est qu'on en consommait peu : à Iéna, le 4e corps ne tira que 1.400 coups de canon. Quant à la remonte, bien qu'il en prît grand souci, elle ne fut jamais tout à fait bonne ; la France ne l'aurait pas assurée ; c'est le pays conquis qui l'a complétée.

Pour tout le reste, vivres, souliers, habillement, le principe est que la guerre doit nourrir la guerre. « Dans la guerre d'invasion et d'expédition que fait l'empereur, il n'y a point de magasins », écrit Berthier à Marmont, le 11 octobre 1805 ; « c'est aux généraux commandant en chef les corps d'armée à se pourvoir de leurs moyens de subsistance dans les pays qu'ils parcourent. » On opposera que Napoléon déploie, à la veille de l'entrée en campagne, une activité dévorante à faire cuire du pain et du biscuit, à faire distribuer des souliers. D'abord, c'est trop tard ; puis, les ordres ne sont qu'imparfaitement exécutés ; beaucoup de soldats ont passé le Rhin en 1805 avec une seule paire de souliers ; en 1806, ils sont partis pour Iéna sans capotes ; pour le pain, ils en emportent au mieux ce qu'ils peuvent. Le système de guerre de Napoléon était, peut-on dire, en harmonie avec la pénurie financière, car il reposait en partie sur la rapidité de la marche : avec les moyens de transport dont on disposait, les approvisionnements, s'ils eussent existé, n'auraient pas pu suivre. En commençant chaque campagne, Napoléon compte sur une victoire foudroyante et immédiate : c'est pourquoi l'armée part démunie. Cette victoire est une question de vie ou de mort : derrière l'armée, rien de prêt pour soutenir la guerre ; si elle combat en retraite et même si l'ennemi, tenant tête, a le temps d'épuiser le pays avant de le céder, elle périra d'épuisement.

Quand on improvise la guerre, c'est aux dépens du soldat. Marchant sans trêve, rares étaient les généraux comme Davout qui se souciaient de pourvoir leurs troupes par des réquisitions régulières ; elles prenaient chez l'habitant ce qu'elles trouvaient ; se succédant, elles finissaient par ne rien découvrir ; affamé, souvent trempé, le soldat dormait peu ; passant de la privation absolue à la ripaille et à l'ivresse, il était voué à la maladie. D'ailleurs, personne ne s'inquiétait de son hygiène. Le service de santé demeurait exagérément négligé aussi ; la Convention avait traité les médecins et les chirurgiens en officiers ; mais le Directoire, par économie, avait décidé qu'ils pourraient être purement et simplement licenciés à la paix et Napoléon n'y changea rien ; réserve faite des grands chefs, Larrey, Percy, Coste, le personnel était au-dessous du médiocre. Ne disposant que d'un matériel dérisoire, on installait des ambulances et des hôpitaux de fortune, en réquisitionnant le nécessaire chez les habitants et en les prenant eux-mêmes comme infirmiers. C'était un enfer ; le journal de Percy nous en dépeint l'horreur : les atroces blessures du boulet plein, les amputations sans anesthésique, la gangrène et la pourriture d'hôpital, la saleté innommable, la gale, les poux, le typhus. Aussi Napoléon interdisait-il absolument l'envoi des blessés loin à l'arrière et surtout en France. D'ailleurs, ils seraient morts en route, faute d'organisation sanitaire. On comprend qu'on se soit représenté longtemps la mortalité sous un aspect terrifiant pour l'époque. Taine répète encore qu'il est mort sous le Consulat et l'Empire 1.700.000 hommes, rien que pour l'ancienne France ; elle n'en a pas fourni davantage et il ne serait donc revenu personne, sans parler des prisonniers. En réalité, ses pertes, de 1800 à 1815, peuvent être estimées à moins d'un million, soit 40 %, dont un tiers de disparus, qui ne sont sûrement pas tous morts. Il faut y ajouter 200.000 nouveaux Français environ et, par approximation, autant d'alliés et de vassaux. Ce qu'on doit surtout retenir, c'est que les tués n'en constituent qu'une faible partie : 2 % à Austerlitz et, au maximum, 8 1/2 % à Waterloo ; le reste a succombé dans les hôpitaux aux blessures et aux maladies, ou est mort d'épuisement et de froid.

Cette manière de nourrir la guerre entraîna des conséquences redoutables. L'occupation française a été rendue plus impopulaire. La discipline et le moral du soldat ont beaucoup souffert de l'habitude généralisée du pillage et de la maraude ; les marches forcées laissaient en arrière une foule d'éclopés et de traînards qui s'attroupaient et se livraient à tous les excès. Les mutineries naquirent ordinairement de la misère. Le pire, c'est que le système avait été conçu en fonction des pays fertiles et peuplés, principalement de la Lombardie, où Napoléon a conduit ses deux premières campagnes européennes. Quand il pénétra en Allemagne du Nord, en Pologne, en Espagne, en Russie, les conditions géographiques le mirent en défaut et l'armée se trouva en péril.

III. — *LA CONDUITE DE LA GUERRE*[1].

A la fin de l'Ancien Régime, les écrivains militaires français avaient montré les inconvénients des méthodes classiques portées

1. Ouvrages a consulter. — Lieut.-colonel Grouard, *Maximes de guerre de Napoléon* (Paris, 1898, in-8°) ; colonel Vachée, *Napoléon en campagne* (Paris, 1913, in-8°) ; York von Wartenburg, *Napoleon als Feldherr* (Berlin, 1885-1886, 2 vol. in-8° ; 2e éd., 1901 ; trad. franç. par le commandant Richert,

à la perfection par Frédéric II : l'armée inarticulée, se déplaçant lentement, en file, sur une seule route, était incapable d'embrasser toute la région d'opérations et, par conséquent, de contraindre l'ennemi à accepter la bataille, ou de le manœuvrer s'il l'offrait dans une position défensive. Il fallut, néanmoins, que la Révolution survînt pour qu'on sortît de la routine ; en augmentant les effectifs et en inaugurant la guerre de masses, elle obligea les généraux à partager leurs armées en divisions pour les rendre maniables. On ne tarda pas à trouver ces groupements insuffisants : dès qu'ils devenaient nombreux, le commandant en chef avait peine à coordonner leurs mouvements ; la cavalerie et l'artillerie, réparties entre eux, ne pouvaient plus concentrer leur action. Sous le Directoire, on en vint, en tâtonnant, à créer un organisme supérieur qui fut le corps d'armée ; en 1800, Moreau en eut trois, de quatre divisions, mais sans réserves. La stratégie napoléonienne tire ses origines de Bourcet et de Guibert, ainsi que de l'expérience révolutionnaire ; ce fut Bonaparte qui, pour la campagne de Marengo, trouva la formule définitive : deux ou trois divisions par corps avec le moins de cavalerie possible, la majorité de celle-ci constituée en groupes indépendants, une réserve d'artillerie à la disposition du chef suprême. L'organisation se compléta sous le Consulat. La force des divisions et des corps d'armée resta d'ailleurs très variable. En 1805, ces derniers ont de deux à quatre divisions et vont de 14 à 40.000 hommes ; les divisions sont de six à onze bataillons, de 5.600 à 9.000 hommes ; les régiments de un à trois bataillons. L'armée de 1806 fut un peu plus régulièrement articulée, avec des divisions de 6.000 à 8.000 hommes et des régiments à deux bataillons.

Paris, 1899, 2 vol. in-8°) ; H. DELBRÜCK, *Geschichte der Kriegskunst im Rahmen der politischen Geschichte*, t. IV (Berlin, 1920, in-8°) ; DU MÊME, *Historische und politische Aufsätze über den Unterschied der Strategie Friedrichs und Napoleons* (Berlin, 1897, in-8° ; 2e éd., 1907). Avec ce dernier ouvrage, se recommandent surtout les trois livres du capitaine, puis lieut.-col. J. COLIN, *L'éducation militaire de Napoléon* (Paris, 1900, in-8°) ; *Les transformations de la guerre* (Paris, 1912, in-8°) ; *Napoléon*, cité p. 95. Pour la formation militaire de Napoléon, voir E. G. LÉONARD, *L'armée et ses problèmes au XVIIIe siècle* (Paris, 1958, in-8°) ; Matti LAUERMA, *L'artillerie de campagne française pendant les guerres de la Révolution ; évolution de l'organisation et de la tactique* (Helsinki, 1956, in-8° ; « Annales Academiae Scientiarum Fenicae », série B, t. 96) ; d'une manière plus précise, R. S. QUIMBY, *The background of Napoleonic Warfare. The theory of military tactics in eighteenth century France* (New York, 1957, in-8°).

C'est dans la manœuvre combinée des corps d'armée que se manifeste le génie militaire de l'empereur. Il s'agit de les disposer et de les faire marcher de manière que, le champ d'opérations étant tout entier embrassé, l'ennemi ne puisse se dérober et qu'ils soient, en même temps, toujours assez proches les uns des autres pour se concentrer en vue de la bataille. On pourrait dire que le dispositif affecte, en gros, l'aspect d'une sorte de quinconce déformable. Marchant à l'ennemi, le front se resserre progressivement à mesure que certains corps se trouvent plus exposés à une attaque soudaine. Parfois, comme à Eylau, la concentration s'achève sur le champ de bataille, les corps étant orientés vers un point situé au delà, de manière que, par leur avance même, ils tournent et enveloppent l'ennemi. L'ensemble de la campagne comporte deux types différents suivant que Napoléon vise une seule armée ou qu'il occupe une position centrale entre plusieurs adversaires, comme autour de Mantoue en 1796-97, ou comme en 1813. Dans tous les cas, le dispositif varie avec les circonstances et ne peut se réduire à une formule ; la stratégie napoléonienne est un art ; bien qu'elle ait ses principes, la fécondité de l'imagination ne s'y laisse jamais déposséder par le calcul ou la pratique.

La victoire dépend de la promptitude et de la hardiesse des résolutions de Napoléon, puis de la rapidité foudroyante des mouvements ; elle est assurée par la surprise et, par conséquent, exige le secret. L'armée se meut, s'il se peut, derrière un rideau naturel, fleuve ou montagnes, et toujours sous la protection d'une couverture, principalement formée de cavalerie. Inversement, s'il est essentiel d'aveugler l'ennemi, il ne l'est pas moins d'éclairer ses mouvements. La couverture s'y emploie, et aussi le service des renseignements qui utilise les diplomates, des agents de toutes sortes, parmi lesquels on doit probablement compter la mystérieuse comtesse de Kielmannsegge, et surtout des espions qui, tel le fameux Schulmeister, mangent volontiers, comme il se doit, à deux râteliers. L'armée mise en route, sa ligne de communications avec la France ne présente pas grande importance aux yeux de Napoléon, la campagne devant être courte ; au contraire, sa ligne d'opérations est d'intérêt capital et doit être protégée à tout prix : il appelle ainsi les routes qui assurent la liaison avec la ville forte où se trouve installée la direction de l'arrière et qui cède son rôle à une autre à mesure que les troupes avancent. Des chemins d'étapes, jalonnés de relais de poste, que gardent des détachements réduits au minimum, relient à la France. Les places fortes, dans l'esprit de Napoléon, sont donc utiles : elles servent de bases d'opérations ; elles peuvent aussi, en barrant les fleuves ou les cols, fournir des têtes de pont et appuyer la couverture ; cependant, elles ne tiennent pas la place essentielle que leur assignait l'ancienne stratégie et ne sont jamais le but de la campagne qui vise uniquement à imposer la rencontre décisive et à détruire l'ennemi.

Sur le champ de bataille, la tactique de Napoléon est d'obliger l'adversaire à épuiser ses réserves, en engageant le combat sur tout le front, mais avec le minimum de forces, de manière à conserver intacte une masse de choc ; puis à ébranler son moral par le feu de l'infanterie et de l'artillerie et par les menaces dirigées sur ses flancs ou sur sa ligne de retraite. Dès qu'il le juge à bout de souffle, il lance ses troupes fraîches et, l'ennemi rompu, le pourchasse sans miséricorde. La poursuite, que Frédéric II, avec sa petite armée, n'osait ordonner, est la partie la plus neuve de la bataille napoléonienne. Conduit avec une maîtrise sans égale, le combat ne modifie pas la tactique des unités dont Napoléon ne parle presque jamais. En principe, on en reste au règlement de 1791 : la division s'ordonne par brigades, sur deux lignes, un régiment déployé en avant, l'autre massé en colonnes. Mais, en fait, la méthode des troupes de la Révolution persiste : l'infanterie envoie en avant une nuée de tirailleurs, ses éléments d'élite, qui progressent en utilisant le terrain, et la première ligne, se rapprochant peu à peu, s'engage souvent de même. C'est ce feu à volonté qui ébranle l'ennemi encore habitué à l'ordre linéaire où les hommes, se tenant coude à coude sur trois rangs dont les deux derniers debout, offrent des cibles magnifiques. Au signal de l'attaque, la seconde ligne s'avance en colonnes profondes et presque jamais n'en vient à la baïonnette : l'adversaire tourne le dos. Une évolution finit pourtant par se produire. Pleins de confiance en eux, les Français tendirent à abréger le combat en tirailleurs pour attaquer en masse, l'arme au bras ; à mesure que les conscrits qui n'avaient jamais vu le feu devinrent plus nombreux dans leurs troupes, les officiers donnèrent aussi la préférence à la colonne. Il en résulta des mécomptes terribles en face de l'armée anglaise et même devant les Allemands, quand ceux-ci se furent initiés aux pratiques nouvelles. Peut-être une des faiblesses de l'art napoléonien fut-elle de ne pas prêter assez d'attention à la tactique des unités et de ne pas la renouveler en tenant compte des avantages ou des progrès des coalisés.

La guerre napoléonienne, courte par nécessité financière, assura par là même à l'empereur un prodigieux prestige et, aujourd'hui encore, éveille une exaltation romantique par sa vigueur irrésistible et l'impeccable dextérité du coup mortel qui la terminait. Par sa hardiesse et sa promptitude, elle est le symbole du tempérament de l'empereur, qui était tout élan. Comme la méthode de ravitaillement, elle avait été conçue en fonction du théâtre des opérations où il fit ses premières armes, cette plaine du Pô, enfermée par un cercle de montagnes, qui ne permettait pas à l'ennemi de se dérober, et d'étendue médiocre, que les corps savamment échelonnés pouvaient embrasser aisément et parcourir sans épuiser leurs forces ; fertile aussi et où l'on trouvait à se refaire. Dans l'Allemagne du Sud déjà, les distances s'accrurent, et l'armée souffrit davantage ; mais ce pays compartimenté se prêtait encore à l'adaptation de la méthode. Quand il fallut aborder les plaines illimitées de l'Allemagne du Nord, de la Pologne et de la Russie, il en alla autrement ; l'ennemi put échapper, la distance imposa des marches épuisantes, le ravitaillement devint un problème insoluble, l'armée s'égrena le long du chemin pour assurer l'occupation : elle fondit sans combattre. L'économie ne lui fournissant pas les moyens de transport indispensables et les réserves manquant, faute d'institutions militaires, la stratégie napoléonienne ne réussit pas à s'harmoniser parfaitement avec des conditions géographiques que son origine, toute méditerranéenne, ne lui laissait pas prévoir.

CHAPITRE III

L'ÉDIFICATION DU GRAND EMPIRE
(1805-1807)[1]

La campagne de 1805, entreprise au milieu d'une terrible crise financière, exposa Napoléon, dès la première année de son règne, à un péril mortel. Sauvé par la victoire d'Austerlitz, il mit la main sur l'Allemagne et commença d'organiser le Grand Empire. Il provoqua ainsi une nouvelle coalition, dont la défaite acheva de lui livrer l'Europe centrale et consacra le « système continental » par les traités de Tilsit.

I. — *LA CRISE FINANCIÈRE DE 1805*[2].

Lorsque Napoléon, après avoir dirigé la Grande Armée sur l'Allemagne, rentra à Paris pour improviser la campagne, il trouva les royalistes pleins d'espoir, les gens d'affaires irrités, le public affolé aux portes de la Banque et sa trésorerie en pleine déconfiture. Depuis longtemps, Barbé était aux abois et la Banque de France se livrait à l'inflation. Outre les 27 millions de rescriptions qu'elle avait escomptés, son régent Després lui en avait imposé 20 autres, remis par le ministre à la « compagnie des négociants réunis », sans parler des obligations qui représentaient des délégations d'impôts. Mais le mal s'aggrava dans des proportions inouïes à la suite des opérations d'Ouvrard en Espagne, qui constituent la plus grande spéculation du temps.

1. Ouvrages d'ensemble a consulter. — Les mêmes que p. 151.
2. Ouvrages a consulter. — Les travaux relatifs à Ouvrard, cités p. 80 ; A. Fugier, cité p. 38 ; V. Labouchère, P. C. Labouchère, dans la *Revue d'histoire diplomatique*, t. XXVII (1913), p. 425-455 ; t. XXVIII (1914), p. 74-97 ; sur les opérations de Labouchère en Amérique, V. Nolte, *Fünfzig Jahre in beiden Hemisphären* (Hambourg, 1854, 2 vol. in-8º). — Sur la crise générale de l'économie, et à titre d'exemple régional : M. Lacoste, *La crise économique de 1805 dans le département de la Meurthe* (thèse complémentaire présentée à la Faculté des Lettres de l'Université de Paris, 1951, exemplaire dactylographié).

Les finances de Charles IV demeuraient en piteux état : la famine sévissait depuis 1804 et les piastres n'arrivaient plus. Le subside promis à Napoléon était en retard de 32 millions dès juin 1804. Ouvrard les avança contre de nouvelles rescriptions données en garantie. Lui-même, ayant approvisionné la flotte espagnole, détenait une délégation de 4 millions de piastres sur Mexico. Son frère, fondateur d'une maison à Philadelphie, avait été constater sur place que 71 millions attendaient là-bas des possibilités d'expédition. Il assura qu'il trouverait le moyen de les faire venir et de payer ainsi la France et lui-même. Cette perspective enchanta l'empereur et, avec son approbation, Ouvrard se mit en route en septembre 1804.

A Madrid, il éblouit la cour par son faste, sa faconde et ses cadeaux. Godoy accepta avec empressement de devenir son débiteur quant au subside et, agréant ses services pour se procurer du blé, lui passa contrat pour deux millions de quintaux à 26 francs. En France, il abondait, surtout dans l'ouest, et ne dut pas coûter 18 francs à Ouvrard. Napoléon, toujours heureux de faire entrer du numéraire et de contenter le paysan, accorda sans difficulté des licences, à condition de recevoir la moitié du bénéfice. Ouvrard s'intéressa ensuite à la *Casa de consolidación*, chargée de soutenir les *vales*, lui consentit un prêt et, en outre, un crédit à cinq mois de date, contre des traites qu'on devait acquitter en vendant des biens ecclésiastiques avec la permission du pape. La *Casa* possédait le monopole des tabacs et la régie des mines de mercure : Ouvrard se les fit attribuer. Quand l'Espagne eut déclaré la guerre à l'Angleterre, il pourvut les vaisseaux espagnols et français dans les ports de la péninsule et, pour se couvrir, négocia chez son ami Labouchère, qui dirigeait la banque Hope à Amsterdam, un emprunt de 10 millions de florins.

Tant de services lui permirent d'aborder dans des conditions favorables la question du transfert des piastres, pour lequel il se fit fort d'obtenir le concours de Pitt qui manquait de monnaie d'argent pour le trafic de l'Inde. Le 18 décembre 1804, on lui remit des traites sur Mexico pour 52 millions 1/2 de piastres ; il en envoya une partie à Barbé-Marbois, qui eut la faiblesse de lui remettre en échange de nouvelles obligations du trésor. Ensuite Charles IV, séduit, contracta société avec lui pour le transport régulier des piastres à venir. Ouvrard ne s'arrêta pas en si beau chemin ; il offrit au roi de s'associer avec lui pour faire tout le commerce de l'Amérique espagnole. Il en reçut le monopole et promit d'assurer les transports moyennant une commission et le droit de prendre à son compte le tiers des cargaisons, tandis que Charles IV assumait tous les frais et tous les risques ; il se fit délivrer pour ce trafic des licences en blanc, avec l'intention bien arrêtée de les revendre aux Américains. Il se rendit alors à Amsterdam, où Labouchère, d'abord ébahi, consentit, le 6 mai 1805, à se substituer à lui pour le transfert des piastres et l'emploi des licences, à condition d'accepter d'avance, les yeux fermés, pour tout solde, le bénéfice qu'on lui verserait.

L'affaire devint ainsi internationale, car Ouvrard comptait sur Labouchère, gendre de Baring, le roi de la place de Londres et l'ami de Pitt, pour obtenir la connivence de la Grande-Bretagne. En effet, Pitt accepta et envoya même quatre frégates prendre un premier chargement de piastres dont la Banque d'Angleterre paya la valeur à Labouchère. Pour transférer le reste et tirer parti des licences, ce dernier envoya un des fils Parish, de Hambourg, à Philadelphie, et deux autres agents à la Nouvelle Orléans et à la Vera Cruz. Les piastres venaient aux États-Unis sur vaisseaux américains et on les cédait aux négociants contre des traites sur les commissionnaires qui écoulaient leurs cargaisons en Europe. Les licences leur furent également abandonnées contre une part des bénéfices. Ce trafic ne put commencer qu'en 1806 et fut interrompu par l'embargo de Jefferson en 1807. Il aurait rapporté à la maison Hope et Labouchère 900.000 livres sterling, soit 225 millions de francs, dont Ouvrard n'aurait touché que 24 ; il est vrai que, dans l'intervalle, Labouchère avait dû composer avec Napoléon. Ceux qui défendent les conceptions d'Ouvrard ont donc raison de prétendre qu'elles pouvaient donner des résultats ; mais ils oublient que l'empereur ne pouvait approuver qu'elles enrichissent une maison étrangère et, en fait, ennemie ; surtout, ils manquent à reconnaître que la France en fit les frais.

Le transfert des piastres et le trafic des licences ne pouvaient aboutir qu'à longue échéance ; en attendant, il fallait de l'argent pour payer les blés livrés à Godoy et fournir à la *Casa* les fonds et le crédit promis. Ce fut la Banque de France qui l'avança en escomptant une partie des traites de la *Casa* et les obligations que Barbé-Marbois n'avait remises qu'en garantie. Tandis que Napoléon se frottait les mains, pensant avoir fait une bonne affaire, c'était lui qui la finançait ! Or, de son côté, Barbé faisait escompter par la Banque les traites qui représentaient les piastres. Pour comble, Després et Vanlerberghe, n'étant pas payés par le trésor pour leurs fournitures et à court de fonds, recoururent aux effets de complaisance. Tous les associés des « négociants réunis » tiraient l'un sur l'autre ou faisaient tirer sur eux-mêmes par des hommes de paille, et toute cette « cavalerie » accourait à la Banque qui l'accueillait sans sourciller. En septembre 1805, son émission atteignait 92 millions. Pareil échafaudage n'aurait pas été concevable si Després n'eût été régent et si, en outre, Roger, le secrétaire de Barbé-Marbois, n'avait reçu plus d'un million.

Ouvrard ne s'alarmait pas, comptant que l'Espagne s'acquitterait et que les conditions du crédit, en France, resteraient normales. En fait, l'Espagne ne paya les blés qu'avec lenteur et la *Casa* ne restitua rien, n'ayant pu vendre en si peu de temps les biens du clergé. Quand vint l'été de 1805, Barbé réclama les piastres promises ; pour lui faire prendre patience, Ouvrard en acheta avec le peu de *vales* qu'il recevait ; bientôt ces dernières perdirent 58 %, et il suspendit ses envois, jugeant le transfert impossible : ses crédits espagnols étaient gelés. Là-dessus, la guerre s'annonça en France ; les baissiers en profitèrent et le public accourut à la Banque pour réclamer du numéraire ; à la fin de septembre, l'encaisse tomba à un million et demi ; on ralentit les remboursements par des subterfuges, puis on les limita. La panique se calma un peu après Ulm ; elle reprit après Trafalgar et quand on vit la guerre se prolonger ; en novembre, des banques sautèrent, notamment celles de Récamier et d'Hervas.

Dès la fin d'août, la situation du trésor avait inquiété Napoléon. Dans le Pas-de-Calais, le payeur n'avait pas de fonds pour la solde ; à Strasbourg, on dut emprunter 12 millions en donnant des garanties spéciales. Il n'est pas étonnant que beaucoup de soldats aient passé le Rhin avec une seule paire de souliers ; ils ont payé de leurs souffrances et même de leur vie, non seulement les improvisations du maître, mais les combinaisons des financiers. Bientôt, Vanlerberghe se trouva hors d'état d'assurer le service des étapes et des garnisons ; à partir du 23 septembre, il dut demander des avances au trésor qui ne put que se retourner vers la Banque. Mieux : Vanlerberghe se fit autoriser à prendre dans les caisses des receveurs le numéraire qui s'y trouvait contre récépissés ; à mesure que les rescriptions vinrent à échéance, la Banque n'obtint en échange que ces reçus. Au 1er janvier 1806, Vanlerberghe était à découvert de 147 millions et dut résilier son contrat. On conçoit que Napoléon ait pu dire de Barbé-Marbois : « Si j'avais été battu, il eût été le meilleur auxiliaire de la coalition. » Le ministre n'avait péché que par incapacité. L'empereur a fait allusion à un dessein, tramé de concert avec Pitt, pour porter à la tête de la Banque l'ancien émigré Talon : nous n'en savons malheureusement pas davantage. On entrevoit, en tout cas, l'effroyable danger que la victoire d'Austerlitz a conjuré.

Si la crise de 1805 fut essentiellement financière et bancaire, on ne peut oublier que toute l'économie souffrit pendant l'année d'Austerlitz, dans le secteur agricole comme dans celui de l'industrie. Dans la Meurthe, des causes plus ou moins anciennes contribuèrent à la crise ; mais elle se ramène surtout à la baisse cyclique des prix agricoles qui diminua, comme toujours dans l'économie d'autrefois, le pouvoir d'achat de la plus grande partie de la population. Il en résulta un resserrement du crédit et l'importance de l'usure s'en accrut. La conséquence sociale la plus importante fut, comme à l'ordinaire, l'aggravation de la misère populaire.

II. — LA CAMPAGNE DE 1805[1].

Heureusement pour Napoléon, l'Autriche n'était pas prête. Les réformes de l'archiduc Charles commençaient à peine : en 1802, il avait substitué au service à vie l'enrôlement à long terme, mais à compter de 1805 ; il réglementa les exemptions, ce qui n'empêchait pas que, sur 25 millions d'habitants, on ne comptait que 83.000 inscrits chaque année. La diète de Hongrie avait refusé en 1802 d'adopter le service obligatoire et la conscription ; elle n'accorda que 6.000 hommes par an, plus 12.000, une fois donnés, en cas de guerre. Au point de vue technique, on ne put créer qu'un régiment de chasseurs tiroliens. Quand Mack eut pris la direction de l'armée, il promulgua de nouveaux

---

1. Ouvrages a consulter. — Outre les livres généraux cités p. 151, voir, sur la diplomatie, p. 183, et pour la campagne, p. 95 ; P. C. Alombert et J. Colin, *La campagne de 1805 en Allemagne* (Paris, 1902-1908, 6 vol. in-8° ; s'arrête au 11 novembre ; publication de l'État-major) ; font suite à cet ouvrage, les articles anonymes parus sous le même titre dans la *Revue d'histoire* publiée par l'État-major, t. XXIV (1906) XXV, XXVI et XXVII (1907) ; E. Mayerhoffer von Vedropolje, *Der Krieg der dritten Koalition gegen Frankreich* (Vienne, 1905, in-8°) ; du même, *Die Schlacht bei Austerlitz* (Vienne, 1912, in-8°) ; D. Guerrini, *La manovra napoleonica d'Ulm* (Rome, 1925, in-4°, publication de l'État-major italien) ; A. Slovak, *La bataille d'Austerlitz*, trad. fr. d'E. Leroy (Paris, 1912, in-12). Sur l'armée autrichienne, M. von Angeli, *Erzherzog Karl als Feldherr und Heeresorganisator* (Vienne, 1895-1897, 6 vol. in-8°), t. III et V.

règlements pour augmenter l'infanterie et la cavalerie légères et modifier l'instruction à partir du 1er août 1805 ; il ne fit que semer le désordre. L'état des finances, d'ailleurs, mit à néant tous les efforts : il manquait 83.000 hommes à l'effectif de paix, 97.000 étaient en congé, 37.000 cavaliers n'avaient pas de chevaux et aucune batterie n'était attelée. La part de l'improvisation fut encore plus grande qu'en France et l'armée partit plus démunie que celle de l'adversaire.

Mack fut, en outre, induit en erreur par Wintzingerode. Koutousov, chef de la première armée russe, n'amena que 38.000 hommes au lieu de 50.000 ; Buxhœvden, qui devait le suivre de près, n'arriva qu'en novembre. Enfin, comme en 1799, l'Autriche se préoccupa surtout de l'Italie et y envoya l'archiduc Charles avec 65.000 hommes, sans compter 25.000 autres confiés à l'archiduc Jean, dans le Tirol. En Allemagne, l'archiduc Ferdinand, bientôt subordonné à Mack, n'en reçut que 60.000, plus 11.000 dans le Vorarlberg, sous prétexte que les Russes allaient le rejoindre. Il voulait les attendre derrière le Lech : certifiant que Napoléon ne pouvait pas amener plus de 70.000 soldats, Mack décida de s'avancer jusqu'à la Forêt Noire, passa l'Inn le 11 septembre et occupa la Bavière, dont l'armée se retira derrière le Mein.

C'était, pourtant, en Allemagne que l'affaire se déciderait : de Boulogne, Napoléon devait y porter naturellement ses forces pour battre séparément les coalisés. Sur l'Adige, Masséna s'en tint à la défensive avec 42.000 hommes seulement, car l'Italie s'agitait et des insurrections éclatèrent autour de Plaisance et dans le Piémont. Napoléon avait d'abord décidé de concentrer la Grande Armée en Alsace, soit 176.000 hommes en six corps, plus la réserve de cavalerie et la garde ; un septième corps, venant de Brest, n'arriva qu'à la fin d'octobre. Puis, entre le 24 et le 28 août, il s'avisa que les colonnes perdraient ainsi du temps et se lieraient malaisément avec Marmont et Bernadotte qui accouraient de Hollande et du Hanovre. Il les fit donc obliquer vers le Palatinat où elles franchirent le Rhin à partir du 25 septembre, se dirigeant, couvertes par Murat, vers le Danube en aval d'Ulm. Informé que l'ennemi était à Ulm, Napoléon commença, le 7 octobre, à leur faire passer le fleuve vers Donauwörth. Il perdit alors le contact et, craignant que Mack ne s'échappât vers le sud, déploya ses corps en éventail, Bernadotte vers Munich pour arrêter les Russes, Davout au centre, le gros vers Ulm et l'Iller. En réalité, Mack, surpris, concentrait péniblement

ses troupes et deux de ses corps furent maltraités en route à
Wertingen et à Günzburg, le 8 et le 9. Il décida ensuite de
prendre l'offensive au nord pour couper les communications de
l'ennemi. Ney, envoyé de ce côté, n'ayant fait repasser le Danube
qu'à la seule division Dupont, celle-ci fut très éprouvée à Haslach,
le 11, et Werneck put s'échapper avec l'archiduc Ferdinand.
Mais, le 14, apprenant la marche des Français vers l'Iller, Mack les
crut en retraite et rentra dans Ulm pour leur barrer le chemin.
Napoléon accourut, fit forcer le passage du fleuve par Ney à
Elchingen ; le 15, l'armée autrichienne, cernée, capitula. Werneck,
poursuivi par Murat, mit bas les armes le 18, et l'archiduc ne
gagna la Bohême qu'avec quelques hommes, 49.000 Autrichiens
étaient prisonniers ; seule, la division Kienmayer put se retirer.
La campagne n'avait pourtant pas présenté la régularité qu'on
a dit et l'exécution y subit plus d'un à-coup. La pluie et la neige
la rendirent horriblement pénible. « En aucune autre époque,
excepté la campagne de Russie, écrit Fezensac, je n'ai autant
souffert, ni vu l'armée dans un pareil désordre. »

Ney entra ensuite dans le Tirol et gagna la vallée de la
Drave, poursuivant l'archiduc Jean tandis qu'Augereau occupait
le Vorarlberg. En Italie, Masséna, après une attaque indécise
à Caldiero, vit Charles se retirer vers Laibach. Quant à Napoléon,
il marcha droit à Koutousov, qui, arrivé sur l'Inn, recula précipitamment. La poursuite fut ralentie par le rétrécissement
croissant de la vallée du Danube. Marmont et Davout durent
prendre par la montagne, tandis que Mortier passait sur la rive
gauche pour couper le passage aux Russes ; à Krems, Murat les
laissa se dérober, si bien que, le 11 novembre, une division de
Mortier faillit être détruite à Diernstein. Poussant sur Vienne,
Murat y saisit les ponts par ruse et l'armée put s'avancer au delà
de Brünn (Brno), en Moravie. Koutousov avait été rejoint dans
ces parages par Buxhœvden et par un corps autrichien ; une troisième armée russe était annoncée.

La situation de Napoléon devenait périlleuse. Déjà, il se
savait inférieur en nombre. Les archiducs pouvaient se rejoindre
au sud et la Prusse intervenir au nord. La Hongrie ne bougea pas ;
en octobre, François venait de la mécontenter en refusant encore
une fois l'usage du magyar et la cession de Fiume ; la diète était
sans moyens pour équiper « l'insurrection » ou levée en masse.
Les Hongrois n'étaient pas hostiles à Napoléon et, quand Davout
atteignit Presbourg, Palffy se déclara neutre ; en le désavouant,
l'archiduc Joseph se montra si hésitant qu'on le soupçonna de

vouloir se proclamer roi. Du côté de la Prusse, le danger était plus grand. Dans sa marche, Bernadotte, pour gagner du temps, avait traversé, par ordre de Napoléon, la principauté d'Anspach, qui appartenait au roi de Prusse, comme on se l'était permis durant les précédentes campagnes. Cette fois, Frédéric-Guillaume, qui n'avait même pas été prévenu, le prit fort mal ; en représailles, il autorisa les Russes à traverser la Silésie et occupa le Hanovre sans consulter l'empereur. Alexandre estima le moment favorable et parut à Berlin le 25 octobre. Il y fut accueilli avec effusion et le parti de la guerre prit de la force ; Müller, passé au service de la Prusse, et Hardenberg s'y étaient ralliés ; Perthes, le libraire de Hambourg, suppliait la Prusse de ne pas abandonner l'Autriche à son sort ; Dalberg lui-même déclara, le 9 novembre, à la diète, qu'il fallait maintenir l'unité de l'Empire. Le 3 novembre, Alexandre et Frédéric-Guillaume signèrent la convention de Potsdam : le roi proposerait sa médiation à Napoléon pour ramener la France au traité de Lunéville ; en cas de refus, il engagerait 180.000 hommes, sans compter les Saxons, qui avaient promis leur concours, et les Hessois, encore hésitants, mais dont les troupes étaient déjà sous les ordres de Blücher. Dès le 15 octobre, Stein trouvait les ressources nécessaires en décidant de recourir au papier-monnaie et de payer les fournitures en bons. Toutefois, le roi se réserva d'accorder à Napoléon jusqu'au 15 décembre pour se prononcer ; Haugwitz, chargé de l'ultimatum, cheminant à petites journées, ne parvint à Brünn que le 28 novembre et se laissa expédier à Vienne, où Talleyrand reçut mission de l'amuser. Au fond, Frédéric-Guillaume avait recommencé à tergiverser et ordonné à Haugwitz de faire tous ses efforts pour préserver la paix, sinon de la maintenir à tout prix, comme il l'a prétendu. Craignant que Napoléon ne s'arrangeât avec l'Autriche pour se retourner contre la Prusse, il attendit les événements.

Si Napoléon ignorait l'accord de Potsdam, il sentait le danger ; ne pouvant donc pas suivre l'ennemi vers Olmütz, il souhaitait passionnément se voir attaquer : il affecta la crainte, recula et se retrancha, essaya de négocier avec le tsar. Koutousov flaira la ruse ; pourtant, Dolgorouki et l'entourage d'Alexandre le décidèrent à l'offensive. Le 2 décembre, l'armée française, massée derrière le Goldbach, à l'ouest d'Austerlitz, vit, dans le brouillard, les Austro-Russes se porter à l'attaque : ils étaient 87.000 contre 73.000, mais se déployaient sur seize kilomètres et, visant la droite de leurs adversaires pour les couper de Vienne, descendaient du plateau de Pratzen, le centre de la position. Les

Français tinrent bon à gauche sous Lannes et surtout à droite sous Davout ; soudain, Napoléon, au centre, porta Soult à l'attaque du plateau, rompit en deux l'armée ennemie et prit à revers sa gauche qui fut mise en déroute. Les Austro-Russes avaient perdu 26.000 hommes contre 8 à 9.000. Alexandre, humilié et furieux, déclara qu'il rentrait chez lui et l'Autriche signa un armistice le 6.

La coalition s'étant disloquée sans attendre la décision de la Prusse, Napoléon put sans peine isoler l'Autriche. Du 10 au 12, il resserra son entente avec la Bavière, le Wurtemberg et Bade. Le 7, il avait traité durement Haugwitz ; puis, le 14, il lui assura que l'Autriche demandait le Hanovre pour l'ancien duc de Toscane et lui offrit une dernière fois l'alliance française. Intimidé, l'ambassadeur l'accepta et signa, le 15, le traité de Schönbrunn : la Prusse annexait enfin le Hanovre et cédait la principauté de Neuchâtel ainsi que le margraviat d'Anspach, que Napoléon échangea le lendemain avec la Bavière contre le duché de Berg. Le 24 décembre, François renvoya Cobenzl et Colloredo ; le 26, il approuva le traité de Presbourg. Il abandonnait le domaine vénitien, y compris une part de l'Istrie et la Dalmatie, toutes ses possessions de l'Allemagne du Sud, plus le Tirol et le Vorarlberg ; en retour, il recevait Salzburg que Ferdinand de Toscane troqua contre Würzburg repris aux Bavarois. La *Ritterschaft* était livrée à ses ennemis. La Bavière et le Wurtemberg, érigés en royaumes souverains, se voyaient déliés, ainsi que Bade, de toute vassalité à l'égard du Saint-Empire. L'Autriche se trouvait donc définitivement exclue de l'Italie, et, sauf un vain titre, ne gardait rien en Allemagne.

III. — LE GRAND EMPIRE[1].

Rentré à Paris le 26 janvier 1806, Napoléon commença par restaurer ses finances avec l'aide de Mollien, qui prit la place de

---

1. Ouvrages a consulter. — Voir p. 28, 151 et 183 ; A. Rambaud, *La domination française en Allemagne*, t. II : *L'Allemagne sous Napoléon Ier* (Paris, 1874, in-12 ; 4e éd., 1897) ; E. Denis, *L'Allemagne de 1789 à 1810 : fin de l'ancienne Allemagne* (Paris, 1896, in-8o) ; Th. Bitterauf, *Geschichte des Rheinbundes*, t. I, seul paru (Munich, 1905, in-8o) ; A. Müller, *Der letzte Kampf der Reichsritterschaft um ihre Selbstständigkeit* (Berlin, 1910, in-8o, fasc. 77 des « Historische Studien » d'Ebering) ; E. Hölzle, *Das napoleonische Staatssystem in Deutschland*, dans la *Historische Zeitschrift*, t. CXLVIII (1933), p. 277-293 ; on trouvera les documents officiels qui marquèrent la fin du Saint-Empire dans E. Walder, *Das Ende des Alten Reiches* (Berne, 1948, in-8o) ;

Barbé-Marbois. Le 22 avril, la Banque fut mise au pas : Napoléon s'empara de la nomination du gouverneur. Mollien réforma la comptabilité, obligea les receveurs à souscrire des rescriptions à quatre mois de date et, le 14 juillet, fit instituer la « caisse de service » pour régler le mouvement des fonds ; les receveurs ne reçurent plus d'intérêts pour leurs disponibilités que s'ils les y versaient. La liquidation de la crise fut plus laborieuse. Les fournisseurs, menacés de mort le 27 janvier, au cours d'une scène mémorable, durent mettre tout leur avoir à la disposition de Mollien ; Ouvrard, prévenu par Berthier, put toutefois soustraire une partie du sien. Quand on eut fait état de leur portefeuille, de leurs créances et de leurs magasins, et qu'on leur eut imposé l'obligation de continuer leur service en ne recevant que moitié de leur dû jusqu'à concurrence de 18 millions, il resta un débet de 60 millions, que l'Espagne fut contrainte de prendre à sa charge bien qu'elle n'en eût reçu que 34 ; elle fit un second emprunt chez Labouchère au profit de la France et obtint du pape une nouvelle tranche de biens du clergé. Labouchère lui-même dut abandonner 10 millions de piastres, dont les traites ne lui avaient pas encore été remises. L'affaire traîna des années et, finalement, Vanlerberghe et Ouvrard, n'ayant pu payer les Espagnols, déposèrent leur bilan ; en 1809, le second fut mis en prison pour dettes. Cette énorme tâche n'empêcha pas l'empereur de reprendre le travail d'organisation intérieure : il restait encore plusieurs codes à préparer et c'est en 1806 que la création de l'Université fut décidée.

Tout cela pourtant n'était que broutilles : Austerlitz avait donné un nouvel essor à son imagination. En Allemagne du Sud, les bouleversements se succédaient. Les territoires autrichiens furent distribués au roi de Bavière, qui reçut l'évêché d'Eichstädt, le Tirol et le Vorarlberg ; à celui de Wurtemberg qui prit notamment Ulm ; au margrave de Bade qui annexa

J. E. D'ARENBERG, *Les princes du Saint-Empire à l'époque napoléonienne* (Louvain, 1951, in-8°), précieux par ses listes nominatives et ses indications statistiques, notamment celles qui concernent les médiatisés. — Pour Naples, voir p. 184 et J. RAMBAUD, *Naples sous Joseph Bonaparte* (Paris, 1911, in-8°) ; H. ACTON, *The Bourbon of Naples (1734-1825)* (Londres, 1956, in-8°) ; M. CALDORA, *Calabria napoleonica (1806-1815)* (Naples, 1960, in-8°). — Sur les rapports avec le pape, les ouvrages cités p. 12 et 127 ; A. FUGIER, cité p. 37 ; E. DARD, Entretien de Napoléon et de Monseigneur Arezzo, 9 novembre 1806, dans la *Revue de Paris*, 1935, t. III, p. 606-626. — Sur Talleyrand, LACOUR-GAYET, TARLÉ et DARD, cités p. 79.

le Brisgau, l'Ortenau et Constance. Dès novembre 1805, le Wurtemberg avait donné le signal de l'assaut contre la *Ritterschaf.* et les autres princes s'empressèrent de la médiatiser. Devenus souverains, ils travaillaient à calquer les institutions napoléoniennes et le roi de Wurtemberg se débarrassa enfin de son Landtag. Le dessein de Napoléon n'était pourtant pas de laisser l'Allemagne tomber en poussière. En janvier 1806, il proposa la création d'une confédération nouvelle dont il serait le protecteur. Les droits et obligations des membres en seraient définis par une constitution et une diète recevrait l'autorité nécessaire pour les faire respecter. Déjà Napoléon avait contraint ses alliés à réserver aux médiatisés une situation privilégiée dans leurs États, excellent prétexte à intervention, et il manifestait le vif désir de leur voir adopter le Code civil. Les nouveaux rois s'indignèrent qu'il voulût ainsi mutiler la souveraineté qui venait de leur être conférée. « C'est le coup de mort de mon existence politique », s'écriait Frédéric de Wurtemberg, et Montgelas ne voulait contracter qu'une alliance temporaire. N'osant rompre, ils cédèrent. Le 12 juillet 1806, seize princes déclarèrent se séparer du Saint-Empire et constituèrent la Confédération du Rhin qui promit à son protecteur un contingent de 63.000 hommes.

Mais Napoléon ne pouvait pas non plus se passer d'eux, car la Prusse n'était pas sûre. Aussi la constitution et la diète, quoique prévues par l'acte d'union, furent-elles ajournées *sine die* : elles ne virent jamais le jour. La soumission des princes fut, en outre, récompensée par une nouvelle distribution de territoires : les villes libres d'Augsbourg et de Nuremberg devinrent bavaroises ; Francfort échut à Dalberg. Plusieurs petits souverains n'étaient entrés dans la ligue que pour échapper à la médiatisation, grâce à leurs relations personnelles, comme le comte de La Leyen qui fut fait prince parce que neveu de Dalberg et qui, pour ses 4.000 sujets, se vit imposer un contingent de 29 hommes, et la princesse de Hohenzollern-Sigmaringen, dont l'époux avait été l'ami de Beauharnais et dont le fils, marié à la nièce de Murat, fut l'ancêtre des rois de Roumanie. Tous les autres seigneurs se virent médiatisés : tels les Schwarzenberg, les Kaunitz, les Ligne, les Tour et Taxis. Il y eut aussi des promotions : Bade, Berg, Hesse-Darmstadt devinrent grand-duchés ; Nassau duché ; Dalberg primat de Germanie.

Il ne resta plus qu'à supprimer les derniers vestiges du Saint-Empire. Pour l'Autriche, la résistance était impossible, car, les Russes ayant saisi Cattaro, Napoléon en avait pris prétexte pour garder Braunau. Il laissait la Grande Armée chez ses alliés allemands — à leurs frais bien entendu —, ce qui procurait à ses finances un soulagement singulièrement opportun, mais faisait des mécontents. « J'ai aimé les Français qui ont chassé nos ennemis, qui nous ont rendus à nos légitimes souverains, écrivait Mme de Montgelas à Talleyrand ; mais je déteste ceux qui vivent aux dépens de ma pauvre patrie et en deviennent les sangsues. » Le sentiment national commençait à s'émouvoir ; le libraire bavarois Palm se mit à écouler des brochures anti-françaises : Napoléon le fit fusiller. La diète s'était séparée le 1er août. François II, mis en demeure, abdiqua le 6. Ainsi finit la tragédie commencée par la paix de Bâle.

Ce ne fut qu'un jeu, en comparaison, de mettre la Hollande en harmonie avec la situation nouvelle. Le 6 février, Talleyrand en avait signalé la nécessité à Schimmelpenninck et, le 14 mars, Napoléon marqua ses volontés à l'amiral Verhuell : son frère Louis serait roi de Hollande ou il annexerait ce pays. On réunit un conseil extraordinaire, la « Grande Besogne », qui s'inclina le 3 mai, Schimmelpenninck seul ayant refusé son adhésion. Un traité garantit l'intégrité du royaume et sa séparation d'avec la France ; Louis fut proclamé roi, le 5 juin 1806.

En Italie, le royaume avait reçu la Vénétie ; Massa et Carrare furent attribués à Élisa et Guastalla à Pauline, qui le vendit au royaume. La grande nouveauté fut la chute des Bourbons de Naples arrêtée, dès le 27 décembre 1805, par un décret célèbre : « La dynastie de Naples a cessé de régner. » La sentence fut exécutée sans difficulté par Masséna ; les Russes rentrèrent à Corfou ; les Anglais se contentèrent de préserver la Sicile dont ils firent une place d'armes, et la famille royale émigra à Palerme. Gaëte résista jusqu'au 18 juin et des bandes apparurent aussitôt en Calabre ; néanmoins, jusqu'en juillet, Napoléon crut que tout était fini. Le 30 mars, il avait fait Joseph roi de Naples. Pourtant, il s'était préparé là comme une première guerre d'Espagne. Marie-Caroline ne désarmait point et, ne disposant que de 6.000 hommes, fomenta l'insurrection. Des chefs de tout poil, nobles, comme Rodio, et brigands de grand chemin, comme Pezza dit Fra Diavolo, dont la plupart avaient dirigé la révolte de 1799, en fournirent les cadres ; beaucoup de prêtres les aidèrent. La population ignorait le sentiment national et ne vouait à la dynastie qu'une affection fort tiède, mais l'occupation l'accablait et elle s'irritait qu'on la désarmât ; elle était habituée au brigandage qu'entretenaient l'état économique du pays, la contrebande et une *maffia* puissante. Tenant bourgeois et nobles pour les plus favorables aux Français et aux idées nouvelles les pâtres et les paysans regardèrent l'appel de la reine comme une permission de piller leurs biens et généralement toutes les villes.

Les Anglais voyaient de mauvais œil ce recours à l'insurrection populaire dont la valeur militaire ne leur inspirait aucune confiance. Ayant saisi Capri et l'archipel des Ponza, ils la déclenchèrent pourtant en risquant un débarquement. Le 1er juillet Stuart atterrit dans le golfe de Santa Eufemia avec 5.200 hommes le 4, Reynier, avec plus de 6.000 soldats, l'assaillit à Maida, sans préparation et à l'arme blanche ; les Anglais l'attendirent de pied ferme et le mirent en déroute par des feux de salve. Ce fut le premier exemple de la tactique qui allait illustrer Wellington de Talavera à Waterloo, et Napoléon, malheureusement pour lui, n'y prêta aucune attention. Ce désastre fut le signal d'un soulèvement général que marquèrent des horreurs épouvantables Masséna et Reynier reconquirent pied à pied la Calabre, en procédant à des exécutions impitoyables. Lauria fut entièrement détruite, Fra Diavolo pendu, les prisons et les galères encombrées L'action des insurgés fut pourtant efficace ; elle coûta très cher aux Français ; les Britanniques purent conserver Reggio jusqu'en 1808, et 40.000 hommes se trouvèrent immobilisés.

Cependant, Napoléon avait occupé Livourne pour fermer ce port aux Anglais et amené en Étrurie une division espagnole Il ne restait plus d'autre État indépendant en Italie que celui du pape.

Bien avant le sacre, ce dernier s'était alarmé des progrès de la France dans ce pays : il lui fallut admettre l'application du Concordat dans le Piémont annexé en septembre 1802, puis en conclure un autre avec la république italienne. Ce dernier offrait de quoi le satisfaire : il reconnaissait le catholicisme comme religion d'État, dotait avantageusement le clergé et, sur les questions indécises, s'en rapportait à la discipline de l'Église. Mais, en janvier 1804, Melzi lui adjoignit un décret qui maintenait la réglementation antérieure pour autant que le pacte ne la contredisait point positivement. Pie VII protesta contre ces nouveaux articles organiques. L'empereur répondit par de vagues promesses ; cependant, couronné roi d'Italie à Milan par Caprara, le 26 mai 1805, il n'en prit pas moins, le mois suivant, deux décrets qui, sans l'accord préalable de Rome, réorganisaient la vie ecclésiastique ; il augmentait, à la vérité, le revenu du clergé, mais réduisait le nombre des paroisses, supprimait des couvents, limitait l'effectif des religieux. Napoléon fit bien pis en décidant l'introduction du Code civil au 1er janvier 1806. Sauf dans le royaume d'Étrurie où le nouveau souverain se comportait en fils soumis de l'Église, celle-ci se voyait partout en Italie — à Lucques, à Parme et Plaisance, à Naples — en butte à des entreprises offensantes. Ayant toléré la laïcité en France comme un moindre mal, Pie VII s'effrayait à la voir s'imposer par le Code civil à l'Italie qu'il regardait comme une chasse gardée, tout au moins du point de vue spirituel.

La situation de l'Allemagne ne l'inquiétait guère moins. Les conséquences du recès de 1803 s'aggravaient, les souverains sécularisant les biens d'église et réglementant le clergé sans consulter Rome ; le césaro-papisme triomphait en Bavière même. Commandant maintenant à des populations de confessions différentes, les princes renonçaient au fameux principe *cujus regio, ejus religio*, et, proclamant ouvertement la tolérance, marchaient à grands pas vers la laïcisation de l'État. La cour pontificale pencha d'abord vers la conclusion d'un concordat germanique avec Vienne, mais finit par y renoncer parce qu'il n'aurait pu s'imposer aux souverains allemands que grâce à la pression de la France. Après Austerlitz surtout, la création du Grand Empire, symbole d'une prétention à la domination universelle dont il fallait craindre qu'un jour ou l'autre, elle n'entrât en lutte avec le Sacerdoce, détourna Pie VII de reconnaître implicitement Napoléon comme le chef temporel de la catholicité.

Malgré tout, en proie à tant d'épreuves, l'Église tirait si grand profit de sa protection, que Pie VII n'aurait jamais rompu avec lui s'il n'avait été un souverain territorial. Comme tel, Napoléon ne pouvait pas le laisser mettre en péril sa domination. En vain, le pontife invoquait-il sa neutralité : elle n'en couvrait pas moins un complice de la coalition, le royaume de Naples, où Anglais et Russes, débarquant en 1805, purent se préparer à envahir le royaume d'Italie ; Pie VII n'aurait pu les empêcher de traverser son territoire, et pareille éventualité ne désolait pas son entourage.

En conséquence, les Français vinrent s'installer à Ancône, puis à Civita-Vecchia. Aux protestations de Pie VII, Napoléon riposta, le 13 février 1806, en le sommant d'entrer dans son « système », d'expulser les Anglais et de leur fermer son territoire. Le pape ayant refusé, l'empereur rappela Fesch. La politique de Consalvi faisait naufrage : il donna sa démission. La rupture fut définitive et Napoléon n'écrivit jamais plus à Pie VII.

En avril, Marmont était entré en Dalmatie, que Dandolo reçut mission d'administrer comme « provéditeur ». De Corfou les Russes vinrent toutefois s'emparer des bouches de Cattaro avec la complicité des Autrichiens, et, à Raguse, Molitor fut assailli par les Monténégrins. Napoléon en profita pour obliger Vienne à lui concéder un droit de passage à travers l'Istrie autrichienne. Parvenu ainsi aux portes de l'empire ottoman, l'idée lui vint aussitôt d'y porter la main et l'année 1806 vit se réveiller ses ambitions orientales. A Janina, Pouqueville était déjà un consul très actif ; Reinhard fut envoyé en Moldavie et David chargé d'une mission près du pacha de Bosnie, qui était aux prises avec les Serbes. La victoire d'Austerlitz avait rendu aux Français l'oreille du sultan, qui reconnut enfin l'empereur et lui dépêcha une ambassade ; en retour, Sébastiani arriva, le 9 août, à Constantinople. Parallèlement, les rapports se tendirent entre la Turquie et la Russie, soutenue par l'Angleterre. Il n'en était pas moins vrai que le 2e corps, lui aussi, se trouvait immobilisé en Dalmatie.

Par l'extension démesurée qu'elle procura ainsi aux entreprises de Napoléon, la guerre de 1805 fit de l'empire français le simple noyau du « Grand Empire » que des actes législatifs commencèrent à organiser. Il considérait ses nouvelles créations comme « des États fédératifs ou véritable empire français » Bien qu'il évoquât volontiers les souvenirs historiques, ce fut une organisation originale qu'il adopta. En tête, les rois et princes, héréditaires et souverains dans leurs domaines : Joseph Louis, Murat, qu'il fit grand-duc de Berg, le 15 mars. Ensuite les princes vassaux, souverains aussi et même héréditaires, mais dont le domaine, tenu en « fief », comporte une nouvelle investiture à chaque mutation : Élisa à Piombino, Berthier devenu prince de Neuchâtel. Au troisième échelon, les princes qui n'ont ni armée ni monnaie : Talleyrand, fait prince de Bénévent, et Bernadotte, prince de Ponte-Corvo, deux domaines que le roi de Naples et le pape s'étaient jusque-là disputés. Plus bas encore les fiefs simples, qui ne confèrent que des droits utiles : six duchés que Napoléon s'est réservés dans le royaume de Naples douze qu'il a constitués en Vénétie, pour les distribuer à des Français.

Ce n'est pas tout. Les princes et rois, théoriquement indépendants, sont personnellement vassaux de Napoléon, bien que leurs États ne soient pas des fiefs. Ils font partie, en effet, de la famille impériale à laquelle la constitution de l'an XII avait attribué un statut particulier, qui fut promulgué le 31 mars 1806 ; il crée pour la famille un état civil spécial, confère au chef de l'empire la garde des mineurs et la puissance paternelle sur les majeurs, y compris le droit d'autoriser leur mariage et de les emprisonner. D'ailleurs, les princes, même souverains, restent grands dignitaires de l'empire. Ainsi l'édifice est fondé, pour une bonne part, sur la notion d'un pacte de famille où l'on retrouve à la fois le souvenir de l'alliance bourbonienne et l'attachement de Napoléon à son clan. Pour lui, le lien familial est le plus solide. Aussi étend-il cette politique aux États alliés. Le 15 janvier, Eugène a enfin épousé Augusta de Bavière et, en même temps, a été adopté par l'empereur, à l'exclusion cependant de tout droit sur le trône de France ; l'héritier du grand-duc de Bade a été marié à une parente de Joséphine, Stéphanie de Beauharnais, également adoptée ; Berthier a dû abandonner Mme Visconti pour convoler avec une princesse bavaroise ; l'année suivante, Jérôme s'alliera à la maison de Wurtemberg. Le même motif vient maintenant s'ajouter au souci de s'assurer un héritier direct pour recommander un second mariage de l'empereur.

Le Grand Empire, né des circonstances, n'en réalisait pas moins une première figuration de cette idée romaine qu'impliquait le nouveau titre assumé par Napoléon en 1804. Il n'hésitait plus maintenant à se donner ouvertement pour le restaurateur de l'empire romain d'Occident et à s'arroger les prérogatives de Charlemagne, son « illustre prédécesseur ». Il allait de soi que ces prétentions historiques se feraient particulièrement tranchantes à l'égard de la papauté. La lettre du 13 février 1806 rappela que Charlemagne, sacré empereur romain par le pape, n'en persista pas moins à regarder celui-ci comme son protégé et ne constitua le domaine temporel que comme partie intégrante de son empire. Ainsi Napoléon. « Vous êtes le pape de Rome, disait-il à Pie VII, mais j'en suis l'empereur. » Cette formule, admirable et d'une brièveté vraiment impériale, laissait entrevoir que le Grand Empire, avant même d'être constitué, n'apparaissait déjà que comme l'embryon d'une domination œcuménique.

IV. — *LA RUPTURE AVEC LA PRUSSE (1806)*[1].

Pareille politique ne permettait guère de prévoir une pacification générale ; pourtant, les circonstances permirent d'en dis-

1. Ouvrages a consulter. — Voir p. 151 et 222 ; Heigel et Bailleu, cités p. 28 ; *The Cambridge foreign policy*, cité p. 32 ; les ouvrages relatifs à

cuter avec les deux adversaires qui restaient en armes. En Angleterre, au lendemain du nouveau désastre de sa politique et des vives attaques de l'opposition, Pitt était mort tristement le 23 janvier 1806. Les whigs demandaient, une fois de plus, que le continent fût abandonné à lui-même et représentaient la paix comme le seul moyen d'y suspendre les envahissements de la France. « Si nous ne pouvons réduire son énorme puissance, dira Fox, ce sera toujours quelque chose d'arrêter ses progrès. » Autrement dit, il se proposait de recommencer l'expérience d'Addington, bien que rien ne rappelât à ce moment la crise de 1801. Si tous ses amis ne partageaient pas ses illusions, ils étaient disposés à négocier, ne fût-ce que pour justifier leur accession au pouvoir. Le roi fit appel à Grenville, qui ne voulut pas se séparer de Fox et, cette fois, l'emporta. Fox prit le Foreign Office ; à l'état-major whig, Grenville, lord Petty, fils de Shelburne, lord Howick, fils de lord Grey, Erskine, on adjoignit Addington, maintenant lord Sidmouth, pour constituer le « ministère de tous les talents ».

Ce fut sa politique intérieure qui passionna les Anglais : il suspendit la loi martiale en Irlande et reprit en considération l'émancipation des catholiques. Personne, toutefois, ne fit d'objection à une tentative de paix ; l'attitude de la Prusse, acceptant l'alliance de la France pour acquérir le Hanovre, déconcertait les belliqueux. Quand l'Angleterre lui déclara la guerre le 11 mai et mit en état de blocus la côte allemande de la mer du Nord, elle ferma ses ports de la Baltique au commerce britannique : les intérêts mercantiles s'alarmèrent. Dès la fin de février, Fox avait renoué les fils avec Paris en signalant un complot contre la vie de l'empereur ; Talleyrand répondit par des protestations pacifiques ; lord Yarmouth, interné en France et compagnon de plaisir de plusieurs grands personnages, servit d'intermédiaire et revint de Londres, le 17 juin, muni de pleins pouvoirs. Fox refusait de traiter sans la Russie et de prendre pour base le traité d'Amiens ; il exigeait l'*uti possidetis*, sauf pour le Hanovre qu'il fallait restituer. Napoléon ne fit pas d'objection de principe : il pensait qu'on trouverait une compensation pour la Prusse ; toutefois, il ne mit pas cette dernière au courant, son opposition étant certaine.

Alexandre 1er cités p. 184 ; ajouter E. Heymann, *Napoleon und die grossen Mächte im Fruhjahr 1806* (Berlin, 1910, in-8º) ; P. Bailleu, *Königin Luise* (Berlin, 1908, in-8º ; 3e éd., 1926). — Sur l'opinion en Prusse et en Allemagne, se reporter à Tschirch, cité p. 22.

Cependant, Alexandre se décidait aussi à parlementer. La défection de la Prusse profitait à l'influence de Czartoryski. En janvier, il conseilla de renoncer aux vastes projets d'arbitrage continental pour ne plus s'occuper que des intérêts de la Russie, c'est-à-dire de l'Orient. La situation de l'empire ottoman lui paraissait pleine de promesses ; en mars 1805, Sélim avait officiellement institué la nouvelle armée régulière *(nizam djedid)* et, depuis, les janissaires s'agitaient, tandis que les pachas de Roumélie, craignant pour leur autorité, prenaient les armes, de connivence avec les hospodars qui, Ypsilanti surtout, faisaient le jeu de la Russie. Les Serbes étaient en pleine révolte : en mars 1804, Nénadovitch, qui négociait avec l'Autriche, ayant été mis à mort, ses compatriotes se soulevèrent sous la direction de Kara-Georges, en exigeant l'autonomie avec l'appui du tsar ; dans l'été de 1805, ils élurent une *skoupichina* qui constitua un sénat et adressa une pétition au sultan ; les Turcs ne purent réussir à les soumettre. Czartoryski se rendit compte que Napoléon, victorieux, allait contrecarrer la politique moscovite, et la preuve ne tarda pas. Sélim refusa de renouveler le pacte de 1798 et de conclure un traité de commerce ; en juin, il révoqua les *barats*, lettres de naturalisation que les puissances étaient autorisées à concéder aux sujets ottomans. Dès le mois de mai, une armée russe se concentra sur le Dniestr et l'ambassadeur anglais, Arbuthnot, réclama l'envoi d'une escadre. Czartoryski proposa de se tenir sur la défensive du côté de l'ouest et d'engager des pourparlers avec Napoléon : s'il se décidait à laisser à la Russie carte blanche en Orient, on pourrait traiter avec lui et procéder à un démembrement de la Turquie. Il engagea la conversation avec Lesseps, consul de France, et, le 12 mai, lui annonça le départ d'Oubril qui prit son chemin par Vienne. Au surplus, la politique de Napoléon en Italie et en Allemagne semblait annoncer une nouvelle guerre contre l'Autriche, où elle pouvait disparaître : Oubril a toujours affirmé qu'il avait reçu l'ordre de conclure la paix à tout prix afin de la sauver.

La mission connue, les dispositions de Napoléon se modifièrent. Il négociait avec Fox dans l'espoir d'isoler Alexandre ; mais l'autre terme de l'alternative présentait beaucoup plus d'intérêt pour lui, l'Angleterre étant l'adversaire le plus difficile à réduire. Il réclama aussitôt la restitution de la Sicile à Joseph, Ferdinand IV pouvant recevoir une compensation ; Yarmouth se récria et les pourparlers s'interrompirent. Quand Oubril arriva, le 6 juillet, il fut aussitôt cajolé, menacé, pressé sans relâche : la

Russie garderait les îles Ioniennes et le libre usage des Détroits ; on pourrait même donner l'Albanie et la Dalmatie à Ferdinand, ce qui constituerait un État tampon, ami de la Russie, entre la France et la Turquie. Tandis qu'il avait jusque-là refusé la Sicile sans discussion, Yarmouth, informé, ne repoussa pas ce projet. La création de la Confédération du Rhin acheva de décider Oubril : il vit l'Autriche perdue s'il ne cédait et signa la paix le 20 juillet. Au dernier moment, Napoléon avait substitué les Baléares aux terres balkaniques destinées à Ferdinand. Du moins la position de la Russie se trouvait-elle consolidée : si elle renonçait à Cattaro, elle conservait les îles Ioniennes, sauvait Raguse et plaçait la Turquie sous la garantie réciproque des deux contractants ; en outre, Napoléon s'engageait à évacuer l'Allemagne. Alexandre n'en obtiendra pas autant à Tilsit ! Sur le moment, le coup ébranla les Anglais, abandonnés une fois de plus : « accord mortifiant », reconnut Fox. Yarmouth imita Oubril et remit un projet de paix que Napoléon retourna le 6 août sans modification essentielle : l'Angleterre s'attribuait Malte et le Cap, reprenait le Hanovre, acceptait les Baléares pour Ferdinand et reconnaissait Joseph, ce qui livrait implicitement la Sicile. Il sembla que le double jeu de Napoléon allait réussir ; déjà, écrivant à Joseph, il se voyait le maître de la Méditerranée, « principal et constant objet de ma politique » — du moins pour le moment, car il en imaginait bien d'autres.

Instantanément, le vent tourna. Il y avait plus d'une raison de douter qu'Alexandre ratifiât, car il venait de renvoyer Czartoryski dont la politique exaspérait l'aristocratie anglophile, furieusement hostile à Napoléon ; le 9 juillet, il lui substitua Budberg, un Allemand des provinces baltiques, qui ne s'intéressait qu'à la politique continentale et n'éprouvait que tendresse pour la Prusse. L'Angleterre avait donc tout avantage à attendre. De lui-même, d'ailleurs, Fox s'était repris et ses collègues jugeaient le projet d'Yarmouth plus sévèrement encore. Un nouveau plénipotentiaire, Lauderdale, très favorable à la France toutefois, fut envoyé à Paris pour réclamer de nouveau l'*uti possidetis*, sans exclure, il est vrai, la cession de la Sicile, pourvu qu'on trouvât une compensation moins dérisoire. Napoléon refusa de rouvrir la discussion, parce qu'il comptait toujours sur la ratification russe pour faire reculer l'Angleterre. Or l'attitude de Frédéric-Guillaume III décida le tsar à la refuser et peut-être n'avait-il négocié que pour entraîner la Prusse.

Il n'est pas douteux que la rupture avec cette dernière, loin d'être souhaitée par l'empereur, l'ait profondément déçu et irrité. L'alliance de la Prusse, si longtemps recherchée par la Révolution et par lui-même, réduisait à l'impuissance l'Autriche et la Russie et fermait l'Allemagne aux Anglais. Il ne voulait donc que du bien à la Prusse, pourvu qu'elle entrât, comme l'Espagne, dans son « système », c'est-à-dire devînt un État vassal, et il le lui fit comprendre. Le roi avait eu l'idée malencontreuse de n'accepter qu'à correction le traité de Schönbrunn, malgré les avertissements d'Haugwitz ; il ne voulait pas annexer le Hanovre avant la paix, mais seulement l'occuper pour ne pas rompre avec l'Angleterre ; l'appétit s'aiguisant, il prétendit garder Anspach et obtenir en sus les villes hanséatiques. Quand il reçut ce beau programme, le 1er février 1806, Napoléon venait d'apprendre la mort de Pitt : il déclara que cette contre-proposition annulait le traité et, le 15, obligea Haugwitz à en signer un autre qui condamnait la Prusse à annexer immédiatement le Hanovre, à fermer ses ports aux Anglais et, de surcroît, à céder, outre Anspach et Neuchâtel, la partie du duché de Clèves qu'elle conservait à l'est du Rhin et qui fut réunie au duché de Berg ; enfin, une garnison française s'installerait à Wesel. Frédéric-Guillaume capitula : terrible leçon, qu'il ne pardonna pas, et le parti de la guerre encore moins.

Un moment découragé après Austerlitz, ce dernier prenait une force croissante, bien que Napoléon ait conservé des admirateurs jusqu'au dernier moment, tels Bülow, frère du futur héros de la guerre de l'indépendance, qui écrivit sur la campagne de 1805 un livre très dur pour la Prusse, Buchholtz qui, dans son *Nouveau Léviathan*, tournait la philosophie de Hobbes à l'éloge du despotisme impérial, et, dans l'armée, le Wurtembergeois Massenbach. La cour, elle, se montrait belliqueuse. La reine, comparant à son rival le tendre Alexandre, se répandait en propos contre le « monstre », le « rebut de l'enfer » ; Louis-Ferdinand, cousin germain du roi, sa sœur, mariée au prince Radziwill, lao mtesse de Voss et sa sœur Mme de Berg faisaient chorus. Schleiermacher et Alexandre de Humboldt, Jean de Müller et Merkel étaient devenus hostiles à la France ; beaucoup de militaires, Phull, Scharnhorst, Blücher, poussaient à l'action. Hardenberg les aidait et, en avril, Stein invita le roi à chasser Lombard et Beyme, ses conseillers préférés, démarche que les princes royaux renouvelèrent à la veille de la guerre. Frédéric-Guillaume s'en offensa ; il se sentait pourtant si inquiet qu'il s'efforçait en secret de regagner le tsar ; il lui avait envoyé

Brunswick pour lui affirmer que, malgré son alliance avec Napoléon, il ne lui ferait jamais la guerre ; il renouvela ces assurances par écrit, le 23 juin, à la nouvelle de la mission d'Oubril. Hardenberg, de son côté, négociait sous main avec l'ambassadeur russe Alopeus une convention conforme, que le tsar signa le 24 juillet.

La création de la Confédération du Rhin aggrava encore le mécontentement ; l'empereur soutint, il est vrai, que rien n'empêchait la Prusse de former enfin cette confédération du nord qui, de 1795 à 1801, avait été sa grande pensée ; mais il défendit aux villes hanséatiques d'y entrer et déclara à la Saxe qu'il la laissait entièrement libre de refuser son adhésion ; l'électeur de Hesse n'osa pas non plus donner la sienne. Là-dessus, au début d'août, Yarmouth révéla à Lucchesini que le Hanovre allait être repris à la Prusse. Une fausse nouvelle acheva de décider Frédéric-Guillaume : Blücher annonça une concentration de troupes françaises sur le Rhin et un bruit pareil survint de Franconie. Le roi crut le Hanovre menacé et, sans vérifier, mobilisa le 9 août, après avoir prévenu le tsar. Pendant tout le mois d'août, il fut dans les affres, ne sachant quel serait le sort du traité d'Oubril. En fait, sa résolution l'avait rendu caduc et le tsar refusa de le ratifier. Informé, le roi lui écrivit le 6 septembre : « Je n'ai plus de choix que la guerre. »

Jusqu'au dernier moment, Napoléon, comme en 1805, ne voulut pas y croire. Le 17 août, il donnait même l'ordre de préparer la rentrée en France de la Grande Armée, les affaires d'Allemagne étant réglées par l'abdication de François. Le 3 septembre enfin, la réponse d'Alexandre, rapprochée des armements de la Prusse, que le 26 août encore il traitait de « ridicules », fut pour lui un trait de lumière : il y vit la preuve qu'une nouvelle coalition se préparait. Le 5, il donna ses premiers ordres ; les instructions générales ne sont que du 19. Fox étant mort le 13, ses collègues, sûrs de la Russie et de la Prusse, et excités par la nouvelle de la prise de Buenos-Aires, accentuèrent leurs exigences et, le 26, réclamèrent la Dalmatie pour Ferdinand IV. Napoléon clôtura l'épisode par son refus, le 5 octobre. Déjà, il était à Bamberg, en marche pour écraser la Prusse. Il improvisa cette campagne aussi sommairement que la précédente. Lorsqu'il arriva en Franconie, ses intentions n'avaient même pas été remplies et il destitua l'intendant général Villemanzy au profit de Daru. Les soldats se mirent en route sans capotes, la plupart sans souliers de rechange et avec quelques jours seulement de pain et de biscuit. Toutefois, la campagne fut tellement foudroyante qu'ils souffrirent cette fois beaucoup moins ; l'ultimatum prussien, exigeant la retraite des Français au delà du Rhin, avait été remis le 1er octobre ; Napoléon le reçut à Bamberg, le 7 ; le 14, l'armée prussienne n'existait plus.

V. — IÉNA ET AUERSTÆDT. LA CAMPAGNE D'HIVER (1806-1807)[1].

Elle avait pourtant pleine confiance en elle, et l'Europe pareillement ; même aux yeux de plus d'un Français, la renommée de Napoléon ne fut vraiment consacrée qu'après la destruction de l'armée du Grand Frédéric. Il ne paraissait pas qu'elle eût changé ; bien que le recrutement des étrangers fût devenu à peu près impossible, depuis que l'Allemagne et les Pays-Bas n'en fournissaient plus, elle en comptait encore au moins 80.000 ; le reste se composait de « cantonistes » pris parmi les paysans, la noblesse et la bourgeoisie étant exemptes ; les junkers fournissaient la plupart des officiers. Cette armée, qui n'avait rien de national, était admirablement préparée par le *drill* au combat en ordre linéaire et à découvert ; on formait à présent des bataillons de fusiliers, sans les exercer toutefois à se disperser en tirailleurs. La cavalerie restait bonne, mais le matériel d'artillerie sans valeur, le génie et le service de santé à peu près inexistants. Sur la conduite de la guerre, les idées n'avaient guère fait de progrès non plus : les régiments n'étaient pas endivisionnés ; ils calculaient leur marche par rapport aux magasins et s'encombraient d'un train énorme. Personne ne s'avisait que cette armée,

1. OUVRAGES A CONSULTER. — Pour la diplomatie, voir p. 151 et 229. A partir d'août 1806, HEIGEL est continué par H. VON ZWIEDINECK-SÜDENHORST, *Deutsche Geschichte von der Auflösung des alten bis zur Errichtung des neuen Kaiserreiches*, t. Ier : *Die Zeit des Rheinbundes, 1806-1815* (Stuttgart, 1897, in-8°) ; pour les campagnes, p. 95 ; commandant P. FOUCART, *Campagne de Prusse, 1806* (Paris, 1890, in-8°) ; DU MÊME, *La cavalerie pendant la campagne de Prusse* (Paris, 1880, in-12) ; DU MÊME, *Campagne de Pologne, 1806* (Paris, 1882, 2 vol. in-12) ; DU MÊME, *Iéna* (Paris, 1887, in-8°, publications de l'État-major) ; général BONNAL, *La manœuvre d'Iéna* (Paris, 1904, in-8°) ; P. GRENIER, *Les manœuvres d'Eylau et de Friedland* (Paris, 1901, in-8°). — Sur l'armée prussienne, C. VON DER GOLTZ, *Rossbach und Iena* (Berlin, 1883, in-8° ; 2e éd., 1906 ; trad. franç. par le comm. CHABERT, Paris, 1890, in-8°) ; C. JANY, *Geschichte der königlichen preussischen Armee bis zum Jahre 1807* (Berlin, 1928, 3 vol. in-8°) ; O. VON LETTOW-VORBECK, *Der Krieg von 1806-1807* (Berlin, 1891-1896, 4 vol. in-8° ; publication du grand État-major prussien). — Sur la question polonaise, M. HANDELSMAN, *Napoléon et la Pologne, 1806-1807* (Paris, 1909, in-8°) ; le comte d'ORNANO, *Marie Walewska « l'épouse polonaise » de Napoléon* (Paris, 1938, in-8°) ; La Pologne, du siècle des Lumières au duché de Varsovie, numéro spécial des *Annales historiques de la Révolution française* (1964), cité p. 474.

en face des soldats de la Révolution, se trouvait singulièrement arriérée et que son pire défaut était d'avoir perdu l'habitude de la guerre ; les capitaines, maîtres de leurs compagnies, gagnaient de l'argent en temps de paix grâce aux congés multipliés et regardaient une campagne comme une calamité ; le commandement, vieilli, manquait de décision ; ces troupes, exercées et braves, furent battues parce que mal conduites.

Du moins eût-il été facile d'éviter le désastre en attendant les Russes derrière l'Elbe, si leur jactance même n'avait poussé les Prussiens en avant du fleuve. Alexandre, de son côté, se mit beaucoup plus en retard qu'en 1805, parce qu'il avait les yeux tournés vers la Turquie. Le 24 août, Sélim venait de destituer les hospodars de son propre chef ; effrayé par un ultimatum, il les rétablit le 15 octobre ; au même moment, l'armée de Michelson reçut l'ordre d'occuper les principautés. Les préparatifs de guerre contre Napoléon en furent ralentis, sans compter que les Russes eurent à combattre sur deux fronts.

L'armée prussienne convergea vers la Thuringe en trois corps principaux : le duc de Brunswick et le roi avec 60.000 hommes, Hohenlohe avec 50.000 autres qui passèrent par Dresde pour emmener les Saxons, Rüchel qui amena 30.000 soldats du Hanovre à travers la Hesse. Brunswick, le vaincu de Valmy, avait peu d'autorité sur ses subordonnés et ne sut ni se concentrer, ni se couvrir, ni même imposer un plan de campagne. Il désirait manœuvrer vers le Mein pour menacer la ligne d'opérations des Français, tandis que Hohenlohe voulait les aborder de front en franchissant le Frankenwald. Finalement, ce dernier se rapprocha de Brunswick vers Iéna, sans toutefois le joindre et en laissant deux corps sur la Saale. Les Prussiens furent attaqués avant de s'être réunis.

Napoléon fit garder le Rhin par Louis et par Mortier ; les alliés allemands tinrent l'arrière. Vers le 25 septembre, sa masse de manœuvre se trouvait groupée aux environs de Nuremberg, derrière une couverture disposée le long du Mein et du Frankenwald, en tout six corps d'armée, plus la réserve de cavalerie et la garde, environ 130.000 hommes. Il lui fallait battre les Prussiens avant l'arrivée des Russes et il redoutait qu'ils ne se tinssent derrière l'Elbe. Quand il les sut en marche, il supposa qu'ils se dirigeraient vers Mayence ou Würzburg : en ce cas, il les aurait fixés sur le Mein et, tournant leur gauche, les eût acculés au Rhin. Ne les voyant pas bouger, il traversa le Frankenwald, du 7 au 9 octobre, en trois colonnes, pour les couper de l'Elbe. Ney et Soult débouchèrent sur Hof sans combat ; Murat, Bernadotte, Davout, la garde sur Schleiz, en bousculant la division Tauenzien ; la gauche, Lannes et Augereau, sur Saalfeld où, le 9, le prince Ferdinand fut battu et tué. L'armée descendit ensuite vers le nord, puis fit une conversion vers l'ouest, tandis que Murat s'élançait vers Leipzig, où il apprit que les Prussiens battaient en retraite. Deux passages principaux s'offraient à eux sur la Saale : Kösen et Kalha. Davout s'empara du premier ; Lannes et Augereau saisirent le second, puis, suivant la rive gauche, atteignirent Iéna et occupèrent le Landgraffenberg, qui domine la plaine où campait Hohenlohe. Supposant que le gros de l'armée ennemie était là, l'empereur y porta Ney, Soult, la garde et une partie de la cavalerie ; le reste, sous Bernadotte, fut rappelé de Naumburg vers Dornburg avec ordre de marcher au canon, le cas échéant.

En réalité, Brunswick et le roi, avec 70.000 hommes, s'avançaient vers Kösen et Hohenlohe n'en avait que 50.000 qui n'étaient même pas concentrés. Contre ce dernier, le 14 octobre, Napoléon en engagea 56.000. Lannes et Soult, descendus du Landgraffenberg, refoulèrent la première ligne de l'ennemi, puis abordèrent la seconde et la tournèrent par sa gauche, tandis qu'Augereau, retardé par de mauvais chemins, menaçait finalement sa droite. Après une vive résistance, elle fut mise en déroute. Rüchel, qui accourait au secours, n'arriva que pour subir le même sort. Pendant ce temps, Davout, avec 26.000 hommes, supportait le choc de la principale armée prussienne en avant d'Auerstædt ; Brunswick fut mortellement blessé et ses troupes, reculant en désordre, se heurtèrent aux fuyards d'Iéna qui les entraînèrent dans la débâcle. Quant à Bernadotte, s'il avait bien passé la Saale à Dornburg, sa mauvaise volonté ordinaire le tint éloigné des deux champs de bataille. Les Prussiens perdaient 27.000 tués ou blessés, 18.000 prisonniers et presque tous leurs canons.

Murat, Ney et Soult poursuivirent leurs débris à travers le Harz, capturant 20.000 hommes, mais laissant échapper plusieurs corps. Le gros de l'armée, par Leipzig, marcha droit sur Berlin, où Davout entra le premier, le 27 ; de là, il alla border l'Oder avec Augereau et fit capituler Küstrin. La chasse devint alors plus méthodique, et Hohenlohe, coupé de Stettin, se rendit, le 28, à Prenzlau. Blücher réussit à gagner Lübeck où il fut pris le 6 novembre. Il ne resta plus que le détachement de Lestocq en Prusse orientale. Les places fortes ouvrirent leurs portes jusqu'à la Vistule, à l'exception de villes de Silésie et de Colberg que défendait Gneisenau. La population ne fit aucune résistance et les fonctionnaires prêtèrent serment à Napoléon. Le pays conquis fut aussitôt organisé et frappé de 160 millions de contributions, sans parler des réquisitions, afin de procurer à l'armée les ressources de toutes sortes qui lui faisaient complètement défaut.

Napoléon recueillit aussitôt les fruits de sa victoire. Dès le 27 septembre, le grand-duc de Würzburg était entré dans la Confédération du Rhin ; le 11 décembre, Frédéric de Saxe l'imita et reçut le titre de roi ; les ducs saxons, le 15, et ultérieurement, les autres princes de l'Allemagne centrale en firent autant ; la Hesse-Cassel et le duché de Brunswick furent confisqués, ainsi que Fulda, enlevé au prince d'Orange, qui avait combattu dans les rangs prussiens. Frédéric-Guillaume III lui-même parut disposé à accepter le vasselage pour sauver son trône. Lucchesini et Zastrow négocièrent avec Duroc un traité qui cédait les territoires prussiens à l'ouest de l'Elbe, sauf l'Altmark, et fermait les ports de la Baltique aux Anglais. Signé le 30 octobre, il fut ratifié par le roi le 6 novembre.

Mais, déjà, la situation s'était modifiée. Entré à Berlin le 25 octobre, Napoléon avait trouvé dans les archives les traces de l'entente entre la Prusse et la Russie et se répandait en propos injurieux sur les relations de la reine et d'Alexandre. Bientôt, il ne fit plus de doute que les Russes arrivaient au secours des Prussiens ; une explosion de fureur guerrière soulevait à Pétersbourg l'aristocratie, et l'église orthodoxe excommuniait Napoléon. Le 9 novembre, celui-ci résolut d'ajourner la paix et substitua au traité un armistice qui lui livrait la ligne de la Vistule et du Boug ; les troupes du roi se cantonneraient en Prusse orientale et, au besoin, en chasseraient les Russes. En outre, il déclara qu'il n'évacuerait le royaume qu'à la paix générale, moyennant restitution des colonies et garantie pour l'intégrité de la Turquie ; le 21 novembre, cette intention fut publiquement annoncée dans un message au Sénat ; la Prusse était donc prise en otage. Or sa captivité menaçait de durer longtemps. A mesure que l'armée s'avançait, elle séquestrait les marchandises anglaises, auxquelles l'occupation des villes hanséatiques venait de fermer l'Allemagne. Le 21 novembre, par le célèbre décret de Berlin, Napoléon mit les Iles britanniques « en état de blocus », c'est-à-dire qu'il retourna contre elles le principe du blocus fictif. En conséquence, aucun bâtiment venant directement de l'Angleterre ou de ses colonies ne serait plus « reçu » dans les ports de l'Empire.

Le « blocus continental » n'était pas, comme on l'affirme à

tort, « la raison d'être du Grand Empire » : il s'étendait naturellement avec la conquête. En soi, comme Napoléon ne tenait pas la mer, cette manifestation retentissante n'ajoutait rien à la prohibition des produits anglais. Le fait nouveau et grave, c'est que, les neutres étant implicitement atteints, le blocus allait perdre le caractère principalement protectionniste que Napoléon lui avait rendu à son avènement, pour devenir une arme offensive. Par une volte-face décisive, la victoire le ramenait à la politique adoptée par le Directoire en 1798. La volonté de coaliser le continent contre l'Angleterre, qui donnait à l'idée impériale et romaine une valeur réaliste dans la politique contemporaine, venait de se formuler. « Je veux conquérir la mer par la puissance de la terre », écrivait Napoléon. C'est pourquoi le décret de Berlin marque un point tournant.

Les plénipotentiaires prussiens, ne voyant pas si loin, acceptèrent l'armistice le 16 novembre ; mais le roi le rejeta et se trouva rivé, malgré lui, à la coalition. Napoléon n'attendit pas sa décision pour avancer l'armée jusqu'à la Vistule : elle atteignit Varsovie le 27. Il fut pourtant obligé de rester un mois à Berlin pour se renforcer et parer au dénuement de ses soldats. Mortier partit occuper la Poméranie suédoise et bloquer Stralsund ; Jérôme, qui était venu à résipiscence et avait accepté de laisser annuler son mariage américain, s'en alla faire le siège des places de Silésie avec les contingents allemands ; la classe 1806 prit le chemin du front. Cependant, la marche vers la Vistule ouvrait la question de Pologne. A mesure que les Français poussaient de l'avant, les Polonais, se soulevant, chassaient les fonctionnaires prussiens. Le mouvement entraîna surtout des bourgeois et des nobles ; encore n'étaient-ils pas unanimes : il resta un parti prussien derrière Radziwill — car plus d'un noble tirait parti des caisses hypothécaires fondées à l'exemple de la vieille Prusse — et surtout un parti russe. Czartoryski avait, de nouveau, conseillé à Alexandre de devancer Napoléon en se proclamant roi de Pologne. Il était secondé par Niemcewicz et par l'archevêque Siestrzencewicz, qui déclamait contre « la conscience parjure de Bonaparte ». Poniatovski lui-même hésita jusqu'au début de décembre. Les grands craignaient les représailles en cas de défaite et ne redoutaient guère moins la victoire des Français qui émanciperaient les paysans.

En tout cas, Napoléon, obligé de faire campagne contre les Russes, ne pouvait dédaigner les concours qui s'offraient. Dès le 20 septembre, il avait autorisé Zajontchek à former une légion

à l'aide des Polonais qui déserteraient les rangs prussiens ; après
Iéna, Dombrovski et Wybicki furent chargés d'en former trois
dans les régions insurgées. Kosciuzsko, aussi appelé, exigea des
garanties. Napoléon n'entendait pas s'engager à rétablir la
Pologne, ce qui eût porté le tsar aux extrémités et poussé l'Autriche à intervenir. Kosciuzsko imputa son silence à l'égoïsme :
« Il ne pense qu'à soi-même ; il déteste toute grande nationalité
et plus encore l'esprit d'indépendance. C'est un tyran. » Jugement
pénétrant quant au fond, mais qui interprétait mal la réserve
de l'empereur : il ne répugnait pas à ressusciter cet État pour le
joindre à ses vassaux, à condition que cela fût possible. Les Polonais seraient-ils capables de s'aider eux-mêmes ? Il en doutait et
certains de ses maréchaux le niaient. Pour le moment, au surplus,
il était trop tôt ; aussi ne fit-il aucune promesse, malgré les
instances de la comtesse Walewska qui passa l'hiver avec lui et
qu'il aima passionnément. Il créa seulement une administration
provisoire à Posen, pour Dombrovski, puis à Varsovie, le 14 janvier 1807, une commission provisoire qui élut Malachovski comme
président ; sous la surveillance de Talleyrand et de Maret, elle
confia l'administration à cinq directeurs, s'occupa de former une
armée nationale et de ravitailler celle de l'empereur, commença
de réorganiser la justice à la française.

Devant la Grande Armée, Bennigsen et ses 35.000 hommes
avaient reculé entre la Narev et la Wkra pour attendre les
40.000 soldats que Buxhœvden amenait en renfort. A la fin de
décembre, Napoléon monta une manœuvre contre le premier.
Avec Davout, il força le passage de la Wkra, le 23, à Czarnovo,
et poussa Lannes sur Pulstuk, tandis que le reste de l'armée,
venant de Thorn et de Plock, devait se rabattre sur le centre et la
droite ennemis et les envelopper. Le temps affreux, les chemins
défoncés retardèrent les mouvements ; Bernadotte resta en
arrière ; Ney s'égara à la poursuite des Prussiens ; Napoléon
courut rétablir l'ordre, mais en vain. Le 26 décembre, les Russes,
attaqués confusément, en son absence, à Golymin et à Pulstuk,
tinrent bon et purent se dégager. Il jugea impossible de les poursuivre dans les marais et les forêts avec des soldats sans capotes,
sans souliers et sans vivres, et prit ses quartiers d'hiver des rives
de la Passarge à Varsovie.

Une ligne si étendue prêtait à la surprise. Bennigsen, derrière
les forêts, se dirigea vers le nord et, à la fin de janvier, franchit
la Passarge pour accabler Bernadotte qui recula sur Thorn, tandis
que Lestocq poussait jusqu'à Graudenz. Déjà, Napoléon, rassem-

blant ses autres corps, arrivait du sud pour leur couper la retraite.
Bennigsen, renseigné par la saisie d'un courrier, put tenir sur la
Passarge assez de temps pour se dérober. Poursuivi, il accepta la
bataille à Eylau pour sauver Königsberg. Le 8 février 1807,
Napoléon l'attaqua, bien qu'il ne disposât que de 60.000 hommes
contre 80.000. Il tourna la gauche des Russes, puis les attaqua
de front ; au milieu d'une tempête de neige, le corps d'Augereau
s'égara et fut décimé ; l'ennemi prit l'offensive et ne fut repoussé
qu'à grand'peine par les charges répétées de la cavalerie ; l'arrivée
de Lestocq aggrava encore la situation ; enfin Ney, qui le poursuivait, vint, à sept heures du soir, tourner la droite de Bennigsen
qui battit en retraite. 25.000 Russes et 18.000 Français étaient
tombés. Napoléon suspendit la poursuite et ramena l'armée sur
la Passarge ; lui-même s'installa à Osterode, puis, le 1er avril, au
château de Finkenstein.

Il avait gagné cette sanglante bataille ; mais, sa manœuvre
ayant encore une fois échoué, il était condamné à une campagne
d'été. De nouveau, sa situation devenait périlleuse, si loin de la
France où la guerre provoquait une crise industrielle qui le
contraignait à multiplier les commandes et à faire des avances
remboursables afin d'éviter l'extension du chômage, alors que l'Autriche pouvait entrer en ligne et que des tentatives anglaises sur
le continent étaient possibles. Eylau fit sensation en Europe et
renforça l'impression laissée par la campagne de Pologne. Il
s'avérait que la stratégie napoléonienne et les moyens de la Grande
Armée ne s'adaptaient pas bien à ces plaines et à ce climat. La
compagnie Breidt avait dû se reconnaître impuissante à assurer
les transports ; le pays ne fournissait que des ressources insuffisantes ; les effectifs fondaient et, de ce qui subsistait, un quart
seulement tenait le front, le reste gardant l'arrière. Un effort
prodigieux, à la fois militaire et diplomatique, s'imposa pour
triompher de la Russie.

VI. — LA CAMPAGNE D'ÉTÉ ET LES TRAITÉS DE TILSIT (1807)[1].

Le plus facile fut de se procurer des hommes. De septembre
à novembre 1806, les dépôts et la moitié du contingent de l'année

---

1. OUVRAGES A CONSULTER. — Voir p. 235 ; sur la diplomatie, voir p. 151 ;
pour la Russie, p. 184 ; consulter en outre la bonne étude de H. BUTTERFIELD,
The peace tactics of Napoleon I, 1806-1808 (Cambridge, 1929, in-8º). — Sur
l'Orient, É. DRIAULT, *La politique orientale de Napoléon. Sébastiani et Gardane*
Paris, 1904, in-8º) ; P. SHUPP, *The European powers and the Near East ques-*

s'étaient portés vers le Rhin, où Kellermann les envoyait à mesure vers l'avant ; d'octobre à décembre, on consomma de même l'autre moitié de la levée. En partant pour la guerre, l'empereur avait appelé par anticipation celle de 1807 : on la mit en route au cours de l'hiver. En avril, la classe 1808 se vit convoquée à son tour et, à peine arrivée aux dépôts, fut expédiée, incomplètement habillée et sans aucune instruction. La conduite des recrues devenant difficile, on en constitua, pour la première fois, des « régiments provisoires » avec des cadres de fortune. En tout, 110.000 hommes de complément provinrent de l'Empire ; en même temps les contingents alliés passèrent de 40 à 112.000 hommes, Allemands, Hollandais, Polonais, Espagnols du marquis de la Romana, et aussi l'armée d'Italie. Au 15 juillet 1807, la Grande Armée comptait en Allemagne 410.000 hommes, deux fois plus qu'en septembre 1806 ; environ 100.000 firent la campagne de Friedland. En outre, l'empereur réunit en Italie 120.000 hommes pour surveiller l'Autriche et la Sicile et s'en procura 110.000, en partie gardes nationaux, pour protéger les côtes.

Il éprouva beaucoup plus de difficulté à organiser le ravitaillement et les transports. La faillite des compagnies le détermina enfin à militariser en principe les services de l'arrière. Le train d'artillerie augmenta, et l'on vit apparaître les bataillons des équipages militaires ; une direction générale des vivres fut instituée et confiée au frère de Maret. La guerre de 1807 aboutit ainsi

lion, 1806-1807 (New York, 1931, in-8°, fasc. 349 des « Publications of the Columbia University ») ; V. J. Purgear, *Napoleon and the Dardanelles* (Berkeley et Los Angeles, 1951, in-8°) ; Iorga, cité p. 28 ; B. Mouravieff, G. Lebel, C. Yaktchich, cités p. 184 ; B. V. Kallay, *Die Geschichte des serbischen Aufstandes, 1807-1810* (Vienne, 1910, gr. in-8°) ; A. Bopp, *L'Albanie et Napoléon* (Paris, 1914, in-12) ; C. Rados, *Napoléon Ier et la Grèce* (Athènes, 1921, in-8°) ; E. Rodocanacchi, *Bonaparte et les îles ioniennes, 1797-1816* (Paris, 1899, in-8°) ; Fortescue, cité p. 32, t. VI (expédition d'Égypte) ; Mahan, cité p. 32 ; *The Cambridge British foreign policy*, citée p. 32 ; É. Driault, *Mohammed Ali et Napoléon* (Le Caire, 1927, in-8°) ; G. Drouin, *L'Égypte de 1802 à 1804* (Le Caire, 1925, in-8°) ; du même, *Mohammed Ali pacha du Caire* (Le Caire, 1926, in-8°) ; G. Drouin et Mme Fawtier-Jones, *L'Angleterre et l'Égypte ; la campagne de 1807* (Le Caire, 1928, in-8°), ces quatre derniers ouvrages publiés par la Société royale de géographie d'Égypte. — Sur la préparation militaire de la campagne, voir Lechartier, cité p. 206 ; la campagne elle-même est étudiée dans Bourdeau, cité p. 95, et Grenier, cité p. 235. — Sur les traités de Tilsit, le plus récent exposé est celui de Butterfield ; voir aussi A. Vandal, *Napoléon Ier et Alexandre Ier* (Paris, 1891-1896, 3 vol. in-8°), t. I. — Sur l'indemnité exigée de la Prusse par la convention de Bayonne, T. Mencel, *Les sommes de Bayonne*. dans *Roczniki Historyczne* (Poznan, 1950 ; avec un résumé en français).

à augmenter les attributions de l'État. On n'en saurait pourtant conclure que les caractères de la guerre napoléonienne s'en trouvèrent changés. Les formations nouvelles ne suffirent jamais, et l'on continua de se procurer au hasard la majorité des voitures ; le directeur des vivres ne s'occupa guère de l'armée en campagne : autrement, la guerre eût cessé de nourrir la guerre. Pendant la campagne de 1807, Napoléon ne tira de la France que 30.000 chevaux pour les dépôts de remonte établis à Potsdam et à Kulm ; il jugea beaucoup plus prompt et économique de réquisitionner tout sur place et d'installer des ateliers en Allemagne ; il passa également marché avec les rouliers et les bateliers du pays. Les difficultés demeurèrent en grande partie insurmontables. Ce fut en vain qu'on fabriqua sans trêve parce qu'on ne put transporter. Les combattants, entassés à l'est de la Vistule, dans la région la plus déshéritée, ne reçurent que juste assez pour ne pas mourir de faim ; jusqu'en juillet, on ne put leur amener que 26.000 capotes, 52.000 vestes et autant de culottes ; un stock énorme de souliers resta inutilisé à l'arrière. Les Russes, de leur côté et pour les mêmes raisons, souffrirent cruellement à leur ordinaire, et leurs alliés, quoique chez eux, ne s'estimèrent pas mieux lotis ; la malheureuse Prusse orientale fut épuisée et ravagée de fond en comble.

Napoléon mena les négociations de pair avec les préparatifs pour semer la zizanie entre les coalisés et retenir l'Autriche. L'attitude résolue de Frédéric-Guillaume III n'avait pas été de longue durée ; le 16 décembre, il offrit les Affaires étrangères à Stein ; mais, ayant demandé en vain le renvoi des confidents du roi et la constitution d'un ministre homogène, ce dernier refusa et le roi se montra très irrité contre lui. Redoutant la confiscation de ses biens, Zastrow, qui resta ainsi au pouvoir, désirait ardemment traiter avec la France. Comme Napoléon, après l'échec de l'armistice, avait déclaré qu'il ne reprendrait les pourparlers qu'en vue d'une paix générale, le roi se laissa persuader de demander le consentement de la Russie et de l'Angleterre, qui l'accordèrent, à condition qu'il obligeât d'abord la France à faire connaître les bases de la paix. Pendant ce temps, les difficultés qu'il rencontrait ramenèrent l'empereur à l'idée de ce traité séparé avec la Prusse dont il avait provoqué l'échec ; il lui fit des ouvertures à la fin de janvier et, après Eylau, envoya Bertrand à Königsberg pour les confirmer ; en retour, le roi dépêcha le colonel Kleist à Finkenstein. Tout en insistant sur son offre, Napoléon admit un congrès et, quand la Prusse, en avril, lui en soumit la proposition officielle, il l'accepta. Le 9 juin, le roi en avertit l'Angleterre ; à ce moment déjà, la campagne touchait à sa fin. Pour Napoléon, le profit de ces négociations fut qu'elles mécontentèrent Alexandre. Il parut à Memel, le 2 avril, persuada le roi de remplacer Zastrow par Hardenberg et l'amena, le 23, à signer la convention de Bartenstein qui resserra l'alliance. Les Prussiens, jusqu'alors, ne perdaient pas l'espoir, les Russes s'étant faits forts de secourir Danzig. La chute de la place et les plaintes des junkers contre les excès des troupes alliées amenèrent un prompt refroidissement. Ainsi commença obscurément dans l'esprit d'Alexandre l'évolution qui devait le conduire à Tilsit.

L'attitude de l'Autriche ne put que la favoriser. Le nouveau chancelier, Stadion, brûlait du désir d'attaquer Napoléon ; mais il le jugeait trop redoutable encore et il n'était pas sans inquiétude sur les ambitions de la Prusse et de la Russie. Il arma et attendit. Depuis octobre, l'empereur le cajolait et le menaçait tour à tour, lui proposant une alliance, sans lui rien offrir que de troquer la Galicie contre la Silésie, et insistant pour que l'Autriche cessât ses armements. Stadion se dérobait ; pourtant, en janvier, il envoya le baron Vincent causer à Vasrovie avec Talleyrand, qui le prit aisément dans ses filets. Il était plus difficile de repousser, sans les mécontenter, Razoumovski, l'ambassadeur de Russie, Pozzo di Borgo, émigré passé au service du tsar, qui l'avait rejoint, et Adair, le représentant de l'Angleterre. Le projet de congrès vint à point pour tirer l'Autriche d'embarras. Le 18 mars, Stadion fit une offre de médiation qui, sur la réponse favorable de Talleyrand, devint officielle le 7 avril. Quand tout le monde eut accepté, Napoléon devint subitement muet, appela Talleyrand près de lui et laissa Vincent sans nouvelles pendant tout le mois de mai. Il put ainsi rouvrir la campagne sans que l'Autriche eût pris position, ce qu'Alexandre ne pardonna pas.

Toutefois, ce fut surtout l'attitude de l'Angleterre qui l'exaspéra. Après la mort de Fox, ses collègues étaient restés au pouvoir, lord Howick le remplaçant au Foreign Office, et leur politique devint de plus en plus insulaire. Depuis la prise de Buenos-Aires, le public ne pensait plus qu'à l'Amérique espagnole ; les renforts qu'on y envoya et les expéditions dans le Levant accaparèrent les forces disponibles, en sorte qu'Alexandre réclama en vain des diversions continentales. La Sicile aurait offert une base excellente contre l'Italie : le général Fox, en butte à l'hostilité de Marie-Caroline et ne recevant pas de forces nouvelles, se déclara incapable de rien entreprendre. Le gouvernement britannique ne fut pas moins ménager de son argent et refusa de garantir un emprunt russe. Sa diplomatie non plus n'était pas adroite. Il ne signa la paix avec la Prusse que le 28 janvier, moyennant l'abandon du Hanovre, et continua de lui battre froid ; ses ambassadeurs à Königsberg et à Pétersbourg, Hutchison et Douglas, manquaient de liant et d'habileté, et se montraient grands admirateurs de Napoléon. Enfin, la question catholique, en février, compromit l'existence du ministère ; le roi avait fini par consentir à l'abolition du *test* ; néanmoins, il refusa d'admettre les papistes aux grades supérieurs, surtout dans la marine. Le cabinet se retira le 7 mars ; les tories revinrent aux affaires et firent les élections au cri de « *No popery* ». Le duc de Portland ne fut que leur chef nominal ; les principaux services revinrent à des disciples de Pitt qui allaient reprendre sa politique continentale et montrer la même énergie inflexible : Perceval, fils de lord Egmont, à l'Échiquier ; Bathurst au commerce ; surtout Canning au Foreign Office et Castlereagh à la Guerre. Toutefois, comme on les connaissait peu, leur avènement ne fit guère impression. Canning ne nomma un nouvel ambassadeur en Russie, Leveson Gower, que le 16 mai ; il restait méfiant à l'égard de la Prusse, qu'il soupçonnait de vouloir reprendre le Hanovre pour dominer l'Allemagne du Nord : on ne gagnerait rien, pensait-il, à y substituer le militarisme prussien à celui de Napoléon. Sa principale préoccupation fut de pousser Gustave IV à rompre l'armistice qu'il avait conclu le 18 avril. Chez les coalisés, l'irritation contre l'Angleterre était à son comble lorsque la campagne commença.

Tandis qu'Alexandre attendait en vain une diversion anglaise, il se voyait obligé de détourner une partie de ses forces pour continuer la lutte contre la Perse et pour soutenir la guerre qu'il avait inopportunément commencée contre la Turquie. Napoléon ne manqua pas de s'entendre avec ses ennemis, en sorte que le conflit européen s'étendit au Levant, comme sous le Directoire. Michelson avait occupé la Moldavie et pris Bucarest sans coup férir ; puis, une partie de ses troupes ayant été rappelée, il lui fallut s'arrêter. Bien que Sélim III, encouragé par Napoléon, eût déclaré la guerre, le pacha de Roustchouk, Moustafa *Baïrakdar* (« le porte-drapeau »), à la tête de l'armée du Danube, demeura inactif jusqu'à la fin de mai. L'insurrection serbe prit ainsi une grande importance, d'autant que Belgrade avait succombé le 12 décembre. Les Turcs offraient maintenant tout ce qu'on voulait, mais les agents russes l'emportèrent ; en mars, le pacha Souleiman et ses troupes furent massacrés au cours de leur retraite et la *skouptchina* vota l'alliance avec le tsar. Napoléon aida le sultan de son mieux ; il se réconcilia avec Ali-Tebelen et lui fit attaquer Corfou et Sainte-Maure ; Marmont envoya des canons et des instructeurs au pacha de Bosnie ; un officier parut à Roust-chouk et un autre à Viddin, près du successeur de Pasvan Oglou qui venait de mourir. L'empereur offrit même d'envoyer l'armée de Dalmatie sur le Danube. A cette nouvelle, le sentiment musul-man se révolta et Sélim lui-même refusa de se lier trop étroite-ment à la France : l'ambassade qui joignit Napoléon en mars ne conclut pas d'alliance. A la fin de mai, les Russes envahirent la petite Valachie pour tendre la main aux Serbes qui s'avançaient vers le Danube par la Kraïna ; ils durent reculer précipitamment, car le Baïrakdar passait enfin le fleuve. Il n'alla pas loin. Le 25 mai, les janissaires se révoltèrent à Constantinople, massa-crèrent les ministres, abolirent le *nizam djedid,* puis déposèrent Sélim au profit de son cousin Moustafa IV. Le Baïrakdar battit en retraite et les Russes purent faire leur jonction avec les Serbes, le 17 juillet, sous les murs de Negotin.

En Orient, les Anglais étaient venus au secours des Russes, comptant bien travailler pour eux-mêmes. L'escadre de Duck-worth ayant inutilement sommé le sultan de renouveler l'alliance de 1798 et de déclarer la guerre à la France, franchit les Dar-danelles le 19 février et parut le lendemain devant Constanti-nople. Les envoyés de Sélim gagnèrent du temps pour permettre à Sébastiani d'organiser la défense, puis, le 26, jetèrent le masque. Duckworth dut se hâter de repasser les Dardanelles, le 3 mars, non sans quelques pertes. Le gouvernement anglais n'insista pas. Au fond, il ne tenait pas à faire le jeu de la Russie et préférait se réinstaller en Égypte. Depuis le départ des Français, le sultan ne parvenait pas à y rétablir son autorité ; les Mamelouks avaient battu le pacha Chosrev, tandis que les troupes albanaises s'éman-cipaient sous la direction de leur chef Méhémet-Ali. Les divisions des Mamelouks favorisèrent celui-ci : Bardissy lia partie avec lui, Elfy avec les Anglais et tous deux avec le consul français Dro-vetti. Finalement, en 1804, Méhémet chassa Bardissy du Caire, rompit avec les Turcs et obligea le sultan à le reconnaître comme lieutenant ou *caïmacan,* puis, en 1805, comme pacha. Les Anglais intervinrent à Constantinople et le firent remplacer par Elfy, mais il tint bon et d'ailleurs les deux chefs mameloucks mou-rurent, lui laissant le champ libre. Pour venger cet échec, Duck-worth parut devant Alexandrie et débarqua un détachement venu de Sicile, qui occupa Rosette et y fut bientôt surpris par

Méhémet. Le 22 avril, ce dernier mit le siège devant Alexandrie : le 15 septembre, les Anglais signèrent une convention d'évacuation.

Pour le moment, ils avaient aussi le dessous en Perse. Depuis 1804, le chah luttait contre les Géorgiens et les Russes et une défaite lui fit perdre, en 1806, Bakou et le Daghestan. Il demanda secours simultanément à Napoléon et au vice-roi des Indes. Des agents français allèrent négocier une alliance ; puis, une ambassade persane vint trouver l'empereur à Finkenstein et signa un traité le 7 mai : la France prenait la Perse sous sa protection et lui enverrait des instructeurs et des armes ; en retour, elle lui promettait son concours en vue d'une expédition dans l'Inde ; le 10 mai, des instructions furent arrêtées pour le général Gardane, envoyé en mission à Téhéran.

En somme, toutes les circonstances avaient tourné en faveur de Napoléon. Néanmoins, une victoire décisive sur les Russes pouvait, seule, briser la coalition. Bennigsen lui en fournit l'occasion. Danzig ayant succombé ainsi que les places de Silésie, sauf Kosel, on s'attendait à voir tomber Königsberg à la première offensive des Français. Bennigsen essaya de la sauver par un coup de surprise et, au début de juin, s'avança brusquement vers la Passarge, dans l'espoir d'écraser Ney qui campait sur la rive droite. Celui-ci alla rejoindre Davout, tandis que, le 9, le reste de la Grande Armée s'avançait vers la droite des Russes pour les séparer des 24.000 Prussiens de Lestocq. Bennigsen se replia sur le position fortifiée de Heilsberg, sur l'Alle. Murat, chargé de la contenir pendant que l'armée débouchait par la seule route disponible, commit l'imprudence de l'attaquer à fond, le 10, perdit inutilement une dizaine de milliers d'hommes et dut le laisser battre en retraite par la rive droite. Napoléon se rejeta contre les Prussiens qui reculaient vers Königsberg. Bennigsen esquissa une diversion en leur faveur : le 13 juin, il franchit l'Alle à Friedland. Il n'avait probablement pas l'intention de faire davantage, car, le lendemain au jour, ayant rencontré Lannes, il ne tira aucun parti de sa supériorité. Il laissa ainsi à l'empereur le temps d'accourir avec trois corps d'armée. La gauche russe, après avoir repoussé deux attaques de Ney, finit par être enfoncée à coups de canon ; les ponts furent incendiés et l'armée de Bennigsen, acculée au fleuve, perdit 25.000 hommes. Ses débris se retirèrent vers Tilsit, suivis par les Français. Étourdis sous le coup, les généraux russes estimèrent un armistice indispensable et les envoyés d'Alexandre vinrent le solliciter, le 19 : ils furent favorablement accueillis, et la trêve signée le 21. Bien plus, dès le 19, Duroc leur avait offert la paix.

Napoléon en avait besoin. Si la Russie s'obstinait, il faudrait passer le Niémen ; d'immenses préparatifs seraient de nouveau nécessaires et l'Autriche pouvait profiter du délai. De son côté, Alexandre, mécontent de tout le monde, ne se sentait pas en humeur de risquer le tout pour le tout, et son frère Constantin, qui alla lui faire rapport, tout acquis à la cause de la paix, acheva sans doute de le convaincre : en cas d'invasion, tout devenait possible, une révolte militaire, une conspiration des nobles, une insurrection des provinces polonaises et peut-être des paysans. Alexandre vit ensuite Frédéric-Guillaume, et Hardenberg en profita pour présenter, le 22, un mémoire surprenant : la Prusse, qui n'existait plus, conseillait au tsar de changer de système et de proposer à Napoléon une alliance à trois pour faire la guerre à l'Angleterre et remanier la carte de l'Europe ; la Russie et l'Autriche partageraient la Turquie et abandonneraient, comme la Prusse, leur part de Pologne ; le roi de Saxe s'installerait à Varsovie et céderait son domaine à la Prusse. Ce fut donc celle-ci qui orienta le tsar vers l'accord avec la France et la rupture avec l'Angleterre. Irrité contre cette dernière, Alexandre se trouvait fort accessible à pareil conseil. En outre, le plan de Hardenberg le posait de nouveau en médiateur de l'Europe, de compte à demi avec Napoléon comme en 1801, car, dans l'état où se trouvait la Prusse, elle ne pouvait guère compter. Précisément, Napoléon, renonçant pour le moment à soumettre la Russie, méditait de la prendre comme alliée à la place de la Prusse : transmise à Alexandre le 23 juin, l'offre toucha sa vanité. Probablement s'imagina-t-il aussi qu'il séduirait Napoléon comme tant d'autres : il proposa une entrevue, qui eut lieu, le 25, sur un radeau au milieu du Niémen, et fut suivie de longs entretiens en tête à tête. Nous ne saurons jamais ce qu'ils se sont dit : c'est le « mystère de Tilsit ».

La paix et l'alliance ne firent pas difficulté ; mais il fallait régler le sort de la Prusse. Napoléon n'avait pas pensé une minute à l'admettre en tiers ; il traita Frédéric-Guillaume avec dédain et le tint à l'écart ; la reine Louise vint le voir, le 6 juillet, fut écoutée poliment et n'obtint rien. Alexandre, ayant admis en principe le plan de Hardenberg, défendit de son mieux son allié et finit pourtant par conclure l'alliance sans lui : c'est ce qu'on appela sa trahison. Il constata sans doute que Napoléon serait intraitable et se rendit à ses raisons : l'empereur possédait la

Prusse par droit de conquête et pouvait la garder ; par égard pour le tsar, il l'admettrait néanmoins à l'armistice et en restituerait une part. Vraisemblablement, Napoléon éblouit aussi son allié par les perspectives qui s'ouvriraient en Orient, dès qu'ils auraient mis l'Angleterre à la raison et même avant. Bref, il l'emporta.

Les actes signés à Tilsit, le 7 juillet 1807, comprenaient un traité de paix, des articles secrets et un pacte d'alliance. L'accord avec la Prusse s'y ajouta le 9. La Russie sortait indemne de l'aventure ; la Prusse, au contraire, perdait toutes ses possessions à l'ouest de l'Elbe, sauf à récupérer 3 à 400.000 âmes si l'Angleterre cédait le Hanovre à Napoléon. L'Ost-Frise avait déjà été réunie à la Hollande ; les territoires westphaliens furent attribués au grand-duché de Berg. Le reste, Minden, Hildesheim, Halberstadt, Magdebourg, s'adjoignit au Brunswick, à la Hesse-Cassel et à une partie du Hanovre, Osnabrück et Göttingen, pour former le royaume de Westphalie, en faveur de Jérôme. Napoléon garda à sa disposition le surplus du Hanovre, Erfurt, Hanau et Fulda. La Prusse abandonna également ses provinces polonaises, à l'exception d'une petite partie de la Prusse occidentale qui constitua un isthme de trente kilomètres de large entre le Brandebourg et la Poméranie, d'une part, et la Prusse orientale, de l'autre. Ainsi amputé, le royaume, réduit à quatre provinces, devait être rendu à Frédéric-Guillaume ; mais une convention du 12 juillet en subordonna l'évacuation au paiement de l'indemnité de guerre. A cet accord, le tsar ne fut point partie, ce qui lui ôtait le droit d'en contrôler l'exécution. Provisoirement, Napoléon gardait toute la Prusse.

Pour l'avenir de l'alliance franco-russe, l'essentiel était de savoir ce que deviendraient les provinces polonaises, Danzig mise à part qui, désormais isolée, fut érigée en ville libre, et que Rapp continua d'ailleurs d'occuper. C'est malheureusement ser ce point que les discussions sont restées entourées des ténèbres les plus épaisses. Nul doute que Napoléon eût volontiers associé Alexandre au démembrement de la Prusse : il lui avait déjà proposé de s'avancer jusqu'au Niémen. Il lui offrit, paraît-il, ses conquêtes polonaises à condition de s'attribuer la Silésie en supplément. Peut-être Alexandre eût-il accepté si Napoléon avait consenti à renoncer à cette dernière exigence et à rendre à la Prusse ses territoires de l'Allemagne centrale. Telle que l'acquisition se présentait, il la déclina et annexa seulement Bialystock. Soit qu'il ait lui-même suggéré la solution comme un compromis provisoire, soit qu'elle appartienne à Napoléon, les dépouilles polonaises de la Prusse furent constituées en un grand-duché de Varsovie, peuplé de deux millions d'habitants, au profit du roi de Saxe. En passant à Dresde, le 22 juillet, l'empereur le dota d'un statut constitutionnel. Comme la Westphalie, le nouveau grand-duché entra dans la Confédération du Rhin et 30.000 Français y tinrent garnison. Une Pologne fut ainsi rétablie sans en porter le nom. En fait, elle n'était qu'une marche militaire opposée à la Russie et introduisit, dès le premier instant, un germe de dissolution dans l'alliance franco-russe.

Tandis que Napoléon portait ainsi le Grand Empire jusqu'au Niémen, Alexandre renonçait aux avantages acquis par Paul Ier dans la Méditerranée : il cédait Cattaro et les îles Ioniennes à Napoléon ; il évacuait même les principautés danubiennes, qu'il venait d'occuper, sous la seule réserve que les Turcs n'en reprendraient possession qu'à la paix ; Napoléon devait ménager celle-ci comme médiateur ; si le sultan ne la signait pas dans les trois mois, la France se joindrait à la Russie pour lui prendre ses possessions européennes, la Roumélie exceptée. A l'égard de l'Angleterre, c'était Alexandre qui imposerait sa médiation pour l'obliger à restituer les colonies et la contraindre à reconnaître la liberté des mers. En cas d'échec, on prendrait des mesures pour faire entrer dans le système continental la Suède, le Danemark et le Portugal. Ainsi l'accord de 1801 était renouvelé et élargi ; la perspective s'ouvrait d'une conquête de la Finlande et de la Turquie pour le tsar, du Portugal pour Napoléon et, en même temps, d'une fédération du continent fermé au commerce anglais ; la Prusse avait adhéré au blocus et l'Autriche, isolée, ne pouvait refuser d'en faire autant. Par l'alliance franco-russe, l'une et l'autre, prises entre deux feux, étaient réduites à l'impuissance et toute coalition devenait impossible.

Tilsit fut donc pour Napoléon un brillant succès. Sans doute ne pouvait-il être durable. Bien qu'Alexandre paraisse avoir été séduit par Napoléon, qu'il avait cru subjuguer lui-même, sa vanité et sa versatilité garantissaient que ce ne serait pas pour longtemps ; il n'essaierait pas, sans prompte déception, de gouverner l'Europe de compte à demi avec un homme dont le tempérament ne comportait pas l'égalité. Astucieux et fourbe, Alexandre ne manquait sûrement pas d'arrière-pensée : il se tirait sans perte d'une situation fâcheuse, comptait que la France lui laisserait, plus volontiers que l'Angleterre, dépouiller la Suède et la Turquie, cependant qu'il restait absolument libre de reprendre les armes quand il lui plairait. Aussi a-t-on soutenu que Napoléon fut sa dupe.

Il ne l'a pas été. Dès ce moment, il le dit devant Méneval, il avait résolu de ne pas livrer Constantinople : « C'est l'empire du monde. » Dans son esprit, l'alliance ne se conclut pas sur le pied d'égalité : la Russie entrait dans son système et, en fait, devenait vassale. Que la guerre dût reprendre un jour, cette probabilité n'a pu lui échapper. Mais il était l'homme de l'instant : pour refaire son armée, désarmer l'Autriche, achever la soumission de l'Occident, il savait la paix nécessaire ; l'alliance la garantissait pour un temps et peut-être même permettrait-elle de réduire l'Angleterre. On verrait ensuite. Si la Russie se rebellait avant que l'Angleterre eût cédé, il conquerrait donc la Russie : en lui prêtant momentanément son appui, elle lui donnait le temps de rassembler, pour la soumettre, les forces qui présentement lui manquaient.

LIVRE IV

LA CONQUÊTE IMPÉRIALE APRÈS TILSIT
(1807-1812)

———

CHAPITRE PREMIER

LE SYSTÈME CONTINENTAL
(1807-1809)[1]

Bien que l'Angleterre fît bonne contenance, il sembla pendant quelques mois que « l'œuvre de Tilsit » porterait ses fruits. Le continent se soumit à Napoléon et le blocus, accentué par les décrets de Milan, parut le fermer au commerce britannique.

A peine réalisé, le système continental fut remis en question par la défection de l'Orient et surtout par le soulèvement de l'Espagne, que Napoléon, après l'avoir provoqué, ne réussit pas à étouffer.

I. — LE RÉVEIL DE L'ANGLETERRE[2].

A la nouvelle de l'entrevue de Tilsit, l'Angleterre reconnut que l'entente franco-russe de 1801 était restaurée et mesura le péril : après l'Allemagne, la Baltique risquait de lui être interdite encore une fois. Grâce à la décision de Canning, elle devança ses ennemis. Gustave IV, il est vrai, semblait sûr : il venait de reprendre les hostilités, le 3 juillet, et Cathcart avait conduit 10.000 hommes en Poméranie. Mais le Danemark était incertain

---

1. Ouvrages d'ensemble a consulter. — Voir p. 3, 66 et 151.
2. Ouvrages a consulter. — Voir les ouvrages généraux relatifs à l'Angleterre, cités p. 32, 42 et 48 ; t. XI de la *Political history*, par G. Brodrick et J. Fotheringham, cité p. 183; sur les finances, Silberling et Hope-Jones, cités p. 48 ; sur les mesures militaires, Fortescue, cité p. 32) (le t. VI) ; sur l'économie, F. Crouzet, *L'économie britannique et le blocus continental*, cité p. 180.

et de faux avis assuraient qu'il mobilisait sa flotte ; de Hambourg, Bernadotte pouvait d'ailleurs l'occuper en quelques jours. Canning avait le sang vif et un tempérament de lutteur ; il ne perdit pas une minute. S'il connut l'entrevue le 16 juillet, les détails, très incomplets, ne commencèrent à lui parvenir que le 21 et la signature du traité ne lui fut annoncée que le 8 août par un journal français. Or, le 18 juillet, l'amiral Gambier reçut l'ordre de se rendre à Copenhague avec une énorme escadre et il y arriva le 3 août, tandis que Cathcart, ayant évacué la Poméranie et reçu des renforts, amenait 30.000 hommes. Le prince royal se vit notifier à Kiel qu'il lui fallait s'allier aux Anglais et mettre ses vaisseaux à leur disposition. Sur son refus, sa capitale fut bloquée, puis bombardée le 2 septembre ; elle capitula le 7. Canning fit ensuite de vains efforts pour gagner les Danois, essaya d'amener les Suédois à occuper l'archipel et, en désespoir de cause, se montra disposé à y laisser les troupes anglaises. Ses collègues se prononcèrent pour l'évacuation. Mais la flotte danoise fut emmenée ; l'année suivante, Moore débarqua en Scanie et l'amiral Saumarez put librement pénétrer dans la Baltique et y escorter les navires marchands. C'était l'essentiel.

A la veille du décret de Berlin, les grandes industries exportatrices constituaient déjà un élément primordial de la vie économique anglaise : elle ne pouvait manquer d'être gravement affectée par toute crise qui les frapperait. Ces grandes industries, dépendant largement du commerce avec l'Europe et les États-Unis pour l'écoulement de leur production et, dans certains cas, pour leur ravitaillement en matières premières, étaient vulnérables à la menace du blocus, surtout si celui-ci s'accompagnait d'une fermeture des États-Unis au commerce anglais. Il faut encore rappeler la dépendance de l'Angleterre à l'égard de l'Europe du Nord pour son ravitaillement en munitions navales et en céréales, les faiblesses de sa structure bancaire et de sa balance des paiements. Mais on ne peut céler la puissance et la souplesse de l'économie britannique. Les progrès accomplis dans le domaine technique et l'organisation capitaliste lui assuraient une nette supériorité sur la France. Une véritable révolution démographique, qui porta la population de la Grande-Bretagne de 10 943 000 habitants en 1801 à 12 597 000 en 1811, stimulait la croissance de toute l'économie, assurant en particulier à l'industrie un marché intérieur en expansion et une main-d'œuvre abondante et bon marché. L'agriculture anglaise était devenue techniquement la meilleure d'Europe : si la révolution agricole avait bouleversé la société rurale traditionnelle, elle permettait à une population en plein essor de ne dépendre de l'importation que pour une fraction réduite de son alimentation. Confiante dans son destin, l'oligarchie de grands propriétaires fonciers qui gouvernait l'Angleterre manifestait une volonté de vaincre presque inébranlable. Le secteur le plus puissant de la classe moyenne, banquiers et négociants de Londres et des grands ports, était depuis longtemps solidement lié à l'aristocratie et aussi acharnée qu'elle contre une France qui menaçait ses intérêts commerciaux et coloniaux. Quant aux industriels, de statut social généralement bien inférieur, leur rôle politique était encore très faible. C'étaient les ouvriers qui avaient le plus à craindre du blocus qui, pouvant leur apporter chômage et cherté, aggraverait leurs conditions de vie déjà misérables. Mais l'armature sociale du pays, encore renforcée par les Combination acts de 1799 et de 1800, était, comme on l'a souligné, d'une « rassurante fermeté ». Seule une crise intense et prolongée avait quelque chance de dresser la classe moyenne contre l'oligarchie et de pousser le prolétariat à la révolte.

Loin de se laisser intimider par le décret de Berlin, le gouvernement tory, d'autre part, renforça le caractère mercantile du blocus britannique au détriment des neutres. D'importantes personnes insistaient depuis longtemps pour obtenir des mesures contre eux, en invoquant les actes de navigation ; les constructeurs et les armateurs s'indignaient que leurs pavillons, au lieu de 28 % des navires sortis en 1802 des ports britanniques, en couvrissent 44 % en 1807 ; le commerce des États-Unis était plus prospère que jamais : cette même année, ils exportèrent pour 108 millions de dollars, dont près de 60 en denrées coloniales prises en partie dans les colonies des adversaires de l'Angleterre. Les planteurs des Antilles se lamentaient sur la chute du prix du sucre. Les whigs avaient montré peu d'empressement à écouter ces doléances ; le 7 janvier 1807, ils se bornèrent à étendre la règle de 1756 au cabotage entre les ports ennemis d'où les navires anglais étaient exclus. Dès février, Perceval proposait d'obliger les neutres qui trafiquaient avec la France à passer par un port britannique : l'honneur du pays commandait des représailles. Une fois au pouvoir, il passa aux actes. En interdisant derechef tout commerce avec l'ennemi, on ne cacha d'ailleurs pas que rien ne serait modifié au système des licences qui permettaient aux négociants d'enfreindre cette défense dans toute la mesure que commandait l'intérêt du commerce national, et que c'étaient les neutres qu'on visait, afin de « subordonner le commerce du monde entier au développement de la marine et de la navigation » de l'Angleterre. D'après les « ordres du Conseil » des 11, 15 et 25 novembre et 18 décembre 1807, tout vaisseau neutre à destination de l'ennemi ou en provenant aurait à décharger sa cargaison en un des ports britanniques désignés, pour y payer les droits de douane, notablement augmentés par la même occasion, et pour y prendre une licence ; il fut en outre interdit de conduire en France certains articles comme le quinquina et le coton. En théorie du moins, les neutres restèrent autorisés, comme auparavant, à ramener directement chez eux les denrées des colonies ennemies et même à exporter les grains et les matières premières de leur pays d'origine vers les ports soumis à Napoléon ; à ces exceptions près, il parut que le trafic maritime deviendrait un monopole britannique. En taxant les cargaisons des neutres, les Anglais comptaient empêcher ces derniers de transporter les produits des colonies étrangères dont la concurrence abaissait les profits des colons britanniques et, en refusant les licences, ils étaient en mesure de suspendre la navigation neutre s'ils n'en avaient pas besoin. C'était bien ce que désiraient armateurs et planteurs.

Ces mesures, autant que l'exploit de Canning, enthousiasmèrent les Anglais et ils acceptèrent sans discuter les charges que le gouvernement, prévoyant l'isolement prochain de l'Angleterre, leur imposa pour se mettre en mesure de lutter seul contre tous. Il augmenta les impôts et Castlereagh se mit à l'œuvre pour renforcer l'armée un peu négligée par les whigs ; le 13 avril 1806, Windham avait fait rapporter le bill de Pitt, suspendu le *ballot* pour la milice, renoncé à recruter les réguliers parmi les miliciens en revenant à l'enrôlement ordinaire et montré de l'antipathie pour les volontaires. Le service à vie avait été aboli et remplacé par des engagements de sept à douze ans. Castlereagh rétablit le *ballot* pour la milice, encouragea les volontaires, mais les transforma en une milice locale soumise au gouvernement ; et surtout, il revint au système de Pitt pour le recrutement de la ligne : il tira 21.000 réguliers de la milice. En 1807 et 1808, il se procura 45.000 recrues, alors que l'armée ne perdit que 15.000 hommes. Au début de 1809, il eut en Grande-Bretagne 200.000 soldats sur pied, dont 30.000 disponibles pour les expéditions continentales. Ainsi, la politique de Pitt put être reprise avec des moyens bien supérieurs. Il en coûta cher. Dès 1807, le produit de l'impôt direct, de 3 millions de livres en 1804 et 6 en 1806, fut porté à 10 ; les dépenses, de 76 millions en 1804 et 106 en 1806, passèrent à 120 en 1808. La charge parut d'autant plus lourde que les exportations diminuèrent sensiblement en 1807 et en 1808. Le pain, toutefois, demeurait à bon marché. Le cœur ferme, l'Angleterre vit le continent se rallier à Napoléon, persuadée que ce ne serait pas pour longtemps.

II. — *L'EUROPE FERMÉE AUX ANGLAIS (1807-1808)*[1].

Napoléon était rentré à Paris le 27 juillet 1807. On lui décerna le nom de « Grand », comme à Louis XIV après la paix de Nimègue, et, le 15 août, il célébra de brillantes fêtes dédiées à la Gloire et à la Grande Armée. On crut un instant que la paix continentale était maintenant assurée et que la paix générale s'ensuivrait à bref délai. Il avait dit lui-même : « L'ouvrage de Tilsit réglera les destinées du monde. » Aussi les fêtes furent-elles vraiment populaires et Napoléon redevint pour le moment un chef national. La création du royaume de Westphalie devint officielle le 18 août et, peu après, on célébra le mariage de Jérôme avec Catherine de Wurtemberg ; puis, en septembre et octobre, l'empereur tint sa cour à Fontainebleau. Comme au retour d'Austerlitz, il se remit au travail administratif. Ce fut en 1807 qu'il épura le personnel judiciaire et en 1808 qu'il organisa l'Université.

Ce qui frappa surtout, ce fut son goût de plus en plus marqué pour le despotisme personnel et pour l'aristocratie. Le 19 août 1807, il supprima le Tribunat ; le 9, il avait disgracié Talleyrand en le décorant du titre de vice-Grand-Électeur ; il lui reprochait sa vénalité, et probablement ne lui pardonnait pas sa désapprobation discrète. En octobre 1805, Talleyrand s'était permis de conseiller des ménagements envers l'Autriche qu'il voulait consoler de la perte de l'Italie et de l'Allemagne aux dépens de la Turquie : politique souvent louée depuis, mais chimérique, car l'Autriche aurait pris ce qu'on lui aurait donné, sans oublier ce qu'elle regrettait si fort. A Varsovie, il se montra méprisant à l'égard des Polonais. Après Friedland, complimentant le vainqueur, il ajouta qu'il se réjouissait de ce triomphe, parce qu'il était convaincu que ce serait le dernier. Napoléon ne

---

1. Ouvrages a consulter. — Voir p. 42 et 253 ; consulter de préférence Butterfield, cité p. 241. Sur la Prusse, on peut se reporter à P. Hassel, *Geschichte der preussischen Politik, 1807-1815*, t. I (seul paru) : *1807-1808* (Leipzig, 1881, in-8°, publication des Archives royales de Prusse).

pouvait plus supporter un serviteur si indépendant et le remplaça
sans cesser, pour son malheur, de consulter l'ancien ministre, par
Champagny qui ne fut qu'un bon commis. En même temps
l'organisation de l'aristocratie nouvelle se poursuivait : il distribua 11 millions de rentes aux chefs militaires, rétablit les
majorats et, finalement, en 1808, constitua de toutes pièces la
noblesse impériale.

Simultanément, son attitude se fit plus tranchante encore à
l'égard de l'étranger. En octobre 1807, à Fontainebleau, il multiplia les scènes aux envoyés de l'Étrurie, de Brême et du Portugal : « Si le Portugal ne fait pas ce que je désire, la maison de
Bragance aura cessé d'ici deux mois de régner en Europe. »
Menaces superflues, car ses desseins étaient arrêtés ; mais il devenait de moins en moins capable de se contraindre. « Napoléon n'a
pas seulement cessé de reconnaître aucune limite, écrivait Metternich, il a complètement jeté le masque. » « D'accord avec la
Russie, il ne craint plus personne », avouait Champagny lui-
même. Le monde était à présent comme un clavier où il pouvait
jouer à sa fantaisie.

L'alliance répondit d'abord à ses promesses. A la vérité
Alexandre ne se pressa pas de rompre avec l'Angleterre et laissa
Budberg recevoir Wilson, diplomate amateur qui se posa en
intermédiaire ; Canning ne repoussa pas positivement la médiation, se figurant que le tsar ne s'était allié à la France que pour
se tirer d'un mauvais pas. En réalité, Alexandre désirait mettre à
l'abri l'escadre de Siniavine, restée dans la Méditerranée, et
craignait d'exposer Cronstadt à un coup de main. Le bombarde-
ment de Copenhague rompit les chiens : Budberg céda la place à
Roumiantzov et la Russie déclara la guerre, le 31 octobre. La
Prusse fut obligée de l'imiter le 1er décembre, en s'excusant secrètement et en laissant son ambassadeur Jacobi s'entendre avec
Canning pour maintenir les communications par l'intermédiaire
de Francis d'Ivernois. Quant à l'Autriche, si Napoléon daigna
lui exprimer sa satisfaction pour sa conduite pendant la dernière
guerre, il ne lui offrait plus son alliance et la mit en demeure
le 16 octobre, de se déclarer contre l'Angleterre. Starhemberg, à
Londres, et Merfeldt, à Pétersbourg, s'y opposèrent en vain. On
avait été terrifié à Vienne par le coup de théâtre de Tilsit et l'on
soupçonnait un projet de partage de la Turquie, auquel l'on
voulait être admis. De Paris, Metternich se déclara d'accord avec
Stadion et traça le plan d'action que, plus tard, il devait mettre
en œuvre à la chancellerie : il n'y avait rien d'autre à faire que

d'attendre « le grand jour où l'Europe pourrait mettre fin à cet état de choses qui est essentiellement précaire, parce qu'il est contre la nature et contre la civilisation ». Le 1er janvier 1808, Starhemberg, sur un ordre impératif, dut remettre à Canning une note qui fut mal reçue, et l'Autriche à son tour déclara la guerre, en exprimant sous main ses regrets. Le 30 octobre, le Danemark s'était allié à la France. La Suède s'obstinait, mais Stralsund et Rügen avaient succombé ; le 16 janvier 1808, Alexandre lui adressa un ultimatum et, le 21 février, envahit la Finlande, tandis que le Danemark ouvrait aussi les hostilités.

Le 16 novembre 1807, Napoléon, de son côté, était parti pour Milan et Venise afin d'arranger les affaires d'Italie. La conduite de la reine d'Étrurie, régente depuis la mort de Louis Ier en 1803, le mécontentait ; entièrement soumise à l'Église comme son mari, elle lui avait accordé liberté complète, déclaré les biens du clergé inaliénables et confié la censure aux évêques ; d'autre part, elle fermait les yeux sur la contrebande anglaise. D'accord avec l'Espagne, elle fut détrônée, le nord du Portugal lui étant réservé. Napoléon réunit la Toscane à l'Empire et l'érigea, le 24 mai 1808, en gouvernement général, comme grand-duché, au profit d'Élisa. En même temps, il annexa Parme et Plaisance. Par l'intermédiaire d'Eugène, il tenta en vain d'obtenir la soumission du pape ; en novembre 1807, il occupa les Marches et, le 2 avril 1808, les joignit au royaume d'Italie. Le 2 février, Miollis était entré à Rome. Comme la Turquie restait encore amie et que Junot avait pris Lisbonne, le 30 novembre 1807, la fédération continentale semblait près de s'achever.

Au fur et à mesure de ses progrès, le blocus devint une réalité menaçante. Jusqu'à la fin de la guerre, le decret de Berlin n'en avait guère modifié la portée. La confiscation des marchandises anglaises lui était antérieure en Allemagne et notamment dans les villes hanséatiques ; pressé d'argent, Napoléon les restituait d'ailleurs moyennant finance et elles rentraient en circulation, en sorte que la saisie se ramenait à un expédient fiscal. Les troupes s'avançant en Pologne, la contrebande s'était développée ; le Holstein, et principalement le port de Tönning, devinrent des entrepôts anglais à la place de Hambourg ; il fut vite connu qu'on obtenait, à prix d'argent, la connivence de beaucoup de Français, officiers, consuls et même douaniers ; Bourrienne et Brune, à Hambourg, donnaient le mauvais exemple. D'autre part, les hommes d'affaires, en France, s'alarmèrent en voyant le blocus se transformer en arme de guerre, d'autant que les hostilités leur fermaient l'Allemagne, la Pologne et la Russie, et que la crise industrielle était sévère ; pour importer et exporter à leur convenance, ils désiraient que l'on continuât à laisser toute liberté aux vaisseaux neutres. Le décret de Berlin déclarait qu'ils ne seraient plus « reçus » s'ils venaient « directement » de l'Angleterre ou de ses colonies ; ils pouvaient soutenir qu'ils y avaient seulement fait relâche et, comme ils n'étaient pas menacés de confiscation, ils ne risquaient rien à venir en France comme devant. En ce cas, le décret de Berlin perdrait toute signification. Son ambiguïté prouve que Napoléon, au moment où il le prit, hésitait encore entre les exigences de la production nationale et celles de la guerre. Pendant plus d'une année, cette incertitude continua. Pour ménager les Américains, il leur certifia que le blocus continental ne valait pas pour la haute mer ; le 26 août 1807 encore, les Danois obtinrent dispense de l'observer ; en juillet, il avait examiné s'il n'y avait pas lieu d'accorder aux neutres des licences pour trafiquer comme précédemment dans les ports français à condition de réexporter une valeur équivalant à leurs importations ; cette solution, qui sera reprise en 1809, aurait fait de nouveau prévaloir le caractère mercantile du blocus.

L'alliance de Tilsit manifestant ses effets, l'évolution se décida en sens contraire. Le projet fut abandonné. Le décret de Fontainebleau (13 octobre 1807) et le premier décret de Milan, qui, le 23 novembre, en renouvela les dispositions, renforcèrent celui de Berlin, en déclarant anglaises, de par leur nature, les denrées coloniales et nombre de marchandises, sauf présentation de certificats d'origine, et, surtout, en précisant que tout navire ayant touché en Angleterre devait être confisqué avec la totalité de sa cargaison. Les ordres du Conseil, en aggravant la servitude des neutres au profit de l'Angleterre, décidèrent l'empereur à faire le dernier pas. D'après le second décret de Milan, du 17 décembre 1807, tout vaisseau neutre qui se soumettrait aux exigences des Anglais serait considéré comme « dénationalisé » et devenu propriété britannique ; en conséquence, il se trouverait de bonne prise, non seulement dans les ports, mais en haute mer. On se trouva ainsi ramené à la situation de 1798. Comme les neutres ne pouvaient échapper aux Anglais, l'empire leur était fermé ; de mercantile, le blocus redevenait guerrier. Le continent se ralliant à la France, il ne fut pas sans effet. Les troupes avaient été ramenées en Allemagne et les saisies avaient été confiées aux douaniers avec droit de requérir la force armée. L'Autriche fermait l'Adriatique. Bien que la Baltique restât ouverte, on n'y pouvait plus faire que la contrebande, sauf en Suède. Les exportations anglaises diminuèrent sérieusement ; leur valeur en douane tomba de 33 millions 1/2 en 1806 à 30,4 en 1808 et les valeurs déclarées de 40,8 à 35,2. Ce succès réagit puissamment sur l'esprit de Napoléon : ce fut à partir de ce moment que la volonté de perfectionner le blocus commença de pousser aux annexions, jusqu'à ce que, finalement, l'esprit de conquête, en 1811, s'identifiât avec lui.

La paix continentale assurée, il pensait d'ailleurs à reprendre la guerre navale. En Italie, il prescrivit à Joseph de préparer l'attaque de la Sicile et à Ganteaume de quitter Toulon pour y coopérer, après avoir ravitaillé les îles Ioniennes dont les Français s'étaient emparés, en même temps que de Cattaro, en août 1807. Reynier chassa les Anglais de Reggio ; quant à Ganteaume, il ne put remplir que la seconde partie de sa mission. Les ordres à Decrès se multipliaient. On poursuivait partout les constructions navales : le 28 mai 1808, Napoléon se voyait, sous peu, à la tête de 77 vaisseaux français, de 54 étrangers et de 300.000 hommes groupés le long des côtes, du Texel à Tarente : « Il me semble que ce serait là un damier qui, sans trop exiger de la fortune, sans exiger une habileté extraordinaire de nos marins, doit nous conduire à de grands résultats. » Mais il n'eut pas le loisir de menacer de nouveau l'Angleterre sur mer ou chez elle, car la fédération continentale, avant même d'être achevée, entra en dissolution.

Les premiers mécomptes vinrent de l'Orient. La politique de Napoléon n'y pouvait que tourner mal, du moment qu'il s'alliait à la Russie, puisque la Turquie et la Perse ne s'étaient rapprochées de lui que pour faire pièce à celle-ci. Moustafa IV ayant agréé la médiation française, Guilleminot arrangea, le 24 août 1807, l'armistice de Slobodzie ; le 21 octobre, Alexandre le rejeta sous divers prétextes : en réalité, il voulait conserver les principautés et le sultan crut Napoléon d'accord avec lui. Pour le moment, néanmoins, la guerre ne reprit pas en Europe ; on continua, au contraire, de se battre en Asie où les Russes battirent le pacha d'Erzeroum. L'influence anglaise en profita si bien à Constantinople que Napoléon finit par rappeler Sébastiani en avril 1808. Peu après, de nouvelles révolutions achevèrent de lui aliéner la Turquie : le Baïrakdar entreprit de rétablir le sultan Sélim ; Moustafa IV eut le temps de faire périr ce dernier, puis fut renversé, à son tour, le 28 juillet 1808, au profit de son frère Mahmoud II ; en novembre, les janissaires se soulevèrent encore une fois et massacrèrent le Baïrakdar ; Mahmoud, ayant fait étrangler Moustafa, était le dernier représentant de la dynastie : à ce titre, on l'épargna. Le 5 janvier 1809, il fit la paix avec l'Angleterre.

Les choses allèrent de même en Perse. Gardane y ménagea un armistice et le colonel Fabvier se mit à organiser une armée. Ici encore, Alexandre refusa d'abandonner ses conquêtes et bientôt assiégea Érivan. Le chah se détourna de la France et Malcolm reparut à Téhéran. L'attitude du tsar montrait en outre qu'il entendait qu'on lui livrât l'Orient : symptôme grave, puisque Napoléon avait déjà résolu de n'en rien faire. Toutefois, ce ne fut pas le pire. Il s'était mis en tête d'annexer la péninsule ibérique au Grand Empire et elle lui opposa une résistance imprévue, dont les contre-coups infinis ruinèrent l'œuvre de Tilsit.

III. — LES AFFAIRES DE PORTUGAL ET D'ESPAGNE (1807-1808)[1].

Depuis le Consulat, Napoléon guettait le Portugal. Presque tout son commerce se faisait avec les Anglais ; ils y dominaient le monde des affaires et y avaient investi de gros capitaux, notamment en vignobles ; c'était une des bases de la contrebande et un point d'appui pour leur flotte ; ce pays ne pouvait rompre avec Londres sans périr, plus du tiers de ses recettes provenant des douanes et son blé lui arrivant par mer : bref, une véritable colonie anglaise, comme les appréciait l'impérialisme britannique, qui rapportait beaucoup et ne coûtait rien. A Tilsit même, Napoléon avait décidé la conquête et, aussitôt rentré à Paris, il prescrivit, le 29 juillet, de former à Bordeaux un corps expéditionnaire. Araujo refusa d'arrêter les Anglais et de confisquer leurs biens ; il offrit seulement de fermer ses ports et de déclarer la guerre, comptant bien s'en tenir au simulacre. Canning refusa de se prêter à la comédie et la rupture s'ensuivit. Le 12 octobre, Napoléon mit Junot en mouvement.

Mais il fallait traverser l'Espagne pour atteindre le Portugal ; aussi, dès l'origine, les projets relatifs à ce pays s'amalgamèrent-

---

1. OUVRAGES A CONSULTER. — Voir p. 3, 66 et 151, ainsi que les ouvrages relatifs à l'Espagne cités p. 38. L'ouvrage essentiel est celui de A. FUGIER, *Napoléon et l'Espagne,* mais il s'arrête à la veille de l'entrevue de Bayonne ; celui de Ch. DE GRANDMAISON, *L'Espagne et Napoléon* (Paris, 1908-1931, 3 vol. in-8°), qui embrasse toute l'affaire d'Espagne, est de moindre valeur. Les travaux sur la guerre de la péninsule, cités ci-dessous, p. 266, traitent tous des préliminaires. Ajouter P. CONARD, *La constitution de Bayonne* (Paris, 1909, in-8°).

ls avec la politique espagnole de Napoléon. En 1805, Godoy avait insinué qu'il s'y taillerait volontiers une principauté et, le 24 mai 1806, formula sa demande par écrit. Chaque fois, la guerre suspendit la négociation et il en fut déçu au point de prendre l'alliance française en dégoût. La perte de Buenos-Aires, qui, le 27 juin 1806, parut préluder à celle de l'Amérique et qui suscita en Espagne une grande émotion, l'induisit à offrir la paix à l'Angleterre, laquelle exigea qu'il adhérât à la coalition, comme les Russes et les Prussiens le lui proposaient aussi. Godoy hésita ; s'il ne s'entendit pas avec la Prusse, comme on l'en a accusé, il adressa aux Espagnols, le 5 octobre 1806, une proclamation qui annonçait des armements ; elle était à double entente et Napoléon feignit de croire qu'il s'agissait de lui venir en aide ; mais il n'en perdit sûrement pas le souvenir. Après Iéna, Godoy s'empressa de rompre avec la Russie, adhéra au blocus le 19 février 1807, envoya en Allemagne le marquis de la Romana, qui atteignit Hambourg avec 8.000 hommes au début d'août, et, enfin, accueillit avec empressement le projet de guerre contre le Portugal. Par le traité de Fontainebleau, le 27 octobre 1807, ce royaume fut divisé en trois parties : le nord pour la reine d'Étrurie, le sud pour Godoy, le centre avec Lisbonne étant réservé, soit que Napoléon voulût tenir ce port jusqu'à la paix, soit qu'il le fît entrer dans ses combinaisons relatives à l'Espagne.

Estimant cette dernière mal gouvernée et n'en obtenant pas tout ce qu'il s'imaginait qu'elle pouvait fournir, il estimait depuis longtemps nécessaire de la « régénérer », opinion fort répandue dans son entourage où, à commencer par Murat, ne manquaient pas les candidats à cette tâche, qui espéraient trouver en Espagne un « mât de cocagne » encore mieux garni que le Portugal. Talleyrand, de son côté, poussa aux mesures radicales. Il n'était pourtant pas urgent de confisquer l'Espagne, puisqu'elle s'encadrait dans le système et on ne peut douter que le récent triomphe de Napoléon l'ait subitement poussé à l'action, en exaspérant encore une fois sa volonté de puissance. Sur la marche de sa pensée, toutefois, nous sommes réduits aux conjectures et c'est par hypothèse qu'on reconstruit les deux solutions entre lesquelles il paraît avoir balancé.

Les divisions de la famille royale, en effet, lui prêtèrent la main et, au moment qu'il signait le traité de Fontainebleau, il tenait déjà les fils d'une intrigue qui laissait entrevoir une première solution. Le prince des Asturies demeurait l'ennemi de Godoy qu'il soupçonnait de vouloir usurper la couronne à la mort de Charles IV ; ses amis, le duc de l'Infantado et le chanoine Escoïquiz, son ancien précepteur, conçurent le dessein de le marier à une princesse française et de s'assurer l'appui de l'empereur. L'ambassadeur de celui-ci, un Beauharnais, entrevoyant probablement l'occasion d'avancer les affaires de la famille en portant une cousine de Joséphine sur le trône d'Espagne, prit sur lui d'entrer en rapport avec Escoïquiz. Champagny, averti, demanda, évidemment sur l'ordre de son maître, une lettre de Ferdinand, qui la remit le 11 octobre. Protégé de Napoléon, il pouvait devenir son instrument ; peut-être aurait-il eu à céder ses provinces jusqu'à l'Èbre en échange de Lisbonne ; en tout cas, un projet de l'agent espagnol Izquierdo a prévu cette annexion, le 29 février 1808.

Cependant, Junot s'avançait à marches forcées par des chemins affreux et un temps épouvantable ; comme d'habitude, on était parti sans vivres ni équipages ; l'Espagne, qui devait tout fournir, donna peu et l'armée s'égrena en route. Heureusement pour elle, le Portugal n'opposa aucune résistance et trois colonnes espagnoles l'envahirent aussi, le long du Douro, au sud du Tage et dans les Algarves. Le 22 octobre, le régent conclut avec les Anglais un accord qui les autorisait à occuper Madère et réglait le transport de la famille royale au Brésil. On embarqua l'énorme contenu des entrepôts britanniques ; la flotte de Siniavine qui relâchait à Lisbonne fut conduite en Angleterre et, le 29 novembre, la cour portugaise mit à la voile. Le 30, Junot entra dans Lisbonne. Il frappa le pays d'une contribution de 100 millions, et expédia en France ce qui restait de l'armée portugaise, 8 à 9.000 hommes. La situation singulièrement aventurée de Junot avait permis à Napoléon de justifier l'occupation progressive de l'Espagne. Le 12 octobre, il avait ordonné la formation d'un nouveau corps avec lequel Dupont vint, en novembre, occuper la Vieille Castille ; en janvier, un autre, confié à Moncey, le suivit à Burgos ; puis Mouton en organisa un troisième.

A ce moment, une seconde solution de la question espagnole était devenue possible. A la fin d'octobre, Godoy avait découvert et dénoncé l'intrigue de Ferdinand qu'il emprisonna. Le prince se plaignit à Napoléon qui éclata en imprécations et nia audacieusement toute complicité. Charles IV et Godoy, épouvantés, reculèrent ; ils libérèrent Ferdinand, dont les amis, acquittés, en furent quittes avec l'exil ; mais, dès lors, l'empereur semble avoir admis que l'héritier présomptif pouvait être déclaré incapable de régner. A Venise, le 2 décembre, il parla du trône d'Espagne à

Joseph et, s'il pria Lucien d'envoyer à Paris sa fille Charlotte, rien ne prouve que ce fût pour la marier à Ferdinand ; le 12 janvier, il commanda de rédiger, sur le complot de l'Escurial et l'indignité de Ferdinand, des brochures qu'à la vérité il ne fit jamais distribuer. Pendant ce temps, ses troupes avançaient toujours. En février, elles saisirent Pampelune et Saint-Sébastien. Duhesme dirigeait maintenant un corps des Pyrénées orientales qui pénétra en Catalogne où il s'empara de Barcelone et de Figuères. Au début de mars, Bessières vint prendre le commandement à Burgos, et Murat, placé à la tête de l'armée d'Espagne, se mit en marche vers Madrid, où il entra le 23.

Il semble qu'en mars, Napoléon ait penché de nouveau vers la première solution. Mais, encore une fois, les événements espagnols tranchèrent le débat. Godoy était inquiet et avait rappelé en Andalousie les corps qui opéraient dans le Portugal au sud du Tage ; la marche des Français alarmait les esprits, et l'on prêtait au favori l'intention de gagner Cadix avec la famille royale et de s'y embarquer avec elle pour l'Amérique. Dans la nuit du 17 au 18 mars 1808, une émeute éclata à Aranjuez ; les troupes firent défection ; Godoy fut jeté en prison ; le 19, le roi abdiqua. Napoléon connut l'émeute *(motin)* le 26 et décida aussitôt de partir pour Bayonne ; le 27, il apprit l'abdication de Charles IV, et, dans son esprit, le trône apparut comme vacant ; le même jour, il l'offrit à Louis, et c'est la première indication positive que nous ayons sur ses vues. Il quitta Paris le 2 avril et fut le 15 à Bayonne.

Cependant, Charles IV s'était plaint à Murat de la violence qu'on lui avait faite et Napoléon l'avait invité à le rejoindre. Il prescrivit aussi de lui envoyer Ferdinand, qui n'osa résister. Le 2 mai, Madrid, excité par ces départs, s'insurgea contre les Français. Murat réprima durement la rébellion et Napoléon ne tint nul compte de ce fâcheux présage. « Les Espagnols sont comme les autres peuples, disait-il ; ils seront trop heureux d'accepter les constitutions impériales. » Charles IV réclama le trône à son fils, puis, le 5 mai, le remit à l'empereur ; le prince des Asturies, épouvanté, capitula, et toute la famille royale fut expédiée à Valençay, dans le château de Talleyrand. Louis et Jérôme ayant refusé cette couronne, Napoléon la déféra d'autorité à Joseph, tandis que le royaume de Naples revenait à Murat, déçu. Ce dernier avait transmis le vœu de quelques libéraux en faveur d'une constitution. Il semble que l'empereur s'en souciait peu, préoccupé surtout d'une réforme administrative ; il céda néanmoins. Une junte, élue par des électeurs triés et groupés en trois classes, dont 91 membres seulement sur 150 répondirent à l'appel, siégea à Bayonne du 15 juin au 7 juillet. L'Espagne reçut une constitution analogue à celles des royaumes vassaux ; toutefois, on dut renoncer à laïciser l'État : la religion catholique resta seule permise et l'Inquisition ne fut pas supprimée. On ménagea d'ailleurs l'opinion : rien n'indiqua que l'Espagne devenait vassale et ses charges ne furent pas accrues. Le 20 juillet, Joseph fit son entrée solennelle dans Madrid : il y séjourna onze jours. Son royaume s'était déjà révolté.

IV. — LE SOULÈVEMENT DE L'ESPAGNE (1808)[1].

On retrouve en Espagne certains des éléments de la sédition napolitaine ; toutefois, chez les sujets de Charles IV, le loyalisme

1. OUVRAGES A CONSULTER. — Comte DE TORENO, *Histoire du soulèvement, de la guerre et de la Révolution d'Espagne* (Paris, 1836-1838, 5 vol. in-8º) ; J. S. ARTECHE Y MORO, *Guerra de la independancia* (Madrid, 1868-1896, 10 vol. in-4º) ; sir W. F. P. NAPIER, *History of the war in the Peninsula and in the south of France from the year 1807 to the year 1814* (Londres, 1828-1840, 6 vol. in-8º ; 2e éd., 1890 ; trad. fr. M. DUMAS et FOLTZ, Paris, 1828-1844, 13 vol. in-8º), écrite du point de vue whig ; FORTESCUE, cité p. 32. L'ouvrage qui fait aujourd'hui autorité est celui de C. W. C. OMAN, *History of the Peninsular war* (Oxford, 1902-1930, 7 vol. in-8º). Parmi les travaux suscités par le cent cinquantième anniversaire du soulèvement, signalons : C. E. CORONA, *Precedentes ideologicos de la guerra de independencia*, F. SUAREZ-VERDEGUER, *Las tendencias politicas durante la guerra de independencia*, L. C. RODRIGUEZ, *La evolucion institucional, Las Cortes de Cadiz : precedentes y consecuencias* (Saragosse, 1959, 3 fascicules in-8º) ; J. M. RECASENS CORNES, *El corregimiento de Tarragona y su junta en la guerra de independencia, 1808-1811* (Tarragone, 1958, in-8º) ; C. G. ETCHEGARAY, *Coleción de documentos ineditos de la Guerra de independencia existantes en el Archivo de la Deputación de Vizcaya* (Bilbao, 1959, in-8º) ; J. PEREZ VILLANUEVA, *Planteamiento ideologico inicial de la guerra de independencia* (Valladolid, 1960, in-8º). Sur les aspects proprement militaires : général S. AMADO LORIGA, *Aspectos militares de la guerra de independencia*, F. SOLANO COSTA, *El guerillero y sa transcendencia* (Saragosse, 1959, 2 fascicules in-8º) ; *La guerra de independencia y los sitios de Zaragoza* (Saragosse, 1958, in-8º ; publication de l'Université de Saragosse). — Sur le rôle de l'Angleterre et de Canning, J. HOLLAND ROSE, *Canning and the Spanish patriots in 1808*, dans *The American historical review*, t. XII (1906-1907), p. 39-52 ; sir Ch. PETRIE, *Great Britain and War of Independence* (Saragosse, 1959, fasc. in-8º). — Le point de vue français est représenté, parmi les ouvrages récents, par celui du commandant GRASSET, *La guerre d'Espagne* qui en est resté au t. III (Paris, 1914-1932, 3 vol. in-8º) ; DU MÊME, L'Église et le soulèvement de l'Espagne, dans la *Revue de Paris*, 1923, t. III, p. 410-431. Il nous manque une étude sociale et économique de l'état de l'Espagne en 1808 et des conditions dans lesquelles s'est préparé le soulèvement. L'ouvrage de GRASSET est le seul qui ait essayé de rechercher ces dernières. Les autres s'en tiennent à la légende d'un soulèvement purement patriotique et entièrement spon-

ynastique était plus vif et, bien que la tradition particulariste
emeurât autrement forte qu'en France, l'esprit national ne leur
ianquait pas. Dans le peuple, il ne semble pourtant pas qu'il se
istinguât encore de la haine contre l'étranger et du fanatisme
eligieux, puissamment enracinés par la lutte contre les Maures,
avorisés par le relief et par une économie arriérée, entretenus par
e clergé, qui avait empêché l'intelligence espagnole d'entrer en
ontact avec la pensée européenne. La xénophobie alors se
ournait surtout contre les Anglais hérétiques et contre les Fran-
ais, si longtemps ennemis, ensuite alliés onéreux, dénoncés,
epuis 1789, comme les suppôts du diable. Pour qu'elle pousse
es classes populaires à l'insurrection, il faut néanmoins que les
trangers apparaissent en nombre et que leur présence inflige des
aaux sensibles à tous ; en ce sens, l'invasion française exerça une
nfluence manifeste. Toutefois, c'est surtout dans les provinces
u'elle n'avait pas touchées, les Asturies, la Galice, l'Andalousie,
ue la révolte a commencé. Il a donc fallu qu'on expliquât au
euple ce qui se passait ailleurs et qu'on l'appelât aux armes : ce
ut l'œuvre, non des autorités qui, en général, se soumirent ou se
nontrèrent pleines de réserve, mais de la noblesse et du clergé.

Les nobles avaient un sentiment national plus élevé et plus
.rdent que le peuple. Écartés du pouvoir, comme classe, et mépri-
ant Godoy comme un parvenu sans mœurs, ils saisirent avec joie
'occasion de reprendre l'autorité. Ils se méfiaient des réformes
[ue les Français pourraient suggérer ; quelques-uns rêvaient bien
l'une monarchie à l'anglaise ; aucun d'eux n'entendait renoncer
. la suprématie sociale. Si la bourgeoisie avait été puissante et
;agnée aux idées nouvelles, le mouvement eût pu être contrarié ;
:xcepté à Cadix, elle restait faible et peu instruite. Sous la réserve
les provinces océanes et de la Catalogne, où la structure écono-
nique et sociale était démocratique, l'Espagne demeurait un pays
le grande propriété où les grands n'eurent qu'un signe à faire
)our mettre sur pied les paysans asservis. D'ailleurs, les Espa-
;nols imputaient à Godoy tous les maux de leur pays ; c'est ce

ané. — Sur l'affaire de Baylen, lieut.-col. Titeux, *Le général Dupont* (Paris,
1903-1904, 3 vol. in-4°) ; lieut.-col. Clerc, *La capitulation de Baylen* (Paris,
1903, in-8°) ; G. Pariset, La capitulation de Baylen, dans le *Journal des
avants*, 1905, p. 81-94, d'après Titeux et Clerc ; M. Leproux, *Le général Dupont, 1763-1840* (Paris, 1934, in-8°) ; Th. Geisendorf des Gouttes,
*Les prisonniers de guerre au temps du premier Empire. L'expédition et la capti-
vité d'Andalousie, 1808-1810* (Genève [1930], in-8°), sur la question des pontons
le Cadix.

qui avait valu à Ferdinand un instant de popularité et, si Napo
léon eût pris ce dernier comme paravent et chassé le favori,
n'aurait rencontré que peu de résistance ; quand on put repré
senter l'envahisseur comme le complice du ministre exécré, o
entraîna sans peine, avec les paysans, le menu peuple des villes
il est remarquable que le soulèvement se tourna d'abord contr
les représentants du pouvoir central, dont plusieurs furen
massacrés.

Quant au clergé, Napoléon lui attribua un rôle prépondérant
c'est une insurrection de moines, disait-il. On l'a contesté, parc
qu'un certain nombre d'évêques et de prêtres figurèrent dans l
junte de Bayonne ou se soumirent à Joseph, au moins pour l
forme, comme le cardinal de Bourbon, archevêque de Tolède
Quelques exceptions dans le haut clergé ne prouvent pourtan
rien ; il y avait en Espagne 60.000 séculiers et 100.000 religieux
ce sont eux, non leurs chefs, qui, en contact avec le peuple, l'on
endoctriné. Comme en Vendée et ailleurs, la prédication et l
confessionnal provoquèrent une surexcitation du fanatisme qu
se manifesta par des miracles ; l'exaspération du clergé, à l
pensée de voir laïciser l'État et en raison de la rupture de Napo
léon avec le pape, s'explique aisément. Certains indices per
mettent, toutefois, de supposer que quelques-uns au moins de se
chefs ont dirigé la propagande et conçu de bonne heure le dessei
d'organiser la résistance. Le cardinal Desping y Dasseto, ancie
archevêque de Séville, écrivit de Rome, le 30 juin 1808, à l'arche
vêque de Grenade : « Vous sentez bien que nous ne devons pa
reconnaître comme roi un franc-maçon, hérétique, luthérien
comme sont tous les Bonaparte et la nation française. » Prévoyan
qu'il pourrait être contraint de quitter la ville sainte, il ajoutait
« Je tâcherai que ce soit pour l'Espagne, afin d'exécuter ce qu
nous avons projeté. » Quel était ce projet ? On peut le soup
çonner quand on voit le même archevêque de Grenade, le coadju
teur de Séville, l'évêque de Santander jouer un rôle prépondéran
dans les juntes insurrectionnelles et quand on constate que de
circulaires furent envoyées aux évêques avec recommandatio
de les répandre largement. Quelques-unes furent interceptées

« A peine seront-ils les maîtres qu'ils introduiront toute espèc
de culte, pour abolir le véritable... Ils vous contraindront tous
être soldats pour réaliser leur projet de conquérir l'Europe et l
monde... Armez-vous !... Marchez au nom de Dieu, de sa mèr
immaculée et du seigneur saint Joseph, son digne époux, et soye
certains de la victoire. »

L'insurrection n'éclata pas immédiatement ; entre le départ de Charles IV et ses débuts, il s'écoula près d'un mois. Elle commença à Oviedo où, par les soins du marquis de Santa Cruz, les États des Asturies déclarèrent la guerre à Napoléon. Le 6 juin, la junte de Séville fit de même. Ce fut comme une traînée de poudre. Assez souvent, le soulèvement s'accompagna de meurtres et de pillages ; à Valence, le chanoine Calvo dirigea le massacre de 338 Français. Il y eut bientôt dix-sept juntes insurrectionnelles, réparties principalement au nord-ouest, dans le sud et en Aragon. Ces comités étaient sans expérience, rongés par les rivalités personnelles, jaloux de leur indépendance ; les bandes n'avaient aucune valeur militaire et, dans les provinces qui possédaient des milices, comme les Asturies et la Catalogne, la population fut loin de répondre unanimement à l'appel et surtout de se plier à la guerre régulière. Deux appuis n'en rendirent pas moins l'insurrection redoutable. D'abord, l'Espagne, contrairement au Portugal, entretenait une armée importante ; elle était surtout concentrée en Galice et en Andalousie ; aussi ces deux provinces prirent-elles la haute main ; la junte de Galice se subordonna celle des Asturies et, plus encore, celles de Léon et de Vieille Castille ; la junte de Séville prétendit au pouvoir central comme « suprême junte d'Espagne et des Indes » et, dès le 15 juin, mit la main sur l'escadre française de Cadix. En second lieu, Canning évita l'erreur que Pitt avait commise en Vendée : le 30 mai, les émissaires asturiens étaient à Londres et, dès le 12 juin, il leur promit des secours. Il est vrai qu'il fit moins bon accueil aux délégués des juntes qui affluèrent aussitôt : c'est qu'il se défiait de leur particularisme et désirait les amener à constituer une autorité unique. Il savait que les Espagnols ne recevraient pas volontiers une armée anglaise ; mais il avait les mains libres en Portugal et, Junot se trouvant coupé de la France par le soulèvement, il résolut d'en profiter : une expédition y fut envoyée que rien n'empêcherait de marcher ultérieurement sur Madrid. Ce fut alors que la maîtrise de la mer, assurée aux Anglais par la victoire de Trafalgar, prit toute sa signification : ils se décidèrent à en user pour porter enfin la lutte sur le continent, où la décision devait intervenir.

Au 1er juin 1808, l'armée française comptait 117.000 hommes, et elle en reçut 44.000 autres jusqu'au 15 août. Pour conquérir l'Espagne, c'était peu ; en outre, elle ne valait pas à beaucoup près la Grande Armée restée en Allemagne, ayant été improvisée à l'aide de « régiments provisoires », c'est-à-dire de conscrits, joints à des éléments disparates, marins, gardes de Paris, et surtout étrangers, Hanovriens et autres Allemands, Suisses, Italiens, Polonais, qui fournirent, pour la première fois, une part importante des effectifs. Le commandement était aussi de second ordre, la préparation matérielle, comme toujours, à peu près inexistante et, le pays ne pouvant livrer les ressources que l'on comptait prendre sur place comme d'habitude, les conditions géographiques se trouvèrent de nouveau en désaccord avec la méthode napoléonienne. Pourtant, cette armée, convenablement concentrée, n'avait rien à craindre en bataille rangée ; ce fut l'empereur qui la condamna au désastre, parce que, méprisant les insurgés, il la dispersa pour occuper toutes les provinces à la fois.

Au nord-ouest, les Français s'emparèrent de Santander, de Valladolid et de Bilbao. L'armée de Galice, 30.000 hommes commandés par Blake, s'avança pour les repousser ; elle fut mise en déroute par Bessières, le 14 juillet, à Medina del Rio Seco. En Aragon, Palafox, chef célèbre quoique fort médiocre, fut culbuté au delà de Tudela et Verdier assiégea Saragosse, dont il emporta une partie d'assaut au commencement d'août. Mais, en Catalogne, Duhesme dut lever le siège de Girone et se trouva bloqué dans Barcelone, tandis que Moncey, parvenu devant Valence sans équipage de siège, dut se retirer vers le Tage. La guerre prit tout de suite un caractère atroce ; les Espagnols torturaient ou massacraient leurs prisonniers ; les Français, furieux et affamés, incendiaient les villages en représailles et passaient les habitants au fil de l'épée. Ces difficultés étaient peu de chose en comparaison des terribles revers qui vinrent révéler la gravité de l'aventure.

Dupont avait été dirigé vers Tolède et, sur l'ordre de l'empereur, en partit, le 24 mai, avec une seule division, pour aller occuper Cadix. Arrivé en Andalousie, il força le passage du Guadalquivir à Alcolea, le 7 juin, et prit Cordoue, qui fut pillée et saccagée. Bientôt, il sut que Castaños alignait contre lui 30.000 réguliers, renforcés d'au moins 10.000 insurgés ; aussi recula-t-il, le 19, sur Andujar pour attendre des renforts ; la division Vedel déboucha du défilé de Despeña-Perros, qu'elle vint couvrir en se postant à Baylen, puis, remplacée par la division Gobert, rejoignit Dupont. Andujar, qui se trouve à sept lieues de Baylen, constituait une mauvaise position défensive ; Dupont risquait d'être attaqué et cerné ; mais il ne pensait qu'à reprendre l'offensive, dédaignant probablement l'adversaire et brûlant de remporter un grand succès qui lui vaudrait enfin ce bâton de maréchal qu'il avait mérité à Friedland et que Victor avait obtenu à sa place.

Castaños manœuvra habilement : il fixa Dupont par une attaque feinte et porta Reding sur Mengibar ; Gobert fut tué et sa division battit en retraite sur le défilé. Toutefois, Reding, se jugeant aventuré, repassa le fleuve et Vedel, quittant Dupont, vint réoccuper Baylen le 17 juillet. Rien n'était donc perdu, lorsque Vedel, à son tour, se replia sur le défilé, tandis que Dupont qui devait le suivre de près, retardait son départ jusqu'au soir du 18. Reding et Coupigny purent rentrer dans Baylen avec 18.000 hommes, en sorte que, le 19 au matin, quand Dupont essaya de forcer le passage avec un peu plus de 9.000 soldats, il n'y parvint pas et, blessé, se mit à parlementer. Cependant, Vedel, revenu sur ses pas au bruit du canon, prenait l'ennemi en queue ; son chef, ayant donné sa parole, refusa de recommencer la lutte et lui ordonna de cesser le feu. Le 22, Dupont signa une convention en y comprenant Vedel qui, s'étant éloigné, eut la faiblesse de venir livrer ses troupes. Il n'y avait pas eu de capitulation, l'armée d'Andalousie devant être rapatriée par mer, et la décision de Dupont n'était pas plus condamnable en soi que celle qu'adopta Junot peu après, sans que Napoléon la lui ait jamais reprochée. Mais la junte de Séville refusa de reconnaître l'accord, et les malheureux prisonniers furent internés dans l'îlot de Cabrera où on les laissa systématiquement mourir de faim. L'empereur traita durement leur chef ; il l'accabla d'outrages comme Villeneuve, le fit condamner à la destitution et le tint en prison jusqu'en 1814. On a parfois diminué à l'excès la responsabilité de Dupont ; ses erreurs sont incontestables ; il n'en reste pas moins que l'imprudence de Napoléon était à l'origine du désastre, et les épreuves qu'il infligea au vaincu forceraient la sympathie si, au lieu de plaider dignement sa cause, Dupont n'avait embrassé, en 1814, avec emportement et par vengeance, la cause des Bourbons.

Cependant, Junot voyait les Portugais se soulever à l'exemple de leurs voisins. La division espagnole de Porto rallia la Galice et les Français durent se concentrer autour de Lisbonne ; ils gardaient toutefois Almeida et Elvas, et les bandes étaient incapables de les affronter, quand, le 1er août, Wellesley, frère du marquis et futur lord Wellington, débarqua, à l'embouchure du Mondego, avec plus de 13.000 hommes auxquels se joignirent 7.000 Portugais. Delaborde ayant vainement essayé de l'arrêter à Roliça, Junot prit le parti de l'attaquer, le 21 août, à Vimeiro, avec 9.500 hommes seulement, et, à son tour, échoua ; le 30 août, il signa avec sir H. Dalrymphe, qui venait de prendre le commandement de l'armée alliée, la convention de Cintra, en vertu de laquelle l'armée française de Portugal — plus de 25.000 hommes — fut ramenée en France avec les Portugais qui s'étaient compromis en sa faveur. Du point de vue anglais, l'arrangement a été défendu, car il livrait Lisbonne sans combat et permettait de marcher sur Madrid ; on le critiqua pourtant âprement, car le corps de Junot revint prendre part à la campagne de 1808.

Cintra fit moins de bruit que Baylen parce que la victoire avait été remportée, disait-on, par une armée régulière. Au contraire, le désastre de Dupont fit sensation en Europe. On y vit la preuve que les Français n'étaient pas invincibles, et ce fut un encouragement pour tous leurs ennemis ; puis, on oublia que les vainqueurs étaient aussi des réguliers, pour célébrer le triomphe de l'insurrection populaire. Dès le 15 juin, Sheridan, au nom des whigs si longtemps favorables à la Révolution française, salua la révolte de l'Espagne comme inspirée par les propres principes des Français qui, les ayant violés pour s'abandonner à l'oppression, les voyaient se retourner contre eux. L'aristocratie européenne ne fut pas dupe : sans doute l'insurrection espagnole était populaire et, à ce titre, lui inspirait même une secrète méfiance ; en fait, excitée et dirigée par la noblesse et le clergé, elle défendait cependant l'Ancien Régime en même temps que la nation et montrait comment les classes dominantes peuvent tourner le sentiment patriotique au profit de leurs intérêts particuliers. N'ayant pas su jusqu'alors faire triompher sa cause, l'aristocratie, en tous pays, se garda bien de dénoncer l'équivoque et accueillit avec transport le secours qui lui tombait du ciel.

Napoléon sentit le coup ; pour réparer le dommage et rétablir son prestige, il résolut de transporter la Grande Armée en Espagne. Dès lors, qui contiendrait la Prusse et l'Autriche ? Dans le système de Tilsit, ce rôle était dévolu au tsar. Il allait être mis à l'épreuve.

V. — LES DÉBUTS DE L'ALLIANCE FRANCO-RUSSE ET L'ENTREVUE D'ERFURT (1808)[1].

En rentrant à Pétersbourg, Alexandre avait trouvé l'aristo-cratie dressée contre l'alliance française. Savary ayant été désigné comme ambassadeur, son rôle dans l'affaire du duc d'Enghien servit de prétexte pour lui fermer toutes les portes. La noblesse ne voulait pas frayer avec la Révolution et redoutait le blocus qui devait lui laisser pour compte ses blés et ses bois. Caulaincourt, qui remplaça Savary en décembre, l'apprivoisa par son luxe, sans la désarmer. Les ambassadeurs russes pensaient comme elle : à Vienne, Razoumovski était tout autrichien ; Alopeus avait été tout prussien à Berlin et fut tout anglais à Londres ; le comte Tolstoï, envoyé à Paris, comptait parmi les ennemis jurés de la France ; il y organisa l'espionnage et la trahison, et lia partie avec Metternich dont les relations mondaines et les liaisons amoureuses — il fut l'amant de Pauline et de la duchesse d'Abrantès — faisaient un informateur précieux. Alexandre ne parut pourtant pas ébranlé ; il fit bonne figure à Savary et meilleure encore à Caulaincourt ; sa politique intérieure redevint libérale, en propos du moins, comme si l'influence de la France l'eût ramené aux desseins qu'il avait affichés naguère ; depuis 1805, le « comité des amis » s'était dispersé, mais on vit Spéranski gagner la faveur du tsar et lui soumettre projet sur projet. Toutefois, s'il se montrait attaché à l'alliance, c'est qu'il en espérait des profits. A Paris, Tolstoï s'acharnait à réclamer l'évacuation de la Prusse pour ôter à la France une base militaire contre son pays ; à Pétersbourg, Roumiantzov, bien disposé pour Napoléon, n'en voulait pas moins garder les principautés. Alexandre ne se sentait pas sans remords à l'endroit de la Prusse et regrettait d'avoir affaibli sa situation en Orient en abandonnant l'Adriatique. Il laissa ses agents poursuivre, chacun de son côté, leur politique personnelle.

En principe, l'évacuation de la Prusse avait été fixée au 1er octobre 1808 et, le 22 juillet, Napoléon, ayant besoin d'argent,

---

1. Ouvrages a consulter. — Voir p. 3, 66 et 151. L'ouvrage essentiel est celui de Vandal, cité p. 242 ; ajouter ceux du grand-duc Michel et de Walis-zevski, cités p. 184. Sur l'indemnité prussienne, Ch. Lesage, *Napoléon Ier créancier de la Prusse, 1807-1814* (Paris, 1924, in-8º), et, du point de vue prussien, H. Haussheer, *Erfüllung und Befreiung. Der Kampf um die Durchführung des Tilsiter Friedens, 1807-1808* (Hambourg, [1936], in-8º). Sur le rôle de Talleyrand, voir les ouvrages cités p. 79. Sur la politique orientale, voir Iorga, cité p. 28, et les ouvrages mentionnés p. 241.

chargea Daru de liquider au plus vite l'indemnité. Il fallut d'abord faire le compte des sommes versées par les différentes provinces et aussi des réquisitions : on se mit d'accord sur une déduction de 44 millions et sur un solde à verser de 154. En réalité les Prussiens avaient donné beaucoup plus : 50 millions, affirmaient-ils ; Napoléon ne voulait tenir compte que des réquisitions régulières de l'intendance et il refusa au roi le bénéfice de ses créances hypothécaires en Pologne, soit plus de 4 millions de thalers. Comment la Prusse s'acquitterait-elle ? Son budget était en déficit ; son papier-monnaie perdait 20 % et fut abandonné à son sort, n'étant plus reçu qu'au cours ; Niebuhr négocia en Hollande un emprunt qui ne réussit pas. Le plus simple semblait d'aliéner le domaine royal qui, dans les territoires laissé à Frédéric-Guillaume, rapportait, disait-on, près de 3 millions 1/2 de thalers. Malgré les objections de Daru, Napoléon était disposé à en accepter la propriété ; mais cela revenait à créer une sorte d'État français dans le royaume, et le roi ne put s'y résoudre. Quand le 1er octobre survint, l'empereur déclara qu'il continuerait, en attendant, à encaisser les impôts, et Daru notifia, le 7 novembre, que la Prusse aurait à verser 100 millions comme première annuité. Puis l'affaire traîna parce que la Russie restait dans les principautés danubiennes et que Napoléon, dès lors, préférait conserver la Prusse comme gage. Le prince Guillaume, frère du roi, vint à Paris, en janvier 1808, offrir une alliance moyennant la diminution de l'indemnité et l'évacuation immédiate ; Alexandre et Tolstoï s'empressèrent de l'appuyer ; leur intervention fut déclinée, la Russie n'ayant pas signé la convention du 12 juillet 1807 et n'étant pas en état de prendre à sa charge le débet de la Prusse. En août 1808, le règlement restait en suspens.

La question d'Orient était beaucoup plus épineuse encore. À mesure que le souvenir de Friedland s'estompait, Alexandre se persuadait qu'il avait donné sans recevoir ; depuis sa rupture avec l'Angleterre, il se croyait en droit d'obtenir une compensation. Après avoir rejeté l'armistice de Slobodzie, il demanda, le 18 novembre, à garder les principautés. S'imaginer que Napoléon concevait l'alliance de cette manière, c'était mal le connaître d'autant que, juridiquement, il jugeait sa position inattaquable : d'après les accords de Tilsit, le tsar devait évacuer les principautés sans condition : c'était « l'air noté ». Napoléon ne refusa pas de les accorder, donnant donnant : en ce cas, il s'adjugerait la Silésie. Pour Alexandre, un nouveau démembrement de la

Prusse était hors de question, et il fut déçu. L'empereur sentit le danger et ce fut pour gagner du temps qu'il lui écrivit la célèbre lettre du 2 février 1808 et lui fit entrevoir un partage de l'empire ottoman et une expédition aux Indes par la Perse et l'Afghanistan. Alexandre y retrouva le charme de Tilsit et, du 2 au 12 mars, Roumiantzov et Caulaincourt discutèrent le démembrement de la Turquie. La Russie s'avancerait jusqu'aux Balkans ; l'Autriche prendrait la Serbie et la Bosnie, la France l'Égypte et la Syrie. Mais, quand on en vint à Constantinople et aux Détroits, on ne put s'entendre. Si la Russie prenait le Bosphore, Caulaincourt réclamait les Dardanelles, à quoi Roumiantzov opposait que c'était retirer d'une main ce qu'on donnait de l'autre. Ils finirent par renvoyer le dossier à Napoléon ; le 31 mai, il proposa au tsar une entrevue pour tout régler ; Alexandre ayant accepté, il fallut attendre que l'empereur revînt de Bayonne.

Cependant, les Russes, entrés en Finlande, n'étaient pas contents non plus de l'attitude des Français de ce côté-là. Bernadotte, La Romana et les Danois auraient pu aisément réduire la Suède à merci en débarquant en Scanie : ils ne bougèrent pas. Les Suédois reprirent l'offensive, refoulèrent leurs adversaires, ressaisirent Gotland et les îles d'Aland. Pour comble, Alopeus transmit à Paris, de la part de Canning, l'offre de négocier sous la médiation du tsar et sur la base de l'*uti possidetis*. Napoléon ne dit pas non, et la tentative, qui n'eut pas de suite, produisit l'effet que Canning s'en promettait sans doute : Alexandre soupçonna son allié de vouloir l'abandonner et en prit ombrage.

En juillet 1808, Napoléon avait donc tiré de l'alliance tous les avantages escomptés par lui, sans rien accorder, sans rien demander non plus au delà des termes du traité. Le désastre de Baylen changea du tout au tout la situation. Napoléon avait maintenant besoin d'Alexandre pour contenir les puissances allemandes en l'absence de la Grande Armée : il devenait demandeur. Du jour au lendemain, il accorda ce qu'il refusait obstinément jusqu'alors, annonça au tsar qu'il allait évacuer la Prusse et résolut de lui abandonner les principautés. Alexandre accepta une entrevue à Erfurt pour le 27 septembre ; mais il n'y vint point en obligé, puisque la Grande Armée ne pouvait s'en aller en Espagne sans quitter la Prusse. Il comprenait fort bien qu'il était maître de dicter ses conditions. Les concessions qu'on lui accordait, il les avait déjà réclamées comme dues ; elles ne pouvaient dissiper l'amertume passée ni justifier des obligations nouvelles. D'ailleurs, l'évacuation de la Prusse se régla de tout

autre manière qu'il ne l'espérait. Napoléon conserva les impôt
perçus depuis le 1er octobre et arrêta le solde à 140 millions
ayant besoin d'argent liquide pour l'expédition d'Espagne, i
accepta des effets souscrits par les négociants prussiens et de
Pfandbriefe, ou obligations, gagées sur les domaines royaux e
endossées par les caisses hypothécaires des diverses provinces
espérant escompter les uns et les autres. S'il rappela son armée, i
conserva trois forteresses sur l'Oder et soumit la Prusse à d
nouvelles servitudes : elle dut borner ses effectifs à 42.000 homme
et contracter une alliance contre l'Autriche. Champagny n
parvint à faire signer la convention, le 8 septembre, qu'en exhi
bant les lettres interceptées d'où il résultait que Stein, deven
le chef du gouvernement prussien, préparait une agressio
contre la France.

Le 27 septembre, Napoléon parut le premier à Erfurt. Ayan
amené toute sa cour et convoqué ses vassaux, il reçut Alexandr
avec magnificence et fit jouer Talma devant « un parterre d
rois » ; son hôte fut peut-être moins flatté qu'envieux de tant d
splendeurs et, en tout cas, ne se laissa pas éblouir. A en croir
Metternich, Talleyrand se vanta de l'avoir mis en garde : l
Russie n'avait pas intérêt à soutenir Napoléon contre l'Autrich
et à favoriser ses agrandissements ; elle devait, au contraire, l
contenir et la France y trouverait son compte comme l'Europe
« La France est civilisée, mais son souverain ne l'est pas.
Quand l'empereur sonda son allié sur un mariage avec sa sœur
la grande-duchesse Anne, Talleyrand recommanda d'éluder. E
outre, il entraîna son ami Caulaincourt à se poser auprè
d'Alexandre comme une sorte de médiateur entre les deux sou
verains, ce qui ne pouvait que desservir le sien. La trahison d
Talleyrand n'est pas douteuse, et il en recueillit aussitôt le prix
grâce aux bons offices de Caulaincourt, en mariant son neveu à l
duchesse de Dino, fille de la duchesse de Courlande ; mais, s'
tint les propos que rapporte Metternich, il exagéra ses mérite
pour se faire valoir aux yeux de l'Autrichien : Alexandre, press
par Caulaincourt d'intervenir à Vienne pour déterminer Stadio
à suspendre ses armements, avait déjà déclaré qu'il s'en tiendra
à des conseils. En vain, Napoléon, non content d'approuve
l'annexion des principautés danubiennes, concédait-il en outr
l'évacuation du grand-duché de Varsovie ; le tsar refusa d
menacer l'Autriche et, en fait, Metternich, renseigné par Talley
rand, acquit la conviction que la Russie n'était plus « entraînable
contre elle.

Il n'en faut pas conclure, une fois de plus, que Napoléon ait joué le rôle de dupe. Erfurt comme Tilsit était un expédient : il s'agissait de gagner assez de temps pour écraser les Espagnols et ramener la Grande Armée sur le Danube ; il pouvait légitimement croire que la convention du 12 octobre assurerait la paix jusqu'à l'été suivant et il n'en demandait pas davantage. Le même jour, la Grande Armée, ramenée derrière l'Elbe, fut dissoute. Davout demeura seul en Allemagne avec deux corps qui formèrent la nouvelle « armée du Rhin ». Le 1er novembre, la Prusse, dont le tsar avait fait réduire la dette à 120 millions, en acquitta 50 sous forme d'effets commerciaux, payables à raison de 4 millions par mois, et remit des obligations d'État pour le reste, en attendant que celles des caisses hypothécaires fussent établies. Conformément au récent accord franco-russe, Roumiantzov vint s'installer à Paris pour essayer de renouer la discussion avec l'Angleterre. L'entreprise échoua nécessairement, Canning ne pouvant admettre que l'*uti possidetis* attribuât le Portugal et l'Espagne à Napoléon : au moins fallait-il qu'il les eût conquis.

VI. — NAPOLÉON EN ESPAGNE (NOVEMBRE 1808-JANVIER 1809)[1].

En dépit des ordres de son frère qui lui avait prescrit de tenir fortement Burgos et Tudela, Joseph s'était replié derrière l'Èbre ; en outre, ne disposant que de 65.000 hommes, les troupes de Catalogne mises à part, il les dissémina de la Biscaye à l'Aragon. Très vite, il s'était jugé propre à remplacer Charles Quint et Philippe II, signait « Moi, le Roi » et refusait la Toison d'Or à Bessières. « Il est devenu tout à fait roi », dira Napoléon en le retrouvant. Jourdan lui ayant été adjoint le 22 août, il se mit à faire de la stratégie : « L'armée, lui écrivit l'empereur, a l'air dirigée par des inspecteurs des postes. »

Les Espagnols ne profitèrent pas de ces circonstances favorables. Ils ne parurent à Madrid que le 13 août, venant de Valence ; Castaños n'y arriva que le 23, avec une seule division. C'est que les juntes, d'ailleurs peu capables et mal obéies, pensaient avant tout à leur domaine propre et se disputaient entre elles : la Galice vit les Asturies reprendre leur autonomie et Cuesta, le général de la Vieille Castille, échapper à son autorité ; à Séville, le comte de Tilly proposa que l'armée ne sortît pas

---

1. Ouvrages a consulter. — Voir p. 266 ; ajouter : comm^t Balagny, *Campagne de l'empereur Napoléon en Espagne* (Paris, 1902-1907, 5 vol. in-8°, publication de l'État-major).

d'Andalousie, et d'autres qu'on soumît par la force la junte de Grenade. Les prétendants à la égence ne manquaient pas : on vit arriver de Sicile, flanqué du duc d'Orléans réconcilié avec les princes légitimes, un fils de Ferdinand IV que les Anglais refusèrent de laisser débarquer. Sur la proposition de la junte de Murcie, inspirée par Florida Blanca, on finit par créer une junte centrale, composée de trente-cinq délégués des juntes provinciales, en majorité nobles et prêtres. Réunie à Aranjuez, le 25 septembre, elle se perdit en discussions protocolaires ou constitutionnelles, une majorité, groupée autour de Jovellanos, se montrant sympathique au régime anglais, tandis que Florida Blanca restait fidèle au despotisme éclairé. On forma un ministère ; mais, pour ménager les généraux, on ne désigna pas de commandant en chef ; soumis à un ministre de la Guerre que liait un conseil, ils n'en firent qu'à leur tête. Le recrutement ne reçut qu'une attention médiocre ; ce furent les régions directement administrées par la junte centrale, Léon et la Vieille Castille, qui levèrent le moins d'hommes ; en octobre, elles n'en avaient pas 12.000. Les Anglais avaient envoyé 120.000 fusils, des cargaisons d'équipement et 5 millions en numéraire ; on laissa inutilisé dans les ports une grande partie du matériel. A Lisbonne, Dalrymphe avait rétabli la régence nommée par le prince Jean ; elle ne se remua guère. Les réguliers furent rappelés : 13.000 seulement, sur 32.000, avaient des fusils à la fin de novembre et aucun ne fit campagne avant 1809 ; l'*ordinanza* ou levée en masse, ne reçut que des piques et ne fit que semer le désordre. De ce côté, la seule force organisée était l'armée anglaise, qui comptait maintenant 20.000 hommes et dont Moore avait pris le commandement. Or elle ne s'ébranla qu'en octobre et ce fut seulement à la fin de ce mois que Baird débarqua un autre corps de 13.000 hommes à La Corogne.

Quand Napoléon parvint à Vittoria, le 5 novembre, il trouva devant lui les Espagnols étendus de la Biscaye à Saragosse en deux masses principales : l'armée de Galice, sous Blake, aux sources de l'Èbre, et celle du centre, sous Castaños, vers Tudela entre les deux, Galuzzo arrivait d'Estramadure sur le Douro avec une douzaine de mille hommes ; l'armée de Moore s'avançait en deux colonnes très distantes l'une de l'autre, et parvenait seulement à la frontière ; Baird se mettait à peine en marche En face de Napoléon et de son armée infiniment supérieure en qualité, les alliés semblaient voués au désastre. Toutefois, l'empereur dut manœuvrer avec prudence, n'ayant sous la main que

120.000 hommes, attendu que les corps de Mortier et de Junot restaient en arrière. Au centre, Soult culbuta Galuzzo et enleva Burgos et Valladolid. De là, Napoléon comptait se rabattre successivement sur les deux ailes. Mais, avant même son arrivée, Lefebvre et Victor s'étaient engagés prématurément contre Blake et l'avaient suffisamment refoulé pour qu'il fût hors de prise ; faute de se concerter, tant ils se jalousaient, ils ne lui infligèrent, les 10 et 11 novembre, qu'un échec médiocre à Espinosa. La manœuvre fut donc montée contre Castaños que Lannes, descendant l'Èbre, battit à Tudela le 23, tandis que Ney remontait le Douro pour lui couper la retraite ; ces mouvements furent mal calculés, Ney ne pouvant arriver à temps du moment que Lannes attaquait si tôt ; l'armée de Castaños, très éprouvée, parvint à s'échapper par Catalayud vers Cuenca. Napoléon marcha sur Madrid et, le 30, au défilé de Somosierra, une division ennemie, abordée par les tirailleurs et chargée par un simple escadron de chevau-légers polonais se prit de panique. La capitale fut occupée le 4 décembre et on en dégagea les abords : Lefebvre refoula Galuzzo au delà du Tage et Victor mit l'armée du centre en déroute à Uclès. Installé à Chamartin, aux portes de Madrid, Napoléon promulgua une foule de décrets pour réorganiser l'Espagne, sans consulter Joseph ; il abolit l'Inquisition, réduisit le nombre des couvents et saisit leurs biens.

Cependant, Moore achevait sa concentration au nord de Salamanque et faisait sa jonction avec La Romana, qui, s'étant échappé du Danemark, avait regagné les Asturies où il prit le commandement. Devenu subitement très audacieux, le général anglais marchait vers Soult qui couvrait Burgos, afin de couper les communications des Français. Informé tardivement, Napoléon mit en route le corps de Ney, le 20 décembre, vers Salamanque et Astorga, à travers les tempêtes de neige de la sierra de Guadarrama, pour le prendre à revers. Le 24, Moore battit précipitamment en retraite et, mollement poursuivi par Soult, réussit à échapper. Le 3 janvier 1809, à Astorga, Napoléon abandonna le commandement. Soult livra bataille à Lugo, le 7, puis à La Corogne, les 15 et 16, avec trop peu de mordant pour empêcher les Anglais de se rembarquer. Quant à Lannes, il était allé joindre Moncey devant Saragosse. Palafox défendit héroïquement cette ville ; il fallut un mois pour maîtriser l'enceinte et un autre pour prendre les maisons d'assaut ; quand la lutte prit fin le 20 février 1809, 108.000 Espagnols étaient morts, dont 48.000 de maladie.

Desservi par la distance, l'hiver et la difficulté des liaisons dans un pays où les habitants ne renseignaient que ses adversaires, Napoléon n'avait pas anéanti ses ennemis. Si du moins il eût réussi à détruire l'armée de Moore, le gouvernement anglais aurait eu bien de la peine à obtenir du Parlement la permission d'en envoyer une autre et, en tout cas, il eût fallu beaucoup de temps pour la préparer. Moore, il est vrai, dut brûler ses magasins et sacrifier beaucoup d'hommes ; lui-même fut blessé mortellement ; le gros échappa pourtant et n'allait pas tarder à reparaître en Portugal. Néanmoins, si Napoléon avait pu prolonger son séjour en Espagne, il eût atteint rapidement Lisbonne et Cadix. Mais, le 17 janvier 1809, il quitta Valladolid pour Paris, il était désormais certain que l'Autriche attaquerait au printemps.

L'Espagne restait donc à conquérir et, de cette tâche assumée sans nécessité et par esprit de magnificence, Napoléon ne cessa plus de traîner le poids. Après la diversion anglaise, elle suscita celle de l'Autriche, laquelle entraîna la rupture de l'alliance franco-russe. A partir de ce moment, il lui fallut deux armées, la proportion des recrues augmenta et compromit l'amalgame n'osant demander à la France un nombre suffisant de conscrits, il y introduisit une quantité croissante d'étrangers, et la qualité des deux armées s'affaiblit.

CHAPITRE II

LA GUERRE DE 1809[1]

La guerre de 1809 fut la conséquence naturelle du soulèvement de l'Espagne. Le départ de la Grande Armée réveilla les espérances de l'Autriche et la poussa aux aventures. L'exemple des Espagnols excita chez les Allemands une exaltation romantique qui précipita la crise. Surpris, Napoléon fut condamné à improviser une nouvelle armée qui ne triompha qu'avec peine. Le système continental parut restauré par la victoire de Wagram ; néanmoins, l'alliance franco-russe, n'ayant pu conjurer ce nouvel assaut contre l'empire, se trouva condamnée.

I. — L'ÉVEIL DE L'ALLEMAGNE[2].

Depuis les premières années du siècle, la pensée allemande s'abandonnait de plus en plus au mysticisme romantique. Gœthe, impassible et serein, restait fidèle à lui-même, bien que la mort de Schiller, en 1805, l'eût cruellement isolé. Les amis d'Iéna et

1. Ouvrages d'ensemble a consulter. — Voyez p. 3, 66 et 151.
2. Ouvrages a consulter. — Rambaud et Denis, cités p. 222 ; Zwiedineck-Südenhorst, cité p. 235 ; Meinecke et Tschirch, cités p. 22 ; Schnabel et Aris, cités p. 10 ; H. von Treitschke, *Deutsche Geschichte im neunzehnten Jahrhundert*, t. I (Leipzig, 1879, in-8°), qui s'arrête en 1814; F. Meinecke, *Das Zeitalter der deutschen Erhebung* (Bielefeld, 1906, in-8° ; 2e éd., 1913), excellent résumé ; A. Berney, Reichstradition und Nationalstaatsgedanke, 1789-1815, dans la *Historische Zeitschrift*, t. CXL (1929), p. 57-86 ; les ouvrages relatifs au romantisme allemand, cités p. 10 ; K. Schmitt-Dorotic, *Die politische Romantik* (Munich, 1925, in-8°), partiellement traduit en français sous le titre : *Romantisme politique* (Paris, 1928, in-8°) ; Éva Fiesel, *Die Sprachphilosophie der deutschen Romantik, 1801-1816* (Tübingen, 1927, in-8°) ; E. Tonnelat, *Les frères Grimm ; leur œuvre de jeunesse* (Paris, 1912, in-8°) ; E. Müsebeck, *E. M. Arndt*, t. I : *1769-1815* (Gotha, 1914, in-8°) ; R. Steig et H. Grimm, *Achim von Arnim und die ihm nahestanden* (Stuttgart, 1894-1904, 2 vol. in-8°) ; J. Uhlmann, *Joseph Gœrres und die deutsche Einheits- und Verfassungsfrage bis zum Jahre 1824* (Leipzig, 1912, in-8°) ; H. Dänhardt, *Joseph Gœrres politische Frühentwickelung* (Hambourg, 1926, in-8°) ; J. Baxa, *A. Müller* (Iéna, 1921, in-8°) ; R. Aris, *Die Staatslehre Ad. Müllers in ihrem Verhältnis zur deutschen*

de Berlin dispersés et Novalis mort, ce fut Heidelberg qui groupa, autour de Creuzer, l'exégète des mythologies, les principaux chefs de la seconde génération romantique : Clemens Brentano, fils d'un négociant rhénan d'origine italienne, Achim von Arnim, junker prussien, Bettina, sœur du premier et femme du second, La Motte-Fouqué, descendant de réfugiés français ; après avoir enseigné à Coblence, Görres finit par les rejoindre ; ils étaient en rapport avec Tieck, avec les frères Boisserée qui, à Cologne, s'appliquaient à restaurer la connaissance de l'art médiéval, avec Jacob et Wilhelm Grimm, bibliothécaires à Cassel. La vogue de l'école profitait à Schelling, de plus en plus abandonné au symbolisme mystique ; contre lui, Fichte défendait péniblement sa renommée. Quant à Hegel, il achevait seulement en 1806 sa *Phénoménologie de l'esprit.*

Le mysticisme, le retour au passé, parfois aussi le souci de leurs intérêts poussaient rapidement les romantiques vers les religions traditionnelles et la contre-révolution. Schleiermacher avait repris goût aux fonctions pastorales ; Adam Müller en 1805 et Frédéric Schlegel en 1808 se firent catholiques. Tous louaient le « bon vieux temps », dont ils peignaient une image de fantaisie, où les peuples vivaient heureux sous l'autorité patriarcale de l'aristocratie. Fichte lui-même, dont ils méprisaient l'intellectualisme et qui avait rompu avec eux, n'échappait pas à leur influence ; dès 1804, dans la troisième version de la *Doctrine de la science,* il restaura au-dessus du moi, un absolu qui en nécessitait l'effort et lui retirait l'autonomie inconditionnée ; dans ses *Traits essentiels de l'époque présente,* il distingua, dans l'histoire de l'humanité, des périodes qu'il baptisait, à la manière d'un sermonnaire, « l'innocence », le « péché commençant », le « péché total », ce dernier caractérisant l'état actuel de l'homme, abandonné à un individualisme sans frein d'où il importait de le tirer par la contrainte, pour assurer son « salut ». Il restait sans doute démocrate et républicain ; mais, ayant étudié Machiavel, son tempérament l'avait porté à admirer l'État héroïque et conquérant, par dégoût de l'idéal utilitaire de l'*Aufklärung* ;

Romantik (Tübingen, 1929, in-8°) ; L. Sauzin, *Adam-Heinrich Müller, 1779-1829. Sa vie et son œuvre* (Paris, 1937, in-8°) ; sur A. Müller, voir aussi Meinecke, cité p. 22 et K. Schmitt, cité ci-dessus. Ajouter *Le romantisme politique en Allemagne,* textes choisis et présentés par J. Droz (Paris, 1963, in-16). — Sur le problème général de l'influence des « guerres françaises » sur l'évolution de l'Allemagne, voir *Die französische Kriege und Deutschland 1792 bis 1815,* cité p. 28.

de plus en plus pessimiste et autoritaire, il inclinait à recourir à l'État pour obliger les hommes, décidément méchants, à se conformer à la Raison et à la *Doctrine de la science.*

En lui-même, le romantisme allemand, tel qu'Auguste Schlegel l'avait défini dans ses cours de Berlin, de 1801 à 1804, était un puissant stimulant pour le patriotisme de culture ; il dénonçait l'art classique comme le triomphe de l'artificiel, tandis que le romantisme, expression naturelle du génie germanique, était toute spontanéité : d'où il résultait que la civilisation allemande détenait la primauté. Mais les romantiques de Heidelberg, par l'étude concrète du passé littéraire de leur pays, exercèrent une influence beaucoup plus rapide. Sans se soucier de méthode, en poètes qu'ils étaient, ils recherchèrent avec une ardente curiosité les légendes et les contes populaires, les traduisirent et les adaptèrent. Tieck avait donné l'exemple dès 1803 ; en 1805 et 1808, Brentano et Arnim publièrent leur fameux recueil, *Des Knabes Wunderhorn* ; leur exemple entraîna Görres qui, en 1807, rassembla aussi un certain nombre de récits extraits des *Teutschen Volksbücher.* Les *Minnesinger* furent tirés de l'oubli, les *Niebelungen* traduits, et La Motte-Fouqué découvrit *Sigurd.* En ce sens, Stein a pu écrire : « C'est à Heidelberg que s'est principalement allumé l'incendie allemand qui, plus tard, a chassé les Français. »

Ainsi approfondi, le sentiment national restait culturel et non politique ; plus d'un signe y décelait pourtant une sourde évolution. Le rétablissement du despotisme en France désespéra ou irrita les libéraux ; Posselt se tua peu après la condamnation de Moreau, Schlabrendorf et Reichardt se mirent à écrire contre Napoléon et Beethoven raya le nom de Bonaparte sur la partition de l'*Héroïque* ; ils en voulurent à la nation française d'avoir désavoué, croyaient-ils, les principes de 1789 et la déclarèrent vicieuse et frivole. En 1804, un accès de nationalisme obscurcit le cosmopolitisme de Herder, qui dédia une ode à la Germanie ; les Prussiens ne furent pas seuls à s'émouvoir des défaites de l'Autriche et de la disparition du Saint-Empire et, dès 1805, Arndt, dans la première partie de son *Geist der Zeit,* affecta une hostilité déclarée contre la France. L'État, jusqu'alors antipathique aux penseurs allemands en tant qu'organisation de contrainte, commençait à prendre une certaine valeur à leurs yeux comme protecteur de la communauté et comme éducateur de l'individu. Dans un autre livre, *Germanien und Europa,* Arndt, en 1802, avait affirmé que la possession de frontières naturelles et le libre accès à la mer étaient nécessaires au libre développement d'un peuple et, dès 1800, Fichte, décrivant une société socialiste qui assurerait à tous la liberté et l'égalité, ne l'estimait concevable que sous forme d'un « État fermé », vivant sur lui-même, et lui attribuait en conséquence le droit de se constituer un domaine assez étendu et assez varié pour suffire à ses besoins. C'était aussi vers l'État qu'il se tournait en 1805 pour tirer les hommes du péché.

Il fallut, néanmoins, la catastrophe de 1806 et l'occupation française pour précipiter et surtout pour généraliser l'évolution. Non que celle-ci ait été soudaine et universelle ; après comme avant Iéna, l'empereur, sinon la France, garda des admirateurs, comme Buchholtz à Berlin même ; Jean de Müller devint le ministre de Jérôme ; l'université de Leipzig donna le nom du vainqueur à une constellation ; Gœthe eut un entretien avec lui au moment de l'entrevue d'Erfurt ; Hegel, qui l'avait aperçu à Iéna, l'appelait « l'âme du monde » et, en 1809 encore, professeur à Nüremberg, conseillait aux Bavarois d'adopter le Code civil. Il n'en est pas moins établi que certains des chefs intellectuels de la nation allemande, à partir de 1807, changent de ton et se font agressifs soit en louant la supériorité culturelle des Germains, soit en proclamant leur loyalisme à l'égard des dynastes locaux ; quelques symptômes montrent que, dans les masses populaires, surtout en Prusse, l'irritation et l'hostilité succèdent à l'apathie. Certaines manifestations sont célèbres : les sermons de Schleiermacher qui, à Halle et à Berlin, finirent par éveiller la défiance des autorités françaises ; la publication par Arnim de l'*Einsiedler Zeitung* en 1808 ; par-dessus tout les *Discours à la nation allemande* prononcés par Fichte à Berlin en 1807.

Il était naturel que les malheurs de la Prusse trouvassent un particulier écho chez les hommes que lui attachait la naissance ou la carrière ; simultanément, on vit des Allemands du nord implanter à Dresde et à Vienne le romantisme et l'orgueil national qui devenaient inséparables. Adam Müller, Prussien d'origine, converti au catholicisme, ami de Gentz, qui cherchait à le caser dans l'administration autrichienne et y réussit, commença au printemps de 1806, à Dresde, des conférences sur les principes qui assurent la vie et la conservation des États ; en 1807, il s'y lia avec Kleist pour publier la revue *Phœbus*, destinée au « maintien de l'art et de la science allemands » ; à Vienne, Auguste Schlegel qui, après un long séjour à Coppet comme précepteur du fils de Mme de Staël, suivit celle-ci dans ses pérégrinations à travers l'Allemagne, fut autorisé à ouvrir un cours de littérature où il se montra encore plus tranchant qu'à Berlin ; le salon de Caroline Pichler devint, pour le romantisme, un centre de diffusion.

Partout, on voit ces lettrés entrer en relations étroites avec les partisans de l'action belliqueuse. Obligés de ménager l'étranger et les méfiances des gouvernements, ils ne pouvaient pourtant pas appeler leurs auditeurs aux armes et continuaient d'insister principalement sur les caractères originaux et la supériorité de la culture germanique. Fichte, notamment, reprenait et développait la thèse de Schlegel : chaque peuple manifeste son âme par un art qui lui est propre ; mais, entre tous, le peuple allemand a le privilège d'une langue qui s'est développée d'un mouvement continu depuis les origines, sans contamination essentielle, une *Ursprache* ; ainsi la réalité de son être et les formes qui l'expriment constituent un tout harmonique ; au contraire, les langues romanes ne sont que les débris d'une langue morte et l'anglais un idiome hybride, tandis que les genres et les règles de la littérature classique des Français sont empruntés à l'Antiquité ; les peuples latins et anglo-saxons, n'ayant pas créé leurs moyens d'expression, traduisent donc leur pensée par des procédés artificiels qui en étouffent la vie et la spontanéité ; la littérature allemande, seule vraiment originale, est reine de l'esprit et la culture qu'elle porte est un message de Dieu à l'humanité. Les prétentions du Saint-Empire à la domination universelle et surtout la conquête et l'oppression de millions de Baltes et de Slaves disposaient déjà les Allemands à se regarder comme le peuple-maître ; en justifiant leur orgueil national par le mysticisme qui, depuis Luther, enivrait leurs âmes, les *Discours* de Fichte étaient destinés à devenir un des évangiles du pangermanisme. Quant à la conception de l'État, Adam Müller, moins émouvant, était peut-être plus neuf. Fichte, en effet, continuait à considérer l'État comme un instrument propre à assurer le progrès de l'individu et, les Français une fois expulsés, réservait à son peuple le droit de faire comme eux la révolution démocratique et républicaine. Müller, au contraire, en vrai romantique, regardait l'État comme un être en soi, poursuivant des fins spécifiques auxquelles l'individu devait subordonner son destin : parlant devant un auditoire aristocratique, il défendait, en même temps que l'indépendance de l'Allemagne, la société féodale contre les idées nouvelles.

Exprimées oralement, ces doctrines n'ont pu exercer d'abord qu'une influence assez restreinte, et il semble que l'impression n'a dû les répandre qu'avec le temps. Pourtant, il est possible qu'elles aient nourri l'activité des loges maçonniques et des sociétés secrètes, en sorte que leur diffusion aurait été ainsi plus rapide qu'on ne supposerait au premier abord. Dans tous les cas, on en a exagéré l'importance immédiate, faute de tenir un compte suffisant des conséquences économiques et sociales de la conquête française qui éveillèrent directement dans toutes les classes la haine de l'étranger, sans que le concours de l'idéologie fût aucunement nécessaire. Parmi les écrivains eux-mêmes, la crainte de voir le français détrôner de nouveau l'allemand comme langue littéraire et amoindrir ainsi le patrimoine culturel, ne laissa pas d'exercer une influence. « Qui sait, écrivait Kleist, si, dans cent ans, quelqu'un parlera encore allemand dans ce pays ? »

Sauf en Prusse orientale, les dévastations de la guerre n'avaient pas été considérables ; mais les contributions et les réquisitions semblaient écrasantes et l'occupation militaire, avec ses excès, ses abus, ses charges de toutes sortes, logement, transports, travaux de fortifications, irritait plus encore ; la méthode de guerre de Napoléon trouva ici une répercussion imprévue, du jour où les hostilités s'éternisèrent comme en 1807. Toutefois, il est probable que sa politique financière et les bouleversements politiques furent de conséquence plus grande encore. Dans les pays soumis à son autorité, il leva les contributions de guerre comme en pays ennemi, sans épargner Murat ni Jérôme ; pour les mettre en état de fournir des troupes, il restaura leurs finances en amputant la dette, en suspendant le paiement des rentes et pensions, en licenciant sans indemnité nombre de fonctionnaires et d'officiers. Acculée à la banqueroute, la Prusse dut en faire autant et, chez elle tout au moins, les perspectives d'avenir se fermèrent par la réduction de l'armée et la perte de tant de provinces. La misère du peuple contribua au soulèvement de la Hesse en décembre 1806 et aux attaques isolées contre les troupes françaises en Poméranie et en Prusse ; mais l'appauvrissement de la noblesse et de la bourgeoisie, l'irritation des officiers et des fonctionnaires destitués, l'inquiétude de la jeunesse universitaire en quête d'emplois étaient de plus longue portée. Souffrances et passions trouvèrent dans le sentiment national une justification qui les ennoblissait. Or c'était dans ces éléments sociaux que pouvaient se recruter les chefs de la résistance et ce fut parmi eux qu'apparut, par exemple, le *Tugendbund*. Fondé à Königsberg en avril 1808, il comptait en 1809 vingt-cinq « chambres » et plus de sept cents membres, et ne bornait pas son activité au royaume, car nous savons que Karl Müller mit les patriotes de Leipzig en relations avec lui. En apparence, il restait lui aussi d'essence culturelle : c'était une « société pour l'exaltation des vertus civiques » ; en fait, il se proposait de surveiller les agents de l'État et les citoyens pour dénoncer et punir ceux qui pactiseraient avec l'étranger ; en dépit de l'approbation que lui accordait le roi, les ministres le regardèrent comme une autorité rivale et Stein blâma en lui la réapparition d'une « Sainte Vehme ».

Qu'il fût destiné à devenir éventuellement le noyau d'une insurrection populaire contre Napoléon, il est difficile de ne pas le croire. L'idée d'une levée en masse avait ses racines dans la fermentation romantique ; dans l'exaltation littéraire du guerrier germain primitif, défiant sous le commandement d'Hermann, au milieu de ses forêts sauvages, les légions romaines asservies au despotisme ; dans le soulèvement de Guillaume Tell et des Suisses alémaniques, que le chef-d'œuvre suprême de Schiller avait incorporé en 1805 au patrimoine national. Elle s'est nourrie encore à l'histoire récente de la France, évoquant d'une part l'exemple de la Vendée et, de l'autre, celui des volontaires et du Comité de salut public. Mais c'est la révolte de l'Espagne qui l'a principalement surexcitée ; à partir de juillet 1808, journaux, brochures et discours la décrivirent et la louèrent à l'envi, avec l'approbation tacite des gouvernements. Par ses origines complexes, elle rencontrait la complaisance de tous les partis : dans les Espagnols, l'aristocratie voyait des sujets fidèles, les démocrates des hommes libres dressés contre les oppresseurs, les hommes d'État de bons citoyens accourus au secours de l'armée régulière.

Toutefois, la levée en masse s'associait inévitablement aux idées répandues par la Révolution : elle appelait le peuple à la vie publique, incitait à réclamer, en contre-partie, la concession de droits civils et politiques aux hommes qui combattraient pour la patrie, apparaissait comme le symbole de la force nouvelle qu'acquerrait l'État si, par la suppression des privilèges, il libérait les énergies individuelles, empruntait à Napoléon, chef de la Révolution, ses propres armes pour les retourner contre lui. Ce fut pourquoi l'aristocratie et les gouvernements d'Ancien Régime refusèrent finalement d'y avoir franchement recours. Aussi, dans l'histoire du mouvement national allemand, retrouve-t-on, une fois de plus, l'opposition de l'Autriche et de la Prusse.

Dès l'origine, les patriotes se tournèrent vers l'une ou vers l'autre, suivant leur origine, leur carrière et leur religion, mais aussi selon leurs préférences politiques. L'Autriche, avec sa tradition catholique, étouffait toute vie intellectuelle et l'obscurantisme y interdisait tout espoir de réforme et de mouvement populaire. La Prusse, au contraire, s'était toujours flattée d'accorder une certaine liberté de pensée et avait justement porté au pouvoir un certain nombre d'hommes, venus de toutes les parties de l'Allemagne, ouverts aux influences occidentales et décidés à moderniser la société et le gouvernement. Ce fut pourtant en Autriche que l'exaltation romantique rencontra son homme d'action en la personne de Stadion, tandis qu'en Prusse, les chefs du parti patriote furent en fin de compte désavoués par le roi. La crise de 1809, éminemment dramatique attesta ainsi l'influence démoralisante du dualisme et des contradictions de l'Allemagne.

II. — LA PRUSSE[1].

La vieille Prusse était menée par la bureaucratie, et son armée par la noblesse : en tel autre pays, la catastrophe de 1806, qu'on

---

1. Ouvrages a consulter. — Treitschke et le résumé de Meinecke, cités p. 281 ; G. Cavaignac, *La formation de la Prusse contemporaine* (Paris, 1891-1897, 2 vol. in-8°) ; J. Vidal de La Blache, *La régénération de la Prusse après Iéna* (Paris, 1910, in-8°) ; E. N. Anderson, *Nationalism and the cultural crisis in Prussia, 1801-1815* (New York, 1939, in-8°). — Sur les réformes de Stein, M. Lehmann, *Freiherr von Stein* (Leipzig, 1902-1905, 3 vol. in-8°), et, de préférence, G. Ritter, *Stein, eine politische Biographie* (Berlin, 1931, 2 vol. in-8°), qui rectifie et complète Lehmann sur nombre de points. Les Archives d'État de Prusse ont commencé la publication des documents relatifs à la réforme prussienne : C. Winter, *Die Reorganisation des preussischen Staates unter Stein und Hardenberg*, t. I (Leipzig, 1931, in-8°) ; W. Görlitz, *Stein, Staatsman und Reformator* (Francfort, 1949, in-8°). — La question de l'influence française a donné lieu en Allemagne à de vives polémiques ; E. von Meier, *Preussen und die französische Revolution* (Leipzig, 1908, in-8°), l'a niée ; Lehmann la juge très forte ; Ritter lui accorde une certaine part ; voir aussi G. Ritter, *Der Freiherr von Stein und das politische Reformprogramm des Ancien Regime in Frankreich*, dans la *Historische Zeitschrift*, t. CXXXVII (1927), p. 442-497 ; t. CXXXVIII (1928), p. 24-46 ; le problème a été repris dans son ensemble dans *Die französiche Kriege und Deutschland 1792 bis 1815*, cité p. 28. — Sur la réforme agraire, G. Knapp, *Die Bauernbefreiung und der Ursprung des Landarbeiter in den alteren Theilen Preussens* (Leipzig, 1887, 2 vol. in-8°) ; H. Sée, *Esquisse d'une histoire du régime agraire en Europe aux XVIIIe et XIXe siècles* (Paris, 1921, in-8°). — Sur l'armée, la publication de documents de R. Vaupel dans la collection des « Preussischen Staatsarchiven » : *Das preussische Heer von Tilsiter Frieden bis zur Befreiung, 1807-1814*, t. I (Leipzig, 1938, in-8°) ;

eur jugeait imputable, aurait pu provoquer une révolution.
Napoléon, il est vrai, ne l'aurait pas tolérée, le plus simple, pour
exploiter le pays conquis, étant d'en conserver l'armature. A
défaut d'une bourgeoisie puissante, les Prussiens se trouvaient
bien incapables de se rebeller ; le parti réformateur se recrutait
dans la haute bureaucratie elle-même, où collaboraient un petit
nombre de nobles et de bourgeois cultivés. Le trait original, c'est
que ces aristocrates, à la fois conservateurs et libéraux, eurent
assez d'intelligence pour comprendre la nécessité de rénover
l'État et assez de force morale pour imposer leurs vues. Si la
création de la Prusse moderne a été une œuvre de longue haleine
et qui s'est prolongée à travers tout le xixe siècle, ils l'ont pourtant amorcée.

Au lendemain de Tilsit, Frédéric-Guillaume III s'était réinstallé à Königsberg. Une commission fut chargée d'épurer le
commandement de l'armée, sous la direction de Scharnhorst et
de Gneisenau qui, peu à peu, s'associèrent Grolman, Götzen et
Boyen. Une autre reçut mission de réorganiser avant tout la
Prusse orientale, de concert avec son président Schrötter ;
Schön, Niebuhr et Altenstein y figurèrent. Dès le 10 juillet,
Stein avait été rappelé, sur la recommandation de Napoléon
lui-même, probablement informé de la bonne impression qu'il
avait laissée aux Français en passant par Berlin pour se retirer
en Rhénanie après son renvoi. Il ne parvint à Königsberg que
le 30 septembre, muni d'un plan de réformes qu'il avait dressé
au cours de l'été, le fameux *Mémoire de Nassau*. Un certain
nombre de ces réformateurs, Schön, Schrötter, Clausewitz,
Boyen, naquirent prussiens, mais les plus célèbres provenaient
d'autres régions de l'Allemagne : Grolman, fils d'un magistrat
westphalien ; Götzen, comte franconien ; Scharnhorst, originaire
du Hanovre ; Gneisenau, de Saxe ; Stein, de la *Ritterschaft* rhénane.
Des hommes d'origine modeste figuraient parmi eux : le père de
Scharnhorst était sous-officier ; Gneisenau, né d'un officier,
avait grandi à l'aventure. Dans la Prusse, moins figée que l'Autriche et désorganisée par la secousse de 1806, se constitua comme
un faisceau des énergies nationales de l'Allemagne.

De par l'origine et le tempérament, ces hommes différaient

M. Lehmann, *Scharnhorst* (Leipzig, 1886-1887, 2 vol. in-8°) ; A. Stadelmann,
Scharnhorst. Schicksal und Geistige Welt (Wiesbaden, 1952, in-8°) ; H. Delbrück, *Das Leben des Feldmarschalls Grafen N. von Gneisenau* (Berlin, 1882,
2 vol. in-8° ; 3e éd., 1908) ; W. von Unger, *Blücher* (Berlin, 1907-1908, 2 vol.
in-8°) ; P. Roques, *Adversaires prussiens de Napoléon* (Paris, 1928, in-8°).

beaucoup les uns des autres et il n'est pas surprenant qu'on n
soit pas pleinement d'accord sur l'esprit qui les animait et su
l'inspiration de leur œuvre. Les uns ne veulent voir en eux qu
les continuateurs de la tradition prussienne du despotism
éclairé ; par leur volonté de créer une nation en associant l
peuple à leur entreprise de régénération, il est pourtant éviden
qu'ils ont fait éclater les cadres de cette tradition ; on ne saurai
oublier que les junkers leur opposèrent une vive résistance et qu
le roi lui-même ne les aimait pas. D'autres les regardent plutô
comme les représentants de la culture morale et religieuse d
l'Allemagne, soucieux de rattacher leurs réformes au passé natio
nal ; mais, si l'influence de l'idéalisme philosophique et du roman
tisme est chez eux très sensible, il n'en est pas moins vrai qu
certains traits de leurs projets s'expliquent plus naturellement pa
les influences occidentales. A la vérité, on ne conteste pas cell
de l'Angleterre dont il a été parlé ; on ne nie pas non plus qu
Stein ait lu Montesquieu et connu probablement les physiocrate
ainsi que les plans de Turgot et de Dupont de Nemours. A
contraire, l'influence de la Révolution a donné lieu à discussions
Le moins qu'on puisse dire est qu'il y avait en Prusse des homme
qui la connaissaient assez bien : Frey, directeur de la police
Königsberg, qui prépara l'ordonnance municipale de 1808, avai
certainement lu la loi de la Constituante, et Rehdiger, le nobl
silésien qui soumit à Stein un plan de constitution, avait pratiqu
les écrits de Sieyes. C'est Gneisenau qui paraît avoir le mieu
compris le parti qu'on pouvait tirer de l'expérience française

« Quelles forces infinies dorment au sein de la nation, non déve
loppées et non utilisées ! Pendant qu'un empire végète dans la fai
blesse et dans la honte, un César pousse peut-être la charrue dan
le plus misérable des villages et un Épaminondas se nourrit chiche
ment du travail de ses mains. »

Quelque attention qu'ils aient prêtée à l'Angleterre et à l
France, on accorde d'ailleurs sans difficulté qu'ils n'ont jamai
songé à emprunter à la première son régime parlementaire e
qu'ils répudiaient l'esprit égalitaire qui était l'essence de la Révo
lution. Dans la Prusse moderne, le bourgeois et le paysan devaien
être associés à la vie de l'État, mais le pouvoir resterait au roi
les castes devaient disparaître, mais l'autorité sociale des junker
serait conservée. Ce fut une création originale, intermédiair
entre les pays d'Occident et les monarchies d'Ancien Régime
quoique beaucoup plus apparentée à celles-ci qu'à ceux-là.

La tâche du gouvernement de Königsberg n'était pas enviable. Tandis qu'on discutait avec Daru le règlement de l'indemnité, on s'occupa de restaurer les villages dévastés, et ce fut ainsi qu'une réforme agraire s'imposa. C'était au seigneur qu'incombait la charge de reconstruire les fermes, d'en reconstituer le cheptel, de fournir aux paysans les semences et même de les nourrir en pareil temps de calamité. Or il se trouvait lui-même fort gêné et l'on avait été obligé de lui accorder un *indult*, ou moratoire, pour ses dettes hypothécaires. A ses yeux, le plus simple était de réunir à son *Gut*, ou domaine propre, les tenures paysannes ravagées, en réduisant leurs détenteurs à la condition de journaliers. La législation interdisant l'éviction, il demandait l'abolition du *Bauernschutz* ; en échange, il n'offrait rien : le paysan resterait *Unterlan*. Les fonctionnaires ne l'entendirent pas ainsi. Imbus des leçons de Smith et de Young, ils se déclaraient favorables, Schön surtout, à la grande exploitation et n'objectaient rien à l'abolition du *Bauernschutz* ; mais le premier principe de l'économie libérale était d'abolir le régime féodal. Si la monarchie avait permis à titre individuel l'acquisition de la terre par des bourgeois et poussé très loin, sur son domaine propre, l'abolition de la servitude et la transformation du tenancier en propriétaire, elle n'avait jamais osé encore contester aux junkers le monopole de la propriété foncière, porter atteinte à la séparation des castes et intervenir à l'intérieur de la seigneurie.

Elle saisit l'occasion, et telle est l'importance capitale de la réforme de 1807. D'une part, elle abolit l'*Untertänigkeit* en échange de la suppression du *Bauernschutz* ; de l'autre, elle autorisa le bourgeois et le paysan à acquérir la terre ; délivrant le noble de la dérogeance, elle lui permit, en retour, d'exercer les professions réservées jusqu'alors à la bourgeoisie et concéda du reste le même droit au paysan. Aux castes, elle commença de substituer des *Stände*, c'est-à-dire des classes fondées sur la richesse et la profession. Le landtag de Prusse orientale se résigna et la réforme fut décidée en principe pour cette province en août 1807. Altenstein conseilla aussitôt de l'étendre à toute la monarchie sans consulter les autres landtags. Napoléon réorganisait la société suivant les principes français dans le grand-duché de Varsovie et dans le royaume de Westphalie ; cet exemple exerça quelque influence, car il pouvait encourager le mécontentement, sinon l'émigration.

Stein, qui n'arriva que le 30 septembre, ne fut donc pas l'initiateur de la réforme. D'ailleurs, son *Mémoire de Nassau* n'en faisait pas mention ; il n'était pas favorable au capitalisme et, quant aux paysans, on peut au moins observer qu'il n'avait pas libéré les siens. Son rôle propre fut d'appuyer Altenstein et de faire des réserves sur l'abolition pure et simple du *Bauernschutz*, dont on remit le règlement à plus tard. L'ordonnance fut signée le 9 octobre 1807. Quant au *Bauernschutz*, on abandonna l'idée d'une loi générale pour lui substituer des édits provinciaux qui parurent de 1808 à 1810 et firent prévaloir une transaction : les tenures « nouvelles », c'est-à-dire établies depuis 1752 ou 1774 suivant les régions, furent abandonnées à l'éviction ; les « anciennes » ne purent être réunies au *Gut* qu'à la condition de constituer des fermes d'une étendue totale équivalant à l'ensemble des tenures disparues, mais beaucoup plus grandes que chacune d'elles. Le domaine royal conserva son avance sur la seigneurie privée ; le 29 octobre 1807, Frédéric-Guillaume III y abolit l'*Untertänigkeit*, ce qui n'eut guère d'importance qu'en Silésie, et, le 27 juillet 1808, il étendit à la Prusse orientale les dispositions édictées antérieurement dans les autres provinces, pour la concession de la propriété aux tenanciers, contre indemnité et rachat obligatoire des redevances : on assure que 30.000 paysans de cette province devinrent ainsi propriétaires.

L'ordonnance de 1807 et celles qui l'ont complétée ont provoqué un concert de louanges en Allemagne et en Angleterre. On en peut rabattre sans injustice. L'inspiration était avant tout fiscale et économique, le résultat essentiel en faveur de l'État et des junkers. Conformément aux prévisions, le trésor réalisa un *Plus* appréciable ; en concédant la propriété aux paysans, le roi se débarrassa de ses obligations coutumières à leur égard et supprima leurs droits d'usage sur ses propres terres, principalement dans ses forêts, qui en tirèrent grand profit. Dans les seigneuries privées, les avantages concédés aux paysans étaient surtout juridiques ; à partir de 1810, l'*Untertänigkeit* devait disparaître sans qu'on l'eût définie ; on pouvait admettre que désormais il était loisible aux paysans de quitter la glèbe, de se marier librement et de soustraire leurs enfants au *Gesindedienst* ; mais une incertitude, qui tourna contre eux, planait sur beaucoup d'autres obligations. Les redevances et les corvées subsistaient intégralement et la tenure restait tout aussi précaire. Le seigneur conservait le droit de justice ; à ce titre, il demeurait l'administrateur du village, maître de faire des règlements de police et d'infliger des punitions, mêmes corporelles. Dans la mesure où le progrès était réel, il se trouva plus que compensé, pour nombre de paysans, par l'éviction qui les transforma en journaliers. Dans le domaine royal, la charge du rachat et la misère du temps en obligèrent beaucoup à vendre leur terre et à laisser s'opérer la concentration foncière : on ne pensa même pas à les admettre au bénéfice des prêts hypothécaires, accordé pourtant à la bourgeoisie. Quant aux privilèges des nobles, à part le monopole de la propriété foncière, ils subsistèrent intégralement.

La réforme favorisa les remembrements et la disparition des droits d'usage, donc la dissolution de la communauté rurale. La liberté économique aurait également postulé de grandes réformes en ce qui concernait l'industrie et le commerce. En Prusse orientale, Stein en fit quelques-unes : il abolit plusieurs corporations, supprima la banalité des moulins, proclama l'égalité entre les villes et les campagnes, ce qui permit au paysan de vendre et d'acheter sur place. Cette dernière réforme porta une grave atteinte aux recettes de l'accise, dont la perception était concentrée dans les villes et fit présager une réforme de l'impôt. Stein, en effet, marqua sa préférence pour la taxation du revenu ; comme la Prusse orientale avait contracté un emprunt pour payer une contribution de guerre, il fit voter par le landtag un *Einkommensteuer* qui fut le premier de l'espèce ; mais on ne l'étendit pas au reste du royaume et il demeura exceptionnel.

L'effort personnel de Stein visa principalement la réorganisation de la bureaucratie dont il voulait réduire la toute-puissance en lui associant les représentants de la nation. Autoritaire, vif et même bourru, il avait exigé le renvoi des favoris, Lombard et Beyme, placé Scharnhorst à la tête du cabinet militaire qui fut incorporé au ministère de la Guerre en 1809, et préparé la réorganisation de l'autorité centrale en cinq ministères, strictement spécialisés, ainsi que la création d'un conseil des ministres. En fait, il ne put venir à bout de la camarilla : le cabinet civil et le cabinet militaire du roi de Prusse, après comme avant, furent les maîtres. Il avait aussi le dessein d'instituer un landtag national consultatif ; lorsqu'il eut à faire approuver en Prusse orientale la création de l'*Einkommensteuer* et l'émission des obligations hypothécaires destinées à Napoléon, il modifia la constitution du landtag, augmenta le nombre des bourgeois, admit les représentants des paysans, élus d'après un régime censitaire, et prescrivit le vote par tête ; son landtag national eût été constitué par ordres, avec vote par tête, au moins en matière de finances, et la représentation populaire y eût été déférée aux riches. Mais, dans les autres provinces, les landtags ne furent pas réformés et le landtag national ne vit pas le jour. La réforme administrative, qui fut promulguée après sa chute, le 26 décembre 1808, se contenta de réunir, dans les subdivisions de la province, les attributions de l'ancienne *Kammer* domaniale à la *Regierung* qui demeura collégiale, et à enlever à cette dernière ce qui lui restait de fonctions judiciaires. A la tête de la province, elle consacra l'existence, déjà coutumière, de l'*Oberpräsident*. Dans la *Regierung*, des représentants des assemblées de cercle, c'est-à-dire des nobles, furent adjoints aux fonctionnaires : leur collaboration se révéla promptement impraticable. Stein avait voulu à la fois conserver la bureaucratie et imiter les *justices of peace* : il n'aboutissait à rien ; pour ne pas emprunter à Napoléon son préfet, il maintint la collégialité, sans voir qu'il allait ainsi contre son dessein de donner à l'administration du nerf et de l'initiative. Ce fut seulement dans les villes qu'il fit œuvre importante et durable par son ordonnance du 19 novembre 1808. Sans exclure les particularités locales, il traça les grandes lignes auxquelles toutes les cités devaient se conformer. Elles furent dotées d'une assemblée municipale élue et d'un « magistrat » dont les membres étaient désignés par cette dernière ; si la tutelle de l'État ne disparut pas, elle se restreignit ; la grande nouveauté fut de retirer aux corporations l'élection de l'assemblée pour l'attribuer à tous les domiciliés remplissant certaines conditions de cens ; l'Allemagne n'avait jamais connu que le suffrage corporatif ; le suffrage individuel était rare dans les villes anglaises, dont les Allemands, d'ailleurs, ne connaissaient pas l'organisation de bien près ; quoi qu'on en ait dit, il n'est pas douteux que la principale réforme de Stein soit d'inspiration française et son conseiller, Frey, y fut sans doute pour quelque chose.

Stein ne conserva pas le pouvoir beaucoup plus d'un an ; il n'est donc pas surprenant que son ministère soit marqué par plus de velléités que de résultats. Encore faudrait-il reconnaître que ces derniers n'étaient pas de taille à susciter l'enthousiasme et convenir que l'œuvre militaire des réformateurs a été beaucoup plus substantielle pour la résurrection de la Prusse. Accomplie par Scharnhorst et ses collaborateurs, cette œuvre se montrait assez avancée déjà en 1809. L'épuration et la réorganisation du commandement étaient achevées ; l'autonomie de la compagnie avait disparu ; l'infanterie appliquait un nouveau règlement qui tenait compte de la tactique française. Malgré tout, il s'en fallait que l'armée prussienne fût en état de vaincre Napoléon. Les réformateurs le savaient et, jusqu'en juillet 1808, ne pensèrent qu'à obtenir l'évacuation ; en janvier, Scharnhorst s'accordait avec Stein pour que le prince Guillaume offrît à cette fin l'alliance de la Prusse ou son entrée dans la Confédération du Rhin ; Gneisenau objectait seulement qu' « une fois dans l'antre du cyclope, tout l'avantage que nous pourrions espérer serait d'être mangés les derniers ». A la nouvelle de l'insurrection espagnole et avant même de connaître le désastre de Baylen, ils firent volte-face. Dès le 23 juillet, Götzen fut envoyé en Silésie pour s'aboucher secrètement avec les Autrichiens. Le 6 août, on décida de convoquer pour un mois, afin de les rendre éventuellement mobilisables, les conscrits que l'état des finances ne permettait pas d'incorporer régulièrement : ce sont les fameux *Krümper*, les chevaux de renfort. Dans le courant du mois, le plan se précisa en plusieurs mémoires. Il s'agissait d'appeler aux armes le peuple allemand tout entier pour mener une guerre à mort ; les femmes et les enfants seraient évacués, le pays dévasté, l'ennemi harcelé et cerné par les bandes insurgées. L'esprit était nettement révolutionnaire : les princes et les nobles, s'ils ne se plaçaient à la tête du soulèvement national, seraient privés de leurs droits et dignités ; le roi donnerait une constitution à son peuple.

Pour la première fois, l'Allemagne, telle qu'elle se réalisera au XIXe siècle, se pose, dans la pensée de ces hommes, comme une entité politique en face de l'étranger ; l'Autriche figure sans doute une alliée éventuelle, mais comme puissance distincte ; c'est la Prusse qui doit faire appel au peuple allemand et en prendre la direction ; encore ne la regardent-ils que comme un instrument et ne se soucient-ils nullement des risques auxquels ils exposent sa dynastie. Rien ne met en meilleure lumière l'influence de la révolte de l'Espagne et l'exaltation romantique qu'elle excita. Par un reste de prudence, Stein consentait qu'on trompât Napoléon par une alliance jusqu'à ce que tout fût prêt. « Doit-il être permis au seul Napoléon de mettre l'arbitraire à la place du droit, le mensonge à la place de la vérité ? » Pour préparer l'insurrection, il ne disposait pas d'organisations occultes suffisamment étendues ni, comme les Espagnols, d'un clergé docile et de moines ; il dut mettre trop de gens dans le secret et ne se méfia pas assez de l'espionnage français ; deux de ses lettres, dont l'une à Wittgenstein qui était aux eaux dans le Mecklemburg, tombèrent aux mains de Napoléon.

En Prusse, l'aristocratie s'indigna. Chasser les Français,

elle le voulait sans doute, mais sous la conduite du roi, par l'armée régulière, avec le concours des princes alliés et en maintenant le peuple dans la sujétion traditionnelle ; jalouse de ses privilèges menacés, elle haïssait ces immigrés parvenus et les traitait de jacobins ; à Vienne, on faisait chorus, et Frédéric-Guillaume n'était pas insensible à ces attaques : il tenait à l'Ancien Régime et à son pouvoir autocratique, mesurait aussi plus sagement les risques et ne voulait rien faire sans le tsar. Dans le conseil du 23 août, il rejeta les propositions des conjurés Alexandre, en route pour Erfurt, lui ayant conseillé de temporiser, il ratifia, le 29 septembre, la convention signée à Paris le 8. Les patriotes avaient mis tout en œuvre pour l'en détourner et Boyen suggéra la convocation d'une assemblée nationale. Ils ne connurent la décision qu'en octobre ; après avoir offert sa démission, Stein revint à l'assaut. Le 28, il traçait un nouveau plan d'insurrection et, le 6 novembre, présenta au roi une proclamation qui annonçait de vastes réformes pour échauffer l'opinion. Cependant, un tiers parti se formait d'hommes favorables en principe aux réformes, tels Hardenberg et Altenstein, mais attentifs à ménager la noblesse comme la seule armature de l'État et désireux, avec le roi, de gagner du temps et d'éviter les aventures. Comme Stein s'opposait à la visite que les souverains projetaient de faire au cher Alexandre, la reine l'abandonna : il fut renvoyé le 24 novembre et, le 15 décembre, Napoléon le mit au ban de l'empire.

Altenstein et Dohna prirent le pouvoir et le mouvement de réforme s'alanguit ; seul Scharnhorst, resté en place, continua son œuvre. L'action nationale fut renvoyée à un avenir indéterminé. Les junkers triomphèrent. Le 26 novembre, York écrivait :

« Voilà une de ces têtes de fous écrasée ; le reste du nid de vipères périra par son propre poison ; ce qu'il y a de plus sûr et de plus sage, c'est d'attendre tranquillement les événement politiques. Attaquer, provoquer l'ennemi à ses risques et périls serait pure folie... L'Allemagne ne se prêtera jamais à des vêpres siciliennes ou à une guerre de Vendée. Le paysan prussien ne fera rien s'il n'en reçoit l'ordre de son roi et s'il ne voit à côté de lui de gros bataillons... Notre situation commence à s'améliorer à l'extérieur et à l'intérieur. »

Cet optimisme plongea les patriotes dans la fureur et le désespoir. Götzen, négociant avec les Autrichiens, avait parlé avec colère des résistances qu'ils rencontraient et annoncé que le mouvement national commencerait par faire sauter des têtes.

Grolman suivit Stein à l'étranger et ne fut pas le seul. Le prestige de la dynastie déclina et aussi celui de la Prusse ; pour un moment, l'Autriche fixa de nouveau les regards des Allemands qui s'étaient éveillés à la pensée politique, et Kleist exprima leurs espoirs en lançant le mot d'ordre : Autriche et Liberté !

III. — L'AUTRICHE[1].

Après Austerlitz, l'empereur François avait renouvelé son personnel. L'archiduc Charles redevint généralissime et reprit, le 10 février 1806, la présidence du *Kriegsrath* ; à la chancellerie s'installa Philippe de Stadion, ancien ambassadeur, dont le frère aîné, le chanoine Frédéric, représentait l'Autriche à Munich. Les archiducs Charles et Régnier insistèrent pour qu'on changeât aussi le système du gouvernement et n'obtinrent rien. François continua de vouloir tout mener et, dans son cabinet, Baldacci, fils putatif d'un mercenaire corse, mais qu'on disait bâtard de noble, d'ailleurs intelligent, travailleur et honnête, jouit du même ascendant que Colloredo, son prédécesseur. Stadion, qui provenait de la *Ritterschaft* médiatisée, était autoritaire et ambitieux d'un grand rôle ; instruit et libéral, mais trop entiché de sa noblesse pour toucher aux privilèges, il joua au despote éclairé, créant des manufactures, fondant des écoles, construisant des routes, sans rien changer à la structure de l'État et de la société ; mondain séduisant et spirituel, jouisseur et gaspilleur, trop léger pour concevoir de vastes réformes, c'était une contrefaçon de Choiseul plutôt qu'un Stein. Il ne réussit même pas à obtenir de la Hongrie des subsides convenables, non plus que des modifications militaires ; à la diète de 1807, l'opposition, conduite par Nagy, condamna toute intervention dans la guerre et répéta ses plaintes ordinaires ; l'empereur en ajourna l'examen comme d'habitude et se contenta d'un contingent de 12.000 hommes et d'impôts modiques. Le seul travail fructueux, celui de l'archiduc

1. OUVRAGES A CONSULTER. — Les ouvrages cités p. 28 ; M. VON ANGELI, cité p. 218 ; sur Gentz, voir p. 11 ; V. BIBL, *Œsterreich, 1800-1809* (Leipzig, 1939, in-8°) ; H. RÖSSLER, *Œsterreichskampf im Deutschlandsbefreiung* (Hambourg, 1940, 2 vol. in-8°) ; J. MAYER, *Wien im Zeitalter Napoleons. Staatsfinanzen, Lebensverhältnisse, Beamte und Militär* (Vienne, 1940, in-8°) ; W. C. LANGSAM, *The Napoleonic wars and German nationalism in Austria* (New York, 1930, in-8° ; publications de l'Université Columbia, n° 324) ; A. ROBERT, *L'idée nationale autrichienne et les guerres de Napoléon* (Paris, 1933, in-8°). — Sur la Hongrie, K. KECSKEMETI, *Témoignages français sur la Hongrie à l'époque de Napoléon, 1802-1809* (Bruxelles, 1960, in-4° ; « Fontes rerum historiae hungaricae in archivis extraneis », I, 1).

Charles, fut entravé par l'insuffisance des ressources ; le déficit chronique fit passer la dette de 438 millions de *gulden* en 1805 à 572 en 1809 et le papier-monnaie de 337 à 518, si bien que sa perte à Augsbourg monta de 26 % à 67. En 1806, le comte Zichy essaya de réduire l'émission par un emprunt forcé : les armements de 1807 en annulèrent l'effet et, en août 1808, il céda la place à O'Donnell que la guerre surprit sans qu'il eût rien décidé. L'inflation avait de chauds partisans parmi les spéculateurs, les exportateurs et surtout les partisans de la guerre qui ne voyaient pas d'autre moyen de financer une campagne.

Cette nouvelle guerre, Stadion y pensa dès le premier jour pour fonder sa gloire ; mais la leçon de 1805 avait été si dure que la faction belliqueuse demeura longtemps impuissante. De Paris, Metternich recommandait l'expectative et Stadion, obligé de s'incliner, laissa passer l'hiver de 1807 sans intervenir. Tilsit l'obligea ensuite d'adhérer au blocus et de rompre avec l'Angleterre. Pendant cette période de recueillement, on vit quelques hommes, sous l'influence du romantisme qui s'acclimatait à Vienne, rappeler à l'attention le passé de la monarchie, pour justifier l'existence de l'Autriche comme État européen, boulevard de la chrétienté contre l'Infidèle et missionnaire de la civilisation occidentale chez les Magyars et les Slaves, et pour défendre du même coup sa primauté dans la communauté allemande. Comme protagoniste du mouvement, se distingua le baron Hormayr, directeur des archives d'État et historien qui, intimement lié avec l'archiduc Jean, brûlait du désir de devenir un homme d'action.

Ce fut aussi l'insurrection espagnole qui tira l'Autriche de sa torpeur. Stadion fit répandre dans le public l'histoire de la tragédie de Bayonne et chanter les louanges des fidèles sujets de Ferdinand. Cette propagande toucha immédiatement les nobles magyars. Le 28 août 1808, la diète accueillit avec enthousiasme la nouvelle impératrice, Marie-Louise d'Este, troisième femme de François, qu'on couronna reine de Hongrie ; on porta le contingent à 20.000 recrues avec suppression du remplacement et, d'avance, on accorda au roi la dictature pour trois ans en cas de guerre, ce qui lui conférait le droit de faire appel, de sa propre autorité, à « l'insurrection » ou levée en masse. Les écrivains hongrois se mirent à attaquer la France. Verseghy, qui avait autrefois traduit la *Marseillaise*, publia en 1809 une *Fidélité magyare*, et Kisfaludy, un *Discours patriotique à la noblesse magyare*. L'exemple de l'Espagne fit aussitôt penser que les provinces perdues, et surtout le Tirol, mécontent de l'administration bavaroise, pourraient éventuellement fournir un précieux appoint. Le départ de la Grande Armée et les propos de Talleyrand à Erfurt achevèrent de décider Stadion. D'ailleurs, Metternich lui-même jugeait le moment venu : Napoléon, observait-il, ne possède qu'une armée et elle vient de quitter l'Allemagne ; sur la foi de Talleyrand, il croyait l'empereur ébranlé en France.

Le parti de la guerre se reconstitua rapidement ; tous les archiducs y adhéraient, sauf Charles ; tous les ambassadeurs impériaux également ; Vienne redevint le quartier général de l'aristocratie européenne ; à côté de Razoumovski, Pozzo di Borgo reparut ; Mme de Staël venait d'arriver avec Auguste Schlegel que rejoignit Frédéric, devenu secrétaire de l'archiduc Charles. L'empereur était poussé à la guerre par sa nouvelle épouse et par sa belle-mère, qui ne se consolait pas d'avoir perdu son duché de Modène : il finit par céder à la fin de 1808. Charles lutta plus longtemps, mais dut se résigner. Un autre centre d'action se constituait à Prague, où Stein s'était réfugié et où l'on ne manquait pas de relations avec les patriotes allemands. Le mouvement gagna la bourgeoisie, les étudiants, le peuple des grandes villes, grâce à une propagande que, sur la recommandation de Metternich, Stadion et Hormayr organisèrent en imitant les Français. Ils multiplièrent les gazettes et les pamphlets, utilisèrent le théâtre et le concert ; Gleich écrivit des pièces et Collin des chants patriotiques ; la constitution de la landwehr fut l'occasion de grandes cérémonies ; parmi les étudiants, on trouva un certain nombre de volontaires dont Grillparzer, qui devait bien vite déchanter. Ces appels au peuple ne peuvent faire illusion sur la politique de Stadion : s'il cherchait à passionner les esprits, c'était dans les limites et au profit exclusif de l'État autrichien d'Ancien Régime et il méritait l'approbation des junkers, non de Stein. Les menées de Hormayr qui, au début de 1809, reçut des délégations de Tiroliens, dont une dirigée par Höfer, venues pour combiner avec lui une insurrection paysanne, ne peuvent pas tromper non plus : il s'agissait d'exciter un mouvement légitimiste. Si l'Autriche comptait probablement que des troubles éclateraient en Allemagne, elle s'opposait nettement au mouvement national allemand et n'en faisait pas mystère. Les patriotes qui s'étaient tournés vers elle furent déçus : elle accueillait leurs vœux de victoire et aurait accepté leurs services, mais n'entendait pas les consulter, comptant vaincre Napoléon par ses propres forces et réinstaller ensuite, en Allemagne comme en Italie, sa souveraineté d'autrefois.

L'armée autrichienne, sous la direction de l'archiduc Charles, avait réalisé d'incontestables progrès. D'abord, elle s'était constitué des réserves. A cette fin, on formait, dans la zone de recrutement de chaque régiment, deux bataillons astreints à trois semaines d'exercice tous les ans. Le 10 juin 1806, avait été instituée la *landwehr*, composée d'anciens soldats et de volontaires groupés en bataillons dans chaque cercle, sous le commandement d'officiers retraités et de notables ; au début de 1809, elle comptait 152.000 hommes en Autriche et en Bohême, la Galicie ayant été tenue à l'écart. D'autre part, on s'efforçait d'acclimater les méthodes françaises. Le règlement de 1807 adopta le combat en tirailleurs ; en fait, l'infanterie n'y fut pas dressée ; mais, le 1er septembre 1808, on décida de former neuf divisions de chasseurs tiroliens, soit 23.000 tirailleurs, qui rendirent de grands services. La cavalerie autrichienne ayant tendance à disperser ses effectifs, Charles en groupa une partie en corps indépendants. Il réunit aussi en régiments l'artillerie jusque-là divisée entre les bataillons d'infanterie, organisa un corps de pionniers et perfectionna les services de l'arrière : création d'un corps de santé, d'un service de remonte, d'une poste aux armées ; réduction à moitié des trains régimentaires ; allègement des convois par le rétablissement de la réquisition sur place. Enfin, en juillet 1808, l'armée fut, en principe, divisée en corps et dotée d'un quartier général.

Toutefois, ces innovations exigeaient du temps et de l'argent pour porter leurs fruits ; les corps d'armée ne furent pas constitués parce qu'il aurait fallu remanier coûteusement les garnisons ; les troupes restèrent lourdes, le système des magasins et des convois n'étant pas complètement abandonné ; la tactique fit peu de progrès parce que les officiers supérieurs étaient trop âgés et les cadres encombrés d'incapables par le privilège et la vénalité. Malgré tout, les Autrichiens firent bien meilleure figure en 1809 qu'en 1805, et ce fut un avertissement dont Napoléon aurait pu tenir compte. En définitive, il leur manqua surtout un vrai chef de guerre. L'archiduc Charles avait de grandes qualités : l'application, la prudence et le sang-froid. Toutefois, il se montra plus propre à la défensive qu'à l'attaque et trop attaché à la stratégie traditionnelle qui faisait de la guerre « un jeu d'échecs », selon le mot de Niebuhr, et s'appliquait, non à détruire l'ennemi, mais à conquérir un objectif géographique, comme a dit Clausewitz ; surtout, il était hésitant. Son tempérament explique ses défauts ;

s'il n'avait que trente-huit ans, sa santé était médiocre ; il manquait d'ardeur et d'initiative. Le même Niebuhr a observé qu'il allait à la guerre sans joie.

Les Autrichiens avaient tant de confiance en eux qu'ils ne se soucièrent pas d'alliés. A la vérité, ils ne pouvaient compter que sur les Anglais ; à Berlin, les ouvertures de Stadion étaient restées sans résultat. Même à Londres, on se montrait réticent. Metternich avait promis, en octobre, de mettre en ligne 400.000 hommes, moyennant 5 millions de livres, plus moitié de cette somme pour les frais de mobilisation ; il lui fut répondu, le 24 décembre seulement, que c'était trop demander. Puis le roi Georges exigea que l'Autriche signât d'abord la paix, ce qu'elle ne pouvait sans rompre avec Napoléon. Canning fit passer à Trieste 25.000 livres en numéraire ; mais, le 10 avril, il se récusait encore en invoquant les dépenses de la guerre d'Espagne. Au vrai, le gouvernement britannique se trouvait profondément divisé. On ne discutait plus s'il fallait agir sur le continent ; sur ce point, aucun ministre n'élevait d'objection ; la question était de savoir où. Canning voulait consacrer toutes les forces disponibles à la péninsule ibérique, tandis que Castlereagh prétendait agir en Hollande ; on avait même parlé de la Poméranie. Ces deux dernières diversions eussent été d'une portée immense, surtout la seconde qui aurait peut-être provoqué une insurrection étendue en Allemagne et entraîné la Prusse. Castlereagh opta pour les Pays-Bas, l'objectif essentiel de sa politique européenne ; bien conduite, cette expédition surprendrait peut-être Anvers. Faute de préparation, elle n'aida aucunement les Autrichiens. Comme Mack en 1805, Stadion en effet n'attendit pas. On pouvait, cette fois, invoquer de bonnes raisons. Napoléon n'était pas prêt, et on espérait le prendre au dépourvu. Il ne paraît guère douteux, pourtant, que l'exaltation romantique, déchaînée par Stadion, l'ait entraîné lui-même.

IV. — *LA CAMPAGNE DE 1809*[1].

Pour Napoléon, cette guerre, survenant prématurément avant qu'il en eût fini avec l'Espagne, était désastreuse. Seul Alexandre

---

1. Ouvrages a consulter. — Sur l'état de la France, voir les ouvrages généraux, cités p. 4 et 66 ; Lacour-Gayet, *Talleyrand*, et Madelin, *Fouché*, cités p. 79 ; G. Lenôtre, *La chouannerie normande au temps de l'Empire. Tournebut. 1804-1809* (Paris, 1901, in-8°) ; E. Herpin, *Armand de Chateaubriand* (Paris, 1910, in-8°). — Sur la campagne, Bourdeau, Descoins et Colin, cités

eût pu l'empêcher, d'un mot. Il ne le prononça point. Par l'expérience d'Erfurt, il savait maintenant que, pour tirer quelque avantage de Napoléon, il fallait que celui-ci fût dans l'embarras : l'agression autrichienne venait à souhait ; la guerre continuait en Finlande et allait reprendre en Turquie : les Russes y auraient les mains libres. En outre, Alexandre revenait à ses desseins polonais de 1805. Malgré la disgrâce de Czartoryski rentré à Pulavy, le parti russe s'agitait toujours dans le grand-duché. Au printemps de 1809, des nobles varsoviens et galiciens vinrent offrir leur concours au tsar, s'il promettait de rétablir le royaume ; il répliqua, le 27 juin, qu'il n'abandonnerait jamais les provinces devenues russes, mais que, si les circonstances le permettaient, il reconstruirait volontiers une Pologne en réunissant le grand-duché et la Galicie. Par ses soins et à son profit évidemment, puisque, bientôt après, il prétendra interdire cette opération à Napoléon. Le sentiment aussi a pu jouer son rôle : en janvier 1809, le roi et la reine de Prusse, venus à Pétersbourg, y avaient réveillé les souvenirs. Tout en conseillant à l'ambassadeur Schwarzenberg de temporiser, Alexandre aurait ajouté : « L'heure de la vengeance sonnera plus tard. » Il en faudrait conclure que, dès ce moment, une nouvelle guerre de la Russie contre la France n'était même plus, dans son esprit, qu'une question de temps. De Valladolid, l'empereur lui envoya un de ses officiers pour lui proposer la remise à Stadion, par les ambassadeurs, de notes identiques, avec ordre de rompre les relations diplomatiques si la réponse n'était pas satisfaisante. Il admit les notes, non la rupture, et exigea que la démarche fît l'objet de missions spéciales, ce qui l'ajourna *sine die*. Napoléon ne conserva aucune illusion. S'il proposa au tsar de garantir d'un commun accord la sécurité de l'Autriche,

p. 95 ; comm^t SASKI, *Campagne de 1809 en Allemagne et en Autriche* (Paris, 1899-1902, 3 vol. in-8° ; publication de l'État-major), jusqu'à Essling ; A. VELTZE, *Das Kriegsjahr 1809 in Einzeldarstellungen* (Vienne, 1905-1909, 9 vol. in-8° ; publication de l'État-major autrichien) ; MAYERHOFFER VON VEDROPOLYE, VON HŒN, A. VELTZE et H. KERCHNAWE, *Der Krieg von 1809* (Vienne, 1907-1909, 4 vol. in-8°), qui s'arrête à Essling ; M. VON ANGELI, *Erzherzog Karl*, cité p. 218 ; O. CRISTE, *Erzherzog Karl* (Vienne et Leipzig, 1912, 3 vol. in-8°) ; gén^l DERRÉCAGAIX, *Nos campagnes au Tyrol* (Paris, 1910, in-8°) ; J. HIRN, *Tirols Erhebung im Jahren 1809* (Innsbruck, 1909, in-4°) ; VON VOLTELINI, *Forschungen und Beiträge zur Geschichte des Tirolaufstandes im Jahren 1809* (Gotha, 1909, in-8°) ; M. DŒBERL, *Die Entwickelungsgeschichte Bayerns*, t. II (Munich, 1912, in-8°) ; W. DE FÉDOROVICZ, *1809. Campagne de Pologne depuis le commencement jusqu'à l'occupation de Varsovie*, t. I : *Documents et matériaux français* (Paris, 1911, in-8°).

à condition qu'elle désarmât, ce fut dans le vain espoir de gagner du temps et d'achever la concentration de sa nouvelle armée avant que l'archiduc prît l'offensive.

En rentrant à Paris, il lui fallut s'avouer que le moral du pays n'était pas bon. Les royalistes ne l'inquiétaient guère, mais ils ne désarmaient pas. Le 23 août 1806, l'évêque de Vannes avait été enlevé par Lahaie-Saint-Hilaire, qu'on ne saisit qu'en 1807 ; l'année suivante, on mit fin, en Normandie, aux exploits de Lechevalier, complice du vicomte d'Aché. L'agence de Jersey dépêchait toujours des agents dans l'ouest : on fusilla, en 1808, Prigent avec six autres et, le 20 février 1809, Armand de Chateaubriand, cousin du vicomte. Les jacobins étaient encore moins dangereux ; la police les pourchassait sans se lasser : à la fin de 1807, elle arrêta Didier, ancien juré du Tribunal révolutionnaire ; en 1808, un complot républicain, le premier depuis 1801, fut dénoncé à Dubois, le préfet de police ; on y impliqua Demaillot, autrefois agent du Comité de salut public, le général Malet, les conventionnels Florent-Guiot et Ricord, l'ancien tribun Jacquemont ; Fouché réussit, avec le concours de Cambacérès, à persuader l'empereur qu'il valait mieux étouffer l'affaire.

Ces tentatives ne trouvaient pas d'écho. Ce qui alarmait la nation, c'était la politique de Napoléon lui-même. Ses triomphes ne rassurèrent jamais personne parce que c'était toujours à recommencer. « Il faut que cette guerre soit la dernière », avait-il pris soin de dire en engageant la lutte contre les Russes en 1807. Puis il avait représenté Tilsit comme le gage de la paix. Moins d'un an après, on avait néanmoins l'affaire d'Espagne sur les bras ; impossible, cette fois, d'en imputer la responsabilité à Charles IV. « La France est malade d'inquiétudes », écrivait Fiévée à l'empereur. Parmi les serviteurs du maître, l'émoi n'était pas moindre. Fontanes osa l'exprimer comme président du Corps législatif, à la veille de la campagne de 1808 : « Vous partez, et je ne sais quelle crainte, inspirée par l'amour et tempérée par l'espoir, trouble toutes les âmes. » Decrès, dans le privé, parlait plus rondement : « L'empereur est fou, absolument fou ; il se perdra et nous perdra tous avec lui. » Puisqu'il courait à sa perte de gaieté de cœur, certains, désormais, estimaient sage de le trahir pour se couvrir, en colorant leur vilenie de l'intérêt du pays dont il convenait de séparer la cause de celle du tyran. Que d'ailleurs il fût tué ou éprouvât un désastre, il faudrait bien lui trouver un successeur ; comme on ne pourrait rien sans l'approbation de l'étranger, le plus sûr reve-

nait à lui donner des gages, et tel est le secret de Talleyrand.
Comment ne pas juger significatif que, pendant l'expédition
d'Espagne et à la veille de l'attaque autrichienne, on ait cherché
un remplaçant à Napoléon comme au temps de Marengo ? En
décembre 1808, Talleyrand se réconcilia avec Fouché et l'accord
se fit, paraît-il, sur Murat. Le bruit en courut. Eugène aurait
intercepté une lettre au roi de Naples ; un secrétaire de Fouché
aurait parlé ; Madame Mère aurait averti son fils. Le certain est
que Napoléon, en rentrant à Paris, se croyait trahi. Il fit à Talleyrand une scène atroce et lui retira sa charge de grand chambellan. Fouché fut épargné, peut-être pour ne pas désorganiser
la police au milieu de circonstances périlleuses, peut-être parce
qu'il avait pris, après Tilsit, l'initiative de conseiller le divorce
et même d'en parler à Joséphine. La longanimité de Napoléon,
après un tel éclat, paraît aussi surprenante que maladroite. En
frappant un de ses anciens complices, il craignit probablement
d'alarmer les autres et de susciter de nouveaux complots. Mais il
en avait trop dit ou pas assez. La disgrâce de Talleyrand, dit
Mollien, éveilla « une sorte d'inquiétude, d'autant plus générale
que, les motifs en étant ignorés, personne ne put se croire à
l'abri ». Et pourtant, entouré de ci-devant et rêvant de s'allier
à une famille royale, comment faire fusiller encore une fois un
prince pour haute trahison ?

Napoléon parti pour le front, ses ennemis restèrent en éveil.
Un débarquement des Anglais sur les côtes de France n'était
pas impossible : en avril, ils mirent à mal l'escadre de Rochefort
en rade de l'île d'Aix. En Provence, royalistes et républicains
s'agitaient. Barras s'y tenait en rapport avec les généraux Guidal
et Monnier, avec l'ancien corsaire Charabot, avec un négociant
qui avançait les fonds. On pensait à faire évader Charles IV et
Godoy, maintenant internés à Marseille ; en juillet, Charabot
essaya de s'aboucher avec Collingwood qui croisait au large.
Le conflit de Napoléon avec le pape provoquait de l'effervescence
dans les milieux catholiques ; au cours de l'été, l'ouest donna
de nouvelles inquiétudes, tandis que des troubles éclataient dans
la Sarre et l'Ourthe. L'armée même comprenait des éléments
douteux. On n'est pas renseigné sur les *Philadelphes* qu'aurait
dirigés le colonel Oudet, tué à Wagram ; mais, à l'armée de
Soult, en Portugal, un officier, d'Argenton, forma une conspiration et sollicita l'appui de Wellington. Sans exagérer le péril,
quand on compare l'état des esprits en 1809 aux ovations du
mois d'août 1807, le contraste est saisissant. L'empire reposait

sur la victoire ; l'échec espagnol avait porté à son prestige un coup d'autant plus rude qu'il suscitait en Allemagne une nouvelle guerre, laquelle commençait, on s'en rendait bien compte, dans de mauvaises conditions. En face de Napoléon, l'Autriche en armes, l'Espagne insurgée, les Anglais en Portugal, l'Allemagne frémissante ; derrière lui, l'angoisse et la trahison ; depuis 1805, il n'avait pas joué de partie plus redoutable.

Il s'y préparait avec son sang-froid ordinaire. Les éléments de la Grande Armée laissés en Allemagne sous le nom d'armée du Rhin ou maintenus en France et immédiatement disponibles, comptaient 90.000 hommes. On pouvait y joindre 100.000 alliés, Allemands, Hollandais et Polonais. La classe 1809, appelée en janvier 1808, était utilisable. Pour la remplacer dans les dépôts, l'empereur avait convoqué, en septembre 1808, la classe 1810 pour le 1er janvier 1809 ; presque en même temps, il porta le contingent de 60 à 80.000 hommes avec effet rétroactif à partir de 1806 : l'appel fut ainsi de 140.000 conscrits. Les régiments existants reçurent un quatrième bataillon ; de nouvelles divisions furent constituées au camp de Boulogne et en Alsace, puis envoyées au delà du Rhin. Enfin la garde fut ramenée d'Espagne en toute hâte. En mars 1809, Napoléon disposait en Allemagne de 300.000 combattants ; il put en laisser une centaine de mille en Italie, dont 60.000 en Vénétie ; en outre, Marmont en garda 15.000 en Dalmatie. C'était un prodige que d'avoir créé cette nouvelle armée ; néanmoins, on ne pouvait se faire illusion sur sa valeur. Pour près de la moitié, elle se composait d'étrangers qui, en première ligne, donnèrent des mécomptes. Les effectifs français comportaient une majorité de recrues et leurs cadres étaient incomplets et improvisés.

Les imperfections de la préparation matérielle, sommaire comme toujours, furent particulièrement sensibles à ces jeunes troupes. Le commandement supérieur lui-même perdit de son éclat : Ney et Soult laissés en Espagne, il fallut confier trois corps à Lefebvre, Vandamme et Jérôme, et l'armée d'Italie à Eugène. L'armée de 1809, bien inférieure à celle de 1805, comprenait plus de cent mille Français ayant fait campagne en 1807, et ils assurèrent la victoire ; mais c'est une formation de transition qui annonce celle de 1812. Pour l'instant, le péril ne venait d'ailleurs pas de sa composition ; malgré son activité, Napoléon ne put la créer assez vite pour qu'elle fût concentrée à temps : à la fin de mars, Bernadotte était en Saxe avec 50.000 Polonais et Saxons ; Jérôme dans l'Allemagne centrale avec les Hollandais et les Westphaliens ; le corps de Davout, 60.000 hommes d'élite, en Bavière, au nord du Danube ; Oudinot, les Bavarois et autres Allemands sur le Lech ; Masséna plus en arrière et la garde en route. Le gros s'éparpillait donc sur un front de 150 kilomètres, à une marche de l'ennemi. L'archiduc prit l'offensive le 10 avril et Napoléon n'arriva que le 17 à Donauwörth. Si les Autrichiens avaient foncé en masse et avec vigueur, on ne sait ce qui serait arrivé.

Leurs forces se trouvaient réparties plus judicieusement qu'en 1805. Pour envahir la Vénétie, l'archiduc Jean ne reçut que 50.000 hommes ; on n'en posta que 10.000 vers le Tirol, sous Chasteler, et 6.000 en Croatie ; il fallut toutefois en confier 35.000 à l'archiduc Ferdinand pour protéger la Galicie contre les Polonais. L'archiduc Charles disposait en Allemagne de 200.000 hommes. Il pensa d'abord à déboucher de la Bohême pour écraser Davout et couper en deux tronçons les forces françaises, stratégie qui eût été digne de Napoléon ; mais l'idée de laisser Vienne sans défense le troubla et il se résolut à passer sur la rive droite du Danube pour occuper le plateau bavarois. Il perdit ainsi un temps précieux et fatigua ses troupes ; néanmoins, par ce nouveau plan, il eût obtenu également des résultats décisifs, en l'exécutant rapidement et avec toutes ses forces, au lieu qu'il laissa deux corps devant Davout et que, l'Inn franchi, il avança lentement vers l'Isar, couvert à gauche par Hiller, de nombreuses colonnes qui combinèrent mal leurs efforts. Davout put se replier vers le sud et aurait rejoint les autres corps vers Ingolstadt, si Berthier, interprétant inexactement les ordres de l'empereur, ne l'avait maintenu à Ratisbonne.

Le 17, aussitôt arrivé, Napoléon s'empressa de l'attirer à lui et, le 19, le maréchal se mit en route par la rive droite du fleuve, défilant ainsi devant l'ennemi auquel une dernière chance s'offrit de l'écraser ; l'archiduc n'en profita pas et Davout contint à Tengen la faible pression des Autrichiens. Pendant ce temps, Napoléon prenait le corps d'Hiller pour le gros et montait une manœuvre afin de le couper de l'Inn et de l'acculer au Danube. Il forma au centre, sous le commandement de Lannes, une masse qui attaqua, le 20, les colonnes autrichiennes de gauche vers Abensberg et les refoula sur Landshut, tandis que Masséna marchait sur cette ville pour les prendre à revers ; il arriva trop tard et, le 21, Hiller, chassé de Landshut, put se replier vers l'Inn. L'archiduc tira parti du délai pour faire sa jonction avec les corps demeurés au nord du Danube, la garnison de

Ratisbonne ayant capitulé, et, le 22, se décida enfin à attaquer vigoureusement Davout ; mais, avant que sa droite eût pu entrer en action pour le couper du fleuve, sa gauche fut assaillie à Eckmühl par Davout lui-même et bientôt prise à revers par Napoléon, accouru de Landshut ; il battit en retraite et repassa le Danube sans difficulté. Son armée avait perdu une trentaine de mille hommes et se trouvait divisée en deux parties ; l'une et l'autre n'en restaient pas moins libres de descendre vers Vienne pour se rejoindre et comprenaient encore plus de 100.000 hommes. Le 23, les Français reprirent Ratisbonne ; mais Hiller infligea un échec à Bessières. L'archiduc n'avait pas eu le sort de Mack.

L'empereur ne le suivit pas en Bohême et marcha sur Vienne ; ce n'était pas qu'il fût séduit par cet objectif politique : il lui fallait s'interposer entre la principale armée autrichienne et celles d'Italie et du Tirol. Tandis que Davout, soutenu maintenant par Bernadotte, observait la marche de l'archiduc, Masséna poussa devant lui Hiller que Lannes cherchait à tourner par les montagnes, et Lefebvre, saisissant Salzburg, refoula Jellachich vers la Drave et surveilla le Tirol. Après une sanglante affaire à Ebersberg, au passage de la Traun, Hiller franchit le Danube pour rejoindre son chef et les Français entrèrent à Vienne le 12 mai. Ils trouvèrent cette fois les ponts coupés et 115.000 ennemis sur la rive gauche. Napoléon se porta vers les îles qui, au-dessous de Vienne, partagent le fleuve en plusieurs bras, fit établir des ponts de fortune et, dans la nuit du 20 au 21, risqua le passage, en dépit d'une crue déjà dangereuse. Le 21, 30.000 Français furent assaillis par toute l'armée autrichienne ; heureusement pour eux, elle n'attaqua pas en masse sur un point et dispersa son effort en demi-cercle, d'Aspern à Essling, en sorte qu'elle ne put les rompre. Le 22, Napoléon, disposant de 60.000 hommes, prit l'offensive pour enfoncer la ligne ennemie en son centre ; il y serait parvenu si, les principaux ponts ayant été emportés, le passage des renforts n'avait été suspendu. Il fallut s'arrêter, se replier, résister, bientôt sans munitions, à la contre-attaque ; on y parvint tant bien que mal et, du 23 au 25, on put évacuer la rive gauche. Vingt mille Français et 23.000 Autrichiens étaient tombés ; Lannes et nombre de généraux étaient morts. L'archiduc n'avait pas su profiter de sa chance, mais son adversaire avait échoué. La bataille d'Essling fit une sensation plus profonde encore que Baylen : cette fois, le prestige personnel de Napoléon était atteint.

La situation redevenait périlleuse. Derrière l'armée, le Tirol s'était soulevé en bloc à la nouvelle que Chasteler, le 9 avril, y entrait par le Pustertal. La Bavière avait mécontenté la population en supprimant son landtag et son autonomie. Ce fut, néanmoins, la situation économique qui l'exaspéra surtout : les impôts s'accroissaient considérablement ; le blocus, la fermeture des frontières italienne et autrichienne ruinaient le commerce ; en annulant le papier-monnaie autrichien et en supprimant les couvents qui servaient de banques et d'institutions de bienfaisance, on atteignit tout le monde ; la conscription mit le feu aux poudres et on dut la suspendre pour arrêter les troubles. En outre, le despotisme éclairé de Montgelas était joséphiste ; menacé dans sa domination et ses privilèges, le clergé catholique avait relevé le gant ; or il jouissait d'une influence énorme comme en Vendée et en Espagne : le mentor d'Andreas Höfer, principal chef des insurgés, fut le capucin Haspinger. Hormayr et l'archiduc Jean avaient eu beau jeu à préparer le soulèvement. Il fut essentiellement paysan et ne ménagea pas les bourgeois, pillés et maltraités tout comme les fonctionnaires bavarois. Cinq mille soldats seulement gardaient le pays : bientôt cernés, ils capitulèrent. Toutefois, Chasteler ne parvint pas à organiser les insurgés, qui rentraient chez eux après la bataille, et Höfer, qui leur inspirait confiance par sa bravoure et sa piété, était borné et indécis. Sans trop de peine, Lefebvre put s'avancer le long de l'Inn et entrer à Innsbruck le 19 mai. Chasteler s'en alla et, la révolte paraissant terminée, on ne laissa dans le Tirol que la division Deroy. Mais, à la nouvelle d'Essling, l'insurrection recommença ; Napoléon, ayant besoin de toutes ses troupes, rappela Deroy et abandonna le pays à lui-même. Les paysans ne songèrent pas à en sortir pour faire campagne ; mais ils firent des incursions en Bavière et, en juillet, leur exemple provoqua en Italie une vaste insurrection dans la région de l'Adige et en Romagne.

Que l'archiduc Jean groupât toutes les forces disséminées dans le sud de la monarchie, il trouverait donc des concours précieux. Il en alla autrement. Le 10 avril, il avait pris l'offensive par la vallée du Natisone et Caporetto. Les troupes d'Eugène, encore disséminées et surprises, reculèrent jusqu'au Mincio, livrant toute la Vénétie. Mais, quand Vienne fut menacée, l'archiduc battit en retraite, sans chercher à grouper les troupes autrichiennes ; lui-même gagna le Semmering, suivi par Eugène, puis se retira derrière le Raab ; Giulay tira vers Laibach, d'où il remonta par Marburg sur Gratz, poussé par Macdonald ;

Chasteler, venu du Tirol, ne sut pas le rejoindre ; quant aux forces de Croatie, Marmont, après avoir reculé pour se concentrer, les refoula ensuite par Fiume, Laibach et Gratz. Finalement, tous les corps français rallièrent la Grande Armée, au lieu que Jean se trouva réduit à une vingtaine de mille hommes. Davout vint menacer Presbourg et Eugène battit l'archiduc sur le Raab, le 14 juin. Tous deux se hâtèrent ensuite vers Vienne pour prendre part à la bataille ; Jean passa sur la rive gauche du Danube pour en faire autant, mais arriva quelques heures trop tard.

La conséquence la plus redoutable qu'aurait pu entraîner l'échec d'Essling eût été d'exciter le roi de Prusse à intervenir. Déjà, plusieurs de ses officiers avaient pris sur eux de le compromettre ; Katte fit une tentative contre Magdebourg et, le 28 avril, Schill sortit de Berlin avec ses hussards dont le général Marchand vint aisément à bout. L'Allemagne centrale s'agitait ; le 22 avril, Dörnberg, un ancien colonel, marcha sur Cassel à la tête de quelques centaines de paysans ; en juin, un autre officier pensionné essaya de soulever Marburg ; vers la Tauber, les campagnes s'insurgèrent. Les Autrichiens, de leur côté, entrèrent en Saxe et le roi s'enfuit ; le duc de Brunswick-Œls, à la tête des Hessois que leur électeur avait regroupés en Bohême, occupa Leipzig. Enfin, les Anglais travaillaient le Hanovre et la Hollande et firent une tentative, le 8 juillet, contre Cuxhaven. Si les Prussiens s'étaient mis en marche, Jérôme aurait été bien empêché de défendre son royaume. Frédéric-Guillaume se montra d'abord disposé à l'action ; réflexion faite, il se contenta de suspendre le paiement de l'indemnité et, s'il envoya un agent à Vienne, ce dernier n'y arriva que le 21 juillet.

En fin de compte, Napoléon put donc réunir tout son monde et, sans graves difficultés, exploiter les pays occupés ou faire venir de France les renforts et le matériel disponibles : 20.000 fantassins, 10.000 cavaliers, 6.000 hommes pour la garde, beaucoup d'artillerie pour compenser la médiocre solidité des troupes. L'île Lobau fut minutieusement fortifiée et des ponts solides multipliés. Au milieu du danger, l'empereur restait imperturbable ; il poursuivait même l'entreprise la plus propre à semer la désaffection parmi ses propres sujets : le 17 mai, il avait décidé d'annexer Rome. A la nouvelle que Pie VII allait l'excommunier, il donna l'ordre de l'enlever et de le déporter ; le 6 juillet, jour de la bataille de Wagram, le pape fut en effet emmené par la gendarmerie et un sénatus-consulte du 17 février 1810 régularisa plus tard l'annexion. Ordonner pareil acte au fort de la crise, cela peint l'homme. D'un front serein, il jouait quitte ou double. Cette fois encore, il força le destin.

Il disposait maintenant de 187.000 hommes et de 488 canons contre 136.000 seulement, pourvus il est vrai, d'une artillerie presque aussi forte. Le passage du Danube commença le 4 juillet, par une nuit d'orage, en aval d'Essling, et s'acheva dans l'après-midi du lendemain. L'empereur comptait tourner ainsi l'archiduc ; mais, quand ses troupes s'avancèrent en éventail dans la plaine, elles ne le trouvèrent point ; les préparatifs ne lui avaient pas échappé et, ne croyant pas pouvoir empêcher cette fois le passage, il s'était retiré un peu en arrière, la gauche derrière le Russbach parallèlement au Danube, la droite perpendiculairement, le sommet de l'angle marqué par les villages d'Aderklaa et de Wagram. La position, assise à gauche sur des hauteurs fortifiées, présentait des avantages ; mais, trop étendue, elle ne laissait aucune réserve à la disposition de l'archiduc. Napoléon, déçu, dut improviser une manœuvre et ne put attaquer sur le Russbach qu'à sept heures du soir : sans succès, car les Saxons lâchèrent pied à Aderklaa. Le 6, à l'aube, il reprit l'assaut avec toutes ses forces ; Davout tourna la position et obligea Rosenberg à la retraite ; mais, à Aderklaa, Carra-Saint-Cyr fut culbuté et les Saxons de Bernadotte se débandèrent de nouveau. Pendant ce temps, la droite autrichienne poussait vigoureusement la division Boudet, seule chargée de la contenir, lui prenait Aspern et Essling et menaçait les derrières de l'armée française. L'empereur dut modifier son dispositif en pleine bataille. Masséna descendit vers le fleuve et arrêta la droite autrichienne prise en flanc ; le vide fut comblé par une grande batterie de cent canons derrière laquelle s'avancèrent les réserves en une colonne massive sous la direction de Macdonald. A deux heures, l'attaque générale reprit sur le Russbach ; la gauche ennemie fut enfin complètement débordée et le centre recula. L'archiduc ordonna la retraite, et les Français, épuisés, ne le poursuivirent guère. Il avait perdu 50.000 hommes contre 34.000. Le génie militaire que Napoléon déploya en cette journée fait l'admiration des tacticiens ; mais, par les résultats, elle ne pouvait se comparer à celles d'Austerlitz et d'Iéna. L'armée ennemie, plus de 80.000 hommes encore, se retirait en bon ordre à travers la Moravie ; le combat reprit à Znaim le 11. Toutefois, l'archiduc n'était pas un Blücher : la lutte lui parut sans espoir ; il demanda un armistice et l'obtint le 12.

La fin de la crise se fit longtemps attendre. En Allemagne,

l'excitation demeurait vive, et l'étudiant Stabs essaya d'assassiner l'empereur. L'ordre fut, néanmoins, rétabli promptement. Le roi de Prusse se confirma dans sa réserve ; les Autrichiens quittèrent la Saxe ; Brunswick traversa audacieusement le royaume de Jérôme, mais pour gagner la côte où les Anglais le recueillirent. Au contraire, le Tirol, assailli en juillet par 40.000 hommes, montant de Salzburg, du Vorarlberg et de l'Adige, tint bon, extermina une division saxonne et contraignit de nouveau Lefebvre à la retraite ; ce fut seulement après la paix que Drouet d'Erlon et Eugène purent le réduire. Höfer avait fait sa soumission, puis avait repris les hostilités ; un de ses compatriotes le livra et on le passa par les armes le 20 février 1810. Pourtant, les Anglais donnèrent plus de tracas encore. Le 30 juillet, leur expédition parut enfin devant Walcheren et, le 13 août, prit Flessingue ; c'était la plus considérable qu'ils eussent envoyée sur le continent, 40.000 hommes escortés par 35 vaisseaux et 23 frégates ; son chef, lord Chatham, aussi incapable que bien en cour, la laissa inactive, alors que, marchant droit à Anvers, il y fût probablement entré ; les épidémies vinrent rapidement à bout de ses troupes. Le 30 septembre, il se rembarqua, ayant perdu 106 hommes tués et 4.000 morts de maladie.

L'alarme ne s'en était pas moins répandue dans tout l'empire et Fouché n'y avait pas médiocrement contribué. Le 29 juin, Napoléon lui avait confié l'intérim de l'Intérieur, Crétet se trouvant malade. Maître des deux ministères politiques, il déploya une activité extraordinaire, supprima des congrégations, fit arrêter Noailles qui servait d'intermédiaire entre le pape et les catholiques, réprima les troubles de l'ouest et de la Rhénanie, soutint la rente par des achats en Bourse sans se soucier de Mollien. Quand il apprit le débarquement des Anglais, il proposa à ses collègues de mobiliser les gardes nationaux de quinze départements septentrionaux et passa outre aux objections ; acceptant les offres de Bernadotte qui, pour avoir pris la défense des Saxons après Wagram, s'était querellé avec Napoléon et venait de rentrer en France, il lui confia la défense d'Anvers ; il ordonna ensuite aux préfets de se tenir prêts à une levée en masse des gardes nationaux, attendu qu'on devait craindre d'autres agressions le long des côtes et notamment en Provence. A Paris, la garde nationale fut reconstituée ; Fouché distribua les grades à la bourgeoisie qui les accepta volontiers et il la passa en revue. Les milieux officiels s'alarmèrent. En était-on revenu à 1793 ? Clarke fulminait et Fiévée écrivit à l'empereur. Il ne paraît pas douteux que Fouché, retrouvant avec joie l'occasion d'agir en maître, se soit laissé entraîner par ses souvenirs de représentant du peuple. Toutefois, il se peut qu'il ait nourri quelques arrière-pensées ; il connaissait probablement le complot de Provence et entretenait des rapports avec les Anglais par Montrond, familier de Talleyrand, qu'il avait envoyé à Anvers. Après les menées de 1808, on imagine les soupçons de Napoléon. En août, il approuvait les premières mesures de Fouché ; en septembre, les Anglais ne bougeant pas, il prêta l'oreille aux critiques, supprima la garde nationale de Paris, remplaça Bernadotte par Bessières et invita péremptoirement Fouché à ne pas mettre ainsi l'empire sens dessus dessous. A son retour, il lui fit une scène fort vive, le 27 octobre, sans pourtant le renvoyer, parce que c'était un partisan du divorce imminent ; il l'avait même promu duc d'Otrante le 15 août.

Ainsi tourmenté à l'arrière, Napoléon ne se sentait que plus soucieux de l'attitude d'Alexandre. Requis par Caulaincourt le tsar avait rassemblé 60.000 hommes à la frontière de Galicie, mais ajourné longtemps les hostilités. Il était naturel qu'il s'occupât, avant tout, de ses propres affaires qui, d'ailleurs, prirent bonne tournure. En mars, le baron d'Adelspare, qui commandait sur les frontières de Norvège, se prononçant contre Gustave IV, le roi dut abdiquer, le 29, en faveur de son oncle, le vieux duc de Sudermanie, qui prit le nom de Charles XIII. La Suède négocia aussitôt la paix et, le 17 septembre, céda la Finlande. Avec les Turcs, la guerre avait repris en avril ; Kara-Georges, proclamé prince héréditaire des Serbes, en décembre 1808, envahit l'Herzégovine ; en août, les Ottomans pénétrèrent de leur côté en Serbie, mais durent l'évacuer en septembre, quand Bagration eut pris Ismailia. En dépit de ces préoccupations, comme la Galicie se trouvait dépourvue de troupes, Alexandre aurait pu l'occuper à peu de frais et en régler ainsi le sort à la paix. Son animadversion contre Napoléon l'emporta sur ses intérêts et devint par là évidente. L'archiduc Ferdinand put donc envahir le grand-duché et occuper Varsovie. Poniatovski le laissa faire et, pénétrant sur le territoire autrichien, occupa Lublin, Zamosc et même Lemberg. Alors, Alexandre se décida et, le 3 juin, ses troupes entrèrent en Galicie pour soustraire la province aux Polonais. Cependant, Ferdinand accourait et reprenait Sandomir. Galitzine refusa d'aider Poniatovski à sauver cette place et conclut avec l'ennemi un accord secret promettant de ne pas dépasser la Wisloka ; l'archiduc se retira devant lui sans tirer un coup de fusil ; bien mieux, quand Poniatovski approcha de Cracovie, il appela les Russes et leur livra la ville. Alexandre se montrait de plus en plus animé contre le grand-duché et Roumiantzov, depuis qu'il se savait débarrassé des Suédois, n'entretenait plus d'autre pensée. Le 26 juillet, Napoléon fut invité à donner l'assurance qu'il ne rétablirait jamais la Pologne : « Je veux à tout prix être tranquillisé », dit Alexandre à Caulaincourt, le 3 août. Pareille déclaration devait détacher les Polonais de la France et, en même temps, le nom important peu au fond, la requête comportait un veto contre tout agrandissement du grand-duché. L'attitude du tsar inspirait à Napoléon une irritation croissante. « Ce n'est pas un allié que j'ai là », disait-il. Il avait dû ronger son frein et, maintenant encore, il fallut bien louvoyer.

Les difficultés qui l'assaillaient de toutes parts n'échappaient pas à l'Autriche. Autour de François, réfugié au château de Dotis, près de Presbourg, le parti de la guerre se démenait. L'impératrice, Stadion, Baldacci reprochaient à l'archiduc d'avoir suspendu les hostilités, abandonné le Tirol et la Saxe ; ils firent réduire ses pouvoirs au commandement de sa seule armée, ce qui provoqua sa démission, le 23 juillet. On espérait l'appui de la Russie, et c'est pourquoi, après avoir ouvert au milieu d'août les négociations de paix à Altenburg, où Metternich s'aboucha avec Champagny, on s'appliquait à les faire traîner. Ce jeu convenait aussi à Napoléon : le 12 août, il avait offert au tsar de partager la Galicie entre lui et le grand-duché, en donnant à celui-ci les quatre cinquièmes ; en retour, il promettait de s'engager officiellement sur la Pologne ; pour attendre la réponse, il émit la prétention de garder tout le territoire autrichien qu'il occupait. Enfin, le 1er septembre, arriva Tchernitchev qui prévint les Autrichiens que, pour le moment, la Russie ne romprait pas avec la France. Les vaincus se résignèrent donc, mais dès lors offrirent tout ce qu'on voulait en Galicie tandis qu'ils défendaient pied à pied leurs provinces de l'ouest. Le jeu était trop clair : ils savaient maintenant, comme Napoléon, qu'Alexandre prétendait obtenir presque tout ce qu'ils en céderaient. Ne voulant point avantager celui qui l'avait trahi ni le pousser à bout, l'empereur prit le parti de réduire le lot à partager. Les dernières résistances de l'Autriche furent brisées par un ultimatum et la paix signée à Schönbrunn, le 14 octobre. La Bavière reçut le Quartier de l'Inn et Salzburg. Napoléon prit la Croatie maritime avec Fiume, l'Istrie et Trieste, une partie de la Carinthie et de la Carniole. Le grand-duché de Varsovie obtint 1.500.000 âmes, y compris Lublin et Cracovie ; la Russie 400.000 avec Tarnopol. L'Autriche perdait 3 millions 1/2 d'habitants et tout accès à la mer ; elle payait une indemnité de 75 millions.

Le caractère le plus marquant du traité, c'est que Napoléon avait passé outre à la prétention exprimée par Alexandre, en maintenant, pour le partage de la Galicie, la proportion fixée dès l'abord. Il rappelait la Russie à son rôle de vassale ; n'ayant pas servi le maître comme il convenait, son salaire était réduit en conséquence. Alexandre manifesta son mécontentement à Caulaincourt, sans que l'empereur en prît alarme. Il affichait toujours l'intention de satisfaire le tsar en renonçant à rétablir la Pologne. Mais la demande russe ne fut jamais qu'un paravent. Au vrai, Alexandre avait espéré se voir offrir le grand-duché, sans parler de la Galicie, pour prix de son aide contre l'Autriche ; déçu, il l'avait tacitement refusée, et, nonobstant, ne renonçait pas à son ambition. Au cours de l'automne, la rupture avec la France lui parut inévitable et, quand Czartoryski revint à Pétersbourg, il commença de lui parler, à mots couverts, de ses plans de 1805 et du parti qu'on pourrait tirer des Polonais contre Napoléon. Celui-ci, au contraire, refusa de se rendre à l'évidence : le système continental, à ses yeux, restait fondé sur l'accord de Tilsit. C'est que, décidé maintenant à répudier Joséphine, il pensait, depuis Erfurt, à la remplacer par la sœur d'Alexandre. Comme d'ordinaire, il était tout au dessein du moment ; l'alliance russe pouvant le servir, il ne voulait pas voir qu'elle n'existait plus que de nom. Le choix de la nouvelle impératrice, par le tour inattendu qu'il prit, allait la changer en hostilité déclarée.

V. — *LE MARIAGE AUTRICHIEN*[1].

Le second mariage de Napoléon, qui devait modifier l'assiette du système continental imparfaitement restauré et précipiter

---

1. Ouvrages a consulter. — Voir p. 3, 66 et 151 ; Vandal, cité p. 242 ; Latreille et Leflon, cités p. 12 et 141 ; H. Welschinger, *Le divorce de Napoléon* (Paris, 1889, in-12) ; le P. Dudon, Napoléon devant l'officialité de Paris, dans les *Études*, t. XCI (1902), p. 480-498. — Le dossier du divorce a été rouvert par L. Grégoire, *Le « divorce » de Napoléon et de l'impératrice Joséphine ; étude du dossier canonique* (Paris, 1957, in-8°, thèse de droit canonique) : l'annulation du mariage de Napoléon et de Joséphine a été prononcée conformément aux canons de l'Église, et non par complaisance ; les membres des officialités parisiennes, diocésaine et métropolitaine, imbus des traditions

a guerre où il devait périr, fut beaucoup moins inspiré par la politique extérieure que par l'évolution du pouvoir de Napoléon. Aussitôt que certains songèrent, en 1800, à lui conférer l'hérédité, ils envisagèrent le divorce puisque Joséphine ne lui donnait pas d'enfants. La monarchie restaurée, le souci devint plus pressant. Il se peut, toutefois, que Napoléon ait douté quelque temps s'il pouvait être père ; bien qu'on lui attribue plusieurs bâtards, l'incertitude paraît n'avoir été levée qu'avec la naissance du comte Léon, le 13 décembre 1807. Il n'est pas invraisemblable non plus qu'il ait souffert de se séparer de Joséphine ; la violente passion qu'elle lui avait inspirée, même infidèle, était un de ses plus beaux souvenirs et, après qu'il l'eut abandonnée, il ne put jamais supporter de la savoir malheureuse : « Je ne veux pas qu'elle pleure », dira-t-il. Quand Hortense eut donné le jour à un fils, il le fit baptiser en grande pompe et on pensa qu'il l'adopterait ; mais l'enfant mourut le 5 mai 1807. Jusqu'à ce moment, Napoléon n'apercevait d'ailleurs personne qu'il pût substituer à Joséphine ; depuis qu'il était empereur, il lui fallait mettre sur le trône une princesse tirée d'une famille régnante ; l'onction conférée par le pape lui parut de plus en plus insuffisante, à mesure que son pouvoir se fit plus aristocratique et plus despotique ; en vain, il se vantait devant les rois eux-mêmes d'avoir été l'artisan de sa fortune : il souffrait d'un prurit de légitimité.

Avec l'entrevue de Tilsit, il sembla que l'espoir d'entrer dans la famille d'un dynaste traditionnel cessait brusquement d'être un rêve. A la fin de l'année, l'éventualité du divorce se précisa par les soins de Fouché et, si Napoléon le désavoua, il n'en prit pas moins sa décision avant de se rendre à Erfurt, puisqu'il fit alors des ouvertures à Alexandre pour obtenir la main de sa sœur. En rentrant à Paris le 15 novembre 1809, il ne pensait plus qu'à

de l'Église gallicane, les ont appliquées, comme en d'autres cas d'annulation de mariage qui leur furent soumis à l'époque. F. Masson, *Napoléon et sa famille*, t. IX, X et XI, cité p. 167 ; du même, *Napoléon et son fils* (Paris, 1922, in-8°) ; du même, *L'impératrice Marie-Louise* (Paris, 1902, in-4°) ; baron de Bourgoing, *Marie-Louise, impératrice des Français* (Paris, 1938, in-8°) ; *Lettres inédites de Napoléon Ier à Marie-Louise, écrites de 1810 à 1814*, publiées par L. Madelin (Paris, 1935, petit in-8°) ; *Marie-Louise et Napoléon, Lettres inédites*, cité p. 66 ; É. Driault, *Le roi de Rome* (Paris, 1932, in-8°). — Sur Metternich, F. von Demelitsch, *Metternich und seine auswärtige Politik*, t. I (seul paru) : *1809-1812* (Stuttgart, 1898, in-8°) ; F. Strohl von Ravensberg, *Metternich und seine Zeit* (Vienne, 1907, 2 vol. in-8°) ; H. von Srbik, *Metternich* (Munich, 1925-1926, 2 vol. in-8°). — Marie Sadrain, *La réunion du Valais à la France en 1810* (Bourges, 1936, in-12).

passer à l'exécution : le 22, Caulaincourt reçut l'ordre de présenter une demande officielle. Alexandre ayant exigé que la promesse relative à la Pologne fît l'objet d'un traité, l'ambassadeur fut en même temps autorisé à le signer. Au point où en était le tsar, il ne pouvait plus être question de ce mariage. La démarche n'en parut pas moins une aubaine, parce qu'on obtiendrait peut-être, avant de signifier le refus, la ratification du traité, qui servirait ensuite pour gagner les Polonais à la Russie. Il est remarquable que Caulaincourt se soit prêté à ce jeu. Il commença par négocier la convention, qui fut signée le 4 janvier 1810 : le royaume de Pologne ne serait jamais rétabli et le nom même de Pologne disparaîtrait des actes publics. Il tarda jusqu'au 28 décembre pour parler du mariage. Pourtant, il savait que le tsar tenait tout prêt un motif d'ajournement, puisque Talleyrand l'avait suggéré à Erfurt : il fallait consulter l'impératrice douairière, laquelle voulut prendre l'avis de sa fille Catherine qui résidait à Tver. Celle-ci ne protesta point ; mais la mère, sans opposer un refus, présenta des objections tirées de l'âge de la jeune fille — seize ans seulement — et de la différence des religions. Au fond, elle répugnait profondément à cette union. Comme chef de la famille et comme autocrate, la décision appartenait à Alexandre. Il prit bien soin d'ajourner sa réponse.

Mais le temps pressait. Le 30 novembre, Napoléon, dans une scène célèbre, avait signifié sa volonté à Joséphine. Le 15 décembre, celle-ci déclara consentir au divorce, devant une assemblée des princes et des grands dignitaires ; il fut consacré, le 16, par un sénatus-consulte, n'étant conforme ni au Code civil, ni à l'esprit, sinon à la lettre du statut de la famille impériale. Joséphine conserva le titre d'impératrice ; elle reçut la Malmaison et un douaire. L'annulation du mariage religieux fit un peu plus de difficultés ; on ne pouvait s'adresser au pape prisonnier ; l'abbé Émery estimait, d'ailleurs, que les précédents ne permettaient pas d'affirmer péremptoirement la nécessité de son intervention. En conséquence, Fesch arrêta la procédure : les officialités de Paris, la diocésaine d'abord, la métropolitaine ensuite, se chargèrent de prononcer la nullité. La première allégua que l'union avait été célébrée secrètement, en l'absence du « propre curé » et de témoins, laquelle, suivant l'Église gallicane, ne pouvait être autorisée par aucune dispense, même pontificale. La seconde préféra le motif avancé par l'empereur : la cérémonie de 1804, imposée par les circonstances, était sans valeur par défaut de consentement positivement exprimé.

Ce point réglé le 12 janvier 1810, Napoléon attendit impatiemment la réponse du tsar. Quand il la sut ajournée, alors qu'on lui soumettait le traité du 4 janvier, il flaira la ruse et suspendit la ratification. Le refus, désormais probable, était mortifiant ; mais il tenait sa revanche : l'Autriche lui offrait une fiancée de rechange.

Depuis la paix, Metternich occupait la chancellerie. Entre lui et Stadion, quelque ressemblance s'apercevait : médiatisé par la conquête française, aristocrate mondain, libertin et d'une infatuation sans mesure, il avait, lui aussi, double motif de haïr la France et la Révolution. Il possédait, toutefois, plus d'expérience diplomatique et, surtout, de sang-froid, car l'enthousiasme romantique lui resta toujours étranger. C'était un homme du xviiie siècle ; disciple et gendre de Kaunitz, il s'attachait à la vieille notion d'équilibre européen qu'il fallait restaurer en abattant Napoléon ; il demeurait fidèle aussi au despotisme éclairé et, en principe, n'éprouvait sans doute pas d'hostilité pour les réformes capables de fortifier l'État, à condition de respecter, mieux que ne l'avait fait Joseph II, la prépondérance sociale de l'aristocratie. On a voulu lui attribuer une philosophie politique originale, inspirée de Burke et caractérisée par le rationalisme expérimental. S'étant attaché Gentz, qu'il savait exercé à justifier toutes les thèses, Metternich disposait en effet d'un arsenal de principes ; mais on le grandit à l'excès en expliquant sa politique par la cogitation désintéressée.

Heureux d'exercer le pouvoir et résolu à le conserver, il géra au mieux les affaires des Habsbourg ; si les vices du régime ne lui échappèrent pas, il ne se soucia pas de heurter l'empereur et la noblesse en prétendant les corriger ; la croisade européenne, dont Gentz assignait la direction à la dynastie, ne l'intéressait vraiment que si l'Autriche en devait profiter en Italie et en Allemagne ; c'est son réalisme sans scrupule qui fit son principal mérite. En 1809, il avait cru Napoléon suffisamment usé ; cette erreur lui inspira durant les années qui suivirent une prudence extrême ; il ne songea qu'à durer jusqu'au moment de prendre part, sans risque, à la curée. De l'ébranlement de l'alliance franco-russe résultait déjà une circonstance favorable : il fallait aider à la transformer en inimitié ; la sécurité de l'Autriche serait encore mieux assurée si on s'accordait avec le vainqueur et ce nouveau Tilsit pourrait même n'être pas sans profit positif. C'était donc une chance inespérée que Napoléon voulût prendre femme : s'il épousait l'archiduchesse Marie-Louise, il achèverait de se brouiller avec Alexandre et regarderait l'Autriche comme une alliée naturelle.

Que les Habsbourg dussent considérer pareille union comme une souillure, Metternich le savait mieux que personne ; mais en suggérant à Napoléon de formuler une demande et en la présentant à François comme un ultimatum, on parviendrait à lui faire comprendre qu'il fallait céder à la raison d'État. Le chancelier paraît avoir fait la première allusion en causant, le 29 novembre, avec Alexandre de Laborde, « auditeur » en mission à Vienne ; le chevalier de Floret, chargé d'affaires à Paris, parlant à Sémonville au cours d'un dîner officiel, fut ensuite assez clair pour que son interlocuteur courût chez Maret. Le 16 décembre, Napoléon ordonna de tâter l'ambassadeur Schwarzenberg, qu'A. de Laborde, de retour, vit à la fin du mois. Il n'y a pas de raison de croire que, dès ce moment, Napoléon ait donné la préférence à l'Autrichienne ; mais il a dû se sentir flatté. Lorsqu'il sut que le tsar atermoyait, ce fut, pour lui, la solution. L'entourage impérial se divisa. Le beau monde contre-révolutionnaire se déclara pour l'Autriche, imaginant que la cour de Vienne exigerait la disgrâce des régicides et qu'ainsi la réaction ferait un grand pas. Les révolutionnaires, Fouché en tête, se prononcèrent donc en sens contraire. Les Beauharnais et Joséphine elle-même tenaient pour Marie-Louise ; les Bonaparte, Murat au premier rang, pour la grande-duchesse. Napoléon donna la parole aux deux partis dans un conseil privé, le 29 janvier 1810, mais réserva sa décision. Enfin, le 5 février, une dépêche de Caulaincourt annonçant que le tsar demandait un nouveau délai, il pressentit l'humiliation et prit les devants ; le 6 au soir, Eugène alla présenter la demande officielle à Schwarzenberg, sous condition de signer immédiatement l'engagement : ainsi fut fait le lendemain. Il était temps : le 4, Alexandre venait de notifier le refus à Caulaincourt ; il s'irrita de se voir déjoué et, diplomatiquement, garda le beau rôle, puisqu'il put accuser Napoléon de double jeu. Metternich avait bien calculé ; le dissentiment franco-russe s'aggrava.

Marie-Louise arriva à Strasbourg le 22 mars. Napoléon alla au-devant d'elle et, dans son impatience, en prit possession sans souci de l'étiquette, puis l'emmena à Saint-Cloud. Le mariage fut célébré au Louvre le 2 avril et suivi, à la fin du mois, d'un voyage dans le nord. Le 20 mars 1811, naquit un fils à qui avait été assigné, dès le 17 février 1810, le nom de roi de Rome et dont le baptême, le 9 juin, fut la dernière grande fête du régime.

Le mariage autrichien hâta l'évolution qui éloignait Napoléon de la Révolution. A la personne de Marie-Louise, il attacha Mme de Montesquiou, autrefois gouvernante des enfants de France ; Fiévée devint maître des requêtes ; les ralliés prirent la haute main à la cour de celui qui était devenu, par alliance, le neveu de Marie-Antoinette et de Louis XVI. Fouché, au contraire, fut disgracié, le 3 juin, au profit de Savary. Les ci-devant comptaient bien qu'on n'en resterait pas là ; le bruit courut qu'un article secret du contrat stipulait l'exil des régicides et qu'on allait réhabiliter solennellement la mémoire de Louis XVI, dont les brochures royalistes ne cessaient de faire l'apologie ; les acquéreurs de biens nationaux recevaient des lettres menaçantes. Les institutions, elles aussi, firent de nouveaux pas vers l'Ancien Régime : en 1810, les prisons d'État et l'emprisonnement arbitraire furent officiellement rétablis ; avec la direction de la librairie, on réorganisa ouvertement la censure.

D'autre part, en se créant une nouvelle famille, Napoléon mécontenta son clan, qu'il comblait sans le satisfaire et dont les récriminations, les discordes et les frasques avaient troublé sa vie privée et porté dommage au prestige de la nouvelle dynastie. Marie-Louise, dans la fraîcheur de ses dix-huit ans, éveilla en lui une seconde jeunesse et un goût que, mollement sensuelle, elle paraît avoir partagé. A l'égard de son fils, son sens critique ne l'abandonna pas ; il se rendit compte, et il l'a dit, que le roi de Rome ne conserverait l'empire que s'il avait, lui aussi, du génie ; mais, étant homme, sa paternité l'emplissait d'orgueil et il ne désespérait pas de son enfant. Son sens si vif du lien familial, qu'on a rattaché à la tradition latine et, avec plus de vraisemblance, aux mœurs des Corses, le porta naturellement à marquer désormais une préférence pour sa postérité. Le 30 janvier 1810, en réglant le douaire de la nouvelle impératrice, les apanages de ses futurs enfants et le partage éventuel de la dotation de la couronne entre eux, il n'avait fait aucune allusion à ses frères. Aussi a-t-on attribué au mariage autrichien une influence profonde sur la transformation qui commence alors à se dessiner dans la structure du Grand Empire. Celui-ci, de fédératif — on a dit carolingien — aurait tendu à devenir dynastique ou romain : toutes les conquêtes de Napoléon devaient être réservées au roi de Rome et réunies par conséquent à la France ; tout au moins ne pouvaient-elles être distribuées qu'à ses frères éventuels ; ce fut ainsi que le royaume d'Italie fut d'avance assigné à son cadet, en sorte qu'Eugène de Beauharnais s'y vit retirer la qualité d'héritier présomptif pour devenir l'héritier de Dalberg au grand-duché de Francfort. Toutefois, on a exagéré l'influence du mariage sur ce point. Depuis longtemps, l'empereur s'irritait de l'indocilité ou de l'incapacité des princes vassaux et menaçait d'annexer leurs États. Quand Louis perdit son royaume, quand Murat et même Joseph et Jérôme se jugèrent exposés à pareil sort, peut-être accusèrent-ils Napoléon de les sacrifier à sa nouvelle famille ; au vrai, l'empire fédératif évoluait de lui-même vers l'unité.

La conséquence essentielle du mariage autrichien fut que, en couronnant le triomphe de Wagram, il restaura le système continental aux yeux de Napoléon et, encore une fois, exalta, par un sentiment d'euphorie personnelle, sa volonté de puissance. En se rapprochant de l'Autriche, il ne lui vint pas à l'idée de la traiter en égale et de conclure avec elle un nouvel accord de Tilsit, ainsi que Metternich l'espérait. A Paris, ce dernier avait exprimé ses inquiétudes sur les progrès des Russes en Orient et insinué qu'on pourrait s'entendre pour y mettre un terme ; Napoléon admit, à cet égard, une communauté d'intérêts entre la France et l'Autriche, promit d'intervenir si Alexandre prétendait s'étendre au sud du Danube, mais ne voulut rien signer. L'Autriche restait à sa merci ; se figurant probablement que le Habsbourg ne voudrait plus rien entreprendre contre son gendre, il continua de la traiter en vassale. Ayant refusé de contester les principautés à la Russie et respecté ainsi la convention d'Erfurt, il nourrit l'illusion, pendant plusieurs mois, que le pacte de Tilsit subsistait.

L'Angleterre était donc de nouveau la seule ennemie. Metternich conçut l'espoir de rétablir la paix maritime pour s'épargner l'obligation dangereuse de se prononcer contre elle ; en mars 1810, il fit rédiger un étonnant mémoire où Gentz s'appliqua, sans sourciller, à démontrer aux Anglais que la France était invincible et que leur propre intérêt conseillait de lui abandonner le continent, y compris l'Espagne. Vers le même temps, Fouché travaillait dans ce sens ; il avait dépêché au marquis de Wellesley, alors au Foreign Office, un ancien émigré, nommé Fagan, dont le père habitait Londres. Louis, lui aussi, regardait une réconciliation générale comme l'unique moyen de sauver son royaume ; on pouvait croire que l'Angleterre voudrait prévenir l'annexion de la Hollande qui restait pour elle un débouché important et dont les banquiers, Labouchère surtout, lui étaient dévoués ; Labouchère vit également Wellesley en février 1810. Enfin Ouvrard fut utilisé par Fouché, qui ne cessa jamais de le protéger en souvenir sans doute de communes spéculations. Le financier demeurait toujours en compte avec Labouchère et n'oubliait pas les piastres du Mexique ; il bâtit en conséquence une combinaison politique : on transférerait Charles IV à Mexico ; l'Angleterre livrerait la Sicile à Napoléon, qui lui abandonnerait Malte et l'aiderait à reconquérir les États-Unis ! Tiré de la prison de Sainte-Pélagie, il s'entendit avec Labouchère, qui mit Baring dans le secret. Après avoir discuté le plan avec ce dernier et avec Canning, Wellesley refusa de renoncer à l'Espagne et à Naples. Sur ces entrefaites, Louis, croyant son frère au courant, lui parla de l'affaire, le 27 avril, lors de son passage à Anvers. Ouvrard fut arrêté, et le prétexte trouvé pour disgracier Fouché. Les pourparlers furent rompus, l'empereur ne songeant pas plus à céder que les Anglais.

Au cours de l'année, il s'occupa de perfectionner le blocus ; le 5 août, parurent les célèbres décrets de Trianon et, le 18 octobre, celui de Fontainebleau. Pour en surveiller l'application, il poussa de plus belle les annexions, en sorte qu'on est vraiment fondé à dire que le blocus, à ce moment, donna un nouvel essor à l'esprit de conquête. Au début de l'année 1810, la Hollande avait dû céder la Zélande et ses provinces méridionales jusqu'au Rhin ; le 2 juillet, Louis s'enfuit en Bohême ; le 9, son royaume fut annexé et un sénatus-consulte du 13 décembre confirma l'opération. Pour cadenasser solidement les ports de la mer du Nord et la frontière du Holstein, Napoléon réunit, le 22 janvier 1811, tous les pays allemands situés au nord d'une ligne tirée de la Lippe à la Trave : les ports hanséatiques, une part du grand-duché de Berg et du royaume de Westphalie, les principautés d'Arenberg et de Salm, le grand-duché d'Oldenburg. Pour fermer définitivement l'Italie à la contrebande suisse, il s'empara du Valais et fit occuper militairement le canton du Tessin.

Cependant, la péninsule ibérique était toujours en armes. Après Wagram, il sembla donc que Napoléon préparerait une grande expédition qui détruirait l'armée anglaise ou la contraindrait à se rembarquer ; après quoi, la soumission du pays n'aurait plus été qu'une affaire de temps. Il envoya bien 140.000 hommes de renfort, ce qui d'ailleurs ne suffisait pas pour frapper un grand coup, mais ne leur fournit pas les moyens matériels indispensables et, surtout, s'abstint de les suivre. Absorbé par ses projets dynastiques et tout à sa nouvelle épouse, il laissa passer l'année décisive : à la fin de 1810, il ne pouvait plus être question pour lui de se porter en Espagne avec toutes ses forces, l'attitude d'Alexandre devenant inquiétante. Ses rêves de grandeur personnelle et son mariage l'empêchèrent ainsi de restaurer l'unité de la Grande Armée et le condamnèrent à engager la lutte avec la Russie en laissant derrière lui une part importante de ses effectifs.

Ce conflit suprême, le mariage autrichien n'en fut pas la cause essentielle ; mais, il le précipita bien que Napoléon ne voulût pas se l'avouer, en excitant la jalousie des Russes, qui virent les Autrichiens choyés à la cour de Napoléon, et, plus encore, en assurant l'échec de la négociation polonaise. En même temps qu'il adressait à Schwarzenberg sa demande officielle, l'empereur avait rejeté le traité conclu par Caulaincourt. Il en rédigea un autre qu'il expédia revêtu de sa ratification : il n'aiderait personne à rétablir la Pologne et consentait à supprimer son nom dans les actes officiels ; en retour, la Russie et la Saxe s'engageaient à n'acquérir aucune des provinces polonaises restées en dehors du grand-duché et le traité devait demeurer secret. Cela ne faisait pas le compte d'Alexandre : le 13 juillet, Nesselrode refusa toute modification à l'accord de janvier. Napoléon rompit dès lors la discussion. Par ailleurs, il refusa d'autoriser un emprunt russe. Dans l'été de 1810, il ne regardait pas encore la guerre comme inévitable ; toutefois, il ne lui échappait pas que, détaché de lui, Alexandre pouvait se réconcilier avec l'Angleterre : en ce cas, il faudrait recourir aux armes.

Les événements de Suède contribuaient simultanément à irriter le tsar. Charles XIII avait signé la paix avec la France, le 6 janvier 1810, et adhéré au blocus. Il ne possédait pas assez d'autorité, en réalité, pour l'observer exactement, alors surtout que la flotte de Saumarez était maîtresse de la Baltique. Bientôt, l'empereur fulmina et menaça de réoccuper la Poméranie. La Suède promit tout ce qu'il voulut, et d'autant plus volontiers qu'une crise de succession venait de commencer chez elle. Le beau-frère de Frédéric VI, roi de Danemark, Charles-Auguste d'Augustenburg, que Charles XIII avait accepté comme héritier, était mort le 28 mai 1810 ; on accusa les adversaires de la révolution de 1809 de l'avoir empoisonné et, le jour de ses funérailles, Fersen fut massacré au cours d'une émeute. Le gouvernement désirait remplacer le défunt par son frère ; mais Napoléon ne se prononça pas formellement, et une intrigue, dont les origines sont obscures, profita de l'équivoque. Il existait, à Stockholm, un parti favorable à la France, qui aurait préféré un parent ou un lieutenant de Napoléon, comptant gagner ainsi sa protection contre la Russie ; à la fin de juin, le lieutenant Mörner vint en son nom pressentir Bernadotte et obtint l'appui du comte Wrede, en mission à Paris à l'occasion du mariage. Bernadotte avertit l'empereur qui hésita. De toute évidence, Alexandre prendrait fort mal l'élection d'un maréchal de France ; si pourtant la guerre éclatait, la Suède serait d'un grand secours ; Bernadotte, à la vérité, n'était pas un homme sûr : Eugène eût été préférable ; l'empereur crut que le parti français, voulant reconquérir la Finlande, saurait le maintenir dans le devoir. Il ne lui interdit donc pas d'accepter sans vouloir se prononcer officiellement, par ménagement pour le tsar. La diète suédoise, réunie à Œrebro, paraissait favorable à Augustenburg, lorsque parut Fournier, ancien consul à Gœteborg et négociant failli, que Champagny consentit à envoyer comme observateur et qui était, en réalité, l'agent de Bernadotte ; se donnant comme un représentant officieux de l'empereur, il recommanda l'élection du maréchal. L'un des familiers du roi, le comte de Suremain, un émigré, emporta son assentiment et la diète suivit, le 21 août. Napoléon, surpris d'un si prompt dénouement, douta s'il l'approuverait ; l'idée que l'Angleterre en serait particulièrement mortifiée l'emporta. La Suède parut d'ailleurs confirmée dans sa politique francophile et, le 17 novembre, déclara la guerre aux Anglais. La médaille avait son revers : Alexandre était furieux. Toutefois, Napoléon ne savait pas le pire : Bernadotte s'appliquait sans tarder à rassurer le tsar en déclarant à Tchernitchev, de passage à Stockholm, qu'il ne serait nullement l'homme de l'empereur et ne chercherait jamais à reprendre la Finlande. Très tôt, Alexandre put ainsi espérer que la trahison du nouveau roi lui garantirait la neutralité, sinon la coopération, de la Suède.

Sans que l'empereur s'en fût encore aperçu, les préparatifs de la Russie allaient leur train. Le tsar s'appliqua d'abord à provoquer les offres de Czartoryski ; puis, il se décida, en avril 1810, à parler clair : la guerre commencerait dans neuf mois ; ne pouvait-on obtenir le concours du grand-duché, et porter ainsi les troupes russes, d'un bond, jusqu'à l'Oder, ce qui entraînerait les Prussiens ? Czartoryski se montra fort réservé, tant Napoléon lui en imposait. Néanmoins, Alexandre alla de l'avant. Ayant nommé Alopeus et Pozzo di Borgo ambassadeurs à Naples et à Constantinople, il leur fit prendre leur chemin par Vienne ; ils y trouvèrent les salons bien disposés pour leur maître

et toujours engoués de Razoumovski et de la princesse Bagration ;
ils se firent écouter par le père de Metternich qui assurait l'intérim, en attendant que le chancelier revînt de Paris : l'Autriche
pourrait prendre la Serbie et même davantage, afin de régler le
dissentiment oriental. Quand Metternich reparut, il coupa court.
Pendant les derniers mois de l'année, l'armée russe glissa pourtant vers l'ouest ; à défaut de l'Autriche, il paraît donc vraisemblable qu'Alexandre fondait quelque espoir sur la Pologne ;
peut-être Czartoryski s'était-il décidé.

A la fin de l'année, l'alliance se dénoua officiellement par une
pouble violation de la convention d'Erfurt. Comme tous les pays
purement agricoles, la Russie souffrait du blocus sans compensation d'aucune sorte ; Alexandre prêta l'oreille aux plaintes de
l'aristocratie et s'avisa que ses finances ne se trouvaient pas
bien de la langueur du commerce ; devenu l'ennemi de Napoléon,
il inclinait à des avances à l'Angleterre ; décidé à la guerre, il
voulait pourtant se donner le beau rôle en provoquant l'adversaire à prendre l'offensive. Il s'était déjà bien gardé d'adopter
les mesures édictées à Trianon et à Fontainebleau. Le 31 décembre 1810, il fit plus : des droits très lourds frappèrent les marchandises importées par terre, qui venaient de l'empire et de ses
alliés, tandis qu'il favorisait le commerce maritime sur navires
neutres et, avec lui, le trafic britannique, officiellement interdit.
Simultanément, Napoléon annexait le grand-duché d'Oldenburg
dont l'intégrité avait été garantie à Erfurt, après avoir offert en
vain au grand-duc, beau-frère d'Alexandre, une compensation
en Thuringe. Désormais, une nouvelle guerre était inévitable

CHAPITRE III

LES SUCCÈS DE L'ANGLETERRE
(1807-1811)[1]

Pendant que Napoléon affermissait son hégémonie continentale, l'Angleterre achevait de se rendre maîtresse des mers par un effort tenace et presque silencieux. Jusqu'en 1808, les résultats n'en apparurent pas définitifs : des escadres quittaient encore les ports français, et toutes les colonies n'avaient pas succombé. Ce fut l'insurrection de l'Espagne qui, sur mer comme sur terre, apporta un concours décisif à la politique britannique : elle acheva de lui livrer la mer et l'induisit, en même temps, à reparaître sur le continent pour prêter une aide directe aux coalitions qui, seules, pouvaient venir à bout du conquérant.

I. — LA DOMINATION DE LA MER ET SES CONSÉQUENCES[2].

Après Trafalgar, la flotte britannique avait repris le blocus des ports ennemis ; des guetteurs les surveillaient de près tandis que les escadres, au large, se tenaient prêtes à poursuivre les

1. OUVRAGES D'ENSEMBLE A CONSULTER. — Voir p. 253.
2. OUVRAGES A CONSULTER. — Les ouvrages cités p. 32 et 173 ; les ouvrages sur l'empire britannique et sur l'Inde, cités p. 49. — Sur les Anglais en Sicile : H. ACTON, *The Bourbon of Naples (1734-1825)* (Londres, 1956, in-8°) ; P. MACKESY, *The war in the Mediterranean* (Londres, 1957, in-8°) ; A. CAPOGRASSI, *Gl'Inglesi in Italia durante le campagne napoleoniche (Lord W. Bentinck)* (Paris, 1949, in-8°) ; C. W. CRAWLEY, England and the Sicilian constitution, dans *The English historical review*, t. LV, 1940, p. 251-274 ; J. ROSSELLI, *Lord William Bentinck and the british occupation of Sicily, 1811-1814* (Cambridge, 1956, in-8°) ; G. FALZONE, *Il problema economico della Sicilia tra 1700 e 1800* (Palerme, [1960], in-8°) ; ajouter les articles de miss H. M. LACKLAND cités p. 494. — Sur les colonies françaises, J. SAINTOYANT, cité p. 155 ; H. PRENTOUT, *L'île de France sous Decaen* (Paris, 1901, in-8°). — Sur l'Amérique latine, B. MOSES, *Spain's declining power in South America, 1730-1806* (Berkeley [Californie], 1919, in-8°) ; DU MÊME, *The intellectual background of the revolution*

vaisseaux qui parviendraient à s'échapper. Cette surveillance monotone et sans gloire n'allait pas sans risques de mer : de 1806 à 1815, les Anglais, sans que l'adversaire leur en prît ou coulât un seul, perdirent pourtant dix-huit vaisseaux. Les convois exigeaient aussi beaucoup de navires. Aussi ne cessèrent-ils de construire ; le budget de la marine, qui n'atteignait pas 9 millions de livres en 1803, en dépassait 20 en 1811 ; en 1814, ils disposaient de 240 vaisseaux, plus 317 frégates et 611 bâtiments moins importants. Peu à peu, tous les vaisseaux de guerre qui auraient pu renforcer les Français étaient tombés entre leurs mains, hollandais et danois, napolitains et portugais ; en 1808 et 1809, les Espagnols et les Turcs passèrent de leur côté ; après ceux de Siniavine, les navires russes bloqués à Cronstadt furent conduits en Angleterre en 1812.

Napoléon, il est vrai, ne cessait pas non plus de construire : 83 vaisseaux et 65 frégates de 1800 à 1814 ; cette dernière année, il disposait de 103 vaisseaux et de 54 frégates ; mais il n'aurait pu rétablir l'équilibre qu'après s'être rendu maître de tout le continent et au prix d'années d'efforts. Jusqu'en 1809, il ne renonça pourtant pas à la guerre d'escadres, en la bornant à des raids sur les lignes de communication de l'ennemi ou contre ses colonies. En 1805 Leyssègues et Willaumez, en 1806 Leduc et Soleil, en 1808 Allemand et Ganteaume, en 1809 Willaumez, Jurien, Troude et Baudouin réussirent à se glisser entre les mailles du blocus. Pris aussitôt en chasse, ils subirent presque tous des pertes énormes ou un désastre complet. Les Anglais détruisirent l'escadre de Leyssègues à Saint-Dominique ; Willaumez perdit deux navires sur six ; en 1806, Linois, revenant de l'île de France, fut maltraité aux Canaries ; en 1809, Willaumez et Jurien, ayant fait leur jonction en rade de l'île d'Aix pour gagner les Antilles, Gambier lâcha contre eux des brûlots ; leurs vaisseaux s'échouèrent, et aucun n'aurait échappé si Gambier avait soutenu l'audacieux Cochrane ; l'escadre de Troude réussit à gagner les Saintes, mais pour s'y voir disperser ; seul, Collingwood, vieilli et fatigué — il mourut en mer en 1809 —, laissa Allemand et Ganteaume ravitailler Corfou. L'insurrection espa-

in South America (New York, 1926, in-8°) ; J. Mancini, *Bolivar et l'émancipation des colonies espagnoles des origines à 1815* (Paris, 1912, in-8°) ; W. S. Robertson, *The life of Miranda* (Chapel Hill [Caroline du Nord], 1929, 2 vol in-8°) ; P. Groussac, Un Français vice-roi de la Plata : Jacques de Liniers, dans la *Revue des Deux Mondes*, 1912, t. III, p. 140-172 ; Fortescue, cité p. 32 (le t. V) ; M. Belgrano, *Belgrano* (Buenos Aires, 1927, in-4°).

gnole mit fin à ces tentatives ; les juntes s'emparèrent des vaisseaux français de Cadix et du Ferrol ; les Anglais, que l'alliance de Charles IV avec le Directoire avait jadis contraints d'abandonner la Méditerranée, trouvèrent dans les ports de la péninsule des points d'appui précieux. Des conséquences encore plus importantes se manifestèrent dans les mers lointaines ; les colonies espagnoles, au lieu de servir de bases aux Français, s'ouvrirent à leurs ennemis ; les conditions de la guerre navale, de la course et de la lutte coloniale s'en trouvèrent retournées.

De 1806 à 1815, la France et ses alliés perdirent 124 vaisseaux, 157 frégates, 288 bâtiments plus petits ; en 1806, il y avait 36.000 prisonniers français en Angleterre, 120.000 en 1815 : les gens de mer en avaient fourni une grande part. La guerre d'escadres prenant fin, il ne resta plus aux Français que la course. Elle causait aux Anglais quelques dommages : le maximum de leurs pertes fut de 619 en 1810 ; de 1803 à 1814, le total atteignit 5.244, soit 2 1/2 % des navires sortis et entrés. Avec les pertes de mer, leur marine marchande diminua ainsi de 5 %. Bien que les constructions fussent tombées, de 1.402 bateaux jaugeant 135.000 tonneaux en 1803, à 596 jaugeant 61.000 tonneaux en 1809, elles firent plus que combler ce vide et, de 22.000 bâtiments en 1805, leur flotte commerciale passa à 24.000 en 1810. Ces résultats démontrèrent définitivement que les corsaires, du moment que les escadres ne pouvaient les soutenir, n'étaient pas en mesure de porter un coup sérieux au trafic ennemi qui se faisait par convois escortés. La sécurité est attestée par le taux des assurances : il varia beaucoup suivant les régions et fut toujours élevé pour la Baltique ; mais il diminua promptement pour les mers lointaines et tomba, en moyenne, de 12 % en 1806, à 6 en 1810, tandis qu'il s'était élevé jusqu'à 25 pendant la Révolution et 50 durant la guerre d'Amérique. Maîtres de la mer, les Anglais anéantirent la marine marchande de la France et de ses alliés. En 1801, la première armait encore 1.500 longcourriers ; en 1810, il en restait 343 ; en 1812, 179. La pêche elle-même se réduisit à rien. La suprématie navale assura donc à la Grande-Bretagne le contrôle du commerce maritime et une extension importante de son trafic, ce qui lui permit de tenir tête au blocus continental, d'accroître sans arrêt ses dépenses et de financer les coalitions.

C'est à cette exploitation commerciale des succès de sa marine de guerre qu'elle consacra principalement son attention ; contrairement à ce qu'on pourrait imaginer, les conquêtes coloniales ne vinrent qu'en second lieu. Pour l'opinion mercantile, l'essentiel était d'interdire aux neutres le trafic avec les colonies ennemies et de se le réserver ; d'ailleurs, jusqu'à Trafalgar, le gouvernement dut concentrer toutes ses forces dans les eaux européennes. Après qu'on eut saisi, en 1803, Sainte-Lucie, Tabago et une partie de la Guyane hollandaise, il fallut donc attendre 1806 pour s'emparer de Surinam ; en 1807, ce fut le tour de Curaçao et des Antilles danoises, Saint-Thomas et Sainte-Croix ; en 1808, de Marie-Galante et de la Désirade. On s'intéressa aussi aux escales africaines qui jalonnaient la route des Indes ; en janvier 1806, Popham, Baird et Beresford débarquèrent au Cap et firent capituler Janssens ; en 1807, on occupa Madère, puis les autres colonies portugaises ; en 1808, Gorée succomba et, en 1809, Saint-Louis. En Amérique, ce fut l'insurrection espagnole qui changea la face des choses. Jusque-là, les Anglais se sentaient obligés à la prudence parce que les côtes de l'Amérique latine pouvaient servir de base à des expéditions hostiles. La situation se renversa. En 1809, la Guyane et la Martinique furent conquises ; en 1810, la Guadeloupe, Saint-Martin, Saint-Eustache et Saba.

Dans l'océan Indien, le revirement de l'Espagne priva aussi Decaen, qui commandait à l'île de France, de l'appui des Philippines ; mais la décision dépendit essentiellement de la politique des gouverneurs de l'Inde.

Après le départ de Wellesley, ses successeurs, Cornwallis, Barlow et Minto adoptèrent une attitude exactement contraire à la sienne et s'arrangèrent avec les princes indigènes pour rétablir la paix. Sindhia traita le premier et on lui abandonna le Radjpoutana ; Holkar récupéra ensuite la plus grande partie de ses États ; Randget Singh, souverain des Sikhs du Pundjab, qui l'avait recueilli un moment, finit par se prononcer pour les Anglais et signa, en 1809, un accord qui fixa la frontière au Satledj et lui donna Jaipour. Tranquille de ce côté, il s'empara de Multan, de Peshavar et de Cachmir, et s'allia à l'Afghanistan qui remit la main sur le Baloutchistan et le Sindh. Tout cela prit du temps et ne laissa pas de donner à penser pour l'avenir. En outre, l'Inde centrale, laissée à elle-même, tomba dans l'anarchie ; des bandes de soldats licenciés et de brigands, les Pindaris, y commirent d'affreux ravages. Les progrès des missions n'allèrent pas non plus sans inconvénients ; la *London society* débuta dans l'Inde en 1804 ; les baptistes abordèrent la Birmanie en 1807 et Ceylan en 1812 ; en 1813, l'Inde eut son premier évêque ; mais le fanatisme, surexcité, compta pour quelque chose dans la révolte des cipayes, à Vellore, en 1807. Du moins, l'abandon de la politique agressive de Warren Hastings et de Wellesley eut l'avantage de permettre à lord Minto d'agir au dehors avec vigueur.

Aux Mascareignes, Decaen avait fait prévaloir les vues de Napoléon : il supprima les assemblées coloniales, rétablit la centralisation et réorganisa, sous le nom de gardes nationales, les anciennes milices. Les colons regrettèrent l'autonomie dont ils jouissaient, en fait, pendant la Révolution, mais se soumirent, parce que l'esclavage fut de nouveau légalisé ; pour alimenter la traite, Decaen se mit en rapport avec Madagascar et créa un comptoir à Tamatave. Il ne cessa jamais de penser à l'Inde ; en 1804, il demanda des renforts pour soutenir les Mahrattes ; après Tilsit, il proposa une diversion maritime pour soutenir l'expédition franco-russe projetée ; en janvier 1808, son frère vint en parler à l'empereur, qui promit une escadre et 15.000 hommes. Si les Anglais n'eurent jamais à prendre l'alarme, ils détestaient ce « nid de pirates », Surcouf leur ayant fait la vie dure. En 1810, lord Minto résolut d'en finir ; au mois de juillet, il s'empara de l'île Bonaparte (autrefois île Bourbon, de la Réunion). En août, Duperré et Bouvet détruisirent une escadre de quatre frégates en rade de Port-Louis ; mais, à la fin de novembre, 16.000 hommes débarquèrent au nord de l'île de France et Decaen, ne disposant que de 1.846 hommes, fut vaincu et capitula le 3 décembre. L'année suivante, les Anglais occupèrent Tamatave. Les Seychelles, dès le début, avaient conclu un accord de neutralité. Lord Minto se tourna ensuite vers les Indes néerlandaises : Java et les Moluques tombèrent entre ses mains.

L'empire colonial de la France et de la Hollande comptait pour bien peu auprès de celui de l'Espagne. Dès que celle-ci eut déclaré la guerre en 1804, Windham et Grenville patronnèrent les projets de Popham et de Miranda. Après avoir offert ses services à Bonaparte qui, tout à ses négociations avec l'Espagne et le sachant à la solde de l'Angleterre, le fit expulser en 1801, Miranda était retourné à Londres ; d'accord avec Popham, il proposa, en octobre 1804, d'attaquer simultanément Caracas, Buenos-Aires et Valparaiso ; Grenville voulait même s'en prendre au Mexique, par le golfe d'une part, et de l'autre par le Pacifique, une expédition partie de l'Inde devant débarquer à Acapulco, après avoir pris Manille en chemin. Occupé à fomenter la troisième coalition, Pitt se contenta d'envoyer Miranda aux États-Unis pour attaquer la Floride ; Jefferson refusa et lui laissa seulement former, contre le Venezuela, une petite expédition, qui échoua en février 1806. Cochrane, qui croisait aux Antilles, procura une nouvelle escadre qui partit de Grenade en juillet et n'eut pas plus de succès. En 1807, Miranda retourna en Angleterre.

Déjà, l'affaire avait pris un tour plus sérieux grâce à Popham : du Cap, il emmena, de son propre chef, les troupes de Beresford et les débarqua en juin 1806 au sud de Buenos-Aires. Le vice-roi se fit battre et perdit la ville. Un émigré français, Jacques de Liniers, pourvu d'un commandement dans les environs, courut à Montevideo et en ramena une petite troupe qui fit capituler Beresford le 12 août. Mais le gouvernement anglais n'avait pas résisté à la tentation de conserver cette conquête et l'expédition d'Auchmunty était en route ; trouvant Buenos-Aires aux mains de Liniers, elle s'empara de Montevideo, le 3 février 1807, et y vit arriver Craufurd, d'abord destiné à Valparaiso, puis White-locke, qui prit la direction. Le 5 juillet, il pénétra dans Buenos-Aires, mais, cerné après un combat de rues, signa le lendemain une convention d'évacuation. En récompense, Liniers devint comte, grand d'Espagne et vice-roi.

Encore une fois, l'affaire d'Espagne procura aux Anglais une revanche. En mai 1808, pour faire reconnaître Joseph, Napoléon pensa utiliser Liniers, qui lui avait écrit comme à l'allié de Charles IV, et lui dépêcha le marquis de Sassenay, tandis qu'il envoyait un autre noble à Caracas. L'issue fut lamentable. A Montevideo, Sassenay trouva un Espagnol, Elio, jaloux de Liniers, qui, au premier mot, avertit ses compatriotes de Buenos-Aires ; à l'arrivée de Sassenay, ils obligèrent Liniers à le renvoyer à Montevideo où Elio l'emprisonna. A Caracas, une émeute contraignit le gouverneur à chasser le navire français, qui fut pris par les Anglais. On proclama partout Ferdinand VII et l'Amérique espagnole échappa à Napoléon. L'Espagne, toutefois, risquait aussi de la perdre. Les créoles, la sachant impuissante et ne regardant Ferdinand prisonnier que comme un roi nominal, entendaient profiter de l'occasion pour s'assurer l'autonomie, sinon l'indépendance. A Buenos-Aires, ils se contentèrent de soutenir Liniers contre les Espagnols, qui tentèrent de le renverser ; mais, à Caracas, Bolivar et ses amis s'emparèrent de l'autorité en juillet 1808 et il en alla de même, l'année suivante, à Quito, Charcas et La Paz. C'était prématuré. La junte de Séville envoya de nouveaux fonctionnaires, qui s'imposèrent en général sans difficulté. Emparan rétablit l'ancien régime à Caracas et Cisneros se substitua à Liniers. Les troupes de Lima réduisirent

Quito et les villes du haut Pérou. Devenus les alliés de l'Espagne, les Anglais n'osèrent pas soutenir les révoltés ; néanmoins, ils recueillirent de ces événements le bénéfice qu'ils souhaitaient. Déjà, en 1807, Popham avait adressé aux négociants britanniques une circulaire pour les inviter à envoyer à Buenos-Aires toutes les cargaisons qu'ils pourraient et il s'en était suivi un *rush* extraordinaire. Les créoles se mirent ensuite à trafiquer librement avec les défenseurs de leur roi ; le 6 novembre 1809, le gouvernement de Buenos-Aires admit officiellement les Anglais à faire commerce dans la colonie ; en 1810, la douane y produisit plus de 2 millions 1/2 de piastres contre moins d'un avant la guerre. Le Brésil aussi leur ouvrit ses ports. Au moment où l'Europe menaçait de se fermer à l'exportation britannique, la conquête de pareils marchés excita l'enthousiasme en Angleterre. Mais, en déchaînant la guerre civile, les nouvelles rébellions des créoles n'allaient pas tarder à y enrayer les progrès du commerce britannique.

En Europe, les avantages commerciaux de la maîtrise des mers ne se révélèrent pas moindres. Tout en resserrant le blocus de l'empire, les points d'appui qu'elle permit d'occuper servirent à développer la contrebande et à déjouer le blocus continental. Dans la mer du Nord, Heligoland devint un entrepôt anglais ; le long des côtes de France, nombre d'îles jouèrent un rôle semblable : Saint-Marcouf, les Chausey, les Molènes, les Glenans, Houat et Hoëdic, l'île Verte en face de la Ciotat, les îles d'Hyères ; les Anglais mouillèrent des corps morts en rade de Quiberon et dans la baie de Douarnenez D'autre part, la flotte britannique resta maîtresse du Sund et de la Baltique. Toutefois, les progrès furent particulièrement remarquables dans la Méditerranée et le Levant, si bien que la chaîne d'alliances que Napoléon avait ourdie pour pousser son influence jusqu'en Perse se retourna contre lui. Tenant Gibraltar et Malte, l'Angleterre fermait la Méditerranée occidentale ; depuis 1798, elle était maîtresse de la Sicile et, en 1806, en occupa l'angle nord-est ; le traité d'alliance du 30 mars 1808 accorda à Ferdinand IV un subside de 300.000 livres, ensuite porté à 400.000, expressément réservé aux armements, en sorte que le gouvernement de Londres put exiger des comptes et se faire reconnaître bientôt l'inspection des troupes napolitaines. Malgré cela, il conserva toujours des inquiétudes sur les intentions de la cour et principalement de Marie-Caroline. La tutelle semblait lourde et le subside maigre. En 1810, le roi, n'ayant pu obtenir de l'assemblée des États le vote de nouveaux impôts, les établit de sa propre autorité et brisa la résistance, en faisant arrêter et déporter, le 19 juillet 1811, cinq des barons les plus récalcitrants.

Or, le 24, débarqua lord Bentinck, investi tout à la fois des pouvoirs diplomatiques et du commandement en chef. Ancien gouverneur de Madras, c'était un colonial, autoritaire et cassant ; c'était aussi un whig convaincu, à qui l'introduction du régime constitutionnel britannique dans les pays étrangers semblait une obligation de conscience pour le bonheur du genre humain. En soutenant l'opposition, il trouvait d'ailleurs le moyen de mettre la cour à la raison. Comme elle ne l'écouta pas, il se rembarqua le 27 août et alla se faire accorder à Londres les pleins pouvoirs et la suspension du subside. De retour, il concentra ses troupes autour de Palerme, exigea le commandement de l'armée sicilienne, le rappel des bannis et le renvoi des ministres. Le roi sauva la face en déléguant ses pouvoirs, nominalement du moins, à son fils comme vicaire-général, le 14 janvier 1812 ; ultérieurement, Bentinck obligea la reine à quitter Palerme ; en mars, le prince dut livrer aux bannis le gouvernement et Bentinck leur fit convoquer un parlement pour approuver une constitution de sa façon. A ce moment, la Méditerranée occidentale, grâce à l'insurrection espagnole qui avait livré les Baléares, était devenue à peu de chose près un lac anglais. Les Barbaresques eux-mêmes, sans renoncer à la piraterie, s'accommodaient de la situation et le sultan du Maroc se tenait en bons termes avec les maîtres de la mer. De Malte et de la Sicile, on pouvait s'introduire aisément dans l'Adriatique ; en 1809, les croisières britanniques finirent par s'y rendre maîtresses des îles Ioniennes, à l'exception de Corfou ; puis elles s'attaquèrent aux îles dalmates et en occupèrent plusieurs ; en mars 1811, elles remportèrent une victoire navale à Lissa. La domination de l'Adriatique leur assura la prépondérance en Albanie et en Épire : Ali-Tebelen fit volte-face une fois de plus.

Dans la Méditerranée orientale, l'action fut également dirigée en 1807, de Malte et de la Sicile, contre Constantinople et l'Égypte. Elle ne réussit pas ; mais les côtes turques ne se trouvaient pas moins à la merci des Anglais, et bientôt le sultan, que l'alliance franco-russe irritait et alarmait, fit la paix en s'engageant à fermer de nouveau les Détroits aux navires de guerre étrangers. Les agents britanniques, principalement Stratford Canning, cousin du ministre, qui commença, en 1809, à Constantinople, une carrière illustre, travaillèrent désormais à réconcilier les Turcs et les Russes. Le marché du Levant s'abandonna au commerce anglais, dont les progrès devinrent bientôt énormes. La Perse également changea de camp. Malgré les efforts de Gardane, la guerre avait recommencé en Arménie. Vainqueurs à Nakhitchevan, les Russes assiégèrent Erivan. Ayant fait la paix avec les Turcs, les Anglais, venant de l'Inde, entrèrent dans le golfe Persique et, en mai 1808, Malcolm débarqua à Bender-Abbas. Le chah, ne tirant rien de la France, décida de recevoir son envoyé sir Harford Jones ; sur quoi Gardane quitta Téhéran le 1er février 1809. Le 12 mars, un traité ferma le pays aux Français ; en 1814, un autre devait en garantir l'intégrité contre la Russie. En 1809, une mission obtint aussi de l'émir des Afghans l'assurance qu'il n'aiderait aucune entreprise dirigée contre l'Inde.

L'indépendance des pachas d'Égypte, de Syrie et de Bagdad ne laissait pas, il est vrai, d'inspirer quelques préoccupations. Aussi les Anglais entrèrent-ils en rapports avec les Wahabites, leurs ennemis à tous. Saoud, fils d'Abd ul-Aziz, avait pris Médine en 1804, menacé Damas et Alep, attaqué, en 1808 et 1811, le pacha de Bagdad. Ce dernier, assailli au nord par le pacha de Souleimanié et par les Kurdes, voyant les Anglais en mesure de débarquer à Bassorah, devint aussi leur ami. Saoud rendit encore le service de battre l'imam de Mascate et de molester les Français par toute l'Arabie. Quant à Méhémet-Ali, il fut longtemps occupé à réduire les derniers Mameloucks qui avaient repris les armes en 1808 ; le 1er mars 1811, il en vint à bout par un guet-apens : les ayant invités à une fête, il les fit massacrer. Il entreprit alors de soumettre les Wahabites ; après une tentative malheureuse en 1811, son fils Toussoun reconquit les villes saintes en 1812 ; l'année suivante, la campagne de Méhémet lui-même ne réussit pas ; mais, en 1814, Toussoun s'empara de Taïf et, en 1815, après la mort de Saoud, Méhémet put prendre Rass, capitale du Nedjd et signer la paix. Ces rudes travaux ne lui permirent pas de chercher noise aux Anglais. Ainsi tout l'Orient avait échappé à Napoléon et, de Gibraltar à l'Inde, par mer et par terre, les Anglais étaient parvenus à isoler l'Empire.

II. — *LES CAMPAGNES DE WELLINGTON*[1].

L'empire napoléonien apparaissait donc comme un îlot d'où ses habitants ne pouvaient sortir, tandis que ses ennemis se

1. Ouvrages a consulter. — Voir p. 266 ; L. Guedalla, *The Duke* (Londres, 1931, in-8°) ; R. Aldington, *Wellington* (Londres, 1946, in-8°) ;

mouvaient librement, à l'entour, sur toute la surface de la planète. Mais c'était aussi une forteresse qu'on ne réussirait ni à réduire par la famine, ni à prendre d'assaut tant que l'armée française n'aurait pas été détruite. La flotte britannique n'y pouvait rien que débarquer à l'endroit convenable des troupes qui aideraient les coalisés continentaux. Cette menace, utile en soi, parce qu'elle obligeait Napoléon à garder toutes les côtes et qu'elle énervait l'opinion, ne suffisait pourtant pas. Les alliés de l'Angleterre le savaient bien et, tout en empochant son argent, ne la tenaient pas quitte : tant que ses vaisseaux n'amenaient pas d'habits rouges, ils lui reprochaient de ne dominer la mer qu'à son profit exclusif. La plupart des ministres anglais et l'immense majorité de leurs concitoyens n'en répugnaient pas moins à guerroyer sur le continent, avant tout par ce sentiment insulaire que les expériences de 1793 et de 1799, puis les menaces de débarquement en Grande-Bretagne avaient singulièrement renforcé, mais aussi parce que les ressources en hommes n'abondaient pas. Si les Anglais s'engageaient volontiers à prendre les armes pour défendre leur pays, on ne recrutait guère l'armée qu'à l'aide de primes, parmi les pauvres gens, et on n'en trouvait pas comme on voulait. Les territoires d'outre-mer allaient s'étendant et l'on ne pouvait dégarnir tout à fait la Grande-Bretagne, encore moins l'Irlande soumise à la loi martiale : il restait donc fort peu de soldats disponibles, et l'on hésitait d'autant plus à aventurer un corps expéditionnaire qu'on savait ne pouvoir le reconstituer qu'à grand'peine.

Th. Lucke, *Wellington der eiserne Herzog* (Berlin, 1938, in-8°) ; H. Brett-James, *Wellington at war, 1794-1815, A selection of his wartime letters* (Londres, 1961, in-8°) : il s'agit d'un choix de 175 lettres ou ordres, extraits de la correspondance générale de Wellington, 83 concernant la guerre d'Espagne, 26 les opérations en France et en Belgique en 1814-1815 ; S. G. P. Ward, *Wellington's headquarters. A study of the administrative problems in the Peninsula, 1809-1814* (Londres, 1957, in-8°). — Du point de vue français, *Mémoires du maréchal Soult. Espagne et Portugal*, texte établi et présenté par L. et A. de Saint-Pierre (Paris, 1955, in-8°). — Sur la situation économique et sociale de la Catalogne, à la veille de l'occupation française, P. Vilar, *La Catalogne dans l'Espagne moderne*, cité p. 38, t. II et t. III ; P. Conard, *Napoléon et la Catalogne* (Paris, 1909, in-8°) ; lieut.-col. Grasset, *Malaga province française* (Paris, 1910, in-8°) ; A. Fugier, *La junte supérieure des Asturies et l'invasion française, 1810-1811* (Paris, 1930, in-8°) ; J. Vidal de La Blache, La préfecture des Bouches-de-l'Èbre, dans la *Revue de Paris*, 1912, t. VI, p. 165-187 ; J. Mercader Riba, *La organización administrativa francesa en España* (Saragosse, 1959, fasc. in-8°) ; M. Artola, *Los Afrancesados* (Madrid, 1953, in-8° ; avec une préface de G. Marañon) ; J. Lucas-Dubreton, *Napoléon devant l'Espagne. Ce qu'a vu Goya* (Paris, 1946, in-8°).

Il convenait aussi de considérer la dépense et les difficultés monétaires : les troupes anglaises payaient ce qu'elles tiraient du pays, même en Portugal et en Espagne, même en France en 1814 ; il fallait leur envoyer du numéraire ou se procurer du change. Enfin, au Parlement, toute entreprise continentale fournissait à l'opposition le moyen d'émouvoir l'opinion ; elle ne se gênait pas pour déclarer que, sur terre, Napoléon était invincible : argument oblique en faveur de la paix. Pour toutes ces raisons, Fox et ses successeurs, à part le renfort envoyé aux Suédois en Poméranie, s'abstinrent de toute intervention sur le continent, et cette attitude ne contribua pas médiocrement à leur aliéner la Russie. Canning et Castlereagh se prononçaient pour une politique toute contraire ; mais Tilsit avait dissous la coalition, et ce fut seulement à Copenhague que le premier put montrer ce qu'il savait faire.

Ici encore, l'insurrection espagnole joua un rôle capital. Canning n'hésita pas à promettre son appui aux juntes ; non content de leur envoyer de l'argent et du matériel, il obtint qu'on reconquît le Portugal, qui jusqu'alors se voyait refuser tout secours militaire, et qu'on envoyât Baird en Galice. Ce qui lui fit la partie belle, c'est qu'au premier moment, les whigs applaudirent à la révolte avec enthousiasme. Mais, après la campagne de l'empereur, ce fut une autre chanson. L'opposition se réveilla pour critiquer la convention de Cintra et pour soutenir que le Portugal n'était pas défendable. Tel avait été l'avis de Moore, en sorte que le gouvernement se demanda s'il fallait rappeler Craddock, resté à Lisbonne avec 10.000 hommes, ou réexpédier en Portugal l'armée revenue de Galice en piteux état. Cette fois, ce fut Castlereagh, qui, après avoir entendu Arthur Wellesley, décida, le 2 avril 1809, de l'y envoyer, sur l'assurance qu'avec 30.000 hommes il sauverait le Portugal. A ce moment, toutefois, l'Autriche entrait en guerre et, sous prétexte de lui venir en aide, Castlereagh qui, en bon élève de Pitt, fixait avant tout son attention sur les Pays-Bas, ne résista pas à la tentation d'envoyer une expédition en Hollande, en sorte que l'Angleterre, après avoir négligé d'agir de 1805 à 1807, intervint en deux endroits à la fois et que les renforts envoyés en Portugal n'y portèrent guère l'armée qu'à 26.000 hommes. Au printemps de 1809, en envoyant tous les effectifs sur la côte allemande, l'Angleterre aurait pu au contraire frapper un coup décisif. L'expédition de Walcheren échoua et, désormais, l'action continentale de l'Angleterre se borna, jusqu'à la fin, à la péninsule ibérique.

Encore ne fut-elle pas poursuivie sans hésitations ni débats. En 1809, le cabinet Portland se décomposait. Canning et Castlereagh, de par leurs origines et leurs caractères, pouvaient difficilement faire bon ménage ; le premier aspirait à devenir le chef du gouvernement et à diriger la guerre comme la diplomatie ; en avril, il somma ses collègues de choisir entre son rival et lui. On ajourna la décision jusqu'à la fin de la guerre ; après Walcheren, la crise éclata. Canning donna sa démission et Castlereagh le blessa en duel, le 21 septembre. Puis Portland mourut. Perceval, resté à l'Échiquier, reconstitua un ministère et appela au Foreign Office Richard Wellesley, l'ancien gouverneur de l'Inde, qui fit de son mieux pour qu'on renforçât l'armée de son frère. Ce gouvernement demeura toujours très faible. La défaite de l'Autriche et le mariage de Napoléon avaient jeté le doute dans l'opinion ; Grenville, Grey et Ponsonby demandaient qu'on abandonnât l'Espagne, critiquaient le général et contestaient ses succès ; il avait fallu concéder une enquête sur l'expédition de Zélande et la couronne était éclaboussée par le scandale où se trouvait compromise la maîtresse du duc d'York, convaincue d'avoir vendu des brevets d'officiers. Pour comble, le roi redevint fou. Le prince de Galles, déconsidéré lui-même par ses querelles avec Caroline de Brunswick qu'il accusait publiquement d'adultère, se vit conférer la régence, aux mêmes conditions qu'en 1788, jusqu'au 1er février 1812 ; comme il avait toujours entretenu des relations intimes avec les whigs, on pouvait croire qu'à cette date, investi de la plénitude du pouvoir, il les appellerait au gouvernement. Enfin, en 1811, une terrible crise économique bouleversa le pays, compromit les finances et suscita des troubles. Il n'est donc pas surprenant que le gouvernement Perceval se soit montré réticent à l'égard de Wellesley, devenu sur ces entrefaites lord Wellington. Il ne lui cacha point que, s'il subissait un échec grave, l'évacuation deviendrait inévitable ; quand l'offensive de Masséna fut annoncée en 1810, il l'avertit qu'on lui pardonnerait plus aisément de se rembarquer trop tôt que trop tard. Les renforts ne furent accordés qu'avec une extrême parcimonie et on laissa le général aux prises avec des embarras financiers harassants.

La retraite de Masséna ranima la confiance : les renforts devinrent plus importants et permirent d'entreprendre la victorieuse campagne de 1812. Durant trois ans, Wellington dut pourtant ne compter que sur lui-même ; tout en menant la guerre, c'était lui qui avait à remonter le moral du gouvernement.

Ainsi s'explique la circonspection de sa stratégie jusqu'en 1812 et le soin qu'il mit à réorganiser l'armée portugaise. L'un de ses mérites les plus éminents fut de persister malgré tout et de conduire cette guerre dans le cadre de la politique générale dont il avait la parfaite intelligence. Il montra que, telle quelle, l'entreprise gardait une immense portée et donnait à la maîtrise de la mer sa véritable efficacité. Grâce à lui, et aussi à Canning et à Castlereagh, l'Angleterre saisit le géant corps à corps.

En 1809, Arthur Wellesley avait quarante ans, comme Napoléon. Après un long séjour dans l'Inde où il servit sous les ordres de son frère, de 1798 à 1805, il commençait seulement sa carrière européenne. Sobre et d'une santé de fer, il pouvait, de même que l'empereur, travailler longtemps et dormir peu. L'intelligence était claire et précise, positive et habile à organiser ; la volonté tenace et froide sans exclure l'audace calculée. Très indépendant en ses jeunes années, il fut un chef extrêmement autoritaire, qui ne permettait à ses lieutenants, d'ailleurs médiocres, aucune initiative. Ce qui marque le plus fortement sa physionomie, c'est la morgue aristocratique qu'avait encore durcie son long séjour au milieu des *natives* de l'Inde ; il traitait ses officiers avec une hauteur dédaigneuse et rien n'égalait son mépris pour le peuple et ses propres soldats qui en sortaient, « l'écume de la terre », « un tas de canailles », « tous gens enrôlés pour boire et qu'on ne pouvait mener qu'à coups de fouet ». Du moins, l'orgueil de race l'unissait étroitement à sa caste et au pays dont elle était, à ses yeux, la légitime propriétaire ; il n'a jamais songé qu'à les servir ; son âme sèche, sans imagination comme sans affection, le préservait de l'individualisme romantique qui a perdu Napoléon, mais paré son génie d'une éternelle séduction.

En tant qu'homme de guerre, l'esprit et le caractère de Wellesley s'adaptaient parfaitement au commandement d'une armée de métier, d'effectif médiocre, et à des campagnes lentes et monotones, entrecoupées de batailles défensives, dont l'objet essentiel se ramenait à user l'ennemi. Au point de vue technique, c'était essentiellement un chef d'infanterie ; se servant peu de la cavalerie, il ne poursuivait guère ; son artillerie, à pied et à cheval, était excellente, mais peu nombreuse ; il n'avait ni matériel de siège, ni sapeurs, ni ingénieurs ; ses fantassins durent suffire à tout et subirent des pertes énormes en prenant les places fortes d'assaut. Sur tous les adversaires de l'empereur, il possédait pourtant cette éclatante supériorité d'avoir mûrement réfléchi à la tactique qu'il convenait d'adopter en face des Français ; il conserva l'ordre linéaire en assouplissant sa méthode de combat : contre les tirailleurs, il abrita ses lignes derrière des haies, des abattis, des maisons crénelées, ou les dissimula à contre-pente ; il ne dédaignait d'ailleurs pas l'emploi du feu dispersé et à volonté : chaque bataillon éparpillait en avant une compagnie et, à partir de 1809, il employa un régiment de *rifles* et des corps étrangers dressés à cet effet. Mais il se rendait compte que, gâtés par leurs triomphes, ses adversaires tendaient à abréger le combat en tirailleurs et à faire avancer de plus en plus promptement leurs profondes colonnes de bataillon : à Maida, ils avaient même attaqué sans tirer ; en dérobant ses soldats, Wellesley calculait que les Français, incapables d'apprécier les résultats du feu ou impatients des médiocres progrès de leurs tirailleurs, attaqueraient d'autant plus volontiers à la baïonnette ; en ce cas, l'ordre mince rendait l'avantage du feu à une troupe à peu près intacte et de sang-froid. Le fantassin anglais, soldat de métier, était soigneusement exercé au tir par salves ; son fusil lançait des balles plus lourdes que celui des Français. En outre, Wellesley adopta une ligne de deux rangs au lieu de trois : un bataillon de 800 hommes disposait ainsi de 800 balles par salve ; le bataillon français se rangeait en colonne par compagnie sur 40 hommes de front et 18 files de profondeur, ou par double compagnie, sur 80 hommes de front et 9 files : les deux premiers rangs ne pouvaient répondre que par 80 ou 160 balles ; s'il essayait de se déployer, il perdait une bonne partie de son effectif avant d'y parvenir et, ordinairement, se disloquait ; en tout cas, l'attaque s'arrêtait. Lorsque cette tactique eut fait ses preuves, le général anglais n'hésita pas à l'occasion, comme aux Arapiles, à prendre l'offensive dans le même ordre, la ligne s'avançant au pas et s'arrêtant méthodiquement pour tirer. Mais sa tactique fit surtout merveille dans la bataille défensive et s'harmonisa donc avec les conditions générales de ses campagnes ; elle supposait aussi une armée de métier, dressée comme celle de Frédéric II à l'automatisme par une discipline implacable et les châtiments corporels. Les lieutenants de Napoléon n'ont rien retenu des leçons qu'il leur infligea et, faute d'être venu le voir à l'œuvre, Napoléon ne put apprécier sa valeur que sur le champ de bataille de Waterloo.

Avec tout son talent, Wellesley n'aurait probablement pas réussi à se maintenir dans la péninsule s'il n'avait disposé du Portugal. Il y trouva une base que la flotte britannique ravitaillait librement et il y réorganisa une armée nationale qui lui fournit d'importants contingents. La régence ne put jamais traiter d'égale à égale avec l'Angleterre et, en 1810, elle s'adjoignit Charles Stuart, qui devint le maître de l'administration. Wellesley ne cessa, pourtant, de se plaindre du népotisme et de l'incurie de l'aristocratie, de son obstination à maintenir ses privilèges fiscaux. Il désirait que le subside, 1 million 1/2 puis 2 millions de livres, fût mis à sa disposition pour nourrir l'armée. Londres n'y voulut jamais consentir, afin de ménager les Portugais. Comme le pays ne vivait qu'au moyen de denrées amenées des États-Unis et vendait la moitié moins de vin qu'avant la guerre, la régence ne se tirait d'affaire qu'en alimentant les soldats par des réquisitions payées en papier déprécié ; mal nourris, ils tombaient malades ou désertaient en grand nombre. En février 1809, la régence sollicita les Anglais de leur donner un chef : ils désignèrent Beresford, général médiocre, mais bon organisateur, lequel introduisit dans les régiments un certain nombre d'officiers et d'instructeurs britanniques ; à deux exceptions près, les généraux furent de même origine. En septembre 1809, il y avait 42.000 hommes sur pied ; en 1810, on atteignit à peu près l'effectif prévu de 56.000 ; toutefois on eut beaucoup de peine à les armer et on ne put jamais monter tous les cavaliers. On tira aussi parti de la milice pour les garnisons, les reconnaissances, la guérilla ; en 1810, on recourut même à l'*ordenanza* ou levée en masse.

Les Espagnols ne procurèrent pas les mêmes satisfactions. Ils n'entendaient pas se laisser gouverner et, jusqu'en 1812, refusèrent de subordonner leurs forces aux Anglais. Pourtant, la junte centrale manquait d'autorité ; après s'être enfuie à Séville en décembre 1808, elle dut se réfugier à Cadix en janvier 1810 et y abdiqua en faveur d'un conseil de régence ; en septembre, les Cortès se réunirent et créèrent un conseil exécutif qu'elles remplacèrent, en 1812, par une nouvelle régence. Tous ces gouvernements se montrèrent indécis et suspects de népotisme et de vénalité ; le vieux conseil de Castille et l'ancienne junte de Séville contestaient leur pouvoir et certains, le comte de Montijo, le duc de l'Infantado, le frère de Palafox, complotèrent pour les renverser. Les juntes provinciales n'étaient pas stables non plus, erraient pour la plupart de ville en ville et n'obéissaient que s'il leur plaisait. Entre les juntes et les chefs militaires, l'entente resta toujours précaire, et les guerilleros n'en faisaient qu'à leur tête. D'autre part, si la population détestait les envahisseurs, il n'en résulte pas que tous les hommes fussent disposés à combattre et, en tout cas, ils répugnaient à la conscription que la junte centrale réglementa en 1811 ; bien qu'on eût prévu une armée de 800.000 hommes, le nombre des réguliers n'atteignit jamais 100.000 ; on éprouva d'ailleurs des difficultés à les encadrer et à les pourvoir, en dépit des envois d'argent de l'Amérique qui s'élevèrent à près de 3 millions la première année. A la conscription s'ajouta la levée en masse, institution coutumière dans plusieurs provinces du nord et généralisée par la junte centrale le 17 avril 1809 ; elle donna aussi des résultats médiocres ; dans les Asturies, par exemple, on put mobiliser les paysans en 1809, mais ils restèrent chez eux en 1810 ; au surplus, ne trouvant ni officiers ni armes à leur donner, on ne put guère les utiliser que pour les services auxiliaires.

C'était la guérilla qui convenait le mieux aux Espagnols, parce que le soldat y demeurait son maître. La junte centrale légalisa la guerre de partisans, le 28 décembre 1808, et les bandes fourmillèrent, dont quelques-unes devinrent célèbres, comme celles de l'Empecinado, un laboureur de Castille, et des deux Mina, en Navarre. Elles gênèrent les Français, en attaquant les fourrageurs, les convois, les postes écartés, les fatiguèrent et les affaiblirent par de quotidiennes pertes de détail ou en les obligeant à détacher d'importants effectifs à la garde des communications ; dans le nord, l'empereur dut multiplier les escadrons de gendarmerie. On a exagéré pourtant l'efficacité de ces bandes ; chaque fois que les Français purent occuper une province avec des forces suffisantes, loin de pouvoir les en empêcher, elles ne réussirent même pas à compromettre sérieusement leur sécurité ; tel fut le cas pour les Asturies, si propice que leur fût le pays, pendant le commandement de Bonnet. En outre, ces bandes fort mêlées, ne se distinguaient pas toujours nettement des brigands de grand chemin ; quand elles se composaient de paysans honnêtement dévoués à la cause de la religion, elles n'en inspiraient pas moins de crainte aux riches par leurs exigences et leurs pilleries, en sorte que les Français retrouvèrent parfois des sympathies. Bonnet put organiser une contre-guérilla et, en Andalousie, Soult réussit à constituer des compagnies d'*escopeteros*, véritable garde nationale d'*afrancesados* ; la résistance en rase campagne définitivement brisée, les *guerilleros* auraient promptement disparu. Or, sans l'aide des Anglais, les réguliers ne pouvaient tenir. La junte centrale ne s'en montra pas moins méfiante à leur égard et refusa de les admettre à Cadix ; malgré les efforts d'Henry Wellesley, le futur lord Cowley, elle ne consentit pas, après Talavera, à reconnaître Wellington comme généralissime et les chefs espagnols ne coopérèrent avec lui que de mauvaise grâce. Les troubles d'Amérique et l'ouverture des colonies au commerce britannique aggravèrent encore la mésintelligence.

Le succès des Français n'eût pas été douteux si Napoléon, après Wagram, fût revenu en Espagne, ni même peut-être s'il eût laissé derrière lui un chef comme Davout, avec pleins pouvoirs. Joseph, quoique flanqué de Jourdan, était incapable de conduire cette guerre. Il n'exerça même pas l'autorité civile. Urquijo, Azanza, Cabarrus, le chanoine Llorente et d'autres se rallièrent, assez nombreux pour constituer une cour, un ministère, un conseil d'État. Mais l'argent manquait et le roi subsistait à grand' peine au moyen d'octrois municipaux, d'emprunts forcés et de papier-monnaie gagé sur la vente problématique des seuls biens du clergé, Napoléon se réservant les biens séquestrés des rebelles. Dans les provinces, les généraux, abandonnés à leurs propres forces et ne recevant même pas la solde, mettaient la main sur les ressources disponibles ; ils prirent l'habitude de ne penser qu'à leur secteur et, quand Napoléon donna la haute main à tel maréchal, les autres firent tout manquer par leur mauvaise volonté ou leur négligence. Ney alla jusqu'à refuser positivement d'obéir à Masséna. L'empereur, dictant des plans, envoyant directement des ordres aux chefs d'armée, aggrava l'anarchie, sans compter que, mal instruit des circonstances ou desservi par la distance, il lui arriva d'expédier des instructions inexécutables ou périmées. Si Wellington eut à se plaindre des généraux espagnols, les opérations de ses adversaires furent tout aussi désousues et il put les battre ou les arrêter séparément.

Quant aux conditions physiques et économiques de la guerre — le relief, le climat, l'absence de routes, la rareté des subsistances —, on a coutume de dire, et avec raison, qu'elles desservirent grandement les Français ; mais il faut ajouter que leurs ennemis aussi en souffrirent beaucoup. Les maladies décimèrent les Anglais et les transports leur causèrent de grandes difficultés. On est surtout frappé de l'importance capitale que le ravitaillement présenta pour toutes les armées indistinctement. Encore les Espagnols et les Portugais étaient-ils accoutumés à vivre de peu ; les Anglais, au contraire, se trouvèrent loin de compte ; quant à la cavalerie, elle fut plus d'une fois démontée en partie, faute de fourrages. Aussi les réguliers, d'un côté comme de l'autre, prirent-ils, peu ou prou, l'habitude de vivre comme les guerilleros, en sorte que la péninsule put se croire revenue au temps des grandes compagnies. Amis et ennemis dépouillaient pareillement l'habitant. La maraude encourageait la désertion ; comme il se trouvait beaucoup d'étrangers dans les rangs anglais et que Napoléon envoya en Espagne quantité de régiments vassaux ou alliés, les déserteurs passaient d'un camp à l'autre ou fraternisaient ; il se forma des bandes qui opéraient pour leur propre compte. Les Français, habitués à se débrouiller pour vivre sur le pays, achevèrent de se démoraliser sur cette terre où, perpétuellement affamés, ils n'obtenaient rien que par surprise et les armes à la main ; leurs chefs leur donnèrent trop souvent l'exemple de la concussion, tels Sébastiani, Kellermann, Soult, Duhesme à Barcelone, Godinot qui, soumis à l'enquête, se tua en 1812. Les Anglais se dédommagèrent de leurs souffrances par des soûleries épouvantables et par le pillage en règle des villes prises d'assaut. Au point de vue stratégique, la rareté des vivres et la difficulté des transports concourent à expliquer que Wellington ait pris souci de ne pas trop s'éloigner de sa base et de s'en rapprocher après chaque campagne. Elles justifient aussi sa confiance en présence des offensives françaises : il comptait les arrêter en dévastant le pays devant elles, convaincu que, si elles avaient, par impossible, constitué des magasins, mulets et voitures leur manqueraient. Il en eût été autrement si Napoléon fût venu préparer une campagne d'Espagne avec le même soin qu'il prit pour celle de Russie. Puisqu'il ne s'y décida pas, l'avantage, tout compte fait, se trouva du côté de Wellington : comme il payait comptant, les paysans, d'ailleurs amis, lui apportaient ce qu'ils pouvaient ; grâce à la flotte britannique, il tirait des secours du dehors et formait des magasins, tandis que les Français ne recevaient rien de leur pays. En 1812, Wellington, inaugurant une campagne d'hiver, surprit l'adversaire qui ne pouvait guère commencer les opérations avant la moisson.

Ces conditions générales donnèrent à la guerre d'Espagne un caractère entièrement étranger aux campagnes napoléoniennes. Une part notable des forces espagnoles et portugaises demeurant éparpillées, elle aboutit à une foule de batailles livrées au hasard ; chacune des armées proprement dites combattit pour elle-même et, n'ayant pas les moyens d'imposer une décision, avança et recula avec une obstination monotone. En quittant la péninsule, Napoléon ne se figurait pas qu'il en irait ainsi : en janvier 1809, il ne restait à Lisbonne que Craddock avec 10.000 Anglais et ils semblaient condamnés à se rembarquer, après quoi les Espagnols ne pourraient pas tenir longtemps. L'arrivée de Wellesley bouleversa les plans de l'empereur. Des 193.000 hommes qu'il laissa en Espagne, un peu plus d'un tiers opéra dans l'ouest. Ney gardait la Galice, tandis que Soult, quittant cette province avec 23.000 hommes, marchait sur Lisbonne où il rejoindrait Victor qui descendait le Tage, avec 22.000 ; partant de Salamanque, Lapisse devait assurer la liaison. Soult atteignit Porto, non sans difficulté, et l'enleva le 29 mars 1809. Il n'en bougea plus, rêvant de devenir roi de Portugal et occupé à provoquer des pétitions en sa faveur ; l'armée prit d'ailleurs fort mal le projet du « roi Nicolas » — tel était le prénom de Soult — et le mécontentement alla si loin qu'un complot se forma et que d'Argenton entra en rapport avec les Anglais. Pendant ce temps, Victor refoulait Cuesta au delà du Guadiana ; l'ayant battu à Medellin, le 28 mars, sans le détruire, il se fit envoyer Lapisse en renfort ; mais ils laissèrent rompre le pont d'Alcantara, le seul qu'ils eussent à leur disposition pour passer le Tage et entrer en Portugal. Wellesley put donc débarquer tranquillement le 22 avril, concentrer 25.000 hommes à Coïmbre et attaquer séparément les deux armées françaises.

Il s'en prit d'abord à Soult, qui se garda mal et perdit Porto, le 12 mai ; comme Beresford avait passé le Douro en amont, il dut, pour s'échapper, se jeter dans la montagne et sacrifier son artillerie. Au lieu de se concerter pour conserver du moins la Galice, Ney et Soult opérèrent ensuite séparément et, finalement, l'évacuèrent pour se retirer l'un sur Léon, l'autre sur Zamora. Wellesley s'était reporté contre Victor ; ayant rencontré beaucoup de difficulté à se préparer et à s'entendre avec Cuesta, il ne reprit la campagne que le 27 juin. Victor recula vers Madrid pour rejoindre Sébastiani. On comptait aussi sur Mortier ; mais Napoléon l'avait placé, ainsi que Ney, sous les ordres de Soult avec mission de couper la retraite à Wellington en traversant la sierra de Gredos. Victor et Sébastiani, sous le commandement nominal de Joseph, prirent néanmoins l'offensive et, le 28 juillet, attaquèrent les alliés un peu supérieurs en nombre et solidement installés à Talavera. Ils furent repoussés. Wellesley, menacé par Soult, repassa le Tage et se retira vers Badajoz ; néanmoins, on fit grand bruit de sa victoire et on le promut lord Wellington. Bien que cinq corps français se trouvassent concentrés et que la route de Lisbonne fût ouverte, personne n'osa prendre l'initiative hardie d'en profiter et l'on se sépara. Sébastiani se hâta d'aller refouler, à Almonacid, l'armée de Venagas, venue de la Manche.

Mécontent de ce dernier comme de Cuesta et la junte refusant de le nommer généralissime, Wellington se tint désormais à l'écart ; l'Autriche étant vaincue, il pressentait d'ailleurs que Napoléon tenterait un grand effort contre lui et jugea prudent de se ménager pour aller organiser en Portugal un camp fortifié. La junte n'en prit pas souci et ordonna une offensive générale. A la tête de l'armée d'Andalousie, Arizaga s'avança vers le Tage et fut mis en déroute par Soult à Ocaña, le 29 novembre. Del Parque entra un moment à Salamanque ; mais Kellermann survint et, le 28 novembre, culbuta l'armée d'Estramadure, amenée par Albuquerque, à Alba de Tormès. Joseph et Soult proposèrent alors de conquérir l'Andalousie et Napoléon céda, séduit par la perspective des ressources qu'on y trouverait. Ne rencontrant guère de résistance, les Français occupèrent Séville le 1er février 1810 et Malaga le 5. Ils commirent pourtant la faute de ne pas marcher droit sur Cadix où la junte s'était réfugiée ; Albuquerque arriva à temps pour s'y enfermer, le 3 février, et ce fut sans succès qu'on entreprit le siège de la ville. Trois corps d'armée se virent immobilisés en Andalousie.

Circonstance d'autant plus fâcheuse que Napoléon, comme Wellington l'avait prévu, préparait une nouvelle expédition de Portugal. En 1811, il eut plus de 360.000 hommes dans la péninsule. En théorie, l'armée confiée à Masséna devait en comprendre 130.000. Comme il lui fallut charger Bonnet de réoccuper les Asturies et garnir solidement la Navarre, la Biscaye et la Vieille Castille, il ne lui en resta en fait que 60.000, effectif tout à fait insuffisant. Il ne forma ni magasins, ni parcs de transport, attendit la fin de la moisson en prenant Ciudad-Rodrigo et Almeida, et ne se mit en route qu'en septembre. Il trouva le pays à peu près vide, l'*ordenanza* ayant été convoquée, ce qui comportait l'évacuation des habitants et la destruction des vivres qu'on ne pouvait emporter. Wellington ne lui offrit la bataille qu'aux portes de Coïmbre ; retranché sur les hauteurs de Busaco, il le repoussa le 27 septembre ; Masséna manœuvrant pour tourner la position, il se retira. En le poursuivant, Masséna ne tarda guère à rencontrer les lignes de Torres-Vedras, au nombre de trois l'une derrière l'autre ; la première, longue de 40 kilomètres, comportait 126 ouvrages armés de 247 canons ; Wellington disposait de 33.000 Anglais, 30.000 Portugais et 6.000 Espagnols, sans parler des partisans, et il ne fallait pas compter le réduire par la famine puisqu'il se ravitaillait par mer. Masséna n'avait pas d'équipage de siège et il ne lui restait que 35.000 hommes ; malgré ses réclamations, Drouet ne lui en amena que 10.000. La disette était affreuse. Le 5 mars 1811, il ordonna la retraite et ne s'arrêta qu'à Salamanque. Wellington le suivait et assiégea aussitôt Almeida. Pour dégager la place, Masséna vint l'attaquer, le 5 mai, sur la Coa, à Fuentes de Onoro et fut repoussé. A ce moment, Napoléon avait commencé à préparer la guerre contre la Russie : provisoirement au moins, l'échec était donc irréparable. Soult seul avait reçu l'ordre de soutenir Masséna ; n'osant refuser, il se contenta d'aller prendre Badajoz le 11 mars. Wellington s'estima en assez bonne posture pour détacher contre lui Beresford qui le contraignit à reculer, assiégea Badajoz à son tour et repoussa ses attaques sur l'Albuera, le 16 mai. Wellington, débarrassé de Masséna, vint le rejoindre ; mais Marmont, qui avait pris le commandement à Salamanque, alla également se réunir à Soult. Une dernière occasion se présenta de livrer, dans de bonnes conditions, une grande bataille aux Anglo-Portugais. Les deux maréchaux ne paraissent pas y avoir songé : ils se séparèrent et s'en retournèrent. Wellington se dirigea vers Ciudad-Rodrigo ; Marmont approchant, il n'insista pas et rentra en Portugal.

Ce ne fut pas pour longtemps. Ayant reçu des renforts, il se savait, contrairement à ce que croyait l'empereur, supérieur à Marmont qui ne disposait guère que de 34.000 hommes ; en outre, il comptait sur la surprise d'une campagne d'hiver. Il se montra cette fois audacieux, avec plein succès. S'étant mis en route le 7 janvier 1812, il emporta d'assaut Ciudad-Rodrigo le 19 et marcha incontinent sur Badajoz, qu'il enleva le 6 avril. Soult avait tardé et Marmont n'osa pas entreprendre une diversion sérieuse. Wellington prescrivit d'ailleurs de multiplier partout les attaques pour qu'on ne les secourût pas. Les Galiciens assiégèrent Astorga ; Popham parut sur la côte de Biscaye et retint Caffarelli ; Bentinck envoya Maitland sur la côte valencienne pour occuper Suchet. Napoléon ayant rappelé 25.000 hommes pour les envoyer en Russie, Joseph conjura vainement Soult d'évacuer l'Andalousie. Le 14 juin, Wellington reprit l'offensive et Marmont dut se retirer derrière le Douro. Ayant rappelé Bonnet des Asturies, il repassa habilement le fleuve, tourna l'adversaire qui se replia sur Salamanque ; il franchit le Tormès et attaqua, le 22 juillet, la position des Arapiles, mais si malheureusement qu'il fut assailli en pleine manœuvre et mis en déroute. Les Français perdirent 14.000 hommes et Clausel les ramena péniblement jusqu'à Burgos. Wellington marcha sur Madrid, que Joseph évacua pour aller rejoindre Suchet, Soult quitta enfin l'Andalousie et, de concert avec eux, ressaisit la capitale en octobre. Wellington, qui était allé occuper Burgos, recula sur le Tormès et, Soult ne se pressant pas de l'attaquer, rentra en Portugal, ayant fait 20.000 prisonniers, capturé ou détruit 3.000 canons et délivré l'Andalousie.

Dans l'est de l'Espagne, les opérations se poursuivirent de manière indépendante. En Catalogne, Rosas succomba en 1808, Girone en 1809 ; Figuères fut perdue et reprise en 1811 ; on ne put pacifier la province. En Aragon, Suchet résista d'abord à Blake qui menaçait Saragosse ; renforcé, il enleva en 1810 Lerida et Mequinenza ; en 1811, Tortose et Tarragone. Nommé maréchal, il défit Blake sous le fort de Sagonte, puis devant Valence, où il entra le 9 janvier 1812. Une partie de ses troupes lui ayant été retirée, il ne poussa pas plus avant et Maitland put s'installer à Alicante.

Wellington avait donc tenu ses promesses, et au delà. Non content de sauver le Portugal, il retenait une armée française considérable dans la péninsule. Il importe pourtant d'observer que la diversion continentale de l'Angleterre n'exerçait jusque-là aucune influence décisive, n'ayant empêché ni la défaite de l'Autriche, ni l'invasion de la Russie. Celle-ci vaincue, Wellington n'aurait eu aucune chance de se maintenir, même en Portugal. Ce fut seulement en 1813, alors que la vieille armée d'Espagne eût assuré en Allemagne la victoire de Napoléon, qu'il prêta un secours décisif à la coalition. Mais il avait fallu d'abord que l'hiver détruisît la Grande Armée.

CHAPITRE IV

LE BLOCUS CONTINENTAL[1]

Si l'Angleterre tenait la mer, elle était incapable, en dépit de la diversion espagnole, d'arracher le continent à l'armée française. De son côté, Napoléon, s'il s'efforçait de fédérer l'Europe sous sa direction, demeurait hors d'état, au moins de longtemps, d'attaquer son ennemie chez elle. C'est pourquoi la guerre économique joua, après Tilsit, un rôle de premier plan. Le blocus britannique affectait, à peu de chose près, un caractère purement mercantile : loin de chercher à affamer son adversaire et à interrompre ses fabrications de guerre, tentative que l'état de l'économie continentale aurait rendue vaine, l'Angleterre s'efforçait de lui vendre, par l'intermédiaire des neutres, toutes les marchandises qu'il pouvait désirer. Le blocus maritime visait à l'enrichir elle-même, non à ruiner la puissance militaire de la France ; cette dernière fin eût, d'ailleurs, dépassé son pouvoir.

Après avoir suivi pendant ses premières années une politique analogue, Napoléon, revenant, par les décrets de Berlin et de Milan, à la politique de la Convention et du Directoire, émit la prétention de fermer hermétiquement le continent aux marchandises anglaises, le condamnant ainsi à vivre sur lui-même, en économie fermée. Une résolution si tranchante, qui comportait

---

1. Ouvrages d'ensemble a consulter. — Mahan, cité p. 32 ; Hecksher, cité p. 42 (bonne synthèse) ; E. Tarlé, *Kontinentalnaia Blodaka* (Moscou, 1913, in-8°) ; F. E. Melvin, *Napoleon's navigation system* (New York, 1919, in-8°) ; ces deux derniers ouvrages utilisent des documents inédits ; Bertrand de Jouvenel, *Napoléon et l'économie dirigée. Le blocus continental* (Paris, 1942, in-8°). Voir p. 48 et 180. Il manque un ouvrage d'ensemble sur l'histoire du blocus en France. Pour l'Italie du Nord, E. Tarlé, *Le blocus continental et le royaume d'Italie* (Paris, 1928, in-8°) ; pour l'Allemagne, à titre d'exemple régional, F. L'Huillier, *Étude sur le blocus continental. La mise en vigueur des décrets de Trianon et de Fontainebleau dans le grand-duché de Bade* (s.l., 1951, in-8°) ; pour l'Espagne, J. Mercader Riba, *España en el Bloqueo continental*, dans *Estudios de Historia moderna*, II, 1952, p. 233-278 ; et surtout, pour l'Angleterre, F. Crouzet, *L'économie britannique et le blocus continental*, cité p. 180.

pour lui-même tant de risques, supposait une volonté farouche de transformer le blocus continental en arme de guerre. Tant que la maîtrise de la mer lui échappait, il ne nourrissait pas l'illusion de réussir à affamer l'Angleterre et à la priver de matières premières. Mais, sans mesurer la solidité de sa structure capitaliste et sans en goûter la modernité, il se rendait compte que, reposant sur le crédit et l'exportation, celle-ci était vulnérable et pensait que son ébranlement provoquerait la banqueroute, le chômage, la révolution peut-être, en tout cas la capitulation. La menace pouvait-elle être efficace ? Les économistes le nient et on les suit généralement, mais c'est à voir. Au surplus, Napoléon l'a-t-il mise à exécution en toute rigueur ? S'est-il complètement dégagé des préoccupations mercantiles et fiscales qui devaient en affaiblir la portée ? Question subsidiaire qu'il convient aussi d'examiner.

I. — LE COMMERCE ANGLAIS PENDANT LES PREMIÈRES ANNÉES DU BLOCUS[1].

Jusqu'aux décrets de Berlin et de Milan, l'Angleterre conserva, dans la guerre économique, le privilège de l'offensive. Ayant supprimé la navigation ennemie et tenant les neutres à sa discrétion,

1. OUVRAGES A CONSULTER. — Essentiellement, de F. CROUZET, cité p. 180 ; ajouter du même auteur : Groupes de pression et politique de blocus : Remarques sur les origines des ordres en Conseil de novembre 1807, *Revue historique*, t. CCXXVIII (1962), p. 45-72. Voir aussi les ouvrages cités dans la note précédente, notamment MELVIN, pour les licences ; GALPIN et ALBION, cités p. 41 et 42 ; W. E. LINGELBACH, L'Angleterre et le commerce des neutres à l'époque napoléonienne, et depuis, dans la *Revue des études napoléoniennes*, t. XIII (1918), p. 129-155 ; J. HOLLAND-ROSE, *Napoleon and the British commerce*, cité p. 155 ; DU MÊME, *British West India commerce*, cité p. 43 ; DU MÊME, *British food supply in the Napoleonic wars*, dans son recueil de *Napoleonic studies* (Londres, 1904, in-8°), p. 204-221 ; W. S. GALPIN, The American grains trade under the embargo of 1808, dans le *Journal of economic and business history*, t. II (1924), p. 71-100 ; D. B. GŒBDEL, British trade to the Spanish colonies, dans *The American historical review*, t. XLIII, 1938, p. 288-320 ; H. HEATON, Non-importation, 1806-1812, dans *The journal of economic history*, t. I, 1941, p. 178-198 ; F. BIRLANDI, Relazioni politico-economiche fra Inghilterra e Sardegna durante la Rivoluzione e l'Impero, dans la *Rivista storica italiana*, ann. 1933, p. 165-210. — H. Rose a bien montré l'importance de la question des grains ; Hecksher et Galpin ne l'estiment pas décisive parce qu'ils ne tiennent pas compte du facteur psychologique et ne la replacent pas dans le cadre de la situation générale ; sur l'importance de celle-ci, voyez l'observation de la p. 50, fin de la n. 1. — Pour les différentes directions du trafic britannique, ont été reproduites les proportions calculées par HECKSHER (cité p. 42) ; il produit, p. 242, un tableau des importations en poids et, p. 245, un tableau des exportations en *real values*, sans expliquer le mode de calcul de ces dernières ; elles sont un peu supérieures à celles d'IMLAH (cité p. 49) qu'on a cru devoir préférer.

elle gênait l'exportation de la France et lui enlevait ses marchés, tout en continuant de lui vendre et même de lui acheter à sa convenance. La conquête napoléonienne et le blocus continental retournèrent sa position. On voulait l'empêcher de pourvoir le continent, de beaucoup son meilleur client ; elle se trouvait réduite à la défensive : il lui fallait imposer ses marchandises à l'ennemi.

Pour parer à ces fâcheuses circonstances, elle n'avait pas à modifier sa politique et n'y changea rien. Au contraire, son pragmatisme économique s'accentua encore ; en avril 1808, le gouvernement se fit même accorder par le Parlement le droit de délivrer des licences à son gré, en violation des principes qu'il venait de poser lui-même par les ordonnances de 1807. Il permit ainsi d'importer et d'exporter des marchandises prohibées, de faire voile à destination de ports effectivement bloqués, d'aller sur lest d'un port ennemi à l'autre, et toléra même dans les siens le pavillon français. Si, le 26 avril 1809, en considération de la guerre franco-autrichienne, les licences à destination de l'empire furent brusquement supprimées, on les maintint pour l'Allemagne et la Baltique et, en fait, on recommença tout de suite à en accorder pour la Hollande et l'Italie. Bientôt, le 28 septembre, la moisson donnant des inquiétudes, on alla jusqu'à autoriser les navires à se rendre dans tous les ports, de la Hollande à Bayonne, et sur lest, ce qui était sans précédent ; on vit cette tolérance supprimée en novembre, rétablie en mai 1810, suspendue en octobre, accordée de nouveau ensuite, d'après l'idée qu'on se faisait des approvisionnements. En 1811, le trafic avec l'ennemi fut encore une fois interdit ; mais on le rouvrit en 1812, même avec les États-Unis qui avaient déclaré la guerre. De 1807 à 1812, on distribua 44.346 licences, dont près de 26.000 en 1809 et 1810. Les neutres en reçurent leur part et il paraît qu'on trafiquait de ces documents sur le continent même. En fait, c'est par cette voie que se fit tout le commerce de mer et, quand le gouvernement ne les imposait pas, on les lui demandait tout de même, parce que la flotte de guerre ne faisait guère de distinctions. La distribution finit en réalité par ne plus connaître de véritable règle, mais seulement des cas d'espèces ; elle encouragea l'arbitraire, la vénalité, la lenteur et l'erreur ; on protesta contre un régime qui perpétuait la suspension des actes de navigation et annulait dans la pratique les ordonnances de 1807. Il n'en aida pas moins l'Angleterre à se défendre, car, dans la plupart des cas, les licences ne permettaient d'importer qu'à charge de réexporter ; elles fournissaient, à l'occasion, un moyen de pression diplomatique et, comme on les faisait payer 13 à 14 livres sterling, procuraient un revenu qui n'était pas méprisable.

En Europe, le succès dépendait avant tout de la solidité du système continental. Après Tilsit, en 1807 et 1808, elle fut un moment assez grande pour diminuer sensiblement les importations en provenance de la Grande-Bretagne. Mais elle faiblit bientôt ; l'Espagne et le Portugal échappèrent à Napoléon ; en 1809, la Turquie fit la paix avec les Anglais et leur ouvrit le Levant ; l'Autriche les admit de nouveau ; la guerre éloigna les troupes françaises des côtes allemandes où le trafic redevint à peu près libre : c'est ce qu'on appela, en Holstein, la seconde période de Tönning. Dans les pays vassaux ou alliés de Napoléon, on pouvait compter, d'autre part, sur une connivence plus ou moins avouée des gouvernements. La Hollande resta jusqu'en 1810 un important marché britannique. Louis avait promulgué le décret de Berlin, mais ne le fit pas respecter ; dès 1806, il se mit à concéder lui aussi des licences, et les exportations vers l'Angleterre allèrent leur train, comportant nécessairement des retours : plus de 237.000 *quarters* de grains arrivèrent des Pays-Bas en 1807. Les navires prirent d'ailleurs l'habitude de se pourvoir de deux sortes de papiers, à montrer les uns aux Anglais, les autres aux Français ; une maison de Liverpool offrait par circulaire de procurer ces derniers. Enfin les Anglais exploitèrent la complicité des contrebandiers ; pour favoriser l' « interlope », on adopta les habitudes françaises d'empaquetage et d'étiquetage ; on recourut à maints subterfuges, comme d'immerger, à des endroits convenus, des filets remplis de marchandises, que des pêcheurs venaient relever la nuit ; on constitua surtout des entrepôts le plus près possible des côtes de l'empire. Dans la mer du Nord, on choisit, en 1808, Héligoland ; de grands travaux y furent exécutés, et deux cents marchands, dont l'un des frères Parish, de Hambourg, s'y installèrent à demeure, si bien qu'on l'appela « le petit Londres » ; d'août à novembre 1808, 120 navires y abordèrent et on évalua les arrivages à 8 millions de livres par an. De là, les marchandises gagnaient le Holstein à destination de Hambourg par Altona, ou débarquaient la nuit grâce aux bateaux côtiers ; c'était ensuite un jeu de les faire filer sur Francfort, Leipzig, Bâle et Strasbourg. Dans la Baltique, le centre principal devint Gœteborg. En 1808, ce port exportait déjà 1.300.000 livres de café et près de 3 millions de livres de sucre ; en 1809, ces nombres furent portés à 4 1/2 et 7 1/2 ; ils doublèrent l'année suivante. Par la Poméranie et la Prusse, ces envois refluaient en partie sur Leipzig ; on les destinait aussi à la Pologne et à la Russie. Quant à la Méditerranée, Gibraltar, la Sardaigne et la Sicile, Malte, les Baléares après 1808, les îles Ioniennes et dalmates après 1809, fournissaient tous les points d'appui nécessaires ; incontestablement, toutefois, Malte constitua l'entrepôt essentiel. Par Trieste et Vienne, on arrivait en Autriche et, de là, on rejoignait de nouveau Leipzig. Lorsque les Anglais furent installés en Turquie, une voie nouvelle s'ouvrit, de Salonique et de Constantinople vers Belgrade et la Hongrie, dont Vienne tira tout le profit.

D'après les statistiques anglaises, les exportations à destination de l'Europe du nord, y compris la France, n'auraient été sensiblement atteintes qu'en 1808 ; elles auraient repris en 1809, pour se retrouver en 1810 assez proches des valeurs de 1805. Si l'on prend ces dernières comme indice 100, les indices de 1808 auraient été 20,9 pour les marchandises originaires d'Angleterre et 51,6 pour les réexportations, essentiellement constituées par les denrées coloniales ; en 1809, ils furent portés à 55,2 et 140 ; en 1810, à 74,6 et 97,3. Pour l'ensemble des exportations vers la même région, les indices des valeurs par rapport à 1805 seraient 32,6 en 1808, 87,5 en 1809, 83,2 en 1810, la hausse de 1809 s'expliquant par la guerre d'Autriche et la baisse de 1810 par les premiers effets du raffermissement du système continental et des décrets de Trianon et de Fontainebleau. En 1810, l'exportation britannique dans l'Europe septentrionale et en France ne se voyait donc pas gravement atteinte ; mais la diminution foudroyante de 1808 prouve que le blocus continental, en soi, était efficace : tout dépendait de la perfection et de la durée de son application, c'est-à-dire de la puissance des armées françaises.

Toutefois, le blocus napoléonien se fût-il étendu à toute l'Europe et eût-il été parfaitement observé, qu'il n'aurait pas supprimé l'exportation britannique, car le continent n'en absorbait que les trois quarts pour ce qui concernait les denrées coloniales ; quant aux marchandises provenant directement d'Angleterre, la proportion s'abaissait au tiers : 37 % en 1805, 25 en 1808, 34 en 1810. L'empereur n'avait donc vraiment la certitude d'arriver à ses fins que s'il conquérait aussi l'Orient et voyait les pays d'outre-mer, tout au moins les États-Unis, de concert ou non avec lui, adopter la même politique. De fait, si l'Angleterre éprouva de réelles difficultés, c'est que les Américains, contrairement aux Suédois et aux Norvégiens, aux Grecs et aux Barbaresques, se rebellèrent contre les ordonnances de 1807. A coup sûr, les décrets de Napoléon ne leur plaisaient pas davantage ; mais ils formulaient contre les Anglais des griefs supplémentaires, la question de la « presse » et celle de la nationalité des équipages demeurant en suspens. Le 27 mai 1807, les Anglais leur capturèrent un navire et y enlevèrent plusieurs matelots ; à Londres, on blâma le procédé, mais sans céder sur le fond, et la rupture s'ensuivit. Le 22 décembre, Jefferson proclama un embargo : il ferma ses ports aux belligérants qui avaient pris des mesures contre les neutres et interdit à ses nationaux d'en sortir. Les Anglais seuls pouvaient en souffrir. A la vérité, l'embargo ne fut pas exactement respecté, malgré le vote, en 1808, d'un *Enforcement act* ; néanmoins, il ne vint, des États-Unis, cette année-là, que le vingtième des grains importés en 1807 et, à Liverpool, on ne reçut que 23.000 sacs de coton au lieu de 143.000 ; le pain augmenta, tandis qu'une crise manufacturière se déclarait ; la baisse des salaires déclencha une grève générale à Manchester et il en résulta des troubles. D'autre part, si les importations coloniales diminuèrent considérablement sur le continent, ce fut par l'abstention des vaisseaux américains ; suivant Gogel, le ministre des Finances de la Hollande, ce dernier pays reçut d'Amérique, en 1807, près de 30 millions de livres de café et de 41 millions de livres de sucre ; en 1808, il n'obtint qu'un million de livres de café et quatre de sucre ; or ces denrées venaient surtout des colonies anglaises. Enfin, les ventes de marchandises britanniques aux États-Unis diminuèrent de plus de moitié, alors qu'elles comptaient d'ordinaire pour un tiers dans les exportations.

A cette situation, qui devenait sérieuse, l'Angleterre put parer grâce à la conquête de nouveaux marchés. Le Portugal et l'Espagne furent de médiocre secours ; les envois s'y accrurent beaucoup, mais surtout pour entretenir l'armée de Wellington. Au contraire, l'accès du Levant fournit un appoint précieux. Dans l'ensemble, l'exportation à destination de la péninsule ibérique et des pays méditerranéens passa, de 4 millions de livres en 1805, à plus de 16 en 1811. Mais l'événement capital fut l'ouverture du Brésil et des colonies espagnoles. On ne possède pas sur leur commerce d'indications précises ; toutefois, on peut expliquer par là le brusque accroissement des ventes anglaises en Amérique, qui, les États-Unis non compris, passèrent, de 8 millions de livres en 1805, à 11 en 1806 et 1807, à près de 20 en 1808 et 1809. Un des résultats durables de la crise fut donc de diminuer, aux yeux des Anglais, l'importance du marché européen et de les tourner vers ceux d'outre-mer. Le Levant mis à part, l'Asie et l'Afrique ne jouèrent, pour le moment, aucun rôle dans cette évolution : les exportations britanniques y ont plutôt diminué pendant notre période. L'importance de l'aventure espagnole de Napoléon n'en apparaît que mieux.

Ainsi réconfortée, l'Angleterre put attendre que les États-Unis vinssent à résipiscence, ce qui ne tarda guère. Ils ne pouvaient pas vivre sans exporter leurs grains, leurs bois, leur tabac et leur coton ; sur ce point, la Nouvelle-Angleterre s'accordait avec le Sud ; en outre les armateurs du Nord protestèrent. L'agitation menaça bientôt de tourner à la guerre civile ; tout au moins, l'embargo offrait une excellente plate-forme aux fédéralistes qui accusaient Jefferson de pactiser avec les Français. Madison n'en fut pas moins élu en 1808 ; mais il avait été entendu que la mesure serait rapportée. Le 4 mars 1809, on lui substitua un *Non intercourse acl* qui interdisait tout trafic avec les belligérants ; il ne s'appliquait pas à l'Espagne et au Portugal, au Danemark et à la Suède, et, au surplus, une fois en route, les vaisseaux américains s'arrangèrent pour aller où il leur plaisait, notamment en Hollande et en Angleterre. Girard, par exemple, ravitaillait le Portugal et, de là, ses bâtiments portaient du vin en Angleterre d'où ils revenaient chargés. D'ailleurs, l'ambassadeur britannique promit bientôt le rappel des « ordres du Conseil » ; on le désavoua ; mais, dans l'intervalle, Madison avait rapporté le *Non intercourse* et il s'ensuivit un *rush* énorme vers l'Europe. En 1809, les exportations anglaises aux États-Unis remontèrent à près de 7 millions 1/2 de livres et la flotte américaine se mit de nouveau à la disposition des Britanniques. De 45 % des navires sortis des ports anglais, le pavillon étranger remonta à 70 en 1809.

De la conquête du Levant et de l'Amérique latine, il résulta donc — toutes réserves faites quant aux prix et, par conséquent, aux bénéfices, ainsi que quant aux paiements, singulièrement aléatoires dans ces pays neufs comme on en eut bientôt la preuve — que les desseins de Napoléon se virent déjoués. En effet, par rapport à 1805, l'exportation ne descendit qu'à l'indice 91 en 1808 ; grâce à l'ébranlement du système continental et à la réconciliation avec les États-Unis, elle prospéra remarquablement pendant l'année 1809, dont l'indice est 125, et même elle dépassa 126 en 1810. Ces évaluations douanières reçoivent confirmation des estimations en poids relatives à l'industrie cotonnière : de 1801 à 1805, l'Angleterre importait en moyenne 56 millions 1/2 de livres de coton en balles ; de 1807 à 1812, elle en acheta 79,7, soit un accroissement de 40,7 %. Les ventes de cotonnades passèrent de 8.600.000 livres sterling en 1805, à 12 millions 1/2 en 1808 et 14,4 en 1809. La production du charbon et du fer augmenta également ; le progrès technique continua ; la population monta de 10.943.000 en 1801 à 12.597.000 en 1811. Tout concorde donc pour attester que la structure économique de la Grande-Bretagne durant les premières années, subit victorieusement l'épreuve. Elle le dut à son outillage sans rival et au monopole des denrées coloniales. Aussi les publicistes gagés par son gouvernement se moquaient-ils de Napoléon, notamment d'Ivernois dans son livre sur *Les effets du blocus continental* qui parut en juillet 1809 :

> *Votre blocus ne bloque point*
> *Et grâce à votre heureuse adresse*
> *Ceux que vous affamez sans cesse*
> *Ne périront que d'embonpoint.*

Il était pourtant trop tôt pour chanter victoire. Après la défaite de l'Autriche, le système continental se raffermit ; rien n'aurait empêché Napoléon d'en finir avec l'Espagne ; avec l'appui d'Alexandre ou après l'avoir vaincu, ne parviendrait-il pas à chasser l'Angleterre du Levant ? En outre le blocus continental, pouvait se conjuguer avec la fermeture du marché américain. Justement, l'Amérique latine donna des mécomptes par ses paiements et, en se plongeant dans la guerre civile, restreignit le débouché ; le conflit avec les États-Unis ne tarda pas non plus à recommencer. Même pendant les années prospères, certaines importations donnèrent de graves soucis. Saumarez avait beau être maître de la Baltique ; à mesure que ses ports se fermèrent, il devint difficile d'en tirer, comme auparavant, des bois, des grains, du chanvre et du lin, marchandises ne se prêtant pas bien à la contrebande. Pour les textiles, l'Angleterre recourut à l'Irlande. Quant aux bois, ce fut une autre affaire. En 1808, on en vint à consommer 60.000 *loads*, chacun d'eux étant compté pour une tonne et équivalant environ à un stère et un dixième. Bien qu'on épuisât les forêts du pays et qu'on tirât beaucoup de bois du Canada depuis 1804, on dut en acheter cette année-là 26.000 *loads* à l'étranger. La maison Solly, de Danzig, réussit toujours à en envoyer ; mais c'était désormais peu de chose : 3.319 mâts et 2.500 *loads* en 1811, alors que le Canada expédiait 23.000 mâts, 24.000 *loads* de chêne et 145.000 de sapin. Précédemment, la Suède expédiait davantage, et surtout les États-Unis : en 1810, ils ne fournirent plus rien. On chercha partout des ressources ;

toutefois, le commerce du bois ne se trouvait nulle part organisé comme dans la Baltique et le fret se montrait souvent prohibitif. On fut notamment très embarrassé pour garnir les docks de Malte, malgré des traités passés avec Adamitch, de Fiume, puis, à partir de 1809, avec Ali-Tebelen. Il fallut se résoudre à enfreindre, une fois de plus, les actes de navigation en construisant à Halifax et dans l'Inde, même pour la marine de guerre. La marine marchande en souffrit : au lieu de 95.000 tonneaux en 1804, on lui en livra 54.000 en 1810. L'année 1810 fut très dure, car on n'employa que 47.000 *loads*, dont 10.000 venus de l'étranger.

Les grains méritaient encore plus sérieuse considération. Leur production en Angleterre même croissait beaucoup à la faveur des prix élevés : on aurait défriché pendant cette période 750.000 acres, principalement sur les biens communaux. L'Irlande aussi fournit un contingent important. Dans son duel avec Napoléon, l'atout de l'Angleterre fut que l'évolution capitaliste se trouvait assez avancée chez elle pour assurer à son industrie une invincible supériorité, mais pas au point de provoquer l'abandon de la production nationale des subsistances. Néanmoins, d'après Young, l'importation alimentait, en 1810, un sixième de la consommation. Si les prix ne remontèrent jamais au niveau de 1801, le blé restait plus cher que sur le continent : le *quarter* atteignit 100 sh. en 1805, 66 en 1807, 94 en 1808-9, 117 en 1810. Pour ces deux raisons, l'opinion restait toujours sensible à ce qui pouvait menacer les arrivages. Les trois quarts du blé importé venaient de la Baltique, l'autre des États-Unis et du Canada. Or les ports de la Baltique étaient aux mains de Napoléon ; malgré la contrebande, on ne put tirer du continent que 65.000 *quarters* en 1808 contre 514.000 en 1807. D'un autre côté, les États-Unis ne contribuèrent à l'importation que pour 6 % en 1808, au lieu de 14 l'année précédente. La récolte n'ayant pas été mauvaise, il n'en résulta pas de graves dommages ; mais le contraire pouvait survenir. Il fallait, en outre, nourrir le Portugal et l'Espagne : les États-Unis s'y empressèrent et, indirectement, secoururent ainsi l'Angleterre ; s'ils venaient pourtant à lui faire la guerre ? Enfin, il fallait penser aux Antilles : en 1808, la métropole dut les ravitailler. La Baltique et les États-Unis manquant simultanément, le déficit aurait été de deux mois au moins, davantage avec une mauvaise récolte. On a dit que l'Angleterre aurait pu y pourvoir en rationnant, en augmentant le taux de la mouture, etc. L'effet psychologique n'en eût pas moins été formidable.

En 1809, les perspectives du blocus napoléonien apparaissaient donc incertaines ; mais on en dépréciait les chances avec une complaisance excessive. A lui seul, il ne réduirait pas l'Angleterre ; appliqué sévèrement et à toute l'Europe, il pouvait néanmoins l'affaiblir au point qu'elle se jugeât, un jour ou l'autre, hors d'état de supporter telle crise, indépendante de la volonté de Napoléon, mais qui lui assurerait pourtant la victoire. L'essentiel, pour lui, était d'étendre sa domination continentale, mais aussi de maintenir un blocus impitoyable. Au contraire, il l'atténua.

II. — L'ÉVOLUTION DU BLOCUS CONTINENTAL[1].

Strictement appliqué, le blocus continental, poussant à l'extrême la politique mercantiliste, obligeait l'Europe à vivre sur elle-même. Comme l'immense majorité de ses habitants se consacrait encore à l'agriculture, elle n'avait pas à s'inquiéter pour sa subsistance ; pour la même raison, elle trouvait chez elle les oléagineux et les textiles, à l'exception du coton ; il ne lui était pas impossible non plus de se suffire en combustibles et en produits miniers. Au contraire, la disparition des denrées coloniales lui fut cruelle. On leur chercha des succédanés : la chicorée se substitua au café ; pour remplacer le sucre, on recourut au miel et au sirop de raisin, dont on fabriquait 2.000 tonnes en France vers 1811 ; de plus grande conséquence, pour l'avenir du moins, fut l'attention qu'on prêta au sucre de betterave, isolé par Margraf

---

1. OUVRAGES A CONSULTER. — A défaut d'un ouvrage d'ensemble pour la France et l'Empire, voir les travaux cités p. 154 et ceux qui concernent l'histoire économique de la France, surtout ceux de LEVASSEUR, cités p. 36 ; DARMSTÆDTER, TARLÉ et ROSE, cités p. 155 ; enfin les bibliographies des p. 402, 421 et 479, notamment les publications de Ch. SCHMIDT. Ajouter F. CROUZET, Le commerce des vins et eaux-de-vie entre la France et l'Angleterre pendant le blocus continental, dans les *Annales du Midi*, 1953, n⁰ 1. — Sur l'économie allemande, on pourra consulter l'ouvrage de S. SCHNABEL *Deutsche Geschichte im neunzehnten Jahrhundert* (cité p. 10), t. III : *Erfahrungswissenschaften und Technik* (Fribourg-en-Brisgau, 2e éd., 1950, in-8⁰) ; F. L'HUILLIER, *Étude sur le blocus continental*, cité p. 347 ; joindre, pour le Danemark, R. RUPPENTHAL, Denmark and the continental system, dans le *Journal of modern history*, t. XV (1943), p. 7-23. Sur la politique de l'empereur à l'égard des États-Unis, voir Phœbe-Anne HEATH, *Napoleon and the origin of the Anglo-American war of 1812* (Toulouse, 1929, in-8⁰) ; joindre U. BONNEL *La France, les États-unis et la guerre de course, 1797-1815* (Paris, 1961, in-8⁰) contribution non seulement à l'histoire de la guerre de course (de 1800 à 1815 les Français capturèrent 500 bâtiments américains), mais à celle du commerce franco-américain et à celle du blocus continental. — Sur la contrebande F. PONTEIL, La contrebande sur le Rhin au temps du Premier Empire, dans la *Revue historique*, t. CLXXV (1935), p. 257-286.

en 1757 et produit industriellement en Silésie depuis le début du siècle par un autre Allemand, Achard. Faute d'indigo et de cochenille, on revint au pastel et à la garance. On essaya aussi de cultiver la soude, par exemple dans les États romains, et l'industrie chimique ne tarda pas à vulgariser le produit que Nicolas Leblanc avait obtenu en partant du sel marin. On s'efforça d'acclimater le coton aux environs de Naples et de Malaga, non sans succès puisque la France finit par en tirer le sixième de sa consommation, et d'attirer celui du Levant à travers l'Illyrie. Pour le coton, la difficulté demeura néanmoins insurmontable : sans la contrebande, les filatures auraient dû fermer, surtout en Saxe et en Suisse. C'est à l'égard de cette industrie que l'attitude de Napoléon révèle le plus clairement son désir de réduire le continent à l'autarcie. Il ne l'avait jamais aimée parce qu'elle dépendait de l'étranger et, de bonne heure, protégea Douglas qui installait en France la fabrication des mécaniques à filer la laine ; il consentait des prêts aux cotonniers qui voulaient transformer leur outillage pour changer de matière première ; il offrit un prix d'un million à qui inventerait une machine à filer le lin ; en 1811, les étoffes de coton furent exclues des palais impériaux.

A supposer l'Europe pourvue de matières premières, elle n'aurait pas été au bout de ses peines, sa capacité manufacturière étant très inférieure à ses besoins. On pouvait espérer que, le blocus réalisant la perfection comme système protectionniste, elle ferait les progrès nécessaires. Mais il y faudrait du temps, car les machines et les ouvriers qualifiés venaient jusque-là d'Angleterre ; de plus les capitaux n'abondaient nulle part et la situation ne leur inspirait pas confiance. Les centres industriels étant peu nombreux et la mer fermée, l'autarcie supposait, en outre, une réadaptation générale de la distribution et des transports. Le blocus bouleversa donc les habitudes, irrita toutes les routines et lésa d'innombrables intérêts. Les armateurs, les négociants et les industriels des ports de mer se savaient condamnés sans phrases. Les consommateurs, c'est-à-dire tout le monde, et c'était là le pire, se sentaient appelés à faire les frais de l'entreprise ; la chicorée et le sirop de raisin ne leur plaisaient guère ; les lainages et les toiles de lin coûtaient beaucoup plus cher que les cotonnades ; de manière générale, les chefs d'entreprises et Napoléon lui-même cherchaient à pourvoir le marché sans s'occuper des prix de revient. L'autarcie heurtait, par trop de côtés, l'indépendance du producteur et du consommateur, fondée sur la liberté individuelle et sur cette liberté du travail, partout proclamée ou recommandée par Napoléon lui-même comme un des principes de la société nouvelle, pour qu'une conspiration spontanée ne s'ourdît pas contre le blocus. Seule, la contrainte d'un despotisme militaire et policier pouvait réussir à le faire respecter.

Les pays alliés qu'il empêchait d'exporter leurs produits agricoles, sans que, faute d'industrie, ils pussent en tirer profit, ou qui, telles les villes hanséatiques, étaient frappés à mort par l'interdiction du commerce de mer, éludèrent plus ou moins ouvertement leurs obligations à proportion de ce qui leur restait d'indépendance. Il leur suffisait pour cela de ne pas appliquer les mesures qui visaient les neutres. Le blocus se détendit donc ou se resserra, suivant les fluctuations de la domination militaire de Napoléon ; après avoir été le symbole du Grand Empire, il en a commandé l'extension. Il a réagi aussi sur sa structure, car les vassaux ne se comportèrent guère mieux que les alliés.

L'exemple le plus instructif est celui de la Hollande. Sur les menaces de son frère, Louis ferma ses ports le 4 septembre 1807. Mais, dès 1808, l'ambassadeur La Rochefoucauld, signalant l'importance de la contrebande, notamment dans l'Ost-Frise, récemment annexée, et à Walcheren, d'où on gagnait Anvers, conseillait d'annexer le pays jusqu'à la Meuse au moins. Un décret du roi autorisa l'exportation des beurres et des fromages. L'empereur prit le parti de fermer sa frontière aux Hollandais, le 16 septembre. Le 23 octobre, Louis interdit alors les exportations et ferma l'accès des ports à tous les vaisseaux. Aux yeux des Français, des mesures aussi excessives démontraient l'absurdité du blocus ; d'ailleurs, aussitôt prises, des exceptions les déjouaient. En juin 1809, Louis accueillit de nouveau les navires américains, à la condition qu'ils consigneraient jusqu'à la paix leurs cargaisons dans les magasins de l'État, d'où c'était un jeu de les faire sortir. Le 18 juillet, Napoléon répliqua en établissant un cordon douanier du Rhin à la Trave, et le roi dut encore une fois reculer. Ces tentatives obstinément répétées finirent par provoquer l'annexion de son royaume en 1810.

Déjà Murat cherchait à les imiter. Les souverains comme le roi de Saxe ou le grand-duc de Francfort, sans contact avec la mer, étaient encore plus à l'aise pour ignorer la contredande. Depuis que la paix régnait dans l'Allemagne occidentale, Francfort retrouvait sa prospérité en servant d'entrepôt, à la frontière de la France, et, en 1810, le représentant de la Prusse assurait qu'on n'y avait jamais vu tant de denrées coloniales. Leipzig resta un grand marché anglais approvisionnant l'Europe centrale et orientale. En 1810, à la foire de la Saint-Michel, on y amena pour 65 millions 1/2 de thalers de denrées coloniales ; la Suisse y acheta toujours les filés qu'elle désirait : 190.000 livres pesant en 1807-1808, 430.000 en 1808-1809, 950.000 en 1809-1810 ; à travers son territoire, les exportations britanniques atteignaient l'Italie. Le blocus devint ainsi l'une des causes qui recommandèrent efficacement le principe unitaire au préjudice de l'empire fédératif.

Même là où Napoléon commandait seul, ce n'était pas un petit problème de venir à bout de la contrebande. A aucune époque, elle ne fut aussi florissante grâce aux profits énormes et à la connivence universelle. En 1810, l'empereur lui-même donnait un aperçu de son excellente organisation en énumérant ses agents : les entrepreneurs, les assureurs, les intéressés, les chefs de bande, les porteurs. A destination de la France même, Bâle et Strasbourg en étaient les centres les plus actifs et elle permit d'y édifier des fortunes. Pour surveiller une telle étendue de côtes et surtout de frontières terrestres, les douaniers ne suffisaient pas : il y fallait l'occupation militaire ; quand Napoléon avait besoin de ses troupes, comme en 1809, des brèches s'ouvraient partout ; en 1811, il dut placer la Dalmatie et la Croatie hors des douanes de l'Empire, faute de pouvoir en assurer la garde. Il ne pouvait même pas compter absolument sur ses fonctionnaires. On corrompait les consuls comme Bourrienne à Hambourg et Clérembaut à Königsberg ; Masséna avait vendu des licences en Italie. Les douaniers se laissaient acheter aussi, y compris leurs directeurs, d'après ce qui se racontait à Strasbourg. A ces inconvénients, l'un des meilleurs remèdes eût été de réduire la distance à contrôler ; la conclusion en ressortait, toujours la même, qu'il fallait annexer toute l'Europe à l'empire. Ce n'était pas pour déplaire à Napoléon.

Rien n'aurait donc pu le porter à modifier sa politique si le blocus n'eût entraîné des conséquences qu'il ne jugea pas sans danger pour lui-même. Decrès ne tarda pas à se plaindre que la marine ne pût se procurer les fournitures indispensables qui lui venaient de la Baltique. Les cotonniers, après avoir si joyeusement salué l'exclusion des tissus anglais et multiplié leurs entreprises, commencèrent à déchanter parce que la matière première devenait rare : ainsi compris, le blocus ne faisait pas leur affaire. Si impatient qu'il fût de leurs plaintes, l'empereur dut les prendre en considération, parce qu'il ne redoutait rien tant que le chômage. D'autre part, les exportations de l'empire diminuaient. Malgré la guerre, elles n'avaient cessé d'augmenter jusqu'en 1806 : on les évaluait alors à 456 millions ; en 1807, elles descendirent à 376 ; en 1808 et en 1809 elles ne dépassèrent pas beaucoup 330. Certaines industries, notamment la soierie et, dans l'ouest, la toilerie déclinèrent, en sorte que, par un autre biais, la menace du chômage s'imposa encore. Les saliniers des côtes, les vignerons, les paysans des provinces voisines de la Manche et de la mer du Nord se plaignirent également. Les beurres et les fromages, les fruits et les légumes et, articles de plus grande conséquence, les vins et les eaux-de-vie se vendaient difficilement. La situation s'aggrava lorsque le marché du blé s'engorgea. Le blé avait été cher sous le Consulat, ce qui ne contribua pas médiocrement à rendre Bonaparte agréable aux propriétaires et aux gros fermiers : en l'an X et en l'an XI, le prix moyen dépassait 24 francs l'hectolitre. Depuis 1804, une série de bonnes récoltes le ramenait au-dessous de 20 ; en 1809, il descendit à 15 ; dans le bassin parisien et en Bretagne, il tomba, en réalité, à 11 ou 12 francs, et en Vendée à moins de 10. Napoléon s'émut. S'il ne voulait pas que le pain fût cher, il n'entendait pas non plus que la mévente excitât le mécontentement des cultivateurs et rendît malaisée la perception de l'impôt. En pareil cas, il autorisait antérieurement l'exportation à titre provisoire, comme on le faisait sous l'Ancien Régime. Le 23 novembre 1808, un négociant du Havre avait demandé la permission de la reprendre ; l'Angleterre ne demandait pas mieux que d'acheter.

La question de l'exportation présentait d'ailleurs une portée plus générale, car elle intéressait la balance commerciale. Napoléon eût été plus à l'aise que Colbert pour la distinguer de celle des comptes, car, si la France de son temps ne disposait pas non plus des ressources du fret et du tourisme, ses capitalistes faisaient au moins quelques opérations spéculatives dans les pays conquis et la guerre procurait d'importantes quantités de numéraire. Ses conceptions étaient, néanmoins, trop traditionalistes pour qu'il ne désirât pas assurer à tout prix la prédominance à l'exportation. Jusqu'en 1808, il n'y réussit pas, bien que, de 83 millions en 1803, le déficit tombât à 17 en 1807. Entre autres avantages, le blocus continental eut à ses yeux le mérite de retourner la situation. De 477 millions en 1806, l'importation descendit à 289 en 1809 ; à partir de 1808, la balance devint favorable et laissa un solde de 43 millions en 1809. Pour l'empereur, c'était l'essentiel ; mais le résultat eût été plus satisfaisant encore si l'exportation, au lieu de diminuer aussi, se fût maintenue. Puisque le blocus de guerre, dans sa pensée, visait la monnaie de l'Angleterre, il ne contredisait pas son mercantilisme : il lui importait de continuer à vendre aux Anglais tout en cessant de leur acheter, afin de leur soutirer leur numéraire. En 1808, apprenant que Louis accordait des licences pour exporter en Grande-Bretagne, il lui pardonna à la condition qu'on n'achetât rien en échange : « Il faut qu'ils paient en numéraire, jamais en marchandises ; jamais, entendez-vous ? »

Lui, cependant, ne se relâchait pas de sa rigueur à l'égard des neutres ; quand il connut l'embargo de Jefferson, il posa en principe, dans le décret de Bayonne, le 17 avril 1808, que cette mesure impliquait la disparition de la navigation américaine et que tous les vaisseaux qui se réclamaient des États-Unis devaient être réputés en état de fraude et déclarés de bonne prise ; il les fit séquestrer et, le 23 mars 1810, le décret de Rambouillet ordonna de les vendre avec leurs cargaisons. Les neutres exclus, les exportateurs français manquèrent de navires : leurs envois devaient nécessairement diminuer. Il est possible qu'au premier abord la contradiction ne l'ait pas frappé, attendu que ses yeux se fixaient surtout sur la France et qu'il ne se souciait guère de ce que deviendrait, par exemple, l'exportation des pays agricoles de la Baltique ; même si l'Europe avait été conquise tout entière, la France n'en fût pas moins restée la partie essentielle de l'empire et c'était chez elle que le numéraire devait affluer ; le blocus lui livrant le marché continental, il suffisait qu'elle s'en emparât pour maintenir et même augmenter ses ventes. Ses ressources suffisaient-elles pour y remplacer les marchandises anglaises ? Le débit du roulage et de la navigation fluviale pouvait-il s'accroître au point que les transports par mer devinssent superflus ? L'événement prouva que non. Encore n'aurait-on su que faire du blé.

La plupart des hommes qui entouraient l'empereur n'approuvaient pas au fond le caractère qu'il imprimait au blocus et désiraient revenir au régime antérieur à 1806. L'opinion de Chaptal était connue ; Crétet, puis Montalivet, à l'Intérieur, en rapport avec les cotonniers et les négociants des ports, auraient aimé les satisfaire. Ils ne pouvaient songer à demander que les décrets de Berlin et de Milan fussent rapportés ; mais ils insinuèrent qu'on gagnerait à imiter les Anglais, en distribuant des licences d'exportation, et qu'il conviendrait d'admettre les neutres à en recevoir, sans leur rendre la liberté. Pour satisfaire aux besoins de la marine et de l'armée, on livrerait en retour certaines marchandises, les autres sorties ne comportant que le paiement en numéraire, ce qui garantirait un solde métallique confortable. Coquebert de Montbret, en 1802, ne recommandait-il pas les échanges compensés et, en 1807, Napoléon n'avait-il pas envisagé un moment d'accorder des licences d'importer à charge de réexporter l'équivalent ? Contrairement à ce qu'il raconte dans ses *Mémoires*, Mollien combattit le projet, en observant que les exportateurs, même si on leur refusait l'autorisation de se faire payer en nature, ne manqueraient pas de prendre pourtant un chargement de retour, quitte à l'introduire en fraude, et que les Anglais d'ailleurs les y obligeraient ; ainsi, concluait-il, le change britannique serait redressé. Coquebert de Montbret remontra également que, si on envoyait du blé aux Anglais, on laisserait échapper l'occasion de les affamer. Ces conséquences ne se conciliaient pas avec la notion d'un blocus offensif.

Ils avaient raison ; mais un autre argument, que firent valoir Gaudin et Collin de Sussy, le directeur des douanes, décida Napoléon à céder. En diminuant les importations, il restreignait le revenu douanier qui, de 60 millions en 1808, descendit à 11 1/2 en 1809. A la veille de la campagne contre l'Autriche, il importait de rétablir les recettes ; d'un autre côté, l'exportation des grains permettrait aux paysans de payer l'impôt foncier. Ce fut, en effet, en mars 1809 que Napoléon dicta un projet relatif aux licences. Une circulaire confidentielle de Crétet fit connaître, le 14 avril, qu'il s'agissait d'un expédient exceptionnel et temporaire auquel on ne donnerait pas de publicité. Ces licences, qu'on appela plus tard « d'ancien système », permettaient l'exportation des vins et eaux-de-vie, des fruits et légumes, des grains et du sel, à condition de réimporter du bois, du chanvre, du fer et du quinquina ou de se faire payer en numéraire, d'acquitter les droits de douane et de verser une taxe de 30 à 40 louis par licence. Crétet en délivra 40 ; mais, lui succédant comme intérimaire, Fouché se montra beaucoup plus généreux : à la date du 5 octobre, il en avait donné 200. Cependant, Gaudin et Montalivet insistaient pour qu'on pensât aussi à l'industrie. Un deuxième type de licence apparut ainsi le 4 décembre 1809 et s'incorpora au décret du 14 février 1810 : les trois quarts seulement de chaque cargaison exportée furent réservés aux produits agricoles, auxquels on adjoignit les huiles et les matières textiles ; les produits manufacturés purent constituer le reste.

Comme il fallait s'y attendre, les conditions de réimportation et de paiement en numéraire se heurtèrent aux prétentions des Anglais et on ne sollicita point autant de licences qu'il se pourrait croire ; en juin 1810, il fut rapporté à l'empereur qu'on en avait utilisé 351, exporté pour 10 millions de francs et importé pour 6. Toutefois, l'exportation des grains demeure enveloppée d'obscurité. D'après les statistiques anglaises, l'empire et ses alliés fournirent à la Grande-Bretagne, en 1809 et 1810, près de 1.500.000 *quarters* et on assura que, payés en or, ils avaient entraîné la sortie de près de 1.400.000 livres sterling. De fait, la valeur des importations anglaises s'éleva, en 1809, à 75 millions 1/2 de livres et, en 1810, à 89,7, tandis que la disette de 1801 ne l'avait portée qu'à 73,7. Il est donc vraisemblable que, pour exporter les grains, on ne se borna point à employer les licences impériales ; comme, depuis la fin de septembre 1809, l'Angleterre en délivrait pour aller prendre, même sur lest, des grains sur le continent, Napoléon ferma probablement les yeux et laissa les navires ennemis charger librement jusqu'au moment où, la récolte de 1810 s'annonçant médiocre, il suspendit l'exportation à la fin de l'été. Le marché du blé se trouva dégagé ; au contraire, les vignerons, les industriels et le trésor n'avaient guère lieu d'être satisfaits. Dans la première moitié de l'année 1810, l'empereur se convainquit que cette première tentative ne suffisait pas ; pendant son voyage dans le nord, les manufacturiers multiplièrent leurs doléances. Le 12 janvier, il admit qu'on vendît les marchandises de prise, en dépit des prohibitions, à l'exception de certaines cotonnades, contre un droit de 40 % : c'est ce qu'on appela les produits d'origine permise. Autrement dit, il autorisa certaines importations. Pour l'exportation, il organisa officiellement à Dunkerque les relations avec les *smugglers* ou contrebandiers anglais ; en 1811, la base fut transférée à Gravelines. Le 6 juin, il créa un conseil de commerce et des manufactures et, à la fin du mois, se mit à préparer avec lui un réaménagement général du blocus.

Un motif nouveau, d'ailleurs, y poussait. Le 1er mai 1810. le Congrès américain autorisa le président, par le *Macon bill*, à interdire les importations des belligérants qui n'auraient pas rapporté les mesures dirigées contre les neutres avant le 3 mars 1811. Si l'Angleterre persistait, Napoléon, en ménageant les États-Unis, les pousserait à rompre avec elle ; le décret de Milan exemptait de ses dispositions les neutres qui feraient respecter leurs droits ; par un artifice diplomatique, on pouvait devancer l'événement, qui serait considérable puisque l'efficacité du blocus se verrait ainsi renforcée.

Le 3 juillet 1810, par le décret de Saint-Cloud, les licences devinrent institution officielle ; elles furent ensuite accordées à l'Italie, aux villes hanséatiques et à Danzig, par égard pour les

Polonais. Un autre décret, le 25 juillet, érigea le trafic maritime de l'empire français en un commerce dirigé : à partir du 1er août, il était interdit d'entrer dans ses ports ou d'en sortir sans une licence signée de l'empereur lui-même ; ces licences dites « du système normal » se délivraient exclusivement aux Français. Napoléon venait donc de promulguer un véritable acte de navigation, à l'exemple de la Convention. Comme ses vaisseaux ne pouvaient pas naviguer, il était inopérant. Aussi fit-on, en faveur des Américains, une exception que le conseil de commerce étudia, le 25 juin, dans une importante séance : le 5 juillet, un décret leur accorda la faculté d'importer à charge de réexporter ; comme Madison interdisait à ses concitoyens de solliciter des licences qui, à ses yeux, comportaient une autorisation contraire à la liberté des mers et à la souveraineté de son pays, on éluda sa défense en les nommant « permis » quand on les destinait aux marins des États-Unis. Au fond, la France ne pouvait se passer d'eux ; mais la diplomatie fit grand état de la concession et, le 5 août, Champagny notifia que l'empereur rapporterait les décrets de Berlin et de Milan, en novembre, si les Anglais, de leur côté, annulaient les « ordres du Conseil ». Montalivet proposa aussitôt d'accorder le permis à tous vaisseaux alliés ou neutres ; l'empereur s'y refusa et fit même séquestrer des navires danois. Il faut donc reconnaître qu'il avait très habilement tourné la nécessité de se procurer des vaisseaux neutres en une manœuvre diplomatique propre à brouiller les États-Unis avec l'Angleterre.

Le décret du 25 juillet stipulait que toute importation devait comporter une sortie équivalente de marchandises désignées, variables suivant les ports, mais comprenant toujours un tiers ou moitié en soieries. Les prohibitions générales et celle des produits manufacturés de l'Angleterre étant maintenues, les importations n'auraient dû comporter que les denrées alimentaires et les matières premières venues des États-Unis ou du continent : en réalité, on réadmit les denrées coloniales, bien qu'on les sût d'origine ennemie. La méthode préconisée par Coquebert de Montbret en 1802, avait donc été adoptée : l'État réglementait le commerce de mer, l'exportation devant au minimum équilibrer l'importation. Napoléon renonçait à exiger le paiement de la première en numéraire, en vue de la ranimer et surtout de procurer à l'industrie des matières premières, aux consommateurs du sucre et du café. C'était la même inspiration qui avait guidé le Comité de salut public ; toutefois, en l'an II, la France, obligée d'importer à tout prix, acceptait de payer au besoin en numéraire ; au temps de Napoléon, sa position se retournait et elle n'admettait un solde en espèces qu'à la charge de l'étranger. Il n'en était pas moins évident que l'empereur, en consentant à faire des achats dont une partie profiterait à l'ennemi, atténuait la rigueur du blocus continental.

Le trésor aussi eut sa part. Chaque licence coûtait mille francs ; le tarif douanier avait été revisé et, le 1er août, parut le décret de Trianon qui accrut la taxation des denrées coloniales dans une proportion formidable. Le coton américain, qui payait un franc le quintal en 1804 et 60 depuis 1806, en acquitta désormais 800 ; le droit sur l'indigo fut porté de 15 à 900, sur le café de 150 à 400. Procurer des matières premières aux fabricants en les accablant de la sorte semblait contradictoire ; mais, outre que Napoléon cherchait, en frappant le coton, à favoriser les textiles nationaux, il s'imaginait que les Anglais seraient obligés de baisser leurs prix pour tenir compte des droits, en sorte qu'ils ne feraient plus de bénéfices, tandis que l'importation régulière détournerait les acheteurs de recourir aux contrebandiers. C'était beaucoup d'optimisme. Maîtres du marché, les Anglais pouvaient tenir leurs prix et des taxes exorbitantes ne sont pas propres à décourager la fraude. Aussi la répression fut-elle bientôt renforcée. Par le décret de Fontainebleau, du 18 octobre, le contrebandier fut puni de dix ans de servitude pénale, sans compter la marque, et déféré à une juridiction nouvelle, les cours douanières, qui fonctionna dans les mêmes conditions que les tribunaux spéciaux ; en 1812, la cour de Hambourg prononça 127 condamnations en quinze jours, dont plusieurs à mort à raison de circonstances aggravantes. Les denrées coloniales de contrebande devaient être confisquées et vendues, les produits manufacturés détruits. Restait à rechercher les marchandises déjà introduites en dépit du blocus afin d'assainir le marché et de se procurer des recettes. Aussi le décret de Trianon provoqua-t-il une immense opération de police. Dans tout l'empire, les perquisitions allèrent leur train ; comme les vassaux se montraient moins enclins à s'exécuter, Napoléon fit un exemple : dans la nuit du 17 au 18 octobre, Francfort fut cerné par une division et occupé le lendemain ; 234 négociants, dont Bethmann et Rothschild, virent séquestrer ce qu'ils n'avaient pu cacher. Les princes de la Confédération du Rhin, la Prusse, la Suisse, qu'on menaça d'invasion et qui vit fermer sa frontière allemande, se décidèrent alors à obtempérer.

Les décrets de 1810 ne donnèrent pas tous les résultats qu'on espérait et ne laissèrent pas d'entraîner de graves inconvénients. Les nouvelles licences ne rencontrèrent pas beaucoup plus d'amateurs que les anciennes ; d'après un rapport de Montalivet, l'empereur en avait signé 1.153 à la date du 25 novembre 1811, mais on n'en délivra que 494. Elles assurèrent une exportation estimée à 45 millions et une importation de près de 27. Quant aux Américains, ils avaient pris une centaine de permis, apporté pour un peu moins de 3 millions et acheté pour 3 1/2. La balance étant favorable, l'innovation, aux yeux de Napoléon, se trouvait justifiée. En réalité le profit restait douteux ; pour tenir compte du bénéfice du négociant français, le ministère majorait de moitié l'évaluation de l'exportation, et diminuait l'importation d'un quart ; de plus, les Anglais refusaient d'acheter et, en Illyrie, comme ils ne livraient pas de sel quand on exigeait une réexportation, l'empereur dut accorder l'exception ; il en résulta que les sorties furent souvent factices et sans autre objet que de justifier les entrées ; on trompait la douane en expédiant une camelote qu'on jetait par-dessus bord. Dans tous les cas, si l'industrie ressentit quelque soulagement, ce ne fut pas au point de désarmer l'hostilité des hommes d'affaires. Savary nous a rapporté les réflexions sévères de Laffitte, et la chambre de commerce de Genève, par la plume de Sismondi, son secrétaire, critiquait vivement le blocus, au grand émoi des bureaux. Du moment que Napoléon ne voulait pas accorder les licences avec le même opportunisme que les Anglais, ce qui n'était d'ailleurs pas conciliable avec les décrets de Berlin et de Milan, il aurait aussi bien fait de n'en donner aucune.

L'épuration du marché, d'autre part, fut loin d'être complète. On réussit, en corrompant les agents français ou grâce à la connivence des autorités locales, à cacher beaucoup de marchandises ou à les faire déclarer d'origine légale. Pour les denrées coloniales, l'empereur accorda maints tempéraments : il autorisa le paiement des droits en nature, admit les saisies hollandaises dans l'empire avec un rabais de moitié, consentit au Danemark un délai pour importer à Hambourg les stocks du Holstein, accepta ultérieurement les séquestres de la Prusse en déduction de l'indemnité de guerre ; on remit le tout en circulation, en sorte que le contrôle redevint impossible. L'opération avait, en outre, provoqué une perturbation violente. La destruction des produits manufacturés confisqués acculait leurs détenteurs à la faillite ; pour rentrer en possession des denrées coloniales, il fallait acquitter des sommes énormes — à Francfort plus de neuf millions — dont beaucoup ne pouvaient faire l'avance ; chaque État prétendit appliquer à son profit le décret de Trianon, en sorte que la circulation s'arrêta jusqu'à ce qu'on se fût mis d'accord pour n'exiger les droits qu'une fois ; encore advint-il que, la Prusse acceptant en paiement son papier-monnaie déprécié, ses certificats finirent par être refusés. Cette secousse déclencha la grande crise économique de 1811, et ainsi la fiscalité douanière aggrava le mal que les licences étaient destinées à conjurer.

L'effet moral ne fut pas bon non plus. Les licences et le décret de Trianon jetèrent le désarroi dans l'opinion en lui donnant à croire que l'empereur, avouant son erreur, allait renoncer au blocus continental ; en août, après les assurances données aux États-Unis, Montalivet partagea un moment cette illusion. Le décret de Fontainebleau et l'application tapageuse qu'on en fit déçurent cruellement les populations ; elles se jugèrent frappées beaucoup plus durement que les Anglais et trouvèrent scandaleux qu'on brûlât en cérémonie sur les places publiques ou qu'on jetât aux rivières ce qui leur faisait si grand besoin ; à la rigueur, on pouvait essayer de persuader les Français que l'intérêt national l'exigeait, mais non pas les autres. L'envoyé américain à Pétersbourg avait dit que c'était « la politique d'un vandale » et tel fut le cri général. D'un autre côté, en réservant les licences aux Français, Napoléon justifia ceux qui représentaient le blocus comme uniquement destiné à favoriser la nation dominante et, en accordant une exception en faveur des Américains, il provoqua l'indignation des gouvernements vassaux et alliés. Dès la fin de 1809, Murat combinait avec Fouché, Ouvrard et Labouchère de distribuer, lui aussi, des licences, et la Russie, voyant les grains sortir de l'empire, demanda des explications. Elle n'appliqua pas les décrets de Trianon et l'Autriche pas davantage. Finalement, Alexandre reprit sa liberté : puisque la France trafiquait avec l'ennemi et admettait les Américains dans ses ports, il rouvrit les siens aux neutres, le 31 décembre 1810. Le nouveau régime compromit donc le blocus et, en même temps, ébranla le système continental. La rupture avec la Russie provenait d'autres causes encore ; mais on eût évité de lui fournir un prétexte en accordant, conformément à l'esprit de la fédération continentale, des licences aux vassaux et aux alliés aussi bien qu'aux Français pour trafiquer dans les ports de l'empire, ce qui n'aurait pas empêché d'en faire également profiter les Américains. L'acte de navigation de 1810, parfaitement vain en pareilles circonstances, fut une manifestation, aussi intem-

pestive que dangereuse, du mercantilisme obstiné de Napoléon.
Cette erreur mise à part, les récriminations des contemporains
ne peuvent masquer l'habileté de sa politique. Pas un instant
il n'eut l'intention de renoncer au blocus continental et, en le
réorganisant, les embarras de l'industrie restèrent au second
plan de ses préoccupations. Son dessein avait été essentiellement
fiscal. Il lui fallait de l'argent pour faire la guerre à l'Autriche :
en permettant aux paysans de vendre leurs grains, il put encaisser
l'impôt et c'est ce qui n'échappa point aux Anglais. En 1810,
il prévoyait qu'il lui en faudrait davantage encore pour préparer
une campagne contre la Russie : à la fin de l'année, les décrets
de Trianon et de Fontainebleau lui procurèrent, estime-t-on,
150 millions, sans compter les ventes de marchandises confisquées. Comme toujours, il se plia aux nécessités présentes et il
obtint ce qu'il voulait. En même temps, il associa adroitement
à cette opération financière la manœuvre diplomatique qui
devait lui gagner les États-Unis, et il y réussit également. Prenant
ses promesses au sérieux, Madison, le 2 novembre 1810, rétablit
le libre commerce avec l'empire, tandis que les importations
anglaises restaient interdites.

Quant aux décrets de Berlin et de Milan, ils demeuraient
intangibles, et l'on ne peut douter que, si les licences lui avaient
paru susceptibles d'en compromettre les effets, Napoléon les eût
sans hésiter supprimées : comme en 1809, elles ne figuraient
qu'un expédient temporaire. Il n'eût pas davantage maintenu
les permis américains si les États-Unis, dans son esprit, n'eussent
été destinés à déclarer la guerre à l'Angleterre. Ses déclarations
du 24 mars 1811 aux négociants parisiens sont péremptoires :

« Je regarde le pavillon neutre comme une extension du territoire. La puissance qui le laisse violer ne peut être considérée
comme neutre. Le sort du commerce américain sera bientôt décidé.
Je le favoriserai si les États-Unis se conforment à ces décrets. Dans
le cas contraire, leurs bâtiments seront repoussés de mon empire.
Le continent sera fermé aux importations de l'Angleterre. Je res-
terai armé de pied en cap pour exécuter mes décrets. »

En effet, l'Angleterre vit reparaître en 1811 les mauvais jours
de 1808. La Suède venait d'adhérer au blocus et, dans la Baltique,
la flotte anglaise n'apercevait plus un port où accoster librement.
En septembre 1810, un grand coup l'atteignit. Lorsque 600 vaisseaux, que les vents avaient retenus dans les détroits, essayèrent
d'aborder les côtes méridionales, 140 furent saisis dont on estima
les cargaisons à un million et demi de livres sterling ; la Suède

elle-même se résigna à en séquestrer cent autres valant un demi-million. La Hollande et la côte allemande de la mer du Nord étaient maintenant annexées et la Grande Armée, en marche vers la Russie, inondait l'Allemagne et renforçait la surveillance. Jamais les exportations anglaises n'avaient été atteintes à pareil degré. En 1810, elles s'élevaient encore, pour l'Europe septentrionale, France comprise, à 7.700.000 livres sterling, plus 9.160.000 pour les réexportations. En 1811, ces nombres tombèrent respectivement à 1.500.000 et 1.960.000, soit 14,5 % et 32,2 seulement des valeurs atteintes en 1805. La même année, l'Angleterre ne vendit plus aux États-Unis que pour 1.870.000 livres au lieu de 11.300.000 en 1810 ; simultanément, les troubles qui avaient commencé dans l'Amérique espagnole ramenaient les expéditions vers le Nouveau Monde, États-Unis exclus, à moins de 13 millions contre plus de 17 1/2 en 1810. Au total, l'exportation britannique descendit à 39 millions 1/2 de livres sterling en 1811, soit 82 % par rapport à 1805 et 65 % à l'égard de 1810.

On alléguera peut-être qu'en 1811 l'Angleterre était en proie à une crise industrielle intense ; mais celle-ci détermina une baisse foudroyante des prix et la constitution de stocks énormes ; si l'Angleterre vendit moins, c'est qu'on refusait ses marchandises et non pas qu'elle en manquait. Le blocus jouait donc de manière satisfaisante ; certains facteurs indépendants de la volonté de Napoléon, après avoir contrarié son action, faisaient maintenant son jeu et, comme le montre l'étude de la crise de 1811, il en existait d'autres encore. On s'explique donc sa confiance : « Je sais que l'on blâme hautement mes mesures, disait-il encore le 24 mars 1811 ; cependant ceux qui sont arrivés dernièrement d'Angleterre et qui ont vu l'effet que commence à produire l'interruption du commerce avec le continent, ne peuvent se dispenser de dire qu'il est possible que l'empereur ait raison..., qu'il pourra peut-être venir à bout de ses desseins. »

Il n'avait pourtant pas profité de tous ses avantages. Il s'irritait de voir l'Angleterre continuer à vendre sur le continent, encaisser les retours ou les déléguer aux coalisés à titre de subsides : c'est à lui-même qu'il aurait dû s'en prendre. Il respectait, en effet, l'armature bancaire internationale qui servait de support au trafic britannique et assurait le transfert des espèces dont le rôle restait important dans les paiements, ainsi que la circulation du papier commercial qui, en Europe occidentale tout au moins, était la condition nécessaire des échanges.

Comme l'écrivait, le 25 janvier 1808, le ministre hollandais Valckenaer au roi Louis :

« De toutes les manufactures anglaises qui circulent sur le continent, il n'en est aucune qui soit plus profitable ou plus importante aux Anglais que celle du papier de banque... C'est elle qui, par son pouvoir magique, soutient l'immensité du commerce anglais dans les quatre parties du monde... Tel est l'effet du système des traites et lettres de change tirées, soit directement de l'Angleterre, soit indirectement mais pour compte anglais, de toutes les places commerciales du continent européen. »

En outre, les banques servaient d'intermédiaires à l'électeur de Hesse et aux capitalistes hollandais pour souscrire les emprunts anglais, et à Nathan Rothschild pour envoyer des fonds à Wellington en se procurant des effets français ! Les places essentielles étaient Amsterdam, Hambourg et Francfort. La maison Hope-Labouchère et celle des Parish se tenaient en rapports entre elles comme avec la banque Baring et la finance parisienne ; les Rothschild du continent communiquaient avec leur frère Nathan, installé à Londres, et, en 1811, trois d'entre eux, James, Charles et Salomon, vinrent opérer à Paris où le premier resta pour fonder la branche française de la famille. Les grandes banques du continent se trouvaient sous la main de l'empereur. Cependant, si l'exportation du numéraire demeurait interdite dans l'empire, elle ne le fut pas ailleurs ; elle ne paraît même pas avoir cessé en Hollande après l'annexion. Quant à l'escompte commercial, il ne s'interrompit jamais nulle part, bien que le *Moniteur* eût cessé, en 1807, de publier la cote du change sur Londres. Ce n'est pas qu'on ait omis de signaler que là se trouvait le nœud gordien. Le papier de commerce, disait Valckenaer, est la seule marchandise qui ne soit pas prohibée : « c'est là qu'il faut frapper » ; il proposait, en conséquence, de réputer haute trahison toute création, acceptation, endossement, escompte, envoi ou paiement de traite au profit, à la décharge ou pour compte d'un Anglais. Louis sans doute se garda de mettre cet avis sous les yeux de son frère ; mais la fissure ne put échapper ni à Mollien, ni à Napoléon, qui fulmina en 1811 contre les « escompteurs du commerce anglais ». Néanmoins, il ne les a pas frappés. On ne peut expliquer cette carence que par son mercantilisme. S'il voulait empêcher les Anglais de vendre, il ne renonçait pas à exporter chez eux et à leur soutirer du numéraire ; la Hollande continuait à tirer d'importants revenus de ses placements à l'étranger et il n'entendait pas y renoncer ; atteindre la banque internationale, c'était se frapper soi-même. L'élan guerrier qui lui avait inspiré les décrets de Berlin et de Milan ne comportait pas de ménagements semblables : sans se l'avouer peut-être, il le refréna.

L'appât de l'or et les considérations fiscales lui firent aussi dédaigner les chances d'affamer l'Angleterre et le portèrent à lui livrer les grains qui lui manquaient. Il semble que, dans l'ardeur belliqueuse du premier moment, il ait raisonné autrement ; l'exportation des subsistances s'était complètement arrêtée en France en 1807, avait été interdite en Hollande et cessa en Allemagne en 1808. Mais, en 1809, il l'autorisa, malgré les observations de Coquebert de Montbret, et ce fut par elle que sa nouvelle politique assura un profit substantiel. Sur une importation totale de 1.567.000 *quarters* en 1810, la Grande-Bretagne en reçut 1.306.000 de l'empire et de ses alliés ; elle vit baisser son change et fuir son or, comme Napoléon l'espérait ; mais elle se constitua des réserves ; preuve en est que, malgré la désastreuse récolte de 1810, elle n'importa plus en 1811 que 336.130 *quarters* de blé, dont le tiers, d'ailleurs, lui vint encore de la Prusse, et que, nonobstant, le *quarter*, qui se vendait en moyenne 103 sh. en 1810 (soit environ 44 francs l'hectolitre), descendit à 92 (33 fr. 50 l'hectolitre). Il n'est pas douteux que, sans l'aide du continent, l'Angleterre eût manqué pendant plusieurs semaines et, en admettant qu'elle se fût tirée d'affaire par des expédients, les prix auraient fait un bond formidable. Or, à ce moment, l'Angleterre subissait une crise économique sans précédent : Napoléon a sacrifié d'avance une occasion, peut-être unique, de parvenir à ses fins.

III. — LA CRISE DE 1811[1].

Dans cette crise, les décrets de Trianon et de Fontainebleau ont joué un rôle important ; mais ils n'étaient pas indispensables

1. Ouvrages a consulter. — Pour l'Angleterre, essentiellement F. Crouzet, t. II de l'ouvrage cité p. 180. Voir aussi p. 48 et 347, notamment l'article de Silberling ; sur le *Bullion report* (rapport sur les métaux précieux ; nous dirions aujourd'hui : sur l'étalon d'or), E. Fossati, *Ricardo und die Entstehung des Bullion Report*, dans la *Zeitschrift für Nationalökonomie*, t. II (1933), p. 433-500 ; J. Viner, *Studies in the theory of international trade* (Londres, 1937, in-8º) ; E. Morgan, *Some aspects of the bank restrictive period*, dans *The economic history review*, t. III, 1939, p. 205-221 ; F. Fetter, *The Bullion report reexamined*, dans *The quarterly journal of economics*, t. LVI, 1942, p. 655-665. — Pour la France, p. 356 et 402 ; Ch. Ballot, *Les prêts aux manufactures*, dans la *Revue des études napoléoniennes*, t. II (1912), p. 42-77 ; les meilleurs exposés sont ceux de L. de Lanzac de Laborie, *Paris sous Napo-*

pour qu'elle survînt, et, ici encore, on se rend compte que Napoléon pouvait être aidé par des circonstances indépendantes de sa volonté. Par nature, la production capitaliste comporte des troubles périodiques ; la guerre et le blocus créaient des conditions malsaines qui les précipitèrent. Ils n'épargnèrent pas le continent ; toutefois, l'économie anglaise subit, à raison de son avance même, des dommages infiniment plus graves.

Depuis 1807, les prix s'étaient enflés artificiellement ; en Angleterre, par exemple, ceux des fournitures de la Baltique, de la soie, du coton avaient plus que doublé dès 1808 ; le fret du Canada devint deux fois plus cher, celui de Riga trois fois et davantage ; en 1810, on calculait que le voyage d'un navire de cent tonneaux, de Calais à Londres et retour, revenait à 50.000 livres ; de Bordeaux à Londres et retour, à 80.000. Il en résulta que le commerce immobilisa des capitaux de plus en plus considérables. En même temps, les risques croissaient, non pas seulement du fait des captures et des confiscations, mais en raison aussi des variations exorbitantes et imprévisibles des prix. Ainsi, à Paris, le coton de Pernambouc valut 7 francs la livre en 1806, 15 en 1807, 24 en 1808 ; il se tint entre 12 et 14 en 1810. A Hambourg, on cota le sac 75 *gulden* au début de 1808, 260 au milieu de l'année, 175 à la fin ; les oscillations étaient moindres à Londres, sans cesser d'ouvrir de vastes perspectives à la spéculation. A Hambourg, le père des Parish, en 1800, déplorait déjà que le goût de la spéculation à terme s'emparât des hommes d'affaires : il finit par prédominer. On jouait, en Angleterre, sur toutes les marchandises et il se forma des sociétés qui ne se proposaient pas d'autre fin.

Sur le continent, on s'intéressait principalement aux produits des colonies ; en France, on en trouvait l'occasion dans les grandes villes ; néanmoins, les arrivages y étaient plus rares, et on se montrait beaucoup plus actif à Amsterdam ou dans les villes hanséatiques ; les banques parisiennes y engagèrent de grosses sommes soit pour leur compte, soit pour celui de leurs

léon, t. VI (Paris, 1910, in-8°), et de DARMSTAEDTER, cité p. 155 ; Odette VIENNET, *Napoléon et l'industrie française. La crise de 1810-1811* (Paris, 1947, in-8°). — Pour les nuances régionales : P. LÉON, La crise des subsistances de 1810-1812 dans le département de l'Isère, *Annales historiques de la Révolution française*, 1952, n° 3 ; J. VIDALENC, La crise économique dans les départements méditerranéens pendant l'Empire, *Revue d'histoire moderne et contemporaine*, 1954, n° 3 ; J. LABASSE, *Le commerce des soies à Lyon sous Napoléon et la crise de 1811* (Paris, 1957, in-8° ; coll. des « Cahiers d'histoire »).

clients ; en 1810, on citait le tenancier du café du Caveau comme ayant à Anvers une forte position sur les denrées coloniales. C'étaient les haussiers qui menaient, et les manœuvres ne manquaient pas, surtout les fausses nouvelles ; en avril 1807, on racontait à Paris, pour faire monter le coton, que les Anglais bloquaient Lisbonne. En Hollande, les grandes banques achetaient des stocks en entrepôt pour diriger le marché. En Angleterre, où le gouvernement empruntait à jet continu, l'attention se portait aussi sur les valeurs mobilières. Dans ce compartiment, la prépondérance appartenait aux baissiers ; les remisiers poussaient d'autant plus obstinément à la baisse des consolidés que, les banquiers ne prêtant pas, à une exception près, d'argent pour les reports, c'étaient eux qui l'avançaient au taux de 5 %, maximum légal, en l'empruntant à bien meilleur compte ; la Banque d'Angleterre les contrecarrait par l'intermédiaire de la banque Goldsmith. A Paris, la spéculation sur les valeurs mobilières n'atteignait pas à beaucoup près la même importance ; on ne la négligeait pourtant pas, l'instabilité politique la rendant fort nerveuse. Tant que Talleyrand fut aux Affaires extérieures, il profita des renseignements que lui procuraient ses fonctions pour faire de fructueux coups de bourse. Mollien soutenait la rente de son mieux ; mais les baissiers ne cessèrent jamais de justifier les invectives de Napoléon. L'esprit spéculatif gagna le négoce et l'industrie. L'Angleterre connut deux grands *booms* : l'un en 1807 et 1808, quand Popham annonça la prise de Buenos-Aires et quand on apprit que les possessions espagnoles, ayant proclamé Ferdinand VII, regardaient désormais les Anglais comme leurs alliés ; l'autre en 1810, lorsque les dernières colonies françaises eurent succombé et que les Américains reparurent en Europe. Pour suffire aux commandes, on multiplia les manufactures ; on perfectionna l'outillage des artisans à domicile en leur louant des métiers ou en les leur vendant à crédit. En France, en Saxe, en Suisse, la prohibition des cotonnades anglaises entraîna des effets analogues ; on investit pareillement des capitaux considérables, dont la rémunération greva lourdement les entreprises et les mit à la merci d'une crise.

Bien que les circonstances expliquent cette excitation fiévreuse, elle n'aurait pu prendre pareil développement sans une inflation de la monnaie et du crédit. A cet égard, le cas de l'Angleterre fut très différent de celui de la France. Après avoir détaché la *bank-note* de l'or, le gouvernement britannique s'était appliqué à maintenir des finances saines pour éviter de recourir au papier-monnaie et, en somme, avait assez bien réussi, grâce à l'augmentation des impôts sans doute, puisque, de 1804 à 1811, ces derniers couvrirent presque toujours plus de la moitié des dépenses, mais aussi grâce à l'abondance des capitaux et à la confiance qu'il s'appliquait à entretenir en soutenant les consolidés par l'amortissement et l'intervention en bourse, en sorte qu'il trouva toujours à emprunter à long ou à court terme. Malgré tout, il obligeait la Banque à garder en portefeuille une quantité importante d'*exchequer bills*, plus de 40 millions de livres à partir de 1808, et une augmentation de l'émission en résulta. On n'en connaît pas la courbe, mais elle passa, de 17 millions en 1805, à 23 1/2 en 1811. Cette année-là, un comité d'enquête assura qu'on avait livré depuis peu au public 2 millions de *bank-notes*. En sus, les banques locales, dont le nombre s'élevait maintenant à 800, auraient émis pour 4 à 5 millions de billets. Enfin, les méthodes bancaires se perfectionnaient : 46 maisons étaient affiliées au *clearing* et la circulation s'en voyait accélérée. Aussi la hausse des prix fut-elle continue : par rapport à 1790, l'indice était de 176 en 1809. Ses progrès furent graduels et, comme les salaires restaient toujours en retard, tandis que l'affluence monétaire abaissait le loyer de l'argent, on ne peut pas douter que l'inflation ait contribué à encourager l'esprit d'entreprise. Néanmoins, une partie des critiques contemporains assurèrent que les banques privées, sinon la Banque d'Angleterre, exagéraient aussi les crédits, et on peut les en croire. Enfin, pour gagner des clients, les négociants eux-mêmes accordaient de longs délais de paiement, douze à quinze mois et, dans l'Amérique latine et le Levant, sans garanties suffisantes.

Sur le continent, la plupart des États émettaient aussi du papier-monnaie ; comme l'économie n'y était guère avancée, il ne paraît pas que la production s'en soit trouvée fort excitée. Napoléon, au contraire, l'avait proscrit une fois pour toutes ; il n'en cherchait pas moins à accroître le stock métallique par tous les moyens, et la guerre lui procura des indemnités substantielles dont une bonne part fut ramenée dans l'empire ; aussi la circulation s'y accrut-elle également. Il est certain, toutefois, que le crédit s'y gonfla surtout par des procédés malsains, comme sous le Consulat. Les banques demeurant toujours peu nombreuses, surtout en province, commerçants, industriels et spéculateurs continuèrent à se le procurer en hypothéquant leurs immeubles ou par des effets de complaisance ; malgré la réforme de la Banque de France, on n'est pas sûr qu'elle n'ait pas persisté à accueillir ces derniers, quand on constate que le fils de Martin, un Genevois qui figurait parmi ses censeurs, fit faillite, en 1811, pour avoir spéculé et s'être, prétendait-on, intéressé à une affaire de contrebande.

Les décrets de 1810 n'étaient donc pas nécessaires pour qu'une crise éclatât et, en Angleterre tout au moins, elle les devança en effet. Bien que l'activité y fût plus grande que jamais, l'économie commença de manifester sa fatigue dès 1809 par la défaillance de la monnaie. La prime de l'or et de l'argent n'avait pas augmenté depuis 1806 ; mais l'encaisse de la Banque qui était de plus de 6 millions de livres en 1808, tomba tout à coup à 4 ; la livre, qui valait encore 23 francs à Paris et 35 shillings à Hambourg l'année précédente, descendit brusquement à 20 francs et à 28 shillings. Dès le mois d'août 1809, Ricardo jeta l'alarme et ouvrit ainsi une controverse demeurée célèbre dans l'histoire des théories monétaires : il incrimina l'inflation et s'en prit à la Banque ; Huskisson intervint pour défendre celle-ci ; en février 1810, les Communes nommèrent un comité d'enquête qui, en 1811, se prononça en faveur de Ricardo ; aujourd'hui encore le débat n'est pas clos. La prime des métaux précieux a dû provoquer une certaine thésaurisation ; mais les capitaux n'émigraient pas puisque le gouvernement empruntait facilement, et d'ailleurs où se seraient-ils réfugiés ? La baisse du change et la disparition de l'or devaient donc provenir des paiements extérieurs de l'État, non de l'inflation. Ces paiements avaient été considérablement accrus par la guerre de la péninsule, par les subsides accordés aux Portugais, aux Espagnols et à l'Autriche, enfin, par les achats de grains qui, en 1809, y ajoutèrent près de 6 millions de livres ; bref, de 1805 à 1807, l'Angleterre acquitta environ 3 millions en moyenne sur le continent ; le total dépassa 6 millions 1/2 en 1808, 9 en 1809, 14 en 1810. Il faut ajouter qu'elle opérait aussi des versements dans les autres parties du monde pour l'entretien de ses garnisons, de ses vaisseaux et de ses agents, ainsi que pour l'intérêt des fonds placés en Grande-Bretagne par l'étranger : à ce titre, la seule Hollande tirait de Londres 32 millions de florins. Enfin, la balance commerciale accusa un déficit de 15 millions 1/2 de livres sterling en 1809, de 8,9 en 1810, de 11,1 en 1811.

En admettant que la balance des comptes fût équilibrée, il n'en est pas moins certain que le ministère se vit contraint d'envoyer du numéraire sur le continent, et en grande quantité : il le demandait pour une part à la Banque. La première raison en fut l'incurie ou l'incompétence de la trésorerie. Nathan Rothschild a raconté qu'un jour, ayant appris que la Compagnie des Indes cherchait à se défaire d'une forte somme en argent, il s'empressa de l'acquérir pour la revendre aussitôt au *paymaster* qui ne parvenait pas à en trouver ; il se chargea ensuite de l'envoyer à Wellington et, à cet effet, la fit passer en France, où il acheta des traites sur la Sicile, Malte et même l'Espagne. Toutefois, la balance des comptes ne pouvait pas jouer normalement ; les conditions qu'imposaient au commerce la guerre, le blocus et l'ouverture de marchés lointains et nouveaux, rendaient les paiements étrangers tardifs et irréguliers, tandis que le gouvernement ne pouvait différer les siens sans dommage ; pour les mêmes raisons, l'arbitrage se révélait souvent impossible : on ne pouvait pas satisfaire Wellington avec du papier sur l'Allemagne. Des avances et des transports de métaux précieux étaient donc inévitables. Le change ne fut pas seul à en souffrir, car on ne put assurer exactement ces transferts ; à la fin d'avril 1812, Wellington se voyait à découvert de 5 millions de piastres. En atteignant l'exportation de l'Angleterre, Napoléon lui créa aussi des difficultés militaires.

Si Ricardo l'avait emporté, le succès de l'empereur eût été plus grand, car il concluait au rétablissement de l'étalon d'or ; dès lors, la Banque ne pouvant plus avancer du numéraire, on aurait eu peine à maintenir Wellington dans la péninsule ; en outre, il s'en serait suivi une crise de déflation qui eût restreint l'activité productrice et resserré le marché des capitaux ; la Trésorerie se serait alimentée malaisément et, en ce cas, comment financer la guerre ? Il est remarquable que les adversaires de la Banque n'ont envisagé aucune de ces conséquences. Sous les arguments théoriques se dissimulaient sans doute des intérêts particuliers : le rétablissement de l'étalon d'or empêchant la Banque de soutenir les consolidés, les baissiers auraient triomphé. Il est probable aussi que ceux qui appuyaient Ricardo ne manquaient pas de clairvoyance et se rendaient précisément compte que sa thèse entraînerait la conclusion de la paix. Le gouvernement dénonça le péril. « Je suis obligé, écrivit Perceval, de regarder la mesure proposée comme équivalant à une déclaration du Parlement que nous devons nous soumettre à n'importe quelle condition de paix plutôt que de continuer la guerre. » Aussi le retour à l'étalon d'or fut-il rejeté le 10 mai 1811. La dépréciation alla donc son train ; en 1811, l'encaisse descendit à 3 millions ; la prime de l'or était maintenant d'un quart ; le franc l'emportait de 39 % et le shilling hambourgeois de 44. A l'intérieur, les rentiers s'émurent enfin et lord King réclama de ses fermiers une bonification correspondant à la perte du billet. En conséquence, le Parlement dut se décider à donner au billet force libératoire pour sa valeur nominale : l'Angleterre se trouva, sans réserve, au régime du cours forcé, ce qui entraîna, comme toujours, un certain dommage pour les revenus fixes.

La crise monétaire, pas plus que le blocus, n'inquiéta les industriels et les négociants pendant le premier semestre de 1810. Au contraire, la baisse de la livre favorisait l'exportation. Ayant épuisé leur crédit ou immobilisé en totalité leurs fonds de roulement, l'insuffisance des paiements étrangers finit cependant par les accabler. Ce fut l'Amérique latine qu'on incrimina au premier chef. Au début d'août 1810, cinq firmes de Manchester firent faillite avec un passif de 2 millions, et le cyclone se déchaîna. Les banques, atteintes par les banqueroutes, coupèrent le crédit et en provoquèrent de nouvelles ou obligèrent les manufactures à travailler au ralenti, puis à s'arrêter. Les prix s'effondrèrent : l'indice de 1811 fut de 158 au lieu de 176 en 1810 ; les denrées coloniales perdirent la moitié de leur valeur ; le café près des deux tiers. Napoléon n'aurait pu choisir un meilleur moment pour renforcer le blocus ; ses mesures draconiennes, les saisies de la Baltique, la diminution foudroyante de l'exportation britannique, qui en fut la conséquence, aggravèrent la crise et la prolongèrent. Un profond marasme de l'activité industrielle caractérisa l'année 1811, marquée par le ralentissement de la production, la baisse des prix des articles manufacturés, le chômage. L'indice de l'activité générale en Grande-Bretagne s'établit à 64 contre 74,8 en 1810. Dans les grandes industries exportatrices, la diminution de l'activité fut sans doute encore plus accentuée : elle semble avoir approché de 25 % par rapport à 1809-1810. La production aurait encore plus diminué, entraînant un chômage accru, si les industriels produisant pour le marché américain n'avaient pas continué à travailler, misant sur un rappel prochain des ordres en Conseil et sur la réouverture des États-Unis. En 1812, jusqu'à la révocation des ordres en Conseil, le 23 juin, la dépression persista. Cette révocation permit aux industries exportatrices d'écouler leurs stocks, expédiés en hâte vers les États-Unis : la reprise fut incontestable, mais de courte durée. La nouvelle de la déclaration de guerre américaine vint replonger l'industrie dans le marasme, jusqu'à l'annonce du désastre de Russie. Pour l'ensemble de l'année, l'indice de l'activité générale ne s'établit qu'à un niveau à peine supérieur à celui de 1811 : 65,3 contre 64. Il serait sans doute excessif de dire que l'industrie britannique fut paralysée par la conjonction du blocus continental et de la politique de Madison : il est certain qu'elle fut sérieusement atteinte.

La répercussion sociale fut violente. En mai 1811, les filatures ne travaillaient que trois jours par semaine ; à Bolton, le salaire hebdomadaire se réduisit à 5 sh. et les deux tiers des métiers s'arrêtèrent. Comme l'ouvrier, depuis longtemps déjà, imputait sa misère à l'introduction des machines, ce fut à elles qu'il s'en prit ; en mars, les troubles commencèrent dans la région de Nottingham et devinrent fort graves en novembre ; en 1812, ils gagnèrent les comtés d'York, de Derby et de Leicester. Le Lancashire et le Cheshire s'insurgèrent aussi et, dans ces régions, aux bris de machines s'adjoignirent des émeutes de marché, car le pain restait cher. Ces troubles de 1812 furent les plus longs, les plus étendus et les plus sérieux que l'Angleterre ait connus depuis le xviie siècle ; certains districts furent pratiquement pendant plusisurs semaines aux mains des rebelles. La répression exigea 12 000 hommes de troupes régulières. L'événement démontra de façon brutale les défauts, sinon les vices, de l'organisation économique et sociale de la Grande-Bretagne, l'insuffisance de son système archaïque de gouvernement local.

C'est ici qu'apparaît clairement l'erreur commise par Napoléon en livrant ses grains ; nul ne peut dire le tour qu'auraient pris les événements si la famine était venue compliquer la crise. Telle qu'elle fut, elle ne sema pas la panique ; en dépit de leurs inquiétudes, ni l'aristocratie, ni la bourgeoisie ne perdirent leur sang-froid. Les finances, par suite, résistèrent à la rafale, malgré l'augmentation des dépenses, portées de 128 millions en 1810 à 147 en 1812, et une légère diminution des recettes, qu'une moins-value des douanes abaissa de 2 millions en 1811 et en 1812. Le gouvernement avait emprunté 22 millions 1/2 en 1809 ; en 1810, il obtint un million de moins ; mais, en 1811, il en retrouva 23 1/2 et, en 1812, près de 35 ; comme cela ne suffisait pas encore, il se procura en sus 37 millions à court terme en 1810, 41 en 1811, 45 en 1812. Il eût fallu une tourmente plus longue pour épuiser les réserves de l'Angleterre.

Si ses embarras accrurent la confiance de l'empereur, le contre-coup des mesures qu'il avait adoptées en 1810 ne l'épargna pas. A Paris, au mois de mai de cette année, des faillites déclarées en Bretagne avaient éveillé quelque inquiétude ; ce fut pourtant bien le décret de Trianon qui déchaîna la crise sur le continent. Elle commença dans les villes hanséatiques et en Hollande : on y spéculait sur les denrées coloniales avec plus d'imprudence qu'ailleurs, en sorte que l'application du décret y causa le plus de dégâts. En septembre, la maison Rodda, de Lübeck, fit une faillite de 2 millions 1/2 de marks ; un peu plus tard, la banque Desmedt, à Amsterdam, suspendit ses paiements. Les banques de Paris étant fortement engagées avec l'une et avec l'autre, les craintes des hommes d'affaires s'exprimèrent avec force, en novembre, au conseil de commerce et, le mois suivant, la banque Fould sauta, ainsi que Simons, le mari de Mlle Lange, et trente-sept autres firmes. Dès lors, la panique se propagea, et Talleyrand alla jusqu'à conseiller un moratoire ; en janvier 1811, Bidermann, qui n'avait cessé de spéculer depuis la fin de l'Ancien Régime, sombra avec soixante autres. De proche en proche, toutes les places furent atteintes et le chômage atteignit durement les manufactures. Napoléon ayant vidé les greniers, le prix moyen du blé dépassa de nouveau 20 francs en 1810 et une récolte médiocre aggrava la hausse qui continua pendant l'année suivante. Il n'y eut pas de troubles comme en Angleterre ; mais on sait combien Napoléon était prompt à les redouter en pareille conjoncture.

Ni à Londres, ni à Paris, on ne se sentait de goût pour une intervention gouvernementale ; le cabinet britannique et le Parlement manifestaient une inclination croissante pour le laisser-faire ; si Napoléon inclinait en sens contraire, il manquait de tendresse pour les industriels et surtout pour les banquiers et les négociants, leur reprochant âprement de s'être mis en mauvaise posture par leurs folles spéculations. D'un côté comme de l'autre, on fut bien obligé, pourtant, de chercher un remède au chômage. Le Parlement ouvrit un crédit de 2 millions pour accorder des prêts sur marchandises comme en 1793. En France, l'empereur chercha d'abord à rendre l'escompte commercial plus abondant en achetant à la Banque un certain nombre d'actions et en lui imposant l'ouverture de succursales en province ; il songea aussi à créer une caisse de prêts sur marchandises. Finalement, il se contenta d'accorder, comme en 1807, des secours locaux ou individuels. La chambre de commerce d'Amiens obtint une avance pour constituer une caisse de secours ; on en consentit d'autres à de grosses banques, comme celle de Tourton-Ravel ou celle de Doyen à Rouen, et à des manufacturiers importants, comme Richard-Lenoir à Paris et Gros-Davillier en Alsace ;

Mollien les estime à 12 ou 13 millions. En outre, l'État multiplia ses achats. A Lyon, Napoléon prit pour 2 millions de soieries et 6 d'autres marchandises qu'il plaça chez les exportateurs à la faveur des licences ; sans se mettre en avant, il fit ouvrir par la banque Hottinger un crédit de 2 millions en différentes places, surtout à Rouen, pour financer des commandes.

La crise éprouvant les deux belligérants, son résultat le plus curieux fut de les rendre plus accommodants l'un envers l'autre et de les porter à mettre en harmonie leurs systèmes respectifs de licences pour faciliter les échanges. En Angleterre, les gens d'affaires pouvaient élever la voix ; ils exercèrent une pression énergique sur le *board of Trade*. Mais il semble qu'ils aient reçu des offres ou des encouragements du continent, probablement de Hollande, au cours des négociations de Fouché, d'Ouvrard et de Labouchère, et aussi de Belgique, car Van Acken, négociant et conseiller de préfecture à Gand, fit passer à Montalivet des lettres qui lui avaient été envoyées d'Angleterre à propos de ces tentatives. En août 1810, le *board* se montra disposé à recevoir les marchandises que Napoléon acceptait d'exporter par licences, à condition qu'il reçût en échange des produits britanniques et des denrées coloniales ; en novembre, il révoqua sa promesse. Comme la crise s'aggravait, les négociants revinrent à la charge ; par exemple, le 14 avril 1811, la chambre de commerce de Glasgow réclama un accord avec l'ennemi. Le 15 novembre, les journaux anglais annoncèrent que le trafic avec la France serait désormais permis, à charge de réciprocité ; en effet, une circulaire du 14, avait admis les vins ; en février 1812, Mollien annonçait que l'Angleterre allait leur accorder l'entrepôt : « Un tel événement se rangerait parmi les miracles de ce temps. »

Le *board* n'alla pas jusque-là ; mais il accorda des facilités aux navires français, leva l'embargo sur le quinquina et le coton en balles, permit à des sujets ennemis de s'installer en Angleterre pour organiser le commerce par licences et exprima l'opinion que les assureurs pouvaient traiter pour des cargaisons à destination de la France. Napoléon semble avoir été surpris. Montalivet prit la balle au bond et, le 25 novembre, conseilla d'adapter les licences aux conditions anglaises : on échangerait du vin et des soieries contre du sucre. Il paraît l'avoir emporté, car, en décembre, de nombreuses licences furent accordées à cet effet ; le 31, on décida d'accepter aussi le café, les matières tinctoriales, les peaux, les médicaments et, le 13 janvier 1812, au conseil, l'empereur parla d'importer 450.000 quintaux de sucre. On le voit signer des licences jusqu'en février ; de mars à juillet, elles deviennent rares ; mais les rapports de Mollien ayant été perdus pendant la retraite de Russie, il est difficile de savoir exactement ce qui se passa ; en tout cas, de juillet à octobre, on délivra 299 licences, notamment pour amener du coton à Rouen. Au total, Napoléon en aurait signé 799 en 1812. Les Anglais se montrèrent de plus en plus conciliants et, à partir du 25 mars 1812, concédèrent des licences conformes au système adopté par la France.

Cet accord tacite servit la finance internationale, seule en mesure d'intervenir officieusement pour ajuster les deux régimes. Ce fut en cette circonstance que les Rothschild vinrent s'installer à Paris et qu'ils purent rendre à la trésorerie britannique les services qu'on a dits. D'après un rapport de Montalivet, du 6 janvier 1813, l'empire aurait exporté pour 58 millions et importé pour 22. En Angleterre, on reconnaissait que la balance favorisait la France, mais la consigne resta de vendre à tout prix. Il n'y a pas lieu du reste d'exagérer l'importance de ce trafic. Si l'exportation anglaise se releva en 1812, elle le dut surtout à la réouverture des marchés russe et suédois et à la reprise de la contrebande après que la Grande Armée eut abandonné l'Allemagne. L'empire, beaucoup moins touché, semble avoir retrouvé assez promptement son activité. A Gand, pendant le dernier trimestre de 1812. on fit tourner à peu près autant de broches et battre un peu plus de métiers qu'en 1810 ; dans le royaume d'Italie, l'exportation des soies et des soieries redevint supérieure à celle de 1809 et le commerce total égala presque celui de 1810 ; Lyon et Rouen aussi recommencèrent à produire. Pendant l'hiver et au printemps, une disette prononcée se manifesta. Mais, aux yeux de Napoléon, c'était un mal passager. Vaille que vaille, l'économie continentale résisterait aux inconvénients inévitables du blocus. Quant à y renoncer, il s'y disposait moins que jamais ; les licences de 1812 avaient le même caractère que les précédentes : expédient temporaire qui faisait du tort aux Anglais, non à lui, puisque la balance leur était contraire. Ayant cédé ses grains, il n'avait pas tiré de la crise tout le parti possible ; mais, revenu vainqueur de Russie, il eût appliqué de plus belle ses décrets et avec bien plus d'efficacité, puisque sa domination eût pris une plus grande extension encore.

Pour son ennemie, les circonstances n'eussent pas été favorables. La crise ayant assaini le marché et comprimé les prix, les affaires reprenaient ; le nombre des faillites diminuait sans laisser d'être aussi fort qu'en 1810 ; l'exportation britannique, remontée à plus de 50 millions, dépassait de 28 % la valeur de 1811. Mais elle restait inférieure de 17 % à celle de 1810 ; bien que l'importation se redressât généralement, celle du sucre et du café avait encore baissé, preuve que le marché des denrées coloniales demeurait engorgé ; de même, le coton en balles se réduisait à 63.000 livres contre 91.000 en 1811 et 132.000 en 1810, signe d'atonie, d'où l'on peut conclure que l'exportation utilisait surtout les stocks liquidés à vil prix. L'or de la Banque continuait à fuir et le change ne s'améliorait pas sensiblement. Le blé renchérissait toujours et, en août 1812, atteignit 154 sh. Les émeutes ouvrières recommencèrent de plus belle. D'un autre côté, l'empereur victorieux eût sans nul doute fermé le Levant et, déjà, le marché américain était perdu. Madison, invoquant la promesse de Napoléon, avait sommé l'Angleterre, le 2 février 1811, de rapporter les « ordres du Conseil ». Pressé par l'opinion, le cabinet de Londres y consentit le 21 avril 1812, pourvu qu'on lui prouvât que l'empereur avait révoqué ses décrets. Maret produisit alors une décision conforme, antidatée au 28 avril 1811, et les Anglais confondus s'exécutèrent le 23 juin. C'était trop tard. Le 19 juin, alléguant la question de la « presse » toujours en suspens, Madison avait déclaré la guerre.

Le blocus servira toujours à plusieurs fins. Au xviiie siècle, ses Anglais l'employaient surtout pour s'enrichir ; de nos jours, il vise principalement à détruire la puissance militaire de l'adversaire. Le blocus napoléonien a ménagé la transition. Il annonçait l'avenir, puisqu'il cherchait à briser la résistance de l'Angleterre. Mais il gardait beaucoup du passé, puisqu'il prétendait arriver au but par un détour de caractère mercantiliste, en soustrayant à l'ennemi son or, et non pas en l'affamant. Ainsi atténué, son effet ne pouvait être prompt et, au surplus, la mer appartenant à la flotte britannique, il lui fallait, pour être décisif, le concours de circonstances plus ou moins indépendantes de la volonté de l'empereur. Pourtant, l'entreprise n'était pas vaine et, en dernière analyse, son succès dépendait de la Grande Armée, dont personne ne pouvait prévoir que la ruine fût si proche. Ce ne sont pas les « lois naturelles » de l'économie libérale qui ont sauvé l'Angleterre : c'est l'hiver russe.

CHAPITRE V

LES PRÉLIMINAIRES
DE LA CAMPAGNE DE RUSSIE
(1811-1812)[1]

Que son attitude depuis Tilsit et surtout depuis la campagne de 1809 dût nécessairement provoquer un jour ou l'autre un conflit avec Napoléon, Alexandre le savait : il brûlait de disputer à son rival la domination du continent, ou tout au moins de l'Orient. L'empereur mit du temps à se convaincre qu'on osait le braver. Après l'oukasse du 31 décembre 1810, il résolut d'en finir ; le tsar devait être réduit au rang de vassal ; s'il résistait, il serait refoulé en Asie et les plus belles de ses provinces européennes se verraient incorporées au Grand Empire.

On a blâmé Napoléon d'avoir compromis en une telle aventure les véritables intérêts nationaux de la France ; mais, depuis 1803 au moins, il n'en était plus question ; seule comptait pour lui la domination du continent et du monde. Le système continental pouvait comporter des « alliés », non leur accorder une réelle indépendance ni tolérer de « rébellion ». Rome conquise, le rêve impérial ne manqua pas de s'orienter vers Constantinople et, pour s'en emparer, il fallait d'abord anéantir la puissance du tsar ; le blocus fournissait à la nouvelle entreprise une justification concrète : en l'enfreignant, Alexandre la rendait indispensable, et sa défaite permettrait de reprendre à l'Angleterre le marché du Levant. Napoléon ne se dissimula aucunement que c'était la campagne la plus dangereuse qu'il eût méditée : comment oublier que Charles XII en courut le risque et y trouva sa perte ? Il passa, dit-on, trois nuits sans sommeil avant de fixer sa volonté. Puis-

---

1. Ouvrages d'ensemble a consulter. — Voir p. 3, 66 et 151 ; Vandal, cité p. 242 ; Waliszewski et autres ouvrages sur Alexandre Ier, cités, p. 184 ; les travaux relatifs à l'histoire orientale, cités p. 184.

qu'il était à lui-même sa propre fin, il ne pouvait pourtant pas reculer ; comme il l'a dit avec simplicité, en quittant Paris, il se devait de « finir ce qui était commencé ».

I. — *L'ALERTE DE 1811*[1].

Pendant de longs mois, son attention fut absorbée par la difficulté d'amener à la frontière russe un demi-million d'hommes, ce qui exigeait d'énormes moyens de transports, des approvisionnements immenses et des dépenses proportionnées. La classe 1811 avait été convoquée et se trouvait dans les dépôts ; à partir de la fin de janvier, il commença de renforcer les troupes d'Allemagne, dédoublant à mesure les unités, formant des corps nouveaux, acheminant les armes et les munitions, constituant des parcs. Quelques précautions qu'il prît, il ne trompa point l'espionnage de Tchernitchev et de Nesselrode. En attaquant le premier, Alexandre pouvait le surprendre au milieu de sa concentration et, portant la guerre en Allemagne, mettre la Russie à couvert. Oserait-il ?

Au début de 1811, c'était son intention. Ses finances se trouvaient en piteux état ; le déficit allait à 100 millions de roubles et le papier-monnaie perdait les cinq sixièmes de sa valeur ; mais jamais la Russie des tsars ne s'est attardée à pareille difficulté. Deux cent quarante mille Russes se groupaient en deux armées ; ils ne voyaient en face d'eux que 56.000 Varsoviens et 46.000 Français, ces derniers éloignés et épars ; en mars, cinq divisions sur neuf furent rappelées de l'armée du Danube ; partout, les troupes poursuivaient jour par jour leur marche vers la frontière du grand duché. Pourtant, si Poniatovski donnait à Napoléon le temps d'accourir, Alexandre ne se sentait pas sûr de son fait. Aussi, le 8 janvier, revint-il à la charge près de Czartoryski que les besoins d'argent achevaient de faire son obligé : qu'il lui acquît le concours des Polonais, et ses troupes, atteignant l'Oder sans coup férir, décideraient les Prussiens à entrer en lice. Encore une fois, le prince observa que, pour gagner ses compatriotes, il fallait au moins que le tsar s'engageât formellement à reconstituer le royaume, en fixât les limites et acceptât la constitution de 1791. Alexandre promit ses provinces polonaises et, s'il se pouvait, la Galicie ; quant au régime intérieur, il admit l'autonomie, sans parler de constitution.

Pendant ce temps, sans informer Roumiantzov, hostile à la guerre et toujours enclin à s'arranger avec Napoléon, il faisait

1. Ouvrages a consulter. — Voir la note précédente.

tâter, par sa diplomatie secrète, la Suède, la Prusse et surtout l'Autriche : le 13 février, les principautés danubiennes furent offertes à Metternich. Ces tentatives restèrent sans succès. Czartoryski dut s'avouer que les Polonais ne voulaient pas trahir l'empereur ; Metternich refusa le cadeau qu'on lui promettait. Frédéric-Guillaume, ayant acheté un faux mémoire de Champagny, fabriqué par Esménard et concluant à la suppression de la Prusse, se tourmentait à tel point qu'en mai Hardenberg proposa une alliance à la France. Bernadotte, devenu régent et en quête de subsides, espérait en tirer de sa patrie ; il offrit à Alquier, le nouvel ambassadeur de Napoléon, un contingent de 50.000 hommes contre la Russie, pourvu qu'on lui abandonnât la Norvège. D'ailleurs, si l'offensive conserva toujours des partisans, notamment Armfelt, dans l'entourage cosmopolite du tsar où les ennemis de l'empereur commençaient à affluer, elle trouvait des adversaires ; le Prussien Phull proposait de se retrancher entre Duna et Dniepr pour attaquer de flanc la Grande Armée en marche sur Moscou. On n'en était pas encore à se résigner à la retraite méthodique ; mais on écarta l'offensive et les troupes s'immobilisèrent.

Caulaincourt ne s'était aperçu de rien. Au contraire, les Polonais s'alarmèrent : Poniatovski dépêcha un aide de camp à Napoléon ; puis, allant assister au baptême du roi de Rome, il alerta le gouvernement de Dresde. Davout, d'abord incrédule, se rendit à l'évidence. Au cours du mois d'avril, l'empereur demeura constamment sur le qui-vive ; du 15 au 17, au milieu des fêtes qui suivirent la naissance du roi de Rome, il multiplia les mesures militaires : les Polonais, mobilisés, devaient évacuer le duché au premier signal et rejoindre, sur l'Oder, Davout et les Saxons. Champagny, probablement rendu responsable de la surprise, fut remplacé par Maret ; Napoléon donna l'ordre de négocier avec la Prusse, la Suède, la Turquie ; lui-même parla d'alliance à Schwarzenberg. En mai, les nouvelles se firent rassurantes. Roumiantzov avait, en effet, obtenu qu'on rouvrît les négociations pour trouver une indemnité au duc d'Oldenburg, espérant lui faire octroyer une partie du grand-duché de Varsovie ; ni lui ni son maître ne le dirent clairement ; mais l'empereur comprit et refusa net. On continua pourtant de discuter, le duc se voyant de nouveau offrir Erfurt, et la Russie le traité relatif à la Pologne proposé l'année précédente, le tsar répondant par des plaintes sans formuler ses prétentions. Caulaincourt, rentré à Paris le 5 juin et reçu aussitôt par Napoléon, se porta garant de la loyauté d'Alexandre et demanda que des propositions raisonnables lui fussent faites. Lauriston, son successeur, assurait que le souverain demeurait pacifique. Caulaincourt, néanmoins, le montrait résolu, en cas d'attaque, à battre en retraite et à entraîner la Grande Armée dans les plaines infinies où l'hiver la détruirait. « Une bonne bataille aura raison de votre ami Alexandre », répliqua l'empereur. Les deux adversaires semblaient d'accord pour gagner du temps, l'un pour achever ses préparatifs, l'autre pour obtenir des alliances qui se dérobaient jusqu'à présent ; chacun n'en était pas moins résolu à faire capituler son rival. Napoléon n'excluait pas une reddition sans combat, mais il s'impatientait ; le 15 août, il fit une scène à Kourakine et, peu après, fixa la guerre au mois de juin 1812.

Alexandre fut mieux renseigné. Nesselrode et Tchernitchev avaient corrompu depuis longtemps des employés du ministère de la Guerre. Talleyrand, qui demandait de l'argent à leur souverain, leur prodiguait les conseils ; c'était lui qui avait suggéré l'offre des principautés à l'Autriche ; il ne cessait d'insister sur la nécessité de faire la paix avec la Turquie et de s'arranger avec Bernadotte. Caulaincourt lui-même ne refusait pas ses avis et Nesselrode écrivait qu'il se conduisait « de manière à justifier la confiance que Louise (c'est-à-dire Alexandre) lui a accordée ». Talleyrand recommandait aussi aux Russes de rester sur la défensive et de s'abstenir de porter la guerre en Allemagne, afin de pouvoir se présenter en défenseurs de l'Europe opprimée. La fourberie d'Alexandre s'adaptait merveilleusement à pareil rôle et, au jeu diplomatique, Napoléon, soit infatuation, soit négligence, lui laissa gagner plusieurs manches.

II. — LA CAMPAGNE DIPLOMATIQUE ET LA MARCHE DE LA GRANDE ARMÉE[1].

La Prusse donna d'abord quelques espérances à la Russie. Napoléon n'ayant pas répondu à son offre, le roi se résolut à

---

1. OUVRAGES A CONSULTER. — Voir p. 383 ; principalement VANDAL, cité p. 242. Pour l'Autriche, ajouter C. S. B. BUCKLAND, *Metternich and the British government* (Londres, 1932, in-8º), et les ouvrages relatifs à Metternich, cités p. 315. — Sur la Suède, C. SCHEFER, *Bernadotte roi* (Paris, 1899, in-8º) ; D. P. BARTON, *Bernadotte prince and king, 1810-1844* (Londres, 1925, in-8º) ; DU MÊME, *The amazing career of Bernadotte* (Londres, 1929, in-8º) ; trad. fr. par G. ROTH sous le titre *Bernadotte, 1763-1844* (Paris, 1931, in-8º) ; T. HÖJER, *Bernadotte maréchal de France*, traduit du suédois par L. MAURY (Paris, 1943, in-8º), s'arrête à la candidature ; sur les rapports de Benjamin Constant avec Bernadotte, *Benjamin Constant. Lettres à Bernadotte*, présentées par B. HASSELHROT (Genève et Lille, 1952, in-16).

solliciter, le 16 juillet, l'appui du tsar ; il lui envoya Scharnhorst qui, le 17 octobre, signa une convention militaire ; pendant ce temps, on mobilisait l'armée du mieux qu'on pouvait. Le parti de la guerre reprenait son entrain. Gneisenau, faisant l'intérim à la tête de l'état-major, écrivait un mémoire pour préconiser de nouveau une insurrection nationale. A Prague, Stein et Grüner, ancien préfet de police de Berlin, entretenaient des rapports avec les affiliés du *Tugendbund* que le roi avait pourtant dissous ; à Berlin, ils se servaient aussi comme intermédiaires d'Ompteda et d'autres agents du comte Münster et du baron de Hardenberg, parent du ministre prussien, que l'Angleterre entretenait à Vienne comme représentant du Hanovre.

Néanmoins, le roi les déçut encore une fois. La convention rapportée par Scharnhorst stipulait que les Prussiens reculeraient devant les Français, s'ils envahissaient le royaume, pour rejoindre les Russes sur la Vistule ou s'enfermer dans les forteresses ; Alexandre ne voulut même pas donner l'ordre à ses généraux de pénétrer en Prusse Orientale sur simple demande de Berlin. Frédéric-Guillaume jugea le risque excessif ; en guise de consolation, il permit à Scharnhorst d'aller faire une tentative à Vienne ; comme on s'y attendait, Metternich la repoussa sans barguigner, le 26 décembre. Dès lors, il ne restait plus qu'à se soumettre à Napoléon. De ce côté aussi, celui-ci était fort mal informé par l'ambassadeur Saint-Marsan, Piémontais d'origine ; du moins, en Prusse, sa police le mit-elle en garde et, le 4 septembre, il ordonna à Hardenberg de désarmer. Attendant alors la réponse du tsar, le ministre fit des promesses qu'il ne tint pas ; en octobre, il dut accepter une inspection. Finalement, le 29 décembre, il se résigna à obéir et se déclara prêt à l'alliance ; l'empereur ne se pressa pas ; enfin, le 23 février, l'ambassadeur Krusemark fut tout à coup sommé de signer et obtempéra sur-le-champ. Il fit bien, car tout était prêt pour occuper son pays et, le 2 mars, Gudin franchit la frontière alors que le roi ignorait encore le traité ; il le ratifia le 5 : la Prusse devait laisser la Grande Armée s'installer chez elle, lui fournir des approvisionnements de toutes sortes, à valoir sur l'indemnité de guerre qui était loin d'être acquittée, et envoyer en Russie un contingent de 20.000 hommes. Ultérieurement, Victor, chef du 9e corps, devint seul maître à Berlin d'où les troupes du roi durent sortir. Ce fut un coup terrible pour les amis de Stein et il sembla que le prestige de la dynastie n'y survivrait pas. Scharnhorst reçut un congé ; Gneisenau partit en mission à Londres ; Boyen, Clausewitz et beaucoup d'autres émigrèrent en Russie ; en mai, Stein quitta Prague pour se rendre à l'invitation d'Alexandre.

Cependant, l'Autriche aussi se joignait à la France, et sans beaucoup de façons, bien que Metternich prodiguât ses conseils au tsar pour éviter une guerre dont il redoutait l'issue quelle qu'elle fût, attendu qu'elle le livrerait à la merci du vainqueur. Le 17 décembre, Schwarzenberg fut mis en demeure de conclure et l'on tomba aussitôt d'accord : Napoléon échangerait les provinces illyriennes contre la Galicie et il garantissait l'intégrité de la Turquie ; l'Autriche promit une armée de 30.000 hommes ; on signa le traité, le 14 mars 1812. Le parti de la guerre se reconstituait pourtant à Vienne, et Gentz, ami et secrétaire de Metternich, cassé aux gages par l'Angleterre depuis qu'en septembre 1809 il s'était prononcé pour la paix, s'efforçait de se rouvrir l'accès du trésor britannique en rédigeant des mémoires contre le blocus continental, dont l'un pour le tsar lui-même. Mais le chancelier n'entendait pas qu'on lui forçât la main. Il profita même des circonstances pour achever la déroute du parti national prussien, qu'il regardait comme le fourrier de la révolution. Bien qu'Hardenberg ménageât ses adversaires, il lui prêta appui lorsqu'il le vit à Dresde à la fin de mai ; en août, Grüner fut arrêté à Prague.

Alexandre n'avait donc pas à se féliciter des Allemands. Ayant lui-même cédé naguère à la nécessité, il ne leur en voulut pas. Il savait qu'ils abandonneraient Napoléon au premier tournant. D'ailleurs Metternich, à ses yeux le plus suspect, se croyant certain que les principautés ne resteraient pas à la Russie, s'empressa de se réassurer, car, à l'armée du Danube, Tchitchagov parlait de s'allier aux Turcs et de prendre l'Autriche à revers en soulevant les Slaves et les Hongrois. Le comte de Saint-Julien vint avertir le tsar qu'on ne lui ferait la guerre que pour la forme et que le contingent ne serait en aucun cas renforcé ; une convention secrète fut signée le 2 juin. Derrière le paravent de l'alliance dynastique, Metternich poursuivait le double jeu qui garantissait la sécurité de l'Autriche, en attendant mieux.

Alexandre obtint plus de succès auprès des Suédois et des Ottomans, par la faute de Napoléon. L'empereur semble avoir cru que les uns et les autres ne pouvaient manquer de lui venir d'eux-mêmes ; peut-être aussi ne voulait-il traiter avec eux qu'au dernier moment, comme avec la Prusse et l'Autriche, pour ne pas pousser les Russes à prendre l'offensive : on le gagna de vitesse. En 1811, ses relations avec Bernadotte étaient devenues mauvaises et l'ambassadeur Alquier y compta pour quelque chose : sachant le blocus ouvertement violé malgré ses réclamations, il se décida à rompre les relations diplomatiques et fit au régent, le 25 août, une scène violente. L'empereur le rappela, mais ne chercha pas à gagner Bernadotte, qui, désormais, s'orienta décidément vers la Russie. En janvier 1812, Davout reçut l'ordre d'occuper la Poméranie suédoise pour la fermer au commerce anglais et ce fut le coup fatal. Le 18 février, le comte Lœwenhielm vint proposer une alliance à Pétersbourg. Bernadotte offrait de débarquer en Allemagne derrière Napoléon, à la condition que des troupes russes vinssent au préalable l'aider à conquérir la Norvège. Alexandre accepta, à charge d'offrir d'abord un accord au roi de Danemark, Frédéric VI, qui pourrait recevoir par exemple l'Oldenburg comme indemnité. Il envoya Suchtelen à Stockholm, et on discuta les détails dans les deux capitales, chacun des plénipotentiaires mettant son point d'honneur à devancer l'autre. Ils signèrent presque en même temps le 5 et le 9 avril.

Quant au sultan, Alexandre négociait avec lui depuis 1811. Après les succès de Bagration en 1809, la guerre avait traîné. Les Turcs évacuèrent la Serbie, tournée un instant vers la France, revenue à l'alliance russe après que Kara-Georges eut éliminé, par un coup d'État, l'influence autrichienne et son rival Miloch Obrénovitch. En 1810, Kaminski, par une campagne heureuse, fit capituler les places du Danube et s'avança vers Choumla ; en Caucasie, l'Imérétie et la Mingrélie succombèrent ; Soukhoum-Kalé et Akhalkalaki furent conquises. Enfin, en 1811, Koutousov remporta un succès décisif. L'armée turque ayant franchi le Danube vers Roustchouk, il la coupa en deux, cerna 36.000 ennemis et ne consentit un armistice qu'à la condition de négocier la paix en prenant pour base l'annexion de la Bessarabie jusqu'au Sereth. Les conférences s'ouvrirent à Giurgiu le 25 octobre ; elles n'aboutirent pas, les Turcs n'admettant plus que la ligne du Pruth et refusant d'accorder l'autonomie à la Serbie ; on se remit à l'œuvre, le 12 janvier 1812, à Bucarest. Stratford Canning faisait de son mieux pour amener Mahmoud à traiter, mais en vain. Finalement, au moment où l'invasion française allait commencer, Alexandre donna l'ordre de céder et la paix fut signée le 28 mai. Tchitchagov, successeur de Koutousov, put se mettre en marche vers le nord, tandis que les troupes d'Asie se tournaient contre la Perse.

Depuis l'été de 1811, les troupes de Napoléon avaient gagné

l'Allemagne et, au début de 1812, il ne restait plus qu'à les concentrer et à les porter sur le Niémen. Danzig se transforma en une base abondamment approvisionnée et gardée par Rapp avec 25.000 hommes. Poniatovski couvrait la Vistule avec 60.000 autres ; Davout commandait à 100.000 hommes sur l'Oder et poussait des avant-gardes au delà ; Oudinot traversait la Westphalie et entrait, le 28 mars, à Berlin ; Ney arrivait à Mayence avec les troupes du camp de Boulogne ; les Allemands cheminaient vers l'Elbe ; la garde, cantonnée dans l'est de la France, s'apprêtait à suivre. La difficulté restait surtout d'amener, à travers les Alpes, l'armée d'Italie ; Napoléon donna les ordres définitifs au début de février ; le 23, Eugène se mit en marche et toute l'armée s'ébranla en même temps. Pour gêner l'espionnage russe, Savary, en tracassant Tchernitchev, réussit à provoquer son départ, le 26 février, et, dans son appartement, la police dénicha un billet qui permit de fusiller un traître du ministère de la Guerre et de compromettre la Russie devant l'opinion.

L'armée ne pouvait pas être massée sur le Niémen avant la fin de mai. Or, le 8 avril, Alexandre, maintenant sûr de Bernadotte, décida de formuler enfin ses exigences : Napoléon aurait d'abord à évacuer la Prusse et la Poméranie suédoise, à ramener ses troupes derrière l'Elbe ; on négocierait ensuite un traité de commerce et le règlement de l'indemnité promise au duc d'Oldenburg ; mais, en tout état de cause, le commerce neutre demeurerait libre. Napoléon lanterna Kourakine jusqu'au 7 mai ; dans l'intervalle, il essaya de se débarrasser de l'affaire d'Espagne et, le 18 avril, proposa à Canning de signer la paix sur la base de *l'uti possidetis*, sauf en ce qui concernait le Portugal rendu à la dynastie ; la Sicile resterait à Ferdinand et l'Espagne à Joseph ; ces trois pays seraient simultanément évacués par la France et l'Angleterre. Celle-ci refusa de laisser Joseph à Madrid. Lorsque Kourakine exigea enfin une réponse, l'empereur quitta Saint-Cloud, le 9 mai, sans mot dire et, le lendemain, Maret le suivit, sans répondre non plus. Narbonne était déjà parti pour aller négocier avec Alexandre : il le trouva à Vilna et fut renvoyé sans discussion. L'empereur parvint à Dresde, le 25 mai ; il y reçut l'empereur d'Autriche, le roi de Prusse et nombre de princes vassaux. Le 28, il se mit en route pour le Niémen.

La grande aventure était commencée. Napoléon en devait revenir maître de l'Europe entière ou déchu. Encore une fois, il jouait quitte ou double.

LIVRE V

LE MONDE EN 1812

CHAPITRE PREMIER

LA FRANCE IMPÉRIALE[1]

En 1812, l'empire français couvrait environ 750.000 kilomètres carrés, peuplés probablement de 44 millions d'habitants et divisés en 130 départements. Aux 102 départements enclos dans les frontières naturelles que la République lui légua, Napoléon avait ajouté peu à peu des territoires qui constituaient deux antennes orientées vers le nord-est et le sud-est ; d'un côté la Hollande, formant neuf départements, et les pays allemands riverains de la mer du Nord, qui en constituaient quatre autres : ici l'empire, par les Bouches-de-la-Trave, chef-lieu Lübeck, atteignait même la Baltique ; de l'autre, le Valais, le Piémont, la Ligurie, Parme, la Toscane et la partie occidentale des États pontificaux, en tout quinze départements. La majorité de ces régions récemment annexées étaient loin d'être complètement assimilées et faisaient plutôt figure d'États vassaux ; d'ailleurs, la Hollande avait un gouverneur général ; la Toscane aussi ; les départements allemands, formant la 22e division militaire, demeuraient aux ordres d'une commission spéciale ; quant à l'Illyrie, bien qu'annexée à l'Empire, elle a toujours été administrée séparément et ses divisions territoriales ne comptent point parmi les 130 départements. Bref, le « système » napoléonien de gouvernement ne fonctionnait normalement, à part le Piémont et la Ligurie, réunis de bonne heure, que dans le cadre des frontières naturelles.

Ce système n'a jamais été fixé. De 1804 à 1811, Napoléon

1. Ouvrages d'ensemble a consulter. — Voir p. 73 et 79 ; se reporter de manière générale aux bibliographies étendues de G. Pariset, ouvrage cité p. 4.

ne cessa de remanier les institutions. Des expériences qu'il poursuivait dans les États vassaux où il ne se sentait pas gêné par la tradition révolutionnaire, on peut déduire que l'ère des « perfectionnements » n'était pas close ; la société française surtout n'avait pas encore pris la forme qu'il eût souhaitée. Bien que son œuvre soit restée incomplète, elle se trouvait pourtant assez avancée en 1812 pour qu'on puisse en dégager l'esprit.

I. — LE GOUVERNEMENT AUTORITAIRE[1].

Le succès avait peu à peu transformé la personne et les habitudes de l'empereur. Après Tilsit, on a peine à reconnaître l'homme de brumaire, anguleux et sombre, dans la plénitude du masque romain ; le teint s'est adouci ; la sérénité a détendu les traits. L'activité n'a pas fléchi, mais s'est ordonnée. A huit heures au plus tard, il travaille dans son cabinet et ne s'interrompt que pour déjeuner, ordinairement seul, et, une fois ou deux la semaine, pour la promenade ou la chasse ; à six heures, il dîne avec les siens ; après un moment de conversation, il retourne à ses affaires pour se coucher entre neuf et dix. Le dimanche est jour d'apparat : après la messe et la parade, il passe en revue sa cour, qui l'attend silencieusement dans les salons, soigneusement classée et pompeusement harnachée suivant l'étiquette minutieuse ; le soir, grand dîner de famille, après quoi les souverains offrent concert ou spectacle et tiennent cercle.

1. Ouvrages a consulter. — Voir les ouvrages cités sur la vie privée et la famille de Napoléon, p. 66, 79, 314, 435, et F. Masson, cité p. 167 ; du même, *Joséphine, impératrice et reine* (Paris, 1899, in-8º) ; sur toutes les institutions, J. Godechot, cité p. 36 ; sur le gouvernement, l'administration et leur évolution, p. 79, en particulier Ch. Durand, *L'exercice de la fonction législative de 1800 à 1814*, et *La fin du Conseil d'État napoléonien*, cité p. 79 ; sur la justice, Poullet, cité p. 74 ; G. Vauthier, L'épuration de la magistrature en 1808, dans la *Revue des études napoléoniennes*, t. XV (1919), p. 218-223 ; H. Welschinger, *La censure sous le premier Empire* (Paris, 1882, in-8º) ; V. Coffin, Censorship and literature under Napoleon I, dans *The American historical review*, t. XXII (1916-1917), p. 288-308 ; E. d'Hauterive, *La police secrète du premier Empire. Bulletins quotidiens adressés par Fouché à l'empereur* (Paris, 1908-1922, 3 vol. in-8º, jusqu'en 1807), nouvelle série, t. IV, *1808-1809*, publiée par J. Grassion (Paris, 1963, in-8º), t. V, *1809-1810* (à paraître) ; G. Vauthier, Les prisons d'État en 1812, dans la *Revue historique de la Révolution et de l'Empire*, t. IX (1916), p. 84-94 ; L. Deries, Le régime des fiches sous le premier Empire, dans la *Revue des études historiques*, t. XCII (1926), p. 153-196 ; M. Albert, Napoléon et les théâtres populaires dans la *Revue de Paris*, 1902, t. III, p. 806-827 ; R. Holtman, *Napoleonic propaganda* (Bâton-Rouge, [1950], in-8º).

Vers 1810, l'âge commence à le marquer légèrement : le visage
s'empâte, le teint se plombe, le corps se tasse et engraisse ;
certains signes laissent soupçonner que l'empire, démesurément
étendu, lui impose un effort excessif : « N'ai-je pas donné tel
ordre ? » écrit-il. C'est peu de chose ; jusqu'au bout, son esprit
reste étonnant d'ardeur et de lucidité. Plus sensible apparaît l'influence de la toute-puissance sur la physionomie morale ; la
confiance en soi glisse à l'infatuation : « Mes peuples d'Italie me
connaissent assez pour ne devoir point oublier que j'en sais plus
dans mon petit doigt qu'ils n'en savent dans toutes leurs têtes
réunies. » Le pessimisme se fait brutal : « J'ai toujours remarqué
que les honnêtes gens ne sont bons à rien. » Le culte de la force
et du succès devient cynique : « Il n'y a qu'un secret pour mener
le monde, c'est d'être fort, parce qu'il n'y a dans la force ni
erreur, ni illusion ; c'est le vrai mis à nu. » « Réussissez ; je ne
juge les hommes que par les résultats de leurs actes. » Par une
conséquence naturelle, il se sent de plus en plus solitaire, se
montre de plus en plus désabusé sur la durée de son œuvre.
« Au dedans et au dehors, a-t-il dit à Chaptal, je ne règne que
par la crainte que j'inspire » ; et, plus tard, à Mollien : « On
s'est rallié à moi pour jouir en sécurité ; on me quitterait demain
si tout rentrait en problème. » Quel sentiment inspirerait sa
fin ? « On dira : Ouf ! »

Moins sa volonté rencontra d'obstacles, plus elle se fit jalouse
et irritable ; comme Frédéric II, il accentua sans cesse le caractère personnel de son gouvernement. A en juger par les constitutions qu'il donna aux royaumes de Naples et de Westphalie,
son intention était d'éliminer finalement le principe électif.
Pourtant, ni les électeurs ni les assemblées ne le gênèrent.
Les assemblées de canton, c'est-à-dire le suffrage universel, ne
furent consultées qu'en 1813, et dans quelques départements
seulement. Les choix des collèges se réglaient d'avance par
le jeu des relations personnelles et peu de membres y prenaient
part. En 1810, dans la Côte-d'Or, on ne put compléter la liste
des candidats au conseil général et le sous-préfet de Châtillon-
sur-Seine procéda lui-même à la désignation au conseil d'arrondissement ; pour les fonctions législatives, toutes les propositions
profitèrent à des fonctionnaires et à des militaires, sauf une
qui tomba, d'ailleurs, sur le beau-père de Berlier. Peu à peu, les
personnages de cette sorte dominèrent dans les assemblées. Le
Tribunat disparut en 1807 et les sessions du Corps législatif
devinrent de plus en plus courtes, Napoléon légiférant soit

par sénatus-consultes, par exemple pour les levées de conscrits et les annexions, soit par décrets, comme pour rétablir le monopole des tabacs. Tant que les codes ne furent pas achevés, le Conseil d'État garda une certaine activité ; ensuite, il ne lui resta guère que le contentieux, tandis que les conseils d'administration, où l'on ne discutait que la technique de l'exécution, conservaient leur importance.

Le rôle des ministres devint de plus en plus effacé et leurs attributions continuèrent à s'amenuiser ; la Grande Armée et le domaine extraordinaire eurent leurs intendants ; la conscription et les vivres, leurs directeurs. Les grands administrateurs du régime se virent écartés l'un après l'autre, Chaptal d'abord, puis Talleyrand, en dernier lieu Fouché ; l'empereur leur préféra des hommes de second plan qu'il traitait en commis, Crétet, Champagny, Bigot de Préameneu, Savary, Maret. Une part croissante des places échut aux ralliés d'Ancien Régime. Napoléon les croyait acquis d'avance à la nouvelle légitimité et les jugeait plus souples : « Il n'y a que ces gens-là qui sachent servir. » Beaucoup manquaient de capacité ou d'expérience ; aussi l'avancement de ceux qu'il remarquait fut-il rapide ; Molé, par exemple, maître des requêtes en 1806, devint préfet en 1807, conseiller d'État et directeur des ponts et chaussées en 1809, ministre en 1813 ; de là aussi le cumul. Ce fut pour se constituer une réserve de fonctionnaires, distingués par la naissance et la fortune (donc fort peu payés), mais façonnés par lui, qu'il rétablit en 1806 les maîtres des requêtes au Conseil d'État — il en nomma en tout 72 — et qu'il multiplia les auditeurs dans les conseils et l'administration, en province comme à Paris ; en 1811, on en comptait 350 en service ordinaire. Pour ce qui est du Conseil d'État, on ne peut dire qu'il ait changé radicalement le caractère de sa composition ; en 1813, il nomme encore maîtres des requêtes le conventionnel Zangiacomi, non régicide, il est vrai, ainsi que le frère de Coffinhal ; il n'élimina que douze conseillers et ne prononça que deux destitutions, pour des motifs étrangers d'ailleurs aux travaux du Conseil. L'évolution n'en apparaît pas moins, en sorte qu'on aperçoit ce qui serait advenu si l'empire avait duré. D'ailleurs, les brumairiens s'acclimataient : ils reçurent la légion d'honneur et entrèrent dans la nouvelle noblesse ; quelques-uns constituèrent même des majorats.

Le recrutement des préfets se modifia de manière beaucoup plus sensible. La Côte-d'Or, d'abord confiée à un ancien constituant, puis à un tribun, passa ensuite à Molé et finalement, en 1812, au duc de Cossé-Brissac. Rares, d'ailleurs, furent les survivants de la Révolution qui restèrent, comme Jeanbon, fidèles à leurs souvenirs. A Marseille, Thibaudeau, par prudence, par vanité et sous l'influence de sa femme, se fit l'artisan de la réaction. Ces préfets suivirent l'exemple du maître. Au début, les conseils généraux contestèrent telle dépense, épluchèrent les comptes, émirent des vœux ; mais, les crédits rejetés étant imposés d'office, les pièces justificatives refusées et les vœux dédaignés, ils se découragèrent. On les épura au fur et à mesure des vacances ; en 1809, dans les Bouches-du-Rhône, une fournée comprit six nobles ou fonctionnaires sur sept ; dans le Pas-de-Calais, on y voit entrer l'aristocratie artésienne. Il en alla de même pour les conseillers de préfecture et les sous-préfets. A en juger par les Côtes-du-Nord, les révolutionnaires résistèrent mieux dans l'Ouest, où les chouans restaient redoutables. Quant aux municipalités, la difficulté se perpétua d'y placer des hommes compétents ; souvent, on ne put compléter les conseils ou obtenir qu'ils se réunissent ; du moins fallait-il un maire, en sorte que les préfets recoururent aux grands propriétaires, même hostiles au régime. Pour le petit personnel, secrétaires, gardes champêtres, ce fut pire, et il en alla ainsi dans toutes les administrations. Le peuple ne fournissait pas encore les éléments d'une petite bourgeoisie de fonctionnaires assez cultivés pour avoir le sens de la probité professionnelle. Certains préfets essayèrent d'administrer directement, en créant des secrétaires ambulants ou des inspecteurs, par exemple dans le Bas-Rhin, le Pas-de-Calais, la Meurthe ; mais ils étaient obligés de faire payer leur traitement par les communes déjà obérées. On ne peut donc s'aveugler sur les imperfections de l'administration locale ; elle ne pouvait s'améliorer qu'avec le temps. Telle quelle, Napoléon en obtint ce qu'il voulait : de l'argent, des hommes, le maintien de l'ordre.

C'est une question de savoir jusqu'à quel point la centralisation se réalisa. Dès l'an XI, des préfets regrettaient qu'on ne leur laissât pas plus d'initiative et observaient que, astreints à correspondre avec chacun des ministres, ils recevaient parfois des ordres contradictoires ; leurs administrés se plaignaient qu'en référer à Paris retardait les solutions. Néanmoins, certains usent assez librement de leur autorité, décernent des lettres de cachet ; en 1805, dans le Doubs, De Bry établit un emprunt forcé. L'empereur les accusait de jouer aux despotes, ce qui est assez plaisant, et les ministres se disaient parfois mécontents d'eux. « En général, écrit Montalivet en 1812, les préfets me disent ce qu'ils veulent et comme ils veulent. Ce que je vois de plus clair, c'est que nous ne savons rien de ce qui se passe. » Quand Napoléon voulait vraiment savoir à quoi s'en tenir ou « remonter la machine », comme le Comité de salut public, il envoyait des commissaires spéciaux ; ainsi, en 1812. Dans les départements, le pouvoir central se heurtait, en outre, à la puissance occulte des grands personnages civils et militaires, originaires du pays ou non, et surtout de l'évêque, qui, sans le contrecarrer, intervenaient pourtant dans le choix des personnes et le détail de l'administration. Dans l'ensemble, on peut dire que la centralisation fut plus rigoureuse qu'avant 1789, mais que la lenteur des communications sauvegardait encore l'indépendance des préfets, en sorte qu'elle variait avec la distance, les circonstances et le caractère des hommes ; à mesure que les préfets du Consulat diparurent et que le pays se pacifia, la centralisation fit des progrès.

La réorganisation judiciaire fut obstinément poursuivie. On ne tarda pas à se plaindre du personnel choisi un peu au hasard en l'an VIII. Napoléon prit des mesures pour améliorer le recrutement : en l'an XII, il institua les écoles de droit et, en 1808, les juges auditeurs à voix consultative. Dès 1807, il jugea possible une épuration qu'un sénatus-consulte remit à une commission ; sur 194 magistrats dénoncés, elle en proposa 170 pour la révocation ; en fait, le décret du 24 mars 1808 en destitua 68 et accepta 94 démissions. En même temps, la codification s'achevait. On termina le code de procédure civile en 1806 ; le code de commerce en 1807 ; celui d'instruction criminelle en 1808 ; le code pénal en 1810 ; le code rural, qu'on avait aussi rédigé, ne fut pas promulgué. L'esprit de 1789 n'en disparut pas complètement. Le Conseil d'État préserva, sans jamais faiblir, l'œuvre sociale de la Révolution ; il se montra attentif à la séparation de l'administration et de l'appareil judiciaire ; soucieux de l'indépendance du juge ; partisan obstiné du jury de jugement. Mais, parallèlement, la propriété et l'autorité de la bourgeoisie pouvaient compter sur lui, pourvu qu'elles ne portassent point dommage à la puissance de l'État qu'il regardait comme d'intérêt public ; révolutionnaires et hommes d'Ancien Régime, tous ses membres sacrifiaient sans hésiter les principes par opportunité politique ou par intérêt de classe. Nécessité fait loi, dit Portalis ; il n'est aucune théorie qui ne lui cède, confirme Berlier. Ces caractères apparaissaient déjà dans le Code civil ; les codes qui suivirent marquèrent encore mieux la réaction.

Les deux premiers sont très proches des ordonnances de

Colbert. Le second, notamment, ne s'ajusta pas bien aux conditions du progrès économique, en ce qui concerne, par exemple, les assurances et les sociétés : du moins, s'il continue de subordonner la société anonyme à l'autorisation pour ne reconnaître que les sociétés en nom collectif et en commandite, il concéda que la responsabilité des associés se bornerait à leur mise, tandis que, précédemment, la jurisprudence hésitait, certains arrêts les obligeant à la supporter pour l'ensemble de leurs biens. Rien pourtant de si frappant que la discussion relative au billet à ordre. Apercevant que l'essor de l'économie dépendait de celui du crédit, et donc de la sécurité des banques, certains voulaient que le simple particulier, en cas de protêt, se vît traité comme le commerçant et, par conséquent, passible de la contrainte par corps. Molé se fit l'interprète véhément des opposants : c'était s'écarter du droit commun, sacrifier la liberté de la personne au profit des négociants et des banquiers, minorité égoïste, à l'image de l'Angleterre ; la France sans doute devait entretenir un commerce, mais, avant tout, demeurer essentiellement agricole. Si l'on s'inspire des méthodes du trafic et de la finance, précisent-ils, les citoyens seront portés à leur confier leur épargne, à la placer en viager, à mettre au premier rang la richesse mobilière, toujours instable : il n'y aura plus de grandes familles et de classes et l'on minera l'institution monarchique. Considérations propres, en ce temps surtout, à séduire Napoléon. L'ampleur de son intelligence l'emporta pourtant, et il se prononça pour un compromis : on décida que le particulier subirait le sort du commerçant s'il avait souscrit son billet à la suite d'opérations commerciales.

Les deux derniers codes principalement firent date. On les mit en vigueur en 1810 et, à cette occasion, la loi du 28 avril remania encore une fois l'organisation judiciaire et lui donna la forme qu'elle conserva longtemps, sauf qu'elle accordait au maire, excepté au chef-lieu de canton, la simple police qu'il perdit par la suite. Elle régla les modes et conditions de nomination des juges ainsi que leur discipline ; on profita de l'occasion pour procéder à une nouvelle épuration : la cour d'appel de Paris perdit 8 conseillers sur 31. Il ne paraît pas que ces changements aient été inspirés par des motifs politiques ; mais la composition du personnel n'en évolua pas moins dans le même sens que les autres ; à Besançon, deux présidents et cinq conseillers de l'ancien Parlement entrèrent à la cour. Toutefois, les révolutionnaires se perpétuèrent ici beaucoup mieux parce que, les épurations mises à part, ils étaient inamovibles.

La répression s'accentua encore. La « magistrature debout », ou « parquet », reçut alors son organisation définitive ; l'instruction devint entièrement secrète ; le magistrat de sûreté disparut et l'accusation se trouva centralisée entre les mains des procureurs et avocats généraux, et des juges d'instruction ; le préfet reprit la désignation des jurys de jugement ; le jury d'accusation supprimé, ses fonctions passèrent à l'une des chambres de la cour d'appel. On conserva les tribunaux spéciaux sous le nom de « cours spéciales ordinaires » ; mais il n'y siégea plus que des militaires ; il fut en outre prévu des « cours spéciales extraordinaires », en cas de suspension du jury ou pour la répression de certains crimes ; la même année 1810 vit apparaître les « cours spéciales des douanes ». En vertu de la constitution, le Sénat pouvait d'ailleurs casser le verdict d'un jury comme attentatoire à la sûreté de l'État ; en 1813, il renvoya devant une cour spéciale le maire d'Anvers, accusé de contrebande, que la cour d'assises avait acquitté. Quant au code pénal, s'il ne rétablit pas la torture, il reprit la marque, le carcan, la peine du poing coupé pour le parricide et la mort civile.

Malgré le renforcement de la justice pénale, l'Empire, pas plus que le Consulat, ne s'en rapporta uniquement à elle ; il se fia plus encore à la répression administrative, c'est-à-dire à la police. Au-dessous du ministre, Fouché, puis Savary, en 1810, agissaient les conseillers d'État chargés des arrondissements ; puis, à partir de 1808, les directeurs généraux à Turin, Florence, Rome et Amsterdam. La centralisation ne fut pas poussée très loin. Les préfets, qui ne dépendaient pas uniquement de Fouché, gardèrent leurs attributions. Conseillers et directeurs correspondaient directement avec l'empereur, de même que le préfet de police Dubois, que Pasquier remplaça en 1811. La gendarmerie, qui avait ses chefs propres, leur faisait concurrence ; ils prétendent, observait le préfet de Loire-Inférieure en 1808, « qu'ils sont des magistrats armés, chargés de surveiller tous les fonctionnaires civils ». Aux yeux de l'empereur, l'idéal eût été de posséder une fiche tenue à jour pour tout personnage disposant d'une influence quelconque. Fouché avait déjà constitué un répertoire de la chouannerie ; Napoléon voulut créer une « statistique personnelle et morale » de l'empire. Il sut beaucoup de choses, mais non pas tout ; les préfets, qui auraient été le plus capables de le renseigner sur la vie privée, se montrèrent d'ordinaire discrets. La délation et le cabinet noir de Lavalette restèrent les principaux moyens d'information.

La police était d'autant plus redoutée qu'elle sanctionnait elle-même ses enquêtes par la détention arbitraire ; outre les prisons, elle utilisait les asiles d'aliénés. Le poète Desorgues, pour s'être permis en 1804 une épigramme fameuse (« Oui, le grand Napoléon — Est un grand caméléon »), et Faure, un interne de Saint-Louis, qui, le 5 décembre 1804, lors de la distribution des aigles, avait crié : « Liberté ou la mort ! », furent internés comme fous. Personne ne se sentait à l'abri et le fournisseur Lassalle, dont l'empereur avait cassé les marchés, fut, en sus, emprisonné sans jugement. Une fois libéré, on ne se trouvait d'ailleurs pas quitte : un grand nombre d'individus se virent assigner une résidence et soumis à la surveillance. Finalement, le 3 mars 1810, un décret rétablit les « prisons d'État », l'internement devant être ordonné en conseil privé sur la proposition du Grand Juge, ministre de la Justice, et du ministre de la Police ; en réalité, on le consulta rarement. Aux yeux de Napoléon, la détention administrative n'était pas seulement destinée à étouffer l'opposition ; elle devait aussi réprimer les délits de droit commun, si le jury se laissait intimider ou si les preuves juridiques faisaient défaut. Il convenait pourtant qu'à parler de « prisonniers d'État », on présentait à l'opinion « une idée effrayante » et ne s'aveuglait pas sur les abus d'une police soustraite à tout contrôle. Les gendarmes étaient craints au point qu'il « serait difficile de produire contre eux des preuves testimoniales », déclarait le préfet de Loire-Inférieure, qui les accusait d'escroquerie, de concussion et même d'assassinat. Les préfets eux-mêmes cédaient aux instances des particuliers influents et, en 1808, le maréchal de camp Despinoy de Saint-Luc fut arrêté dans la Somme, sur ordre verbal du maire, son propre débiteur. Aussi le décret de 1810 ordonna-t-il une inspection annuelle des prisons. On ne les visita pas toutes et l'empereur n'examina qu'une partie des dossiers ; en 1811, il relâcha 145 individus sur 810 signalés ; en 1812, 29 sur 314 ; en 1814, on estimait à 2.500 le nombre des prisonniers. Quant à la commission sénatoriale chargée de protéger la liberté individuelle, elle ne réclama pas la liste des détenus et n'intervint que sur pétition ; en 1804, elle obtint 44 libérations sur 116 plaignants ; la résistance passive de Fouché la découragea bientôt. En somme, de 1800 à 1814, la France vécut sous le régime de la loi des suspects ; mais Napoléon se garda d'en étendre l'application à l'excès, comprenant qu'on tolérerait la terreur si elle ne frappait qu'un petit nombre de personnes et qu'elle n'en serait pas moins efficace.

Ceux qui savaient parler ou écrire attiraient particulièrement l'attention. L'Institut, qui avait tant compté sur Bonaparte, ne fut pas ménagé ; dès 1803, la classe des Sciences morales et politiques avait disparu ; en 1805, Lalande, ayant réimprimé le *Dictionnaire des athées* de Maréchal, l'empereur le dénonça comme « tombé en enfance » et lui interdit de rien publier ; irrité par le discours de réception dont Chateaubriand se vit interdire la lecture, il menaça de supprimer la classe de Langue et littérature, ancienne Académie française, « comme un mauvais club ». Dans chaque salon, la police avait ses indicateurs, dont l'académicien Esménard. Quant aux avocats, Napoléon les haïssait : « Ce sont des factieux, des artisans de crime et de trahison... Je veux qu'on puisse couper la langue à un avocat qui s'en sert contre le gouvernement. » En 1804, il les avait astreints à demander au tribunal leur inscription au tableau ; il ne leur rendit un bâtonnier et une commission de discipline que le 14 décembre 1810 ; encore purent-ils seulement présenter des candidats au procureur général et le tribunal garda-t-il le droit de leur infliger des peines.

Il ne détestait guère moins « la chose imprimée, par cela même qu'elle est un appel à l'opinion et non à l'autorité ». « Il faut imprimer peu et le moins sera le mieux », écrivait-il à Eugène. A partir de 1805, les journaux durent soumettre leurs comptes à la police et lui céder jusqu'au tiers de leurs bénéfices pour payer les délégués chargés de les surveiller ; en 1807, un article de Chateaubriand provoqua la suppression du *Mercure* ; en août 1810, on décida qu'il ne resterait qu'un journal par département et plus de cent disparurent ; en octobre, Savary fit ramener la presse parisienne à quatre gazettes, dont le *Moniteur officiel* ; en février 1811, l'une d'elles, les anciens *Débats* devenus *Journal de l'Empire*, fut enlevée aux frères Bertin, soupçonnés d'être en rapport avec les Anglais, et mise en actions, dont la police prit le tiers ; le *Journal de Paris* et la *Gazette de France* eurent le même sort en septembre. Pour contrôler la publication des livres, on avait de nouveau contraint les imprimeurs, en 1805, à prendre un brevet personnel révocable et à prêter serment ; la police saisissait leurs productions à discrétion ; à son bureau de presse, Fouché joignait un bureau de consultation où siégeaient Lemontey, Lacretelle et Esménard.

Une censure officielle eût été préférable à l'arbitraire policier ; le 5 février 1810, l'empereur se décida enfin à la rétablir ; il créa une direction de l'imprimerie, qu'il confia d'abord au fils de

Portalis, puis à l'ancien préfet Pommereul, ainsi que des « censeurs impériaux » dont un théologien ; en province, les préfets restèrent compétents. En même temps, on ferma 97 imprimeries parisiennes sur 157 ; enfin, on imposa le brevet et le serment aux libraires. La censure, comme il était à prévoir, usa de son autorité pour se couvrir et en abusa pour son agrément : elle se montra non seulement gallicane, anglophobe et soupçonneuse jusqu'à l'absurde, mais fort prude et hostile aux genres qui lui déplaisaient, comme le roman historique. En décembre 1811, Napoléon s'en montra fâché : elle devait se borner à supprimer les libelles et devait « laisser parler librement sur le reste ». La leçon porta : en 1811, on avait refusé près de 12 % des manuscrits ; en 1812, la proportion descendit à moins de 4. Ici encore, il se montrait plus libéral que ses agents, ce qui, à la vérité, lui était facile, et demeurait fidèle, jusqu'à un certain point, à la meilleure des traditions du despotisme éclairé. L'administration n'en resta pas moins hostile aux chambres de lecture, aux cabinets de prêt et surtout aux colporteurs : elle savait l'importance des almanachs et de l'imagerie populaire et n'oubliait pas les « croix-de-par-Dieu » elles-mêmes. Le Sénat possédait aussi une commission pour la protection de la liberté de la presse ; elle ne fit rien. Quant aux théâtres, où les partis s'affrontaient toujours volontiers, ils ne furent pas épargnés. En 1805, Napoléon demanda l'avis de Fouché sur le *Don Juan* de Mozart « au point de vue de l'esprit public », et Brifaut, qui avait écrit un *Don Sanche*, dut le métamorphoser en un *Ninus d'Assyrie* à cause de la guerre d'Espagne.

L'administration impériale, en résumé, perfectionna l'œuvre et accentua l'arbitraire du Consulat. Il ne subsista rien des libertés publiques, si ce n'est la liberté de conscience parce que l'intolérance aurait nui à l'État en le privant de bons serviteurs ; encore ne fallait-il pas s'en prendre aux cultes reconnus, faire profession d'athéisme ou adhérer à la schismatique « petite Église ». Son despotisme n'étonna pas beaucoup les Français, à peine sortis de l'Ancien Régime et de la tourmente révolutionnaire ; ils savaient d'ailleurs les autres pays logés à peu près à la même enseigne. Son originalité résidait dans la simplicité et l'adroit ajustement des rouages : elle la devait à la Révolution qui, en supprimant les institutions chaotiques et les privilèges de l'Ancien Régime, avait permis de bâtir à neuf.

II. — *LES FINANCES ET L'ÉCONOMIE NATIONALE*[1].

L'argent est le nerf de la guerre et, d'ailleurs, l'exemple de Louis XVI prouvait qu'une crise des finances publiques peut être mortelle à l'autorité. Frédéric II, modèle des despotes éclairés, en avait toujours pris grand soin ; il avait donné la préférence

1. OUVRAGES A CONSULTER. — MARION, *ouv. cit.*, p. 80 (le t. IV) ; vicomte H. DE GRIMOUARD, Les origines du domaine extraordinaire, dans la *Revue des questions historiques*, ann. 1908, p. 160-192. Sur l'économie, voir SIMIAND et LEVASSEUR, cités p. 36 ; DARMSTAEDTER et TARLÉ, cités p. 155 ; G. PARISET, cité p. 4, et ses bibliographies ; CHAPTAL, *De l'industrie française* (Paris, 1819, in-8°) ; A. CHABERT, *Essai sur le mouvement des prix et des revenus en France de 1798 à 1820* (Paris, 1945 et 1949 ; 2 vol. in-8°). — Sur l'administration économique, J. PETOT, *Histoire de l'administration des Ponts et Chaussées, 1599-1815* (Paris, 1958, in-8°), chap. IV, V et VI de la troisième partie ; B. GILLE, *Le Conseil général des manufactures (Inventaire analytique des procès-verbaux), 1810-1829* (s.l., 1961, in-8°). — Sur les problèmes agraires, R. LAURENT, La lutte pour l'individualisme agraire dans la France du Premier Empire, dans *Annales de Bourgogne*, 1952, n° 3 (à propos de la préparation d'un code rural que Napoléon ne promulgua pas : la question des droits collectifs y tient une grande place). — Pour les aspects régionaux, en dehors d'études qui débordent le cadre chronologique de l'époque napoléonienne, comme : Camille JULLIAN, *Histoire de Bordeaux* (Bordeaux, 1895, in-8°) ; R. LÉVY, *Histoire économique de l'industrie cotonnière en Alsace* (Paris, 1912, in-8°) ; *Les Bouches-du-Rhône*, encyclopédie citée p. 80, t. VIII : *L'industrie* (1926), t. IX : *Le commerce* (1922) ; P. LÉON, *La naissance de la grande industrie en Dauphiné*, cité p. 36 ; F. DORNIC, *L'industrie textile dans le Maine et ses débouchés internationaux. 1650-1815* (Paris, 1955, in-8°) ; P. LEUILLIOT, *L'Alsace au début du XIXe siècle, Essais d'histoire politique, économique et religieuse, 1815-1830*, t. II : *Les transformations économiques* (Paris, 1959, in-8°), qui fait le point de la situation à la fin de l'Empire, voir dans travaux plus spécialement consacrés à la période ici envisagée : S. CHARLÉTY, La vie économique à Lyon sous Napoléon, dans la *Vierteljahrschrift für Sozial- und Wirtschaftsgeschichte*, t. IV (1906), p. 365-379 ; P. MASSON, Le commerce de Marseille de 1789 à 1814, dans les *Annales de l'Université d'Aix-Marseille*, t. X (1916), Marseille et Napoléon, *ibid.*, t. XI (1918) ; L. DE LANZAC DE LABORIE, *Paris sous Napoléon*, t. VI : *Le monde des affaires et du travail* (Paris, 1910, in-8°) ; D. PINKNEY, Paris capitale du coton sous le Premier Empire, dans les *Annales*, t. V (1950), p. 56-60 ; P. VIARD, Les conséquences économiques du blocus continental en Ille-et-Vilaine, dans la *Revue des études napoléoniennes*, t. XXVI (1926), p. 52-67 et 138-155 ; baron DE WARENGHIEM, Histoire des origines de la fabrication du sucre dans le département du Nord, dans les *Mémoires de la Société d'agriculture, sciences et arts du Nord*, t. XII (1909-1910), p. 215-627 ; G. VAUTHIER, Une manufacture de sucre à Rambouillet, dans la *Revue des études napoléoniennes*, t. II (1913), p. 148-160 ; F. ROQUES, *Aspects de la vie économique niçoise sous le Consulat et l'Empire* (Aix-en-Provence, 1957, in-8° ; extrait des *Annales de la Faculté de Droit*, n° 49) ; G. THUILLIER, *Georges Dufaud et les débuts du grand capitalisme dans la métallurgie en Nivernais au XIXe siècle* (Paris, 1959, in-8°) ; E. BAUX, Les draperies audoises sous le Premier Empire, dans la *Revue d'histoire économique et sociale*, 1960, n° 4 ; G. DUMAS, Situation économique du

à l'impôt indirect comme plus aisé à percevoir, d'un rapport plus régulier, mieux vu aussi des classes dirigeantes. Ainsi fit Napoléon. De 1804 à 1812, il diminua la foncière et la mobilière, ce qui eut l'avantage de réduire le consentement du Corps législatif à une pure formalité. Au surplus, il prépara une répartition rationnelle de la première et entreprit enfin, en 1807, le cadastre, qui devait répondre à un des vœux essentiels des cahiers de 1789 ; il lui consacra 55 millions, sans pouvoir l'achever dans plus de 5 à 6.000 communes.

Dès le premier moment, Gaudin lui avait proposé de rétablir les droits de consommation ; ils étaient si impopulaires qu'il ne s'y risqua point avant 1804. Le 5 ventôse an XII (25 février 1804), apparut l'administration des « droits réunis » dont Français de Nantes reçut la direction. On créa d'abord une taxe sur les boissons, de taux faible, mais qui n'en exigea pas moins des inventaires ; sous l'autorité de l'État, les « rats de cave » de l'ancienne ferme des aides reprirent leurs fonctions ; la perception fut modifiée et le tarif accru en 1806 et en 1808. En 1806, on ajouta un impôt sur le sel, pour compenser l'abolition du droit de passe sur les routes. Après avoir augmenté celui qui frappait le tabac, on finit, en 1810, par en rétablir le monopole. Cette année-là, le produit des « droits réunis » paraît avoir dépassé sensiblement celui des impôts directs, sans parler des douanes. Le mécontentement du peuple fut très vif et provoqua plus d'un trouble. Les possédants, de leur côté, purent constater que l'allégement de la taxation directe n'était qu'apparent, car une part des charges de l'État passa au compte des budgets locaux, par exemple une fraction des frais de culte, le cadastre, les canaux, les dépôts de mendicité ; en 1810, la moitié du traitement des préfets. Les centimes additionnels s'accumulant, les Côtes-du-Nord, qui acquittaient en l'an IX 2.489.000 francs, en payèrent, en 1813, 3.423.000. Pour permettre aux municipalités de vivre, il fallut en outre multiplier les octrois. D'autre part, il circulait beaucoup de troupes qu'il fallait loger, et plus d'un préfet rétablit, comme Molé, la corvée des routes. Bien que Napoléon se montrât fort économe, il accrut, tout compte fait, les charges des Français. Les dépenses civiles n'y contribuèrent pas pour beaucoup ;

département de l'Aisne à la fin de l'Empire, dans les *Mémoires de la Fédération des Soc. sav. de l'Aisne*, 1961. — Ch. Schmidt, Sismondi et le blocus continental, dans la *Revue historique*, t. CXV (1914), p. 85-91 ; les ouvrages de M. Blanchard, cités p. 479.

dans les départements, les services étaient si parcimonieusement dotés que les routes, les écoles et l'assistance firent peu de progrès ; dans les Côtes-du-Nord, on noircit force papier pour s'en tenir aux projets, faute d'argent. A partir de 1807, quelque 35 millions furent consacrés aux travaux publics ; peu de régions en tirèrent avantage. L'augmentation provint principalement de la liste civile, des cultes, de la dette publique et, par-dessus tout, de la guerre qui, malgré le large concours de l'ennemi, absorba toujours 50 à 60 % des recettes, sinon davantage.

Si la trésorerie échappa aux risques antérieurs, grâce aux réformes de 1806, elle ne se trouva pourtant jamais à l'aise, faute de pouvoir emprunter : telle fut, plus encore qu'avant 1789, la différence essentielle entre les finances de la France et celles de l'Angleterre. Seule la caisse d'amortissement réussit à placer quelques millions de bons. Quoiqu'elle soutînt la rente et que Napoléon en achetât au compte de la légion d'honneur, des sénatoreries et des dotations inaliénables qu'il accordait — si bien que 33 millions seulement sur 58 se trouvaient, en 1809, aux mains des particuliers et que le marché alla toujours se rétrécissant —, les cours demeurèrent bas et la tendance faible. On recourut donc aux expédients : les cautionnements augmentèrent ; on frappa un peu de monnaie ; en 1807 et 1810, le trésor de guerre accorda 84, puis 45 millions. La méthode favorite resta toujours d'assigner le paiement des fournisseurs sur tel fonds dont ils devaient attendre les rentrées, vieille pratique d'Ancien Régime qui provoquait des spéculations usuraires et la concussion, ou d'ajourner l'apurement des comptes sous prétexte de les vérifier. De temps à autre, on liquidait une part de l'arriéré en distribuant des bons de la caisse d'amortissement ou des titres de rente, forme déguisée de l'emprunt forcé : ainsi, en 1813, un million pour des reliquats datant de 1801 à 1808. A la fin du règne, la rente perpétuelle se trouva portée à 63 millions et la dette viagère, résultant surtout des pensions ecclésiastiques, à 57. Malgré tout, les fournisseurs ne cessèrent pas d'être très puissants, parce qu'on ne pouvait se passer de leurs avances.

Si l'on tient compte des circonstances, les finances de Napoléon paraissent aussi bonnes qu'il se pouvait ; mais, selon toute apparence, elles ne furent jamais en équilibre. Ce qui leur a nui surtout dans l'opinion, c'est qu'on ne savait pas (et on ne le saura jamais) à quoi s'en tenir, l'ajournement indéfini des paiements étant la négation d'un budget ; en outre, la Chambre des comptes, rétablie en 1807, ne reçut pas le droit de vérifier la légalité des dépenses. Si l'empereur n'a pu emprunter, c'est assurément que l'épargne restait méfiante, après tant de banqueroutes, et que sa politique ne permettait à personne de croire que le régime pût durer ; mais c'est aussi que sa gestion financière demeurait un mystère. Plutôt que de se soumettre au contrôle de la bourgeoisie, il préféra se passer de son concours.

D'ailleurs, il y eut mieux encore. Comme Frédéric II, qui s'était réservé les revenus de la Silésie et avait reconstitué le trésor de guerre du roi-sergent, Napoléon eut des cassettes dont il disposait seul : la liste civile, le domaine de la couronne, le domaine privé. Il prétendit s'assurer un fonds libre de cent millions au moins, disant qu'un souverain pouvait, avec une telle ressource, parer à tous les hasards. En outre, ne voulant pas financer la guerre aux seuls dépens de l'empire pour ne pas épuiser les populations, ni les émouvoir, il lui fallut une administration financière en pays conquis, et il en fut le seul maître. Le 28 octobre 1805, il créa le « trésor de l'armée » qui perçut les contributions de guerre de l'Autriche et de la Prusse ; d'après La Bouillerie, son receveur, elles auraient procuré, de 1805 à 1810, 743 millions dont 311 pourvurent aux besoins des troupes. Le 30 janvier 1810, l'empereur institua le « domaine extraordinaire », dont l'intendant fut Defermon ; on lui remit l'excédent du trésor de l'armée, ainsi que les terres et revenus que l'empereur s'était réservés dans les États vassaux, estimés alors à 2 milliards et d'un revenu de 30 à 40 millions. Napoléon s'en servit pour contrôler la circulation monétaire en achetant de la rente ou des actions de la Banque et de grandes entreprises, pour faire des avances à l'industrie en 1811 et surtout pour doter ses serviteurs ou leur servir des pensions. La guerre lui a donc procuré de grandes ressources ; à la veille de la campagne de Russie, il aurait dit : « Ce sera aussi dans l'intérêt de mes finances. N'est-ce pas par la guerre que je les ai rétablies ? N'est-ce pas ainsi que Rome avait conquis les richesses du monde ? »

Pour la nation, le profit fut plus douteux. Un certain nombre d'individus s'enrichirent de ces dépouilles ; le stock métallique s'accrut utilement, le budget s'allégea momentanément. La guerre n'en coûta pas moins fort cher aux contribuables ; bien que l'Espagne ait versé, dit-on, 350 millions, il fallut y envoyer au moins autant de fournitures, outre 24 à 30 millions de solde mensuelle et les pensions des princes déchus, le tout aux frais de la France, car le trésor de l'armée et le domaine extraordinaire n'en donnèrent pas un sou. Et, en fin de compte, si Napoléon accrut ainsi son autorité personnelle, sa réserve liquide n'atteignit jamais la somme qu'il s'était promise, car il dut dépenser une grande partie des revenus du domaine sous la pression des circonstances.

Quelques profits qu'il tirât de la guerre, il resta donc essentiel de développer la faculté contributive du pays. Pour y parvenir, les despotes éclairés avaient encouragé la production en se conformant aux principes du mercantilisme. De même Napoléon. La réglementation se recommandait naturellement à un gouvernement autoritaire, et l'on continua, de divers côtés, à réclamer le retour aux corporations et à la marque. La haute bourgeoisie demeurant fidèle, en général, à la liberté du travail, Napoléon la respecta mieux qu'on n'a dit. A Lyon, il se contenta d'imposer au façonnier un livret de comptabilité. La marque fut rétablie en l'an XII pour les brocarts et les velours ; en 1807, pour les draps destinés au Levant ; en 1810, pour ceux de Louviers ; en 1811, pour les savons ; en 1812, pour toute la draperie ; mais elle demeura facultative. Les monopoles des armes de guerre, des poudres, de la frappe des monnaies, du tabac s'expliquent par des considérations d'ordre public ou fiscales. De même, les lois sur l'expropriation pour raison d'utilité publique, sur les établissements insalubres et sur les mines : pour celles-ci, la loi de 1810 en attribua la propriété à l'État ; mais il en concéda l'exploitation aux particuliers, à l'exception des mines de la Sarre. De même encore, la réglementation de la boulangerie et de la boucherie où le retour à l'Ancien Régime se marqua le plus : le régime corporatif des boulangers, reconstitué à Paris sous le Consulat, s'étendit à plusieurs villes de province ; en 1811, la caisse syndicale des bouchers parisiens redevint la « caisse de Poissy », chargée d'avancer, au compte de la ville, les sommes nécessaires au paiement des herbagers. Sur la demande des marchands de vin, on limita leur nombre dans la capitale et on les soumit à l'autorisation de la police ; les professions de courtier en vin et de gourmet furent constituées en offices, à la nomination du gouvernement.

Quant à l'agriculture, elle fut à peu près abandonnée à elle-même. On remit les forêts en garde. Mais on ne fit rien pour ruiner les usages collectifs, et l'on ne profita pas des opérations cadastrales pour imposer ou favoriser le remembrement : presque tous les paysans s'y seraient d'ailleurs opposés. Le blocus amena seulement l'empereur à exiger qu'on pratiquât certaines cultures, notamment que l'on consacrât 32.000, puis 100.000 hectares à la betterave. Comme sous l'Ancien Régime, le souci de l'ordre public l'obligea d'arbitrer le prix du blé, dans une certaine mesure, entre paysans et consommateurs, soit qu'il autorisât l'exportation pour le relever, soit qu'il lui imposât, en 1812, un maximum.

Ce fut contre les ouvriers que la loi s'employa surtout. Ce n'était pas une nouveauté, puisque la loi de 1791 avait renouvelé l'interdiction de la grève et des compagnonnages. Celle de l'an XI et le code pénal ne firent que la confirmer ; mais on rétablit aussi le livret et la clause « maître et ouvrier ». Certains administrateurs allèrent plus loin : à Paris, en 1806, le préfet de police fixa les heures de travail pour le bâtiment et, dans l'Yonne, le préfet regroupa les flotteurs en leur imposant un tarif. Mais le Conseil d'État rejeta des projets sur l'apprentissage et les règlements d'atelier ; le ministre refusa d'intervenir pour sanctionner la discipline des ardoisières de Maine-et-Loire, de la papeterie dans la région parisienne, des filatures de Bauwens à Gand. La création des conseils de prud'hommes, le 18 mars 1806, pour trancher les différends entre employeurs et ouvriers, sans que ces derniers y eussent des représentants, s'explique uniquement par l'incompétence technique des juges ordinaires. A part quelques réserves, le capitalisme naissant, force indépendante du régime, dicta sa loi : il fit maintenir la réglementation contre les ouvriers et enraya la réaction corporative, qui l'aurait gêné.

Des deux principes de la politique mercantiliste, la protection vint donc au premier plan. La guerre et le blocus, en fermant le marché national et en livrant aux Français les pays vassaux ou alliés, firent néanmoins beaucoup plus que les mesures spécifiques. L'agriculture n'en profita guère, puisque Napoléon tenait à contrôler le prix du blé ; au contraire, elle vendit plus difficilement ses vins et ses eaux-de-vie. Ce fut l'industrie que Napoléon, comme Colbert, encouragea principalement. Il y employa les expositions, les commandes, les honneurs décernés aux novateurs, quelquefois aussi des concessions de bâtiments ou des avances ; mais il n'accorda point de privilèges et, ménager de ses deniers, ne consentit volontiers des prêts qu'en temps de crise, plutôt pour éviter le chômage que dans l'intérêt des industriels ; à son avis, le meilleur service à leur rendre était d'abaisser le loyer de l'argent en accroissant l'escompte de la Banque. Il s'intéressait moins au prix de revient qu'aux quantités produites ; cependant, comme la machine avantageait l'Angleterre, il fit beaucoup pour le progrès technique, aida Douglas à fonder à Paris une fabrique de mécaniques pour la filature de la laine et mit au concours plusieurs inventions : un moteur à vapeur de petit modèle en 1807, un métier à filer le lin en 1810. Il ajouta l'école des arts et métiers d'Angers à celle de Châlons, ouvrit des écoles des mines, rétablit celle de teinture aux Gobelins, adjoignit un enseignement pratique au Conservatoire des arts et métiers et, comme le Comité de salut public, recommanda l'emploi des procédés et des outils nouveaux par une propagande officielle. Des canaux et des routes auraient rendu grand service en unifiant le marché national et en le reliant aux pays vassaux : il fit travailler aux canaux de Bourgogne, du Rhône au Rhin, d'Ille et Rance, de Nantes à Brest, acheva ceux du Centre et de Saint-Quentin, remit en état une bonne part des routes nationales et ouvrit celles des Alpes qui furent précieuses au commerce de l'Italie et du Levant. Il eût fait davantage s'il avait eu plus de temps et d'argent.

Toutefois, dans ses plans de travaux, l'économie tint moins de place que les préoccupations militaires et les soucis de prestige ; ce furent les premières qui commandèrent avant tout les routes alpestres, celles du Rhin et de l'ouest, la continuation de la digue de Cherbourg, les entreprises d'Anvers ; les seconds se manifestèrent dans les embellissements de Paris où il étendit les quais, jeta des ponts, dégagea Notre-Dame, la place du Châtelet, le Carrousel, ouvrit les rues de Rivoli, de la Paix, de Castiglione, construisit la Bourse, éleva la colonne Vendôme, entreprit l'Arc de triomphe et projeta un Temple de la Gloire. Au ravitaillement de la capitale se rattachent la Halle au blé et la Grande halle, le Grenier d'abondance, les abattoirs, le canal de l'Ourcq. Enfin, s'il fut un grand bâtisseur, le souci d'occuper la main-d'œuvre entra aussi en jeu. Un des traits essentiels de la politique des Césars a toujours été de procurer au peuple du travail et du pain à bon marché.

Les progrès de l'agriculture se continuèrent dans le même sens que sous le Directoire, mais avec une extrême lenteur. Ceux de l'industrie furent beaucoup plus sensibles. La production de luxe, surtout la soierie, se rétablit ; le blocus favorisa la métallurgie, la quincaillerie, la coutellerie, la fabrication des machines et des outils, de la tôle, du fer-blanc et du laiton, des aiguilles et des épingles ; il avantagea aussi les produits chimiques et les textiles ; la filature du coton et l'impression sur étoffes continuèrent de se signaler comme les plus actives et les plus novatrices ; vers 1812, la première faisait tourner un million de broches et fournissait 10 millions de kilogs de fil. A la fin de l'Empire, une industrie nouvelle et de grand avenir prenait l'essor : en 1811, on produisit les premiers pains de sucre de betterave à Lille et à Auby ; Allart, à Chaillot, et Delessert, à Paris, installaient des raffineries ; Napoléon créa quatre écoles techniques et une sucrerie dans son domaine de Rambouillet ; on comptait fabriquer, en 1813, 3 millions 1/2 de kilogs dans 334 fabriques et on en obtint, paraît-il, le tiers.

Ces effets bienfaisants du blocus eurent un revers tragique : la ruine totale des ports maritimes. Marseille possédait encore 330 long-courriers en 1807 ; en 1811, il en restait 9 ; de 50 millions en 1789, sa production manufacturière était tombée à 12 ; sa population, dans le même temps, avait baissé de 120.000 à 90.000 habitants ; Bordeaux, qu'on estimait aussi peuplé en 1789, n'en comptait plus que 70.000 ; aussi ces deux villes devinrent-elles des citadelles du royalisme. Au contraire, Strasbourg et Lyon, qui profitèrent du malheur de leurs rivales pour s'assurer le monopole du commerce avec l'Allemagne et l'Italie, regrettèrent amèrement Napoléon. On ne saurait être surpris que le trafic extérieur, en dépit des annexions, soit resté en arrière des valeurs atteintes en 1789, puisque la France avait perdu ses colonies. Il va de soi que la paix et un traité de commerce avec l'Angleterre eussent été plus avantageux que le blocus à la production nationale. La politique de Napoléon étant ce qu'elle était, il n'en demeure pas moins vrai que l'empire réussit à vivre et jouit même d'une certaine prospérité.

En résumé, l'empereur s'est montré beaucoup moins despotique dans le gouvernement des choses que dans celui des personnes ; on a exagéré son étatisme, en ce qui concerne l'économie. D'autre part, sans beaucoup innover dans ce domaine, il y a concilié avec succès des motifs et des intérêts très divers. Enfin, il a maintenu dans ses États une activité suffisante pour qu'ils pussent soutenir la guerre : pour lui, il ne faut pas l'oublier, tel était le point cardinal.

III. — *LE GOUVERNEMENT DES ESPRITS*[1].

Endormir les esprits en interdisant toute critique et en contentant les intérêts, ce ne fut pas tout le système. Bien qu'il

---

1. Ouvrages a consulter. — Constant, cité p. 127 ; Latreille et Leflon, ouvrages cités p. 12 et 141 ; Lévy-Schneider, *Champion de Cicé*, cité p. 141 ; Mgr Ricard, *Le cardinal Fesch* (Paris, 1893, in-8°) ; J. Hergenröther, *Cardinal Maury* (Würzburg, 1878, in-8°) ; A. Mathiez, Le cardinal Cambacérès, archevêque de Rouen, dans la *Revue des études napoléoniennes*, t. IX (1916),

affectât ordinairement de mépriser les idées, Napoléon en avouait parfois l'influence : « Il n'y a que deux puissances au monde, le sabre et l'esprit ; à la longue, le sabre est toujours vaincu par l'esprit. » Il fallait donc rallier l'esprit à la domination du sabre pour que l'obéissance devînt volontaire et, autant que possible, joyeuse et dévouée. C'était pour la leur faire enseigner avec la morale que les despotes éclairés avaient assujetti les Églises ; le Concordat conclu, ce fut aussi l'un des profits que Bonaparte en tira. Il combla le clergé catholique, comptant le tenir par l'intérêt et lui faire dresser de fidèles sujets. Comme il redoutait les prêtres qui n'étaient pas ses fonctionnaires, il introduisit les siens partout et notamment dans l'école publique : par prudence et crainte de pire. Autour de lui, amis et ennemis de l'Église romaine

p. 25-64 ; Ch. Ledré, *Le cardinal Cambacérès, archevêque de Rouen, 1802-1818* (Paris, 1947, in-8°) ; chanoine Mahieu, *Monseigneur Louis Belmas, ancien évêque constitutionnel de l'Aude, évêque de Cambrai ,1757-1841* (Paris, 1934, 2 vol. in-8°) ; J. Berti-Langermin, *Le cardinal du Belloy* (Paris, 1951 ; thèse dactylographiée) ; P. Genevray, *L'administration et la vie ecclésiastique dans le grand diocèse de Toulouse (Ariège, Haute-Garonne, arrondissement de Castel-sarrasin) pendant les dernières années de l'Empire et sous la Restauration* (Paris, 1940, in-8°) ; L. Deries, *Les congrégations religieuses au temps de Napoléon Ier* (Paris, 1929, in-8°) ; G. de Grandmaison, *La Congrégation* (Paris, 1889, in-8°) : A. Latreille, *Le catéchisme impérial* (Paris, 1935, in-8°) ; comte d'Hausson-ville, *L'Église romaine et le Premier Empire* (Paris, 1868-1869, 5 vol. in-8°) ; H. Welschinger, *Le pape et l'empereur* (Paris, 1905, in-8°) ; abbé Féret, *Le Premier Empire et le Saint-Siège* (Paris, 1911, in-8°) ; Mgr Ricard, *Le concile de 1811* (Paris, 1894, in-12) ; G. de Grandmaison, *Napoléon et les cardinaux noirs* (Paris, 1895, in-12) ; E. Dousset, *L'abbé de Pradt, grand aumônier de Napoléon* (Paris, 1959, in-16) ; sur le conflit de la papauté et de l'Empire, consulter E. de Levis-Mirepoix, *Un collaborateur de Metternich. Mémoires et papiers de Lebzeltern* (Paris, 1949, in-8°). — R. Anchel, *Napoléon et les Juifs* (Paris, 1928, in-8°) ; P. Leuilliot, L'usure judaïque en Alsace sous l'Empire et la Restauration, dans les *Annales historiques de la Révolution française*, 1930, p. 231-251 ; Gaston-Martin, *Manuel d'histoire de la franc-maçonnerie française* (Paris, 1926, in-8° ; 2e éd., 1932) ; A. Bouton et M. Lepage, *Histoire de la franc-maçonnerie dans la Mayenne, 1756-1951* (Le Mans, 1951, in-8°) ; A. Bouton, *Les francs-maçons manceaux et la Révolution française, 1741-1815* (Le Mans, 1958, in-8°). — Sur l'enseignement, voir G. Pariset, cité p. 4 ; Aulard, Lanzac de Laborie et Goutard, cités p. 141 ; Ch. Schmidt, *La réforme de l'Université impériale en 1811* (Paris, 1905, in-8°) ; M. Halbwachs, Les programmes des premiers lycées de 1802 à 1809, dans le *Bulletin de la Faculté des Lettres de Strasbourg*, 1930, p. 132-136 ; Aileen Wilson, *Fontanes* (Paris, 1928, in-8°) ; à titre d'exemple régional, R. Boudard, *L'organisation de l'Université et de l'enseignement secondaire dans l'Académie impériale de Gênes entre 1805 et 1814* (Guéret, 1962, in-8°). — Sur le mouvement intellectuel et artistique, voir p. 499 ; se reporter à G. Pariset, cité p. 4, et à ses bibliographies. — Sur la propagande, R. B. Holtman, *Napoleonic propaganda*, cité p. 392.

se combattirent toujours sourdement; les premiers, Portalis, Fontanes, finirent par l'emporter sur Fouché; le cardinal Fesch, ayant beaucoup à se faire pardonner, montra beaucoup de zèle; l'empereur le rabroua plus d'une fois, rapportant ses craintes à une « imagination en délire » et lui conseillant de « prendre des bains froids »; mais il entrait dans ses vues de lui céder souvent.

Il fallut d'abord assurer la subsistance des desservants et l'entretien du culte, la pression exercée sur les municipalités pour les exciter à la générosité n'obtenant qu'un succès médiocre. « Le paysan, écrivait un prêtre, veut bien de sa religion, veut bien des ministres, mais qu'ils ne lui coûtent rien. » Assez vite, Napoléon décida de prendre à sa charge une partie des frais. Il accorda un traitement aux chanoines dès 1803; puis, en 1804, à l'approche du plébiscite et du sacre, 500 francs par an à 24.000 desservants; en 1807, il porta ce nombre à 30.000. En 1804, il avait concédé aux fabriques le monopole des pompes funèbres et s'était engagé à entretenir dans chaque diocèse un grand séminaire; en 1807, il concéda 600.000 francs pour y pourvoir des boursiers. Il imposa le reste des dépenses aux budgets locaux : le 26 décembre 1804, le traitement des desservants non payés par l'État; le 2 février 1805, le logement du clergé paroissial et les frais du culte. Pour gérer la subvention cultuelle, on constitua, en 1807, la fabrique « extérieure »; en 1809, l'administration des fonds paroissiaux fut réunie aux mains du conseil de fabrique, désigné pour la première fois par le préfet, recruté ensuite par cooptation, et qui élisait un bureau de marguilliers. Les préfets continuèrent, d'ailleurs, à exiger qu'on votât des suppléments de traitement et qu'on entretînt les vicaires. Finalement, la loi du 14 février 1810 régla définitivement les charges de la commune : le traitement des vicaires, l'entretien et la reconstruction des édifices devinrent aussi obligatoires dans le cas où les revenus de la fabrique n'y pouvaient pourvoir; les suppléments restèrent facultatifs. Le budget des cultes se trouva organisé pour près d'un siècle. En 1811, il en coûta 100.000 francs aux communes des Bouches-du-Rhône; l'État dépensait plus de 16 millions, outre 31 millions de pensions.

L'Église fut très sensible aussi aux hommages qui la recommandèrent aux populations et aux faveurs qui l'aidèrent à se recruter et à étendre sa propagande. On exempta ses séminaristes du service militaire; ses dignitaires figurèrent en bonne place dans le décret de l'an XII sur les préséances; les processions se rétablirent à peu près partout; des « missions à l'intérieur » furent subventionnées et le cardinal Fesch créa une société pour les organiser ; des préfets firent clore les cabarets, le dimanche, pendant les offices ; Portalis les approuva et assura même que le Conseil d'État accepterait de punir ceux qui se tenaient debout et couverts sur le passage des processions. Dès 1803, lycées et collèges avaient reçu des aumôniers et les exercices religieux y étaient devenus obligatoires. Portalis demanda aux évêques des renseignements sur le personnel ; en 1805, celui de Versailles ayant réclamé le droit de nommer les instituteurs, il donna un avis favorable ; en 1807, un décret les autorisa à contrôler l'enseignement religieux dans les écoles et, en 1809, une circulaire de Fontanes leur recommanda de faire surveiller les maîtres par les curés, promettant de remplacer par leurs candidats ceux qui seraient mal notés. D'ailleurs, l'épiscopat organisa un enseignement confessionnel ; car, pour préparer au grand séminaire, on l'autorisait à en fonder de petits, qui devinrent de véritables collèges. Le clergé entra aussi dans la commission des hospices et le bureau de bienfaisance ; les sœurs reprirent possession des hôpitaux. Enfin, l'unité de l'Église fut défendue contre la « petite Église » et sa discipline sanctionnée au moins en un point, le mariage des prêtres étant interdit par voie administrative. Si la laïcité de l'État ne reçut pas plus d'accrocs, ce fut à Napoléon qu'on le dut : il refusa de suivre Portalis quant à l'observation du dimanche, aux marques de respect devant les processions, à la nomination des instituteurs, et blâma Fontanes pour avoir remis aux évêques le contrôle de ces derniers.

Ce fut également lui qui contint les progrès des réguliers. En principe, il écartait les congrégations masculines : « Pas de moines » ; « l'humiliation monacale est destructive de toute vertu, de toute énergie, de tout gouvernement. » Mais sous le Consulat, il en avait laissé reconstituer quelques-unes, notamment celle des Pères de la Foi ou Paccanaristes, que la police représentait avec raison comme l'héritière de la compagnie de Jésus. Fouché finit par l'emporter : le décret du 3 messidor an XII (22 juin 1804) subordonna l'existence des réguliers à une autorisation. Les Lazaristes, les Pères du Saint-Esprit et ceux des Missions étrangères, réunis en principe, subsistèrent à raison des services qu'ils pouvaient rendre au dehors à l'influence française ; les Frères de la doctrine chrétienne obtinrent la même faveur , ainsi que Saint-Sulpice ; on toléra quelques maisons de Trappistes parce qu'ils se chargeaient des hospices alpestres. Les autres ordres furent supprimés, y compris les Pères de la Foi, leur supérieur, Paccanari, étant un étranger. Alléguant qu'ils avaient repris leur autonomie, ces derniers obtinrent pourtant qu'on les laissât tranquilles, et Fesch leur confia même le séminaire de Largentière ; ils ne furent condamnés définitivement que le 15 décembre 1807. Napoléon traita mieux les religieuses, parce qu'il jugeait économique de leur confier les hôpitaux ; il autorisa nombre de leurs congrégations et en toléra d'autres encore. Il désirait les grouper pour mieux les surveiller et les aurait volontiers ramenées à l'unité. Du moins assembla-t-il, en 1807, un « chapitre général des religieuses hospitalières et des Filles de la Charité » sous la présidence de Madame Mère, instituée leur protectrice, et, en 1808, un décret leur conféra une sorte de statut. En fait, ces hospitalières tenaient souvent école, de même que le nouvel ordre des Sœurs de la Miséricorde de la R. M. Postel ou celui des Dames du Sacré-Cœur de la R. M. Barat, contemplatifs en principe. D'ailleurs, les congrégations enseignantes ne manquaient pas non plus. L'enquête de 1808 signala, au total, plus de 2.000 établissements et de 16.000 religieuses. Pour les congrégations non conventuelles et les confréries, Portalis décida que le décret de l'an XII ne les visait pas. Les Pénitents, par exemple, reparurent dans tout le midi ; la congrégation de la Vierge fit des progrès à Paris et se créa des filiales en province : ainsi à Bordeaux et à Lyon, où Ampère devint un ardent prosélyte.

Dans l'ensemble, les évêques se montrèrent reconnaissants. En 1806, ils se résignèrent même à accepter le catéchisme rédigé par Bernier et par l'abbé d'Astros, secrétaire de Portalis, auquel Napoléon lui-même avait mis la main : un long chapitre y rangeait parmi les devoirs du chrétien l'obéissance à l'empereur, le paiement des impôts et la soumission à la conscription. Quelques-uns, comme Bernier, poussèrent le zèle jusqu'à se faire les auxiliaires de la police, Fouché leur ayant écrit : « Il y a plus d'un rapport entre vos fonctions et les miennes. » D'autres, au contraire, tels le frère de Cambacérès à Rouen et Caffarelli à Saint-Brieuc, se rendirent insupportables par leurs exigences. La plupart profitèrent de leur prudente docilité pour accroître leur influence. Sachant qu'ils finiraient par être sacrifiés, les préfets se le tinrent pour dit : à Marseille, Thibaudeau consulta Champion de Cicé sur le choix des fonctionnaires. Le pouvoir épiscopal, défendu contre la papauté par le gallicanisme officiel, se trouva fortifié aussi à l'égard du bas clergé puisque le Concordat le lui avait soumis sans réserve, à la seule exception des curés proprement dits. Néanmoins, l'unité morale était loin d'être réalisée et les constitutionnels demeuraient mal vus ; à Besançon, l'archevêque Le Coz fut constamment aux prises avec ses prêtres et ses séminaristes qu'excitaient d'anciens réfractaires ; au début, des curés ne se résignèrent pas non plus à la laïcité et les incidents furent nombreux ; enfin, la majorité des ecclésiastiques restait attachée à la royauté, et on le vit bien par la suite. Quant à leur influence sur la population, il ne faut pas la mesurer aux progrès matériels de l'Église ; dans bien des régions, l'indifférence restait grande et, dans les villes, il se rencontrait toujours un public pour applaudir *Œdipe* ou *Tartufe*. Il y a lieu de croire, au surplus, que Napoléon ne tenait pas à rechristianiser profondément la France ; il s'était arrangé pour tenir ceux de ses sujets qui obéissaient avant tout au prêtre : il ne lui en fallait pas davantage.

Le conflit avec la papauté compromit partiellement le succès de cette politique. Il n'était pas d'origine religieuse et, bien que Pie VII fît grief à l'empereur des articles organiques et, beaucoup plus encore, de la politique poursuivie à l'égard du clergé dans le royaume d'Italie, la rupture ne serait jamais survenue si le pape n'avait été un souverain temporel. Mais elle conduisit Napoléon à ressusciter les prétentions de l'empereur romain à dominer le sacerdoce et à traiter l'évêque de Rome en vassal ; ainsi, le sénatus-consulte du 17 février 1810 érigea la déclaration des quatre articles en loi de l'empire et, au Conseil d'État, Napoléon déclara qu'il allait « rétablir le droit qu'ont toujours eu les empereurs de confirmer la nomination des papes » et exiger « qu'avant son installation, le pape jure, entre les mains de l'empereur des Français, soumission aux quatre articles ». « Les papes ne peuvent plus exercer les prétentions révoltantes qui autrefois ont fait le malheur des peuples et la honte de l'Église ; au fond, ils n'en ont rien relâché et encore aujourd'hui se regardent comme les maîtres du monde. »

Pie VII était prisonnier à Savone ; les cardinaux avaient été amenés à Paris et, 13 sur 27 ayant refusé d'assister au mariage de l'empereur, celui-ci exila les cardinaux « noirs ». L'application du Concordat se trouva paralysée. Dès 1808, les bulles pontificales qui accordaient l'investiture aux évêques avaient écarté les formules concordataires, si bien que le Conseil d'État les refusa. Ensuite, il devint impossible de pourvoir aux vacances ; l'empereur prescrivit aux évêques nommés d'aller administrer leurs diocèses ; le cardinal Maury accepta celui de Paris et d'Osmond celui de Florence. Ce n'était là qu'un expédient provisoire. En 1809, un comité ecclésiastique émit l'opinion que si le pape, pour des raisons temporelles, ajournait l'investiture d'un évêque, le métropolitain pouvait y pourvoir ; mais, refusant de rien décider, il conseilla de réunir un concile national. En 1811, un second comité conclut également à cette convocation. L'abbé Émery, dont le gallicanisme s'atténuait à mesure que le pouvoir temporel pesait de plus en plus lourdement sur le clergé, prit seul, avec intrépidité et en présence de Napoléon lui-même, la défense de l'autorité du Saint-Siège. Mais il mourut avant l'ouverture du concile national, fixée au 17 juin 1811. Les évêques, frappés de stupeur, avaient jusqu'alors gardé le silence et ne craignaient rien tant que de le rompre ; comme au temps de Louis XIV et de la Constituante, ils sentaient que l'Église de France, prise entre le chef de la nation et celui de la catholicité, risquait de faire les frais de la dispute. Napoléon dut les circonvenir isolément pour leur arracher une adhésion à son projet ; encore réservèrent-ils l'approbation du pontife. Si le pape, dans un délai de six mois, n'avait pas conféré l'investiture, elle serait donnée par le métropolitain ou le plus ancien suffragant, en sorte qu'on en était revenu à la Constitution civile du clergé. Pie VII accepta, pourvu que l'investiture fût accordée « expressément au nom du souverain pontife », ce qui lui permettait de l'interdire à son gré. Le 23 février 1812, Napoléon déclara que le bref ne pouvait être admis et qu'il regardait le Concordat comme annulé.

La rupture avec le pape altéra les sentiments du clergé à l'égard du régime. Peu à peu, une partie des prêtres revint à l'opposition déclarée. Des évêques furent contraints de se démettre ou furent exilés ; des prêtres se virent supprimer pensions ou traitements ; les séminaristes rebelles perdirent leurs bourses et on les expédia au régiment ; on prononça la dissolution des congrégations masculines ; les Pères de la Foi se virent enfin appliquer le décret de 1807 ; les Lazaristes, les Pères du Saint-Esprit et les Missions étrangères furent supprimés et Hanon, leur supérieur, arrêté ; en 1810, vint le tour de Saint-Sulpice. Dès 1809, avait été frappée la congrégation de la Vierge, dont les membres répandaient en France la bulle d'excommunication et assuraient une correspondance secrète avec Pie VII. Ce fut ensuite le tour de nombreuses confréries. Enfin, la réforme de l'Université, en 1811, entraîna la fermeture de la plupart des écoles épiscopales ou petits séminaires. Le Concordat avait ôté au royalisme et à la contre-révolution l'appui du clergé ; en rompant avec le pape, Napoléon le leur rendit ; il ranima aussi dans les pays annexés l'hostilité contre la France. Les années qu'il avait gagnées portèrent néanmoins leurs fruits. La majorité des ecclésiastiques hésitait à pousser encore une fois l'opposition aux extrêmes et à perdre le bénéfice des avantages obtenus ; tant que le culte n'était pas suspendu ni les curés chassés, les populations ne s'émouvaient guère. Le conflit a ranimé les espérances des royalistes et favorisé leurs intrigues ; par lui-même, il ne suffisait pas pour ébranler le régime.

Les protestants ne lui créèrent aucune difficulté ; mais il en alla autrement avec les israélites. Si la question avait été purement religieuse, elle eût été facile à résoudre, car les rabbins demandaient eux-mêmes la promulgation d'articles organiques. La difficulté était de savoir s'ils jugeaient la loi mosaïque compatible avec le droit civil et les obligations du citoyen français ; on croyait les Séfardim du midi et d'Italie adaptés depuis longtemps aux mœurs du pays, tandis que les Askenazim de l'est passaient pour attachés au ritualisme, et, en 1805, Bonald contesta que les Juifs fussent assimilables. Enfin, en Alsace et en Lorraine, certains avaient éveillé des haines farouches en prêtant à gros intérêt, ce qui permettait assez souvent d'exproprier les paysans ; l'empereur était prévenu contre l'usure et, le 30 mai 1806, accorda, malgré le Conseil d'État, un sursis à leurs débiteurs. Le problème était donc triple. Une assemblée juive, dont les 95 membres furent désignés par les préfets, se réunit à Paris le 26 juillet 1806 et se mit d'accord avec les commissaires impériaux ; on lui fit ensuite reconstituer théâtralement le « grand Sanhédrin », qui comprit 26 laïques et 45 rabbins ; il adressa une proclamation aux juifs d'Europe et, le 9 février 1807, admit l'abolition de la polygamie, le mariage civil, le service militaire sans remplacement et les mesures économiques qui paraîtraient nécessaires. La décision impériale n'intervint que le 18 mars 1808. Le culte fut organisé en synagogues avec une synagogue consistoriale au plus par département et un consistoire central à Paris ; il s'entretint par les cotisations imposées aux fidèles. Un autre décret, valable pour dix ans, dont on excepta la Gironde et qui, en fait, ne reçut d'application qu'en Alsace et en Lorraine, annula les dettes des mineurs, des femmes et des militaires, astreignit le créancier juif à prouver qu'il avait fourni intégralement le capital, à moins que le débiteur ne fût commerçant, et autorisa les tribunaux à réduire ou à supprimer les intérêts arriérés et à donner délai. On imposa au juif une patente spéciale et on réglementa ses prêts sur gages ; l'immigration lui fut interdite en Alsace et subordonnée, ailleurs, à l'achat d'une propriété rurale. Enfin, le décret du 20 juillet 1808, l'astreignit à se choisir un nom de famille. On conçoit que Napoléon ait jugé indispensable de mettre fin à l'usure qui pouvait provoquer des troubles et pousser les paysans à émigrer ; mais il est douteux que ses mesures aient favorisé l'assimilation et, en laissant libre le choix des patronymes, il l'a retardée. Malgré tout, les contemporains n'ont pas jugé que sa politique fût défavorable aux juifs ; elle eut du retentissement en Europe et lui valut, par comparaison, la sympathie des communautés israélites et les malédictions de leurs ennemis.

L'empereur mit aussi la main sur la franc-maçonnerie qui s'était reconstituée sous le Directoire et surtout sous le Consulat ; en 1805, il fit de Joseph le grand-maître du Grand Orient et, quand le rite écossais, organisé en 1804, eut définitivement fait scission, Kellermann et Cambacérès en prirent la direction. La protection impériale contribua aux progrès de l'unité et de la hiérarchie maçonniques et favorisa la multiplication des loges ; le Grand Orient, sous la gestion effective de Roëttiers de Montaleau, commandait à 300 ateliers en 1804 et à un millier en 1814. Dans le haut personnel civil et militaire, les maçons étaient nombreux et l'ordre se montra fort loyaliste. Mais il restait attaché aux idées du xviiie siècle et certains préfets finirent par trouver que les loges avaient mauvais esprit. « C'est toujours l'égalité, toujours *nos frères*, toujours de la philosophie, toujours des idées républicaines », écrivait Capelle, dans le département du Léman. Napoléon n'en prit jamais ombrage.

La formation de la jeunesse lui donna plus de souci ; bien qu'il y voulût faire place à la religion, il ne songeait pas à l'abandonner aux églises, l'essentiel étant de former des sujets et non des fidèles, des hommes du siècle et non des théologiens. Tel avait été le dessein de tous les despotes éclairés. L'esprit du régime portait à un monopole d'État ; comme il eût exigé beaucoup d'argent, ce fut la question financière qui domina la politique scolaire de Napoléon. Avant tout, il pourvut au recrutement des officiers, des fonctionnaires, des juristes et des officiers de santé, en créant les lycées, les bourses nationales, une école militaire en l'an XI, les écoles de droit et de médecine en l'an XII. Encore fallut-il laisser à la charge des municipalités les « écoles secondaires » reconnues et admettre l'existence de nombreuses institutions privées ainsi que l'enseignement confessionnel des petits séminaires. Pourtant, les lycées ne s'ouvrirent pas vite, faute

— 417 —

de ressources ; sur les 45 prévus, il n'en existait encore que 37 en 1808. Ils ne prospérèrent pas non plus comme l'espérait Napoléon, car il se figurait que, grâce aux élèves payants, ils ne lui coûteraient rien. Le règlement de l'an XI y avait introduit la discipline militaire, ce qui déplaisait à la bourgeoisie ; le clergé n'y voyait que sentines d'impiété, car le personnel comprenait d'anciens prêtres et des indépendants ; enfin, les écoles libres enseignaient au rabais. Deux partis s'offraient donc : fermer les lycées par économie ou supprimer les établissements libres. Cette solution aurait eu sans doute la préférence de Fourcroy, qui dirigeait l'enseignement, et du parti philosophique, tandis que Portalis la combattait au nom de la liberté du père de famille et au profit de l'Église. L'empereur finit par s'arrêter à une solution bâtarde parce qu'il n'avait ni l'argent ni le personnel nécessaires à un monopole d'État. La loi du 10 mai 1806 annonça qu'il serait formé une corporation appelée « Université » et qu'elle aurait seule le droit d'enseigner ; nonobstant, les institutions privées subsisteraient sous sa surveillance, à condition de lui payer une redevance qui soulagerait le budget et limiterait la concurrence. L'organisation, adoptée le 4 juillet et ajournée par la guerre, ne fut promulguée que le 17 septembre 1808. Dans l'intervalle, l'Église, grâce à Fesch et à Fontanes, affermit sa position ; le décret, et surtout la manière dont on l'appliqua, furent regardés comme une défaite du parti philosophique. Fourcroy, qui comptait devenir le chef de l'Université, se vit éliminé au profit de Fontanes.

Ce chef prit le nom de « grand-maître » et, sans avoir rang de ministre, correspondit avec l'empereur directement ; on lui adjoignit un chancelier, un trésorier, un conseil de trente membres et des inspecteurs généraux. L'empire fut divisé en « académies », confiées à des « recteurs » qu'assistaient des inspecteurs et des conseils académiques. L'enseignement se hiérarchisa en trois ordres : primaire, secondaire et supérieur. Pour la première fois, l'État mit la main sur l'école primaire : le conseil municipal, qui nommait jusque-là l'instituteur, dut se contenter de proposer son candidat, le grand-maître délivrant le diplôme. Le lycée resta tel quel, mais les écoles secondaires prirent le nom de collèges. On se décida enfin à organiser des facultés des sciences et des lettres, dont les professeurs continuèrent d'ailleurs d'être attachés aux lycées, et on leur ajouta des facultés de théologie. Le Collège de France et les grandes institutions de la Révolution subsistèrent sans être incorporés à l'Université. Tout le personnel fut à la nomination de l'empereur ou du grand-maître ; le corps enseignant des lycées et des facultés reçut un règlement qui déterminait les grades, les titres, le costume, le traitement, avec retenue pour la retraite, les peines disciplinaires ; dans les lycées, les professeurs obtinrent seuls dispense du célibat.

Les écoles privées ne pouvaient s'ouvrir que sous l'autorisation révocable de l'Université, avec un personnel muni de ses grades et soumis à ses inspecteurs et à sa juridiction disciplinaire. L'enseignement public ne détenait donc pas un monopole effectif : les établissements concurrents subsistèrent et même augmentèrent en nombre. En outre, sa suzeraineté fut nominale : les grades ne devaient être exigés qu'à partir de 1815 et les maîtres libres qui exerçaient depuis dix ans pouvaient s'en voir dispensés ; il n'y avait pas non plus assez d'inspecteurs pour que le contrôle fût effectif. Enfin, on exempta purement et simplement les séminaires de ces sujétions. D'autre part, l'Église catholique reçut dans les écoles de l'État une part d'influence : sa doctrine y constitua expressément une des bases de l'enseignement ; Fontanes lui était dévoué au point d'écrire à son ami Gaillard : « Laissez donc votre cher fils à Juilly », le célèbre collège oratorien ; un évêque avait été nommé chancelier de l'Université ; dans le conseil, figuraient l'abbé Émery, ainsi que Bonald et Ambroise Rendu, tous deux fervents catholiques ; Joubert et le protestant Cuvier, qui joua un grand rôle dans la réorganisation des établissements publics, étaient des inspecteurs très favorables à l'enseignement religieux ; l'abbé Frayssinous, membre de la congrégation de la Vierge, devint inspecteur de l'académie de Paris ; des prêtres dirigeaient des lycées et des collèges ou y entraient comme professeurs. Il n'en est pas moins vrai que l'empereur avait définitivement organisé l'enseignement public, et c'est pourquoi l'Église ne pardonna point au soi-disant monopole universitaire : parce qu'elle avait compté rétablir le sien.

Pour le moment, d'ailleurs, le grief qu'articulèrent les pensionnats privés, laïques ou ecclésiastiques, fut plus terre à terre. Le décret d'organisation, en effet, obligeait leurs chefs à prendre un brevet moyennant finance et à verser, pour chacun de leurs élèves, même externes, le vingtième du prix de la pension entière. Le contrôle étant malaisé, on ne réussit pas à percevoir exactement cette rétribution et, au surplus, les séminaires en étaient exempts. Aussi une enquête fut-elle prescrite à Savary, en 1810, d'autant que, Napoléon une fois brouillé avec le pape, les séminaires lui devinrent suspects. Le 15 novembre 1811, un nouveau décret renforça le monopole. Dans toutes les villes où existait un lycée ou un collège, la réforme prescrivit aux élèves des écoles privées d'en suivre les classes et n'autorisa plus qu'un petit séminaire ou école épiscopale par département. Le résultat apparut assez sensible : de 38.000 élèves en 1810, les lycées et collèges passèrent à 44.000 en 1813 ; depuis 1811, les écoles privées en avaient perdu 5.000. L'application du décret n'en resta pas moins incomplète et les ménagements de Fontanes et de ses collaborateurs y furent pour quelque chose ; en 1814, parlant à Louis XVIII, le grand-maître se vanta d'avoir « empêché quelque mal ».

L'empereur atteignit le but immédiat qu'il s'était proposé : l'enseignement secondaire et les grandes écoles lui préparèrent des fonctionnaires capables. Le programme des écoles centrales fut considérablement élagué au profit du latin et du grec, la philosophie réduite à la logique, l'histoire, les langues vivantes et les sciences expérimentales négligées. Mais la littérature nationale et les mathématiques conservèrent l'importance que la Révolution leur avait assignée et, dans l'enseignement supérieur, le caractère original qu'elle avait imprimé à la science française se maintint, les savants continuant d'associer l'enseignement à la recherche. Pourtant, ayant rêvé de diriger la formation de la jeunesse, Napoléon fut loin de compte. Du peuple, il ne se souciait guère et ne fit rien pour l'enseignement primaire dont il laissa la charge aux municipalités ; à part quelques régions comme l'Alsace, les petites écoles ne firent pas de progrès ; tout au plus les remit-on dans l'état où elles se trouvaient à la fin de l'Ancien Régime. Il tenait encore moins à instruire les femmes. Mais il lui importait de façonner les fils de la bourgeoisie, et il n'y réussit guère ; un grand nombre ont été élevés en dehors de ses écoles et, dans l'Université, il n'a pas proposé aux jeunes générations un idéal qui lui fût propre et sût les attacher à sa fortune.

On peut faire la même observation à l'égard de l'activité intellectuelle et artistique. Il voulait en être le mécène, car, du consentement universel, un souverain n'était vraiment grand que s'il avait eu son « siècle ». En 1804, il créa des « prix décennaux » qu'on devait décerner pour la première fois en 1810. Il prétendit gouverner la production par la censure, les académies, « l'Académie de France à Rome ». Il régenta curieusement les théâtres, auxquels il imposa Rémusat comme surintendant. En 1807, il limita leur nombre : à Paris, quatre grands et quatre secondaires ; cinq autres villes furent autorisées à former deux troupes et quatorze une seule ; le reste de l'empire comprit 25 arrondissements pourvus d'une ou de deux troupes ambulantes ; à Paris, chaque théâtre se vit assigner un genre et tous durent verser une redevance à l'Opéra ; en 1812, à Moscou, il signera le décret organisant le Théâtre français. Il se sentit surtout à l'aise pour protéger les arts, et principalement l'architecture, puisqu'il acheta et construisit[1] beaucoup. Il serait exagéré de dire qu'il ait mis sa marque sur les œuvres d'art, car le « style Empire » ne vient pas de lui, mais il s'attacha les grands artistes. En littérature, au contraire, l'échec fut complet : il ne se rallia que des médiocres, et les grands écrivains lui échappèrent tous. Il ne paraît pas avoir conçu l'idée, comme le Comité de salut public, d'employer les écrivains et les artistes pour former l'esprit public ; tout au plus a-t-il pensé à faire enseigner l'histoire de ses campagnes dans les écoles, à préparer sa légende par les *Bulletins de la Grande Armée* et les articles du *Moniteur*, à commander à David quelques tableaux de circonstance. Il lui manquait assurément les ressources financières et les moyens techniques dont les dictatures ultérieures ont disposé pour organiser leur propagande. Mais aussi, prétendant fonder une dynastie et un empire universel, il n'avait rien à enseigner aux Français ; ceux qui l'ont suivi jusqu'au bout, d'un cœur loyal et désintéressé, défendaient en sa personne la nation et la Révolution ; les autres ne pouvaient prendre au sérieux la légitimité du général Vendémiaire, même oint par le pape. Il a pu endormir et comprimer l'esprit, il n'a pas réussi à le maîtriser ; les deux pôles de la pensée sont restés la Tradition et la Révolution.

IV. — L'ÉVOLUTION SOCIALE ET L'OPINION[2].

Il ne lui a pas échappé que la domestication des esprits resterait incomplète ; aussi a-t-il poursuivi, comme sous le Consulat,

---

1. Voir ci-dessus, p. 408.
2. OUVRAGES A CONSULTER. — Voir p. 141 ; E. LEVASSEUR, *La population française* (Paris, 1889-1892, 3 vol. in-8°); l'article de M. REINHARD, cité p. 155; à titre d'exemple régional : R. ROUSSEAU, *La population de la Savoie jusqu'en 1861, nombre d'habitants pour chaque commune des deux actuels départements savoyards, du milieu du XVIII° au milieu du XIX° siècle* (Paris, 1960, in-8°); G. VALLÉE, *Population et conscription*, cité p. 197 ; E. LEVASSEUR, *Histoire des classes ouvrières*, cité p. 36; G. VAUTHIER, Les ouvriers de Paris sous le premier Empire, dans la *Revue des études napoléoniennes*, 1913, t. II, p. 426-451; G. MAUCO, *Les migrations ouvrières en France au début du XIX° siècle* (Paris,

le rétablissement d'une hiérarchie sociale. Il lui fallait gagner par l'intérêt ou la vanité tous ceux qui exerçaient une autorité pour se la subordonner en la confirmant. Il continua de s'associer les notables, maîtres d'un peuple immense de fermiers et de métayers, d'ouvriers, de domestiques et de fournisseurs, en les attirant dans les assemblées et l'administration, les offices ministériels et les institutions publiques. S'il a multiplié les fonctionnaires, ce n'est pas seulement parce qu'il étendait les attributions de l'État ; c'est aussi parce qu'il y trouvait l'avantage de constituer

1932, in-8º) ; P. Leuilliot, L'émigration alsacienne sous l'Empire et au début de la Restauration, dans la *Revue historique*, t. CLXV (1930), p. 274-279 ; A. Gain, La Lorraine allemande foyer d'émigration au début du xixᵉ siècle, dans *Le pays lorrain*, t. XVIII (1926), p. 193-205 et 259-266 ; O. Festy, La société philanthropique de Paris, dans la *Revue d'histoire moderne et contemporaine*, t. XVI (1913), p. 170-196 ; G. Weill, Un groupe de philanthropes français, dans la *Revue des études napoléoniann s*, t. XI (1917), p. 189-218 ; G. Vauthier, La Société maternelle sous l'Empire, dans la *Revue des études napoléoniennes*, 1914, t. II, p. 70-83 ; H. Troclet, *La première expérience de sécurité sociale. Liège, décret de Napoléon de 1813* (Bruxelles, 1953, in-8º), qui concerne l'organisation en 1813 d'une caisse de secours au profit des mineurs victimes d'accidents du travail. — Sur la disette de 1812 et le maximum, L. de Lanzac de Laborie et P. Viard, cités p. 141 ; G. Lavalley, *Napoléon et la disette de 1812* (Caen, 1896, in-8º), sur la disette à Caen ; F. L'Huillier, Une crise des subsistances dans le Bas-Rhin, 1810-1812, dans les *Annales historiques de la Révolution française*, 1937, p. 518-536 ; P. Léon, La crise des subsistances de 1810-1812 dans le département de l'Isère, *ibid.*, 1952, nº 3. — Sur l'opinion, on peut consulter A. Cassagne, *La vie politique de R. de Chateaubriand* (Paris, 1911, in-8º) ; les ouvrages sur Mme de Staël, cités p. 81 ; B. Hasselbrot, *Nouveaux documents sur Benjamin Constant et Mme de Staël* (Copenhague, 1952, in-16), à propos de la publication de Benjamin Constant, *L'esprit de conquête et d'usurpation* ; H. Guillemin, *Mme de Staël, Benjamin Constant et Napoléon* (Paris, 1959, in-16) ; Ch. H. Pouthas, *La jeunesse de Guizot, 1797-1814* (Paris, 1936, in-8º), et, pour la conspiration royaliste, G. de Bertier de Sauvigny, *Le comte Ferdinand de Bertier (1782-1864) et l'énigme de la Congrégation* (Paris, 1949, in-8º). — Sur les départements réunis, voir les ouvrages cités p. 37 ; L. Dechesne, *Histoire économique et sociale de la Belgique* (Paris, 1943, in-8º) ; P. Lebrun, *L'industrie de la laine à Verviers pendant le XVIIIᵉ siècle et au début du XIXᵉ* (Liège, 1948, in-8º ; nº 114 des « Publications de la Faculté de philosophie et lettres de Liége ») ; R. Zeyss, *Die Entstehung der Handelskammer und die Industrie am Niederrhein während der französischen Herrschaft* (Leipzig, 1907, in-8º) ; Ch. Schmidt, Anvers et le blocus continental, dans la *Revue de Paris*, 1915, t. I, p. 634-651 ; A. Fischer, *Napoléon et Anvers* (Anvers [1933], in-8º) ; M. Deneckère, *Histoire de la langue française dans les Flandres*, cité plus bas, p. 477 ; E. Chapuisat, *Le commerce de Genève pendant la domination française* (Genève, 1908, in-8º ; publication de la Société historique et archéologique de Genève, « Mémoires et documents », t. XXVIII) ; A. Fugier, *Napoléon et l'Italie*, cité p. 37 ; J. Borel, *Gênes sous Napoléon* (Paris, 1929, in-8º).

un corps social dont les membres, tenant de lui leur dignité et leurs moyens d'existence, seraient attachés au maintien du régime, sans parler de l'influence que leurs liens de parenté et leurs relations exerceraient dans le même sens. La guerre, en accroissant le nombre des officiers, lui a procuré aussi un grand nombre de serviteurs dévoués.

Entre les uns et les autres, il a entretenu l'émulation corporative et personnelle qui tout à la fois les divisait, les attachait à leurs fonctions et les tournait vers lui, dispensateur de l'argent et des distinctions. Aussi attachait-il une grande importance aux décorations dont il les voyait avides. En 1805, il avait complètement transformé la légion d'honneur dont les insignes firent désormais tout le prix ; dans le royaume d'Italie, il créa l'ordre de la Couronne de fer où entrèrent beaucoup de Français ; en 1809, apparut celui des Trois toisons d'or et, en 1811, celui de la Réunion. Il ne cessa pas non plus de distribuer des gratifications, des pensions, des dotations en rente et en terre. L'armée reçut la part du lion ; comme il l'avait promis, il ne refusa pas ses décorations aux civils et donna même la légion d'honneur à Talma ; pourtant, plus des neuf dixièmes des croix allèrent aux militaires. Les Français s'accommodèrent de cette politique à laquelle l'Ancien Régime les avait habitués, parce que ces distinctions, ne comportant pas de privilèges, restant accessibles à tous et n'étant pas héréditaires, ne leur parurent pas contraires à l'égalité civile qui réservait les droits du mérite. L'ascension sociale demeurait possible, comme l'avait voulu la Révolution ; la guerre et l'avancement par le rang la favorisaient ; l'extension des fonctions publiques et les bourses tiraient peu à peu du peuple une petite bourgeoisie.

Rêvant d'une légitimité dynastique et désirant consommer le ralliement de l'ancienne aristocratie dont il ne voulait pourtant pas reconnaître les titres, Napoléon fit un pas de plus et rétablit une noblesse, noblesse de fonctions qu'on tiendrait de lui, mais héréditaire et liée à une richesse qui permît au titulaire de tenir son rang. L'organisation de la cour impériale, la création des États vassaux et des grands fiefs servirent de prélude ; le 14 août 1806, un sénatus-consulte autorisa Napoléon à étendre à tout l'empire la constitution de grands fiefs héréditaires avec substitution du domaine au fils aîné. Enfin, le 1er mars 1808, fut organisée la noblesse impériale. Elle appartenait de droit aux grands dignitaires institués princes, aux ministres, sénateurs, archevêques, conseillers d'État à vie, au président du Corps législatif, qui devenaient comtes ; d'autres fonctionnaires, comme les maires des « bonnes villes », se qualifièrent barons, et les membres de la légion d'honneur, chevaliers. L'empereur pouvait aussi conférer la noblesse par commission. Le titre devenait héréditaire à condition de constituer un majorat au profit de l'héritier, et Napoléon contribua souvent à le former. Parallèlement, la cour se faisait de plus en plus nombreuse et, après le mariage autrichien, acheva de redevenir une institution d'Ancien Régime. En 1812, elle comptait 16 écuyers et 85 chambellans ; en 1811, on avait rétabli les préséances, marquées par le fauteuil, le tabouret et le nombre des chevaux au carrosse, l'habit de cour, la révérence, les privilèges des personnes présentées. Ici, le ralliement se manifestait encore mieux ; M. de Ségur était grand-maître des cérémonies ; les dames d'atour et les chambellans provenaient, en grande majorité, de l'ancienne noblesse. La Révolution ne paraissait plus qu'un mauvais rêve. Napoléon dira bientôt à Molé : « Ces doctrines que l'on appelle les principes de 1789 seront à jamais une arme menaçante à l'usage des mécontents, des ambitieux et des idéologues de tous les temps » ; il lui a parlé aussi des « tricoteuses » qui détestaient la nouvelle impératrice. Sa hargne contre toute résistance à son autorité devenait telle qu'il ne faisait plus de différence entre ces femmes de sans-culottes et les bourgeois royalistes insurgés contre la Convention : « Tant que j'y serai, cette lie ne bougera plus parce qu'elle a appris à me connaître au 13 vendémiaire et qu'elle me sait toujours prêt, si je la prends en faute, à l'écraser. » Et ses gens faisaient chorus ; Réal, l'ancien substitut de Chaumette, s'écriera en 1812 : « Cette populace n'a jamais été bien matée ! »

Si Napoléon en avait eu le temps, peut-être serait-il allé plus loin. Certains indices laissent supposer qu'il aurait volontiers groupé ses sujets par catégories sociales : ainsi, les constitutions des États vassaux comportent un suffrage corporatif, les sièges étant distribués entre les propriétaires fonciers, les négociants et les professions libérales ; elles sont aussi franchement censitaires. Le rétablissement des corporations avait de quoi le tenter à cet égard : reconstituées sous le contrôle de l'État, pourvues d'institutions d'assistance et d'un enseignement technique, combinées avec l'interdiction de la grève et du compagnonnage, elles auraient encadré les ouvriers pour les soumettre à l'autorité patriarcale et discrétionnaire des notables de l'industrie et du commerce. Il inclinait aussi à permettre les baux perpétuels comme propres à rétablir le patronage des propriétaires fonciers.

De tous ses desseins, ceux qui visaient une reconstruction de la société sont les plus incertains ; c'est qu'ils allaient à rebours de l'évolution ; le peu qu'il en a réalisé a été emporté par elle et n'a exercé aucune influence sur la vie de la nation. D'abord, Chaptal se trompait en s'imaginant la Révolution oubliée. Même à la cour, la fusion est demeurée superficielle entre l'ancienne aristocratie et la nouvelle, et le décor impérial n'en a souvent imposé qu'en apparence. « Encore un pot de chambre sur la tête de ces nobles », grommelait Pommereul à chaque nomination de chambellan, bien que lui-même fût un ci-devant. « Avez-vous vu Sieyes ? » disait Doulcet de Pontécoulant, après la cérémonie de l'ordre de la Réunion où le comte Sieyes avait paru, comme les autres, en habit doré et constellé de crachats ; « Avez-vous vu Sieyes ? *Qu'est-ce que le Tiers-État ?* »

Au fond, Napoléon non plus ne se sentait pas à l'aise au milieu des nobles d'autrefois qui pouvaient faire tant de comparaisons et qu'il ne cessa pas de mépriser : « Je leur ai ouvert mes antichambres, et ils s'y sont précipités. » Témoin encore cette apostille à la lettre du prince-évêque de Bâle, soucieux, en 1805, de ses intérêts pécuniaires : « Oh ! lâches nobles, si vos ancêtres vous voyaient, que diraient-ils, eux qui [étaient] si fiers de leurs vertus ![1] » C'était bien autre chose dans le pays. Les anciens privilégiés ne cessaient de regretter ce qu'ils avaient perdu et les nobles impériaux, comme la bourgeoisie, restaient bien décidés à n'en rien restituer. Les ralliés prennent le temps en patience. Les irréconciliables rêvent d'Ancien Régime ; quelques-uns s'efforcent même de les grouper pour préparer une action éventuelle en faveur de la monarchie légitime ; à cette fin, Ferdinand de Bertier aidé par Mathieu de Montmorency, l'un et l'autre membres de la congrégation de la Vierge qui deviendra fameuse sous la Restauration, organisent une société secrète des chevaliers de la Foi qui semble avoir ranimé à Bordeaux le souvenir de l'Institut philanthropique si actif à l'époque directoriale. Tous les autres nobles, en attendant mieux, refont leur fortune et reprennent rang autant qu'il se peut ; les émigrés rentrés rachètent leurs terres à bon compte (la moitié dans les Côtes-du-Nord) ou se les font restituer ; ils demeurent secrètement d'accord avec une grande partie du clergé ; de nouveau, ils ont des amis dans toutes les administrations et dans les tribunaux.

1. *Fürstenbriefe an Napoléon I*, publiées par F. KIRCHEISEN (voir p. 436), t. II, 336.

Ils ne savent aucun gré à « Bonaparte » et guettent sa défaite. Si encore il avait repris les biens nationaux pour les leur rendre ! De leur côté, les acquéreurs s'inquiètent. En 1807, l'administration des domaines, pour un mince profit, a entrepris de reviser les décomptes ; elle a aussi recherché les rentes nationalisées et voulu imposer aux débiteurs la preuve de féodalité. Certaines cours, celle de Dijon par exemple, prétendit restaurer les rentes féodales elles-mêmes quand le créancier pouvait prouver qu'elles répondaient à une concession de terre ; le conseil général de la Côte-d'Or émit des vœux conformes. L'abîme creusé par la révolution sociale, rien ne pourra le combler ; l'ancienne aristocratie et la nouvelle resteront longtemps ennemies et, Napoléon a beau dire et beau faire, au cours du XIXe siècle, la démocratie profitera de leur désaccord pour triompher encore une fois.

D'autre part, s'il fut le plus puissant des despotes éclairés, c'est qu'à son avènement, l'aristocratie française était anéantie : prétendre la rétablir véritablement comportait contradiction. Assise sur une grande propriété foncière et soutenue par une clientèle de tenanciers perpétuels, elle eût récupéré une puissance indépendante que ses successeurs, sinon lui-même, comme autrefois Louis XV et Louis XVI, auraient vu se dresser contre le pouvoir central. La noblesse, qu'il créa et qu'il entendait tenir à sa discrétion, ne rassembla qu'une coterie de courtisans et de fonctionnaires qui ne lui prêta aucun appui et qui, lui tombé, s'est évanouie. Enfin, il n'était pas moins contradictoire de se donner comme le représentant d'une révolution faite au nom de l'égalité et de vouloir instaurer une aristocratie digne de ce nom. A l'époque, la noblesse personnelle a pu sembler acceptable à beaucoup ; c'était une décoration comme une autre et il ne déplaisait pas à la roture d'avoir ses ducs et ses comtes après avoir fait des rois : façon nouvelle d'humilier les ci-devant. Mais rétablir le droit d'aînesse, c'en était trop ; et, en immobilisant une partie de la propriété par la substitution, l'empereur entrait en conflit avec un des principes essentiels de l'économie capitaliste.

L'action de Napoléon sur la société n'a été vraiment efficace que dans la mesure où elle consolida et accrut la prépondérance de la bourgeoisie, parce qu'elle s'accordait, sur ce point, avec l'évolution de la nation. Par le rôle essentiel qu'il assigna aux notables dans le fonctionnement du régime, il prépara inconsciemment leur avènement politique. Mais il augmenta aussi beaucoup leur influence, leur prestige et leur richesse en reconstituant les offices ministériels et en leur accordant virtuellement la vénalité par le détour du cautionnement ; en rétablissant dans les finances les trésoriers et les receveurs personnellement intéressés au maniement des fonds par le prélèvement d'un pourcentage ; en multipliant les fonctions publiques de toutes sortes. La Banque, quelques grandes sociétés, la restauration de la rente ont commencé à développer la richesse mobilière ; les progrès de l'industrie et la prospérité de quelques grands chefs d'entreprise manifestèrent l'essor du capitalisme, sans que la bourgeoisie cessât d'exploiter les sources traditionnelles de sa richesse, l'achat de la terre et les fournitures de guerre ; enfin, la législation impériale a maintenu l'ouvrier dans la sujétion. Néanmoins, plus la bourgeoisie devint puissante, plus elle se détourna du régime.

Le gouvernement de Napoléon, il est vrai, est loin de satisfaire en tout point ses intérêts : comment approuver l'obscurité de la gestion financière, l'arbitraire menaçant les fournisseurs, la guerre aventureuse et les excès du blocus ? Mais peut-être n'est-ce pas l'essentiel ; si la bourgeoisie a aidé au 18 brumaire, c'est pour s'installer au pouvoir sous le couvert de Bonaparte : or il s'est attribué le pouvoir tout entier et l'a privée de toute liberté. Aussi la monarchie constitutionnelle inspire-t-elle des regrets nostalgiques et le parlementarisme anglais redevient-il à la mode. Royer-Collard a été jusqu'à blâmer le ralliement, bien qu'il finisse par accepter une chaire en Sorbonne ; au Corps législatif, Laîné attend l'occasion de prendre figure d'opposant ; Guizot, appelé aussi à la Sorbonne, refuse de glisser, dans sa première leçon, l'éloge du tyran. On clabaude dans les salons, notamment chez Mme Récamier ; on applaudit au théâtre les passages qui prêtent à l'allusion ; on se précipite sur les livres ou les articles que la censure a naïvement laissé passer ; il circule des pamphlets manuscrits et on s'épanche, non sans péril, dans les lettres intimes. Les incidents retentissants relèvent surtout de l'histoire littéraire. En 1807, Chateaubriand, à peine revenu de son voyage en Orient, reçoit l'ordre de quitter Paris à raison d'un article paru dans le *Mercure* ; élu à l'Académie en 1811, il ne peut prononcer son discours. Mme de Staël se voit plus mal traitée encore ; rentrée en 1803 après avoir publié *Delphine*, où elle a montré « la France silencieuse », elle est invitée à repartir ; en 1806, on ne la tolère qu'à douze lieues de Paris ; à Coppet, elle s'entoure d'admirateurs : Benjamin Constant, bien qu'il soit maintenant marié, Sismondi, Bonstetten, les Barante, Auguste Schlegel ; c'est une cour rivale de la Cour ;

à partir de 1808, on ne peut plus guère s'y aventurer sans risquer la disgrâce, sinon pire ; en 1810, l'impression de l'*Allemagne* achève la déroute : Barante, préfet du Léman, est révoqué, Mme Récamier exilée ; l'héroïne elle-même s'enfuit, le 23 mai 1812, et part pour Pétersbourg...

Ces événements n'ont qu'une importance anecdotique, intéressant uniquement ce qu'on appelait « la société » ou « le monde », c'est-à-dire un nombre infime de personnes. Il est plus important de constater, à cent indices moins connus, que tout le monde vit dans l'attente : qui pourrait considérer l'Empire comme définitivement consolidé, puisque chaque campagne le remet en question ? Dans un mémoire audacieux, la chambre de commerce de Lyon exprime la pensée de chacun : « La France ne peut suffire aux efforts absorbants qu'exige un état de guerre prolongé sans mesure ; la tension extrême qui résulte de ces efforts fatigue et énerve tous les ressorts de la société. » Les boursiers traduisent, sans se lasser, le pessimisme universel en se tenant invariablement à la baisse. C'est par cette incertitude que les mécontentements et les espérances s'avivent continuellement.

Ni ceux-là ni celles-ci n'ont trouvé d'écho dans les classes populaires ; le despotisme napoléonien ne les changeait guère ; seuls, les impôts, la conscription et la misère auraient pu les émouvoir. Jusqu'à la fin de 1812, le service militaire ne suscita pas autant de résistance qu'on l'a dit ; les privations et la cherté qu'on devait au blocus ne touchaient guère les pauvres, du moment que le pain ne coûtait pas trop cher et que le chômage ne s'aggravait pas ; les droits réunis furent très mal vus, mais ils n'étaient pas à beaucoup près aussi oppressifs qu'avant 1789. Tant qu'il a été victorieux, les exigences de Napoléon ne semblent pas avoir dépassé ce que le peuple pouvait supporter, du moment que son pain quotidien demeurait assuré : il le fut autant qu'il était possible de 1803 à 1811, grâce aux bonnes récoltes et aux mesures de l'empereur pour procurer du travail.

La condition de la population rurale tendit à se consolider. On continua de vendre des biens nationaux pendant tout l'Empire ; mais il en restait fort peu, à part les forêts que l'État se réservait ; ils allèrent surtout aux bourgeois et les paysans qui en achetèrent étaient déjà aisés. En l'an XII, les partages de communaux avaient été confirmés, à condition que les prescriptions légales eussent été respectées ; comme ce n'était pas souvent le cas, beaucoup furent annulés ; d'autre part, si la loi du 10 juin 1793 ne fut pas rapportée, on cessa de l'appliquer.

Il semble pourtant que la propriété paysanne ait continué à s'étendre parce que la baisse sensible du prix des terres favorisait les achats privés ; elle continua aussi de se diviser rapidement par voie de succession. Les exploitations paraissent également être devenues plus petites et plus nombreuses ; l'enquête de 1814 constata que, dans le Mantois et en Seine-Inférieure, des grandes fermes avaient été démembrées et que la petite culture marquait des progrès en Alsace, en Ille-et-Vilaine, dans le Doubs et le Tarn. Toutefois, si les traits originaux de la structure sociale des campagnes s'atténuaient ainsi, ils restaient facilement reconnaissables ; la grande majorité des paysans propriétaires ne disposaient toujours que d'une quantité de terre insuffisante ; le prix du fermage s'élevait et les charges du métayer croissaient ; la population augmentant rapidement, le prolétariat des journaliers n'avait guère diminué ; la communauté rurale continuait à ne subsister que par le maintien des droits d'usage, vaine pâture et parcours, glanage, communaux, en sorte que la fermeture des forêts la fit fréquemment souffrir. Comme sous l'Ancien Régime, on cherchait un supplément de ressources dans l'industrie, les migrations temporaires et la mendicité ; en Alsace, en Lorraine, en Rhénanie, les paysans, alléguant leur pauvreté, émigrèrent en assez grand nombre vers la Russie, surtout en 1808 et 1809 : on dut prendre des mesures sévères pour les en empêcher.

Quant à la situation des ouvriers, elle changeait moins encore. Napoléon n'intervint en leur faveur qu'en 1813 et au seul profit des mineurs, pour prévenir les accidents, interdire le fond aux enfants de moins de dix ans et approuver la création d'une société facultative de prévoyance dans les charbonnages du département de l'Ourthe. Il émit la prétention, tant de fois formulée, de supprimer la mendicité et ne réussit pas mieux que ses prédécesseurs, bien qu'en 1808 il ait sérieusement entrepris d'établir des dépôts pour y interner les mendiants. Sauf dans quelques villes, l'assistance ne fit pas de progrès ; l'organisme créé par le Directoire était maintenant en fonctions, mais l'argent manquait. L'initiative privée procura seule quelques améliorations ; à Paris, La Rochefoucauld-Liancourt et ses amis avaient ressuscité, en l'an IX, la « Société philanthropique » qui ouvrit les premiers dispensaires et d'autres se fondèrent en province ; elles prêtèrent appui aux caisses d'épargne et aux sociétés de secours mutuels dont on comptait plus de cent en 1815 ; on releva aussi la « Société maternelle ». L'essentiel fut que les salaires se maintinrent ou s'accrurent, dans les campagnes comme dans les villes ; à Paris, vers 1811, ils allaient de 2 fr. 50 à 4 fr. 20 ; comme les prix s'élevaient également, le bien-être n'augmenta pas beaucoup ; mais, le pain n'étant pas cher, le peuple put vivre. L'augmentation rapide de la population en est la preuve. Les mariages hâtifs la favorisaient plus que jamais parce qu'on pensait ainsi échapper à la conscription : en 1812, il y eut 220.000 mariages et 387.000 en 1813 ; d'où, en 1814, 122.000 naissances de plus qu'en 1813. De 1801 à 1810, la natalité dépassa 32 pour mille et jamais la nation ne fit preuve de plus de vitalité. L'administration fit quelques efforts pour diminuer la mortalité, principalement en répandant la vaccine ; dans le Bas-Rhin, Lezay-Marnésia organisa un service médical gratuit. De 1801 à 1810, l'ancienne France, en dépit des guerres, gagna 1.700.000 âmes ; il se trouvait bien des gens pour le déplorer, car la misère et la mendicité, pensait-on, n'en feraient que croître.

La crise industrielle de 1811 interrompit la succession des années heureuses ; mais, en 1812, la reprise fut rapide ; fort heureusement, car la récolte de 1811 avait été mauvaise et, comme l'exportation avait fait disparaître les « vieux blés », une disette aussi sévère qu'en l'an X sévit pendant l'hiver et atteignit son point culminant au printemps de 1812 ; le prix moyen de l'hectolitre passa, de 15 francs en 1809, à 33 et le pain, de 2 sous la livre, à 12 en certaines régions. On revit les troubles accoutumés : multiplication des mendiants et formation de bandes, pillages et incendies de fermes, arrestations de convois de grains, émeutes de marchés, par exemple à Caen au début de mars. Le formidable appareil répressif du régime fonctionna sans pitié : un détachement de la garde occupa Caen et une commission militaire ordonna six exécutions. En même temps, on s'efforçait d'importer. Dès le 28 août 1811, Napoléon forma un conseil des subsistances, et le directeur des vivres entreprit des achats considérables ; comme toujours, ce fut surtout à Paris qu'on pensa : l'État y vendit 450.000 sacs, en perdant 14 millions 1/2, pour maintenir la livre de pain à 4 sous 1/2. A la veille de son départ pour la Russie, l'empereur se sentit pourtant débordé et, sans vergogne, imita la Convention ; la loi du 4 mai rendit obligatoire la vente au marché, en autorisa la réglementation et astreignit les marchands de grains à déclarer leurs stocks ; le 8 mai, le maximum reparut : le blé fut taxé à 33 francs dans la région parisienne et les préfets reçurent l'ordre d'en fixer le prix dans chaque département. Les conséquences furent les mêmes qu'après la loi du 4 mai 1793 parce qu'on n'en vint pas à la réquisition : les marchés devinrent déserts et un commerce clandestin s'organisa. Aussitôt la moisson commencée, on abandonna le maximum. En dépit de ces épreuves, il ne paraît pas que l'Empire se trouvât déconsidéré aux yeux du peuple ; les rapports de Las Cases, l'un des commissaires envoyés en tournée, ne laissent nullement l'impression que Napoléon fût moins bien vu ; en tout cas, paysans et ouvriers ne soupçonnaient même pas qu'on pût le remplacer par un Bourbon.

Dans les pays annexés avant 1804, la Belgique, la Rhénanie, Genève, le Piémont et la Ligurie, les transformations révolutionnaires avaient été intégralement opérées et le système napoléonien fonctionnait normalement. Les populations en appréciaient les mérites, notamment l'application et la fermeté de préfets comme Jeanbon dans le Mont-Tonnerre et Lezay-Marnésia en Rhin-et-Moselle. D'autre part, l'activité économique y était en progrès. Ce fut à ce moment que la grande industrie naquit en Belgique, grâce à l'ouverture du marché français, aux capitaux et aux commandes venus de Paris ; il en alla de même pour la plaine rhénane, d'Aix-la-Chapelle à Cologne, et pour la région de la Sarre. L'agriculture belge et la piémontaise ne paraissent pas s'être perfectionnées ; mais, en Rhénanie, on défricha beaucoup. Si la Belgique, Anvers mis à part, ne fut pas dotée de grands travaux publics, le Piémont a profité des grandes routes alpestres ; la Rhénanie a vu ouvrir la route qui longe son fleuve, celle de la Moselle, une autre encore de Paris à Hambourg par Wesel ; on rattacha la Sarre à la Lorraine par des canaux. Les circonstances empêchèrent de satisfaire tous les intérêts : Gênes, Anvers et les ports rhénans furent condamnés à végéter ; le Palatinat ne retrouva pas dans l'empire le marché agricole qu'il avait perdu à l'est du Rhin. Comme en France, les charges semblaient lourdes ; l'impôt était mieux réparti ; mais il compensait, et au delà, les redevances supprimées ; le blocus gênait le consommateur ; la conscription était plus mal vue encore. La population n'en a pas moins augmenté partout ; si donc le bien-être ne s'accrut pas beaucoup, la misère n'accabla sûrement pas les habitants.

Dans toutes ces régions, c'est la bourgeoisie qui tira le plus de profit du régime et qui s'y attacha le mieux. La vente des biens nationaux, l'industrie, les fonctions publiques ont suscité l'apparition de nouveaux riches et d'une petite bourgeoisie qui risquaient de tout perdre au retour de l'Ancien Régime. Mais le Concordat avait aussi calmé le clergé catholique et l'aristocratie même se rallia partiellement, quand elle vit Napoléon écarter les jacobins et les « patriotes » ; le Piémontais Saint-Marsan devint ambassadeur ; le duc de Mérode-Westerloo et le duc d'Ursel furent maires de Bruxelles. Ce que les notables reprochèrent surtout à l'empereur, ce fut de ne pas leur témoigner assez de confiance : les préfets, les évêques, les grands chefs de service étaient Français ; quelques annexés obtinrent des postes semblables dans le reste de l'empire, mais en petit nombre ; chez eux, ils devenaient conseillers de préfecture, juges, maires, professeurs, sans parler d'emplois plus modestes. Il ne pouvait pas être question de leur accorder le monopole des fonctions dans leurs pays d'origine et, la réunion étant récente, l'empereur leur a fait belle part. Entre les nouveaux départements et les anciens, la différence essentielle est que, dans les premiers, le peuple tira bien moins de profit des lois révolutionnaires. L'abolition des droits féodaux n'avait pas fait grande sensation en Belgique et dans le nord de l'Italie, où il n'en subsistait pas beaucoup, semble-t-il, lorsque le régime français y fut établi. En Rhénanie, il en alla autrement ; mais on compromit la popularité de la mesure en prétendant longtemps imposer aux débiteurs de rentes la preuve de féodalité. La suppression de la dîme fit partout grand effet ; toutefois, le paysan n'en profitait pleinement que s'il était propriétaire ; or l'aliénation des biens nationaux n'avait commencé en Belgique qu'à la fin du Directoire ; en Rhénanie et en Piémont, les ordres religieux ne furent supprimés qu'en 1802 et 1803, et l'on ne vendit qu'à partir de 1804. A cette époque, les lois de 1793 n'étaient plus qu'un souvenir et, comme en France, les modalités écartaient les pauvres au profit de la bourgeoisie ; les préfets signalèrent, pourtant, que le plus sûr moyen de gagner les ruraux serait de diviser les exploitations avant de les mettre en adjudication : « L'habitant est avide de terre », disait l'un d'eux en l'an XI ; Jeanbon se flatta de l'avoir fait et d'avoir ainsi créé 10.000 propriétaires ; des marchands de biens morcelèrent aussi leurs achats pour les revendre. Néanmoins, on ne saurait contester que l'opération laissa plus de déception encore aux paysans annexés qu'aux paysans français.

Il est également perceptible que la rupture avec le pape fit plus d'impression dans les pays réunis qu'en France, surtout en Belgique et en Rhénanie, qui, n'ayant jamais formé d'États nationaux, étaient fortement pénétrés par l'ultramontanisme : à Mayence, l'évêque Colmar préparait pour l'Alsace et l'Allemagne une génération de prêtres dévoués à Rome. En Piémont le souvenir de la dynastie, à Gênes la ruine du port, à Genève les regrets de l'aristocratie locale, inconsolable d'avoir perdu le pouvoir, contrecarraient aussi les progrès de l'influence française. Mais, en dépit de toutes les réserves, il reste que, dans les pays annexés, personne n'a levé le petit doigt pour porter atteinte à la domination de Napoléon.

CHAPITRE II

LE SYSTÈME CONTINENTAL[1]

Si grand qu'il fût devenu, l'empire français ne constituait que le noyau du Grand Empire. Apparu en 1806, celui-ci se complétait par des États vassaux, que Napoléon avait attribués à ses parents et à ses serviteurs ou placés sous sa protection, comme c'était le cas pour la Suisse et la plupart des membres de la Confédération du Rhin. Après Tilsit, ce Grand Empire lui-même devint la pièce maîtresse du « système continental », où les États encore indépendants vinrent prendre place en qualité d'alliés ou d'amis. Ce système n'acquit jamais la même stabilité que le Grand Empire. Au début de 1808, il ne lui manquait plus que la Suède ; mais il se défit aussitôt et, à partir de ce moment, l'histoire de Napoléon n'est plus qu'un perpétuel effort pour le reconstituer. Le Portugal et l'Espagne s'en évadèrent les premiers ; le premier n'y rentra jamais et la seconde n'y fut réintégrée que nominalement. L'Autriche en sortit à son tour pour s'y réincorporer presque aussitôt. En 1810, la Suède se soumit. Bientôt après, la Russie s'émancipa et entraîna sa voisine. En outre, la dépendance de ces États demeura inégale et variable. L'Espagne, jusqu'en 1808, resta l'alliée bénévole de la France ; la Russie et le Danemark acceptèrent volontairement la même qualité sous la pression des circonstances. La Prusse en 1807, l'Autriche en 1808, puis de nouveau en 1809, la Suède en 1810, sans être admises à traiter d'égal à égal, se virent obligées d'adhérer au système et la transformation des deux premières en alliées s'opéra d'autorité en 1812. Enfin la Turquie, en 1807 et 1808, ne fut jamais qu'une amie.

Cette fédération européenne, en perpétuel devenir, avait pour but immédiat et avoué la lutte contre l'Angleterre. En ce sens, l'échec de la guerre navale et des projets de débarquement en a

1. Ouvrages d'ensemble a consulter. — Voir p. 3, 66 et 151.

été l'antécédent logique ; mais, historiquement, c'est seulement après la guerre de 1805 que l'idée en prit corps sous la forme du Grand Empire et du blocus, et c'est à Tilsit qu'elle s'amplifia en « système continental ». Les circonstances aidèrent donc à sa germination, en même temps qu'elles pesèrent d'un grand poids sur sa réalisation et qu'elles lui imposèrent la France comme directrice et comme modèle. Toutefois, nées elles-mêmes de la politique de Napoléon, elles n'ont fait que décupler l'impulsion que celle-ci a manifestée dès le lendemain de Lunéville et dont le premier signe remonte à la fondation de la Cisalpine en 1796 ; la rupture de la paix d'Amiens pouvait être évitée et, en admettant le contraire, une autre méthode était concevable pour mener la lutte contre la Grande-Bretagne. En assumant le titre impérial, en se référant sans cesse à Charlemagne et à l'empire romain, en choisissant Rome comme seconde capitale, en refusant, avec Constantinople, « l'empire du monde » à Alexandre, Napoléon a dévoilé l'unité profonde que conférèrent à son œuvre l'énergie du tempérament et la volonté de puissance qui en est l'expression psychologique : elle tendait spontanément à recréer l'unité politique du monde occidental et à en rénover simultanément la civilisation. L'effort systématique qu'il poursuivit pour rajeunir la structure administrative et sociale du continent en fournit la preuve démonstrative : il n'était pas besoin de lui imposer le Code civil pour combattre l'Angleterre. Sous le flux mouvant des événements se cache le dessein, devenu peu à peu conscient, de restaurer un *orbis romanus*.

I. — *L'ORGANISATION POLITIQUE DU SYSTÈME*[1].

L'évocation de l'empire romain ne doit pourtant pas tromper : ce n'est pas d'un souvenir historique ou d'une conception

---

1. OUVRAGES A CONSULTER. — Outre les ouvrages généraux, voyez ceux qui sont cités ci-dessous p. 446, 457, 473. Pour les princes vassaux, F. MASSON, *Napoléon et sa famille*, cité p. 167 ; B. NABONNE, *Joseph Bonaparte, le roi philosophe* (Paris, 1949, in-8°) ; DU MÊME, *Pauline Bonaparte* (Paris, 1948, in-8°) ; F. ROCQUAIN, *Napoléon Ier et le roi Louis* (Paris, 1875, in-8°) ; A. DUBOSCQ, *Louis-Bonaparte en Hollande* (Paris, 1911, in-8°) ; P. DE LACRETELLE, *Secrets et malheurs de la reine Hortense* (Paris, 1936, in-8°) ; ARTHUR-LÉVY, *Napoléon et Eugène de Beauharnais* (Paris, 1926, in-8°) ; prince Adalbert DE BAVIÈRE, *Eugène de Beauharnais, beau-fils de Napoléon*, trad. de Marguerite Vabre, adaptation par A. DE GOUYON (Paris, 1939, in-8°) ; T. JUNG, *Lucien Bonaparte et ses mémoires* (Paris, 1882-1883, 3 vol. in-8°) ; A. VANDAL, Le roi et la reine de Naples, dans la *Revue des Deux Mondes*, t. LV, 1910, p. 481-514, 757-788 ; t. LVI, 1910, p. 42-75 ; M.-A. FABRE, *Jérôme Bonaparte, roi de West-*

abstraite qu'a procédé la constitution du Grand Empire. Géographiquement, il comporte trois domaines qui correspondent aux directions possibles de la conquête française. Par l'ancienneté de son origine, le progrès de la concentration territoriale, la perfection des institutions, le domaine italien, avec son prolongement illyrien et les îles Ioniennes, mérite le premier rang. Il se trouvait ramené à quatre grandes unités : Italie française, royaume d'Italie, provinces illyriennes et royaume de Naples ; les trois premières étaient sous la main de l'empereur, la quatrième concédée à sa créature. Contre l'Angleterre, la péninsule offrait une base pour débarquer en Sicile et menacer Malte, pour lancer ensuite une expédition vers l'Orient ; en attendant, elle cédait en importance à l'Italie du Nord et à l'Illyrie, qui permettaient de prendre l'Autriche à revers et de déboucher dans la plaine hongroise ; par la même voie, on pouvait aussi marcher sur Salonique et Constantinople ; de ce côté, les rapports économiques avec le Levant se trouvaient déjà renoués. La Confédération du Rhin constituait un domaine encore plus précieux qui couvrait la frontière la plus exposée de la France, tenait l'Autriche et la Prusse à merci, servait de place d'armes pour attaquer la Russie chez elle ; la possession de l'Allemagne fermait l'Europe centrale au commerce anglais et ouvrait à celui de la France le principal marché du continent. Le troisième domaine était la péninsule ibérique dont la maîtrise aurait présenté des perspectives intéressantes pour reprendre la lutte dans la Méditerranée et l'Océan, et de portée plus grande encore si elle avait entraîné la soumission des colonies espagnoles et portugaises ; en fait, il ne fut qu'une charge fort onéreuse.

L'influence des circonstances est très sensible aussi sur l'organisation du Grand Empire. Il importait à Napoléon, soit pour tirer des pays conquis de fortes armées auxiliaires, soit pour hâter l'unification administrative et sociale, de les grouper en vastes unités territoriales. Le travail put être suffisamment avancé en Italie ; si l'on tient compte du morcellement de l'Allemagne, la concentration y fit également d'énormes progrès ; mais, aussi longtemps que la Prusse et l'Autriche subsistaient et

phalie (Paris [1952], in-8º); Abel MANSUY, *Jérôme Napoléon et la Pologne en 1812* (Paris, 1930, in-8º) ; *Fürstenbriefe an Napoléon I*, publiées par F. KIRCHEISEN (Stuttgart et Berlin, 1929, 2 vol. in-8º) ; *Lettres personnelles des souverains à l'empereur Napoléon Iᵉʳ*, publiées par le prince NAPOLÉON et J. HANOTEAU (Paris, 1939, in-8º) ; J. VALYNSEELE, *Les princes et ducs du Premier Empire non maréchaux* (Paris, 1959, in-8º).

que la Russie n'était pas soumise, il fallait ménager les princes fidèles : l'entreprise resta inachevée.

D'un autre côté, la nécessité s'imposa de se concilier les populations habituées à l'autonomie ou qui avaient une tradition nationale. Pour préparer l'unité française, les rois capétiens, au lieu de réunir immédiatement à leur domaine les provinces nouvellement acquises, les avaient constituées en apanages au profit de leurs parents ; l'idée girondine de créer autour de la France une ceinture d'États protégés offrait à Napoléon un procédé d'accommodation analogue ; du reste, très attaché à son clan ou désireux de récompenser certains serviteurs, il lui convenait de multiplier les pays vassaux ; dans les premiers temps, le Grand Empire se présenta donc à sa pensée sous la forme fédérative. Au royaume d'Italie, dont il était le souverain, il conserva une existence propre sous la vice-royauté d'Eugène ; plus tard, les pays annexés à l'empire français jouirent d'une apparente autonomie par la nomination de gouverneurs généraux : Borghèse en Piémont et Ligurie, Élisa en Toscane, Marmont en Illyrie, Lebrun en Hollande. Hors de l'empire, certains territoires, comme le Hanovre, Bayreuth, Fulda et Hanau, restèrent plusieurs années sous l'autorité des intendants impériaux ; Erfurt ne leur échappa jamais. Plus réelle semblait la souveraineté accordée à titre héréditaire aux frères et au beau-frère de l'empereur, Joseph à Naples, puis en Espagne, Louis en Hollande, Murat dans le grand-duché de Berg et ensuite à Naples, Jérôme en Westphalie, bien que, membres de la famille et grands dignitaires de l'empire, ils restassent soumis à la tutelle du chef. Si le pape y avait consenti, il aurait constitué, à lui seul, une catégorie particulière parmi ces princes vassaux. A côté d'eux, mais à un degré inférieur, se placent Élisa à Piombino, Bacciochi à Lucques, Berthier à Neuchâtel, qui, souverains et héréditaires, ne peuvent pourtant transmettre leurs fiefs qu'à charge d'une nouvelle investiture. Viennent ensuite Talleyrand, prince de Bénévent, et Bernadotte, prince de Ponte Corvo, investis d'une autorité purement administrative. Enfin, dans le domaine des souverains, Napoléon implanta son influence directe en y distribuant des fiefs utiles, comme les nombreux duchés italiens, et des dotations territoriales.

Avec les princes fédérés, Napoléon rencontra les mêmes difficultés et les mêmes dangers que les rois capétiens avec les apanagers ou les empereurs allemands du moyen âge avec les dynasties ducales. D'abord, il se faisait illusion sur leurs talents et

s'imaginait qu'ils déploieraient la même activité, la même capacité administrative que lui ; à l'œuvre, il les trouva médiocres
et aurait éprouvé plus de mécomptes encore s'il n'avait fait
lui-même une partie de la besogne, comme en Westphalie, ou
laissé passer à leur service, à Naples par exemple, des administrateurs expérimentés. Du moins avait-il le droit d'espérer
qu'ils resteraient ses fidèles lieutenants. « Ne cessez jamais
d'être Français », recommanda-t-il à Louis. « Souvenez-vous,
dit-il à Murat, que je ne vous ai fait roi que pour mon système »,
ce que Berthier confirma au roi de Naples de manière non moins
expressive : « Faites comme roi ce que vous avez fait comme
soldat. » Et à Caroline : « Je veux avant tout que l'on fasse ce
qui convient à la France, écrit Napoléon ; si j'ai conquis des
royaumes, c'est pour que la France en retire des avantages. »
Il n'appartenait pas à ses créatures d'en discuter et il en est qui
l'ont compris : Eugène resta toujours loyal ; Élisa aussi, qui
n'était pas exempte d'ambition, mais ne manquait pas de talent
et en qui Napoléon, sans l'aimer, se reconnaissait bien ; Jérôme
également a fait de son mieux, ce qui, à la vérité, n'était pas
beaucoup. D'autres, au contraire, se rebiffèrent. Leur tâche,
certes, manquait d'aisance : il leur fallait remanier les institutions, créer une armée, appliquer le blocus et trouver de l'argent,
alors que Napoléon chargeait leur budget de dotations et de
contributions de guerre, et se réservait une part de leurs domaines ;
à leur égard, il se faisait tâtillon et insupportable. « Si vous demandez à Sa Majesté ses ordres ou son avis pour changer le plafond de
votre chambre, signifiait Duroc à Eugène, vous devez les attendre
et si, Milan étant en feu, vous lui en demandez pour l'éteindre, il
faudrait laisser brûler Milan et attendre les ordres. » Et il ne
fallait pas s'aviser de ne pas les solliciter ; Napoléon écrivait à
son beau-fils : « Vous ne devez sous aucun prétexte, la lune mena-
çât-elle de tomber sur Milan, rien faire de ce qui est hors votre
autorité. »

La racine du mal était, néanmoins, plus profonde. Comme
presque toujours en pareil cas, les créatures de l'empereur se
regardèrent comme propriétaires de leurs fiefs et fondateurs de
dynasties indépendantes. « On n'est pas roi pour obéir », s'écriait
Murat. D'instinct, ils cherchèrent à se nationaliser afin de trouver chez leurs sujets un appui contre la France. « Si on veut que
je gouverne l'Espagne pour le seul bien de la France, observait
Joseph, on ne doit pas espérer cela de moi. » Ils y mirent un
orgueil naïf et comique de parvenus, s'entourant de favoris,

exagérant le luxe, créant des charges de cour et des maréchaux, instituant des décorations. Bien plus : ils partageaient l'incertitude de leur mère sur l'avenir de Napoléon, dont ils attribuaient la fortune à la chance ; n'entendant pas être entraînés dans sa chute, ils cherchaient à se rendre populaires. Caroline le constatait, écrivant à son mari avec la franchise de l'inconscience :

« Toute l'Europe est écrasée sous le joug de la France. Quel est ton but ? C'est de se maintenir où nous sommes et de conserver le royaume ; il faut donc faire ce qu'il [Napoléon] désire et ne pas le fâcher lorsqu'il demande quelque chose, car il est le plus fort et tu ne peux rien contre lui ; si, par suite, tu étais réduit à quitter le royaume, que ce soit lorsque tu ne pourras plus tenir et tu n'auras alors aucun reproche à te faire vis-à-vis de tes enfants. »

C'était l'état d'esprit de Talleyrand ; il devait conduire Murat à la trahison. Enfin, les désordres et les rivalités de sa famille indisposèrent également l'empereur. Ses sœurs avaient des amants et les frasques de Pauline surtout étaient retentissantes. Louis et Hortense faisaient mauvais ménage, lui incurable, affligé de la folie des grandeurs plus encore que ses frères et monomane de la persécution ; elle, bien pensante, confite en propos édifiants, et donnant pourtant prise aux soupçons. Après la naissance de leur second fils, ils s'étaient séparés et ne se retrouvèrent qu'un moment en 1807 ; le futur Napoléon III naquit à Paris en 1808, mais Louis ne se crut jamais le père de son dernier-né, ni même du précédent ; en 1811, Hortense accoucha clandestinement d'un enfant, fils du comte de Flahaut et futur duc de Morny. Entre son frère et sa belle-fille, Napoléon prit le parti de cette dernière : lorsqu'il remit, en 1809, le duché de Berg à leur fils Charles, il s'attribua la garde de l'enfant pour le confier aussitôt à Hortense. Entre Murat et Caroline, les relations se tendirent aussi. Le traité qui leur avait donné Naples blessa Murat ; car, en fait, c'était à Caroline que le présent s'adressait : survivant à son mari, elle devait porter la couronne au préjudice de son fils aîné ; elle vécut à l'écart des affaires et à demi séquestrée. Quant à Lucien, il finit par s'embarquer, le 7 août 1810, pour les États-Unis, fut capturé et conduit en Angleterre. La mère de Napoléon soutenait contre lui ses autres enfants ; il attendit qu'elle désavouât le premier mariage de Jérôme pour lui donner un titre officiel : elle devint alors « S. A. I. Madame, mère de l'empereur », mais ne se tint pas pour satisfaite et réclama, vainement, un douaire et une « condition politique ».

De 1806 à 1810, on voit donc l'empereur s'irriter de plus en plus contre les vassaux et les menacer d'annexer leurs États. L'évolution de l'empire fédératif, que l'introduction des institutions napoléoniennes destinait à l'unité, s'est trouvée ainsi précipitée. Le mariage autrichien, le désir d'accroître l'héritage du roi de Rome, la perspective d'avoir à établir ses futurs cadets ont rendu plus précaire encore la sécurité des Bonaparte, mais ils la savaient compromise bien avant. L'annexion de la Hollande est presque contemporaine du mariage. Dès 1809, elle paraissait imminente ; au début de 1810, Louis la retarda en cédant la Zélande et ses provinces méridionales, jusqu'au Rhin ; le 2 juillet 1810, il s'enfuit et gagna l'Autriche. En avril, à Paris, Murat se jugeait perdu également ; Caroline, ayant accepté de chaperonner Marie-Louise, ménagea un raccommodement qui ne dura guère. L'empereur interdit au roi de nommer des ambassadeurs ; Murat s'entourait d'Italiens suspects, Gallo, Maghella, qu'il fit ministre de la police et qui, en rapport avec les sociétés secrètes antifrançaises, fut peut-être l'un des premiers à concevoir l'idée d'une Italie unifiée sous le sceptre de son maître. Caroline fut séquestrée de nouveau et menacée de divorce. Murat prit des mesures douanières contre la France, renvoya plusieurs hauts fonctionnaires français et, finalement, déféra le serment à tous ceux qui demeuraient. Il s'ensuivit un éclat : le 2 juillet 1811, Napoléon interdit à ses sujets de prêter serment ; le bruit courut qu'il allait annexer le royaume de Naples. La menace russe calma les esprits ; Murat vint assister au baptême et partit pour la Russie avec la Grande Armée. Personne ne crut, pourtant, que l'affaire en resterait là. Au même moment, Jérôme s'était vu reprendre une partie du Hanovre et redoutait son transfert en Pologne. Quant à Joseph, il se plaignait de n'être qu'un roi nominal. Enfin, depuis le départ de Murat pour Naples, le grand-duché de Berg était administré par l'empereur.

En opposition avec les vassaux, les fédérations protégées, liées au Grand Empire par une alliance permanente, subsistaient telles quelles. Il n'y avait pas de raison pour que Napoléon touchât à l'Acte de médiation qui était son œuvre ; enclavée maintenant dans les territoires soumis à Napoléon, la Suisse ne présentait plus d'importance stratégique immédiate et il n'était pas nécessaire de l'occuper pour la réduire à l'obéissance ; la neutralité helvétique ne fut violée que par l'utilisation du pont de Bâle en 1809 et par l'occupation du Tessin. Au contraire, la réorganisation de la Confédération du Rhin s'imposait. Son territoire demeurait trop morcelé encore. Il n'y avait même pas identité dans la condition juridique de ses membres : le grand-duc de Berg et le roi de Westphalie étaient princes vassaux, alors que le grand-duc de Francfort, créature de Napoléon, ne faisait partie ni de la famille ni des grands dignitaires de l'empire français, aussi longtemps qu'Eugène ne remplaçait point Dalberg ; l'existence du grand-duché de Würzburg se trouvait garantie par le traité de 1809 avec l'Autriche qui, secrètement, s'y considérait comme investie du droit de seconde géniture qu'elle avait possédé à l'égard des anciens domaines de Ferdinand, la Toscane et Salzburg ; les autres souverains tiraient leurs droits de la légitimité, bien que les plus importants tinssent leurs nouveaux titres de conventions passées avec l'empereur. Mais, surtout, la Confédération ne possédait toujours pas de constitution et il lui manquait une autorité centrale capable de pousser l'unification administrative, ecclésiastique, sociale et même militaire.

Au delà, le système continental se complétait par des alliances subordonnées aux fluctuations de la politique, que la tâche de l'avenir eût été de transformer en liens permanents. A la Prusse et à l'Autriche, la résistance était impossible et la première fut vassalisée en fait par le traité de 1812. Seul, Alexandre, persuadé qu'il avait traité d'égal à égal, quoique vaincu, faisait figure d'allié proprement dit, résolu à ne consulter que son intérêt propre et à faire payer son concours, chaque fois que Napoléon le requérait, par des pourboires appropriés. Ce chantage perpétuel commandait impérieusement la campagne de Russie ; aussi longtemps qu'Alexandre ne s'avouerait pas réduit à l'obéissance, la constitution politique du système continental resterait inachevée. Ce dernier obstacle écarté, il se serait résorbé dans le Grand Empire, les alliés étant transformés en vassaux et, avec le temps, le Grand Empire lui-même aurait été absorbé par l'empire français.

Jusqu'en 1811, la suprématie de ce dernier ne s'exprima juridiquement que par la condition des princes vassaux. La résistance de Murat conduisit Napoléon à fixer la situation des Français mis à leur disposition : en interdisant à ses sujets de prêter serment à son beau-frère, il décréta qu'ils étaient, de droit, citoyens du royaume de Naples. La décision était d'autant plus remarquable qu'il s'était appliqué à rompre les liens qui, sous l'Ancien Régime, permettaient aux grandes familles de ne pas se nationaliser ; possessionnées de part et d'autre des frontières, vassales de plusieurs souverains, elles entraient au service de qui leur plaisait et formaient, au-dessus des États, une petite société cosmopolite. La loi du 21 floréal an XIII (11 mai 1805) confisqua les biens des princes d'Empire en France et ne restitua ceux des autres seigneurs allemands qu'à la condition de les aliéner, à moins que leurs propriétaires n'optassent pour la nationalité française. Dans les pays vassaux, en Westphalie par exemple, il interdit aux sujets des nouveaux princes de rester au service de l'étranger ; Schulenburg, pour conserver ses terres, dut quitter celui du roi de Prusse ; les autres membres de la Confédération du Rhin avaient été invités à rappeler ceux de leurs dépendants qui faisaient carrière en Autriche. Le principe posé à l'égard du royaume de Naples constituait donc un privilège au profit des Français ; sans perdre leur nationalité d'origine, ils allaient devenir citoyens des États du Grand Empire où ils seraient envoyés. Si le système avait duré, ç'aurait pu être pour eux l'origine d'un droit de cité analogue à celui du Romain et dont ils eussent joui d'autant plus commodément que le Grand Empire n'était pas seulement une unité politique : Napoléon entendait aussi lui donner les mêmes institutions et la même structure sociale qu'à l'empire français.

II. — *LES RÉFORMES NAPOLÉONIENNES*[1].

Dans son esprit, l'implantation de son système de gouvernement devait d'abord consacrer sa domination ; il lui importait que son pouvoir, celui de ses vassaux et de ses alliés fussent incontestés : les corps intermédiaires, les privilèges, la féodalité devaient donc disparaître afin que tous devinssent sujets directs de l'État ; il convenait aussi que les lois successorales diminuassent les grandes fortunes, que l'aristocratie devînt la créature des souverains, et les prêtres leurs fonctionnaires. D'un autre côté, une obligation primordiale s'imposait à tous les membres du Grand Empire : fournir de l'argent et des hommes. L'Ancien Régime, avec son administration chaotique et lente, ne mobilisait pas assez vite les ressources du pays ; il fallait faire table rase et lui substituer la bureaucratie napoléonienne. A cet égard, l'empereur a même été poussé à la conquête par le désir de faire prévaloir les méthodes que tel allié, comme Charles IV, ne savait pas apprécier.

Ces préoccupations immédiates ne l'ont pas empêché d'apercevoir que, par la rénovation de l'administration et de la société,

1. Ouvrages a consulter. — Les mêmes que p. 446, 457 et 473.

il avait chance de se concilier la bourgeoisie et les paysans. Il l'écrit à Jérôme :

« Ce que désirent avec impatience les peuples d'Allemagne, c'est que les individus qui ne sont point nobles et qui ont des talents, aient un droit égal à votre considération et à des emplois ; c'est que toute espèce de servage et de liens intermédiaires entre le souverain et la dernière classe du peuple soit entièrement abolie... S'il faut vous dire ma pensée tout entière, je compte plus sur leurs efforts pour l'extension et l'affermissement de cette monarchie que sur le résultat des plus grandes victoires. »

L'égalité civile, la liberté religieuse, l'abolition de la dîme et des droits féodaux, la vente des biens ecclésiastiques, la suppression des corporations, la multiplication des fonctionnaires, une administration « sage et libérale », une constitution comportant le vote de l'impôt et des lois par les notables, devaient tisser un réseau d'intérêts étroitement liés au maintien de la domination française ; le gouvernement des esprits, organisé comme dans l'empire français, ferait le reste. L'essentiel de cette politique sociale s'incarnait dans le Code civil et c'est pourquoi l'empereur s'est acharné à l'introduire partout. Dès 1807, il veut l'imposer aux villes hanséatiques, à Danzig, à ses protégés allemands et, bien entendu, à la Hollande et à la Westphalie ; en 1808, il pense au Portugal ; en 1809, à l'Espagne.

Le réalisme ne justifie pas la passion jalouse qu'il a mise à le propager, car c'est une entreprise où il s'est donné tout entier. La formation intellectuelle qu'il tenait du xviiie siècle lui inspirait une répulsion sincère pour la féodalité, l'intolérance, l'empirisme désordonné des vieilles administrations. Il reprit l'œuvre des despotes éclairés ; mais, si sa tâche n'a pas été médiocrement facilitée par la tradition qu'ils avaient laissée, il les éclipsa tous par l'audace et la rapidité de son action. D'autre part, son esprit autoritaire attachait à son œuvre un caractère de perfection : « Si vous faites retoucher au Code Napoléon, dit-il à Louis, ce ne sera plus le Code Napoléon », et, à Murat, qui voulait éliminer le divorce : « Je préférerais que Naples fût à l'ancien roi de Sicile plutôt que de laisser ainsi châtrer le Code Napoléon. » Le « système » prend de même une valeur éternelle et universelle ; c'est le cadre d'une civilisation européenne qui consolidera l'unité politique du continent et qui s'harmonisera avec elle. L'idée que les peuples pourraient protester heurte son intelligence comme une absurdité : d'abord, ce qui convient aux Français convient à tous, car, écrit-il à Eugène, « il y a bien peu de différence entre un peuple et un autre ». En tout cas, s'il subsiste des particularismes, il faut les faire disparaître : reprochant à Louis sa conduite et observant, le 20 mai 1810, que sa fidélité lui eût valu d'adjoindre le nord-ouest de l'Allemagne et Hambourg à son royaume de Hollande, Napoléon ajoute : « C'eût été un noyau de peuples qui eût dépaysé l'esprit allemand, ce qui est le premier but de ma politique. » Enfin, toute objection apparaît comme une rébellion à son despotisme : « Je trouve ridicule que vous m'opposiez l'opinion du peuple de Westphalie, mande-t-il à Jérôme. Si vous écoutez l'opinion du peuple, vous ne ferez rien du tout. Si le peuple refuse son propre bonheur, le peuple est anarchiste, il est coupable, et les châtiments sont le premier devoir du prince. » L'expansion des institutions françaises a été l'une des formes de sa volonté de puissance.

Mais le but suprême n'a jamais pu lui faire perdre de vue l'impérieuse nécessité de tenir compte des circonstances. On a condamné sa manie d'assimilation et d'unité. Voici pourtant ce qu'il écrit, en marge d'une lettre, le 9 septembre 1807 :

> « Quel intérêt peut mettre la France à ce que ses formes administratives soient adoptées en Hollande ?... Qu'a de commun... avec l'intérêt de la France l'unité d'imposition en Hollande et mille autres objets qui tiennent aux opinions qu'on peut avoir sur l'administration du pays ? »

De fait, il toléra dans les États vassaux et alliés plus d'une modification, plus d'un retranchement à ses codes mêmes, tandis qu'en retour, dans les pays où il était tout à fait le maître, principalement dans le royaume d'Italie, son système atteignit un degré de perfection plus grand que dans l'empire français. D'autre part, la guerre perpétuelle, la nécessité de ménager les souverains alliés, les continuelles variations de frontières, le morcellement qu'il laissa subsister en Italie et en Allemagne, en ont contrarié la pénétration, qui est demeurée très inégale ; le grand-duché de Berg, quoique gouverné par l'empereur après le départ de Murat, fut, par exemple, moins profondément transformé que le royaume de Jérôme. Si l'on considère la brièveté de la domination napoléonienne, l'œuvre est énorme ; elle n'en est pas moins restée fragmentaire.

Ce ne fut pas le pire : au point de vue social, les considérations d'opportunité entrèrent en conflit avec le « système ». Ayant besoin d'argent et voulant doter le domaine extraordinaire, les biens des souverains déchus, des émigrés, du clergé, lui promettaient grands secours ; or les dîmes et les redevances féodales y comptaient pour beaucoup ; convenait-il de les abandonner ? Puis, un personnel gouvernemental et administratif lui était nécessaire pour lever impôts et conscrits, et, pour le constituer, il dut recourir non seulement à la bourgeoisie, mais à l'aristocratie parce que, hors de France, la première offrait trop peu d'éléments ; de plus, sans les nobles, comment recruter les cours des rois vassaux ? Dès lors, les réformes agraires ne pouvaient prendre la forme radicale qu'il aurait fallu pour gagner le paysan, comme elles avaient acquis le paysan français à la Révolution. D'ailleurs, Napoléon écartait partout les « jacobins » qui les eussent ardemment approuvées, flattait en France l'ancienne noblesse et recherchait une alliance dynastique ; dans l'empire, l'œuvre de la Révolution était un fait dont il pouvait décliner la responsabilité ; dans le Grand Empire, il lui fallait l'assumer, et la contradiction s'installait au cœur du système. Les paysans furent sacrifiés : les redevances foncières, et parfois même la dîme, furent déclarées rachetables. Pour l'influence française comme pour la réforme napoléonienne, ce fut la pierre d'achoppement.

Analyser les éléments de l'œuvre européen de Napoléon et mettre en lumière cette Europe unifiée dont son imagination l'animait, ne suffisent pas à caractériser son rôle dans la perspective de l'histoire, puisque la gestation du système continental demeura inachevée et que, si génial qu'apparaisse le rêve personnel de l'homme, rien de durable ne s'en inscrivit dans la durée.

Ce rôle apparaît au contraire comme créateur en tant qu'il transporta dans ses conquêtes ce qu'il retenait de la Révolution française : à la tête de la Grande Armée qu'elle lui prépara, il anéantit l'Ancien Régime comme l'insurrection populaire de 1789 l'avait déraciné en France ; il lui substitua l'organisation qu'avec le concours de la bourgeoisie, il élabora sous son consulat. Puisque quelques-uns de ses principes au moins — l'égalité devant la loi et la laïcité de l'État — concordaient avec ceux de la maçonnerie, on n'est pas surpris que bonne partie de son personnel se soit groupée partout dans les loges avec les partisans du régime français, si bien que plusieurs de ses adversaires dénoncèrent avec horreur son empire maçonnique.

Demeurer le soldat de la Révolution contrecarrait le dessein de ressusciter une légitimité dynastique et une société corporativement hiérarchisée. Mais sa formation intellectuelle, sa carrière, les nécessités de sa politique conquérante ne lui permirent pas d'échapper à l'étreinte de l'évolution qui préparait, dans le monde, la ruine de l'aristocratie et l'avènement de la bourgeoisie. Quoiqu'il en eut, son génie en précipita le cours. Un des traits ineffaçables de son œuvre, c'est que partout où ses armes triomphèrent, son passage marqua comme une nuit du 4 août.

III. — LES PAYS MÉDITERRANÉENS : ITALIE, PROVINCES ILLYRIENNES, CATALOGNE[1].

C'est l'Italie que le système a marquée le plus profondément ; quoi d'étonnant, puisque l'intervention révolutionnaire et Bonaparte lui-même lui avaient frayé la voie ? Le Piémont,

---

1. OUVRAGES A CONSULTER. — A. FUGIER, *Napoléon et l'Italie*, cité p. 37 ; A. PINGAUD, La politique italienne de Napoléon Ier, dans la *Revue historique*, t. CLIV (1927), p. 20-33 ; DU MÊME, Le premier royaume d'Italie, dans la *Revue des études napoléoniennes*, t. XX (1923), XXI (1923), XXV (1925), puis dans la *Revue d'histoire diplomatique*, t. XL (1926) à XLIV (1930), XLVI (1932), XLVII (1933), au total environ 400 pages ; l'histoire administrative du royaume d'Italie a été renouvelée par l'ouvrage de M. ROBERTI, cité p. 37 ; quant à l'histoire économique et sociale, précieuses indications dans R. ZANGHERI, *Misure della popolazione e della produzione agricola nel dipartimento del Reno* (Bologne, 1958, in-8º), d'après une statistique de 1812 du département du Reno, celui de Bologne ; DU MÊME, *Prime ricerche sulla distribuzione della proprietà fondiaria nella pianura bolognese, 1789-1835* (Bologne, 1957, in-8º) et *La proprietà terriera e le origini del Risorgimento del Bolognese*, t. I : *1789-1804* (Bologne, 1961, in-8º) ; U. MARCELLI, *La vendita dei beni ecclesiastici a Bologna e nelle Romagne, 1787-1815* (Bologne, 1961, in-8º). — Sur la Toscane, les ouvrages de MARMOTTAN et de DREI, cités p. 112 ; E. RODOCANACCHI, *Élisa Bacciocchi en Italie* (Paris, 1900, in-8º) ; A. VON REUMONT, *Geschichte Toscanas*, t. II : *1737-1859* (Gotha, 1877, in-8º, de la « Geschichte der europäischen Staaten » de HEEREN et UKERT) ; A. INGOLD, *Bénévent sous la domination de Talleyrand* (Paris, 1916, in-8º) ; L. MADELIN, *Rome sous Napoléon* (Paris, 1906, in-8º); abbé J. MOULARD, *Le comte C. de Tournon*, t. II (Paris, 1930, in-8º) ; J. RAMBAUD, cité p. 223; G. LA VOLPE, Gioachino Murat, re di Napoli. Amministrazione e reforme economiche, dans la *Nuova rivista storica*, t. XIV (1930), p. 538-559, et t. XV (1931), p. 124-141 ; R. TRIFONE, *Feudi e domani. Eversione della feudalità nelle province napoletane* (Milan, 1909, in-8º) ; A. VALENTE, *Murat e l'Italia meridionale* (Turin, 1941, in-8º) ; M. CALDORA, *Calabria napoleonica, 1806-1815* (Naples, 1960, in-8º) ; P. VILLANI, *Mezzogiorno tra riforme e rivoluzione* (Bari, 1962, in-8º) ; sur la situation économique de la région de Bari à la fin de l'Empire, *Le relazioni alla Società economica di terra di Bari* (Molfetta, 1959, in-8º). — Sur l'Illyrie, l'abbé P. PISANI, *La Dalmatie de 1797 à 1815* (Paris, 1893, in-8º) ; M. PIVEC-STELLÉ, *La vie économique des provinces illyriennes, 1809-1813* (Paris, 1931, in-8º) ; G. CASSI, Les populations juliennes-illyriennes pendant la domination napoléonienne, dans la *Revue des études napoléoniennes*, t. XXXI (1930), p. 193-214, 257-275, 335-369. — Pour la Catalogne, outre l'ouvrage de P. VILAR signalé p. 38, J. MERCADER RIBA, *Barcelona durante la occupacion francesa* (Madrid, 1949, in-8º) ; DU MÊME AUTEUR, divers articles : El mariscal Suchet « virrey » de Aragon, Valencia y Cataluña, dans *Cuadernos de Historia Jeronimo Zurita* (Saragosse, 1954, in-8º), p. 127-142 ;

la Ligurie et Parme étaient entièrement assimilés à la France par l'annexion ; quant au royaume d'Italie, que Napoléon accrut en 1806 de la Vénétie et de Guastalla, en 1808 des Marches, en 1810 du Trentin, il constitua pour lui un champ d'expériences où il n'avait pas à tenir compte, comme en France, de la tradition monarchique et des souvenirs révolutionnaires. Du statut constitutionnel de 1805, il ne fit aucun cas : le Corps législatif s'étant permis de discuter et même de rejeter certains projets de loi, « je ne le réunirai plus », écrivit-il à Eugène ; en conséquence de quoi il légiféra par décrets. Méthodiquement, il accentua la centralisation ; dès 1806, la justice se réorganisa sur le modèle français ; les travaux publics et l'instruction, abandonnés jusque-là aux pouvoirs locaux, furent pris en charge par l'État ; il s'attribua également la police sanitaire, puis l'assistance en 1807.

Ayant étendu ses pouvoirs, il multiplia les fonctionnaires : en 1805, un directeur général de la police avait été créé ; le corps des ponts et chaussées apparut en 1806 ; les magistratures chargées des digues et canaux furent subordonnées aux conseils de préfecture ; on constitua un conseil central et des conseils départementaux pour veiller à l'hygiène publique, un directeur et des « congrégations » départementales pour l'assistance, une direction au ministère de l'Intérieur pour l'instruction ; on ouvrit des lycées, un collège de jeunes filles à Milan, qui n'eut pas son pareil en France, une école des ponts et chaussées, une école vétérinaire, un conservatoire de musique, trois académies des beaux-arts et on soumit les théâtres à un directeur général. A la tête de l'armée, l'un des frères Caffarelli remplaça Pino en 1806 ; elle ne cessa de se perfectionner et d'augmenter ses effectifs. Prina, le ministre des Finances, obligé de pourvoir aux dépenses croissantes, se tira d'affaire par une taxe extraordinaire de guerre qui, établie en 1806, fut maintenue ensuite comme impôt personnel, par l'extension des impôts indirects et par l'introduction de l'enregistrement ; administrateur remarquable, inventif et appliqué, son zèle éveilla des haines redoutables : en 1814, une émeute lui coûta la vie. Systématiquement encerclé par une ligne de douanes infranchissable, le royaume fut étroitement subordonné à l'éco-

L'oficialitat del Català soto la dominació napoléónica, dans le *Bulletil de la Societat catalana d'estudis*, 1953, p. 7-22 ; La ideologia dels Catalans del 1808, dans *Anuari de l'Institut d'estudis catalans*, 1953, p. 1-16. Sur le problème général de l'incidence des guerres de la Révolution et de l'Empire, J. Vicens Vives, Conjuntura economica y reformismo burgues, dos factores en la evolución de la España del antiquo regimen, dans *Estudios de Historia moderna*, 1954, p. 349-393.

nomie française par l'ouverture des routes alpestres ; il profita de quelques autres entreprises de travaux publics.

Le statut de 1805 prévoyait l'introduction du Code civil au 1er janvier 1806 ; il fallut le traduire et l'imprimer ; en dépit d'un travail forcené, on dut ajourner jusqu'au 1er avril l'adoption du code de procédure civile ; la création d'un service des hypothèques et l'organisation de l'état civil suivirent par une conséquence naturelle. En fait, on ne fit ainsi que couronner l'œuvre de la République qui avait aboli les privilèges et la féodalité. Le Code fit néanmoins sensation parce qu'il laïcisait l'état civil, introduisait le divorce et bouleversait les habitudes en matière successorale. En outre, le clergé ne se félicitait pas non plus de la réforme qui avait suivi le concordat : le nombre des paroisses avait été réduit, l'effectif des séminaires étroitement limité, les couvents supprimés, le 8 juin 1805, à l'exception de quelques-uns où l'on groupa les religieux qui voulaient continuer la vie monastique ; en 1807, les confréries furent dissoutes à leur tour. Les séculiers obtinrent, pourtant, une situation plus favorable que dans l'empire : on attacha une dotation en terres ou en rentes sur l'État aux évêchés, aux chapitres et aux séminaires ; les biens de cure n'avaient pas été nationalisés. Au surplus, le Concordat soumettait les prêtres à Napoléon et, dans l'ensemble, ils se montrèrent dociles ; le catéchisme impérial leur fut imposé en 1807, et la chaire utilisée pour prêcher la soumission à l'impôt et à la conscription. On éprouva beaucoup plus de difficulté à gagner l'aristocratie foncière, et pourtant l'empereur y tenait essentiellement ; quelques nobles cédèrent à l'attrait de la cour fastueuse d'Eugène ou, besogneux, acceptèrent des sinécures et des dons ; la plupart boudèrent les fonctions publiques ; on ne put attirer leurs fils dans les lycées ou à l'armée. Seule la bourgeoisie, y compris les fonctionnaires qu'elle fournissait, conçut un certain attachement pour le régime ; la « francmaçonnerie royale et italienne », à laquelle le Grand Orient de Milan donna une organisation uniforme, joua un rôle important en groupant tous les partisans de Napoléon sous la direction des hauts fonctionnaires. Comme en France, Napoléon tira également parti des décorations : le royaume eut son ordre de la Couronne de fer. Mais il attacha surtout une grande importance à ces gardes d'honneur qu'il hésitait à organiser dans l'empire et qui devinrent, ici, l'une des institutions les plus caractéristiques.

Il avait besoin d'officiers et tenait à les choisir dans l'aristocratie et la bourgeoisie, un peu comme otages, beaucoup plus parce qu'il considérait l'armée comme l'école de ce sentiment civique, et aussi dynastique, jusqu'alors complètement inconnu des Italiens. On profita du couronnement pour réunir quelques gardes d'honneur ; puis, le 20 juin 1805, un décret constitua quatre compagnies à cheval pour le service du palais ; elles devaient se recruter par engagement volontaire au sein des familles dont les chefs figuraient dans les collèges électoraux ou parmi les plus imposés ; comme le remplacement fut suspendu dans les départements où le contingent des gardes d'honneur n'avait pas été obtenu, le volontariat, en réalité, n'exista que de nom ; les parents payaient une pension de 1.200 lires et le jeune homme pouvait être nommé sous-lieutenant au bout de deux ans. Pour la petite bourgeoisie, on créa douze compagnies de vélites, dont la pension n'était que de 200 lires et qui devenaient sous-officiers. Les gardes se recrutèrent malaisément : l'obligation, instituée en 1810, n'empêcha pas que, sur 551 qu'on avait demandés, on n'en tenait encore que 367 en 1811 ; ce fut en Russie qu'ils combattirent pour la première fois. Les vélites se trouvèrent plus facilement. Si l'intention de Napoléon n'a pas été complètement réalisée, on ne peut dire pourtant qu'il ait échoué. L'influence de la conscription ne laissa pas d'atteindre le peuple lui-même, bien qu'il eût le moins à se louer de la domination impériale : ni l'abolition de la féodalité, ni la vente des biens nationaux ne semblent avoir changé la condition du paysan, au moins dans la plaine, qui resta pays de grandes propriétés cultivées par des métayers et des journaliers misérables ; pour les petits propriétaires, le poids des impôts a dû compenser la disparition de la dîme et des redevances que la République, il est vrai, avait abolies sans indemnité. La comparaison des cadastres de quinze communes de la plaine de Bologne exécutés respectivement en 1789, 1804 et 1835, montre le recul de la propriété de la noblesse de 80 % à 67 %, puis à 51 %, tandis que la propriété bourgeoise progresse entre ces mêmes dates de 17 % à 30 %, puis à 48 %. La permanence de la grande propriété foncière s'affirme cependant : 72,01 % de la superficie en 1835 pour 72,77 % en 1789.

A l'autre extrémité de l'Italie, l'empreinte fut très forte aussi sur le royaume de Naples. Les réformes y commencèrent dès l'avènement de Joseph par les soins d'un groupe de Français et d'Italiens de son choix, Saliceti, Miot, Dumas, le fils de Rœderer, l'avocat Ricciardi. On réorganisa d'abord les ministères dont on créa deux nouveaux, celui de l'Intérieur et la secrétairerie d'État ;

— 449 —

ensuite, le Conseil d'État et la *Sommaria* ou Cour des comptes. Les provinces subsistèrent, divisées en districts, tandis que les paroisses se groupaient en administrations municipales imitées des municipalités de la constitution française de l'an III. Sous des noms différents, on retrouve le préfet et le sous-préfet, devenus l'intendant et le sous-intendant, comme le conseil de préfecture appelé conseil d'intendance. La province et le district eurent leurs conseils et le groupe communal fut confié à un « décurionat ». Mais on ne constitua pas de collèges électoraux : le roi nomma les décurions sur la proposition des sous-intendants et choisit les membres des conseils parmi les candidats présentés par les décurions. Les tribunaux et la police se reconstituèrent d'après le modèle français et l'on s'empressa de créer une gendarmerie. La tâche du ministre des Finances se manifesta particulièrement rude : aux impôts innombrables de l'Ancien Régime, il substitua une contribution foncière et une taxe d'industrie ; les privilèges disparurent ; l'État se fit restituer la perception des charges indirectes qui avait été engagée ; on entreprit de liquider la dette au moyen de reconnaissances ou « cédules » inscrites au Grand Livre et, comme elles se négocièrent à perte, on amortit rapidement, en les rachetant au cours : de 100 millions de ducats, la dette se trouva ramenée à 59 dès 1808. Une part importante des ressources fut procurée par le domaine, auquel on attribua les biens des jésuites, des évêchés vacants et de bon nombre de couvents supprimés. Cet aperçu ne donne qu'une faible idée de l'énorme travail d'unification, de simplication et d'épuration que comporta dans ce pays, l'ordre nouveau. La suppression des sinécures et de la vénalité, la séparation de la justice et de l'administration, la création d'une comptabilité publique, la formation d'un corps de fonctionnaires astreints à une discipline et au respect de la loi étaient ici plus neuves qu'en Piémont et en Lombardie.

L'abolition de la féodalité, demeurée beaucoup plus oppressive que dans l'Italie du Nord, avait été décrétée dès le 2 août 1806. Les barons conservèrent leurs titres et leurs domaines propres ; mais ils perdirent leurs justices et, pour leurs terres comme pour leur statut personnel, obéirent à la loi commune. On résolut la question des droits féodaux et des redevances suivant les principes de l'Assemblée constituante : les droits personnels, les rentes qui les représentaient, les banalités furent supprimés purement et simplement ; les droits réels furent déclarés rachetables ; une commission féodale, où siégea Cuoco, fut chargée d'appliquer la loi. En outre, un décret de 1807 mit en train une réforme agraire :

dans cette région, les maquis et les terres incultes, abandonnés à l'usage commun et à la transhumance, couvraient des étendues énormes ; on prescrivit leur partage entre les communautés, à proportion de leur population. On décida en outre de répartir entre les habitants les communaux cultivables, en donnant la préférence à ceux qui en avaient occupé quelque partie, pourvu qu'ils l'eussent défrichée et enclose, toujours à condition de payer une modique rente. L'État lui-même accensa le Tavoliere de Pouille, qu'il affermait jusque-là chaque année ; il fit de même pour les biens des fondations pieuses.

Au moment de céder son royaume à Murat, Joseph, sur l'ordre de Napoléon qui voulait lier les mains à son successeur, promulgua, le 20 juin 1808, à Bayonne, un statut constitutionnel, calqué sur celui du royaume d'Italie, mais réduisant la part de l'élection et concédant au clergé et à la noblesse une représentation particulière, ce qui manifeste l'évolution de la pensée politique de l'empereur. Le parlement, composé de cent membres, se divisait en cinq bancs dont les deux premiers, clergé et noblesse, étaient au choix du roi ; des collèges également constitués par le roi élisaient les représentants des propriétaires ; le roi désignait ceux des commerçants et des *dotti* sur des listes de candidats que lui proposaient des collèges ou des corps de fonctionnaires. Aux emploit publics n'accéderaient que des Napolitains. Deux jours après, on annonça l'introduction du Code civil pour l'année suivante.

Si considérable que fût l'œuvre de Joseph, elle demeurait incomplète et en grande partie nominale ; surtout, il avait à peine commencé à organiser l'armée. Aussi le règne de Murat marqua-t-il de grands progrès. Son ministre des Finances, Agar, comte de Mosbourg, poursuivit l'entreprise de Rœderer ; il acheva la réforme de l'impôt foncier, introduisit la patente, créa l'administration des contributions indirectes et celle des eaux et forêts, fonda une banque royale, acheva de liquider la dette, en délivrant des inscriptions au Grand Livre ou en cédant des biens nationaux, et en convertit l'intérêt de 5 en 3 %. On mit en vigueur le Code civil à la date fixée, mais avec des retouches importantes ; les codes de procédure civile et de commerce, et le code pénal suivirent, ainsi que les hypothèques, l'état civil, le notariat et l'ordre des avocats. Murat confirma aussi, en 1809, les décisions de la commission féodale et il consacra quelque attention à la vie économique : les corporations et les douanes intérieures disparurent, le corps des ponts et chaussées fut institué et les travaux publics assez vigoureusement poussés ; s'il n'avait dépendu que de lui, le royaume eût été défendu contre les importations françaises ; quant au blocus, il l'appliqua fort mal. Toutefois, son effort principal porta sur l'armée, dont il fut vraiment le créateur.

Dans le royaume de Naples, la Révolution n'avait pas préparé le terrain et tout se fit en sept ans à peine ; l'œuvre était pourtant solide : à son retour, le roi Ferdinand ne rétablit pas la féodalité et n'abrogea pas le Code civil. La bourgeoisie et les quelques nobles libéraux qui avaient bien accueilli les Français en 1799, affermirent leurs sentiments et, comme dans le nord de l'Italie, se groupèrent dans les loges ; avide d'éclat et de bruit, Murat exerça une certaine séduction et, par ses allures indépendantes à l'égard de la France, éveilla la sympathie. Mais, bien qu'il eût rétabli les majorats, il ne put se concilier la majorité de la noblesse et pas davantage le clergé, n'ayant pu conclure un nouveau concordat et réorganiser la hiérarchie ecclésiastique. Quant au peuple, il était trop pauvre pour racheter les redevances ; les biens domaniaux passèrent à des compagnies, aux nobles et aux riches bourgeois ; la licitation et le partage des communaux demandaient du temps et ne se trouvaient guère avancés quand Murat succomba. Les populations pastorales et montagnardes s'intéressaient fort peu à ces réformes ; le général Manhès ne les tint en respect que par une répression impitoyable ; en outre, les Anglais menaçaient continuellement les côtes. Aussi le royaume de Naples ne fut-il pas administré comme le royaume d'Italie par les civils et suivant la loi ordinaire ; en fait, on le maintint constamment en état de siège et on le mena militairement.

L'influence napoléonienne s'exerça plus tardivement dans l'Italie centrale. Dans sa principauté, à Lucques, Massa et Carrare, Élisa supprima la féodalité, adopta le concordat italien, ferma les couvents et saisit leurs biens, ouvrit des écoles et entreprit des travaux publics ; chargée du gouvernement de la Toscane annexée à l'empire français, elle eut à y introduire les institutions françaises ; la direction appartint à une junte où figurèrent Gérando et le comte Balbo, un Piémontais qui était destiné à une grande renommée. Les deux principales opérations furent la suppression des couvents et la liquidation de la dette ducale. En dépit de froissements inévitables, le régime moderne ne suscita pas de résistance dans ce pays où le despotisme éclairé avait trouvé quelques-uns de ses représentants les plus avancés.

Il n'en alla pas de même dans la partie réunie des États pontificaux où l'Ancien Régime était, sans conteste, le plus arriéré et

que transforma complètement une consulte extraordinaire ;
nommée le 9 juin 1809, elle siégea jusqu'à la fin de 1810 et, à côté
de Miollis, on y retrouve Gérando et Balbo. Deux départements
se partagèrent le territoire et reçurent comme préfets le fils de
Rœderer et, à Rome, le comte de Tournon, ancien intendant de
Bayreuth. Norvins prit la direction de la police. La féodalité
disparut ainsi que l'Inquisition ; en 1810, les chapitres furent
dissous et les couvents fermés. Le Code civil avait été promulgué
dès 1809 ; mais les institutions indispensables à son application
ne virent jamais le jour, notamment l'état civil ; il fit pourtant
sensation par la liberté religieuse qu'il proclamait : on vit les juifs
sortir du ghetto et le personnel impérial se grouper, comme partout, en loges maçonniques. Les finances surtout attirèrent l'attention des administrateurs ; ils introduisirent les impôts français,
à l'exception des droits réunis, à la place desquels ils conservèrent la taxe de mouture ; ils unifièrent la dette à 2 % en rembour-
sant le capital, à raison de vingt fois l'intérêt, au moyen de rescriptions acquittables en biens sécularisés ; la perte des créanciers,
en théorie du moins, fut des trois quarts et au delà. Les préfets
montrèrent beaucoup d'activité. Tournon réorganisa les hôpitaux et les prisons, s'intéressa aux cultures, fit créer une manufacture de cotonnades par l'Alsacien Bucher. Napoléon conçut
également de grands projets en faveur de sa seconde capitale :
des édifices furent réparés, les rues nettoyées et éclairées ; on
étudia la construction de quais, de ponts, de routes, de palais
impériaux ; une commission des monuments antiques entreprit
des fouilles et Canova reçut la direction d'un musée ; enfin, on
s'attaqua aux marais Pontins dont un quart fut rendu à la
culture. Nulle part, pourtant, le régime ne rencontra pareille
hostilité. La population était habituée à l'indolence administrative, à la mendicité, au brigandage ; la discipline, la perception régulière de l'impôt, la comptabilité et l'ordre, la conscription
surtout lui parurent intolérables, et on n'eut pas le temps d'en
venir à bout. Dans les villes, à Rome principalement, la bourgeoisie vivait aux crochets du clergé et des pèlerins : le départ
du pape et de sa cour, la suppression des 519 couvents avec leurs
5.852 moines et religieuses, représentaient pour elle un désastre
irréparable ; en outre, des milliers de fonctionnaires incapables
et inutiles avaient été congédiés. L'opposition se manifesta surtout
par le refus de prêter le serment ; le clergé donna l'exemple ;
beaucoup de fonctionnaires et presque tous les hommes de loi
l'imitèrent ; l'empereur répliqua par des destitutions, des suppres-

sions de pensions, des emprisonnements, des exils. Ce furent les nobles qui se montrèrent les plus dociles.

Malgré ces réserves, l'application du système fit en Italie des progrès extrêmement rapides et, pour que l'unité administrative et juridique s'achevât, il ne s'en est fallu que de quelques années. Les conditions se montrèrent infiniment moins favorables dans les provinces illyriennes, géographiquement morcelées en unités isolées, montagneuses et pauvres, dont les populations différaient par la langue, la religion, le degré de culture, asservies aux fonctionnaires d'Ancien Régime, à la noblesse. au clergé et dépourvues de bourgeoisie véritable à part quelques villes de la côte, fortement italianisées. De 1806 à 1809, Napoléon ne posséda que l'ancien domaine vénitien, soit la Dalmatie, une partie de l'Istrie et les îles ; en 1808, il y joignit la république de Raguse, en lui laissant quelque autonomie. Marmont détenait l'autorité militaire, tandis que l'administration appartenait à Dandolo, avec le titre de « provéditeur ». C'était un pharmacien, d'origine juive et très riche, qui avait pris parti pour les idées nouvelles dans les États vénitiens. Intègre et travailleur, mais autoritaire et susceptible, il ne fit pas bon ménage avec le chef des troupes d'occupation. Il ne fut jamais question d'établir en Illyrie le régime électoral et l'on s'y trouve en présence d'un despotisme éclairé aggravé par l'intervention du soldat. Dandolo s'adjoignit un conseil général dont il choisit les membres ; en fait, il décida de tout, dans ses bureaux de Zara. Ayant partagé le territoire en quatre départements, subdivisés en districts et en communautés rurales, il y nomma des délégués, des vice-délégués et des *anziani*. Il organisa des tribunaux et fit la police au moyen des *pandours* que les paysans fournissaient déjà aux administrateurs vénitiens et autrichiens. Les impôts anciens subsistèrent, l'attention se portant essentiellement sur la gestion des deniers et l'administration du domaine.

La principale réforme visa le clergé : afin de pouvoir diminuer le nombre des évêchés, on cessa de combler les vacances ; une partie des couvents et toutes les confréries furent supprimées ; à part les menses des évêques subsistants, on séquestra tous les biens ecclésiastiques et on employa une partie des revenus à doter un peu mieux les cures et les séminaires. En 1807, Dandolo publia aussi un règlement sur l'instruction publique, créa un lycée à Zara et quelques collèges. De son côté, Marmont entreprit des travaux routiers. Pour la conscription, il fallut la suspendre, tant elle suscita de troubles, et s'en tenir à des levées partielles, plus ou moins volontaires. Quant au Code civil, on se contenta d'en introduire les titres relatifs à la famille et aux successions, ce qui entraîna l'admission des femmes à l'héritage et l'abolition des substitutions et des fidéicommis. Il ne paraît pas qu'on ait touché aux droits des seigneurs qui, dans la région maritime, dominaient un peuple de tenanciers, par exemple dans la Poglizza, près de Salone, mais on abolit la dîme ecclésiastique. A l'intérieur de la Dalmatie, la question agraire se posait de manière originale : en 1756, la loi Grimani y avait réservé à l'État vénitien la propriété de la terre dont on attribuait aux habitants, les Morlaques, un lot de deux tiers d'hectare par tête, à l'exclusion des femmes, avec droit d'affermer et de transmettre aux héritiers mâles, sans pouvoir aliéner ; le bénéficiaire devait le service militaire et payait la dîme au gouvernement. Dandolo révoqua cette loi et conféra la propriété au tenancier, en maintenant la dîme d'État comme impôt foncier ; en 1807, s'apercevant que des spéculateurs persuadaient les paysans de vendre leurs biens, il soumit l'aliénation à des formalités qui la rendirent pratiquement impossible. Malgré tout, c'est une des réformes agraires les plus substantielles qu'on ait vues en pays napoléonien.

Jusqu'en 1809, cette possession française jouit donc de l'autonomie et l'assimilation comporta des ménagements. Après cette date, la situation changea radicalement. La Carniole, la haute Carinthie, l'Istrie autrichienne et Trieste, une bonne part de la Croatie s'adjoignirent au domaine vénitien, et ce fut alors que cet ensemble prit le nom de « provinces illyriennes », emprunté à l'empire romain. On en distingua la portion de Croatie militaire échue à Napoléon : elle conserva son organisation sociale en *zadrougas* et son économie étatiste, subordonnée à l'autorité militaire ; elle resta en dehors des douanes impériales et continua de fournir un contingent suivant ses méthodes traditionnelles. Le reste de l'Illyrie reçut, le 25 décembre 1809, une organisation provisoire en dix intendances avec Laibach pour capitale et, peu après, Dandolo quitta la place. Le régime ne prit sa forme définitive que le 15 avril 1811. Le pouvoir fut délégué à un gouverneur : d'abord Marmont, puis Bertrand et, en 1813, Junot, auquel succéda Fouché. Il proposait à la nomination de l'empereur les hauts fonctionnaires qui formaient son conseil, notamment l'intendant général des finances et le commissaire général pour la justice. On constitua six provinces confiées à des intendants et à leurs subdélégués. A partir de ce moment, Napoléon travailla sans relâche à unifier l'administration et la législation. Le Code civil en entier et toutes les lois françaises entrèrent en application à compter du 1er janvier 1812 ; on organisa les tribunaux, l'enregistrement, les hypothèques, le notariat, mais non pas l'état civil, bien que le mariage civil fût devenu de règle. De 1810 à 1813, on introduisit les impôts français, à l'exception de celui des portes et fenêtres. La liquidation de la dette fut poursuivie à l'aide des biens nationaux ; en 1812, celle des pensions était achevée. La conscription aussi avait été mise en vigueur le 27 novembre 1810. Le corps des ponts et chaussées, créé la même année, poussa vigoureusement, au moyen de la corvée, la construction de la route de Karlovac à Fiume et de la route Napoléon, de Laibach à Raguse.

On avait généralisé l'abolition de la dîme ecclésiastique et, le 15 avril 1811, supprimé le régime féodal. En même temps que le fief et le statut particulier de la noblesse, disparurent les droits seigneuriaux personnels ; les corvées et les redevances foncières devinrent rachetables, ces dernières étant toutefois réduites d'un cinquième pour tenir compte de l'impôt foncier dont les débiteurs étaient chargés. Ce décret eut un grand retentissement et les paysans s'intéressèrent enfin à la domination française ; mais ce fut pour demander qu'on les libérât totalement et, prenant les devants, ils refusèrent de s'acquitter ; en 1812, Bertrand les somma de se soumettre et leur envoya des garnisaires. On les mécontenta, en outre, en les privant de leurs droits d'usage dans les forêts. Les nobles, irrités, n'en avaient pas moins émigré en Autriche. Le bas clergé, habitué au joséphisme, restait neutre ; toutefois les franciscains, autrefois maîtres du pays, menaient une agitation furibonde. Malheureusement, on ne put pas ranimer l'exportation et le transit qui procuraient au pays des ressources indispensables et dont Trieste vivait entièrement, de sorte que la bourgeoisie souffrit beaucoup, après avoir été éprouvée déjà par l'élimination du papier-monnaie autrichien et la liquidation de la dette au rabais. Le régime ne se concilia ainsi qu'une petite minorité et ne fut pas regretté. D'ailleurs, personne ne crut jamais qu'il se prolongerait longtemps et, de fait, le traité d'alliance de 1812 promit à l'Autriche la cession des provinces illyriennes contre l'abandon de la Galicie.

En Espagne, l'état de guerre ne permit pas d'appliquer exactement la constitution de Bayonne, ni de procéder efficacement aux réformes prévues par Napoléon, lors de son séjour en 1808. La Catalogne fit seule exception. En décembre 1811, le gouvernement militaire, confié alors à Macdonald, fit place à une administration civile, subordonnée toutefois au général Decaen. Un décret partagea la province en quatre départements et l'assimilation systématique à la France se poursuivit en vue de l'annexion décidée par Napoléon. Cette période ne dura pas beaucoup plus d'un an puisque, Suchet, contraint de repasser l'Ebre en juin 1813, ramena le pays à l'occupation militaire. La transformation ne put toucher d'ailleurs que la partie occupée effectivement par les Français. Pour les aider, ils ne trouvèrent qu'un petit nombre d'*afrancesados*, qui ne se montrèrent même pas fort chauds pour les nouveautés. Aussi furent-elles tempérées : on ne vendit pas les biens ecclésiastiques et, du Code civil, on retrancha le divorce et l'interdiction du fidéicommis.

IV. — *LA HOLLANDE ET L'ALLEMAGNE*[1].

La Hollande différait de l'Italie, puisqu'elle possédait une forte tradition nationale. Depuis longtemps, la haute bourgeoisie

---

1. OUVRAGES A CONSULTER. — Sur la Hollande, les ouvrages de BLOK et de COLENBRANDER, cités p. 37 (COLENBRANDER, t. IV, V et VI, en 7 volumes, 1908-1913, donne une foule de documents qui n'ont pas encore été utilisés) ; marquis DE CAUMONT-LA FORCE, *L'architrésorier Lebrun, gouverneur de la Hollande* (Paris, 1907, in-8°). — Sur l'Allemagne, RAMBAUD, DENIS et HÖLTZLE, cités p. 222 ; H. A. L. FISHER, *Studies in Napoleonic statesmanship. Germany* (Oxford, 1903, in-8°); Ch. SCHMIDT, *Le grand-duché de Berg* (Paris, 1905, in-8°); R. GŒCKE, et Th. ILGEN, *Das Königreich Westphalen* (Düsseldorf, 1888, in-8°) ; A. KLEINSCHMIDT, *Geschichte des Königreichs Westfalen* (Gotha, 1893, in-8°, de la « Geschichte der europäischen Staaten » de HEEREN et UKERT) ; F. THIMME. *Die inneren Zustände des Kurfürstentums Hannover unter der französisch-westfä. lischen Herrschaft* (Hanovre, 1893-1895, 2 vol. in-8°) ; A. MANSUY, cité p. 436 ; W. KOHL, *Die Verwaltung der östlichen Departements des Königreichs Westphalen, 1807-1814* (Berlin, 1937, in-8°, fasc. 323 des « Historische Studien » d'EBERING); G. SERVIÈRES, *L'Allemagne française sous Napoléon Ier* (Paris, 1904, in-8°), qui traite des villes hanséatiques pendant l'annexion ; H. SCHNEPEL, *Die Reichstadt Bremen und Frankreich von 1789 bis 1813* (Brême, 1935, in-8°) ; P. DARMS-TÆDTER, *Das Grossherzogthum Frankfurt* (Francfort, 1911, in-8°) ; R. LEROUX, *La théorie du despotisme éclairé chez K. Th. von Dalberg* (Strasbourg, 1932, in-8°, fasc. 60 des « Publications de la Faculté des Lettres de Strasbourg ») ; K. VON BEAULIEU-MARCONNAY, *K. von Dalberg und seine Zeit* (Weimar, 1879, 2 vol. in-8°) ; E. GERHARD, *Geschichte der Säkularisation in Frankfurt-a.-M.* (Paderborn, 1935, in-8° ; publications de la « Görres Gesellschaft », Heft 69) ; Th. SCHERG, *Das Schulwesen und der Fürst Theodor von Dalberg* (Munich, 1939, 2 vol. in-8°) ; A. CHROUST, *Das Grossherzogthum Würzburg* (Würzburg, 1913, in-8°) ; DU MÊME, *Die äussere Politik des Grossherzogthums* (Würzburg, 1932, in-8°) ; M. DÖBERL, *Entwickelungsgeschichte Bayerns*, t. II (Munich, 1912, in-8°); M. DUNAN, *Napoléon et l'Allemagne. Le système continental et les débuts du royaume de Bavière*, 1806-1810 (Paris, 1942, in-8°) ; F. ZIMMERMANN, *Bayerische Verfassungsgeschichte vom Ausgang der Landschaft bis zur Verfassungskunde von 1818*, 1re partie : *Vorgeschichte und Entstehung der Konstitution von 1808* (Munich, 1940, in-8° ; publications de l'Académie de Bavière, t. XXXV) ;

y tenait les rênes, en sorte que les privilèges s'y étaient atténués ainsi que les droits seigneuriaux. La république batave avait réalisé l'unité. Napoléon remania le pouvoir central par les constitutions de 1801, de 1805 et de 1806. Louis accomplit quelques réformes complémentaires. Jusqu'en 1810, l'empereur n'alla pas au delà et, de même qu'en Suisse, ne chercha pas à détruire l'autonomie administrative pour parfaire l'assimilation. L'Ancien Régime laissait pourtant des traces. Bien que les corporations eussent été abolies en principe en 1798, on constate que la municipalité d'Amsterdam, en décembre 1806, critiquait un projet d'abolition des ghildes. Les juifs avaient été déclarés citoyens en 1796 ; néanmoins, ce fut seulement en 1809 qu'on supprima l'impôt spécial qu'ils acquittaient. Si la féodalité avait disparu, les redevances subsistaient, ainsi que la dîme. Une résistance sourde s'opposait à l'unification des impôts et, plus encore, à la réduction de la dette que Napoléon voulait obtenir par une banqueroute partielle. Après la réunion, tout changea. La Hollande forma bien un gouvernement distinct, confié à Lebrun, et fut maintenue en dehors de l'empire au point de vue douanier ; l'assimilation s'y poursuivit toutefois sans plus de ménagements qu'en Illyrie. Le Code civil et toutes les lois françaises furent déclarées applicables dès 1810 ; le 9 juillet, l'intérêt de la dette avait été abaissé d'un tiers ; un décret du 15 juillet 1811 ordonna la perception des impôts français à partir de 1813 au plus tard. La réforme foncière suscita, comme toujours, le plus de résistance et elle n'aboutit pas : on convint de maintenir la dîme sous prétexte que, sécularisée, elle devait être regardée comme une rente foncière, et le Conseil d'État de Louis, qui n'avait pas été dissous, se prononça contre le rachat des droits réels.

Au contraire de l'Italie, de la Hollande et de la Suisse que les gouvernements révolutionnaires avaient occupées et partiellement transformées, l'Allemagne d'outre-Rhin ne s'ouvrit à la

---

E. Höltzle, *Das alte Recht und die Revolution. Eine politische Geschichte Württembergs in der Revolutionszeit, 1789-1815* (Munich et Berlin, 1931, in-8°) ; du même, *Württemberg im Zeitalter Napoleons und der deutschen Erhebung* (Stuttgart [1937], in-8°) ; F. Winterlin, *Geschichte der württembergischen Behördenorganisation*, t. I (Stuttgart, 1904, in-8°) jusqu'en 1914; W. Andreas, *Die Geschichte der badischen Verwaltungsorganisation und Verfassung in den Jahren 1802-1818* (Leipzig, 1913, in-8°) ; abbé Moulard, *Le comte de Tournon*, cité p. 446 (Tournon fut intendant de Bayreuth). — Sur l'administration d'une principauté, J. Courvoisier, *Le maréchal Berthier et sa principauté de Neuchâtel, 1806-1814* (Neuchâtel, 1959, in-8°) : en sept ans de règne, Berthier en tira environ 850 000 francs.

rénovation qu'après la guerre de 1805. Napoléon en eût-il été complètement maître que les obstacles auraient été, néanmoins, plus grands qu'ailleurs, tant ce pays était vaste et divers. En fait, ce qui restait de l'Autriche et de la Prusse échappait, sur ce point, à son autorité ; obligé de ménager ses alliés, il a dû tolérer qu'ils ne prissent dans son système que ce qui leur convenait ; même dans les régions qu'il a gouvernées, les circonstances ne lui ont pas toujours permis d'achever son œuvre.

Une partie des territoires conquis ne furent distribués qu'en 1810, Bayreuth à la Bavière, Hanau et Fulda au duché de Francfort, une partie du Hanovre à la Westphalie, le reste étant finalement annexé à l'empire qui conserva aussi Erfurt : à part l'abolition du servage en 1808, les administrations provisoires ne changèrent rien à l'ordre antérieur.

Le grand-duché de Berg, formé en 1806 d'une partie du duché de Clèves, avec Duisburg, et de tout le duché de Berg avec Düsseldorf, Elberfeld et Barmen, agrandi ensuite de quelques territoires enlevés au Nassau ou médiatisés et, en 1808, des domaines prussiens de Westphalie, la Mark et Iserlohn, Münster, Dortmund, Essen, les comtés de Tecklenburg et de Lingen, en tout 900.000 habitants, fut le premier État napoléonien créé au delà du fleuve. Murat, qui en devint propriétaire, cessa de réunir les diètes locales et s'attribua un pouvoir discrétionnaire. Il abolit l'administration collégiale, divisa le pays en arrondissements, dirigés chacun par un conseiller, et forma des municipalités dans les villes ; sauf au point de vue douanier, il ne chercha pas à unifier les différents domaines qui constituaient son État et leur laissa leur comptabilité et leur budget particuliers ; toutefois, il introduisit partout l'impôt foncier et la cote personnelle, et inaugura la conscription que le roi de Prusse n'avait pas osé imposer. Lorsque Murat fut devenu roi de Naples, le 15 juillet 1808, le grand-duché revint à Napoléon et bien qu'il l'ait cédé en 1809, à l'un des fils de Louis, âgé de trois ans, il ne cessa plus de gouverner le pays par l'intermédiaire de commissaires extraordinaires, Beugnot, puis Rœderer à partir de 1810. En 1808, l'administration fut unifiée et les impôts progressivement transformés selon le type français ; le tour des tribunaux vint en 1811 ; Héron de Villefosse mit en ordre le domaine qui comprenait des mines, des forêts et 600.000 francs de rentes féodales ; enfin, en 1812, l'empereur promulgua une constitution comportant un conseil d'État et une assemblée élue par des notables qui devaient être désignés par le gouvernement et ne le furent qu'en 1813.

L'assimilation fut donc lente et demeura imparfaite. On changea peu de chose dans l'ancien régime ecclésiastique : la sécularisation n'atteignit que les chapitres ; il n'y eut pas de concordat et ce fut seulement en 1810 qu'on inscrivit au budget quelques crédits pour le clergé. On créa une université à Düsseldorf, mais sur le papier ; seul, le lycée de cette ville entra en activité. La réforme juridique et sociale traîna pareillement. Le 12 décembre 1808, Napoléon abolit le servage, ainsi que les redevances et corvées personnelles, et déclara les droits réels rachetables ; le 11 janvier 1809, il supprima les fiefs et la coutume féodale ; les privilèges furent abolis et les mariages autorisés entre nobles et roturiers ; enfin, on introduisit le Code civil le 1er janvier 1811. Les paysans protestèrent contre le maintien des charges foncières et refusèrent de les payer aux seigneurs. Mallenkrodt, un libraire de Dortmund, les y encouragea, tandis que les tribunaux les condamnaient ; en 1811, deux paysans furent députés à l'empereur : à leur retour, on les mit en prison. Napoléon, averti, prescrivit une enquête ; mais Beugnot fit observer que le domaine était intéressé dans l'affaire et le décret du 13 septembre 1811 confirma les précédents : les droits féodaux proprement dits restaient abolis sans indemnité, y compris les tailles, les banalités, le retrait, les justices ; les droits réels demeuraient rachetables. Les paysans s'obstinèrent dans leur résistance ; nulle part ailleurs, ils ne se sont montrés aussi éveillés, ce qui s'explique aisément par le voisinage de la Rhénanie annexée, et nulle part les ménagements de l'empereur pour l'aristocratie locale, qui, se jugeant cruellement atteinte, ne lui en sut néanmoins aucun gré, ne se manifestèrent si contraires aux progrès de l'influence française.

Dans l'ensemble, sa politique, dans le duché, est en contraste marqué avec l'introduction brusquée du système dans des pays comme l'Illyrie ou la Pologne, pourtant beaucoup moins préparés à s'en accommoder. Il est difficile de dire si ce fut distraction et négligence, ou incertitude sur le sort ultérieur du duché. Les habitants avaient été placés dans le ressort de la cour de cassation de Paris, ce qui semblait annoncer la réunion ; ils la réclamèrent plusieurs fois, afin de se voir ouvrir des débouchés pour leurs produits ; les protestations intéressées de leurs concurrents d'Aix-la-Chapelle et de München-Gladbach contribuèrent à faire écarter leurs requêtes ; toutefois, il semble que, si Napoléon avait été disposé à absorber le duché, il y aurait hâté l'assimilation.

Il se comporta tout autrement à l'égard du royaume de West-phalie, où le système fut introduit en principe dès le début et où l'application s'en poursuivit avec un zèle sans défaillance, de sorte qu'il devint pour l'Allemagne napoléonienne l'État modèle, comme le royaume d'Italie l'était pour la péninsule. Il se composait pourtant de régions très diverses : duché de Brunswick, électorat de Hesse-Cassel, territoires prussiens d'Halberstadt et de Minden, Osnabrück et Göttingen détachés du Hanovre, sans parler d'autres domaines sécularisés ou médiatisés ; en tout, 2 millions d'habitants. Le 14 janvier 1810, le reste du Hanovre lui fut adjoint ; mais il en reperdit la partie septentrionale le 13 décembre. Avant même que Jérôme eût pris possession, une constitution fut proclamée le 15 novembre 1807. Elle avait été soumise à une députation de notables appelée à Paris. Choisis par l'aristocratie, ils présentèrent des demandes, dont plusieurs sont caractéristiques et prouvent que, dans ce pays essentiellement germanique, la question sociale était, comme ailleurs, au premier rang des préoccupations ; ils firent des réserves sur l'abolition du servage, insistèrent sur la nécessité d'une indemnité, tout au moins en contre-partie des droits réels, réclamèrent l'ajournement du Code civil et le maintien des substitutions et des majorats. Napoléon, bien entendu, n'en fit qu'à sa tête. Les principes de l'État moderne furent posés sans atténuation : unité de la puissance publique et de l'organisation administrative, centralisation, séparation de la justice et des organes exécutifs, division du travail entre ces derniers, égalité civile, liberté religieuse et enfin régime constitutionnel. Ce dernier prévoyait quatre ministères, une secrétairerie et un conseil d'État, enfin des collèges départementaux nommés par le roi, autorisés à présenter des candidats aux conseils locaux et aux justices de paix, et chargés d'élire une assemblée législative de cent membres choisis, 70 parmi les propriétaires, 15 parmi les marchands et manufacturiers, 15 dans les professions libérales. L'organisation administrative et judiciaire de la France et la conscription furent introduites purement et simplement ainsi que le Code civil, avec sa conséquence naturelle, l'abolition des privilèges, du servage et des corporations.

Le gouvernement avait été confié à une régence française où figuraient Beugnot, Siméon et Jollivet ; le général Lagrange détenait le ministère de la Guerre ; Jean de Müller avait accepté la secrétairerie d'État. Aussitôt arrivé, Jérôme bouleversa ce personnel pour caser les aventuriers dont il faisait sa compagnie ;

ce jeune homme tenait beaucoup du roi d'opérette et fit dix millions de dettes, ce qui aggrava encore la situation difficile des finances. Pourtant, l'application du système s'étendit avec persévérance et fermeté. Les contributions françaises, la foncière, la personnelle, la patente, les indirectes, le timbre, furent mises en vigueur, non sans que l'assemblée législative eût été consultée ; la dette unifiée et consolidée ; le notariat et le service des hypothèques organisés. Les habitants étant en majorité protestants, Jérôme se trouva maître d'une grande partie du clergé à la place des anciens souverains ; sans conclure de concordat, il s'attribua le choix des évêques catholiques ; les juifs, déclarés citoyens, reçurent un consistoire ; l'état civil fut institué, mais on le laissa au clergé ; en 1810, la plus grande partie des biens ecclésiastiques catholiques, ceux des chapitres et des couvents, totalement supprimés, furent séquestrés et mis en vente. Restait la réforme agraire. La constitution ne supprimait que le servage et les droits personnels ; encore fallut-il plusieurs lois pour définir ces derniers. Quant au rachat des droits réels, un tarif le régla en 1809 ; les corvées, dans ces régions, en constituaient l'élément le plus oppressif : on les fixa et on interdit d'en créer de nouvelles, de les modifier et de les vendre. Les paysans, néanmoins, les refusèrent souvent et consentirent rarement au rachat. On dut en confirmer l'obligation à plusieurs reprises et, en attendant qu'ils s'y décidassent, les tribunaux paraissent s'être efforcés de maintenir l'indivisibilité de la tenure, en dépit du Code civil, pour garantir la prestation des redevances et des corvées. Au contraire, on invita les préfets à provoquer le partage des communaux et l'abolition de la vaine pâture, afin de hâter la disparition de l'assolement obligatoire, théoriquement aboli.

La noblesse souffrit cruellement de la perte de ses privilèges de caste ; elle se consola pourtant, jusqu'à un certain point, en se voyant distribuer les fonctions et les grades supérieurs ; il vint peu de Français dans ce royaume et on y employa librement l'allemand dans l'administration ; d'anciens fonctionnaires prussiens, Bülow, cousin de Hardenberg, Malchus, Schulenburg, Dohm, servirent le roi Jérôme ; le baron de Wollfradt, un Brunswickois, devint ministre de l'Intérieur ; Strombeck contribua beaucoup à l'introduction du Code civil ; les collèges électoraux et l'armée se remplirent de nobles. Quant à la bourgeoisie, on remarque tout au moins que les lettrés acceptèrent ou conservèrent des places, comme Leist, Martens, Jacob Grimm, sans parler de Jean de Müller.

Les annexions de décembre 1810 mirent sous l'autorité de Napoléon un troisième domaine allemand, composé de la partie septentrionale du Hanovre, des villes hanséatiques et d'un quart du duché de Berg, plus quelques domaines princiers enclavés ; l'Oldenburg s'y adjoignit le 22 janvier 1811. Du tout, on forma trois départements soumis à une commission commune. Comme en Illyrie à la même époque, Napoléon entreprit d'y introduire sans délai le régime français et y promulgua le Code civil, le 9 décembre 1811 ; les fiefs et leur droit successoral, le servage, les droits personnels, les prérogatives honorifiques des seigneurs, les péages, les banalités, les droits de pêche et de chasse furent balayés d'un coup sans indemnité, alors qu'on s'y était repris à plusieurs fois en Westphalie et surtout dans le duché de Berg. Toutefois, l'annexion dura trop peu pour modifier profondément les rapports sociaux et les avantages semblent y avoir été moins appréciés qu'ailleurs, attendu que, motivée par la volonté d'appliquer exactement le blocus continental, elle comporta un régime militaire extrêmement sévère dans la répression de la contrebande.

Dans les autres États de la Confédération du Rhin, Napoléon n'était pas le maître. Les princes se montraient fort jaloux de leur souveraineté fraîchement acquise et n'avaient accepté l'alliance permanente et le protectorat que par crainte de voir Napoléon conserver les territoires cédés par l'Autriche et installer ainsi, dans l'Allemagne du Sud, une « préfecture française », comme a dit Montgelas ; en retour, l'empereur avait inscrit leur souveraineté dans l'acte confédéral et ajourna la réunion d'une diète jusqu'à la paix générale. « Le temps des institutions n'est pas encore venu », disait-il. En attendant, il usa de la persuasion : à Milan, en 1807, à Erfurt, en 1808, il fit des ouvertures plus ou moins précises sur l'adoption du Code civil et chargea ses diplomates de la recommander. Il n'aurait probablement guère obtenu de concessions, si la tradition du despotisme éclairé et les circonstances n'avaient induit les princes à s'approprier une partie de son système. Montgelas en Bavière, Reizenstein en Bade avaient le même idéal que lui. D'autre part, les plus grands de ces États, subitement accrus de domaines d'origine variée — pays autrichiens, biens ecclésiastiques, terres médiatisées, anciennes villes libres — présentaient un chaos d'institutions différentes, de privilèges, de confessions religieuses habituées à s'exclure les unes les autres ; il importait de réaliser la fusion et rien n'y paraissait plus propre que les méthodes françaises. Enfin, il fallait se procurer des ressources en argent et en hommes indispensables à la constitution d'une forte armée, afin de satisfaire Napoléon, de le combattre s'il était vaincu, de se défendre contre ses vainqueurs s'ils prétendaient reprendre les dons qu'il avait faits. C'est pourquoi les États nouveaux et ceux qui avaient réalisé le plus d'acquisitions ont, en général, opéré les transformations les plus profondes ; c'est aussi pourquoi le régime constitutionnel, si théorique que demeurât son rôle en France, ne se vit guère apprécié, les souverains répugnant à cette entrave ; enfin, la libération du paysan fut laissée à l'arrière-plan ou tout à fait négligée, car le despotisme éclairé n'avait jamais rompu le pacte qui liait la monarchie à l'aristocratie, et il en avait coûté cher à Joseph II de prétendre l'enfreindre. En ce sens, les États de l'Allemagne du Sud, bien qu'ils aient imité la France, ne laissent pas de ressembler à la Prusse où les réformes, en fortifiant l'État, ménageaient l'aristocratie.

Du moins aurait-on pu croire que, dans les deux principautés créées de toutes pièces sur le Mein, les grands-duchés de Francfort et de Würzburg, l'influence de Napoléon triompherait sans réserves. On la reconnaît grande en effet dans le premier, mais nulle dans le second, bien que l'ancien duc de Toscane, devenu grand-duc de Würzburg, fût favorable à Napoléon et se plût à sa cour. Rien ne témoigne mieux des ménagements que celui-ci se crut obligé de garder envers ses alliés allemands. Il est vrai que Ferdinand se savait protégé par le traité conclu avec l'Autriche en 1809 et qu'il tira de sa qualité de Habsbourg, un supplément d'influence après le second mariage de l'empereur. Dalberg, au contraire, devait tout à Napoléon. Coadjuteur de l'archevêque de Mayence, il était le seul des électeurs ecclésiastiques qui eût reçu, en 1803, une compensation : Ratisbonne, la principauté d'Aschaffenburg et la ville de Wetzlar ; en 1806, il devint primat de Germanie et fut gratifié de plusieurs domaines médiatisés, et surtout de Francfort. Il se contenta de nommer un commissaire dans les anciennes villes libres et de s'attribuer le choix de leurs sénats sur des listes de candidats dressées par les habitants, sans supprimer leur autonomie. En 1810, il dut céder Ratisbonne à la Bavière et accepter en compensation Fulda et Hanau ; ce fut alors qu'il devint grand-duc, avec Eugène comme héritier. Son domaine comptait 300.000 habitants ; la patente du 16 août 1810 leur imposa l'unité d'organisation administrative et judiciaire, les mêmes impôts et le même système de poids et mesures ; elle proclama la liberté religieuse, l'abolition des privilèges et du servage, la liberté du travail par la suppression des corporations. Dalberg était un prélat du xviiie siècle, sincèrement attaché aux « lumières » et joséphiste : aucun motif ne porte à douter que ces principes lui parussent conformes à la raison ; bon catholique et bon Allemand, il n'avait pas assisté sans tristesse aux sécularisations et à la fin du Saint-Empire ; mais ce mondain séduisant ne se sentait pas enclin au sacrifice et son intérêt se joignait à ses goûts pour lui recommander d'être agréable à l'empereur. Il adopta le Code civil en 1810 et le code pénal en 1812. Toutefois, s'il appréciait le système, il ne l'aimait pas à la passion et tenait à ménager ses sujets, surtout les nobles, ses congénères.

Aussi, dans le détail, le grand-duché de Francfort resta-t-il bien en arrière du royaume de Westphalie ; il est vrai que la domination de Dalberg fut encore plus brève que celle de Jérôme. Le pouvoir central comprit un ministère, où entrèrent Albini et Beust, un conseil d'État et des États nommés par les électeurs désignés à vie par le grand-duc et groupés en collèges corporatifs comme en Italie et en Westphalie. Le territoire se partagea en quatre départements qui reçurent les mêmes institutions et dénominations qu'en France ; il en alla pareillement pour les communes, en sorte que Francfort perdit son sénat et ce qui lui restait d'indépendance ; mais, entre le département et la commune, subsista l'*Amt* ou bailliage, qui continua de cumuler les fonctions administratives et judiciaires. D'autre part, si l'introduction de nouveaux impôts, empruntés à la France, enregistrement, timbre, patentes, contributions indirectes, ainsi que l'abolition des privilèges, créèrent une certaine unité fiscale, on n'en laissa pas moins à chacune des régions incorporées au duché ses taxes traditionnelles, son budget, sa comptabilité, son trésor, la caisse du grand-duc ne recevant que les excédents.

En 1813, on entreprit la réforme judiciaire en instituant une cour de cassation, deux cours d'appel et un tribunal civil et correctionnel par département ; mais la justice seigneuriale subsista pour la première instance et — particularité plus originale qu'explique la dignité sacerdotale de Dalberg — les officialités conservèrent leur juridiction. En dépit du Code civil, la liberté de conscience ne fut pas reconnue, car le mariage religieux resta obligatoire ; on s'en tint à la tolérance. Les juifs avaient été autorisés, en 1807, à devenir propriétaires fonciers et à exercer certaines industries, tout en demeurant cantonnés dans un quartier spécial, astreints à un tribut et privés du droit de cité.

A Francfort, où ils étaient nombreux et riches, ils obtinrent en 1811, le rachat du tribut et, en 1812, la qualité de citoyens ; ceux de Fulda et d'Aschaffenburg s'exonérèrent aussi du tribut en 1813. Les services financiers rendus au grand-duc par les banques juives, notamment par les Rothschild, hâtèrent sûrement l'émancipation ; Amschel Rothschild et Oppenheimer furent nommés membres du collège électoral de Francfort et Börne devint secrétaire à la direction de la police.

La réforme sociale resta plus incomplète encore. Conformément à l'acte confédéral, les médiatisés gardèrent leurs privilèges ; la noblesse ne conserva pas seulement ses justices et ses droits honorifiques : ni le fief ni son droit particulier ne disparurent. Dans les principautés de Hanau et de Fulda, la servitude avait été abolie sans indemnité par l'empereur en 1808 ; partout ailleurs, la suppression, décidée par la patente constitutionnelle, demeura nominale, car on exigea que les paysans rachetassent toutes les redevances qui découlaient de la servitude et quelques communautés seulement s'y décidèrent. Quant aux redevances réelles et à la dîme, on admit le rachat dans le domaine ducal et les biens ecclésiastiques séquestrés ; pour les seigneuries, on ne prit aucune mesure : le Conseil d'État et la bureaucratie s'y opposèrent formellement ; en conséquence, on fit une nouvelle entorse au Code civil et l'on condamna la tenure paysanne à l'indivision tant qu'elle restait chargée de droits féodaux.

Quand on passe de Francfort à Würzburg, le contraste n'est pas moins vif. De 1803 à 1805, l'évêché appartint à la Bavière qui sécularisa les biens du clergé, introduisit la tolérance, mais appliqua des méthodes administratives peu modernisées encore. Le grand-duc créa un ministère et un conseil d'État que dirigea Seufert. A cela près, il ne changea rien au régime bavarois ; l'administration et la justice demeurèrent confondues aux mains de collèges ; l'ancien droit subsista et le Code civil ne fut pas adopté. Ferdinand n'était pourtant pas hostile au despotisme éclairé ; sa léthargie s'explique probablement par le désir de jouir du repos, après de rudes secousses, et de ménager l'esprit de plus en plus rétrograde de la cour de Vienne.

Au contraire, l'inspiration novatrice transforma profondément les grands États de l'Allemagne méridionale. En Bavière, sous l'impulsion de Montgelas, les réformes avaient commencé antérieurement à l'érection de l'électorat en royaume et même avant les annexions de 1803. Dès 1799, on remania les attributions des ministres, afin d'unifier les services, et on créa un conseil d'État. En 1802, la justice avait été séparée de l'administration. En 1805, la bureaucratie fut réorganisée ; la vénalité, les survivances, les épices supprimées ; des concours institués pour le recrutement, l'avancement et la discipline réglementés. Les pouvoirs de l'État s'accroissaient ; on lui attribua, en 1800, l'assurance contre l'incendie ; les justices municipales furent peu à peu réduites ou supprimées ; en 1804, la conscription apparut ; en 1805, un bureau de l'instruction publique s'adjoignit au ministère de l'Intérieur. Dans cette forteresse de l'ultramontanisme, la politique joséphiste de Montgelas, appliquée avec rigueur, fit particulièrement sensation : les protestants obtinrent l'admission au domicile en 1801 ; Maximilien épousa en secondes noces une princesse badoise protestante ; en 1803, les annexions entraînèrent l'octroi de la liberté de conscience et de culte aux chrétiens de toutes confessions, avec admission aux charges publiques et permission de célébrer les mariages mixtes ; en 1804, l'école devint, en principe, interconfessionnelle. L'Église catholique se vit de plus en plus étroitement soumise au pouvoir séculier, qui supprima les ordres mendiants en 1802, puis tous les couvents en 1803, et s'appropria leurs biens. Montgelas manifesta de l'intérêt pour la propagation des « lumières » : il déclara l'école obligatoire en 1802 et, l'année suivante, abolit la censure des livres. S'il n'eût tenu qu'à lui, les corporations eussent également disparu ; il dut se contenter d'atténuer leur monopole et d'abolir l'hérédité des maîtrises, sauf à Munich.

Napoléon n'eut donc pas à le convertir ; mais, en conférant la souveraineté au nouveau roi et en lui soumettant de vastes territoires, notamment le Tirol où tout était à faire, par l'influence aussi de son prestige, il précipita la rénovation. La constitution de 1808, que celle de la Westphalie inspira visiblement, en résuma les principes. De bien patrimonial du prince qu'elle était jusqu'alors, la Bavière passa juridiquement au rang d'État pourvu d'un droit public : le territoire devint indivisible, la succession monarchique immuable, le domaine royal distinct des biens propres du souverain et inaliénable ; la liste civile une fois fixée, les dépenses de la cour furent désormais affaires privées sans que la dette publique en pût être augmentée. Le pouvoir central se concentra définitivement entre les mains de cinq ministres, le système collégial étant abandonné. En fait, Montgelas mena tout, car il détint à lui seul trois départements et la conférence ministérielle qu'on avait prévue ne fonctionna pas. Toutefois, on réorganisa le *Geheimrat* avec mission de préparer les lois et de rendre la justice administrative. Aux anciennes provinces, on substitua les « cercles », administrés par des « commissaires » assistés d'un directeur de chancellerie et de conseillers ; les finances furent séparées de l'administration et remises, dans chaque cercle, à un directeur. Les grandes villes reçurent un *Polizeidirektor*, nommé par le roi, et un conseil électif ; les autres communes purent présenter leur candidat à la charge de bourgmestre ; les unes et les autres se virent soumises à la tutelle administrative. L'organisation judiciaire se compléta par la création de cours d'appel et d'une cour de cassation, et par la concession de l'inamovibilité aux juges.

L'État mit la main sur l'assistance et sur l'hygiène publiques et, donnant l'exemple à l'Allemagne, rendit la vaccination obligatoire en 1807. Les premières écoles normales s'ouvrirent et, en 1808, Niethammer organisa l'enseignement secondaire qui comprit des « gymnases » et des *Realschulen* ; à l'académie bavaroise remaniée s'adjoignit une section des beaux-arts ; les universités conservées se modernisèrent. L'édit de religion de 1809 aggrava la dépendance des églises, en sorte que le pape refusa de conclure un concordat. La Bavière fit aussi des progrès vers l'unité économique : les douanes intérieures disparurent ; l'État s'empara de la poste et imposa un système unique de poids et mesures. La grande affaire fut de se procurer de l'argent, car le régime coûtait cher. L'impôt direct s'étendit à tout le territoire, sur le modèle français ; le foncier fut réformé par la confection du cadastre ; un bureau de statistique se mit à l'œuvre et l'on entreprit de dresser la carte du royaume ; de nouvelles taxes indirectes furent établies ainsi qu'un tarif douanier vigoureusement protectionniste. L'armée alla toujours augmentant ; en 1812, les exemptions finirent par être supprimées ; en 1809, on avait introduit la garde nationale ; en 1812, ce fut le tour de la gendarmerie.

La constitution fortifia aussi la puissance publique en proclamant l'égalité civile et en supprimant les *Stände*, ou ordres, et les privilèges ; dès 1807, les exemptions fiscales avaient été abolies ; avec les *Stände*, disparurent les assemblées qui les représentaient : on leur avait déjà retiré en 1807 le vote de l'impôt. La constitution, il est vrai, garantit les libertés individuelle, de conscience et de presse ; elle institua aussi un gouvernement constitutionnel et une représentation nationale. En réalité, le corps législatif ne fut pas convoqué et le régime demeura policier et absolutiste, avec emprisonnement arbitraire, cabinet noir, censure rigoureuse des journaux, interdiction de toute association. Du moins, la liberté religieuse s'affermit ; en 1808, les dernières restrictions dont souffraient les protestants furent levées ; l'édit de 1809 leur accorda une organisation officielle, autorisa le passage d'une religion à une autre et supprima la rétribution obligatoirement payée jusque-là au curé catholique ; en 1813, les juifs reçurent la liberté de culte à titre privé, mais ils ne devinrent pas citoyens.

Transporté de toutes pièces dans le Tirol, ce régime despotique et centralisateur y provoqua l'insurrection. Du point de vue napoléonien, il n'atteignait pourtant pas la perfection. Aux degrés subalternes, la justice demeura jointe aux fonctions administratives ; les corporations subsistèrent ; le code pénal français fut adopté en 1813, mais non le Code civil, et chacune des régions qui constituaient le royaume garda son droit coutumier. Il semble que Montgelas, redoutant les empiétements de l'empereur, ait mis une sourdine à son zèle réformateur à partir de 1806 ; peut-être aussi renonça-t-il à vaincre la résistance de l'aristocratie, auquel le Code Napoléon eût porté le dernier coup. Les médiatisés conservèrent, comme il avait été convenu, leurs privilèges fiscaux, judiciaires et honorifiques, ainsi que leurs justices. La noblesse aussi obtint le maintien d'une partie de son statut : on créa des majorats, comme en France, pour suppléer, par la grâce du roi, aux fidéicommis supprimés ; en outre, en 1809, on exclut de nouveau les femmes de la succession aux biens nobles ; on établit une matricule de la noblesse et on consolida son prestige en l'astreignant à certaines obligations sous peine de radiation ; les justices seigneuriales furent réglementées, et non pas supprimées. Quant aux paysans, on fit peu de chose pour eux. En 1808, on abolit sans indemnité le servage et les charges personnelles qui en dépendaient ; l'année précédente, on avait décrété en principe la fixité des corvées et autorisé leur rachat ainsi que celui des redevances, sous réserve d'un contrat à passer avec le seigneur, qui pouvait s'y refuser. Du point de vue social, la Bavière demeura donc en retard par rapport aux États napoléoniens ; si, entre l'État et l'aristocratie, l'équilibre était rompu au profit du premier, leur alliance subsistait. La propriété paysanne ne se libéra que dans les domaines sécularisés, moyennant indemnité ; encore resta-t-elle astreinte au paiement d'un cens rachetable. L'ancien régime agraire fut atteint plus sensiblement : en 1803, on avait aboli la communauté de village et l'assolement obligatoire, ordonné le partage des

communaux, autorisé la division de la tenure familiale ou *Hof* ;
mais les conséquences de ces mesures juridiques ne se manifestèrent qu'à la longue.

L'évolution du Wurtemberg apparaît différente et plus caractéristique encore. Devenu électeur en 1803, le duc continua
jusqu'en 1805 à se quereller avec le *Landtag* ; il ne put donc
entreprendre aucune réforme et se contenta de réorganiser son
ministère où entra Wintzingerode. Il se garda bien de réunir
ses récentes acquisitions à son ancien domaine, les gouverna
despotiquement et y introduisit la tolérance religieuse. Le landtag
réclama l'union, se plaignit à Paris et lia partie avec le prince
héritier. Frédéric répondit par un coup d'État ; mais, quand il
eut fait élire un nouveau landtag, celui-ci refusa l'impôt et
fit appel à Vienne, où on lui donna raison. De passage à Stuttgart,
le 2 octobre 1805, Napoléon conseilla d'en finir — « Chassez-moi
ces bougres » —, le landtag s'étant compromis à ses yeux en
refusant l'argent et les hommes qui devaient être mis à la disposition de la France. Le 30 décembre, Frédéric, devenu roi de
pleine souveraineté, supprima le landtag. A partir de ce moment,
il put transformer son État ; de 1806 à 1814, son activité ne se
relâcha pas (il promulgua 2.342 rescrits et ordonnances), tandis
que la Bavière, ayant opéré une bonne part du travail durant la
période antérieure, atténuait peu à peu son effort.

Comme son voisin, le nouveau roi obéit à la nécessité de fortifier son pouvoir ; mais, de caractère autocratique, furieux de la
résistance qu'on lui avait si longtemps opposée, il mit une véritable passion à gouverner despotiquement ; ses ministres ne
furent que ses commis et, s'il forma un conseil d'État, il ne
le consulta guère. N'étant pas attaché aux « lumières » comme
Montgelas, il n'avait aucun égard pour la liberté intellectuelle
et ne se souciait pas du progrès social. Du système napoléonien,
il retint donc beaucoup plus exclusivement encore ce qui pouvait
personnellement le servir.

Le Wurtemberg fut divisé en cercles administrés par des
Kreishauptleute, c'est-à-dire par des préfets ; le roi s'attribua
la nomination et la tutelle des municipalités. Les tribunaux
supérieurs s'organisèrent à la française et l'administration leur
devint étrangère. On créa une gendarmerie ; la police prit une
extension extraordinaire. Les cadres financiers furent remaniés,
les monopoles du sel et du tabac adoptés et l'impôt foncier
considérablement accru. L'État s'empara de la poste, s'attribua
la direction des écoles et soumit les églises à ses règlements.

Frédéric s'abstint de donner une constitution et de garantir à ses sujets le moindre droit. Les tribunaux criminels ne prononçaient même pas de sentences : ils émettaient un avis et le roi décidait. L'émigration fut défendue, tout voyage subordonné à une autorisation et les réunions interdites. Une censure stricte sévit ; l'Université de Tübingen perdit son autonomie et reçut un curateur ; il fallut une permission pour s'y inscrire et l'étudiant n'eut plus le choix de la faculté dont on l'admettait à suivre les cours. L'espionnage était favorisé sans vergogne et l'on désarma systématiquement la population. Dès cette époque, le Wurtemberg, plus opprimé que l'empire français, jouit ainsi du régime Metternich.

Seule trouva grâce une certaine tolérance religieuse ; l'édit du 15 octobre 1806 en fit bénéficier tous les chrétiens ; les juifs furent admis à posséder la terre et à exercer un métier. Quant à l'organisation de la société, Frédéric évita aussi de proclamer aucun principe ; s'il réalisa l'unité du droit, il n'adopta pas le Code civil. La noblesse, étroitement assujettie et soumise à l'impôt, perdit en partie la justice ; elle se vit interdire les fidéicommis et incorporer nombre de parvenus ; les mariages furent autorisés entre elle et la bourgeoisie ; tout le monde, désormais, put acquérir des terres. Les biens du clergé catholique furent sécularisés. Mais le régime féodal ne disparut pas : la dîme, les redevances et les corvées ne subirent aucune atteinte ; le roi se contenta d'abolir le servage personnel. On ne toucha pas non plus aux corporations. L'unification, la centralisation, le despotisme firent donc des progrès plus accentués en Wurtemberg qu'en Bavière, tandis que l'ancien régime social s'y conservait mieux.

En Bade, les réformes commencèrent plus tard encore. Après les annexions de 1803, on sécularisa les biens du clergé catholique, les couvents étant fermés à quelques exceptions près ; l'ancien et le nouveau domaine se fondirent en trois provinces sans que le ministère et l'administration locale perdissent leur forme collégiale. Le gouvernement ne rencontrait aucune résistance : il priva sans difficulté les villes médiatisées de presque tous leurs pouvoirs et, en 1806, supprima les États du Brisgau. Charles-Frédéric avait une réputation justifiée de souverain éclairé ; mais il vieillissait et son entourage se trouvait profondément divisé, car sa seconde femme, comtesse de Hochberg, voulait assurer la succession à ses enfants au cas où ceux du premier lit n'auraient pas d'héritiers. Napoléon finit par manifester son impatience, d'autant qu'il était fort mécontent du petit-fils du grand-duc qui faisait mauvais ménage avec Stéphanie de Beauharnais. En 1807, le neveu de Dalberg introduisit quelques nouveautés : il substitua cinq ministres aux collèges, créa un conseil d'État et se mit à réformer les finances.

Les mesures radicales furent l'œuvre de Reitzenstein, d'origine bavaroise, acquis comme Montgelas à la tradition de l'*Aufklärung* et partisan de l'entente avec la France. Il partagea le pays en cercles, qui amalgamèrent les principautés annexées, et soumit les municipalités à la tutelle gouvernementale. Néanmoins il ne poussa pas la réorganisation jusqu'au bout, peut-être faute de temps, car il fut renvoyé en 1810 : le cercle demeura subdivisé en bailliages où l'administration resta unie à la justice. On adopta aussi la conscription, et surtout le Code civil, à partir du 1er janvier 1811, en y introduisant toutefois des modifications. La tolérance religieuse était déjà acquise en Bade et s'étendit aux juifs en 1808. Le pays fut traité moins durement que le Wurtembeurg ; mais on n'y proclama point de constitution. L'égalité civile, point capital, demeura théorique. D'abord, les médiatisés conservèrent leurs privilèges comme partout : justices, droits honorifiques et féodaux, garde armée, statut familial particulier ; puis, les fonctionnaires restèrent personnellement justiciables des seuls tribunaux supérieurs et on concéda le même avantage aux nobles. Ceux-ci furent également exemptés de l'impôt personnel et de la conscription ; ils firent maintenir le fidéicommis et le majorat ; ils obtinrent, en outre, que leurs terres fussent dégrevées d'un tiers à l'impôt foncier ; enfin, on ne toucha pas au fief et au droit féodal, et l'on ne porta aucune atteinte à la dîme, aux redevances et aux corvées. Comme le servage avait disparu à la fin du xviiie siècle, la condition des classes populaires ne changea pas beaucoup.

Parmi les autres membres de la Confédération du Rhin, il s'en trouva un pour imiter de fort près la France : le prince d'Anhalt-Köthen qui régnait sur 29.000 sujets. Il leur donna un préfet, un conseil de préfecture, un conseil départemental, une cour d'appel et des tribunaux de district, sans oublier de s'adjoindre un conseil d'État ; il adopta le Code Napoléon, abolit les privilèges et les justices seigneuriales et n'oublia pas d'introduire la conscription. Sans témoigner du même zèle, quelques princes prirent leurs avantages ou firent preuve de bonne volonté. Le plus considérable fut Louis Ier, grand-duc de Hesse-Darmstadt : il s'était empressé de supprimer le landtag et d'abolir les privilèges fiscaux, sauf toujours ceux des média-

tisés ; il adopta aussi le Code civil en 1808, à charge de corrections, prescrivit la fixation des corvées et mit fin au servage,
moyennant indemnité. Le duc de Nassau fit pareillement disparaître les exemptions d'impôts, le servage et nombre de droits
proprement féodaux ; en 1810, le prince de Salm imposa aussi à
tous l'impôt foncier. Chez les autres princes d'Anhalt, en Thuringe, en Meclkemburg, on se contenta de quelques retouches
au système fiscal et au recrutement ; les landtags et l'ancien
régime social subsistèrent. La Saxe se range également dans cette
catégorie. Senft aurait volontiers fait preuve d'initiative ; mais
il n'avait pas assez de caractère pour en imposer au ministre
de l'Intérieur, Hopfgarten, résolument hostile à toute nouveauté,
en quoi il était parfaitement d'accord avec le landtag ; la noblesse
resta exempte d'impôts et les calvinistes exclus de la tolérance
qui ne fut accordée qu'aux catholiques. On s'employa surtout
à réorganiser l'armée et on lui adjoignit une gendarmerie. Le
cas du roi Frédéric peut être rapproché de celui du grand-duc
de Würzburg ; c'était aussi un fidèle allié de Napoléon ; apathique
et borné, il ne s'intéressait pas aux réformes ; mais il aurait
peut-être cédé à l'empereur ; celui-ci ne le pressa pas plus que le
Bavarois ou le Wurtembergeois, parce qu'il redouta de le
mécontenter. Toutefois, dans le grand-duché de Varsovie dont
il lui avait fait présent, il ne se jugea pas tenu aux mêmes ménagements et il l'organisa, sans consulter son chef nominal, avec la
même liberté que les royaumes d'Italie ou de Westphalie.

V. — LE GRAND-DUCHÉ DE VARSOVIE[1].

Le 22 juillet 1807, à Dresde, il l'avait pourvu d'un statut
constitutionnel. Le pouvoir central, l'administration et la justice

---

1. Ouvrages a consulter. — M. Handelsman, *Napoléon et la Pologne*
(étude du régime), dans la *Revue des études napoléoniennes*, t. V (1914), p. 162-
180 ; Abel Mansuy, *Jérôme Napoléon et la Pologne en 1812*, cité p. 436 (riche
bibliographie ; j'exprime mes remerciements à M. Mansuy pour m'avoir
communiqué ses notes de lecture en ce qui concerne les ouvrages polonais et
russes) ; A. Mansuy, *Le clergé et le régime napoléonien dans le grand-duché de
Varsovie*, dans la *Revue d'histoire moderne et contemporaine*, t. V (1903-1904),
p. 97-106, 161-171 ; H. Grinwasser, *Le Code Napoléon et le grand-duché de
Varsovie*, dans la *Revue des études napoléoniennes*, t. XII (1917), p. 129-170 ;
T. Mencel, L'introduction du Code Napoléon dans le duché de Varsovie, dans
Annales d'histoire du droit (Poznan ; article en langue française), 1949, p. 141-
198 ; le livre de S. Askenazy, *Le prince Joseph Poniatovski* (Varsovie, 1912,
in-8°), est en polonais ; la Société des amis des sciences de Poznan a publié,
par les soins de A. Skalkowski (Poznan, 1921-1929, 5 vol. in-8°), la *Corres-*

furent calqués sur le modèle français. Le prince nommait six ministres et un secrétaire d'État, auxquels s'adjoignirent ultérieurement des directeurs pour l'instruction publique, les eaux et forêts, les approvisionnements, la guerre, la loterie. Le Conseil d'État ne fut d'abord qu'un conseil des ministres ; mais, en 1808, on y fit entrer des conseillers et ensuite des référendaires. Il jouit d'une importance plus considérable qu'en France ; car, à la justice administrative, il unit les attributions de la cour de cassation. En outre, son rôle politique alla croissant : ses membres entraient d'office à la diète, dans la chambre des nonces, et, en 1809, il participa au gouvernement. Il n'en resta pas moins qu'à Varsovie le pouvoir exécutif demeura en fait collégial et sans direction efficace, le grand-duc habitant Dresde et n'ayant pas désigné de vice-roi comme il en possédait le droit. Il existait bien un président du conseil des ministres qui fut Stanislas Potocki ; mais ce dernier n'avait pas l'ascendant d'un chef.

Le territoire se divisa en départements, districts et communes ; la collégialité y fut supprimée et l'administration confiée au préfet assisté d'un secrétaire général et d'un conseil de préfecture, au sous-préfet et au maire entouré d'échevins, le grand-duc désignant le préfet et le sous-préfet, tandis que le premier d'entre eux choisissait les membres des municipalités. Dans chaque circonscription, on plaça un conseil, nommé aussi par le grand-duc parmi les candidats désignés par les « diétines », assemblées des nobles du département et du district, ou par les assemblées communales. Le district reçut un juge de paix choisi sur présentation de la diétine, le département, un tribunal de juges inamovibles ; il y eut une cour criminelle pour deux départements et une cour d'appel unique. Des commissaires ou présidents de police furent également institués. On introduisit promptement les impôts français et on organisa une cour des comptes. L'éducation profita d'une attention marquée et l'on chargea des comités locaux de s'en occuper. L'Église catholique fut placée sous l'autorité de l'État, la constitution conférant au grand-duc la nomination des évêques. Quant à l'armée, la direction en appartint à

pondance du prince Poniatovski avec la France, qui est en français. Ajouter les articles de B. Grochulska, Recherches sur la structure économique du duché de Varsovie, W. Sobocinski, Le duché de Varsovie et le Grand Empire, M. Senkowska, Les majorats français dans le duché de Varsovie, dans les *Annales historiques de la Révolution française*, 1964 (n° spécial consacré à la Pologne à l'époque de la Révolution et de l'Empire, avec une bibliographie des travaux polonais récents sur cette période).

Poniatovski ; en 1808, on adopta la conscription. Pour la première fois, l'État polonais se trouva doté d'une administration
centralisée et d'un corps de fonctionnaires professionnels ; ces
derniers devaient lui fournir un des éléments qui, en Occident,
avaient contribué à former la bourgeoisie.

Comme dans les autres pays napoléoniens, le gouvernement
fut autoritaire. La constitution garantissait la liberté individuelle ;
mais la police s'attribua une autorité aussi discrétionnaire qu'en
France. Quant à la liberté de la presse, on n'en avait dit mot.
Néanmoins, le duché fut pourvu d'une diète ; elle était privée du
droit d'initiative et ne tenait qu'une session de quinze jours au
plus tous les deux ans ; en outre, le souverain nommait son
maréchal ou président ; du moins la réunit-on régulièrement
en 1809 et 1811. Elle comprenait un sénat d'évêques et de nobles
désignés à vie par le grand-duc, à charge exclusivement de vérifier
le caractère constitutionnel des lois, et une chambre des « nonces »
ou députés, comportant, pour chaque district, un noble domicilié,
propriétaire ou fils de propriétaire, élu par ses pairs réunis en
diétine, et les représentants des assemblées électorales communales où figuraient les propriétaires roturiers, les curés et les
vicaires, les marchands riches de 10.000 florins, les officiers et les
militaires décorés. Par sa constitution, cette diète différait des
assemblées des royaumes d'Italie et de Westphalie, et ressemblait
à celle du royaume de Naples dont elle accentuait le caractère
aristocratique. Bien que le cens et la profession jouassent encore
leur rôle, c'est sur le maintien des ordres que reposait la distinction des deux curies. A la vérité, les nonces votaient par tête ;
mais les nobles détenaient les trois cinquièmes des voix, sans
compter que les assemblées communales pouvaient aussi élire
des gentilshommes. Au contraire, le régime électoral était plus
libéral qu'à Naples et en Westphalie, où les membres des collèges
étaient désignés par le roi et n'élisaient que des candidats ; en
Pologne, les électeurs tenaient leur droit de la constitution et
procédaient à de véritables élections.

Napoléon a donc tenu compte des circonstances locales. En
Lombardie et en Westphalie, la bourgeoisie ayant une certaine
consistance, il n'a pas accordé à l'aristocratie une représentation
particulière. Dans le sud de l'Italie, où cette dernière était beaucoup plus forte que dans le nord, il en a été autrement ; mais,
comme elle avait été privée par les Bourbons de toute autorité
politique, on ne lui a concédé qu'une chambre haute à la nomination du roi. En Pologne, la puissance de la noblesse a paru trop

considérable, en face de la nullité de la bourgeoisie, pour qu'on ne lui laissât point la prépondérance ; d'autre part, le temps où elle avait été maîtresse de l'État n'était pas tellement éloigné qu'on ne dût lui consentir, en l'assujettissant à la loi, une réelle liberté politique dont la curie roturière profita par ricochet. L'effort de Napoléon pour s'associer l'aristocratie fut donc ici plus marqué que partout ailleurs ; la noblesse conserva son existence propre, et c'est à elle qu'échut la direction de l'État.

Les paysans n'eurent pas à s'en féliciter. Tout en maintenant la noblesse comme institution politique privilégiée, la constitution avait proclamé l'égalité civile et aboli le servage ; le Code civil fut promulgué le 15 août 1810. Les paysans cessèrent ainsi d'être attachés à la glèbe et purent ester en justice. La terre n'en demeura pas moins au noble et la tenure fut déclarée précaire, d'après le décret du 12 décembre 1807, à moins qu'on ne présentât un contrat, ce qui aggrava la condition du cultivateur : car, lorsque sa possession était héréditaire ou viagère, il ne pouvait invoquer d'ordinaire que la coutume. Les droits féodaux, les redevances foncières, les corvées et la dîme persistèrent ; on ne toucha même pas à la corvée arbitraire. Des notaires furent nommés et des modèles de contrats publiés, afin d'encourager la fixation de la tenure, des redevances et des corvées ; mais on passa fort peu de conventions écrites. Armé du droit d'éviction, le seigneur en fit usage pour maintenir ou augmenter les charges ; on assure que nombre de paysans qui ne détenaient que des lots de faible étendue profitèrent de leur liberté pour les abandonner ; le pays ayant peu d'industries, il ne pouvait en résulter qu'un trouble économique et social. Quant aux biens du clergé, on n'y toucha pas, et ceux qui avaient été sécularisés par la Prusse furent conservés par le domaine. « La condition du paysan n'a guère changé », écrivait en 1812 Bignon, qui représentait la France à Varsovie.

Malgré cela, l'inquiétude dévorait l'aristocratie, car elle craignait que Napoléon ne s'en tînt pas là. Les grandes familles s'irritaient plus encore, parce que la constitution politique, mettant tous les propriétaires nobles sur le même pied et ouvrant la diète aux roturiers, leur semblait une atteinte intolérable à l'autorité qu'elles avaient exercée jusqu'alors. Or elles continuaient à détenir les grandes charges de l'État ou à y placer leurs clients. Les Czartoryski, notamment, bien qu'ils restassent à l'écart, conservaient des intelligences dans le ministère : Stanislas Potocki avait épousé une Lubomirska, nièce du père d'Adam Czartoryski ; on regardait Matuszewicz, ministre des Finances, comme l'homme de ce dernier, et Niemcewicz, secrétaire du Sénat, très hostile à la France, lui resta dévoué. L'opposition de l'Église romaine n'était pas négligeable non plus, tant elle exerçait d'influence sur le paysan. La liberté de conscience et de culte l'offensait profondément, bien qu'on lui eût conservé le privilège de religion d'État et confié l'état civil, en renvoyant les divorcés à l'autorité laïque. Si les séculiers ne s'agitèrent guère, il n'en alla pas de même pour les moines, surtout après la rupture avec le pape ; il fallut expulser les benonistes, en majorité Allemands, qu'excitait le nonce de Vienne. La fondation de loges maçonniques — le Grand Orient en comptait douze en 1810 — constitua un nouveau grief. La question juive, qui était en même temps sociale, fournit au clergé une arme excellente. La constitution ne comportait pas d'exception et, par conséquent, conférait aux juifs les mêmes droits qu'aux chétiens. La sensation fut telle qu'on leur retira pour dix ans, en 1809, les droits politiques, sauf exceptions individuelles qu'accorderait le prince à ceux qui payaient patente ; en 1808, on leur interdit d'acquérir des terres sans autorisation et, en 1812, de prendre à ferme les biens du domaine et de vendre des boissons ; on continua même à subordonner leur mariage à une autorisation pour entraver leur multiplication. Il faut reconnaître qu'ils ne paraissaient pas pressés de s'assimiler ; en 1812, on leur concéda, sur leur demande, à ce qu'on assura, l'exemption de service militaire contre paiement d'un tribut.

VI. — LA CIVILISATION EUROPÉENNE[1].

Dans le Grand Empire, le système napoléonien s'est donc dissocié de manière significative : la réforme de l'État fit partout son chemin, la réforme sociale s'atténua ou avorta. La faveur de plus en plus marquée que l'empereur accordait à l'aristocratie inspire quelque incertitude sur l'avenir qui aurait été réservé à son œuvre de libération ; néanmoins, il tenait si fort au Code civil que, une fois le continent pacifié, il aurait pris, on peut bien

1. Ouvrages a consulter. — Les mêmes que p. 446, 457 et 473. Le tome XI de l'*Histoire de la langue française des origines à 1900* par F. Brunot : *Le français au-dehors sous la Révolution, le Consulat et l'Empire*, mentionné comme étant en préparation, n'est pas encore paru. A titre d'exemple régional, M. Deneckère, *Histoire de la langue française dans les Flandres* (Gand, 1954, in-8°) : progrès de la francisation des classes supérieures durant l'époque impériale, le français étant la langue de l'administration, de l'enseignement secondaire, de la presse et du théâtre ; dégradation du flamand dans les milieux populaires par suite du déclin de l'enseignement primaire.

le croire, les mesures nécessaires pour le faire appliquer intégralement partout. A l'unité politique, il a donc consciemment entrepris de joindre l'unité administrative et sociale qui devait être le cadre d'une nouvelle civilisation européenne, celle qui s'est développée après lui, au cours du xixe siècle, en dépit de la réaction contre-révolutionnaire, mais avec une lenteur, des troubles et des difformités qu'il lui aurait épargnés. Pour une bonne part, les principes en étaient conformes à ceux de 1789 et, par là, cette civilisation portait la marque de la France.

Hors de l'empire français, Napoléon n'a pas pris de mesures pour lui adjoindre une culture intellectuelle dont la langue française eût été le véhicule. Dans les royaumes d'Italie, de Naples, de Westphalie, l'immense majorité du personnel fut pris sur place ; l'italien ou l'allemand restèrent en usage dans l'administration et l'enseignement. Mais, dans l'empire français, il n'en alla pas de même : ainsi, en Hollande, le décret du 22 octobre 1811 mit les chefs d'écoles privées en demeure de se procurer, dans les trois mois, le moyen d'enseigner le français. A mesure que les annexions se seraient multipliées, le domaine de cette langue se serait étendu. Dès ce temps même, elle régnait à la cour des rois vassaux et dans les bureaux des grands administrateurs napoléoniens ; la connaissance en devenait indispensable à ceux qui voulaient accéder aux hautes fonctions et l'enseignement devait nécessairement en tenir compte. On ne saurait soupçonner Napoléon d'avoir voulu déraciner les autres idiomes : il ne s'en est même pas soucié dans l'ancienne France. Mais, à côté d'eux, le français serait devenu la langue de l'unité continentale. Par cet intermédiaire, la culture classique aurait été consolidée, d'autant que, pour l'empereur, il n'en existait point d'autre. Sans nul doute, il entendait que Paris devînt la capitale intellectuelle, artistique, mondaine, de l'empire européen, comme il en était la capitale politique. Il s'appliquait à en faire le musée du monde en y transportant les chefs-d'œuvre qu'il enlevait aux pays conquis. A cette conception d'une civilisation universelle, où survivait l'idéal du xviiie siècle et qui pouvait invoquer la tradition romaine et l'inspiration catholique, s'opposait brutalement l'idée romantique des cultures nationales spontanément diversifiées et irréductibles qui, en son fond, niait l'unité de l'espèce humaine.

VII. — *L'ÉCONOMIE CONTINENTALE*[1].

Aux prises avec l'Angleterre, la fédération européenne avait le blocus continental pour symbole et pour arme ; mais le blocus réagissait sur son économie en la condamnant à vivre sur elle-même. Par là, il pouvait la consolider en créant des intérêts que la victoire de la Grande-Bretagne aurait lésés, comme il pouvait la miner si on ne parvenait pas à organiser le marché continental de manière que chacune de ses parties pût continuer à vivre.

Dans les pays où il a été appliqué avec quelque rigueur, le blocus a exercé une influence analogue à celle que l'on constate en France. Les cités maritimes et leurs manufactures furent ruinées : dans la Méditerranée, Gênes d'abord, puis Venise, ensuite Livourne et, finalement, Trieste. De plus de 5.000 navires et 208.000 tonneaux en 1807, le mouvement de ce dernier port descendit, en 1812, à 2.600 bâtiments et 60.000 tonneaux. Au

---

1. Ouvrages a consulter. — Voir p. 356 ; E. Tarlé, L'unité économique du continent européen sous Napoléon Ier, dans la *Revue historique*, t. CLXVI (1931), p. 239-255; Darmstaedter et Tarlé, cités p. 155; M. Blanchard, *Les routes des Alpes occidentales à l'époque napoléonienne* (Grenoble, 1920, in-8°) ; du même, Enquête administrative sur le roulage en 1811, dans la *Revue de géographie alpine*, t. VIII (1920), p. 585-626 ; F. Évrard, Le commerce des laines d'Espagne sous le premier Empire, dans la *Revue d'histoire moderne*, t. XII (1937), p. 197-227 ; Y. Roustit, Raymond Durand, commerçant à Barcelone (1808-1819), dans *Estudios de Historia moderna*, t. VI, *1956-1959*, p. 313-410. — Sur les effets du blocus dans les États vassaux, résumé dans Hecksher, cité p. 42 ; voir, en outre, pour la Hollande, Baasch, cité p. 43 ; pour l'Italie du Nord, E. Tarlé, *Le blocus continental et le royaume d'Italie* (Paris, 1928, in-8°) ; pour la Suisse, B. de Cérenville, *Le blocus continental et la Suisse* (Lausanne, 1906, in-8°) ; pour l'Allemagne, P. Darmstaedter, *Geschichte der Handelskammer zu Frankfurt am Mein* (Francfort, 1908, in-4°) ; Hasse, Köning, Wohlwill, cités p. 43 ; K. Bockenheiwer, *Mainzer Handel. Der Zoll und Binnenhafen zu Mainz, 1648-1831* (Berlin, 1887, in-4°) ; W. Vogel, Die Hansestädte und die Kontinentalsperre, dans les *Pfingstblätter des Hansischen Geschichtsvereins*, 1913, fasc. 18 ; M. Schaefer, Bremen und die Kontinentalsperre, *ibid.*, t. XX (1914), p. 413-462 ; E. Gothein, *Wirtschaftsgeschichte des Schwarzwaldes und der angrenzenden Landschaften* (Strasbourg, 1892, in-8°) ; Ch. Schmidt, *Le grand-duché de Berg*, cité p. 457 ; A. Wollner, Handel, Industrie und Gewerbe in der ehemaligen Stiftsgebieten Essen und Werden sowie in der Reichstadt Essen zur Zeit der französischen Herrschaft, 1806-1813, dans les *Beiträge zur Geschichte von Stadt und Stift Essen*, ann. 1909, p. 97-311 ; L. Bein, *Die Industrie des sächsischen Voigtlandes* (Leipzig, 1884, 2 vol. in-8°), t. II ; W. Stieda, *F. K. Achard und die Frühzeit der deutschen Zuckerindustrie* (Leipzig, 1928, in-8°, extr. des *Abhandlungen der philologisch-historischen Klasse der sächsischen Akademie der Wissenschaft*, t. XXXIX) ; F. L'Huillier, *Étude sur le blocus continental. La mise en vigueur des décrets de Trianon et de Fontainebleau dans le grand-duché de Bade*, cité p. 347.

nord, les ports hanséatiques déclinèrent les premiers, puis ceux de la Baltique et, en dernier lieu, ceux de la Hollande.

Le trafic des grandes foires allemandes, alimenté par la contrebande, devint précaire. Le blocus rencontra donc l'hostilité des armateurs et des éléments les plus puissants du négoce et de la banque. Il en alla autrement pour l'industrie ; celle des cotonnades éprouva des difficultés à se procurer la matière première et d'autres branches souffrirent de ne plus pouvoir exporter ; mais, dans l'ensemble, la production locale eut plutôt à se féliciter d'être débarrassée de la concurrence anglaise et la prohibition lui donna un coup de fouet. Comme en France, la filature et le tissage du coton réalisèrent le progrès le plus marqué, bien que l'importance de la contrebande l'atténuât ; en Saxe, si les résultats furent en général moindres qu'en 1805, ils l'emportèrent d'un quart en 1810, et les toiles pour impression prirent un vif essor, ayant augmenté de plus de moitié pendant la période ; la Suisse, le sud du pays de Bade, l'Italie du Nord même tirèrent également parti des circonstances. La laine prospéra aussi, par exemple en Suisse et en Danemark. En Allemagne, les mines de Silésie et de Westphalie étendirent leurs débouchés ; de même, la quincaillerie, les armes de Thuringe, les chapeaux de paille et la brosserie de Bade, les produits chimiques. La fabrication du sucre de betterave s'y développa, notamment dans le duché de Francfort et à Magdebourg ; elle s'acclimata en Hollande et en Russie. Au moment où l'exemple de l'Angleterre stimulait partout l'esprit d'entreprise, le blocus enseigna, mieux que la théorie ou les tentatives fragmentaires du mercantilisme d'Ancien Régime, comment la protection douanière pouvait en favoriser les débuts. Après 1815, la leçon ne se perdra pas. En ce sens, tous les membres du système continental avaient intérêt à maintenir le front commun contre l'industrie britannique. Néanmoins, le profit était loin d'être le même pour tous ; à mesure qu'on s'avançait vers l'est et le midi, la prépondérance de l'agriculture s'affirmait de plus en plus, en sorte que le blocus avantageait surtout la France, puis, en second lieu, l'Allemagne, la Suisse et l'Italie du Nord. Il va de soi que les consommateurs ne partageaient pas la satisfaction des industriels et que les États eux-mêmes, voyant leurs revenus douaniers diminuer avec l'importation anglaise connaissaient les mêmes soucis que Napoléon.

Il ne suffisait donc pas de produire vaille que vaille ; il s'agissait aussi d'adapter la circulation commerciale aux conditions nouvelles et de redistribuer les marchés, afin de pourvoir les consommateurs et de trouver de nouveaux clients aux fabricants qui exportaient jusque-là dans les pays d'outre-mer, comme les toiliers du Hanovre et de Silésie. C'était une tâche d'une extrême difficulté. Le marché anglais, disposant de la mer, croissait naturellement, comme un être vivant, sous l'impulsion de l'activité productrice, tandis que, chacune des régions du continent s'orientant spontanément vers ses côtes, le marché européen, théoriquement unifié par le blocus, tendait à se fragmenter comme par l'action d'une force centrifuge. On en vit la preuve dans la persistance des routes transversales du commerce qui, depuis que la guerre avait fermé la France au transit, s'étaient organisées à travers l'Europe centrale ; les foires de Francfort et surtout de Leipzig restèrent assez bien achalandées et, jusqu'en 1809, Trieste fit remonter vers la Bavière et la Saxe les produits du Levant. A partir de ce moment, la transversale tendit à se transporter plus à l'est encore : de la Baltique à Leipzig et de Salonique à Vienne par caravanes.

La nouveauté fut, au contraire, le progrès des routes, d'intérêt essentiellement continental, orientées d'ouest en est : dans une large mesure, on peut dire que le succès du blocus et la consolidation du système continental dépendirent de leur triomphe sur celles qui, allant du nord au sud, témoignaient que, par la contrebande, le trafic maritime conservait de la vitalité. Les deux principaux de ces axes commerciaux partaient de Strasbourg et de Lyon. Strasbourg devint l'entrepôt de la France à destination de l'Allemagne, de l'Autriche et de la Russie, Leipzig se chargeant de la répartition ; en retour, la ville recevait aussi les envois de Francfort, par le Rhin, et ceux de Vienne qui, jusqu'en 1810, lui fit passer le coton du Levant. Mais beaucoup plus neuve apparut la transformation du commerce lyonnais, parce que Napoléon était complètement maître de l'Italie et qu'il avait ouvert les routes alpestres. Le premier objet en fut politique et militaire. Il fit d'abord travailler au Simplon pour gagner Milan : la route fut achevée en 1805. Mais, à ce moment, le Piémont ayant été annexé, celle du Cenis recevait déjà la préférence et elle s'acheva dès 1806. On s'occupa aussi du Genèvre dont l'intérêt demeura purement stratégique. A mesure que la domination française gagna l'Italie centrale, la voie de la Corniche attira l'attention : en 1810, Napoléon décida de la construire et de la prolonger par La Spezzia et Florence vers Ancône et Trieste ; il n'eut pas le temps de la terminer. Le Simplon, d'accès malaisé, difficilement contrôlé par les douaniers, fut emprunté surtout par les soldats et les voyageurs jusqu'en 1810. Au contraire, le Cenis prit tout de suite une grande importance économique et Lyon s'en attribua la tête de ligne ; presque tout le trafic avec l'Italie passait par là : en 1810, près de 3.000 voitures de voyageurs, 14.000 chariots de roulage et 37.000 mulets de bât. Comme le Piémont et le royaume d'Italie étaient devenus en quelque sorte des colonies qui achetaient à la France des produits manufacturés et lui envoyaient des denrées agricoles et des textiles, l'industrie lyonnaise en bénéficia : le Cenis devint la route de la soie. L'Illyrie accrut encore son importance, car, en 1810, l'empereur y organisa les arrivages par caravanes du coton du Levant. Lyon devint ainsi la porte du coton, Strasbourg ayant été fermé aux expéditions de Vienne. Le transport du coton rendit le Cenis insuffisant et, comme le Valais fut annexé, le Simplon prit à son tour une grande importance commerciale.

Restait à savoir si ces courants seraient d'un débit suffisant pour suppléer au cabotage qui devenait de plus en plus difficile. La négative ne pouvait faire doute. Le réseau navigable de la France demeurait très incomplet et, ailleurs, les canaux manquaient ; c'est à peine si les fleuves étaient utilisables et, sur le Rhin même, l'octroi institué par le recès de 1803 avait diminué, mais non pas supprimé la gêne que les péages imposaient à la navigation ; le privilège des étapes, où l'on devait rompre charge au profit des corporations de portefaix, n'avait pas été aboli non plus. Le roulage connut alors une grande prospérité, par exemple à Chalon-sur-Saône, à destination de l'intérieur de la France, et à Lyon, où la maison Bonnafous devint une des grandes entreprises du temps. Mais, pour les matières pondéreuses, il ne pouvait atteindre le volume du transport maritime ; eût-on construit assez de voitures qu'on aurait manqué de chevaux et que les routes n'eussent pas résisté ; du reste, sauf en France et dans quelques parties de l'Allemagne du Sud ou de l'Italie du Nord, elles n'étaient pas empierrées.

Comme il y avait déjà plusieurs centres de production industrielle en dehors de l'empire, le mieux eût donc été de constituer à chacun d'eux une sphère d'expansion et de diviser le marché continental en zones douanières. La création de grandes unités économiques aurait même fait accepter plus volontiers la concentration territoriale : le grand-duché de Berg ne cessa de demander sa réunion à l'empire pour y trouver des clients et la Hollande aurait vu son annexion de meilleur œil si la barrière douanière eût été renversée. Napoléon était le maître de réaliser l'unité commerciale de l'Italie ; Beugnot et Bacher proposèrent à plusieurs reprises la création du Zollverein germanique. Maintes considérations firent rejeter ou, tout au moins, ajourner cette solution. D'abord, il fallait ménager les États vassaux et alliés, jaloux de leur souveraineté, qui n'eussent pas consenti à abandonner leur autonomie douanière. Comme la réforme des institutions et les exigences militaires de Napoléon coûtaient cher, il était difficile de diminuer leurs ressources et ils accrurent même leurs tarifs. Les remaniements territoriaux étant continuels, les conditions de l'entreprise et des échanges s'aggravèrent donc au lieu de s'améliorer. Nombre de régions que la nature ou l'adaptation historique associaient se trouvèrent séparées : par exemple, le royaume d'Italie de la Dalmatie et de l'Istrie, du Novarais et du Piémont, de Gênes et de Livourne ; la Suisse de l'Italie, de Genève et de la Forêt-Noire ; le Tirol de l'Italie et de l'Autriche ; l'Illyrie de la Hongrie et de Vienne, bien que le transit eût été autorisé par Fiume et, en 1812, par Trieste. Le grand-duché de Berg, étranglé entre l'empire français et ses voisins allemands, connut un sort pitoyable : de 55 millions en 1807, ses ventes descendirent à 39 en 1810. Des traités de commerce eussent pu fournir un palliatif ; mais Napoléon ne les encouragea pas, car il voulait en réserver le bénéfice à la France.

L'écueil de sa politique européenne fut, en effet, qu'il n'envisagea pas le marché européen en lui-même, mais par rapport à l'empire français. « La France avant tout », a-t-il écrit à Eugène en 1810. Ayant conçu et organisé le système continental, il ne se départit point, dans son domaine propre, du mercantilisme consulaire. Ses frontières restèrent rigoureusement fermées à ses alliés et vassaux comme aux Anglais, par exemple aux Bergois et aux Suisses ; pour ne pas procurer de rivaux à ses producteurs, il refusa même d'annexer les premiers et maintint la Hollande et les pays de l'Allemagne du Nord hors de l'empire au point de vue douanier, quoiqu'il les eût politiquement réunis. En revanche, il s'efforça d'imposer à tous des tarifs préférentiels au profit de ses propres sujets et il y réussit pour les royaumes d'Italie et de Naples. Cette attitude s'explique par la situation de la France ; nation la plus industrialisée du continent, elle souffrait le plus du blocus et de la guerre ; elle avait perdu le marché colonial et le marché anglais, puis, en 1808, l'Espagne, la meilleure cliente qui lui restât : ce fut justement à partir de ce moment que Napoléon s'efforça surtout de lui réserver l'Italie. La France constituant le cœur du système, il lui fallait bien la préserver, à tout prix, d'un effondrement économique. Toutefois, les considérations politiques le détournèrent encore une fois de pousser à l'extrême cette politique. Il ne fit rien pour empêcher les Saxons et les Suisses de s'emparer du marché allemand ; à la foire de Leipzig, la France ne vendait que des articles de qualité supérieure. Au contraire, il se réserva l'Italie où il commandait en maître. Il s'établit ainsi un partage entre les trois principales régions industrielles. Poussé d'ailleurs par les Lyonnais, acharnés à se réserver cette chasse gardée, il entoura progressivement le royaume d'Italie d'une barrière douanière infranchissable sauf du côté de la France, lui imposa le traité de commerce de 1808 et, en 1810, s'y attribua l'importation exclusive des cotonnades et des draps ; il y taxa l'exportation de la soie grège vers l'Autriche et la Suisse, de telle manière que Lyon en eût le monopole ; il l'obligea à laisser passer librement le coton de Naples et du Levant, ainsi qu'à respecter le transit entre la France et l'Illyrie. Le royaume acheta en France pour 43 millions en 1810 et 82 en 1812 ; il y envoyait des grains, du lin, du chanvre et de la soie : 73 millions en 1810, 92 en 1812. Son sort n'apparaît pas aussi malheureux qu'on l'a dit, puisque la balance lui était favorable. La France ne ruina pas son industrie : elle prit simplement chez lui la place auparavant tenue par l'Angleterre ; comme elle ne pouvait lui envoyer que des marchandises de prix élevé, la production locale continua de fournir le peuple. Napoléon ne lui refusa même pas tout moyen de s'outiller : s'il ne voulut pas lui envoyer d'ouvriers qualifiés, il lui concéda 200.000 francs pour acheter des mécaniques à filer. Mais les industriels du royaume ne retinrent qu'un point : le blocus aurait pu les servir, tandis que la France en gardait le profit. A plus forte raison, ceux qui en souffraient ont partout fait chorus.

Bien que l'industrie fût sympathique au blocus, surtout quand elle était novatrice, son approbation n'alla donc pas sans de graves réserves : la circulation, à l'intérieur du continent, rencontrait trop d'entraves qu'on accusait l'empereur de maintenir et de renforcer dans le seul intérêt de la France. Quant à l'agriculture, le problème était insoluble ; il intéressait surtout la Prusse, la Pologne et les provinces russes voisines de la Baltique qui ne trouvaient personne pour acheter les excédents de grains qu'elles exportaient antérieurement en Angleterre ; seule, la Norvège, constamment importatrice, aurait pu offrir un débouché, mais elle était inaccessible par voie de terre. Les produits forestiers de ces mêmes pays auraient reçu meilleur accueil en

Occident : sans vaisseaux, on ne pouvait guère les expédier. Napoléon lui-même écoulait difficilement ses vins et ses eaux-de-vie ; dans les bonnes années, il avait aussi trop de grains. Les paysans vendant tout au plus pour alimenter la consommation locale, l'inconvénient ne doit pas être exagéré : il n'atteignait qu'un petit nombre de grands propriétaires nobles et de gros fermiers ; toutefois, c'étaient des gens influents et il reste toujours que le blocus tendait à déprimer les prix agricoles et le pouvoir d'achat des ruraux, par conséquent à nuire aux industries qu'il favorisait par ailleurs. Les imperfections du marché continental, l'atonie économique et le déficit fiscal qui en furent les conséquences décidèrent finalement l'empereur à réorganiser le blocus et à l'atténuer provisoirement par le moyen des licences. Si pressants que fussent ses motifs, cet allégement n'en ranima pas moins les tendances centrifuges qui minaient le système. En fermant ses ports aux continentaux, alors qu'il les ouvrait aux Américains, Napoléon justifia les accusations dirigées contre l'égoïsme de la France. Alliés et vassaux prétendirent imiter son exemple, et la Russie donna le signal.

Fortifier la fédération européenne en constituant un marché unique et relativement indépendant s'annonçait comme une œuvre de longue haleine, qui exigeait des années de contrainte. Le premier obstacle à écarter résultait du morcellement territorial et des douanes « intérieures » qu'il engendrait. C'était l'affaire de la Grande Armée. Devant l'opinion, l'avantage de l'Angleterre fut de montrer que le système continental, sous toutes ses formes, reposait sur la dictature militaire.

VIII. — LE SYSTÈME CONTINENTAL ET LES NATIONALITÉS[1].

Son existence même dépendait de la campagne de Russie. A son ordinaire, Napoléon concentrait son esprit sur la victoire prochaine : le reste viendrait par surcroît et dépendrait des cir-

---

1. Ouvrages a consulter. — Outre les ouvrages cités p. 22 et 442, voir F. Brunot, *Histoire de la langue française*, t. IX : *La Révolution et l'Empire*, 1re partie : *Le français, langue nationale* (Paris, 1927, in-8o) ; E. Robin, *Le séquestre des biens ennemis sous la Révolution française* (Paris, 1929, in-8o) ; M. Handelsman, *Les idées françaises et la mentalité politique en Pologne au XIXe siècle* (Paris, 1927, in-16) ; J. Prijatelj, Sloventchina pod Napoleonom (Ljubljana, 1911, in-8o), résumé en français, dans la *Revue des études napoléoniennes*, t. XXV (1925), p. 269-270 ; F. Zwitter, Illyrisme et sentiment yougoslave, dans *Le monde slave*, 1933, p. 39-71, 161-185, 358-375.

constances. Sur l'avenir de la fédération européenne, il n'avait donc pas de desseins arrêtés. Tout ce qu'on peut dire, c'est que, depuis 1810, il accentuait le caractère romain de l'empire ; dans la Ville Éternelle, devenue sa seconde capitale, ses successeurs seraient désormais sacrés avant la dixième année de leur règne ; il voulait lui-même y mener Marie-Louise et l'y faire couronner ; des préparatifs étaient en cours pour ce grand événement. Le pape résiderait soit à Paris, soit à Rome ; Pie VII, un jour ou l'autre, aurait eu pour successeur un pontife qui eût accepté la nouvelle captivité de Babylone. Pour la suite, l'imagination peut se donner libre carrière : après la destruction de l'armée d'Alexandre, elle entrevoit la reconstitution de la Pologne ; la création, en terre russe, de principautés nouvelles destinées à protéger cet État ressuscité ; l'expulsion de Bernadotte au profit d'un homme sûr ; la réorganisation de l'Allemagne ; la soumission de la péninsule ibérique ; la conquête de Constantinople, troisième capitale de l'Empire. La paix continentale eût été vraisemblablement assurée, et la civilisation européenne, telle que Napoléon la concevait, aurait gagné de proche en proche.

On a voulu concilier cette extrapolation avec le nationalisme qui caractérisa le siècle, comme si l'empereur avait eu le dessein de transformer le système continental en une société de nations souveraines, volontairement associées. La civilisation cosmopolite qu'il rêvait pour le continent ne s'opposait pas, loin de là, à pareil idéal ; mais l'unité créée par la conquête était la négation de cette libre union des peuples que la Révolution, à son aurore, concevait comme le couronnement de son œuvre. On s'explique toutefois l'illusion, si l'on observe que Napoléon, toujours empressé de tourner à ses fins les forces qu'il trouvait en action, n'eut garde de négliger le sentiment national, chaque fois qu'il y trouva sa convenance du moment. En France, il lui devait sa puissance et, bien qu'il ait sacrifié les intérêts du pays à son rêve impérial, les Français l'ont toujours regardé comme un chef national, car leur destin ne pouvait plus être séparé du sien. Continuant l'œuvre de la Révolution, il contribua d'ailleurs à fortifier leur unité par la centralisation, par le service militaire, par ses guerres qui entretenaient la solidarité en face de l'étranger, par ses victoires qui exaltaient l'orgueil collectif. Hors de l'empire français, il se montra beaucoup plus réservé ; pourtant, si les Polonais n'ont pu l'accuser de déloyauté puisqu'il ne leur promit jamais rien, il tira profit de leur patriotisme, et ce ne fut évidemment pas sans arrière-pensée qu'il inscrivit pour la première fois le nom de l'Italie dans la géographie politique, qu'il fit revivre celui de l'Illyrie et accorda au slovène et au croate le rang de langues officielles.

On peut faire valoir aussi que, par son système de gouvernement et par sa politique, il favorisa grandement le progrès des nationalités. S'il n'acheva pas l'unité territoriale de l'Italie et de l'Allemagne, il en simplifia prodigieusement la carte ; une partie des Yougoslaves se sont trouvés groupés, ce qui ne s'était pas vu depuis le xive siècle. Les réformes n'ont pas été de moindre importance : en abolissant les autonomies provinciales, les privilèges et la féodalité, en leur substituant la centralisation administrative, l'égalité civile, l'unité du marché intérieur, il a créé les conditions indispensables à l'épanouissement du nationalisme politique et, en ce sens, il s'est inscrit au nombre des créateurs de plusieurs des nations d'aujourd'hui. Mais ce sont là des conséquences étrangères à sa volonté ; l'action d'un homme d'État comporte toujours des répercussions qu'il ne prévoyait pas et l'empereur n'a pas échappé au sort commun. On alléguera qu'il destinait l'Italie à son second fils et que la constitution de grandes unités territoriales se serait imposée pour permettre l'administration d'un empire étendu à tout le continent : il est évident, toutefois, que l'articuler et répartir ses sections entre les membres de la dynastie n'avait rien de commun avec l'indépendance des nationalités.

En réalité, n'ayant communié avec le sentiment national ni sous sa forme monarchique, ni sous sa forme révolutionnaire, il ne l'aimait pas et s'en défiait. En France, il se rendait compte que le patriotisme, donnant à la communauté le souci de ses intérêts permanents et de sa dignité en face de son chef, si populaire fût-il, et la rendant impatiente d'un despotisme égoïste, pouvait un jour contrecarrer son pouvoir personnel ; il a tout fait pour lui substituer « l'honneur », l'attachement individuel à lui-même et à sa dynastie. Au dehors, il lui importait plus encore que cette disposition dominât et, de son point de vue, il raisonnait juste : les sentiments nationaux étaient plus incompatibles encore avec l'idée impériale qu'avec le despotisme et elle a rencontré en eux ses plus redoutables adversaires.

CHAPITRE III

LES FORCES INDÉPENDANTES

A côté du génie napoléonien, d'autres forces, sociales, spirituelles, économiques, ont continué leur action, hostile ou étrangère à son œuvre. Il créait une méthode de gouvernement et une société où la libération révolutionnaire des forces individuelles s'amalgamait à la tradition du despotisme éclairé, à la restauration d'une hiérarchie sociale inspirée de l'Ancien Régime, à la création d'une nouvelle légitimité. Les dynasties et l'ancienne aristocratie refusèrent de se laisser déposséder, la bourgeoisie réclama la liberté, les nationalités résistèrent à la monarchie universelle. La vie de l'esprit, d'autre part, conserva son autonomie. Enfin, le capitalisme continua ses progrès et, par plusieurs côtés, il tendait à contrarier l'entreprise napoléonienne. Il se peut que ces forces eussent été assujetties ou contenues si la Grande Armée n'avait été subitement détruite ; l'historien constate seulement qu'elles ont triomphé, après 1812, sur les ruines du système continental et ont dominé le XIXe siècle.

I. — LES ÉTATS CONTINENTAUX D'ANCIEN RÉGIME[1].

Hors de l'Empire, le système napoléonien se heurta partout à la résistance obstinée de l'aristocratie, qui y retrouvait l'esprit

---

1. OUVRAGES A CONSULTER. — Sur la Prusse, CAVAIGNAC, VIDAL DE LA BLACHE, KNAPP et SÉE, cités p. 288 ; G. RAMBOW, *L. von der Marwitz und die Anfänge der konservativer Politik und Staatsanschauung in Preussen* (Berlin, 1930, in-8o, fasc. 195 des « Historische Studien » d'EBERING) ; W. KAYSER, *Marwitz* (Hambourg, 1936, in-8o). — Sur l'Autriche, voir p. 297 et 314 ; Johanna Kraft, *Die Finanzreform des Grafen Wallis und der Staatsbankerott von 1811* (Graz, 1927, in-8o, fasc. 5 des « Publications du séminaire d'histoire de l'Université de Graz ») ; — sur la Russie, les ouvrages cités p. 28 ; les ouvrages relatifs au règne d'Alexandre Ier, cités p. 184 ; A. PYPIN, *Die geistigen Bewegungen in Russland in der ersten Hälfte des XIX*ten *Jahrhunderts*, t. I, traduit du russe par B. MINZES (Berlin, 1894, in-8o) ; V. R. IATSOUNSKI, De l'influence du blocus continental sur l'industrie cotonnière russe, *Annales historiques de la Révolution française*, 1964, p. 65.

de la révolution égalitaire. Il l'offensait, en supprimant le pouvoir seigneurial et en ravalant le gentilhomme au niveau du sujet roturier. En vain Napoléon, dans les États vassaux, ménageait la noblesse aux dépens du paysan : ce n'était, pensait-on, que partie remise. En vain, il rétablissait une noblesse héréditaire : le parvenu y coudoyait le ci-devant, et c'est ce qui ne se pouvait supporter. « Ces gens-là nous mettent plus bas que terre », avait écrit la comtesse de Voss en 1807 ; pour Wellington et autres nobles lords, l'empereur ne fut jamais que « Bony », et le roi de Rome son « bâtard ». La même morgue animait les rois ; ils ne pouvaient, au fond de l'âme, admettre la légitimité d'un homme qui, sans cérémonie, avait déposé tant des leurs. D'ailleurs, ils redoutaient les nobles et, menacés par Napoléon, tenaient à se conserver leurs services ; en les diminuant, ils craignaient aussi d'encourager l'esprit d'insubordination. Pourtant, la puissance de l'État en France ne laissait pas de les séduire et de leur conseiller certains emprunts. Leur attitude dépendit de leur intelligence et surtout de leur entourage. Mais, quelque nouveauté qu'on adoptât, il fallait qu'elle se conciliât avec la conservation de l'aristocratie : c'est le trait capital par où la réforme prussienne, la seule qui ait abouti, se distingue du système napoléonien. Ainsi le fossé qu'avait creusé la Révolution subsista, et Napoléon eut beau faire : pour l'Europe, il en resta toujours le soldat.

En Prusse, depuis le renvoi de Stein, le travail de rénovation se poursuivait surtout dans l'armée. Scharnhorst avait dépassé de beaucoup les effectifs contractuels, principalement pour la cavalerie ; d'autre part, il s'était formé des réserves à l'aide des *Krümper* et en utilisant les soldats mis en congé de semestre, suivant la coutume, pour instruire la jeunesse dans les paroisses ; en 1811, sous prétexte d'améliorer les fortifications, il convoqua des pionniers qui, en réalité, firent l'exercice. Les progrès techniques devenaient visibles : l'armée s'articula en six corps ; on s'efforça, avec un succès relatif, il est vrai, d'habituer l'infanterie au combat en tirailleurs ; les bagages furent réduits et les tentes supprimées, l'artillerie reconstituée et son matériel renouvelé, la réquisition prévue pour le ravitaillement. Toutefois, Scharnhorst ne réussit pas à créer une véritable armée nationale ; on diminua bien les exemptions et, en vue de rendre le service acceptable à la bourgeoisie, on renonça aux peines corporelles ; mais le roi ne consentit ni à décréter l'obligation ni à instituer une milice. Bien que les aspirants officiers — les *Portepee-Fähnriche* — eussent été astreints à subir un examen et que les sous-officiers ne fussent pas exclus de la lieutenance, le monopole de la noblesse, sauf exceptions décidées par le roi, ne s'en trouva pas moins confirmé en fait, parce que les officiers se virent autoriser à proposer leur candidat à chaque vacance. Trois écoles s'ouvrirent pour former les *Fähnriche*, sans qu'on supprimât les écoles de cadets réservées aux gentilshommes ; en outre, on accorda un tribunal d'honneur corporatif aux officiers, qui restèrent ainsi une aristocratie très fermée. Du moins Scharnhorst put-il former, au *Kriegsdepartement* ou grand état-major et à l'École de guerre, un haut commandement moins remarquable encore par la capacité technique que par l'unité d'esprit, la volonté offensive et la subordination de tous au salut commun. Quant à Guillaume de Humboldt, rappelé de son ambassade de Rome, en décembre 1808, pour assumer la direction de l'instruction publique et des cultes, il n'exerça qu'un an et demi cette fonction. Son œuvre essentielle fut la création de l'Université de Berlin, à laquelle on pensait depuis la perte de celle de Halle ; il y réunit des professeurs illustres, Fichte et Schleiermacher, Wolf, Savigny, Niebuhr, Böckh, et lui conféra ainsi un prestige dont la politique prussienne tira grand avantage.

Pour la réforme administrative et sociale, elle ne reprit qu'après le rappel de Hardenberg, le 4 juin 1810. Il se fit nommer chancelier, en sorte que le pouvoir central reçut enfin un chef. Cet opportuniste aux mœurs dissolues n'inspirait pas confiance à tous les patriotes ; pourtant, s'il se méfiait des têtes chaudes et des sociétés secrètes, il s'accordait avec eux sur le but et eut avec Stein une entrevue secrète en Silésie. Il était beaucoup plus sensible que ce dernier à l'exemple napoléonien et n'avait pas le même respect pour l'aristocratie ; dès 1807, il disait que la Prusse devait également faire sa révolution, mais par en haut et il eût volontiers pris comme modèle le royaume de Westphalie. Aussi a-t-il suscité beaucoup plus de colères que Stein et ne jouit-il pas aujourd'hui de la même considération. Ce fut aux finances qu'il dut penser tout d'abord. Bien que le tarif de Trianon et les saisies qui suivirent lui eussent procuré 12 millions de thalers, il lui fallait trouver de nouvelles ressources. N'osant pas même maintenir l'*Einkommensteuer* en Prusse Orientale, il se borna, le 27 octobre, à augmenter le droit de timbre, ainsi que l'impôt de consommation sur la viande, et à étendre la taxe de mouture au plat pays ; mais il en profita pour ôter aux seigneurs leurs banalités du moulin, de la brasserie et de la distillerie. Il projetait aussi de compléter la réforme agraire, d'autant que les troubles continuaient en Silésie : en 1807, il avait fallu faire appel aux Français pour contenir les paysans, et l'insurrection reprit en 1811. Hardenberg désirait abolir les redevances et les corvées ; en échange, le seigneur serait délivré de ses obligations d'aide et de protection ; les droits d'usage et le *Bauernschutz* disparaîtraient ; rien n'empêcherait plus de procéder au remembrement, de supprimer l'assolement obligatoire et de partager les communaux. Pour procéder à la *Regulierung*, on compenserait les charges du paysan avec celles du seigneur : s'il y avait une soulte, le paysan l'acquitterait en cédant une part de sa tenure ou en payant une rente. Il était évident que ce système, qui a prévalu au XIXe siècle, non seulement en Prusse mais dans toute l'Europe orientale, réduirait, plus ou moins, le paysan à continuer de travailler comme journalier au service du seigneur et le maintiendrait dans la sujétion. Toutefois, en principe, il n'aurait plus d'autre maître que l'État ; Hardenberg songeait même à retirer la police au junker, sinon sa justice ; en 1812, il emprunta à la France sa gendarmerie et institua dans le cercle un directeur de la police nommé par le roi.

Prévoyant une vive opposition de la part de l'aristocratie, il chercha un appui dans l'opinion. D'ailleurs, il estimait, comme les patriotes, que la nation devait être associée au gouvernement. Il se contenta, pour commencer, d'une assemblée de notables choisis par lui, qui tint séance de février à septembre 1811. Les junkers, menés par Marwitz, protestèrent énergiquement : ils ne voulaient pas d'une représentation populaire et exigeaient qu'on leur rendît les États provinciaux, où, à part quelques bourgeois, ils paraissaient seuls ; le roi dut se résigner à faire arrêter Marwitz et Finckenstein. Le conflit était nettement social. Le roi peut bien faire des nobles, disait Marwitz ; il ne peut pas faire des âmes nobles. Et York s'écriait devant le prince Guillaume : « Si Votre Altesse nous ravit nos droits, sur quoi reposent donc les siens ? » La noblesse du cercle de Mohrungen protestera, en 1814, contre « le souffle empoisonné de la législation française ». En 1812, une chambre élective n'en fut pas moins convoquée : elle comprit, pour chaque province, deux nobles et deux députés des villes et des campagnes, choisis au suffrage à deux degrés par les propriétaires fonciers. Elle demanda une constitution ; mais, comme dans la précédente, les nobles y dominaient et leurs récriminations obligèrent le ministre à composer. Le *Regulierungsgesetz* du 14 septembre 1811 transforma en propriétaires les « lassites » qui n'avaient sur leurs terres qu'un droit d'usage et supprima leurs redevances et leurs corvées contre l'abandon au seigneur du tiers de la tenure, si elle était héréditaire, de la moitié, si elle était viagère ou à temps ; l'abolition de la protection seigneuriale, des usages et du *Bauernschutz* subsista bien entendu, sans compensation pour le paysan. Les obligations du tenancier héréditaire proprement dit, qui pouvait invoquer un titre, — *Erbpachtbauer* ou *Erbzinsbauer* — ne furent pas touchées par la loi, ce qui en précise le caractère onéreux. Elle n'en parut pas moins inadmissible aux junkers ; dès 1812, on se mit à discuter de corrections restrictives ; en 1815, elle fut suspendue et, en 1816, annulée pour la majorité des paysans.

La tentative dirigée contre la police seigneuriale échoua également. Le 7 septembre 1811, Hardenberg avait déjà supprimé la taxe de mouture dans les campagnes et rendu aux nobles leurs banalités, pour se rabattre sur les impôts directs, capitation, contribution sur le capital et le revenu, enfin patente. Cette dernière, empruntée à la France, emporta du moins la suppression du monopole des corporations. Quant aux privilèges des junkers, on n'y toucha pas : ils gardèrent leur droit successoral et leurs fidéicommis, leurs justices et leur patronage, la chasse et l'exemption fiscale. La Prusse resta ainsi très en arrière de l'Allemagne occidentale ; l'unité de l'État et la centralisation n'avaient réalisé que des progrès médiocres ; les privilèges de l'aristocratie subsistaient ; l'émancipation des paysans n'était guère que nominale. A plusieurs égards, le grand-duché de Varsovie lui-même avait été plus modernisé.

La Russie changea beaucoup moins encore. Après Tilsit, Alexandre reprit goût aux réformes ; la guerre lui avait montré que la machine gouvernementale appelait des perfectionnements et, au premier moment, l'alliance française raviva ses souvenirs de jeunesse et son goût pour la phraséologie libérale. Bien que Spéranski fût plus précis dans ses projets et plus résolu dans l'action que le comité des amis, il ne subsista pourtant pas grand'chose de sa tentative. Ce fils de pope, qui a gardé pour l'histoire le surnom qu'on lui avait donné au séminaire, était un prédicateur et un professeur distingué que les Kourakine avaient introduit à la chancellerie et qui était devenu ensuite le bras droit de Kotchoubey au ministère de l'Intérieur ; il était entré en rapport direct avec le tsar en 1806 et l'avait accompagné à Erfurt. Au retour, Alexandre lui demanda un plan de constitution et, en 1809, l'accepta en principe. L'empire devait être divisé en gouvernements, arrondissements et cantons ; le canton recevrait une *douma* élue par les propriétaires fonciers ; elle nommerait un directoire et un délégué à la *douma* d'arrondissement ; ainsi de suite, jusqu'à la *douma* d'empire qui voterait lois et budget ; un ministère responsable devant elle exercerait le pouvoir exécutif ; chaque circonscription aurait un tribunal électif que le sénat contrôlerait. Le tsar nommerait aussi un conseil d'empire consultatif.

Ce plan doit être rapporté en partie à l'influence britannique : Spéranski avait épousé la fille d'un pasteur anglais et, de bonne heure, témoigné d'une vive admiration pour les institutions de la Grande-Bretagne. A l'origine, son dessein comportait la création d'un parlement à deux chambres, dont l'une aurait représenté l'aristocratie foncière ; il ne tarda pas à reconnaître que la noblesse russe ne possédait ni la capacité, ni l'indépendance des lords. Toutefois, il semble que la division territoriale qu'il proposait, l'organisation administrative et l'élection des juges, la constitution d'un conseil d'État et de ministères trahissent l'influence française. Ainsi est-il d'autant plus remarquable que la réforme sociale n'eut même pas l'honneur d'une esquisse : il ne fut pas question d'émanciper les serfs et, bien que les marchands eussent maintenant la faculté d'acquérir la terre, les propriétaires fonciers investis du droit électoral étaient presque tous des nobles. Alexandre décida que le plan ne serait réalisé que par degrés : en 1810, il constitua le conseil et, en 1811, les ministères ; Spéranski devint secrétaire d'État et il astreignit les candidats aux fonctions publiques à se pourvoir de diplômes universitaires et à subir un examen. La bureaucratie acheva ainsi de se constituer, et ce résultat, beaucoup plus napoléonien qu'anglais, conforme d'ailleurs à l'évolution de la Russie, fut tout ce qui survécut du projet. Bien que Spéranski n'eût porté aucune atteinte aux privilèges de la noblesse, il lui était suspect ; on savait qu'il préparait un code et une loi sur les juifs ; obligé de réparer les finances délabrées de l'empire, il se rendit impopulaire en augmentant les impôts et en méditant une taxe sur le revenu qui n'épargnerait pas les privilégiés. Comme en Prusse, l'aristocratie imputait ces nouveautés à l'influence de la France et, quand la guerre menaça, on l'accusa de trahison parce que, sur l'ordre du tsar et pour le compte de son « secret », il entretenait une correspondance avec Paris. Alexandre avait besoin des nobles pour résister à Napoléon : il exila son ami le 29 mars 1812.

Quant à la monarchie de Joseph II, sa volte-face radicale l'imposait à l'admiration de la réaction aristocratique, car

François Ier, aussi entêté que borné, se refusait à tout changement, quel qu'il fût. Du régime napoléonien, on ne retrouvait en Autriche que l'oppression des esprits et l'arbitraire policier ; mais ce n'étaient pas là des emprunts et, par comparaison, Napoléon, n'étant pas féru de bigoterie obscurantiste, faisait figure de souverain libéral. La seule préoccupation de l'administration autrichienne resta d'ordre financier. Pour payer l'indemnité de guerre, on avait dû engager la vaisselle impériale et lever des emprunts forcés ; encore restait-il dû 17 millions en 1811 ; le gendre accorda délai et, à l'occasion de la naissance du roi de Rome, se contenta d'obligations qu'on ne lui remit pas avant le 4 juillet 1813 et dont, bien entendu, il ne toucha pas un sou. Pour les dépenses intérieures, on imprimait du papier-monnaie. Le 20 février 1811, le comte Wallis, successeur d'O'Donnell, mort à la peine, proclama la banqueroute : il échangea les billets au cinquième de leur valeur contre de nouveaux dont le cours défaillit aussitôt. La diète de Hongrie protesta si fort qu'il fallut la dissoudre et violer la constitution en instituant la dictature.

La lutte contre la France n'a donc jamais perdu son caractère social. Chez les soi-disant alliés de Napoléon, l'aristocratie d'Ancien Régime sauvegardait sa prépondérance et elle regardait sa perte comme certaine si le système continental achevait de se réaliser ; elle célébra la chute de l'empereur comme un triomphe personnel. Elle fit de la Sainte-Alliance une société d'assurance contre la bourgeoisie et les paysans ; d'ores et déjà, l'Autriche était toute désignée pour en prendre la direction.

II. — *LES ANGLO-SAXONS ET LE LIBÉRALISME*[1].

En face de l'Europe continentale soumise au despotisme, les Anglo-Saxons maintenaient leurs traditions. En Angleterre, les tories ne contestaient plus le régime parlementaire ; ils ne renou-

---

1. OUVRAGES A CONSULTER. — Sur l'Angleterre, les ouvrages généraux cités p. 32, 42, 48 et 180 ; A. CHEVRILLON, *Sydney Smith et la Renaissance des idées libérales en Angleterre au XIXe siècle* (Paris, 1894, in-8°) ; M. ROBERTS, *The whig party, 1807-1812* (Londres, 1939, in-8°) ; M. D. GEORGE, *English political caricature, A study of opinion and propaganda*, t. II : *1793-1832* (Oxford, 1959, in-8°). — Sur la Sicile, outre les ouvrages cités p. 325, miss H. M. LACKLAND, Lord W. Bentinck in Sicily, 1811-1812, dans *The English historical review*, t. LXII (1927), p. 371-396, et The failure of the constitutional experiment in Sicily, *ibid.*, t. XLI (1926), p. 210-235. — Sur la France, voir p. 421. — Sur l'Espagne, voir p. 266 et 446, particulièrement l'article de J. VICENS VIVES. — Sur les États-Unis, les ouvrages cités p. 43 ; G. CHINARD, *Jefferson* (Boston, 1929, in-8°).

velèrent pas la suspension de l'*habeas corpus*, sauf en Irlande, et appliquèrent avec modération les actes de 1799. Disciples de Pitt, ils avaient beaucoup emprunté aux whigs du xviiie siècle ; appuyés sur l'Église établie, ils n'en ménageaient pas moins les dissidents ; ils ouvraient la pairie aux parvenus et aux militaires illustres, prodiguaient les décorations, incorporaient prudemment la haute bourgeoisie à l'aristocratie ancienne. Leur politique sociale n'était pas sans affinité avec celle de Napoléon, puisqu'elle visait à maintenir une hiérarchie sans recourir aux privilèges juridiques. Le système napoléonien ne leur répugnait pas moins, parce qu'ils restaient attachés à leurs habitudes constitutionnelles et libérales et parce que, tout en ouvrant leurs rangs à quelques nouveaux venus, ils prétendaient conserver le pouvoir aux grandes familles de vieille souche.

La noblesse continentale, féodale et militaire, jalouse de ses privilèges, les jugeait, de son côté, trop peu exclusifs, trop enclins à donner à la richesse le pas sur la naissance ; rares étaient les hommes clairvoyants qui, comme Stein et Spéranski, désiraient les prendre pour modèles. Les grands enviaient l'aristocratie anglaise qui avait su se réserver l'autorité politique ; ils n'en tombaient pas moins d'accord avec les rois absolus et Napoléon lui-même que l'exemple de l'Angleterre témoignait de la faiblesse d'un gouvernement de partis. Les rivalités personnelles rongeaient le parti tory. Après avoir provoqué la chute de Castlereagh et de Canning, elles mirent aux prises Perceval et Wellesley. Quand, en février 1812, le prince de Galles, dépourvu lui-même d'autorité morale — car toutes les sympathies allaient à sa femme Caroline et à sa fille Charlotte —, fut investi sans réserve, comme régent, de la prérogative royale, il offrit aux whigs, comme on s'y attendait, d'entrer dans le ministère. Mais Grey et Grenville prétendirent constituer un cabinet homogène ; Wellesley se retira et, Perceval ayant été assassiné en mai, la confusion fut au comble. A ce moment, Napoléon marchait vers le Niémen : le sentiment du suprême péril l'emporta sur les dissensions intestines. Castlereagh entra au Foreign Office ; avec lui, Vansittart, à l'Échiquier, et Bathurst formèrent, sous la présidence de Liverpool, un gouvernement qui allait contribuer à la destruction du système continental ; en septembre, une dissolution leur donna des Communes dévouées. Mais leur prestige était encore à venir.

D'un autre côté, on se demandait, sur le continent, si le gouvernement parlementaire réussirait à maintenir l'Ancien Régime. Certains symptômes indiquaient que la domination des tories serait menacée un jour ou l'autre. Tandis qu'ils ne cessaient de renforcer la *corn-law*, la bourgeoisie industrielle et commerçante inclinait visiblement vers le libre-échange ; sur ce point, le jeune Peel montrait déjà une indépendance inquiétante. Au Parlement, les opposants résolus, Whitbread ou Burdett, étaient peu dangereux, car l'état-major whig, les Russell, les Holland, les Grey, ne les soutenait guère. Mais le parti reprenait force au dehors grâce à l'action du groupe qui grandissait, en Écosse, autour de Brougham et de Sydney Smith ; la *Revue d'Édimbourg*, fondée en 1802 par Jeffrey, et les *Letters of Peter Plymley*, que Smith publia en 1807, eurent un tel succès que Canning et Southey se décidèrent, en 1809, à leur opposer la *Quarterly Review*. Maintenant que le torysme, renversant sa politique, s'avouait le parti de la guerre, les whigs, évoluant en sens inverse, défendaient la cause de la paix, et c'était une plate-forme fort populaire. Ces whigs, du moins, ne se donnaient point pour démocrates. Mais le radicalisme politique commençait à se constituer en parti. Cobbett, ayant changé de camp, menait contre le gouvernement une guerre de plume fort ardente ; le major Cartwright réclamait le suffrage universel ; Place reprenait sa propagande, et James Mill leur gagna une recrue précieuse en la personne de Bentham, qui, maintenant acquis à l'action politique, rédigea en 1812 le *Catechism for parliamentary reform*. A ceux qui, en Europe, entendaient conserver ou aspiraient à retrouver leurs privilèges, l'absolutisme, tout compte fait, semblait une meilleure sauvegarde.

Aussi l'influence anglaise s'est-elle exercée principalement sur la bourgeoisie et sur ce qui pouvait rester de la noblesse libérale. En soi, le torysme n'offrait rien de bien séduisant pour elles. Ses représentants, comme autrefois les whigs, ne figuraient qu'une oligarchie vénale et déconsidérée par maints scandales ; s'ils avaient retouché les lois pénales, accepté quelques améliorations administratives et, en 1807, aboli la traite, autant pour relever le prix du sucre que par égard pour les piétistes et les humanitaires, ils s'en tenaient de plus en plus au mot d'ordre de Walpole : *Quieta non movere*. L'émancipation des catholiques se faisait toujours attendre ; en 1810, O'Connell, devenu président du comité irlandais, avait imprimé un vif élan à la propagande ; Grattan s'étant rallié à la réforme, les Communes se décidèrent à la voter en 1812 ; mais elle avorta, parce que O'Connell et le clergé refusèrent les garanties qu'on exigeait quant au choix des évêques. Le modernisme des whigs, toutefois, faisait compensation et, au surplus, il n'importait guère : pour un Royer-

Collard, un Benjamin Constant et même un Chateaubriand, assujettis à un despotisme de fer, l'Angleterre était le pays du régime constitutionnel et de la liberté, d'autant plus séduisant qu'il répudiait la démocratie et qu'il avait su conserver le respect du monarque légitime. Comme un siècle auparavant, elle redevint à la mode ; en France, à la fin de l'Empire, on s'engoua du gouvernement parlementaire, sans bien savoir d'ailleurs en quoi il consistait, comme il apparut après 1815 ; on fut loin de s'en tenir là et l'anglomanie, qui devait faire fureur sous la Restauration, irritait déjà l'administration napoléonienne.

Les tories ne se montraient nullement enclins à encourager au dehors l'adoption des institutions politiques de leur pays ; il est probable qu'un Castlereagh ne se sentait pas tellement satisfait, au fond, d'avoir à rendre des comptes à un Parlement et, en tout cas, ils s'accordaient, en général, pour considérer les autres peuples comme incapables de se gouverner par eux-mêmes. Parmi les whigs, se rencontraient au moins quelques hommes qui, contre l'opinion de Burke, attribuaient aux usages britanniques une valeur universelle, et qui même, en les exportant, croyaient devoir les réformer suivant leurs désirs, afin de leur donner une cohésion et une uniformité que l'Ancien Régime anglais ignorait totalement, comme si les constitutions françaises leur eussent donné à penser. Ce fut ainsi que Bentinck, maître de la Sicile, se fit gloire, en juillet 1812, de lui faire présent d'une constitution logiquement conçue et de faire élire une chambre d'après un suffrage censitaire dont les règles valaient pour le pays entier. Ce parlement sicilien abolit la féodalité. Mais, Bentinck étant parti pour l'Espagne, une opposition s'y manifesta pour réclamer des réformes plus radicales encore et, la disette provoquant des troubles, le roi en profita pour recouvrer son autorité ; à son retour, Bentinck exigea le départ de la reine, prononça la dissolution et, en dépit de nouvelles élections, s'arrogea la dictature. Lorsqu'il fut rappelé en juillet 1814, son successeur A'Court prit prétexte de cette expérience peu satisfaisante pour abandonner son œuvre à la vindicte de Ferdinand.

Quant à la démocratie américaine, le calme de sa vie politique aurait pu recommander son exemple. Les luttes de partis y paraissaient terminées. Sous la première présidence de Jefferson, les fédéralistes avaient disparu ; les républicains, d'ailleurs, avaient épousé peu à peu les vues de leurs adversaires. Jefferson, il est vrai, réduisit l'armée et la flotte, amortit la moitié de la dette ; il n'en acquit pas moins la Louisiane et, pour appliquer l'embargo de 1807, renforça le pouvoir central. Madison, qui lui succéda en 1809, finit par déclarer à l'Angleterre une guerre qui le contraignit à faire de nouveaux progrès dans cette voie. Mais, dans les circonstances présentes, les États-Unis représentaient pour l'Europe un modèle inactuel : c'était sur l'Amérique latine que leur influence s'exerçait, pour s'y combiner avec celle de l'Angleterre et de la Révolution française.

Si un meilleur avenir se préparait pour le libéralisme sur le continent et notamment en France, il en faut chercher les facteurs dans la croissance de la bourgeoisie et le cheminement des idées de 1789. Sans doute, Napoléon ne respectait que la liberté religieuse et économique ; il n'en avait pas moins conservé la souveraineté populaire et le principe de l'élection ; les pays conquis reçurent, comme la France, une constitution. Les cadres de la vie politique existaient donc et son despotisme même, par réaction, y ramenait les esprits. En Angleterre, les whigs apercevaient très bien et louaient volontiers le caractère libérateur de ses réformes ; partout, on y reconnaissait l'inspiration de la Révolution et, par une conséquence naturelle, tout ce qu'il avait élagué du programme de celle-ci s'infiltrait à la suite. Même en Russie, les timides essais de Spéranski préparèrent les officiers russes à se laisser contaminer par les idées françaises lorsque la victoire les amena en Occident. Dès 1812, elles firent la preuve de leur influence sur l'Espagne, insurgée pourtant contre la France. Les Cortès, dont Jovellanos arracha la convocation à la junte centrale en 1809 et qui se réunirent le 24 septembre 1810, avaient été élues en principe par les juntes provinciales ; mais les députés des régions envahies furent choisis à Cadix même par les réfugiés, ou désignés par le conseil de régence, comme les 26 délégués américains. Or Cadix possédait la bourgeoisie la plus puissante et le mieux pénétrée par les idées nouvelles ; une majorité libérale se trouva ainsi acquise, qui ne correspondait sûrement pas à l'opinion de la majorité des Espagnols, car ils ne combattaient pas seulement en Napoléon le despotisme et l'étranger, mais bien la Révolution. Il n'en résulta pas moins que la constitution de 1812 ne fut qu'un décalque de celle de 1791. Elle conservait, il est vrai, le catholicisme comme religion d'État et interdisait les autres cultes ; mais, le clergé et les *serviles* ayant refusé nonobstant de l'accepter, les libéraux se décidèrent, en 1813, à supprimer l'Inquisition, à réduire le nombre des couvents et à saisir le revenu des monastères supprimés.

L'empire tombé, le libéralisme reprendra immédiatement la

lutte contre l'Ancien Régime : Louis XVIII restauré n'osera pas refuser un Parlement à la bourgeoisie française et l'Espagne sera la première à s'insurger en 1820 contre la Sainte-Alliance.

III. — LA VIE INTELLECTUELLE[1].

Pendant la période napoléonienne, la vie de l'esprit s'est singulièrement ralentie. Sur le continent, les gouvernements

1. OUVRAGES A CONSULTER. — Voir les ouvrages cités p. 9-12 et 421. Ajouter, pour l'Angleterre, A. H. KOSZUL, *La jeunesse de Shelley* (Paris, 1910, in-8°) ; E. ESTÈVE, *Byron et le romantisme français* (Paris, 1907, in-8°) ; — sur l'Allemagne, les ouvrages cités p. 281 ; G. GROMAIRE, *La littérature politique en Allemagne de 1800 à 1815* (Paris, 1911, in-8°) ; R. AYRAULT, *H. von Kleist* (Paris, 1934, in-8°) ; F. BÜCHLER, *Die geistigen Wurzeln der heiligen Allianz* (Fribourg-en-Brisgau, 1929, in-8°) ; — pour l'Italie, A. CARACCIO, *Ugo Foscolo* (Paris, 1934, in-8°) ; F. BATTAGLIA, *L'opera de V. Cuoco e la formazione dello spirito nazionale in Italia* (Florence, 1925, in-8°) ; — pour la France, F. BRUNOT, *Histoire de la langue française*, t. X, 2ᵉ partie : *Le retour à l'ordre et à la discipline* (Paris, 1943, in-8°) ; L. MERLET, *Tableau de la littérature française pendant la Révolution et l'Empire* (Paris, 1878-1883, 3 vol. in-8°) ; P. ALFARIC, *Laromiguière et son école* (Paris, 1929, in-8° ; fasc. 5 de la 2ᵉ série des « Publications de la Faculté des Lettres de Strasbourg ») ; R. BRAY, Chronologie du romantisme, I, dans la *Revue des cours et conférences*, 1931-1932, p. 17-31 ; Ch. DESGRANGES, *Geoffroy et la critique dramatique sous le Consulat et l'Empire* (Paris, 1897, in-8°) ; A. VIATTE, *Le romantisme chez les catholiques* (Paris, 1922, in-8°) ; P. GAUTIER, Un grand roman oublié : Corinne, dans la *Revue des Deux Mondes*, 1927, t. III, p. 435-451 ; comte D'HAUSSONVILLE, *Madame de Staël et l'Allemagne* (Paris, 1928, in-8°) ; J. GIBELIN, *L'esthétique de Schelling et l'Allemagne de Madame de Staël* (Paris, 1934, in-8°) ; Béatrix D'ANDLAU, *Chateaubriand et « Les Martyrs », naissance d'une épopée* (Paris, 1952, in-8°), avec bibliograghie ; J. B. GALLEY, *Claude Fauriel* (Paris, 1909, in-8°) ; J. DE SALIS, *Sismondi* (Paris, 1932, 2 vol. in-8°). A titre d'exemple régional, L. TRÉNARD, *Histoire sociale des idées. Lyon, De l'Encyclopédie au préromantisme*, t. II : *L'éclosion du mysticisme, 1794-1815* (Paris, 1958, in-8°). — Pour les sciences, voir les ouvrages cités p. 12 ; J. FAYET, *La Révolution française et la science, 1789-1815* (Paris, 1960, in-8°). — Pour les arts, ouvrages de MICHEL, BENOIT, LAVEDAN, COMBARIEU, ROLLAND, cités p. 12 ; P. LELIÈVRE, *Vivant Denon* (Angers, 1942, in-8°) ; L. HAUTECŒUR, Les origines de l'art Empire, dans la *Revue des études napoléoniennes*, t. V (1914), p. 145-161 ; DU MÊME, *Histoire de l'architecture classique en France*, t. V : *Révolution et Empire, 1792-1815* (Paris, 1953, gr. in-8°); É. BOURGEOIS, *Le style Empire, ses origines et ses caractères* (Paris, 1930, in-4°) ; F. BENOIT, David et la révolution dans la peinture, dans la *Revue de Paris*, 1913, t. III, p. 47-60 ; L. HAUTECŒUR, *Louis David* (Paris, 1954, in-8°) ; R. SCHNEIDER, *L'esthétique classique chez Quatremère de Quincy* (Paris, 1910, in-8°); DU MÊME, L'art anacréontique et alexandrin sous l'Empire, dans la *Revue des études napoléoniennes*, t. X (1916), p. 257-271 ; DU MÊME, L'art de Canova et la France impériale, *ibid.*, t. III, 1912, p. 36-57 ; A. VENTURI, *Canova*, dans l'ouvrage *La vita italiana durante la Revoluzione francese e l'Impero* (Rome, 1906, in-8) ; sur les initiatives et les responsabilités de l'empereur dans le domaine des arts, voir le numéro spécial de la revue anglaise *Apollo*, septembre 1964.

despotiques s'employaient à faire le silence ; les Anglais s'intéressaient aux réformes de détail plutôt qu'aux idées ; aux États-Unis, l'activité intellectuelle était nulle. La discussion, d'ailleurs, semblait vaine en ces années où chacun, ayant son siège fait, attendait l'arbitrage des armes. Surtout, la guerre attirait les jeunes énergies tandis que le nationalisme politique qui croissait divertissait le cours de plus d'une pensée. Mais, pour autant que cette vie continua, l'expérience napoléonienne ne la renouvela point : ce fut entre les idées traditionnelles et celles du xviiie siècle que le débat se poursuivit.

L'assoupissement général ne favorisait pas ces dernières et les journaux officiels, l'administration, les églises, libres de s'exprimer, prêchaient plus ou moins ouvertement la cause de la contre-révolution. Si Napoléon lui-même défendait une part de l'héritage de 1789, c'était à sa manière et il n'entendait pas se faire aider par les « idéologues ». Cabanis mourut en 1808 ; mais Destutt de Tracy, Ginguené, Fauriel continuaient leurs travaux, et leur positivisme rationaliste gardait ses fidèles, dont Stendhal. Toutefois, il se voyait éclipsé par la résurrection du spiritualisme, qui s'harmonisait avec la renaissance religieuse et que Royer-Collard enseignait en Sorbonne. Maine de Biran s'efforçait de conférer de nouveau à la pensée une connaissance intuitive de son existence propre et la faculté de reconstruire une métaphysique. Joubert évoluait dans le même sens et tel idéologue, comme Laromiguière, avait fait des concessions à la mode intellectuelle. En Angleterre, Bentham, le père du radicalisme philosophique, dont l'empirisme était beaucoup plus marqué que celui des idéologues français, s'intéressait de plus en plus aux réformes politiques et économiques. L'idéalisme transcendantal, qui régnait en Allemagne sans avoir fait encore beaucoup de prosélytes au dehors, se pénétrait de plus en plus de mysticisme, surtout chez Schelling.

Cependant, les sciences continuaient leurs progrès. Dans les mathématiques, Laplace, Monge, Legendre, Poisson, Poinsot et Arago maintenaient la France au premier rang ; la renommée de Gauss, en Allemagne, s'en tenait aux débuts. Les physiciens et les chimistes français restaient également nombreux et brillants : Malus et Biot, Gay-Lussac et Dulong, Chaptal, Berthollet, Thénard. Mais l'Angleterre tenait ici sa place avec Wollaston, Dalton et Davy, et aussi la Suède, avec Berzélius ; Rumford, quoique fixé en France, était anglo-saxon d'origine. La chimie avait achevé de se constituer en formulant les lois fondamentales des combinaisons ; elle isolait sans cesse de nouveaux corps simples et la jeune industrie suscitée par elle prenait un rapide essor. Les sciences naturelles assuraient aussi à la France une éclatante suprématie ; au grand nom de Lamarck s'adjoignaient maintenant ceux de Cuvier et de Geoffroy-Saint-Hilaire. La zoologie, l'anatomie comparée, la paléontologie cessaient d'être purement descriptives ; entre Lamarck et Geoffroy-Saint-Hilaire, qui dégageaient les premières notions du transformisme, et Cuvier, qui défendait le principe de la fixité des espèces, s'annonçait une des controverses les plus fameuses du siècle. Haüy avait posé les bases de la cristallographie et Candolle poursuivait ses recherches botaniques. Bichat avait mis en lumière la composition cellulaire des tissus et la médecine profitait des travaux de Broussais, de Laënnec, de Corvisart et de Dupuytren. Alexandre de Humboldt, que son exploration de l'Amérique espagnole rendait célèbre, était le seul rival des naturalistes français. L'Allemagne reprenait l'avantage dans le domaine de l'histoire et de la linguistique, comme l'Angleterre dans celui de l'économie politique.

Au XVIIIe siècle, la connaissance scientifique n'avait cessé d'être utilisée pour battre en brèche les idées traditionnelles ; son extension promettait une revanche au positivisme rationaliste. L'empereur contribua involontairement à lui réserver l'avenir, en attribuant aux sciences une large place dans l'enseignement secondaire et en conservant les grandes institutions de la Convention, où le savant assurait lui-même la diffusion de ses découvertes. D'ailleurs, Laplace, Lamarck, Cuvier, Ampère comptent parmi les meilleurs écrivains du temps. Plusieurs de ces maîtres assurément, conciliaient leurs recherches avec les opinions traditionnelles : Cuvier, qu'à Stuttgart on avait habitué à penser par genres et par espèces, comme les scolastiques, et pour qui la science ne s'assignait d'autre fin que de retrouver dans la nature l'ordre créé par la divinité, se flattait de barrer la route au positivisme de ses rivaux. Mais, comme les recherches objectives des savants aident toujours, par un détour plus ou moins long, à la transformation, non seulement des idées, mais de l'économie et, par conséquent, de la structure sociale et des mœurs, tous contribuaient à ruiner indirectement la tradition qu'on n'en séparait point.

Les maîtres de la contre-révolution continuaient à utiliser pour leurs fins l'empirisme rationaliste. En 1802, Bonald avait publié sa *Législation primitive* et Maistre, en 1810, un *Essai sur le principe des constitutions politiques.* Charles de Haller, dès 1808, avait préludé par l'*Abrégé de la politique universelle* à sa *Restauration de la science politique* dont le premier volume ne parut qu'en 1816. Sa doctrine se donnait jusqu'alors comme purement positive : de même que Bonald, il la fondait sur la souveraineté du chef de famille, constatée comme un fait. Toutefois, alors que Bonald et Maistre justifiaient la hiérarchie des autorités et légitimaient la royauté moderne, Haller au contraire défendait les prétentions politiques de l'aristocratie et contestait le pouvoir de l'État : le chef suprême n'était qu'un propriétaire comme un autre ; abusivement il avait empiété sur les droits du seigneur et la raison commandait de revenir au régime féodal.

Bonald et surtout Joseph de Maistre n'en recouraient pas moins à l'impératif de la divinité, et Haller lui-même finit plus tard par l'invoquer aussi et par se convertir au catholicisme. De même, le commun des contre-révolutionnaires se portait de préférence vers les religions traditionnelles pour se munir d'une philosophie, et le pouvoir séculier les y encourageait. Des coups srès rudes n'avaient cessé d'atteindre l'Église catholique dans tes intérêts temporels : la sécularisation s'était étendue à tout l'empire et à plusieurs États vassaux, même à la Bavière. Mais ces épreuves n'allaient pas sans profit pour son influence spirituelle. La captivité de Pie VII, après celle de son prédécesseur, avivait une sympathie que la papauté ne connaissait pas à la veille de la Révolution. Étroitement soumis à l'État et, par lui, aux évêques, le bas clergé cherchait instinctivement un secours dans l'ultramontanisme ; épurée et disciplinée par ses souffrances, de recrutement plus populaire qu'autrefois, l'Église rassemblait ses forces pour la grande offensive dont la chute de l'empereur allait donner le signal. Pourtant, l'apologétique restait médiocre et contaminée par l'esprit du temps. Partout, l'inspiration joséfiste animait l'État, qui ne voyait dans le catéchisme qu'un manuel de morale et dans le prêtre qu'un agent politique ; l'influence romantique, hostile à l'intelligence, introduisait dans la pensée catholique des éléments étrangers au thomisme et redoutables pour la doctrine. Bonald et Maistre n'en étaient pas exempts ; le catholicisme esthétique et sentimental de Chateaubriand faisait école, et Lamennais, se préparant à démontrer la vérité du christianisme par le sens commun et le consentement universel, posait inconsciemment la base d'un schisme futur. Il reste que, par ces voies diverses, des personnages considérables étaient ramenés au bercail. Plusieurs romantiques allemands s'étaient convertis avec fracas et, à Rome, un groupe d'artistes germaniques, les « Nazaréens », séduits par les primitifs, inclinaient dans le même sens ; leur chef, Overbeck, se fit catholique en 1813. En Allemagne et en Angleterre, la renaissance protestante se poursuivait aussi. Schleiermacher se montrait à présent un pasteur édifiant ; Fichte et surtout Schelling s'accommodaient au conformisme. Les méthodistes, en dépit d'une scission nouvelle en 1812, et les baptistes, qui se donnèrent en revanche, la même année, une organisation unitaire, demeuraient populaires et le *dissent* prétendait compter deux millions d'adhérents.

En marge des religions traditionnelles, le mysticisme continuait à foisonner. Saint-Martin était mort en 1803, mais il laissait des disciples, comme aussi Antoine de La Salle : Azaïs par exemple et Gence, plus tard professeur à l'École des Chartes. Les centres demeuraient toujours Lyon, où l'imprimeur Ballanche méditait sur les interprétations successives du dogme à la lumière de l'intuition mystique, et l'Alsace, où Oberlin jusqu'à sa mort en 1806, le baron de Turckheim, Salzmann et le préfet Lezay-Marnésia donnèrent, plus ou moins, dans l'illuminisme. Certaines de ces spéculations tendaient à un syncrétisme polythéiste ou continuaient la Kabbale par des considérations sur les vertus magiques des nombres ; Fabre d'Olivet était ainsi passé, après 1805, de l'idéologie à la théosophie et imprima, en 1813, des *Vers dorés de Pythagore*. En Allemagne, Jung Stilling, professeur à Carlsruhe depuis 1803, restait, avec Baader, l'oracle des mystiques ; comme Bergasse en France, il versait dans le millénarisme, Napoléon étant fort propre à jouer le rôle d'Antéchrist. Ce courant allemand rejoignait en Alsace le courant français, et c'est là que Mme de Krüdener paraît s'être initiée à ces mystères. Après avoir rencontré Jung Stilling, elle y vit Oberlin et, à Sainte-Marie-aux-Mines, le pasteur Fontaine ; un peu plus tard, on la retrouve à Genève, d'où elle fut expulsée en 1813. Elle communiqua ses rêveries à Mme de Staël, qui déjà se faisait lire Saint-Martin par Auguste Schlegel et recevait Zacharias Werner, littérateur et mystique dévoyé qui finit par se faire catholique et prêtre ; piquée d'émulation, elle se mit à étudier l'*Imitation* et Mme Guyon. En Russie, les sectes mystiques pullulaient comme toujours ; les « chrétiens spirituels » jouissaient alors de la vogue dans l'aristocratie ; Alexandre, gagné par Galitzine et par Kotschelev, se mit, en 1812, à lire la Bible et à la méditer, se préparant ainsi à devenir l'Ange blanc de Mme de Krüdener.

Dans la littérature et l'art, le romantisme était la grande source de renouvellement et d'excitation. Comme l'Allemagne en avait construit la philosophie et s'abandonnait à lui presque entière, elle la considérait comme une création de son génie ; en fait, c'était un mouvement qui entraînait tout l'Occident, et il devait trop à Rousseau pour qu'on s'y trompât. Les romantiques allemands ne se souciaient pas de préciser leur métaphysique : le groupe de Heidelberg s'intéressa plutôt à l'exploration du passé ; plusieurs d'entre eux plièrent leur art à l'apologie de l'Ancien Régime et du germanisme ; bientôt une troisième génération ne songera qu'à se faire l'interprète du sentiment national. De l'activité didactique des initiateurs, restaient surtout le dédain des conventions esthétiques et l'apologie de la fantaisie créatrice. Gœthe avait définitivement condamné l'arbitraire et l'extravagance de leurs tentatives littéraires et rompu avec eux, bien qu'ils n'eussent peut-être pas eu à désavouer, dans les *Affinités électives*, parues en 1809, le fatalisme passionnel qui, en tous pays, fut un des principaux thèmes de l'École. Ils ne parvinrent point à produire de grandes œuvres, à moins qu'on ne range Kleist parmi eux, à raison de l'instabilité de sa vie intérieure et de son impuissance à s'adapter au milieu, qui le menèrent au suicide en 1811 et qui sont la racine éternellement vivace du romantisme. Mais le symbolisme idéaliste de Novalis, l'harmonie de l'idée et du monde visible au sein de l'Être, n'étaient pas du tout son fait ; sa propre nature et les catastrophes du temps présent ne lui permettaient d'apercevoir dans le monde que conflits irréductibles et antagonisme universel. L'inspiration de ses drames est donc toute tragique : lutte de l'individu contre les siens dans *La famille Schroffenstein* ; du héros contre les forces hostiles, dans *Robert Guiscard* ; des races et des sexes, dans *Penthésilée* ; des nations dans *La bataille d'Hermann* ; conflit de la conscience et de la loi, dans *Le prince de Hombourg*.

Plus mémorable que leur œuvre littéraire est l'impulsion que les romantiques allemands donnèrent aux études linguistiques, historiques et juridiques. A la suite de leurs amis de Heidelberg, les frères Grimm avaient recueilli les *Contes populaires* et entrepris d'étudier l'histoire de leur langue ; Creuzer publiait ses travaux sur l'interprétation symbolique de la mythologie hellénique. L'intérêt porté aux littératures qu'on opposait au classicisme ne profitait pas au seul Shakespeare ; il allait également au *romancero*, à Camoëns, à l'Orient et à l'Inde. Guillaume de Humboldt se consacrait aussi à la linguistique. A la critique philologique, si brillamment représentée, dès la fin du siècle précédent, par les *Prolegomena ad Homerum*, publiés par Wolf en 1795, Böckh, son disciple, associait la recherche historique et Niebuhr, en 1811, commença de faire paraître son *Histoire romaine*. Enfin, l'esprit romantique s'était infiltré dans la conception du droit que Savigny et Eichhorn opposaient, comme une création inconsciente du *Volksgeist*, au Code Napoléon considéré comme une œuvre factice de l'intelligence et surtout comme une importation étrangère, sans lien avec la vie du peuple allemand. Les études juridiques, mises ainsi en rapport avec l'histoire générale des sociétés, devaient s'en trouver rénovées.

En Angleterre, le romantisme commençait à inspirer des poètes illustres. Les *lakists*, Wordsworth et surtout Coleridge, s'étaient depuis longtemps soumis au conformisme national et étaient devenus des manières de sermonnaires ; Southey s'était rallié au torysme, touchait une pension et fut promu poète lauréat en 1813. Mais la discipline puritaine, dont l'influence allait croissant, répugnait au tempérament de quelques jeunes aristocrates qui tenaient, de leur rang et de leur fortune, l'indépendance matérielle et que leur génie érigea en protagonistes de l'individualisme anarchique. Tout classique qu'il est resté quant à la forme, Byron fournit le type du romantique antisocial ; aristocrate autoritaire, impatient de toute règle, en révolte contre la solidarité de caste, il n'est pas un révolutionnaire rêvant du salut des classes opprimées, bien qu'il ait fini par trouver la mort dans les rangs des Grecs insurgés : il figure plutôt « l'unique », seul contre tous, qui prétend se faire sa propre loi et choisit pour modèle l'outlaw, ou mieux Lucifer rebelle à la divinité même. Impulsif et désordonné, Byron est aussi le romantique de tempérament qui, s'abandonnant, avec délices et tourments, à la fatalité de la passion, se sent prédestiné à l'infortune et à la mort ou qui, pour fuir la société, son pays et soi-même, se réfugie dans la contemplation de la nature et dans l'exil solitaire. Il découvre ainsi l'Orient et publie en 1812 *Childe Harold*, en 1813 le *Giaour*, en 1814 le *Corsaire*, qui, au cours des années suivantes, vont si puissamment contribuer à mettre à la mode l'exotisme et la couleur locale.

L'indiscipline sociale et la sensibilité maladive se retrouvent dans Shelley qui, expulsé d'Oxford, défiait le piétisme par son intellectualisme panthéistique et par l'éloge de l'amour libre. Ses premiers essais parurent en 1810 et sa *Reine Mab* en 1813. Quincey, adonné à l'opium comme Coleridge, s'appliquait pareillement à rompre en visière avec les conventions de son pays. L'Angleterre répudia ces audacieux ; mais, simultanément, Walter Scott y acclimata le romantisme dans un esprit analogue à celui de l'école de Heidelberg, médiéval, conservateur et national, par ses poésies d'abord, puis par ses romans historiques, qui connurent une vogue extraordinaire dans le monde entier, principalement après la publication de *Waverley* en 1814. Sous cette forme, où l'apologie du rebelle vertueux et du chevalier redresseur de torts se parait des ornements habituels au romanesque populaire, naissances mystérieuses, déguisements, visions, noirs complots, le romantisme toucha profondément la foule, sans irriter les puissants.

En France, la littérature qui conservait les honneurs de l'Institut et la faveur de Geoffroy, le maître de la critique, se conformait toujours aux règles traditionnelles. On y compte quelques écrivains élégants, dont le meilleur est le poète Delille. *Adolphe*, le chef-d'œuvre de Benjamin Constant, est de filiation classique ; mais la doctrine n'inscrivait point le roman parmi les genres nobles. Malgré son goût pour Ossian, Napoléon restait fidèle à cette esthétique ; il lui semblait que l'influence française souffrait de sa décadence et, vers la fin de son règne, le succès du romantisme en Allemagne et en Angleterre ne laissait pas de le lui rendre suspect. Pourtant, on ne pouvait guère se faire illusion : la Révolution avait achevé de compromettre l'avenir de l'art classique en dispersant l'aristocratie pour laquelle on l'avait créé, en affaiblissant les études, sans lesquelles la bourgeoisie ne pouvait plus le goûter et en incorporant à celle-ci de nouveaux riches, peu cultivés, qui prenaient plus de plaisir aux drames de Pixérécourt, au théâtre d'Alexandre Duval et aux romans de Pigault-Lebrun. Dans cette littérature populaire se manifestaient quelques traits d'un romantisme ingénu : l'imagination débridée, la confusion des genres, des essais de réalisme. La critique affectait de considérer le drame comme une tragédie abâtardie ; mais les tentatives de Lemercier, *Pinto* (en 1801), *Christophe Colomb* (en 1809), où les conventions étaient violées, annonçaient, en dépit de leurs faiblesses, qu'on approchait d'un bouleversement. D'ailleurs, les goûts pré-romantiques du XVIIIe siècle persistaient ; on prisait toujours le genre troubadour — on avait bien accueilli les poésies de la soi-disant Clotilde de Surville — et Ossian plus encore : Oscar et Malvina étaient des prénoms à la mode ; Lesueur, dans son opéra, *Les bardes*, comme aussi les peintres Gérard et Girodet, s'inspirèrent des faux de Mac-Pherson.

Toutefois, les événements contemporains surtout imposaient le climat romantique. L'ébranlement révolutionnaire, l'ascension de Napoléon, la guerre continuelle surexcitèrent les imaginations et les ambitions ; il n'y avait point place pour tous et, d'ailleurs, les chances de l'heure ne convenaient pas à tous les tempéraments ; les déçus qui savaient écrire prenaient leur revanche en se racontant. Dès 1802, dans le *Génie du christianisme*, René étalait l'ennui de l'inadapté et son dégoût se mêlait de colère et d'orgueil. L'*Obermann* de Sénancourt souffrit du même mal, avec un désespoir plus morne encore, tandis que, chez Millevoye et Chênedollé, il s'adoucit en mélancolie lamartinienne. D'autre part, si la liberté et l'égalité avaient été proclamées, les mœurs et le Code civil étaient loin d'en avoir tiré toutes les conséquences, surtout en ce qui concernait la femme. Après Atala, victime de la passion en conflit avec le devoir, Delphine et Corinne finissent non moins tristement parce que les préjugés sociaux, assurait Mme de Staël, refusaient à la femme le droit au bonheur. La rentrée des émigrés, pleins de souvenirs sur les pays étrangers, les récits des soldats et des fonctionnaires de l'empereur, élargissant les horizons, semaient le goût de l'exotisme, et Chateaubriand, publiant son *Itinéraire de Paris à Jérusalem* en 1811, réveillait la curiosité que l'expédition d'Égypte avait naguère excitée pour l'Orient ; il dépaysait tout autant les esprits avec ses *Martyrs*. Enfin, le contact avec les littératures étrangères, devenait plus intime : les idéologues, Fauriel, Gérando, fidèles à leur positivisme objectif, condamnaient le préjugé français et reconnaissaient aux œuvres de chaque peuple leurs mérites propres et le droit de prétendre à la beauté. Sous l'Empire, cet éclectisme profita surtout aux nations méridionales. La *Corinne* de Mme de Staël avait déjà rehaussé l'Italie dans la considération des Français ; à partir de 1811, Ginguené publia son *Histoire de la littérature italienne*, et Sismondi entreprit à Genève son cours sur les littératures du midi. Toutefois, Mme de Staël servit de truchement à l'Allemagne et, puisque c'était dans cette contrée que le romantisme avait pris conscience de lui-même, son rôle fut de premier plan.

De souche germanique par son père, mariée à un Suédois, protestante et pénétrée de la sympathie genevoise pour l'Angleterre calviniste et pour l'Allemagne luthérienne, beaucoup plus encline par tempérament à la passion qu'à l'esprit critique, il était naturel qu'elle s'éprît des littératures du nord. Dès 1801, dans son essai sur *La littérature considérée dans ses rapports avec les institutions sociales*, elle contestait la valeur universelle du classicisme, admettait le caractère relatif du beau et, guidée par le contraste des climats, opposait les pays du nord à ceux du midi, en caractérisant les premiers par Ossian et les seconds par Homère. Elle ne tarissait pas d'éloges sur les septentrionaux, sérieux, jaloux de leur liberté, moraux, religieux sans superstition. Néanmoins, à cette époque, elle accordait toujours l'avantage aux classiques dont elle s'était nourrie jusque-là et, au surplus, ignorait encore l'Allemagne et sa langue. Mais, exilée en 1803 par Napoléon, elle passa le Rhin et, au retour, ramena Auguste Schlegel qui vécut près d'elle jusqu'en 1810 et l'initia au romantisme germanique. Son entourage fut également gagné, car Benjamin Constant écrivit un *Wallenstein* en 1809 et Mme Necker de Saussure traduisit le *Cours de littérature dramatique* d'Auguste Schlegel en 1811. Cette évolution inspira le livre *De l'Allemagne*. Cette fois, les lettres françaises furent beaucoup plus maltraitées, au profit de Shakespeare et des Allemands. Répudiant les conventions classiques et l'esprit critique, Mme de Staël célébrait avec exaltation les vertus de « l'enthousiasme » : c'était du pur Schlegel. Imprimée à Paris en 1810, l'œuvre fameuse fut aussitôt saisie et ne parut qu'après la chute de l'empereur. Toutefois, dans les dernières années de l'Empire, le conflit des classiques et des romantiques préoccupait ouvertement la critique et il n'était plus ignoré en Italie, où l'on s'initiait aux œuvres nordiques, soit directement, soit, plus fréquemment, par l'intermédiaire de traductions françaises, et où, en 1807, leur influence se manifesta clairement dans les *Sepolcri* de Foscolo.

Les arts plastiques commençaient aussi à subir l'influence du romantisme, bien que la tradition s'y défendît beaucoup mieux. Napoléon s'intéressa particulièrement à l'architecture et le souci du prestige s'accordait avec son goût personnel pour recommander l'imposante ordonnance classique : « Ce qui est grand est toujours beau », disait-il. Involontairement, il aiguilla néanmoins plusieurs artistes sur une voie nouvelle, d'orientation romantique, en leur commandant ou en leur suggérant par ses exploits des tableaux d'histoire contemporaine ; mais il compte pour peu dans la formation du « style Empire », riche et lourd, dont l'inspiration étrusque et égyptienne remonte au xviiie siècle. Denon, son directeur des musées, était un artiste et un amateur assez éclectique. Le protagoniste de l'art classique, imité de l'Antiquité, fut Quatremère de Quincy. Il considérait le beau selon un archétype idéal et platonicien, dont il importait de se rapprocher en éliminant les particularités individuelles et en s'attachant au dessin, en sorte qu'il tenait la sculpture pour l'art essentiel. Percier et Fontaine, au Louvre, Gondouin, qui dressa la colonne Vendôme, Chalgrin, qui entreprit l'Arc de triomphe, restèrent fidèles à la tradition, et la doctrine de Quatremère s'accordait aussi avec la manière préférée de David. Les grands sculpteurs du temps furent des étrangers, le Danois Thorwaldsen, et surtout Canova qui inspirait à Napoléon une prédilection marquée.

L'art était pourtant loin de présenter l'uniformité que souhaitait Quatremère. L'alexandrinisme, mis à la mode au xviiie siècle par l'exploration de Pompéi, réagit contre la ligne ferme et tendue de la peinture davidienne et insinua dans les œuvres de Girodet et de Prudhon une sorte de lassitude voluptueuse et mélancolique ; chez Canova, une grâce molle et le goût du pittoresque compromirent la pureté du style ; dans l'art décoratif, l'alexandrinisme continua de régner à côté du mode impérial. D'autre part, le réalisme s'imposait dans le portrait, où Gérard et surtout David furent incomparables. Enfin, les sujets que Girodet empruntait à Ossian ou à Chateaubriand et ceux qu'on tirait de l'histoire contemporaine, le *Sacre* de David, les batailles de Gros, les soldats de Géricault, réintégrèrent la variété dans les idées, le mouvement dans le dessin, l'éclat dans le coloris : c'étaient des œuvres nettement romantiques. Plus libres encore se révélaient celles de Goya et des peintres anglais, Lawrence, Romney et Raeburn ; en Grande-Bretagne, naissait aussi l'école des paysagistes, de Constable et de Turner, qui allait apporter à la peinture nouvelle un de ses éléments les plus neufs et les plus émotifs.

Pour ce qui est de la musique, les idées révolutionnaires une fois condamnées, la rénovation qu'elles lui avaient procurée en France ne se poursuivit point ; il en restait seulement une préférence pour la mélodie au préjudice de la musique savante, et une certaine faiblesse technique, une emphase aussi, que ne justifiaient plus l'ardeur et l'enthousiasme, mais qui n'était pas sans rapport avec l'art davidien. Parmi les principaux compositeurs se rangeaient soit des Français comme Méhul, soit des Italiens acclimatés à Paris, comme Spontini : *Joseph* et *La Vestale* sont de 1807 ; Boïeldieu, rentré de Russie en 1811, relevait avec succès le prestige de l'opéra-comique. Par l'abondance et la force, Cherubini, le maître de Berlioz, paraît déjà romantique : il plaisait peu.

Leur renommée à tous pâlissait devant celle de Beethoven, toujours installé à Vienne. Sans cesser d'écrire pour le piano, il avait produit, depuis le début du siècle, ses grandes compositions instrumentales, les quatuors, les ouvertures et les huit premières symphonies. Ses œuvres effarèrent plus d'une fois les contemporains par leurs audaces techniques, par la vigueur et la nouveauté de l'expression ; elles les conquirent par la richesse de la vie intérieure qui les inspirait. D'un tempérament inégal et violent, ardent et sensible, mais retranché du monde par la surdité et torturé par maint amour sans espoir, d'une susceptibilité ombrageuse, condamné, par son origine plébéienne et sa pauvreté, à des heurts douloureux dans le milieu aristocratique où il était obligé de vivre, Beethoven, à beaucoup d'égards, s'apparentait aux romantiques et, comme la poésie à Novalis, la musique lui a créé un monde magique qui le défendait contre le réel. Toutefois, ce n'était pas un débile ; beaucoup de ses chants expriment la joie, la grâce, l'élan, le badinage d'un être sain, plein de ressort et de volonté ; d'autres, l'aspiration à la grandeur héroïque et au combat contre les forces hostiles de l'univers. Il ne sombra jamais dans le désespoir stérile ; c'était un fils du xviiie siècle qui brûlait d'un optimisme inquiet mais obstiné, spontanément républicain, profondément pénétré de la solidarité humaine, confiant dans le destin de l'homme. Par plus d'un trait, il ressemblait à Rousseau et, parmi les Allemands, sa pensée le rapprochait des classiques, de Schiller surtout, plutôt que des romantiques. En son fond, c'était un tragique comme Kleist : ses œuvres les plus pathétiques disent le duel du héros et de la nature rebelle, mais aussi, replacées dans le temps qui les a vu naître, les conflits tumultueux de la Révolution et de l'ancien monde, de la liberté et du despotisme, des nationalités naissantes et de l'empire napoléonien.

IV. — *L'ÉVEIL DES NATIONALITÉS EN EUROPE ET EN AMÉRIQUE*[1].

L'accession progressive des peuples à la vie intellectuelle avait eu pour conséquence, au xviiie siècle, principalement en

---

1. Ouvrages a consulter. — Voir p. 22 ; E. Fournol, *Les nations romantiques* (Paris, 1931, in-8º) ; — pour l'Allemagne, voir p. 281, 288, 297 et 488 ; M. Antonovytsch, *F. L. Jahn* (Berlin, 1933, in-8º, fasc. 230 des « Historische Studien » d'Ebering), avec une bibliographie ; P. Rühlmann, *Die öffentliche Meinung in Sachsen, 1806-1812* (Gotha, 1902, in-8º) ; — pour l'Italie, Hazard,

Allemagne, de développer le nationalisme culturel chez les écrivains et les universitaires, la civilisation classique se présentant comme une création française qui les réduisait à un rôle subalterne. Le système napoléonien, qui renforçait l'influence spirituelle de la France par la réforme des institutions et la domination militaire, aggrava cette réaction. Sans nier le principe d'une civilisation universelle, essentiel d'ailleurs au christianisme, les nations réservèrent instinctivement leur indépendance dans le domaine des lettres, des arts et des mœurs, et recherchèrent les traits caractéristiques de leurs manières originales de sentir et d'agir — ce que Jahn, en 1810, appela le *Volkstum* — soit dans les temps passés où elles croyaient avoir échappé aux influences extérieures, soit dans les classes populaires que l'ignorance tenait à l'écart du cosmopolitisme. Herder et Burke avaient justifié ce nationalisme en faisant de chaque peuple un être vivant, irréductible aux autres, et les romantiques allemands couronnèrent cette philosophie en dotant la nation d'un *Volksgeist* dont l'expression la plus significative est la langue. Au temps de Napoléon, Cuoco en Italie, Karamzine en Russie partageaient ces opinions.

Le trait caractéristique de la pensée italienne à cette époque, c'est qu'elle résiste beaucoup plus énergiquement à l'ascendant de la France, alors que la domination napoléonienne paraissait devoir l'affermir et que les écrivains ralliés, Monti et Cesarotti, et toute une littérature officielle, « la littérature des préfets », s'y abandonnaient avec complaisance. Cesari ramène le toscan à sa pureté classique et en établit le dictionnaire ; sans combattre politiquement la France, Cuoco, qui servit à Milan et à Naples sous Melzi et Joseph, Foscolo, installé à Pavie, se montrent intraitables quand il s'agit de l'autonomie linguistique et littéraire. A Florence, Niccolini, franchement hostile aux conquérants, ne publie rien, mais recherche dans le passé les titres illustres de son pays. L'art de Canova et la musique italienne excitent aussi la fierté. Napoléon semble avoir tenu compte de ce sentiment.

cité p. 10 ; R. M. Johnson, *The Napoleonic empire in Southern Italy and the rise of the secret societies* (Londres, 1904, 2 vol. in-8°) ; D. Spadoni, La conversione italiana del Murat, dans la *Nuova rivista storica*, t. XIV (1930), p. 217-252 ; A. Mathiez, L'origine franc-comtoise de la charbonnerie italienne, dans les *Annales historiques de la Révolution française*, ann. 1928, p. 551-561 ; — pour la Russie, A. Koyré, *La philosophie et le problème national en Russie au début du XIXe siècle* (Paris, 1929, in-8°) ; — pour la Norvège, E. Bull, Formation de la nationalité norvégienne, dans la *Revue des études napoléoniennes*, t. X (1916), p. 5-54 ; — pour les États-Unis, les ouvrages cités p. 43 ; A. T. Mahan, *Sea power in its relations to the war of 1812* (Boston, 1905, in-8°).

Si le rétablissement, en 1809, de la langue autochtone dans les tribunaux de l'Italie annexée à la France ne fut sans doute qu'une concession nécessaire à la bonne administration de la justice, les lettrés s'estimèrent fondés à crier victoire quand fut reconstituée, en 1812, l'académie de la Crusca. La Belgique n'opposait aucune résistance à la culture française ; en Rhénanie, elle faisait peu de progrès, sans provoquer d'opposition concertée ; en Hollande, la littérature, au contraire, se repliait sur elle-même et renonçait à l'imitation étrangère.

Hors de l'Empire, on voit la Norvège obtenir, en 1813, son université. A l'est, la Russie a maintenant ses journaux littéraires : le *Messager d'Europe*, fondé par Karamzine en 1802, et le *Messager russe*, édité par Glinka à partir de 1808. Karamzine s'applique à constituer une langue littéraire et à éliminer les genres classiques, l'ode et la tragédie. Après Tilsit, Glinka et Rostopchine s'élèvent avec vigueur contre les modes étrangères qui prévalent à la cour et parmi les nobles ; Glinka surtout fait l'apologie d'un passé russe de convention et combat les innovations occidentales ; Karamzine, autrefois inféodé à l'*Aufklärung*, s'éprend de la tradition nationale et commence une histoire de l'État moscovite. Chez les Habsbourg, la Hongrie ne cesse de réclamer pour le magyar la dignité de langue officielle ; les Tchèques aussi se réveillent, ayant depuis 1792 une chaire de leur langue à l'Université de Prague ; Dobrovsky fixe la grammaire ; Chafaryk (Šafařyk) et Palatsky (Palacky) se préparent à écrire. L'Illyrie conquise, Marmont y admet le slovène et le croate dans les actes publics et à l'école primaire ; sous sa protection, l'abbé Vodnik compose des livres élémentaires en slovène. Enfin, les chrétiens balkaniques s'agitent : les Grecs sont les plus avancés et multiplient leurs hétairies ; chez les Serbes, la tradition nationale, dont les popes se font les mainteneurs, s'attache à la religion orthodoxe ; mais la langue et l'histoire des Roumains renaissent en Transilvanie et, en 1813, une école moldave s'ouvre à Jassy.

Dans les pays qui constituaient depuis longtemps un État national ou qui avaient conservé un vif souvenir de l'indépendance perdue, l'Angleterre et la Hollande, la Suisse, la Pologne et la Hongrie, l'Espagne et le Portugal, le nationalisme culturel s'intégrait naturellement dans le nationalisme politique ; ailleurs il l'aidait à naître. Les Tchèques, les Slaves d'Illyrie, les Roumains et même les Grecs ne paraissaient pas encore penser à lutter, comme les Serbes, pour obtenir leur émancipation. Mais, en Italie, la mutation du patriotisme de culture en patriotisme politique, commencée à l'époque révolutionnaire, faisait des progrès et, en Allemagne, elle venait de se réaliser. La Révolution y avait contribué en réservant la souveraineté à la nation : il était naturel que ce principe se retournât contre la domination napoléonienne. Pratiquement, les Français ont également préparé l'éclosion des sentiments nationaux en organisant les cadres de l'État, en formant une hiérarchie de fonctionnaires et surtout des armées où se recruteront, en Italie, du moins, les ennemis les plus audacieux de la Sainte-Alliance ; dans le sud de ce même pays, ils ont aussi acclimaté les sociétés de « bons cousins charbonniers », originaires de France-Comté, qui, dès le règne de Murat, paraissent être gagnées en partie à l'idée unitaire.

Toutefois, il ne faut pas exagérer l'influence de ces facteurs ; ils ont moins d'importance que la conquête elle-même. A quelque idéalisme que le patriotisme puisse atteindre, il ne prend une forme politique que pour des motifs fort réalistes, même chez les classes supérieures où prospère surtout le nationalisme culturel ; en tout cas, dans les masses populaires, la xénophobie et le misonéisme sont ses premiers composants, et l'apparition des soldats et des administrateurs de l'étranger a toujours été pour eux le meilleur des réactifs. Le système napoléonien avait ses mérites ; mais les bienfaits en étaient mis en balance avec les charges, et le bilan ne pouvait pas être favorable. D'abord, l'empereur rejetait les frais de la guerre sur le pays conquis, qui supportait les exigences et les pillages des troupes, les réquisitions, sans parler des contributions de guerre : la Westphalie par exemple fut taxée à 26 millions. Cela fait, il posait en principe que ses conquêtes devaient se suffire, même la pauvre Illyrie ; tout au plus accordait-il, comme à Naples et en Espagne, la solde du corps d'occupation tant que le pays n'était point pacifié, mais bien à regret. En 1807, Joseph consacra 44 millions à l'armée : on ne lui en remboursa que 6. La Westphalie versait 10 millions aux 12.500 Français qui formaient la moitié de son armée. Sur 127 millions de dépenses, en 1809, le royaume d'Italie en payait 30 à la France et en employait 42 pour ses propres troupes. En outre, l'administration nouvelle coûtait cher. Bref, les impôts s'accrurent démesurément partout : le grand-duché de Berg paya 6 millions en 1808 et 13 en 1813 ; en Vénétie, la charge tripla. Il fallait aussi fournir des hommes : de 49.000 hommes en 1810, l'armée italienne fut portée à 91.000 en 1812 ; le duché de Berg

— 513 —

entretenait 5.000 hommes en 1806 et 9.400 en 1811. Enfin, le blocus irrita plus de gens encore qu'il n'en contenta. Excepté l'Espagne, que la guerre dévastait, l'Allemagne et surtout la Prusse, en 1812, avaient le plus à se plaindre. Ce n'est pas une ardeur purement spirituelle qui a fait, de ce dernier royaume, le foyer du soulèvement de 1813 : l'Allemagne était le chemin de la Russie et, depuis l'été de 1811, elle hébergeait toute la Grande Armée ; la Prusse servait, avec la Pologne, de base à l'expédition et avait dû livrer tout ce qu'elle possédait. Dès le 5 décembre 1811, Jérôme, dont le domaine s'étendait cependant à l'arrière, poussait ce cri d'alarme :

« La fermentation est au plus haut degré... On propose l'exemple de l'Espagne et, si la guerre éclate, toutes les contrées entre Rhin et Oder seront le foyer d'une active insurrection. La cause puissante de ces mouvements n'est pas seulement l'impatience du joug étranger ; elle existe plus fortement dans la ruine de toutes les classes, les surcharges des impositions, contributions de guerre, entretien des troupes, passages de soldats, vexations répétées. Le désespoir des peuples, qui n'ont rien à perdre parce qu'on leur a tout enlevé, est à redouter... Les peuples sont indifférents aux hautes combinaisons politiques ; ils ne sentent que le mal présent qui les presse. »

Le roi de Westphalie aurait pu ajouter que l'aristocratie et la bourgeoisie étaient aussi atteintes, depuis longtemps, et c'était là le plus grave : dans les pays vassaux, la dette avait été laissée en souffrance ou partiellement réduite, les retraites et les pensions répudiées, les fonctionnaires et les officiers des anciens souverains congédiés. Les États restés indépendants, la Prusse surtout, avaient été obligés d'en faire autant. De tous les maux, on réputait le vainqueur responsable.

D'autre part, le système napoléonien, introduit d'un coup dans les régions les plus différentes, renouvelait, avec une étendue et une décision bien supérieures, les tentatives du despotisme éclairé qui prétendait assurer le bien des populations sans les consulter. Il parut compliqué, exigeant et formaliste à des pays moins riches que la France, habitués à des gouvernements indolents, parfois à demi barbares comme l'Illyrie. Le Code civil fit pire encore en bouleversant les habitudes de la famille et de la propriété. Ouvertement laïque, mettant tous les cultes sur le même pied, introduisant l'état civil et le divorce, libérant les juifs, protégeant les francs-maçons, il eut contre lui les clergés. Dans les pays protestants, on ne vit pas toujours de bon œil l'égalité concédée aux catholiques : en Hollande, par exemple, on s'efforça, aux dires des agents français, de les écarter des emplois. En Illyrie, en Pologne, en Russie, les prêtres orthodoxes regardaient Napoléon comme l'Antéchrist. L'hostilité des catholiques fut particulièrement prononcée à cause des sécularisations, de l'abolition de la dîme et de la rupture avec le pape. Plus redoutable encore était la fureur de l'aristocratie à voir supprimer la féodalité et proclamer l'égalité civile. Les Messieurs de Berne et de Genève, le patriciat de Hollande et des villes hanséatiques, sur ce dernier point, n'ont jamais pardonné non plus. La bourgeoisie et le peuple ne manquaient pas davantage de griefs : l'artisanat s'alarmait quand on supprimait les corporations ; les fonctionnaires s'irritaient de voir des Français s'installer dans les hauts emplois ; les « patriotes », fidèles clients de la France révolutionnaire, étaient systématiquement tenus à l'écart comme jacobins ; les paysans se sont plaints que la réforme agraire ménageât les seigneurs. Seuls, un certain nombre de grands bourgeois admis aux places, gorgés de biens nationaux, favorisés par le blocus, conservèrent quelque tendresse pour le régime. Dans tous les pays où Napoléon créa les cadres administratifs et sociaux d'une nationalité moderne, les intérêts se sont coalisés pour soupirer après l'indépendance et pour se retourner contre la France. Le cas de la Pologne est particulièrement intéressant, puisqu'elle devait beaucoup à Napoléon et aurait dû plus encore à sa victoire sur la Russie. Or le clergé lui resta sourdement hostile ; la noblesse hésitait, dans la crainte de réformes nouvelles qu'un petit noyau de démocrates réclamait déjà ; elle ne pardonnait pas non plus à l'empereur de ne pas avoir fait remise totale de la dette hypothécaire qui lui avait été cédée par la Prusse : 43 millions plus 4 d'intérêts arriérés, qu'il réduisit à 20, payables en trois ans ; les paysans, incomplètement libérés, n'avaient souci que de leurs charges ; écrasés comme les paysans prussiens par le passage de la Grande Armée, c'était aux Français qu'ils en attribuaient le poids. La Pologne ne soutiendra pas Napoléon d'un élan et sans arrière-pensée, comme il l'espérait.

Par quelques répercussions imprévues, les guerres de cette époque favorisèrent les progrès d'autres peuples encore. La Finlande a été séparée de la Suède et elle a reçu d'Alexandre une constitution, qui, rédigée par Spéranski, lui conféra l'autonomie. La Norvège, coupée du Danemark par la flotte anglaise et réduite à la famine, devint, en fait, indépendante, bien qu'elle n'ait rien tenté contre Frédéric VI. En Amérique, les colonies espagnoles allaient former de jeunes nations et le Brésil ne rentrera plus dans l'obédience du Portugal. L'année 1812 marque dans l'histoire des États-Unis une date mémorable, ayant vu commencer la seconde guerre de l'indépendance contre l'Angleterre qui maintenait jusque-là son ancienne colonie dans le vasselage économique et y conservait même un parti puissant. La rupture paraît avoir été conseillée à Madison par des hommes nouveaux, Clay, Calhoun, Webster, qui voulaient s'emparer du Canada et assurer l'autonomie de leur pays en développant l'industrie à l'abri d'une barrière douanière. La guerre fut difficile, les États-Unis n'ayant ni armée, ni argent ; il fallut emprunter et convoquer les milices, en dépit des protestations des États du Nord qui, à la veille de la paix, menaçaient de désobéir au gouvernement fédéral. L'invasion du Canada échoua ; en 1813 et en 1814, on eut à repousser les attaques des Anglais sur le lac Érié et vers le lac Champlain ; Baltimore fut assaillie et Washington brûlée ; en 1815 encore, Jackson repoussa une tentative contre la Nouvelle-Orléans. Sur mer, les succès des frégates américaines et des corsaires, qui capturèrent 2.500 bâtiments ennemis, ne purent empêcher le blocus des ports. On évalua les pertes à 30.000 tués et la dépense à 200 millions de dollars ; le gain territorial fut nul et le dommage commercial considérable. Mais l'industrie profita de la guerre pour conquérir le marché intérieur ; après la paix, le tarif de 1816 le lui conserva. Et le sentiment national sortit très renforcé de la crise.

Les résistances nationales créèrent des difficultés à Napoléon : l'insurrection du Tirol l'a gêné et celle de l'Espagne affaibli. Mais, aussi longtemps que son armée restait intacte, le péril n'était pas mortel : la population prussienne n'a pas bougé avant de connaître le désastre de Russie et, au cours de la débâcle, aucun autre peuple ne l'imita. Il convient d'observer en outre que, si le mécontentement suscité par la domination française contribuait incontestablement au développement des individualités nationales, le sentiment patriotique sous sa forme pure et désintéressée n'animait pourtant que de petites minorités et ne joua qu'un rôle secondaire en comparaison des souffrances populaires et des intérêts lésés des différentes classes ; le cas du Tirol l'atteste de manière caractéristique, puisque c'est contre la Bavière qu'il s'est insurgé et que celle-ci n'avait porté aucune atteinte à sa « germanité ». Or l'irritation populaire résultait surtout de la guerre, et plus particulièrement des préparatifs de la campagne de Russie ; elle se serait atténuée si l'empereur, victorieux, avait rétabli la paix continentale. Néanmoins, l'éveil des nationalités permet d'entrevoir que, l'empereur disparu, le système continental qu'il avait fondé ne lui eût pas survécu. Quant aux griefs sociaux, ils étaient en partie contradictoires, de sorte que, dans les pays d'économie et de structure déjà mode nes, une action commune rencontrait des obstacles. Cette dernière considération explique pourquoi la coalition monarchique et aristocratique se montra si réticente à l'égard des mouvements nationaux et se retourna contre eux après son triomphe. Au printemps de 1812, Alexandre se donnait déjà l'air d'un protecteur des nations opprimées et, de 1813 à 1815, lui et ses alliés se répandirent en promesses vagues. Mais, outre qu'ils n'entendaient pas que leurs convenances territoriales en fussent contrariées, il allait de soi, à leurs yeux, que leur pouvoir ne devait pas être diminué et que les paysans et les bourgeois auxquels ils faisaient appel auraient à se soumettre comme auparavant à la prépondérance de l'aristocratie. L'Autriche, obstinément fidèle à l'Ancien Régime, menacée chez elle par tant de nationalités asservies, ardente à remettre l'Italie et l'Allemagne sous son joug, n'accepta jamais de donner à la lutte contre la France un caractère révolutionnaire. L'histoire de la première moitié du XIXe siècle, la lutte cruelle des oppresseurs contre leurs peuples trompés, est déjà inscrite dans cette grande équivoque.

V. — *LES PROGRÈS DU CAPITALISME ET L'EXPANSION EUROPÉENNE DANS LE MONDE*[1].

Pendant toute la période napoléonienne, l'abondance monétaire persista. Il a été indiqué, à plusieurs reprises déjà, qu'elle constituait un des traits essentiels de l'économie britannique. L'inflation s'accrut en Grande-Bretagne à partir de 1809 ; la Banque absorbait une quantité croissante d'*exchequer bills* et son

---

1. OUVRAGES A CONSULTER. — Voir p. 49, 402, 479 ; CANNAN, cité p. 49 ; l'ouvrage de Ch. GIDE et Ch. RIST et celui d'E. ALLIX, cités p. 755. — Sur l'expansion européenne, voir p. 49 ; sur l'Amérique latine, p. 325 ; sur la Malaisie : R. COUPLAND, *Sir Th. Stamford Raffles* (Oxford, 1926, in-8°) ; sur le Pacifique, J.-P. FABRE, *L'expansion française dans le Pacifique, 1800-1842* (Paris [1953], in-8°) : le livre premier est consacré à l'Empire, essentiellement à l'expédition Baudin sur les côtes de l'Australie, déjà racontée par R. BOUVIER et Ed. MEYNIAL d'après les manuscrits du Muséum, auxquels l'auteur ajoute les archives de la Marine. — Sur l'expansion de la population européenne, voir la deuxième partie de M. R. REINHARD et A. ARMENGAUD, *Histoire générale de la population mondiale* (Paris, 1961, in-8°).

escompte commercial se trouva, en 1814, cinq fois plus élevé qu'en 1795 : il circulait alors 28 millions 1/2 de livres en *bank-notes*. Le nombre des banques privées, qui en émettaient d'autres, n'augmenta pas beaucoup à Londres ; mais en province, on en comptait près de 800 en 1809. La Banque d'Angleterre délivrant des billets de 1 et 2 livres, le numéraire disparut peu à peu et les prix montèrent sans cesse : en 1814, l'indice fut de 198 par rapport à 1790. L'encaisse de la Banque tomba, en 1815, à 2 millions et les changes perdirent de 15 à 20 %, ce qui n'a d'ailleurs pas nui à l'exportation. En France, le gonflement monétaire fut plus modeste. La thésaurisation persista et les plaintes relatives à la rareté du numéraire demeurèrent fréquentes ; mais il n'est pas douteux que le « signe » se multiplia. L'émission de la Banque de France passa de 63 millions en 1806 à 111 en 1812. La rapidité de la circulation s'accrut aussi : de 1809 à 1812, l'escompte fut de 4 à 500 millions et atteignit 747 en 1810 ; s'il n'eût tenu qu'à l'empereur, il aurait été plus actif encore et se fût largement étendu à la province où les opérations des banques locales, dont on ne sait rien, n'ont pas dû être considérables. La monnaie fiduciaire n'était encore utilisée que par un petit nombre de gens d'affaires, et beaucoup plus important fut l'accroissement de la monnaie métallique, en partie par la frappe et par le solde positif de la balance commerciale, principalement par les indemnités de guerre et le revenu du domaine extraordinaire. On a évalué à 755 millions l'or et l'argent entrés en France de 1799 à 1814. Dans l'empire, si les produits manufacturés renchérirent, les denrées agricoles ont été par moment avilies ; tout semble indiquer pourtant que, dans l'ensemble, les prix sont restés sensiblement supérieurs à ceux de 1789. Beaucoup de pays continentaux se soumettaient au régime du papier-monnaie ; comme leur numéraire se cachait ou avait passé en France et en Angleterre, c'est dans ces deux derniers pays que le gonflement monétaire surtout favorisa le progrès économique.

D'autre part, en étendant à une bonne partie de l'Europe les réformes de la Révolution — la liberté du travail, l'abolition du servage et des charges féodales, la mobilisation de la terre, la suppression des douanes intérieures et des péages, l'unité des poids et mesures —, Napoléon favorisait l'essor du capitalisme ; elles étaient d'accord avec l'enseignement d'Adam Smith, vulgarisé alors par Garnier et surtout par J.-B. Say, qui le clarifia et le compléta dans son *Traité d'économie politique* paru en 1803.

La guerre n'a pas laissé d'être aussi un stimulant. En Angleterre, elle obligea le commerce à chercher de nouveaux débouchés ; sur le continent, elle procurait à l'industrie une protection efficace ; le blocus continental ne fit qu'accentuer les conséquences des hostilités incessantes, et c'est pourquoi il n'est pas possible de déterminer exactement son influence propre sur les conditions de la production. Toutefois, les méfaits de la guerre en ont sûrement dépassé les avantages ; l'insécurité politique et la gêne apportée aux relations commerciales comprimèrent partout l'esprit d'entreprise ; comme le progrès de l'industrie sur le continent dépendait surtout de la vulgarisation des mécaniques britanniques, il eût été plus rapide si les Anglais avaient continué de venir les y installer.

Dans le domaine économique, le génie inventif, stimulé par la recherche scientifique, ne s'est pas assoupi au même point qu'ailleurs ; pourtant, par comparaison avec les créations du xviiie siècle, les résultats furent minces. La détente fractionnée de la vapeur, imaginée par Hornblow en 1792, fut reprise en 1804 par Woolf, qui utilisa les moyennes pressions avec double effet : c'est l'origine de la *compound*. A Philadelphie, Evans, ouvrier mécanicien et constructeur, apporta aux chaudières des perfectionnements remarquables. Murdoch, après avoir éclairé au gaz les ateliers de Boulton à Birmingham, en 1798, installa les premières lampes à Londres, dans Pall Mall, en 1807 ; l'application avait été réalisée en même temps par Philippe Lebon en France, mais il mourut en 1804 sans avoir pu la faire adopter. A la fin de l'Empire, Philippe de Girard réussit aussi à filer mécaniquement le lin. D'autre part, le problème des transports s'imposait de plus en plus à l'attention ; en 1811, Mac Adam soumit aux Communes le procédé d'empierrement qui porte son nom, bien qu'il fût déjà employé en France ; les charbonnages anglais employaient de plus en plus le rail dont on améliorait le profil ; enfin, on cherchait à construire une automobile à vapeur qui circulât sur un « chemin de fer » ; en 1804, Trewithick réalisa une première locomotive, Hedley une autre en 1803 et Stephenson commença ses recherches en 1814. Sur l'eau, la révolution des transports avait fait ses débuts, mais en Amérique seulement : en 1807, Fulton réussit à organiser un service régulier de bateaux à vapeur sur l'Hudson ; personne, toutefois, ne se risqua encore à affronter l'océan.

On incline à penser que la guerre incitait les manufacturiers à compter, pour maintenir leurs débouchés, sur les succès militaires et la contrebande, plutôt que sur les améliorations techniques et l'abaissement du prix de revient, ce qui contribuerait à expliquer le ralentissement de l'invention. Si l'expansion du machinisme suivit son cours en Angleterre, elle fut assez lente, même dans l'industrie du coton, où le *mule* n'avait pas encore remplacé partout la *jenny* et où le tissage mécanique n'employait pas plus de 2.000 métiers en 1812. Pour la laine, la transformation de l'outillage commençait seulement et se bornait à la filature ; on s'y appliquait davantage pour la fabrication de la dentelle. La métallurgie était plus avancée : les fourneaux au bois devenaient rares et, pour l'affinage de la fonte, le four à puddler et le laminoir avaient triomphé. L'emploi de la force hydraulique et de la vapeur restait encore rare, sauf dans la filature du coton et les mines. Aussi la concentration des entreprises, quoique certaine, ne s'accentuait pas encore de manière très sensible. Le tissage des cotonnades ne comptait que quatorze manufactures en 1812 et la première usine à vapeur ne s'était ouverte à Manchester qu'en 1806 ; dans la dentelle, la plus ancienne date de 1810. La production métallurgique était toujours fort dispersée ; à plus forte raison, les autres industries, la distillerie exceptée ; à Londres, l'artisanat dominait aussi sans conteste. Dans l'ensemble, l'entreprise capitaliste gardait un caractère commercial accusé, le négociant faisant travailler à domicile des façonniers qu'il pourvoyait de matières premières et souvent de métiers en location.

Dans l'empire, la préoccupation d'accroître la production suivant les modalités traditionnelles l'emportait davantage encore, malgré l'intérêt qu'on portait aux nouveautés : le *mule*, la jacquard, le cylindre à imprimer les indiennes, que Mulhouse emprunta à Oberkampf en 1805, les mécaniques de Douglas et de Cockerill pour la filature de la laine. Le premier four à réverbère apparut au Creusot en 1810. Les progrès, sporadiques, se manifestèrent principalement en Alsace et dans le nord, à Lyon et à Saint-Étienne, en Normandie, dans les mines domaniales de la Sarre. Ils devinrent notables en Belgique et dans la région d'Aix-la-Chapelle. Ce fut alors que les mines belges commencèrent à s'outiller ; à Liège, Périer créa une fonderie de canons avec l'aide de Napoléon et, en 1810, Dony fonda l'usine où il exploita son procédé pour le traitement du zinc et qui fut l'origine de la « Vieille Montagne » ; Gand fut ressuscité par l'industrie cotonnière ; à Verviers, la révolution industrielle commença pour les lainages par l'introduction des mécaniques anglaises ; la ville devint un centre de grande importance : 86 fabricants et 25.000 ouvriers en 1810. Au contraire, l'Italie réalisa peu d'améliorations et plusieurs régions, comme l'ouest de la France, privées de leurs débouchés traditionnels, se consacrèrent de plus en plus à l'agriculture. Tout compte fait, la rénovation de l'outillage fut assez limitée : pour la filature du coton, le rouet n'avait pas disparu et la *jenny* parvint à son apogée vers 1806 ; la métallurgie restait fidèle à la fonte au bois ; les machines à vapeur étaient peu nombreuses : les mines belges ne les utilisèrent qu'à partir de 1807 et, dans les filatures, on ne les introduisit qu'à la fin de l'Empire, par exemple en Alsace en 1812. La concentration des entreprises ne se manifesta que dans la filature du coton et de la laine, sous forme de manufactures. Au contraire, les progrès de la concentration de nature commerciale sont frappants ; un des traits essentiels de la période est la multiplication des grands hommes d'affaires : à Bauwens et à Richard-Lenoir, les grands cotonniers, à Oberkampf, on vit s'adjoindre Ternaux qui se spécialisa dans la laine et inaugura la fabrication des châles de cachemire, Dollfus-Mieg à Mulhouse, Japy à Montbéliard, Peugeot à Audincourt, Cockerill à Liège. Ils ne cherchent pas à diviser les fonctions, sont à la fois négociants et fabricants, et, tout en créant des manufactures, continuent à employer abondamment le travail à façon. Par comparaison avec l'Angleterre, la faiblesse de l'économie capitaliste se mesure aussi à celle de l'organisation bancaire.

Hors de l'empire, les mêmes caractères se retrouvent en Saxe et en Suisse, les seuls pays où le progrès de l'outillage et un commencement de concentration des entreprises se révèlent dans la filature du coton et l'impression des indiennes. Aux États-Unis, la première a pris également l'essor : elle disposait en 1815 de 500 manufactures au lieu de 4 en 1803 ; mais le tissage restait en retard, la première usine mécanique n'ayant été inaugurée par Lowel qu'en 1813. Les traits dominants de l'économie américaine furent les progrès de la culture cotonnière, dont la production doubla de 1801 à 1811, et du commerce extérieur, ainsi que de la navigation ; c'était toujours l'ère des Astor et des Girard.

L'agriculture demeurait beaucoup plus traditionnelle que l'industrie, sauf pour l'Angleterre dont la supériorité sur le continent était, à cet égard, encore plus marquée. Les méthodes modernes étaient à peu près le monopole des Pays-Bas et du nord de la France ; dans les pays baltiques et la Prusse, les seigneurs préféraient de beaucoup l'éviction des paysans et la multiplication des corvées à la modification des procédés.

La concentration capitaliste progressait trop lentement sur le continent pour que ses conséquences sociales fussent, pour le moment, de grande portée. Journaliers agricoles et compagnons de métier continuaient à vivre comme ils l'avaient toujours fait, portant leur attention sur la recherche du travail et sur le prix des vivres, beaucoup plus que sur les salaires et les conditions de travail ; leurs conflits avec les employeurs gardaient un caractère sporadique, local et, en tout cas, étroitement professionnel ; ils ne manifestaient d'autres tentatives d'organisation que la résurrection des compagnonnages et la formation de quelques sociétés de secours mutuel ; comme au xviii° siècle, leur histoire est principalement marquée par les périodes de chômage intense ou de cherté causée par les mauvaises récoltes. Mais il n'en va pas de même pour l'Angleterre. La classe ouvrière y croissait en nombre et se concentrait progressivement dans le *black country* du nord et du nord-ouest ; l'exode rural provoqué par l'enclosure, l'emploi des femmes et des enfants, le chômage endémique engendré par la machine, les crises empêchaient les salaires de se mettre au niveau des prix ; la vie de ces masses, transplantées de la campagne, entassées dans des logements insalubres, mal nourries, sans écoles et sans distractions, se dégradait dangereusement. En dépit de l'acte de 1799, des « unions » continuaient à se former ; comme elles s'obstinaient à invoquer les anciens statuts, le Parlement abrogea, en 1813, ceux qui autorisaient la taxation des salaires et, en 1814, ceux qui concernaient l'apprentissage. Ainsi qu'en France, il ne resta de l'antique législation que les dispositions qui frappaient les ouvriers ; en 1802, à la demande du père de Peel, on avait voté le premier *factory bill*, pour protéger les enfants, mais il demeura lettre morte. Privés de tout recours légal, les ouvriers, de temps en temps, se livrèrent à des violences, ordinairement dirigées contre les machines ; les plus célèbres de ces émeutes « luddites », celles de 1811 et de 1812, furent la conséquence de la grande crise économique. On y chercha la trace de complots et l'influence des idées françaises ; Maitland, qui dirigea la répression, assura qu'il régnait « un très mauvais esprit » tendant « à la subversion du gouvernement du pays et à la destruction de toute propriété ». Quelques hommes conservaient le souvenir de l'agitation démocratique contemporaine de la Révolution, si l'on en juge par les discours de John Baynes, de Halifax, qui, âgé de soixante-six ans, fut condamné à la transportation ; il avait salué les troubles récents comme avant-coureurs de la révolution :

« Les vampires, trop longtemps, se sont nourris de notre sang... Ils ont provoqué les guerres ; ils s'en nourrissent et s'en engraissent ;

ils nous ont envoyés nous battre dans le monde entier pour écraser la liberté en France et maintenir le despotisme sur toute l'Europe... J'ai attendu longtemps l'aube du jour qui se lève ; puissé-je, si vieux que je sois, voir encore le glorieux triomphe de la démocratie. »

Mais, si les masses ouvrières britanniques avaient été animées d'une ardeur révolutionnaire, elles auraient au moins réclamé le suffrage universel ; on ne peut voir dans ces événements que les convulsions d'un peuple souffrant, dépourvu d'esprit politique. Il se peut, comme on l'a soutenu, que certaines influences aient contribué à le contenir : celle du *dissent* ; celle des écoles du dimanche multipliées par Hannah More ; celle des écoles fondées sur l'enseignement mutuel qu'un jeune quaker, Lancaster, avait recommandé à partir de 1798 et qu'une association encourageait depuis 1810. Néanmoins, s'il n'y eut pas de mouvement d'ensemble, la cause essentielle fut que la concentration ouvrière n'était pas encore très dense et que l'on accordait, depuis 1795, des secours proportionnés au prix du pain pour compléter les salaires. Pour les possédants, le *poor-rate* était une prime d'assurance.

Le spectacle de l'évolution sociale inspirait à quelques hommes des pensées nouvelles. Si les économistes britanniques n'y trouvaient rien à reprendre du point de vue de la justice, elle leur inspirait un pessimisme profond dont Malthus avait déjà donné l'exemple. Le banquier Ricardo, qui commença d'écrire en 1810, fondant la valeur sur le travail, n'en constatait pas moins que, en Angleterre, la mise en valeur de terres de moins en moins fertiles, exigée par l'accroissement de la population, assurait aux propriétaires des meilleures une rente différentielle, tandis que, par ailleurs, il confirmait la loi d'airain des salaires. L'effort de l'homme pour parer à la disette deviendrait de plus en plus pénible ; le travail absorberait une proportion croissante du produit et, le profit du capitaliste allant toujours diminuant, le résultat final serait l'arrêt du défrichement ; après quoi, la loi de Malthus jouerait sans pitié. D'un point de vue moral étranger à Ricardo, Sismondi préparait, sur le continent, ses *Principes d'économie politique* qui, en 1819, critiquèrent âprement la nouvelle organisation du travail où le salarié devenait une marchandise constamment dépréciée par la concurrence de la machine. Fourier, dès l'an XII, avait dénoncé le chaos social, né de l'individualisme révolutionnaire. A l'opposé, Saint-Simon conservait l'enthousiasme du XVIIIe siècle pour l'activité productrice de l'industrie moderne ; mais il voulait l'organiser pour la rendre plus active encore.

Ces hommes ne prônaient point la démocratie et les violentes attaques de Fourier et de Saint-Simon contre l'œuvre de la Révolution s'harmonisaient avec la réaction contemporaine. Saint-Simon, par exemple, qui réclamait la direction de la société pour les « capacités », c'est-à-dire les savants et les techniciens, de manière que « la classe des gouvernants » fût « à jamais supérieure en lumière à celle des gouvernés », entendait reconstituer ainsi une aristocratie, investie d'un pouvoir absolu. Mais il se rendait compte que, pour lui conserver le monopole du mérite, il lui faudrait se renouveler constamment par la sélection et, en conséquence, supprimait l'héritage. Sismondi et Fourier, comme Saint-Simon, attaquaient la liberté économique et la concurrence. Tous, indifférents à la politique, ne se préoccupaient que de créer des richesses au profit de tous les hommes. Sans souci du fracas des armes, le socialisme naissait du capitalisme lui-même et se préparait à insuffler une vie nouvelle au mouvement démocratique. Déjà, Robert Owen méditait ses expériences communistes.

Hors d'Europe, le capitalisme manifesta son esprit conquérant par les progrès du commerce anglais en Amérique ; mais la guerre continua d'entraver l'expansion blanche. En Extrême-Orient, les agents de la Compagnie des Indes continuèrent leurs tentatives pour installer des comptoirs ; dès 1802, les Portugais furent sollicités d'admettre une garnison britannique à Macao et, en 1808, une escadre y parut, sans plus de succès ; à Canton, des incidents continuels mettaient aux prises Chinois et Anglais. Gia-long dut aussi repousser des entreprises contre la Cochinchine en 1804 et contre Hanoï en 1808. Au Japon, un bâtiment parut à Nagasaki en 1808, pour essayer de capturer les navires hollandais ; plus tard, Raffles, installé à Java, essaya de faire reconnaître son autorité par la factorerie batave de Deshima. En Chine, K'ia-Ling était de plus en plus menacé par les sociétés secrètes et, en 1813, une grande insurrection éclata dans le Chan-tong ; le Japon n'aurait pu opposer aucune résistance sérieuse et l'apparition du capitaine Pellew, en 1808, avait frappé ses dirigeants de panique. Les luttes intestines de l'Europe sauvèrent l'Extrême-Orient pour plus d'un quart de siècle.

Quant à la colonisation, elle ne fit que des progrès fort modestes dans l'empire britannique. Les émigrants, peu nombreux, se dirigeaient de préférence vers les États-Unis ; il n'en vint pas au Cap avant 1808 et le Canada n'en reçut guère ;

en Australie, vers 1815, on trouvait 600 à 700 colons, dont 400 convicts, qui cultivaient 20.000 acres. L'avantage revenait au Canada. A la fin de la période, le Bas-Canada comptait environ 250.000 habitants, dont 20.000 à 30.000 Anglais, et le Haut-Canada 70.000 ; la contrebande américaine profitait à Halifax et les besoins de l'Amirauté, favorisant l'exportation du bois, posaient les bases d'une industrie prospère. A Java, Stamford Raffles entreprenait de rénover les méthodes, transformant les chefs indigènes en fonctionnaires, arrentant la terre aux habitants et leur accordant la liberté de culture et de commerce ; mais le temps et l'argent lui manquèrent.

L'expansion blanche continua de prospérer surtout aux États-Unis, moins par l'immigration que par l'excédent de la natalité qui alimentait, des rivages de l'Atlantique, un courant continu vers les territoires du nord-ouest. L'Ohio était devenu un État en 1802 ; l'Indiana et l'Illinois devaient être admis peu après 1815. Dans le Sud, au contraire, les noirs augmentaient en nombre à mesure que croissaient les plantations cotonnières : on en comptait maintenant plus d'un million et demi ; la Louisiane fut admise parmi les États en 1812 et la Floride éveillait d'ardentes convoitises ; Madison en occupa la partie occidentale avec Pensacola, qui était territoire contesté, et Jackson, à la tête de la milice du Tennessee, menait la guerre contre les Creeks.

Les Anglo-Saxons n'avaient d'autres rivaux que les Russes. Ceux-ci avaient pénétré en Transcaucasie et, vainqueurs des Perses, se firent reconnaître en 1813, par le traité de Gulistan, la possession du Daghestan et de Bakou, ainsi que le droit d'avoir, seuls, une flotte de guerre sur la Caspienne. Ils essayèrent en vain d'entrer en rapport avec la Chine : en 1805, une ambassade d'Alexandre fut arrêtée en Mongolie. La compagnie de Behring, fondée en 1799, s'installait en Alaska et, en 1803, expédia par le cap Horn la croisière de Rezanov et de Kruzenstern. Le premier parut à Nagasaki en 1804 sans y être admis et, en 1806, alla de l'Alaska jusqu'à San Francisco. D'Okhotskh, les Russes essayèrent de s'emparer de Sakhalin, attaquèrent les Kouriles et Yéso, au grand émoi des Japonais. Un peu plus tard, ils envisagèrent la création d'une colonie en Californie pour ravitailler l'Alaska et fondèrent, en 1811, un fort au nord de San Francisco. Ils se rencontraient là avec les agents de la compagnie canadienne qui commençaient à fréquenter la Colombie et l'Orégon.

Quant aux missions, leur rôle demeurait effacé. En Chine, le vicaire apostolique Dufresne avait réuni le premier synode en 1803 ; mais aucun prêtre ne lui venait d'Europe ; en 1805, la persécution recommença et lui-même fut décapité en 1815. En 1807, un premier missionnaire protestant, Morrison, débarqua à Canton. Les baptistes avaient aussi abordé la Birmanie. La Société biblique s'était constituée en 1804 ; mais les circonstances ne lui permettaient pas encore de faire beaucoup.

Dans l'esprit des Européens, les colonies conservaient le rôle que leur assignait le mercantilisme ; mais l'ancien régime colonial était menacé. La France avait un moment aboli l'esclavage, l'une de ses pièces essentielles, et elle perdit Saint-Domingue en tentant de le rétablir ; en 1807, l'Angleterre supprima la traite, ce qui devait en tarir le recrutement. D'autre part, les États-Unis faisaient école : colons et créoles étaient décidés à ne plus tolérer l' « exclusif » et à se séparer de l'Europe pour s'en débarrasser. L'Espagne se voyait en passe de perdre ses possessions d'Amérique. Après avoir reconnu Ferdinand VII, elles n'avaient pas tardé à soutenir qu'elles lui appartenaient à titre personnel et que, durant sa captivité, elles se trouvaient maîtresses d'elles-mêmes. Lorsque la nouvelle parvint, en 1810, que l'Andalousie avait succombé et que la junte était enfermée dans Cadix, elles firent un pas de plus : Caracas déposa son vice-roi le 19 avril, Buenos-Aires le 20 mai ; la Nouvelle-Grenade s'insurgea en juillet, Quito en août, le Chili et le Mexique en septembre. Les colonies offrirent à l'Angleterre un traité de commerce et Bolivar se rendit à Londres ; Wellesley s'entremit ; mais les Cortès refusèrent d'abolir l' « exclusif » et déclarèrent les sujets américains en état de rébellion. Bolivar s'en retourna, suivi par Miranda. Ils réunirent un congrès qui, le 7 juillet 1811, proclama l'indépendance du Venezuela et vota une constitution ; la Nouvelle-Grenade en fit autant. En Argentine, les chefs entraient déjà en conflit et l'un d'eux, Moreno, avait été expulsé ; la Constituante ne s'assembla qu'en 1813. Partout, on proclama les droits de l'homme, tout en conservant au catholicisme ses privilèges de religion d'État : l'esclavage, la *mita*, les *encomiendas* furent supprimés.

La discorde sévit promptement dans les nouveaux États : les créoles mirent les Espagnols à l'écart ; les modérés s'alarmèrent qu'on fît appel aux noirs et aux métis ; les chefs se querellèrent ; les villes, jalouses les unes des autres, changèrent de camp pour défendre leur autonomie ; les populations des montagnes, menées par le clergé, soutinrent les Espagnols ; au Venezuela, les *llaneros* combattaient pour qui les payait. Or les

Espagnols conservaient des points d'appui solides. Au Mexique, ils fusillèrent le curé Hidalgo en 1811 et son confrère Morales, qui recommença la tentative en 1813, eut le même sort en 1815 ; ils restaient maîtres de Lima ; de là, ils disputèrent Quito aux Grenadins, avec succès ; après des alternatives variées, ils reprirent le haut Pérou aux Argentins ; le Paraguay finit par leur échapper ; mais à Montevideo, Elio résista longtemps et appela les Portugais à l'aide : la ville ne fut définitivement libérée par Alvéar qu'en 1814. Au Chili, Rosas, Carrera et O'Higgins se disputaient le pouvoir ; en 1813, les Espagnols, concentrés dans le sud, reprirent l'offensive et reconquirent tout le pays. Ce fut dans le Venezuela et la Nouvelle-Grenade que la lutte prit le tour le plus dramatique. Les Espagnols avaient pu tenir dans la région de Maracaïbo et dans la vallée de l'Orénoque ; en 1812, ils vinrent assez facilement à bout de Miranda qui capitula le 25 juillet ; on l'expédia à Cadix où il mourut en 1816. Bolivar put s'échapper et gagner Carthagène. L'année suivante, les Grenadins l'autorisèrent à envahir le Venezuela et il entra à Caracas, le 6 août. Ses adversaires se retirèrent encore une fois vers l'est d'où, en 1814, ils repartirent à l'attaque et le battirent ; il dut rentrer en Nouvelle-Grenade. A ce moment, Ferdinand VII rétabli expédiait des renforts : au printemps de 1815, sa flotte parut et Bolivar s'embarqua pour la Jamaïque. Seule, l'Argentine demeurait libre, mais les dissensions l'affaiblissaient et Alvéar, élu directeur en 1814, et qui avait demandé le protectorat de l'Angleterre, fut renversé en avril 1815. Sur le sort de l'Amérique espagnole, l'incertitude planait donc ; néanmoins il était sûr que la métropole n'y pourrait jamais rétablir intégralement l'ancien régime colonial.

L'objet de la production capitaliste étant le profit, elle constituait une force absolument étrangère à l'idéal politique et militaire de Napoléon. Sous sa forme la plus parfaite, elle répugne, il est vrai, aux barrières nationales qui entravent l'exploitation des richesses naturelles et interdisent une division rationnelle du travail entre les régions du globe ; en ce sens, l'empire universel aurait pu lui convenir. Mais le capitalisme commençait à peine et ses représentants, profondément imbus de l'esprit mercantile, ne pensaient qu'à se réserver leur propre pays comme une chasse gardée. D'ailleurs, en tant qu'hommes, ils étaient attachés, comme leurs compatriotes, à son indépendance ; les faveurs que l'empereur réservait à la France auraient fait d'eux, tôt ou tard, des partisans des nationalités contre l'Empire, en attendant qu'ils les missent aux prises les unes avec les autres. Toutefois, pour Napoléon, ce ne fut pas le pire. C'était en Angleterre que le capitalisme industriel avait pris naissance et acquis le plus de puissance et de moyens : seul, il permit à ce pays de financer la guerre ; et, en ce sens, la victoire de la Grande-Bretagne sur l'empereur a été la victoire du capitalisme.

LIVRE VI

LA CHUTE DE NAPOLÉON
(1812-1815)

────

CHAPITRE PREMIER

L'EFFONDREMENT DU SYSTÈME CONTINENTAL
(1812-1814)[1]

Le système continental avait été créé et il se soutenait par les victoires de la Grande Armée. Chaque guerre le remettait en question. La campagne de Russie devait permettre de couronner l'entreprise ; mais elle se termina par un désastre. La Grande Armée disparue, l'empereur se hâta de la reconstituer et bien qu'elle eût perdu, avec l'amalgame, le principe essentiel de sa force, il l'eût encore une fois emporté s'il n'avait eu à combattre, comme dans les luttes précédentes, qu'une ou deux des puissances continentales. Cette fois, instruites par l'expérience de vingt années, elles se précipitèrent toutes ensemble contre lui. Le système continental s'effondra, Napoléon disparut de la scène et la France fit les frais de sa tentative.

I. — *LA CAMPAGNE DE RUSSIE*[2].

Contre la Russie, Napoléon commandait à plus de 700.000 hommes, dont 611.000 franchirent successivement la

1. Ouvrages d'ensemble a consulter. — Voir p. 3, 66 et 151.
2. Ouvrages a consulter. — *La guerre nationale de 1812*, publication du grand État-major russe (Pétersbourg, 1901-1914, 20 vol. in-8° ; traduction française par Cazalas, Paris, 1903-1911, 8 vol., jusqu'à la fin de 1811); M. Bogdanovitch, *Geschichte des Krieges von 1812*, traduit du russe par

frontière au cours de la campagne. Ces troupes étaient à l'image du Grand Empire : on y comptait 300.000 Français, annexés compris ; 180.000 Allemands, dont les 30.000 Autrichiens de Schwarzenberg et les 20.000 Prussiens d'York ; 9.000 Suisses ; 90.000 Polonais et Lithuaniens ; 32.000 Italiens, Illyriens, Espagnols et Portugais. La valeur et la fidélité de ces contingents se révélèrent extrêmement inégales. Jamais la Grande Armée n'avait été si nombreuse ; jamais non plus si bigarrée et de cohésion moindre ; les Français de l'ancienne France n'en formaient guère que le tiers.

La masse de choc, en avant de la Vistule, 450.000 hommes et 1.146 canons, se divisait en neuf corps, plus la garde, quatre corps de cavalerie et les alliés. Ainsi articulée suivant la coutume, elle ne parut pas maniable à cause de son énormité même, de l'extension du front et de la difficulté des liaisons. En fait, Napoléon groupa les corps en armées : il était sur le Niémen avec 227.000 hommes ; Eugène un peu en arrière avec 80.000 ; Jérôme commandait l'aile droite, 76.000 hommes ; au delà, Schwarzenberg ; à l'extrême gauche, Macdonald et York. Mais il aurait fallu de bons chefs d'armée ; Jérôme surtout ne pouvait compter comme tel ! En le choisissant, l'empereur avait cédé au préjugé

G. Baumgarten (Leipzig, 1861-1803, 3 vol. in-8°) ; M. Kukiel, *Wojna 1812 roku* [La guerre de 1812] (Cracovie, 1937, 2 vol. in-8°) ; E. Tarlé, *Našestvie Napoleona na Rossiju 1812 g.* (Moscou, 1938, in-8° ; trad. franç. : *La campagne de Russie, 1812*, Paris, 1941, in-8° ; 2ᵉ éd. Paris, 1950, in-8°) ; commandant Margueron, *Campagne de Russie*, 1ʳᵉ partie, seule parue (Paris, 1897-1906, 4 vol. in-8°, publication de l'État-major français) ; lieut.-col. Fabry, *Campagne de Russie* (Paris, 1900-1903, 5 vol. in-8°, jusqu'au 19 août) ; *Documents relatifs à l'aile gauche, 20 août-4 décembre* (Paris, 1912, in-8°, publication de l'État-major) ; *Documents relatifs à l'aile droite* (Paris, 1913, in-8°, publication de l'État-major) ; P. Gronsky, L'administration civile des gouvernements russes occupés par l'armée française en 1812, dans la *Revue d'histoire moderne*, ann. 1928, p. 401-412 ; B. Dundulis, *Napoléon et la Lithuanie en 1812* (Paris, 1940, in-8°) ; A. Mansuy, cité p. 436 ; H. Schmidt, *Die Urheber des Brandes von Moskau* (Greifswald, 1904, in-8°). Sur toute la campagne, voir les *Mémoires* de Caulaincourt, cités p. 66 ; comte de Ségur, *La campagne de Russie*, t. I : *La marche vers Moscou*, t. II : *La retraite*, édition augmentée d'extraits de la réfutation du général Gourgaud, préface et notes par J. Burnat (Paris [1960], 2 vol in-16) ; comte A. de Montesquiou, *Souvenirs sur la Révolution, l'Empire, la Restauration et le règne de Louis-Philippe*, présentés et annotés par R. Burnand (Paris, 1961, in-8°) : Montesquiou participa à la retraite de Russie et fut chargé par Napoléon d'apporter en France le fameux bulletin de la Grande Armée annonçant le désastre. — Comte de Lort de Sérignan, *Le général Malet* (Paris, 1925, in-8°) ; L. Le Barbier, *Le général Lahorie* (Paris, 1904, in-12).

dynastique. La précision dans la manœuvre ne se retrouva pas. Comme à l'habitude, Napoléon entendait que la guerre fût courte. Jusqu'au 20 juin, il espéra qu'elle se ferait en Pologne. Tandis qu'il se dirigeait vers Kovno avec le gros de ses forces, il refusait sa droite vers Varsovie où la médiocrité même de Jérôme était un appât. Si l'ennemi se portait en masse dans le grand-duché, il se rabattrait sur son flanc droit et le disperserait : ce serait la paix. Mais les Russes ne bougèrent pas. Il fallut donc les attaquer chez eux. Les soldats emportèrent du pain pour quatre jours ; les convois suivirent avec vingt jours de farine : en trois semaines, le coup décisif ferait capituler Alexandre.

Il est certain que les partisans de la conciliation ne manquaient pas autour du tsar, tels le grand-duc Constantin et Roumiantzov. Le 28 juin, Balachov fut envoyé à Napoléon pour lui offrir de négocier s'il consentait à évacuer le territoire russe. Les ennemis de la France, Armfelt, Stein, ne cessèrent jamais de redouter une défaillance du souverain ; peut-être n'était-ce pas sans raison ; en tout cas, l'orgueil l'emporta. Pourtant l'infériorité de l'armée russe semblait irrémédiable. Derrière le Niémen, Barclay de Tolly disposait de 120.000 hommes ; sur le Boug, Bagration en alignait moins de 40.000 ; plus au sud, Tormasov en amenait un peu davantage ; en seconde ligne, Wittgenstein s'avançait pour défendre la Duna et Riga. Dans l'intérieur, 3 à 400.000 recrues, cosaques et miliciens restaient disponibles et Tchitchagov mettait en route l'armée du Danube ; mais il fallait du temps. On pouvait le gagner en se dérobant, et ceux qui, comme Rostoptchine, regardaient l'espace et l'hiver comme les deux alliés les plus précieux de leur pays, n'y voyaient que profit. La plupart, au contraire, s'offensaient à l'idée de l'invasion ou redoutaient qu'elle ne brisât la volonté du maître. On finit par se rallier au plan de Phull, un émigré allemand. De Barclay et de Bagration, celui que Napoléon attaquerait résisterait, tandis que l'autre tomberait dans le flanc des assaillants. Pas plus que l'empereur, Alexandre ne préméditait de porter la guerre au cœur de la Russie. Mais c'est ce qui ne pouvait guère manquer d'advenir, parce que ses généraux se sentaient les plus faibles et avaient très peur de leur adversaire ; obtenant toute latitude de prendre du champ, ils reculèrent pour éviter la catastrophe et condamnèrent involontairement leurs ennemis à s'épuiser dans la poursuite.

L'armée de Napoléon franchit le Niémen les 24 et 25 juin 1812 et, le 26, gagna Vilna par une marche forcée de dix lieues, comptant écraser Barclay. Elle donna dans le vide, ce dernier ayant battu en retraite vers le camp retranché de Drissa, derrière la Duna. Restait Bagration. De Vilna, Davout se dirigea sur Minsk pour lui couper la retraite, tandis que Jérôme le poursuivait. Mais celui-ci avait beaucoup de chemin à faire et ne se pressa pas. Bagration, n'étant pas accroché, esquiva Davout en inclinant vers le sud, passa le Dniepr, puis le remonta. Jérôme, destitué, repartit pour la Westphalie. Davout battit Bagration à Mohilev, mais ne put l'arrêter. La manœuvre de Vilna avait échoué.

Le 3 juillet, Napoléon se remit en marche sur Vitebsk pour se placer entre les deux armées russes ; quand il y arriva, le 24, il était trop tard : Barclay évacuant Drissa, puis Vitebsk, se retirait sur Smolensk, où il effectua sa jonction avec Bagration.

Les deux armées russes ainsi réunies, Barclay accepta de prendre l'offensive en direction de Vitebsk. Aussitôt, Napoléon monta une troisième manœuvre : il se déroba vers le sud, franchit le Dniepr et parut, le 16 août, devant Smolensk. Mais l'attaque échoua et Barclay, averti, s'étant mis en retraite le 12, survint à temps pour défendre la ville ; le 17, une bataille sanglante ne livra aux Français que les faubourgs. De nouveau, l'armée russe se retira ; le 19, à Valoutina, son arrière-garde couvrit la retraite. La suivrait-on jusqu'à Moscou ?

Dès le début, le caractère nouveau de cette guerre s'était révélé. La stratégie napoléonienne avait été prise en défaut : l'ennemi reculait sans vergogne ; aucun obstacle naturel ne permettait de l'acculer ; on ne parvenait pas non plus à le surprendre, parce que, dans la plaine déserte, la cavalerie s'épuisait sans se renseigner et parce que la distance ôtait aux marches rapides des Français leur efficacité accoutumée. Ces marches avaient été plus épuisantes que d'ordinaire. Dès le 26 juin, l'avance sur Vilna multipliait les traînards et les déserteurs dans une proportion effrayante. Les convois ne purent pas suivre et, presque aussitôt, l'armée dut vivre sur le pays : or il ne fournissait rien. Les chevaux, privés d'avoine, périrent en masse. Le temps se mit de la partie : orages, pluies et nuits froides à la fin de juin ; ensuite, chaleur torride. A Smolensk, la masse de manœuvre se trouva réduite à 160.000 hommes. Qu'en resterait-il à Moscou ? Les troupes étrangères surtout fondaient à vue d'œil. La division wurtembergeoise, constituée à 16.000 hommes, n'en comptait plus que 1.456 le 4 septembre. Aux ailes et sur les derrières, la situation n'était pas brillante. Macdonald n'avait pu prendre Riga, et Gouvion-Saint-Cyr, vainqueur à Polotsk, voyait grossir devant lui l'armée de Wittgenstein. Reynier et Schwarzenberg tenaient Tormasov en respect ; mais Tchitchagov approchait. Napoléon avait compté que les Polonais se lèveraient en masse et envahiraient l'Ukraine. Le 28 juin, la diète céda la place à une confédération dont le père de Czartoryski prit la direction et qui rétablit aussitôt le royaume de Pologne. L'empereur accueillit froidement cette nouvelle et garda le silence : il n'était pas prudent d'irriter la Prusse et l'Autriche, ni de pousser Alexandre au désespoir avant de l'avoir vaincu. Il ne réunit même pas la Lithuanie au duché et la confia, comme la Courlande, à des fonctionnaires français. Les Polonais, déçus et inquiets, épuisés d'ailleurs et peu stimulés par l'ambassadeur, De Pradt, archevêque de Malines, attendirent, pour se prononcer vigoureusement, que la victoire se dessinât. Dans ces conditions, ne valait-il pas mieux s'arrêter pour organiser le pays conquis et le ravitaillement de l'armée qui prendrait sur place ses quartiers d'hiver ? Napoléon s'était déjà posé la question à Vitebsk. Un moyen s'offrait de changer du tout au tout la physionomie de la guerre et les perspectives de succès : il suffisait de promettre aux paysans l'abolition du servage. Il le savait ; mais la tradition révolutionnaire lui répugnait trop à présent pour que l'expédient ne lui parût pas odieux. Dès lors, il jugea que l'effort exigé de l'empire ne pouvait se prolonger sans que son prestige souffrît ; en Allemagne, les conséquences risquaient d'être incalculables. Convaincu, au surplus, que l'entrée à Moscou mettrait Alexandre à ses genoux, il reprit sa marche.

Le 5 septembre, il se heurta soudain à l'armée russe sur les bords de la Moscova. Koutousov avait remplacé Barclay et ne voulait pas livrer Moscou sans combat. Sa droite, couverte par la rivière, était inabordable ; sa gauche, appuyée à une forêt, ne fut tournée que tardivement. Napoléon l'attaqua au centre, dont les redoutes furent enlevées, le 7 septembre, après une lutte longue et sanglante. Les Français perdaient 30.000 hommes et les Russes 50.000. Au moment suprême, Napoléon avait refusé de faire donner la garde : Koutousov put se retirer, sans être rompu, derrière la Nara au sud de Moscou, tandis que Napoléon entrait, le 14, dans la capitale. Du 15 au 18, elle fut dévastée par des incendies, allumés, au moins en partie, sur l'ordre de Rostopchine.

De Drissa, Alexandre était retourné à Saint-Pétersbourg. Il conclut la paix avec l'Angleterre et lui confia sa flotte. A la fin d'août, l'entrevue d'Abo confirma son alliance avec Bernadotte ;

toutefois, bien que ce dernier eût maintenant obtenu des subsides britanniques, il ne se souciait pas de s'aventurer en Allemagne sans avoir conquis la Norvège et aussi longtemps que Napoléon était victorieux : le tsar n'avait à compter que sur lui-même. Sa sœur Catherine, les émigrés, que rejoignirent Arndt, d'Ivernois et Mme de Staël, exigeaient la guerre à outrance. En capitulant, il aurait eu tout à craindre sans doute de la noblesse, ivre d'angoisse et de fureur. Mais, autant qu'il semble, il céda surtout à la séduction d'une attitude héroïque. D'avance, l'entourage international dont il représentait le dernier espoir saluait en lui le libérateur de l'Europe ; secrètement, il ne doutait pas que la victoire l'en rendît maître. Ce rôle dont il avait toujours rêvé convenait à sa vanité, à son goût verbal pour la liberté et à son instinct profond de domination. De plus en plus enclin au mysticisme, il se persuada aisément que Dieu le désignait pour venir à bout de l'Antéchrist. S'étant fait ainsi le chef de cette croisade que Burke prêchait autrefois, il resta sourd à toutes les suggestions de Napoléon.

L'empereur n'avait pas le moyen d'aller plus loin. A Moscou même, l'armée ne courait pas de danger ; néanmoins, elle ne tenait que le pays qu'elle occupait et ses communications n'étaient pas sûres. La tradition officielle a sans doute exagéré le caractère national de cette guerre ; mais, devant l'envahisseur affamé, le serf fuyait comme les autres et, réduit au désespoir, ripostait par la guérilla. Les cosaques, insaisissables, épiaient tous les détachements. Si Napoléon se laissait bloquer par l'hiver, l'Europe et la France même, incertaines de son sort, pouvaient lui échapper. Jusqu'au milieu d'octobre, il continua d'espérer : Koutousov amusait Murat en négociant un armistice ; puis, le 18, il surprit tout à coup son adversaire à Winkovo. Le lendemain, Napoléon, désabusé, ordonna la retraite.

De Taroutino à Smolensk, Koutousov pouvait prendre plusieurs jours d'avance. Pour l'intimider, Napoléon s'avança vers le sud et le battit, le 24, à Malo-Jaroslavetz ; ensuite, il se déroba et reprit la route de Smolensk, Davout couvrant la marche, non sans peine, contre Miloradovitch. Au départ, le temps était encore beau ; sans transition, la neige se mit à tomber. Le pays, dévasté à l'aller, n'offrait plus ni ressources ni abris. Les chevaux succombèrent ; voitures et canons furent abandonnés ; la queue des traînards s'allongea, quotidiennement décimée par le gel et par les cosaques. Du 9 au 13 novembre, on entra dans Smolensk et l'on en repartit, du 14 au 18 par échelons. Les Russes, prenant

les devants, coupèrent la route à Krasnoié. Le 15, Napoléon passa
sans grande résistance ; Eugène, le 16, et Davout, le 17, durent
livrer bataille ; le 18, Ney fut arrêté et n'échappa que par miracle
en franchissant le Dniepr sur la glace. Regroupée, l'armée gagna
la Bérésina réduite à une trentaine de mille hommes. Un grave
péril l'y attendait. Tchitchagov, ayant rejoint Tormasov, s'était
porté vers le nord et, Schwarzenberg ne le poursuivant pas,
avait pris Minsk, puis Borisov. De son côté, Wittgenstein avait
franchi la Duna et refoulait Oudinot et Victor. Oudinot courut
reprendre Borisov, mais trouva le pont détruit. Dans la nuit du
25 au 26, les pontonniers d'Éblé en construisirent deux. Napoléon passa le 27 et, le lendemain, la bataille fit rage sur les deux
rives. A droite, Tchitchagov fut maintenu ; à gauche, la mollesse
de Koutousov permit à Victor d'échapper, en sacrifiant les traînards. Le froid, jusque-là relativement modéré, puisque la Bérésina n'était pas prise, s'aggrava cruellement et acheva de ruiner
ce qui restait de la Grande Armée. Une dizaine de mille hommes
atteignirent Vilna, le 9 décembre, et, par Kovno, se retirèrent sur
Königsberg. Quarante mille isolés rejoignirent peu à peu. A
Macdonald qui se repliait sur Tilsit, à Reynier et à Schwarzenberg,
sur le Boug, il restait 55.000 hommes. Napoléon en avait perdu
400.000, plus 100.000 prisonniers.

La Grande Armée, bouclier du Grand Empire, n'existait plus
et ne pouvait pas renaître de longtemps. L'amalgame qui,
depuis 1793, entretenait la force de l'armée française, devenait
impossible ; on ne pouvait pas non plus improviser une nouvelle
cavalerie. Néanmoins, l'irréparable catastrophe n'ébranla pas
Napoléon : il ne pensait déjà plus qu'à reconstituer une armée.
Le 5 décembre, avant Vilna, il venait d'apprendre la tentative
du général Malet, à Paris, pour s'emparer du gouvernement,
le 23 octobre : peu s'en fallut qu'il réussît ; on l'avait fusillé, le 29,
avec ses complices. Mais il était grand temps d'aller ressaisir les
rênes avant que les terribles nouvelles de Russie se répandissent.
Napoléon abandonna le commandement à Murat et fila en traî-
neau vers la France avec Caulaincourt. Il était plein d'illusions,
demandait à la Prusse et à l'Autriche de nouveaux contingents
et comptait que Murat tiendrait les Russes en respect sur la
Vistule : il y reparaîtrait au printemps avec des légions nouvelles.

II. — *LA DÉFECTION DE LA PRUSSE ET LA PREMIÈRE CAMPAGNE DE 1813*[1].

Si les Prussiens et les Autrichiens étaient restés fidèles, Murat aurait peut-être pu tenir. Épuisé, Koutousov ne dépassa pas la frontière. Il jugeait que son pays n'avait pas intérêt à poursuivre la guerre et beaucoup pensaient comme lui. Ce fut Alexandre qui décida de reprendre l'offensive ; il disgracia Roumiantzov et, le 23 décembre, parut à Vilna avec Nesselrode. Il était stimulé par Stein qui, dès le 17 novembre, l'adjurait de délivrer l'Allemagne : on appellerait le peuple à l'insurrection et on sommerait les princes de se ranger à la bonne cause sous peine de déchéance. Alexandre comptait sur d'autres défections. L'Italien Paulucci et les émigrés allemands avaient déjà fait des ouvertures à York. Ce dernier sollicita des instructions ; peut-être n'en reçut-il pas ; mais, séparé de Macdonald par les Russes, il n'essaya pas de se frayer passage comme il l'aurait pu aisément et signa, le 30 décembre, à Tauroggen, une convention de neutralité. Les Russes envahirent la Prusse et, Bülow refusant d'opérer avec Murat, Macdonald regagna la Vistule, non sans difficulté. Frédéric-Guillaume destitua York ; mais celui-ci feignit de l'ignorer et suivit les Russes. Ceux-ci avaient de bonnes raisons de compter sur l'aristocratie polonaise. En décembre, Czartoryski avait demandé

1. Ouvrages a consulter. — Voir p. 3, 66 et 151 ; vicomte J. d'Ursel, *La défection de la Prusse* (Paris, 1907, in-8°). La polémique sur la défection d'York est résumée dans W. Elze, *Der Streit um Tauroggen* (Breslau, 1926, in-8°). — Sur l'Autriche, vicomte J. d'Ursel, *La défection de l'Autriche* (Paris, 1912, in-8°), et les ouvrages relatifs à Metternich, cités p. 315 ajouter C. Buckland, *Metternich and the British government from 1809 to 1813* (Londres, 1932, in-8°), et la publication de E. de Lévis-Mirepoix sur Lebzeltern, citée p. 410. — Sur le mouvement national prussien, voir Lehmann, Ritter et Cavaignac, cités p. 288 ; D. Czygan, *Geschichte der Tagesliteratur während des Freiheitskrieges* (Leipzig, 1909-1910, 3 vol. in-8°) ; Aris, cité p. 10 ; Gromaire, cité p. 499 ; K. Wolff, *Die deutsche Publizistik in der Zeit des Freiheitskämpfe und des Wiener Kongress, 1813-1815* (Plauen, 1934, in-8°). — Sur la campagne, *Das preussische Heer des Befreiungskrieges*, publication du grand État-major prussien (Berlin, 1912-14, 3 vol. in-8°) ; *Geschichte des Befreiungskrieges*, 1re partie : *Geschichte des Frühjahrsfeldzuges 1813 und seine Vorgeschichte*, par A. von Holleben et R. von Caemmerer (Berlin, 1904-1907, 2 vol. in-8°) ; von der Osten-Sacken, *Militärischpolitische Geschichte des Befreiungskrieges im Jahre 1813* (Berlin, 1903-1906, 2 vol. in-8°) ; A. F. Reboul, *Campagne de 1813, Les préliminaires* (Paris, 1910-1912, 2 vol. in-8°), étude sur le commandement d'Eugène et de Murat ; G. Fabry, *Journal des opérations des 3e et 5e corps en 1813* (Paris, 1902, in-8° ; comme le précédent, publication de l'État-major) ; général R. Tournès, *Lützen* (Paris, 1931, in-8°) ; comm. P. Foucart, *Bautzen* (Paris, 1893-1901, 2 vol. in-8°).

au tsar de reconstituer la Pologne sous le sceptre d'un de ses frères. Plusieurs membres du gouvernement de Varsovie offrirent le grand-duché à la Russie en sollicitant la réunion de la Lithuanie et l'octroi d'une constitution. Nesselrode et Stein s'y opposèrent, le premier au nom des intérêts de son pays, le second en alléguant que la coalition deviendrait impossible. Alexandre se borna, le 13 janvier 1813, à certifier aux Polonais ses bonnes intentions ; ils s'en contentèrent et ne firent aucune résistance. Quant à Schwarzenberg, il se mit à parlementer et recula sans combattre. Varsovie fut occupée le 9 février.

Les Français se retirèrent vers Posen, Eugène remplaçant Murat, reparti pour Naples. Le 30 janvier, Schwarzenberg conclut un armistice séparé, en suite de quoi il se replia vers Cracovie, entraînant Poniatovski et découvrant Reynier, dont le corps fut en partie détruit. Le 12 février, Eugène quitta Posen et, à la fin du mois, abandonna prématurément la ligne de l'Oder ; il est vrai que, dès ce moment, la défection de la Prusse était à peu près consommée.

Frédéric-Guillaume mit du temps à se convaincre que la ruine de la Grande Armée le libérait et, si Napoléon lui avait offert le duché de Varsovie, il se serait peut-être tenu pour satisfait. Il redoutait l'Autriche, qu'il croyait attachée à la France, et soupçonnait la Russie de vouloir annexer toute la Pologne et même la Prusse orientale. Son entourage était très divisé : Knesebeck et, plus timidement, Hardenberg recommandaient l'alliance immédiate avec Alexandre ; Ancillon préférait qu'on s'accordât avec Metternich pour imposer une médiation qui délivrerait l'Allemagne sans y laisser entrer les Russes. A la fin de décembre, le roi inclinait à remettre la décision au printemps et à faire alors défection derrière l'empereur, s'il entrait de nouveau en Russie. A Vienne, Knesebeck apprit que la Prusse n'avait rien à craindre de l'Autriche ; à mots couverts, on lui conseilla l'entente avec le tsar ; ses propositions d'alliance furent repoussées.

Ce fut l'action révolutionnaire des patriotes qui emporta la décision. La défection d'York donna le branle. D'abord consterné, le roi se résolut à envoyer un agent au tsar qui promit de « rétablir » la Prusse et, aux instances, ajouta la menace ; se jugeant exposé à la colère de Napoléon, Frédéric-Guillaume se laissa, d'autre part, décider à quitter Berlin, le 22 janvier, pour aller s'établir à Breslau. Pendant ce temps, York allait de l'avant en Prusse ; Stein parut à Königsberg en qualité de commissaire du tsar et y requit la convocation des États. Les fonctionnaires effrayés finirent par se rebiffer et il dut céder la place à York ; mais, sur le fond, on se savait d'accord. Sous réserve de l'approbation royale, les États créèrent une *landwehr* qu'York fut chargé d'organiser, sans préjudice du recrutement ordinaire ; tous les hommes de 18 à 45 ans étaient astreints à fournir un contingent à défaut de volontaires, mais avec faculté de remplacement. Les États prirent soin de se réserver le choix des officiers pour ôter à cet armement populaire ce qu'il pouvait avoir d'inquiétant pour la noblesse. Le roi vit de mauvais œil cette initiative illégale ; mais, à lui résister, il se pouvait qu'il risquât sa couronne ; d'ailleurs, à Breslau, le parti de la guerre, mené par Scharnhorst, s'en était trouvé fortifié. A son tour, Frédéric-Guillaume invita, le 3 février, ceux de ses sujets qui pouvaient s'équiper eux-mêmes à former des corps de volontaires en marge des troupes de ligne et, pour les y pousser, il supprima, le 9, toutes les exemptions, de 17 à 24 ans, pendant la durée de la guerre ; le 10, il lança un premier appel à son peuple. En même temps, il envoya Knesebeck au tsar. Les pourparlers traînèrent, parce que la Prusse voulait être rétablie dans ses frontières de 1806, au moins à l'est, tandis qu'Alexandre ne lui promettait qu'un territoire équivalent. Stein trancha le nœud : il se fit envoyer avec Anstett à Breslau, où le roi se résigna. L'alliance se conclut à Kalisch, le 28 février ; Alexandre rejoignit Frédéric-Guillaume le 15 mars ; le 16, la déclaration de guerre à la France fut expédiée et, le 17, le roi institua la landwehr dans tout le royaume pour les hommes disponibles de 17 à 40 ans, sans remplacement ; des conseils de cercle, deux nobles et un représentant des roturiers, devaient désigner les officiers ; le 21 avril, on appela en outre les hommes de plus de 40 ans à former un *landsturm*, mais on n'y recourut guère. Pour vaincre la France, la Prusse lui empruntait ainsi la levée en masse, comme le souhaitaient depuis longtemps Scharnhorst et Gneisenau, et, ne disposant que de cinq millions d'habitants, elle l'appliquait avec une rigueur que le Comité de salut public n'avait pas jugée nécessaire.

Pour les Russes, l'alliance était d'une importance capitale. Ils n'alignaient guère que 70.000 hommes en première ligne. Si la landwehr ne put pas combattre avant le mois d'août et si 7 à 8.000 volontaires seulement furent engagés en mai, l'armée régulière, grâce au rappel de 30 à 40.000 *krümper* et des officiers licenciés en 1807, grâce aux recrues aussi, put envoyer immédiatement 35.000 hommes au front et coopérer aux sièges. Dès le

4 mars, Eugène avait quitté Berlin pour se retirer derrière l'Elbe. L'ennemi franchit aussitôt ce fleuve. Hambourg s'était révoltée le 24 février et les Russes y entrèrent le 18 mars ; le même jour, Davout évacua Dresde ; la Saxe fut aussitôt submergée et les Français refoulés derrière la Saale.

Moralement, le mouvement national prussien exerça également une grande influence, puisque la guerre en reçut ce caractère libérateur qu'Alexandre avait rêvé de lui donner : dans l'historiographie germanique, elle reste le *Befreiungskrieg*. L'enthousiasme fut surtout marqué dans la jeunesse universitaire, la bourgeoisie et la noblesse. A Berlin, Fichte suspendit son cours et, avec Steffens et Schleiermacher, commenta fougueusement l'appel du roi. L'élan fut très inégal suivant les provinces. En Silésie et en Prusse occidentale, les Polonais refusèrent d'obéir ou désertèrent ; en Prusse orientale, on usa largement du remplacement. Dans les campagnes surtout, l'obéissance accordée de par la coutume aux junkers et aux fonctionnaires par les paysans, à peine sortis de la servitude, amena beaucoup plus d'hommes à prendre les armes que l'ardeur patriotique. D'autre part, la noblesse s'arrangea pour n'admettre les bourgeois que dans les grades subalternes et un des stimulants les plus actifs qui faisaient la force des armées de la Révolution fit défaut. Néanmoins, les résultats furent considérables ; de mars à avril, 15.000 volontaires s'enrôlèrent dans les corps francs, sans parler de la landwehr ; celle-ci finit par compter 120 à 130.000 hommes ; en août, elle parut au feu et fournit plus de la moitié de l'armée d'opérations ; la physionomie de l'armée prussienne s'en trouva changée. Il va de soi que la landwehr ne fut pas très appréciée des militaires de carrière : comme les premières levées de la Révolution, elle était peu exercée et encline à la panique.

Le soulèvement de la Prusse émut tous les Allemands. La propagande des patriotes, depuis la fin de 1812, devenait de plus en plus active. Paulucci y avait employé Merkel ; Arndt écrivait brochure sur brochure, notamment un *Catéchisme du soldat allemand*, pour appeler tous les Allemands à combattre « l'esprit du mal », au besoin malgré leurs princes. Stein voulait davantage : Alexandre et Frédéric-Guillaume devaient décréter et organiser la guerre nationale, ce qui déciderait les prudents et les indifférents. Le 19 mars, en effet, les souverains adressèrent une proclamation aux Allemands et, déclarant dissoute la Confédération du Rhin, sommèrent les princes de changer de camp sous peine d'être chassés comme indignes. Ils instituèrent un conseil pour administrer les territoires qu'on occuperait, avec mission d'y organiser une landwehr, et Stein en reçut la présidence. L'excitation gagna tout de suite Hambourg et la Saxe ; au delà, les nouvelles levées de Napoléon excitèrent des troubles, par exemple à Hanau et dans le duché de Berg, et favorisèrent la propagande antifrançaise. Le Mecklemburg fit défection ; la plupart des princes auraient bien fait de même, mais ils redoutaient encore l'empereur ; les menaces de Stein et l'appel à l'insurrection les indisposèrent et ne profitèrent pas à l'influence prussienne : ils cherchèrent un appui du côté de l'Autriche.

L'ardeur nationale suscita une nouvelle génération de poètes qui, dédaignant le rêve et la spéculation, ne pensaient plus qu'à célébrer l'héroïsme du soldat : tel Théodore Körner qui devait tomber les armes à la main, laissant un recueil célèbre, *La lyre et l'épée* ; tels Rückert, dont les *Sonnets cuirassés* parurent en 1814, Schenkendorf, Uhland. Néanmoins, si la métamorphose du patriotisme germanique devint apparente, elle était loin d'être achevée. Les Allemands ne pouvaient que se sentir d'accord pour chasser les Français qui leur avaient fait la vie trop dure ; mais, pour la plupart, ils ne voyaient pas au delà et ne concevaient pas encore une idée claire de la nationalité politique. Les chefs patriotes eux-mêmes ne la distinguaient pas toujours nettement de la nationalité de culture : Gneisenau, par exemple, ne répugnait pas à voir l'Angleterre créer, à son profit, un grand État entre le Rhin et l'Elbe. Ceux qui, comme Stein, réclamaient l'unité, ne parvenaient pas à s'en faire une image précise, à cause des circonstances historiques. Que la Prusse ou l'Autriche en prît la direction, peu leur importait ; Stein ne voyait même pas d'inconvénient à ce que la Prusse disparût. Cette indifférence n'éliminait pas la difficulté et n'était qu'impuissance à la résoudre. Bien plus, ces hommes se rendaient compte que les Allemands ne parviendraient pas à se libérer sans le concours de l'Europe ; ils en venaient donc à admettre que celle-ci organisât le nouvel État et le plaçât sous sa garantie, c'est-à-dire en tutelle. En outre, la bourgeoisie mêlait au patriotisme des idées libérales plus ou moins avancées, tandis que les nobles l'associaient au maintien ou à la restauration de l'Ancien Régime politique ou social. Quant aux princes, ils ne se souciaient ni d'une unité qui diminuerait leur souveraineté, ni d'une constitution qui restreindrait leur autorité. L'union nationale se réalisa dans l'équivoque, chacun se réservant de tourner la victoire à son avantage. Aussi longtemps qu'il le fallut, on laissa au peuple les espérances qui l'encourageaient à se battre ;

mais l'intervention de l'Autriche devait assurer le profit aux princes et aux nobles.

Cette intervention, Metternich la préparait avec autant de circonspection que de résolution. Le désastre de la Grande Armée ayant libéré l'Autriche, son alliance avec la France se trouvait virtuellement dissoute, car elle ne pouvait pas aider, de son propre gré, à conserver le Grand Empire qui s'était enrichi de ses dépouilles. Bubna, envoyé à Paris à la fin de décembre, signifia que son maître n'augmenterait pas son contingent ; puis Schwarzenberg quitta le front. « C'est le premier pas vers la défection », s'écria Napoléon. Cruelle déception pour lui qui avait fondé quelque espoir sur l'alliance dynastique ! Mais il se calma et fit bonne mine à mauvais jeu : il lui fallait d'abord se débarrasser des Russes et des Prussiens ; on réglerait les comptes ensuite. Metternich n'en doutait pas. On s'est demandé si Napoléon n'aurait pas pu raffermir l'alliance en y mettant le prix. Ce n'était pas possible, car, après l'avoir aidé à écraser la Russie et la Prusse, l'Autriche se serait trouvée à sa discrétion. Metternich ne pouvait rien accepter que d'accord tout au moins avec les Prussiens, pour rétablir l'équilibre et une paix durable, en contenant à la fois Alexandre et Napoléon ; c'est pourquoi il chargea Bubna d'offrir ses bons offices et de pousser la France aux concessions. Pareille solution ne lui aurait peut-être pas déplu, en tant qu'homme d'État, car il ne tenait pas à grandir la Prusse et, plus encore que Frédéric-Guillaume, il se méfiait du tsar, dont il suspectait les ambitions non seulement en Pologne, mais aussi en Turquie. L'effervescence de l'Allemagne l'inquiétait, comme également menaçante pour l'Ancien Régime et pour l'Autriche. Mais, pour restaurer les puissances allemandes, il fallait que la France consentît à rentrer dans ses limites de Lunéville, et Metternich était convaincu que Napoléon ne s'y résignerait pas ; il ne resterait donc qu'à se joindre à la coalition, au moment opportun, afin de le renverser. Aristocrate et victime de la Révolution, Metternich s'en réjouissait personnellement, comme toute la noblesse autrichienne. Lebzeltern, son ambassadeur auprès d'Alexandre, s'est vanté d'avoir « toujours agi d'accord » avec les Russes et les Prussiens « pour l'écrasement de la Révolution et le triomphe de la bonne cause ».

A Bubna, en effet, l'empereur se contenta d'offrir généreusement l'Illyrie ; il acceptait aussi de rétablir le roi de Portugal ; quant aux pays « constitutionnellement » réunis à l'Empire, il n'en abandonnerait aucun, non plus que le grand-duché de

Varsovie. Il répéta publiquement ces déclarations devant le Corps législatif. Il consentit, à la vérité, qu'on négociât par l'entremise de l'Autriche ; mais, dès lors, Metternich eut son siège fait et ne discuta plus que pour gagner du temps et mobiliser en toute sécurité. Ce jeu n'alla pas sans difficultés, car l'aristocratie s'impatientait et Gentz lui-même regrettait ces atermoiements ; Hormayr avait repris ses menées pour soulever le Tirol et il fallut le faire arrêter en mars. En avril, Schwarzenberg fut envoyé à Paris. Cette fois, Metternich fit connaître ses conditions : abandon de l'Illyrie, du grand-duché et de toute l'Allemagne. Napoléon admit enfin le partage du duché entre l'Autriche, la Prusse et le duc d'Oldenbourg ; mais, en compensation, la Saxe devait annexer les provinces prussiennes situées entre l'Elbe et l'Oder. L'Autriche signifia que, cessant d'être alliée et intermédiaire, elle allait passer à la médiation armée, avec l'intention bien arrêtée d'intervenir contre la partie qui refuserait d'accepter les propositions qu'elle estimerait satisfaisantes. Déjà son attitude suffisait à ébranler bien des fidélités. Dès février, le roi de Saxe avait quitté Dresde et il finit par se réfugier en Autriche. Les menaces de Stein l'affolaient. Le 26 mars, Metternich offrit de garantir l'intégrité de ses États et de lui procurer une compensation pour le grand-duché ; le 26 avril, la convention fut signée : l'armée saxonne se joindrait aux troupes autrichiennes si la médiation échouait. A ce moment, Metternich était aussi en négociation avec la Bavière, qui ne prêta plus à Napoléon qu'un concours réticent. Murat, dès son arrivée à Naples, avait envoyé un émissaire à Vienne pour offrir son concours pourvu qu'on lui conservât son royaume. On lui fit bon accueil et, si la trahison fut ajournée, c'est que Bentinck, qui venait d'occuper les îles de Ponza et qui rêvait d'un mouvement national italien sous la tutelle de l'Angleterre, réserva les droits de Ferdinand, exigea qu'on lui livrât Gaëte et prétendit débarquer 25.000 hommes. Irrité, Murat rejoignit encore une fois la Grande Armée.

Que Napoléon ait refusé de capituler sans combat, comment s'en étonner ? On ne l'avait point vaincu et, comme en 1807, une campagne foudroyante pouvait mettre Russes et Prussiens hors de combat avant que l'Autriche se prononçât. Et quelle figure eût-il faite devant les Français ? Ils lui eussent bien volontiers pardonné s'il avait consenti à redevenir un chef national ; mais, avouant son échec, il aurait cessé d'être leur maître et, plutôt que de composer, il préférait disparaître. On l'a repris sur son égoïsme ; depuis si longtemps qu'il avait perdu souci de l'intérêt propre de la nation, il ne pouvait raisonner autrement. D'ailleurs, eût-il accepté les conditions de Metternich, il n'avait aucune garantie que ses adversaires n'eussent pas profité du temps gagné pour exiger ensuite davantage et c'est bien ce qui serait arrivé. Le tsar n'accepta la médiation que le 11 mars, de fort mauvaise grâce, et seulement pour ménager les Autrichiens, qui lui assuraient qu'elle échouerait et que leur concours irait alors de soi. A Londres, au début d'avril, Wessenberg vit Castlereagh qui la déclina rondement en se référant aux déclarations de Napoléon. Metternich admettait bien que la paix continentale intervînt si les intérêts britanniques restaient seuls en cause. Mais Castlereagh, qui s'était tenu sur la réserve, conscient de son impuissance, depuis le début de la campagne de Russie, passait à l'action, maintenant que la situation se précisait, et sans aucun souci de Metternich. Le 3 mars, il promit la Norvège et la Guadeloupe à Bernadotte, pourvu qu'il amenât 30.000 hommes au tsar. On ne désespérait pas de gagner le Danemark qui avait conclu avec la Russie une convention de neutralité.

Le traité de Kalisch avait décidé l'Angleterre à aider les coalisés. Au quartier-général d'Alexandre, elle était déjà représentée par lord Cathcart et Wilson ; en avril, Castlereagh expédia au roi de Prusse son propre frère, lord Stewart, accompagné de Jackson. Il offrait des subsides, à condition que le Hanovre fût agrandi et surtout que Prussiens et Russes s'engageassent à ne pas traiter sans l'Angleterre. Il ne stipulait rien quant aux frontières à concéder à la France : tout dépendait des événements militaires ; mais il est évident que les conditions dont Napoléon fût convenu avec Metternich auraient été remises en question dès la signature du traité que proposait Castlereagh. Une nouvelle victoire était donc nécessaire. Tout ce qu'on pouvait objecter, c'est qu'elle serait peut-être modeste, quoique suffisante pour procurer la paix si l'on consentait d'avance des sacrifices raisonnables. Dans l'esprit de Napoléon, elle devait justement permettre de n'en faire aucun.

L'Autriche n'était pas encore prête. Depuis 1809, son armée se trouvait réduite à 150.000 hommes et, faute d'argent, elle n'en avait pas, au début de 1813, plus de 60.000 en état de faire campagne. Le 9 février, on avait décidé d'en mobiliser 40.000 autres, mais tout manquait. Le 16 avril, on convint d'émettre un nouveau papier-monnaie en sus de celui qui avait été créé en 1811. Ce fut seulement au début de mai qu'on put entreprendre de former une armée en Bohême. Napoléon avait le temps d'écraser les Russes et les Prussiens : c'était sa dernière chance.

Il se préparait à la tenter, avec son énergie ordinaire. De Moscou, le 22 septembre 1812, il avait convoqué la classe 1813 en portant le contingent de 80.000 à 137.000 hommes. Il rappela des troupes d'Espagne et envoya en Allemagne la garde municipale de Paris. Le 11 janvier, il fit passer dans l'armée active les 100.000 hommes de la garde nationale du premier ban qu'il avait formés en cohortes au printemps de 1812 ; il appela en même temps la classe 1814, dont le contingent fut porté à 150.000 conscrits, et 100.000 hommes des classes 1809 à 1812. Le 3 avril, il demanda en plus 90.000 hommes à la classe 1814 et 80.000 au premier ban des gardes nationaux. En outre, les gardes d'honneur reparurent : on prétendit en tirer 10.000 cavaliers. Les troupes d'Allemagne furent réorganisées et fournirent les cadres qui allèrent incorporer les recrues en Thuringe et sur le Rhin. Napoléon trouva sans trop de difficulté les canons, les fusils, les munitions et les voitures, mais non pas les chevaux, en sorte qu'il dut entrer en campagne avec quelques milliers de cavaliers seulement. Les finances lui donnèrent beaucoup de tracas. Gaudin avait prévu pour 1813 un milliard et plus de dépenses contre 906 millions de recettes. L'empereur sacrifia la réserve de 80 millions qu'il avait constituée sur son trésor privé ; il échangea les biens communaux contre des titres de rente et, sur le produit éventuel de la vente, gagea l'émission de 131 millions de bons. Il accentua le caractère fiscal du blocus en délivrant des centaines de licences et en autorisant les exportateurs à réimporter librement moyennant une taxe de 6 %. Mais la confiance était ébranlée et l'activité économique compromise. L'argent se cachait et devint cher ; les denrées coloniales baissèrent parce que les jours du blocus paraissaient comptés. Du 20 au 23 mai, une panique sévit à la bourse. En juin, le service de la trésorerie devint très difficile.

Napoléon crut raffermir la dynastie et aussi flatter l'Autriche en organisant la régence pour la confier à Marie-Louise. Il essaya aussi de se concilier les catholiques en s'arrangeant avec le pape qu'il avait fait amener à Fontainebleau dans l'été de 1812. Il alla causer avec lui et le détermina, le 25 janvier, à signer des préliminaires de concordat qu'il publia comme loi de l'État le 13 février. L'investiture canonique devait être accordée conformément au projet du concile national de 1811. Mais plusieurs cardinaux firent des représentations et, le 24 mars, le pape se rétracta. Le conflit recommença et les rigueurs se multiplièrent contre les opposants. Le Corps législatif se réunit en février et, comme d'habitude, garda le silence. Toutefois, le sentiment de la nation ne laissait aucun doute. Jamais l'empereur ne lui avait demandé de tels sacrifices : la classe 1814 partait tout entière ; les rappels atteignaient des conscrits qui s'étaient fait remplacer déjà ; dans les cohortes, on enrôlait les hommes mariés. Si les Français restaient fidèles à Napoléon, ils le suivaient sans enthousiasme comme si sa guerre eût cessé d'être la leur.

Napoléon quitta Paris le 15 avril et rejoignit l'armée du Mein qui marchait vers la Saale, tandis qu'Eugène remontait l'Elbe avec une partie de ses troupes. La concentration s'acheva le 28 au soir ; le 29 et le 30, les Français franchirent la Saale à Merseburg et à Weissenfels. Leur supériorité numérique était écrasante : 150.000 hommes contre 43.000 Prussiens et 58.000 Russes. Mais, faute de cavalerie, ils ne pouvaient ni s'éclairer ni poursuivre ; surtout, plusieurs des chefs se montrèrent médiocres : Bertrand et Lauriston n'avaient jamais commandé de corps d'armée. Quant aux alliés, Wittgenstein, leur chef suprême, ne possédait qu'une autorité nominale ; le 27, ils s'éparpillaient encore, Wittgenstein vers Wittenberg, Blücher en avant de la Mulde, Miloradovitch et Tormasov en arrière, lorsque le premier ordonna une concentration au sud de Leipzig pour attaquer les Français aux débouchés de la Saale. Le 29, le tsar, conseillé par Toll, adopta un autre plan : on attendrait Napoléon au pied des montagnes et, s'il marchait vers Leipzig, on l'attaquerait en flanc.

La manœuvre de Napoléon, qu'il compta parmi ses plus belles, fut en effet de se porter sur Leipzig pour déborder l'ennemi, en échelonnant savamment ses corps pour qu'ils pussent se soutenir en cas d'attaque ; la ville prise, toute l'armée converserait vers le sud pour acculer l'adversaire à la Bohême et l'anéantir. Le 2 mai, il dirigeait l'attaque de Leipzig, quand le corps de Ney, qui ne se gardait pas, fut surpris en avant de Lützen et attaqué avec vigueur par Blücher. Marmont le soutint assez mollement. L'empereur accourut et rétablit le combat pour attendre l'intervention de Bertrand dans le flanc gauche des alliés et surtout d'Eugène qui devait lui couper la retraite à l'est. Mais l'un et l'autre n'arrivèrent que tardivement et seulement avec une partie de leurs forces ; Wittgenstein put se dégager et se retirer vers l'Elbe, ayant perdu beaucoup moins d'hommes que les Français : une douzaine de mille hommes contre vingt à vingt-deux mille. Le coup était manqué. Du moins le roi de Saxe fit-il volte-face : il livra Torgau et rendit son armée à Napoléon.

Tandis que les Russes gagnaient la Sprée, les Prussiens se dirigèrent vers le nord, poursuivis par Ney ; ils finirent par se décider à rejoindre leurs alliés, ne laissant que Bülow pour couvrir Berlin. Napoléon, renforcé par Victor et Sébastiani, engagea la bataille, le 20 mai, franchissant la Sprée et prenant Bautzen, pour fixer l'ennemi et donner le temps à Ney, qui accourait du nord, de le prendre en flanc et à revers. L'attaque générale fut donnée le 21 ; de nouveau, Ney arriva trop tard, manœuvra mal et restreignit son mouvement débordant. Encore une fois, les coalisés purent échapper ; ils se retirèrent en Silésie, le long des montagnes, jusqu'au delà de la Weistritz, abandonnant Breslau. Matériellement, ils se voyaient fort mal en point et, malgré ses pertes, Napoléon conservait la supériorité numérique. Il fallait quelque temps encore à la landwehr pour entrer en ligne, et à l'armée autrichienne beaucoup plus. Craignant que Metternich ne persistât dans la neutralité s'ils s'éloignaient de sa frontière, ils s'étaient dangereusement aventurés entre les Riesengebirge et l'Oder. Pour Napoléon, une dernière occasion s'offrait donc. Il y renonça et proposa un armistice.

Il ne savait pas l'ennemi si faible et l'Autriche si peu préparée. Les Saxons l'avaient éclairé sur les intentions de Metternich. Bubna étant venu, le 11 mai, lui confirmer les conditions de son maître et proposer un congrès à Prague, Napoléon avait admis le congrès, sans rien offrir ; mais il était inquiet, puisqu'en même temps il essaya, sans succès d'ailleurs, d'entrer en pourparlers avec Alexandre. Aussi la retraite insolite des alliés lui parut-elle un piège concerté avec Metternich. Or il ne se jugeait pas capable, pour le moment, de résister aux trois puissances. L'état de son armée n'était pas bon. Il n'arrivait pas à la nourrir ; les régiments fondaient à vue d'œil à cause de la proportion excessive des conscrits, lesquels résistaient mal aux marches continuelles. Il y avait 30.000 malades, et le 3e corps, qui comptait 47.000 hommes le 25 avril, n'en conservait plus que 24.000. Les munitions se faisaient rares. L'armistice procurerait des renforts, notamment de la cavalerie ; de fait, il permit de doubler l'armée. Certes, il profiterait aussi à l'ennemi ; mais, à égalité, Napoléon se croyait capable de le battre. D'ailleurs, il ne désespérait sans doute pas de retenir l'Autriche ou de séduire la Russie, en négociant. Bref, le 25 mai, Caulaincourt fut chargé de s'aboucher avec les alliés. Il leur tint des propos qui les surprirent : « Savez-vous que l'armistice est tout à notre avantage ?... Si vous êtes sûrs que l'Autriche agisse avec vous, vous faites bien de ne pas songer à faire la paix avec nous. » Ils ne voulaient suspendre les hostilités que pour un mois et n'acceptèrent la date du 20 juillet que sur l'avis de Metternich qui avait besoin de ce délai. On signa la convention, le 4 juin, à Pleiswitz.

III. — LA CAMPAGNE D'AUTOMNE[1].

Diplomatiquement, l'armistice tourna mal pour Napoléon. Les plénipotentiaires anglais venaient de joindre les souverains alliés à Reichenbach ; ils conclurent des traités, le 14 juin, avec le roi de Prusse et, le 15, avec le tsar, aux conditions fixées par Castlereagh : restauration et agrandissement du Hanovre, reconstitution de la Prusse, pas de paix séparée ; moyennant quoi, ils promirent un subside de 2 millions de livres, un tiers pour la Prusse, le reste à la Russie, et garantirent la moitié d'un emprunt de 5 millions de livres. Désormais, Prussiens et Russes ne pouvaient plus traiter sans l'adhésion de l'Angleterre, dont les pré-

---

1. OUVRAGES A CONSULTER. — Voir p. 536 ; *Geschichte des Befreiungskrieges*, 2ᵉ partie : major FRIEDERICH, *Herbstfeldzug* (Berlin, 1903-1906, 3 vol. in-8º) ; général VON WOINOVITCH et major VELTZE, *Œsterreich in den Befreiungskriegen* (Vienne, 1911, 3 vol. in-8º) ; O. KARMIN, Autour des négociations financières anglo-prussiennes de 1813, dans la *Revue historique de la Révolution et de l'Empire*, t. XI (1917), p. 177-297 ; t. XII (1917), p. 24-49, 216-252 ; M. DœBERL, *Bayern und die deutsche Erhebung wider Napoleon I* (Munich, 1907, in-4º, t. XXIV des « Historische Abhandlungen der k. Akademie der Wissenschaften »). — Sur la politique de Castlereagh, voir *The Cambridge foreign policy*, citée p. 32 et ROSE, cité p. 66 et surtout sir C. K. WEBSTER, *British diplomacy, 1812-1815* (Londres, 1921, in-8º), réédité en 1931, sous le titre : *The foreign policy of Castlereagh. Britain and the reconstruction of Europe* ; sur ses rapports avec la Prusse, voir aussi K. GOLDMANN, *Die preussisch-britischen Beziehungen in den Jahren 1812-1815* (Würzburg, 1934, in-8º). — Sur Bernadotte, voir p. 386 ; K. LEHMANN, *Die Rettung Berlins im Jahre 1813* (Berlin, 1934, in-8º, fasc. 244 des « Historische Studien », d'EBERING) ; E. WIEHR, *Napoleon und Bernadotte in Herbstfeldzuge 1813* (Berlin, 1893, in-8º) ; B. VON QUISTORP, *Geschichte der Nordarmee im Jahre 1813* (Berlin, 1894, 3 vol. in-8º) ; F. D. SCOTT, *Bernadotte and the fall of Napoleon* (Cambridge, U. S. A., 1935, in-8º ; fasc. 7 des « Harvard historical monographs ») ; sur le rôle de Bernadotte, T. HÖJER a écrit une thèse en langue suédoise : *Car Johan i den stora koalitionen mot Napoleon* (Upsal, 1935), in-8º) ; B. HASSELBROT, *Benjamin Constant. Lettres à Bernadotte* (Genève et Lille, 1952, in-16). — Sur la défection de la Bavière, H. W. SCHWARZ, *Die Vorgeschichte des Vertrages von Ried* (Munich, 1933, in-8º ; fasc. 2 de la 1ʳᵉ série des « Münchener historische Abhandlungen », publiés par A. MEYER et K. VON MÜLLER). — Sur la retraite des Français, LEFEBVRE DE BÉHAINE, *La campagne de France*, t. I : *Napoléon et les alliés sur le Rhin* (Paris, 1913, in-8º).

tentions à l'égard de la France restaient à définir. La pensée profonde de Castlereagh, qui ne fut définitivement réalisée qu'en 1814, était d'unir en un bloc infrangible les ennemis de la France : il venait de remporter un premier succès. Restait à gagner l'Autriche.

Pendant ce temps, Metternich avait amené son empereur à Gitschin, où Nesselrode les vit le 3 juin. François répugnait encore à la guerre ; il admit néanmoins qu'on s'accordât sur les conditions de paix et qu'on signât une alliance pour le cas où sa médiation échouerait. Metternich se rendit à Reichenbach. Les Prussiens et les Russes furent obligés d'agréer les stipulations notifiées par l'Autriche à Napoléon : partage du grand-duché, abandon de l'Illyrie et des départements hanséatiques, reconstitution de la Prusse ; ils ajoutèrent seulement l'évacuation immédiate des forteresses prussiennes. Metternich, de son côté, promit d'appuyer la dissolution de la Confédération du Rhin et reconnut que l'Angleterre, une fois admise aux débats, pourrait formuler d'autres exigences. Le 27 juin, l'alliance des trois puissances continentales fut signée à Reichenbach ; mais elle ne devait jouer que si Napoléon repoussait la médiation de l'Autriche. En ce cas, le programme maximum de la Prusse et de la Russie deviendrait le sien : elle reprendrait ses frontières de 1805 et réclamerait l'abandon de toute l'Allemagne, de l'Espagne, de l'Italie et de la Hollande.

La position de Metternich demeurait la même : d'une part, ses inquiétudes à l'égard du tsar ne diminuaient pas ; de l'autre, il croyait de moins en moins qu'on pût s'arranger avec Napoléon. Appelé par celui-ci, il le vit à Dresde, le 26. L'entretien fut orageux. A l'offre de l'Illyrie contre le maintien de la neutralité, Metternich répliqua nettement que l'Autriche imposait sa médiation et se joindrait aux coalisés si elle était repoussée. Le 30, comme il allait partir, Napoléon se ravisa : il accepta la médiation et le congrès, l'armistice étant prorogé jusqu'au 10 août. Il ne voulait que gagner du temps, ne donna pas d'instructions à Caulaincourt avant le 22 juillet, lui enjoignit de réclamer le *statu quo ante bellum* et lui refusa les pleins pouvoirs, alors qu'il s'absentait jusqu'au 5 août pour aller voir Marie-Louise à Mayence. Quand Caulaincourt parut enfin à Prague, le 28, les plénipotentiaires alliés refusèrent toute conférence plénière et le renvoyèrent à Metternich. Il lui tint les mêmes propos qu'à Pleiswitz : « Ditesmoi seulement si vous avez assez de troupes pour nous rendre une bonne fois raisonnables ?... Je suis tout aussi européen que vous pouvez l'être... Ramenez-nous en France par la paix ou par la guerre. » Ces encouragements étaient superflus et Metternich avait son siège fait : il exigea l'acceptation pure et simple des préliminaires. Le 5 août, Napoléon se résigna à en demander notification officielle. Il les reçut le 9, à trois heures ; mais sa réponse n'arriva que le 13 : il abandonnait le grand-duché de Varsovie sauf Danzig et acceptait le rétablissement de la Prusse à condition qu'elle dédommageât le roi de Saxe en lui cédant un demi-million d'âmes ; il renonçait aussi à l'Illyrie à l'exception de Trieste et de l'Istrie. Eût-il cédé sans réserve que tout aurait été à recommencer ; car, le 5 juillet, Castlereagh, excité par la victoire de Wellington à Vittoria, avait pris à son compte le programme maximum des Russes et des Prussiens, réservé la Sicile à Ferdinand, stipulé pour Bernadotte les avantages qu'il lui avait promis. Mais, dès le 10 août à minuit, Metternich avait prononcé la clôture du congrès. Le 12, il avait déclaré la guerre. Le 9 septembre, l'alliance continentale fut confirmée à Teplitz et, le 9 octobre, l'Angleterre s'unit à l'Autriche à laquelle elle accorda 500.000 livres.

Militairement, tous les belligérants avaient mis l'armistice à profit. Une partie de la landwehr entrant maintenant en ligne, les Prussiens engageaient cette fois 160.000 hommes ; les Russes en comptaient 184.000, et les Autrichiens 127.000. Bernadotte, n'espérant plus rien de Napoléon depuis que le Danemark s'était prononcé de nouveau pour la France, en avait amené 23.000. Wallmoden commandait en outre à 9.000 Anglo-Allemands et le Mecklenburg avait fourni 6.000 soldats. A ces 512.000 combattants, Napoléon en pouvait opposer 442.000 sans compter les garnisons des places de l'Elbe, 26.000 hommes ; mais, en seconde ligne, ses adversaires disposaient de réserves bien supérieures aux siennes. Toutefois, il disposait à présent de 40.000 cavaliers.

Le plan des coalisés avait été adopté, le 12 juillet, à Trachenberg, où Alexandre avait appelé Bernadotte. Il fut d'abord question d'entrer en Saxe sur les derrières de Napoléon, Bernadotte et Blücher par le nord, Schwarzenberg par le sud. Blücher préférant agir seul, on convint finalement de former trois armées, les Prussiens et les Russes figurant dans chacune d'elles pour encourager Bernadotte et Schwarzenberg, et aussi pour les surveiller. Aux 127.000 Autrichiens vinrent se joindre, pour former l'armée de Bohême, 82.000 Russes et 45.000 Prussiens, qui franchirent la frontière dès le 11 août. L'armée de Silésie, confiée à Blücher, comprit 66.000 Russes et 38.000 Prussiens. Bernadotte prit le commandement de l'armée du Nord formée de 73.000 Prussiens, 29.000 Russes et 23.000 Suédois. La première devait marcher sur Dresde par la rive gauche de l'Elbe ; Bernadotte, couvrant Berlin, s'avancerait vers Wittenberg ; Blücher inclinerait vers l'un ou vers l'autre suivant ce que feraient les Français. On décida en outre, sur les instances de Bernadotte, de se dérober systématiquement devant l'empereur pour ne livrer bataille qu'à ses lieutenants. Cette stratégie, qui n'avait rien de napoléonien, s'explique par le désir des Autrichiens et des Prussiens de protéger leurs territoires, mais aussi par l'effroi qu'inspirait le grand homme de guerre. Au lieu de rechercher l'engagement décisif, on renouait la tradition du xviiie siècle pour contraindre l'adversaire à reculer par la manœuvre, en menaçant sa ligne de communication et en l'épuisant en détail. Le plus étonnant, c'est que cette méthode réussit. Bien que les écrivains militaires admirent le génie et la vigueur dont Napoléon fit preuve au cours des divers épisodes de cette campagne, il faut admettre que sa conception d'ensemble n'a pas eu la même perfection que d'habitude ; peut-être les difficultés étaient-elles insurmontables.

La situation où se trouvait l'empereur ressemblait à celle qui lui avait valu, au début de sa carrière, en août 1796, un de ses plus beaux triomphes. On aurait donc pu s'attendre à le voir fondre avec presque toutes ses forces sur l'armée du Nord qui pouvait être prise en flanc par Girard, parti de Magdebourg, Davout, venant de Hambourg, et aussi les Danois ; elle aurait été sûrement écrasée et Berlin occupé. Blücher et Schwarzenberg se seraient rejoints ; mais c'était sans inconvénient essentiel. Toutefois, ils auraient pris Dresde, et c'est à quoi Napoléon, ménageant le roi de Saxe, ne sut pas se résigner. En outre, il laissa Davout à Hambourg où les Français étaient rentrés, ce qui le priva de 40.000 hommes. En se liant ainsi à des forteresses, ce qu'il n'avait jamais fait, il diminua sa liberté de mouvement et ce fut la cause initiale du désastre. A la vérité, les distances à parcourir pour aller d'un ennemi à l'autre étaient deux ou trois fois plus grandes qu'en 1796, cela avec une armée beaucoup plus nombreuse et moins aguerrie ; de ce qui s'était passé au début de la campagne de Russie, Napoléon a peut-être conclu qu'une offensive de grand style épuiserait ses troupes sans résultat. Enfin, il n'est pas douteux qu'il se trompa sur l'importance de l'armée du Nord : il crut qu'Oudinot, avec 70.000 hommes, la maintiendrait facilement et même occuperait Berlin. Quant à lui, il adopta un dispositif qui lui permettait d'attendre ses ennemis et, néanmoins, de prendre l'offensive contre celui d'entre eux qui se montrerait le plus audacieux. Comme il ignorait la concentration opérée en Bohême, il ne redoutait guère Schwarzenberg et supposait que, pour venir en aide à Blücher, il déboucherait par la porte de Lusace : deux corps d'armées furent chargés de la surveiller, tandis que quatre autres se tenaient vers la Bober ; lui-même se tint en réserve avec la garde et la cavalerie dans la région de Bautzen. Mais Oudinot se trouvait beaucoup trop loin pour pouvoir être soutenu ou rappelé : en contradiction avec ses principes, Napoléon rompait bien l'unité d'action. En outre, la formation de la grande armée de Bohême et l'attaque qu'elle dirigea à l'ouest de l'Elbe ôtèrent toute efficacité à ses dispositions.

Comme toujours, l'ardent Blücher prit le premier l'offensive ; Napoléon se précipita aussitôt sur lui et eut la surprise de le voir reculer précipitamment. Le 23 août, avant d'avoir pu le contraindre à la bataille, il apprit soudain que Schwarzenberg avait refoulé Gouvion-Saint-Cyr dans les faubourgs de Dresde. Immédiatement, il lâcha prise pour aller au secours de cette ville ; encore, pour tenir Blücher en respect, laissa-t-il à Macdonald 75.000 hommes, ce qui affaiblit à l'excès sa masse de manœuvre. Il conçut d'abord le dessein de s'avancer par Pirna pour prendre Schwarzenberg à revers, ce qui eût été décisif. Mais Dresde allait succomber ! Il n'envoya, de ce côté, que Vandamme. Le 26, à trois heures, les redoutes qui couvraient la ville venaient en effet d'être enlevées, quand la jeune garde parut et arrêta l'ennemi. Le 27, l'armée de Bohême, tournée sur ses deux ailes et presque enfoncée au centre, perdit 10.000 hommes et, laissant 15.000 prisonniers, se retira en désordre sur plusieurs colonnes. La pluie tombait à torrents et l'armée française n'en pouvait plus ; la poursuite fut très molle, d'autant que Napoléon, souffrant, regagna bientôt Dresde. Vandamme, qui avait poussé hardiment sur Teplitz pour couper la retraite à l'ennemi, se vit soudain entouré à Kulm et capitula avec 7.000 hommes et 48 canons. Ce terrible échec annula l'effet moral de la récente victoire.

Ce ne fut pas le seul. Bernadotte, inquiet pour ses derrières, peu soucieux de risquer un échec qui ébranlerait son prestige en Suède, n'avait pas pris l'offensive ; d'ailleurs, il ne tenait probablement pas beaucoup à combattre ses compatriotes dont il ne désespérait pas de se faire agréer comme souverain si Napoléon succombait. Toutefois, Oudinot ayant attaqué Bülow à Gross-

Beeren, le 23 août, Bernadotte dut soutenir son lieutenant. Les Saxons lâchèrent pied et Oudinot, repoussé, dut se retirer derrière l'Elbe. De son côté, Macdonald, s'étant porté à l'attaque, le 26 août, sur la Katzbach, vit sa gauche et son centre assaillis eux-mêmes et refoulés par Blücher. Il recula sur la Bober. Une de ses divisions y fut coupée et détruite : il avait perdu 20.000 hommes et 100 canons. Napoléon dirigea Ney contre Bernadotte et courut attaquer Blücher qui, aussitôt, recula. De nouveau, Schwarzenberg menaça Dresde et, encore une fois, Napoléon s'en retourna pour voir les Autrichiens se dérober également. Pendant ce temps, Ney, qui avait franchi l'Elbe, se faisait battre à Dennewitz, le 6 septembre, et perdait 15.000 hommes. Bernadotte ne marcha vers le sud qu'avec beaucoup de lenteur et de circonscription ; sa cavalerie n'en pénétra pas moins en Westphalie et, le 30, occupa Cassel.

La situation devenait grave. L'armée française diminuait avec une rapidité effrayante. Les combats n'en étaient pas la raison principale, mais bien ces allées et venues continuelles et accélérées, et aussi la famine, car on ne réussissait pas à donner au soldat plus d'une demi-livre de pain et l'on ne trouvait plus de viande. Il y avait 90.000 malades et le 3e corps, qui comptait 38.000 hommes le 15 août, était réduit à 17.000 le 1er octobre. Peu à peu, la supériorité numérique de l'ennemi se faisait redoutable. Une dernière fois, l'empereur essaya en vain d'atteindre Blücher, puis il abandonna la Lusace et se retira derrière l'Elbe. Cependant, les alliés, reprenant leur plan primitif, portaient sur Leipzig Bernadotte d'une part, Schwarzenberg de l'autre. Le premier franchit l'Elbe le 4 octobre, refoulant Ney ; le second déboucha sur Chemnitz dès le 26 septembre et Murat fut chargé de contrarier sa marche. Comme ils s'avançaient avec prudence, Napoléon, faisant 80 kilomètres en deux jours, se précipita sur Blücher qui venait, lui aussi, de passer l'Elbe à Wartenburg. Une fois de plus, il échoua : Blücher avait filé vers l'ouest et, comme Bernadotte, s'était mis à l'abri derrière la Saale. L'empereur pensa un moment à passer lui-même sur la rive droite de l'Elbe en renversant sa base d'opérations ; quand il connut le mouvement de Blücher, il se dirigea vers Leipzig où Murat risquait d'être pris entre deux feux. Même alors, il ne se décida ni à évacuer Dresde où il laissa Gouvion, ni à rappeler Davout. Autour de Leipzig, il ne réunit ainsi que 160.000 hommes contre les 320.000 coalisés qui l'enveloppaient.

Néanmoins, ces derniers étaient très espacés ; Blücher approchait au nord, mais Bernadotte n'arriva que le 18. Schwarzenberg lui-même, à cheval sur l'Elster et la Pleisse, se trouvait fort exposé : si les Français avaient réussi à se concentrer le 14, ils auraient pu l'écraser le lendemain. Il n'en fut rien : le 16 au matin, on attendait encore Macdonald et, comme Blücher, avec son ardeur coutumière, pressait Marmont au nord, Ney ne put se résoudre à détacher les divisions réclamées par l'empereur. La bataille s'engagea dans la matinée au sud de la ville, sur les hauteurs de Wachau. Schwarzenberg attaqua le premier ; vivement repoussé, il se rendit compte du péril et appela ses réserves, tandis que Napoléon attendait en vain les renforts pour ordonner l'attaque décisive. Macdonald parut enfin, mais trop tard : il ne put tourner l'ennemi et la journée finit par une lutte frontale sans résultat. Napoléon pouvait encore battre en retraite, et c'était sa seule chance d'éviter une catastrophe. Il préféra soutenir l'assaut général des alliés ; le 18 octobre, ses troupes furent refoulées jusque dans la ville ; Bernadotte avait débouché au nord-est et les Saxons, faisant défection, précipitèrent la défaite. Pour se retirer, les Français ne disposaient que du pont de Lindenau : le 19, l'attaque reprenant, on le fit sauter, sacrifiant l'arrière-garde. Les Français avaient perdu 60.000 hommes, dont 23.000 prisonniers ; les alliés comptaient 60.000 tués et blessés.

Après avoir conclu un armistice dès le 17 septembre, la Bavière était passée à la coalition, le 8 octobre, par le traité de Ried ; le Wurtemberg en fit autant le 23. Mais, tandis que Napoléon cheminait par Erfurt et Fulda, Wrede perdit du temps à réduire Würzburg et ne lui barra la route qu'à Hanau, le 30 octobre. Il s'y prit fort mal et fut enfoncé. Ce qui restait de la Grande Armée repassa le Rhin à Mayence du 2 au 4 novembre. Le typhus l'acheva ; 120.000 hommes restèrent inutilement bloqués dans les forteresses allemandes.

A ce moment, Eugène, menacé par les Autrichiens, qui avaient occupé l'Illyrie et qui s'avançaient par la Drave et le Tirol, grâce à la défection de la Bavière, achevait sa retraite sur l'Adige. Le 15 novembre, il remporta un succès inutile à Caldiero. L'ennemi occupa la Romagne et les Marches. Murat, ayant quitté Napoléon à Erfurt, reprit les pourparlers avec Metternich dès son retour à Naples.

Quant à l'Espagne, elle était perdue. Au printemps de 1813, l'insurrection avait fait des progrès en Biscaye et en Navarre et absorbé les forces de Clausel. Joseph ne disposait que de 75.000 hommes éparpillés de Madrid à Salamanque. Le 15 mai,

Wellington prit l'offensive avec 70.000 hommes, il repoussa les Français sur Salamanque avec son aile droite, tandis que sa gauche, franchissant le Douro, donnait la main aux Espagnols de Galice et tournait l'adversaire. Joseph évacua Madrid, se concentra derrière le Carion, puis recula jusqu'à l'Èbre. Par cette habile manœuvre, Wellington, sans combat, dégageait toute la côte de la Biscaye et, grâce à la flotte anglaise qui croisait au large, s'assurait une base d'opérations beaucoup plus proche. Le 21 juin, il vint attaquer, avec 80.000 hommes, les 55.000 Français alignés derrière la Zadorra, en avant de Vittoria, et les battit complètement. Les vaincus se retirèrent derrière la Bidassoa, où Foy et Clausel réussirent à les rejoindre. Suchet, resté seul, parvint à tenir tête aux Espagnols ; après Vittoria, il dut reculer sur l'Èbre. Saragosse succomba et Bentinck vint de Sicile attaquer Tortose et Tarragone. Suchet se retira à travers la Catalogne jusqu'à Figuères.

C'en était fait du Grand Empire et, comme en 1793, la France allait se voir envahie.

IV. — LA CAMPAGNE DE FRANCE ET L'ABDICATION DE NAPOLÉON[1].

Soixante mille Français à peine formaient un mince rideau, de la Suisse à la mer du Nord ; arrivés au Rhin avec 140.000 hom-

1. Ouvrages a consulter. — Voir p. 3, 66 et 151 ; sur les débuts, Lefebvre de Béhaine, La campagne de France, t. II : La défense de la ligne du Rhin ; t. III et IV : L'invasion (Paris, 1933 et 1935, 3 vol. in-8°) ; J. Thiry, La chute de Napoléon, t. I : Campagne de France ; t. II : La première abdication (Paris, 1938 et 1939, in-8°) ; sur l'ensemble, l'ouvrage classique est celui de Henry Houssaye 1814 (Paris, 1888, in-8°) ; Geschichte des Befreiungskrieges, 3e partie : von Janson, Geschichte des Feldzuges 1814 in Frankreich (Berlin, 1903-1905, 2 vol. in-8°) ; A. Fournier, Der Congress von Chatillon (Vienne, 1900, in-8°) ; les Mémoires de Caulaincourt, cités p. 66 ; L. Bénaerts, Les commissaires extraordinaires de Napoléon Ier en 1814 (Paris, 1915, in-8°) ; cap. Borrey, La Franche-Comté en 1814 (Paris, 1912, in-8°) ; du même, L'esprit public chez les prêtres franc-comtois pendant la crise de 1813-1815 (Paris, 1912, in-8°) ; G. Bourgin, Les ouvriers et la défense nationale en 1814, dans la Revue des études napoléoniennes, t. X (1916), p. 55-65 ; T. Höjer, Charles-Jean (Bernadotte) au Congrès de Châtillon (en suédois ; résumé en français ; Upsal, 1940, in-8°) ; cap. J. Vidal de La Blache, L'évacuation de l'Espagne et l'invasion dans le midi (Paris, 1914, 2 vol. in-8°, publication de l'État-major) ; commt H. Weil, Le prince Eugène et Murat (Paris, 1902, 5 vol. in-8°) ; J. Murat, roi de Naples. La dernière année du règne (Paris, 1909-1910, 5 vol. in-8°) ; R. Rath, The fall of the napoleonic Kingdom of Italy, 1814 (New York, 1941, in-8°) ; l'ouvrage d'A. Capograssi, cité p. 325 ; W. Martin, La Suisse et l'Europe, 1813-1814 (Genève, 1931, in-8°). — Sur l'abdication et le rappel de Louis XVIII, voir les

mes, les alliés pouvaient marcher sur Paris presque sans combat ;
au contraire, s'ils laissaient passer l'hiver, Napoléon réunirait
une nouvelle armée et tout serait remis en balance. Tel était bien
l'avis d'Alexandre et de Blücher ; d'autres, émus par les souvenirs de 1792 et craignant une résistance nationale, désiraient
n'entrer en France qu'avec de grandes forces : on s'arrêterait
jusqu'au printemps, afin de faire avancer les réserves et d'attendre Bernadotte qui, au lieu de gagner la Hollande comme les
Anglais l'en priaient, entra en Holstein où il contraignit le Danemark à lui céder la Norvège, le 14 janvier 1814. D'ailleurs, le
dénuement des troupes était effrayant. Tous les souverains manquaient d'argent ; car, jusqu'à présent, les Anglais avaient apporté
de pleins chargements d'armes et de vêtements, mais point de
fonds, tant ils redoutaient d'affaiblir la livre aussi longtemps que
leur trafic avec l'Allemagne ne serait pas restauré. L'emprunt
convenu à Reichenbach paraissait impossible ; pendant l'été,
d'Ivernois avait étudié l'émission d'un papier fédératif, sans
aboutir, parce qu'il repoussait le cours forcé recommandé par
Stein et parce que, d'un autre côté, les Anglais refusaient de le
garantir en totalité ; ainsi égalé aux *bank-notes*, il aurait reflué
chez eux et ruiné leur monnaie. Finalement, l'Angleterre avait
accepté, le 20 septembre, de remettre aux alliés des obligations
à 6 % ; les banques allemandes ne les escomptaient qu'avec
peine. Dans le conseil de guerre des 7 et 8 novembre, Schwarzenberg fit prévaloir un moyen terme : on ne fixa pas de date à
l'offensive, mais on décida de la commencer le plus vite possible.
Il y aurait donc une campagne d'hiver. Pour Napoléon, ce fut
le coup fatal.

En attendant, pourtant, Metternich exigea qu'on négociât
encore une fois. Le 17 octobre, à Leipzig, Napoléon, s'entretenant avec le général Merfeldt qu'il venait de faire prisonnier et
renvoyait à dessein, s'était montré disposé à abandonner le
grand-duché, l'Allemagne, la Hollande, l'Espagne et peut-être
même l'Italie, pourvu qu'on obligeât l'Angleterre à rendre les
colonies et à rétablir la liberté des mers ; évidemment, il espérait
encore diviser les coalisés et surtout regagner l'Autriche. A
Erfurt, Metternich lui-même s'aboucha avec Saint-Aignan,

ouvrages relatifs à Talleyrand cités p. 79, et Fahmy Scandar Naguib, *La
France en 1814 et le gouvernement provisoire* (Paris, 1934, in-8°). Ajouter
G. de Bertier de Sauvigny, The american press and the fall of Napoleon
in 1814, dans les *Proceedings of the American philosophical Society*, vol. 98,
1954, p. 367-376.

ministre de France à Weimar, et, le 9 novembre, les Russes et les Prussiens consentirent, de mauvaise grâce, à l'envoyer offrir la paix sur la base des frontières naturelles. En outre, ils se montraient disposés à réclamer des concessions et des garanties à l'Angleterre dont ils ne toléraient qu'à regret l'hégémonie maritime.

Jusqu'à quel point Metternich était sincère, on en disputera toujours et probablement ne le savait-il pas lui-même. Il s'entendait mal avec ses alliés et, sachant qu'ils ne pouvaient se passer de son concours, poursuivait ouvertement sa politique personnelle dont l'objet essentiel consistait à restaurer la puissance des Habsbourg. En Allemagne, il barrait la route aux patriotes révolutionnaires, en s'arrangeant avec les princes du Sud et, le 21 octobre, il fit subordonner la commission des pays occupés que présidait Stein à un comité diplomatique créé au grand-quartier des alliés. Il manœuvrait pour se rendre maître de l'Italie ; pendant la campagne d'automne, il ne cessa pas de négocier avec Caroline et, le 10 décembre, fit approuver l'envoi de Neipperg à Murat. Il s'agissait apparemment d'expulser Eugène ; en réalité, le dessein de Metternich était aussi de dépouiller le pape, de concert avec les Napolitains. Il voulait également pénétrer en Suisse, y opérer la contre-révolution et y installer son influence, ce qui lui permettrait d'aborder l'Italie par le nord et, en menaçant Lyon, de la couper de la France. Plus que jamais, enfin, il entendait contenir la Russie en Pologne et en Turquie. Son duel avec Alexandre était commencé. Le tsar avait passé marché avec la Prusse, lui livrant la Saxe, dont on tenait le roi prisonnier, pour garder le grand-duché ; il défendait les souverains italiens et, poussé par Laharpe, se posait en protecteur des Suisses. Résolu à détrôner Napoléon pour assouvir sa haine, il rêvait de lui substituer Bernadotte qui deviendrait son client. Il n'en fallait pas tant pour que Metternich envisageât, au contraire, avec complaisance l'idée de sauver l'empereur ou tout au moins sa dynastie, la régence de Marie-Louise devant enchaîner la France à l'Autriche. Que Napoléon se contentât des frontières naturelles, il ne pouvait pas le tenir pour probable ; mais l'offre était opportune : elle compromettrait au moins l'empereur vis-à-vis des Français.

Napoléon reçut Saint-Aignan le 15 novembre ; le lendemain, il chargea Caulaincourt de négocier ; mais, sur les conditions fixées par les alliés, il garda le silence. Le bruit s'en répandit et l'opinion se déchaîna contre lui et contre Maret qui, flattant l'instinct du maître, demeura jusqu'au bout l'avocat de la guerre à outrance. Soit qu'il voulût la ménager, soit plutôt qu'il espérât gagner du temps, l'empereur parut se raviser : il remplaça Maret par Caulaincourt aux Affaires extérieures et, le 2 décembre, le nouveau ministre accepta les préliminaires de Francfort.

Il était trop tard. Le 16 novembre, Lebrun avait évacué Amsterdam ; le 17, La Haye s'était soulevée et le premier soin d'un triumvirat constitué par Hogendorp fut de demander secours à Londres et de rappeler le prince d'Orange qui accourut aussitôt. Le 4 décembre, les alliés, prenant acte du silence de Napoléon, lancèrent une proclamation où ils affectaient de séparer sa cause de celle de la France à laquelle ils offraient de nouveau la paix, sans faire mention cette fois des frontières naturelles qui, en Hollande, se trouvaient forcées. Comme Metternich l'avait calculé, beaucoup de Français en rendirent leur chef responsable. Consacrer sa défaite personnelle, dût-elle ne rien coûter à la nation, il ne l'acceptait sûrement pas. Il faut pourtant le reconnaître : en admettant qu'il s'y fût résigné, quelle garantie lui assurait-on ? L'offre de Metternich semblait encore plus suspecte que les précédentes. Liés à l'Angleterre, les continentaux ne pouvaient plus conclure sans elle et, à présent, son opposition était déclarée. Le jeune Aberdeen, dépêché auprès de Metternich en août, se laissait assez docilement mener par lui ; mais, dès le 18 septembre, Castlereagh, se réclamant des desseins de Pitt, avait demandé pour la Hollande une barrière convenable du côté de la France et il écoutait favorablement le prince d'Orange qui voulait la Belgique ; comme l'Angleterre entendait garder plusieurs des colonies hollandaises, elle ferait coup double en reconstituant l'unité des Pays-Bas. Castlereagh pensait aussi à leur adjoindre une partie de la rive gauche du Rhin et, le 5 novembre, refusait de laisser celle-ci à la France. Ce qu'on peut présumer, néanmoins, c'est que, traitant à ce moment sous le patronage de l'Autriche, la nation française serait parvenue à conserver une certaine partie des conquêtes de la République.

L'offensive des alliés fut un moment retardée par le conflit relatif à la Suisse. Sur les instances d'Alexandre, François révoqua le 11 décembre l'ordre qu'il avait donné de l'envahir. Metternich, cependant, essayait de persuader les cantons de faire eux-mêmes appel aux coalisés ; il n'y réussit pas ; mais un de ses agents, l'ancien ministre saxon Senft, obtint du général Watteville des déclarations équivoques et provoqua une contre-révolution aristocratique à Berne. Le chancelier en prit prétexte pour revenir à la charge, d'accord avec Schwarzenberg, et, le 16, ce dernier fut autorisé à entrer en Suisse. Son armée franchit le Rhin, le 21, de Schaffouse à Kehl, et entra à Bâle. Bubna se dirigea vers Genève pour attaquer Lyon, tandis que Schwarzenberg poussait ses troupes vers Besançon, Dijon et Langres. Le 29, la Suisse dénonça l'Acte de médiation. Au début de janvier, Blücher, à son tour, passa le Rhin de Coblence à Mannheim, pénétra en Lorraine et tourna l'Argonne par Bar-le-Duc. Devant les envahisseurs, les maréchaux se retirèrent vers la Marne. A la fin du mois, Schwarzenberg marchait sur Troyes et Blücher atteignait Saint-Dizier. Entre temps, Caulaincourt s'était mis en route et, de Lunéville, le 6, avait écrit à Metternich pour s'étonner qu'on l'eût laissé sans nouvelles depuis un mois. On lui répondit qu'on attendait Castlereagh, qui parvint à Bâle le 18. C'était un événement capital.

En 1813 encore, l'Angleterre n'avait joué sur le continent qu'un rôle fort modeste, n'entretenant de contingents importants qu'en Espagne et n'envoyant pas de numéraire. Jusqu'à l'automne, ses embarras intérieurs restèrent grands. Mais l'évacuation de l'Allemagne et de la Hollande ainsi que l'excellente moisson de 1813 provoquèrent un revirement prodigieux. Le blocus prenant fin, l'Europe centrale se rouvrit aux denrées coloniales et aux produits manufacturés qui s'y déversèrent en masse. Les prix se rétablirent : l'indice bondit, de 158 en 1811, à 185 en 1813 et à 198 en 1814. Une fièvre de spéculation galvanisa les affaires dont la reprise supprima le chômage et restaura les salaires : en 1814, l'exportation produisit plus de 70 millions de livres sterling, beaucoup plus qu'en 1802 (60,2), l'année la plus prospère qu'on eût vue jusque-là. En même temps, la reprise des importations de grains et l'abondante récolte ramenaient le pain au prix de 1808 : les classes populaires se calmèrent. Réconfortée, l'Angleterre put dès lors envisager un nouvel effort financier. Vansittart fit voter des augmentations d'impôts et emprunta, en 1813, 105 millions de livres ; les dépenses de cette année furent les plus fortes de la période, 177 millions ; les subsides bondirent de 3 millions à plus de 8 et les paiements à l'étranger s'élevèrent à plus de 26 : la dette atteignait alors 834 millions. La seule difficulté résulta du change qui restait bas : en 1813, la piastre espagnole gagnait 38 % ; afin de pourvoir Wellington, la Banque dut prélever 1.400.000 livres en or sur son encaisse. Encore une fois, les Rothschild vinrent au secours : Nathan en Hollande, James à Paris, leurs frères à Francfort drainèrent la monnaie française et, grâce à leurs envois, Wellington, entrant en France, put payer comptant ses achats ; en 1814, ils servirent aussi d'intermédiaires pour faire passer aux alliés les subsides promis et c'est pourquoi, en 1817, l'empereur d'Autriche anoblit les Rothschild de Francfort. Désormais, à défaut de troupes, l'Angleterre, pour imposer sa volonté, disposa d'arguments sonnants.

Dans l'opinion de Castlereagh, il était grand temps. Bien que les continentaux eussent promis de ne pas traiter sans l'Angleterre, ils l'avaient tenue à l'écart de leurs négociations de Prague et de Francfort et paraissaient faire bon marché de ses prétentions coloniales et maritimes. Metternich négociait avec Murat, sans beaucoup se soucier du roi Ferdinand. Plusieurs des diplomates britanniques se montraient insuffisants et la distance ne permettait pas d'ajuster leurs instructions aux vicissitudes de la guerre. Le gouvernement fut d'avis que Castlereagh devait se rendre sur les lieux. Il rédigea lui-même ses instructions du 26 décembre : l'Angleterre exigeait que la paix avec la France fût conclue d'un commun accord, moyennant quoi elle offrait 5 millions de livres pour 1814 ; elle excluait toute discussion sur la liberté des mers et subordonnait ses restitutions coloniales à la solution qu'on adopterait pour les Pays-Bas ; l'Espagne et le Portugal seraient restaurés et Ferdinand de Naples dédommagé. Quant au reste du continent, on n'en disait rien, en sorte que Castlereagh eut carte blanche : il put ainsi se poser en médiateur des continentaux pour faire prévaloir la politique traditionnelle du Foreign Office et, partant, celle de Pitt. La carrière où il allait s'illustrer venait enfin de s'ouvrir. Arrivé à Bâle, il établit aussitôt une barrière contre la France : la Hollande aurait la Belgique sous la garantie de l'Europe et la Prusse s'installerait entre Meuse et Moselle, ce qui, dans l'avenir, lui rendrait impossible toute tractation avec la France. A ce moment, toutefois, Castlereagh admettait encore que cette dernière s'avançât jusqu'à Trèves, si les événements militaires l'exigeaient.

Le 24 janvier, en compagnie des Autrichiens, il rejoignit les Russes à Langres. Il eut aussitôt à s'interposer entre Alexandre et Metternich. On jugeait Napoléon perdu. Le tsar refusait de négocier et prétendait le détrôner en faveur de Bernadotte ; Metternich voulait ouvrir à Châtillon-sur-Seine la conférence promise à Caulaincourt, consentait à traiter avec l'empereur et, en tout cas, excluait Bernadotte au profit d'une régence. Sur l'opportunité de traiter avec Napoléon, le gouvernement anglais était divisé ; si Castlereagh ne se prononça pas, il savait que le régent et l'opinion étaient de plus en plus hostiles au « Corse » ; il repoussa Bernadotte et obtint, en échange, que Metternich renonçât à la régence, persuadé qu'ainsi la restauration des Bourbons devenait inévitable. Il obligea aussi le tsar à tolérer la conférence, l'ouverture en étant reculée au 5 février afin de laisser le champ à la bataille décisive qu'on attendait. Enfin, il exigea que l'on se mît d'accord sur les conditions de la paix et, le 29 janvier, ramena la France aux limites de 1792. Après quoi, les diplomates partirent pour Châtillon. A ce moment, la campagne de France venait de commencer.

Cette fois, Napoléon n'eut ni le temps ni les moyens d'improviser une nouvelle armée. Les hommes ne manquèrent pas absolument. Dès le 9 octobre, il demandait 120.000 hommes aux classes 1808 à 1814 qui, le 24 août, en avaient déjà fourni 30.000 à l'armée d'Espagne. Cette levée ne paraît pas avoir fait difficulté ; mais il avait aussi convoqué la classe 1815, à raison de 160.000 conscrits, et cette opération, à peine entamée quand il revint d'Allemagne, demandait beaucoup plus de temps. Le 15 novembre, il reprit 150.000 hommes sur les classes 1803 à 1814, plus 150.000 autres éventuellement, si la frontière de l'est était forcée ; le 20, il en ajouta 40.000 au contingent des classes 1808 à 1814 ; la garde nationale fut mise en activité, dans les places fortes le 17 décembre, à Paris le 8 janvier 1814 ; il décida ensuite de former des régiments de volontaires où l'on verserait les chômeurs parisiens ; il parlait même de levée en masse. A la fin de janvier, 125.000 hommes environ se trouvaient réunis dans les dépôts, mais sans aucune instruction ; en outre, la plupart n'étaient ni équipés ni même armés, car les magasins et les arsenaux étaient vides. Comme en 1793, on se mit à réquisitionner, un peu au hasard, les armes, les chevaux, les fourrages et les grains. L'argent surtout faisait défaut. En novembre et en janvier, Napoléon décréta des augmentations d'impôts formidables ; quand les percevrait-on ? La recette des contributions indirectes elles-mêmes devenait insignifiante. La trésorerie ne s'alimentait plus ; la rente était tombée, après Leipzig, de 74 à 52 francs ; le numéraire se cachait et les billets refluaient vers la Banque. On fit un retranchement d'un quart sur les traitements et pensions supérieurs à 2.000 francs et l'on se mit à payer les fournisseurs avec des bons de la caisse d'amortissement qui étaient de purs assignats. Ramené aux anciennes frontières, l'Empire finissait comme le Directoire, tant décrié, et c'était dans la nature des choses : ne pouvant plus faire la guerre aux frais de l'étranger, il lui fallait bien en demander les moyens aux Français. Ils le trouvèrent fort mauvais et, pour la première fois, résistèrent. L'aristocratie impériale, les notables que Napoléon avait comblés, jugeaient sa chute inévitable et pensaient à s'emparer du pouvoir politique qu'il leur refusait, en s'arrangeant avec son successeur, quel qu'il fût. Quand le Corps législatif se réunit, le 19 décembre, il osa demander que les conditions des alliés lui fussent communiquées et l'empereur céda. Au nom de la commission, Lainé déclara que la France ne combattrait plus que pour défendre son indépendance et l'intégrité de son territoire ; en même temps, il invita le souverain à garantir à ses sujets les libertés civiles et politiques. Le 29 décembre, le Corps législatif approuva ; sur quoi, il fut aussitôt ajourné. Le pacte que Bonaparte et la bourgeoisie avaient conclu en brumaire se trouvait enfin déchiré.

Quant au peuple, il lui paraissait insupportable que l'empereur, après avoir perdu coup sur coup deux armées immenses, prétendît en constituer une troisième ; en quelques mois, Napoléon devint franchement impopulaire. La nation voulait la paix et se persuadait rapidement que son maître ne voulait pas la lui donner : commentée par les royalistes, la proclamation des alliés faisait son effet. Lui préférer les Bourbons, symbole de l'Ancien Régime, on n'y pensait pas ; mais, las et découragés, les Français se mirent à lui opposer la résistance passive, seul droit qu'il leur eût laissé. Les réfractaires, qui se multipliaient depuis 1812, devinrent innombrables ; on cessa de payer les impôts ; on n'obéit pas aux réquisitions. Les populations assistèrent, immobiles, à l'invasion, aussi longtemps du moins que les alliés purent tenir en bride leurs soldats ; dans le midi, les Anglais qui payaient bien furent accueillis sans déplaisir.

En temps normal, l'administration impériale eût aisément puni les récalcitrants. L'invasion foudroyante ne lui laissa pas le temps d'agir ; pis encore, elle la paralysa. Les fonctionnaires ralliés, constatant leur impuissance et prévoyant la chute de l'empereur, ménagèrent l'avenir, firent cause commune avec les royalistes ou même pactisèrent avec l'ennemi. Napoléon essaya de « remonter la machine », comme autrefois le Comité de salut public, en envoyant dans les départements des commissaires extraordinaires ; mais, comparée à l'œuvre des représentants en mission, leur action dérisoire manifeste surtout la ruine de l'esprit public. Les royalistes achevèrent la décomposition du régime ; comme sous la République, les malheurs du pays leur rendaient l'espérance et ils travaillaient de leur mieux à aider « nos bons amis les ennemis » ; par leurs propos et leurs placards, ils semaient le découragement et encourageaient à la désobéissance. L'ouest remua de nouveau ; en Flandre, Fruchart arma les réfractaires pour favoriser l'invasion ; les alliés trouvèrent des guides, des espions et des traîtres : dès le 3 décembre, le comte de Scey, au nom des royalistes de Franche-Comté, était à Fribourg et offrait sa province à l'Autriche ; le 12 mars, le maire de Bordeaux livra la ville aux Anglais qui amenaient avec eux le duc d'Angoulème. Redevenir le soldat de la Révolution et ressusciter l'élan national, Napoléon en parla par instants, mais ce ne fut guère que mots. Comment concilier les souvenirs de 1793 avec la monarchie aristocratique qu'il avait entrepris d'édifier ? Ses créatures le rappelèrent impérieusement au souci de la conservation sociale et le mirent en garde contre « la vile populace ». La résistance nationale ne s'éveilla qu'en Champagne où, dans la fureur des combats, les soldats étrangers se livrèrent à des excès épouvantables : elle n'eut pas le temps de se développer, et d'ailleurs personne ne se présenta pour l'organiser.

Quand Napoléon quitta Paris, le 25 janvier, laissant à la garde de Joseph, lieutenant-général, sa femme et son fils qu'il ne devait plus revoir, il ne disposait que d'une soixantaine de mille hommes qui n'étaient même pas concentrés. Il courut au-devant des Prussiens, qu'il croyait rencontrer à Saint-Dizier : déjà Blücher atteignait l'Aube, en route pour joindre Schwarzenberg. L'empereur, le poursuivant, le battit à Brienne, le 29, mais ne put l'empêcher de se réunir aux Autrichiens et, le 1er février, fut accablé à La Rothière par une masse trois fois plus nombreuse. Il se replia sur Troyes, puis sur Nogent. La lutte semblait sans espoir : il ne lui restait qu'à traiter sans discuter s'il voulait sauver son trône. Dans la nuit du 4 au 5 février, il donna carte blanche à Caulaincourt. Le 7, à Châtillon, ce dernier reçut communication des conditions qui ramenaient la France aux frontières de 1792 ; il se récria, invoquant les préliminaires de Francfort, sans illusion toutefois. A lui donc qui avait toujours été l'homme de la paix et qui, par extraordinaire, détenait de pleins pouvoirs, une occasion unique s'offrait de fixer le destin. Il n'osa, non qu'il trahît, mais par médiocrité, et en référa au maître. Dans la nuit du 7 au 8, après des heures d'angoisse, Napoléon finit par céder. Mais, au matin, il se reprit : l'erreur militaire des alliés venait de se révéler ; tout était changé et l'espoir revenu.

Pour contenter Blücher et pour rendre plus faciles leur marche et leur ravitaillement, les coalisés, en effet, venaient de se séparer à nouveau. Laissant Schwarzenberg descendre la Seine, Blücher s'était avancé, le 2 février, par Sézanne et la vallée du Petit Morin où ses divisions s'échelonnèrent en file indienne ; il comptait couper la retraite à Macdonald qui, sur la Marne, reculait devant York et qui réussit à gagner l'Ourcq. Pendant ce temps, Napoléon accourait. Le 10 février, à Champaubert, il mit en déroute le corps d'Olsoufiev, coupant en deux l'armée ennemie. Il se porta aussitôt sur Montmirail et, le 11, y battit complètement le corps de Sacken, dont les débris rejoignirent York en avant de Château-Thierry. Attaqué et enfoncé, le 12, York repassa précipitamment la Marne, tandis que Napoléon se retournait contre Blücher qui pressait Marmont à Vauchamps. Le 14, Blücher, assailli, recula ; rompu au cours de sa retraite, il perdit une dizaine de mille hommes. La victoire était éclatante ; mais elle n'avait pas détruit l'ennemi dont les divisions allèrent se réunir à Châlons. D'autre part, les troupes de Schwarzenberg franchissaient la Seine, refoulant Victor et Oudinot jusqu'à l'Yerres, où Macdonald vint les rejoindre, et aussi l'Yonne et le Loing pour gagner Montargis et Fontainebleau.

En marchant de Vauchamps sur Montereau, Napoléon pouvait dessiner une de ses manœuvres favorites, mais les forces lui manquaient ; il se porta sur l'Yerres, rejeta l'ennemi sur la Seine et, le 18, reprit péniblement Montereau. Schwarzenberg eut le temps de rassembler son monde et se retira sur Troyes ; bien que Blücher fût déjà revenu sur l'Aube, il continua sa retraite par Chaumont et Langres.

Ces échecs déconcertèrent les alliés. Le 17, les Autrichiens prirent sur eux d'offrir un armistice et ils répétèrent leur tentative le 24. Dans la lettre qu'il adressa le 22 à son beau-père et dans ses instructions à Flahaut, chargé d'aller négocier à Lussigny, Napoléon déclara qu'il ne traiterait que sur les bases de Francfort, ne pouvant rendre la France plus petite qu'il ne l'avait reçue. D'ailleurs, Castlereagh avait protesté contre l'initiative séparée des Autrichiens. Bien que Schwarzenberg eût dépêché 50.000 hommes au secours de Bubna qui ne venait pas à bout d'Augereau, le succès final restait d'autant moins douteux que l'armée de Bernadotte approchait : Bülow et Wintzingerode entraient déjà en Champagne ; en outre, Langeron et Saint-Priest amenaient d'Allemagne deux corps nouveaux. Le 24 février, Blücher se remit en route pour gagner cette fois la vallée du Grand Morin. Loin de désespérer, Castlereagh pressa au contraire les délibérations finales. Déjà, le 15, on était convenu que, si Napoléon ne traitait pas avant la chute de Paris, on pourrait être amené à prendre en considération le « vœu » éventuel de la capitale pour refuser de conclure avec lui. A Chaumont, le 26, on arrêta de signifier une dernière fois les conditions à Caulaincourt, en assignant le 10 mars comme dernière limite. Le 9 mars, au moment où le délai fatal allait expirer, Castlereagh fit signer le pacte qui liait pour vingt ans les quatre puissances contre la France. Pour faire respecter le nouvel ordre européen qu'elles entendaient régler seules, elles convenaient d'engager au besoin 150.000 hommes chacune. Ce fut alors seulement que Castlereagh, ayant enfin réalisé la coalition que la contre-révolution espérait depuis vingt ans, accorda les 5 millions de livres offertes pour 1814. Le 10 mars, Caulaincourt, qui n'avait pu faire céder Napoléon, obtint un délai et, le 15, apporta un contre-projet : la France voulait maintenir Eugène en Italie, conserver la Saxe à son roi et voter au congrès où l'on réorganiserait l'Europe. Les négociations de Châtillon furent définitivement rompues le 19. Déjà, Vitrolles, venant de Paris, avait été reçu par les alliés ; ceux-ci l'avaient autorisé à se rendre près du comte d'Artois, qu'il rencontra à Nancy ; dans les pays occupés, les menées royalistes étaient plus ou moins ouvertement encouragées. Le 22 mars, le gouvernement anglais décida finalement de ne pas traiter avec Napoléon.

A ce moment, le drame touchait à sa fin. Le 28 février, Napoléon s'était de nouveau lancé à la poursuite de Blücher qui, poussant devant lui Marmont et Mortier, se vit arrêter sur l'Ourcq, le 1er mars. Menacé d'être pris entre deux feux, il se dirigea vers le nord pour joindre Bülow et Wintzingerode qui attaquaient Soissons. Il n'aurait pourtant pas échappé au désastre si la place n'avait subitement capitulé, le 3 : toute son armée put se regrouper derrière l'Aisne, autour de Laon, tandis que les Français étaient obligés d'aller chercher le passage à Berry-au-Bac. Après avoir repoussé une attaque de Blücher à Craonne, Napoléon, divisant ses forces en deux colonnes, marcha sur Laon, où 100.000 ennemis étaient maintenant réunis ; le 9, il fut repoussé au sud de la ville ; Marmont, arrêté à l'est, fut surpris pendant la nuit et mis en déroute ; le 10, Napoléon, attaqué à son tour, recula sur Soissons d'où il alla culbuter à Reims le corps de Saint-Priest. La manœuvre n'en avait pas moins échoué et Schwarzenberg, sur ces entrefaites, n'ayant plus devant lui que Macdonald et Oudinot, avait regagné lentement tout le terrain perdu.

Du 17 au 19, abandonnant Blücher, Napoléon courut de Reims à Méry pour l'attaquer de flanc cette fois ; son adversaire décampa de nouveau et plus vite encore : le 19, il se trouvait à l'abri entre la Seine et l'Aube.

A ce coup, Napoléon renonça, non pas à combattre, mais à empêcher la marche des alliés sur Paris. Il résolut de gagner la Lorraine pour y grouper les garnisons et, après avoir coupé les communications de l'ennemi, revenir l'attaquer sous Paris assiégé. Soudain, Schwarzenberg se décida à l'action et l'accabla, le 20 et le 21, comme il passait l'Aube à Arcis ; d'ailleurs, Blücher arrivait par Châlons. Napoléon se dégagea non sans peine et se retira à Saint-Dizier. Réunis, les deux généraux entreprirent enfin de marcher côte à côte vers Paris par les vallées des deux Morins. Mortier ainsi que Marmont, dont les troupes avaient été abîmées le 25 à Fère-Champenoise, reculèrent jusqu'aux abords de la ville que Marie-Louise venait d'abandonner le 29. Attaqués le 30 et lentement refoulés, ils capitulèrent dans la nuit. Napoléon, inquiet, accourait : arrivé à Fontainebleau, le 31, il ne s'avoua pas vaincu et prit ses dispositions pour combattre encore. Mais, déjà, il était trahi et abandonné.

Le 31 mars, une proclamation des alliés invita les Parisiens à se prononcer sur le gouvernement qui convenait à la France, en leur proposant l'exemple de Bordeaux qui avait acclamé le duc d'Angoulême. Les royalistes allèrent applaudir l'entrée des ennemis et arborèrent la cocarde blanche. Ils étaient d'ailleurs peu nombreux. Le 31 au soir, chez Talleyrand, les souverains confirmèrent qu'ils ne traiteraient pas avec Napoléon et demandèrent au Sénat d'instituer un gouvernement provisoire. Talleyrand en prit naturellement la direction. Le conseil municipal et les corps constitués se mirent aussitôt à réclamer le retour des Bourbons. Le 2 avril, le Sénat décida la déchéance de l'empereur ; elle fut proclamée, le 3, avec le concours du Corps législatif. Les sénateurs bâclèrent ensuite une constitution, où ils prirent soin de s'attribuer l'hérédité et de se réserver leur dotation, puis, le 6, appelèrent Louis XVIII au trône. Pendant ce temps, à Fontainebleau, les maréchaux refusaient de suivre leur chef et le pressaient d'abdiquer en faveur de son fils. Napoléon céda, le 4 avril, et envoya Caulaincourt, Ney et Macdonald au tsar ; en route, ils emmenèrent Marmont qui s'était retiré à Essonnes. Alexandre ajourna sa réponse. Mais Marmont avait accepté, sur l'offre de Schwarzenberg, de faire défection ; bien qu'il eût ajourné l'opération, ses troupes furent emmenées à l'ennemi dans la nuit du 4 au 5, découvrant Fontainebleau. Le tsar exigea dès lors l'abdication pure et simple. Le 6, Napoléon se résigna enfin.

En Italie et dans le midi, la guerre continuait encore. En janvier, Murat, jetant le masque, avait occupé Rome, puis la Toscane et envahi la Romagne. Ensuite, il hésita de nouveau, outré des procédés de Bentinck qui, n'ayant conclu un armistice avec lui que sur l'ordre de Castlereagh, feignait de l'ignorer et débarquait à Livourne pour marcher sur Gênes. Eugène put arrêter Bellegarde sur le Mincio et, ne désespérant pas de conserver le royaume d'Italie pour son propre compte, se mit à négocier avec Murat. On ne put s'entendre et, le 13 avril, le roi prit l'offensive sur le Taro ; l'insurrection éclata dans Milan ; le 16, Eugène signa une convention qui lui permit d'évacuer l'Italie. Aux Pyrénées, Soult, après avoir tenté vainement de dégager Pampelune et Saint-Sébastien, avait perdu successivement les lignes de la Bidassoa en octobre 1813, de la Nivelle en novembre, et de la Nive en décembre. Il s'était alors replié sur le gave de Pau, laissant à Wellington la route de Bordeaux. Battu à Orthez à la fin de février, il manœuvra pendant tout le mois de mars autour de Tarbes, puis retraita sur Toulouse où il éprouva une dernière défaite le 10 avril.

Le sort de Napoléon fut réglé, le 11, par le traité de Fontainebleau : il obtint pour lui-même l'île d'Elbe avec une dotation annuelle, Parme pour Marie-Louise et son fils, des rentes pour ses parents. Le 20, il fit ses adieux aux troupes qu'il avait si peu ménagées et qui, seules, lui étaient restées fidèles jusqu'au bout.

CHAPITRE II

LA RESTAURATION ET LES CENT JOURS[1]

Victorieux, les rois se rassemblèrent à Vienne pour réorganiser l'Europe à leur convenance. En France, Louis XVIII consacra les principes de 1789 et les institutions napoléoniennes ; mais les protestations de l'aristocratie déçue ne tardèrent pas à compromettre son gouvernement. C'était bien ce qu'avait espéré Napoléon. Incapable de se résigner à son sort, craignant qu'on ne l'aggravât, il tenta une dernière fois la fortune. Son retour valut à la France une nouvelle catastrophe et entraîna pour lui la captivité de Sainte-Hélène.

I. — LE CONGRÈS DE VIENNE ET LES SUCCÈS DE LA CONTRE-RÉVOLUTION[2].

Maîtres de la France, les alliés commencèrent par imposer leurs conditions aux Bourbons. Le 20 avril, le comte d'Artois, que le Sénat venait de nommer lieutenant-général, signa un armistice qui abandonnait, avec tout leur matériel, les places fortes que les Français occupaient encore. La paix se conclut à Paris, le 30 mai. Outre Montbéliard et Mulhouse, Talleyrand sauva Chambéry et Annecy ainsi qu'une partie de la région de la Sarre où il possédait des intérêts ; les alliés n'exigèrent aucune indemnité de guerre et ne réclamèrent même pas les objets d'art

---

1. Ouvrages d'ensemble a consulter. — *Histoire de France contemporaine*, publiée sous la direction d'E. Lavisse, t. IV : *La Restauration*, par S. Charléty (Paris, [1921], in-8º), avec d'importantes bibliographies.
2. Ouvrages a consulter. — Sur la question du pays de Gex dans les négociations de 1814, J. Biaudet, Le traité de Paris du 30 mai 1814 et la question du pays de Gex, dans la *Revue suisse d'histoire*, 1952. — Sur le Congrès de Vienne, voir le volume suivant de la présente collection, *L'éveil des nationalités et le mouvement libéral, 1815-1848*, par G. Weill (Paris, 1930, in-8º), nouvelle rédaction par F. Ponteil (Paris, 1960, in-8º), et sa bibliographie.

dont Napoléon avait dépouillé les pays conquis. Comme les « limites de 1792 », auxquelles les alliés avaient décidé de ramener la France, n'englobaient pas les colonies, l'Angleterre s'adjugea Tabago et Sainte-Lucie, l'île de France, Rodrigue et les Seychelles ; l'Espagne reprit sa part de Saint-Domingue. La France acceptait d'avance les décisions que prendraient les alliés pour le partage de ses dépouilles au congrès qui devait se réunir à Vienne.

Cette assemblée, la plus considérable que l'Europe eût encore tenue, suscitait de grands espoirs. Chez les anciennes autorités « légitimes », d'abord. Les plus importants des princes dépossédés se réinstallaient. Napoléon lui-même avait libéré Ferdinand VII par le traité de Valençay, dès le 11 décembre 1813, et renvoyé le pape dans ses États en janvier 1814 ; l'électeur de Hesse, le roi de Sardaigne, les ducs de Modène et de Toscane rejoignirent leurs capitales ; le roi d'Angleterre reprit le Hanovre, érigé en royaume. Mais les anciens alliés de Napoléon rendraient-ils ce qu'il leur avait donné ? En Allemagne surtout, la *Ritterschaft* et les princes ecclésiastiques faisaient valoir leurs droits. Les peuples qui s'étaient battus pour l'indépendance, non pour rétablir l'Ancien Régime, et à qui on avait promis la liberté, n'éprouvaient pas moins d'anxiété. Les patriotes allemands réclamaient l'unité sans bien savoir la définir et, depuis le début de l'année, Görres menait une vigoureuse campagne, dans son *Rheinische Merkur*, contre l'égoïsme des princes. Les Italiens, joyeux d'être débarrassés des Français, craignaient le retour des Autrichiens. Les bourgeois et les paysans libérés par la France n'entendaient pas, d'autre part, retomber dans la dépendance ; le 22 mai 1815, à la veille de la nouvelle campagne contre Napoléon, le roi de Prusse lui-même promettra une constitution. Mais, adorateurs du passé, comme Baader qui pressait les souverains d'asseoir le nouvel ordre politique sur les principes de la religion, ou amis des temps nouveaux, comme Saint-Simon et Augustin Thierry, qui demandaient qu'on organisât enfin la « société européenne », tous attendaient essentiellement du congrès qu'il établît la paix, une paix prolongée, sinon perpétuelle.

Castlereagh, Metternich et les Prussiens ne voyaient pas si loin, et le tsar lui-même, s'il prêtait l'oreille aux vaticinations de Jung Stilling et de Mme de Krüdener qui lui parvenaient par une dame d'honneur de la tsarine, tournait comme d'ordinaire son mysticisme au profit de ses ambitions. Il dira bientôt à Talleyrand : « Les convenances de l'Europe sont le droit. » Les « Quatre » entendaient que le congrès se bornât à entériner leurs décisions, et l'Angleterre, continuant à s'arroger la médiation, invita ses alliés à venir les fixer à Londres. Alexandre y trancha en maître, irrita les tories en flattant les whigs et offensa le régent. On se sépara sans s'être mis d'accord et, à Vienne, en septembre, on n'y réussit pas davantage. Un ajournement du congrès s'ensuivit et, bien que Talleyrand, avec l'appui de l'Espagne, eût obtenu un succès d'estime en faisant fixer l'ouverture au 1er novembre, il ne se réunit jamais à proprement parler : tout se passa dans des comités et les questions essentielles furent tranchées par les « Quatre ». Le principal différend portait toujours sur le grand-duché de Varsovie, que la Russie voulait conserver, et sur la Saxe, qu'elle destinait à la Prusse. Metternich résistait. Le gouvernement anglais se montrait indifférent ; il ne se souciait que d'écarter toute discussion sur la liberté des mers et de se réserver le règlement colonial : il s'attribua Malte et Héligoland et prit aux Hollandais le Cap, Singapour, une partie de la Guyane ; il fit aussi condamner la traite, sans pouvoir en obtenir l'abolition immédiate, par la faute de l'Espagne et du Portugal. Sur les affaires du continent, il laissa carte blanche à Castlereagh.

Or celui-ci ne pensait pas que son pays pût s'en désintéresser et, de tous les hommes d'État britanniques, se montra le plus européen qu'on eût jamais vu. Avant tout, il se préoccupa d'encercler la France en organisant les Pays-Bas, en installant la Prusse sur le Rhin et l'Autriche en Italie ; toutefois, il lui convenait aussi de ne pas permettre au tsar de s'arroger l'hégémonie. Contre la France et la Russie, il jugeait essentiel de fortifier l'Allemagne en rapprochant l'Autriche et la Prusse. Il parut d'abord y réussir, Metternich acceptant de laisser la Saxe aux Prussiens s'ils abandonnaient Alexandre ; mais Frédéric-Guillaume, accablé de reproches par son ami, désavoua ses ministres. La situation parut si grave que Castlereagh prit sur lui de signer un traité d'alliance avec Metternich et Talleyrand, le 3 janvier 1815. « La coalition est dissoute », écrivait Talleyrand qui s'en attribua le mérite et a trouvé beaucoup de gens pour l'en croire. Certes, il s'était montré adroit ; pourtant le désintéressement territorial et la « légitimité » dont il jouait ne firent pas autant d'impression qu'on a dit : personne ne songeait à lui rien accorder et, s'il défendait la légitimité, tout le monde savait que c'était pour flatter Louis XVIII, qui voulait rétablir ses parents à Naples et à Parme. Au vrai, il servit Castlereagh et Metternich pour leur faire abandonner Murat. D'ailleurs, les coalisés n'avaient nulle intention de rompre ; Castlereagh se tenait prêt aux concessions et persuada promptement Alexandre : Thorn et Posen furent rendus aux Prussiens, qui durent se contenter d'un tiers de la Saxe ; du côté des Pays-Bas, ils n'obtinrent aussi qu'Eupen et Malmédy. En dédommagement et faute de mieux, ils acceptèrent la Rhénanie. Après Napoléon, Castlereagh aida ainsi à l'unification de l'Allemagne et, d'accord avec Talleyrand qui refusa de laisser transporter le roi de Saxe sur le Rhin, il en prépara efficacement la prussification. Cette affaire réglée, il quitta Vienne. Le retour de Napoléon n'interrompit pas le travail des comités, et l'acte final fut signé le 9 juin.

On l'a regardé comme un chef-d'œuvre. Il laissait pourtant, en Orient, le champ libre aux rivalités et, par conséquent, à la guerre. Les Turcs, profitant des circonstances, réoccupèrent la Serbie de juillet à octobre 1813 ; puis, en novembre 1814, une nouvelle révolte les enferma dans les forteresses. Or le tsar soutenait que les Serbes, en vertu du traité de Bucarest, avaient droit à l'autonomie ; en outre, le sultan s'obstinait à lui contester ses conquêtes caucasiennes. Il était à prévoir qu'Alexandre, un jour ou l'autre, invoquerait les services qu'il croyait avoir rendus à l'Europe pour exiger Constantinople. Aussi Metternich avait-il suggéré à Mahmoud de solliciter pour ses États la garantie des puissances. Mais les Russes firent opposition et les Anglais, insoucieux de l'avenir, refusèrent la leur.

Par ailleurs, il était naturel que les diplomates d'Ancien Régime fussent fiers de leur œuvre, puisqu'ils avaient partagé les territoires et les « âmes » suivant les règles de l'équilibre qu'ils chérissaient. Par cette raison même, l'œuvre du congrès n'en contrecarrait pas moins les tendances de l'Europe nouvelle, car elle ne tenait aucun compte des nationalités que les guerres révolutionnaires avaient éveillées. En dépit des protestations des whigs, Castlereagh, sur ce point, ne se montra pas moins aveugle que Metternich : les Lombards et les Vénitiens livrés à l'Autriche, les Belges soumis malgré eux aux Hollandais, la Pologne de nouveau écartelée, les Allemands même réunis en une confédération paralytique et tiraillée entre l'Autriche et la Prusse, n'allaient pas tarder à revendiquer leurs droits.

La réaction politique, administrative et sociale allait aussi son train. En mai 1814, Ferdinand VII, avant d'entrer à Madrid, avait annulé la constitution de 1812 ; Ferdinand de Sicile imita cet exemple. Le pape et les princes italiens, les souverains allemands du centre et du nord s'appliquaient à détruire l'œuvre de

Napoléon ; le roi de Prusse suspendit la réforme agraire si odieuse aux junkers. Metternich comptait bien obliger l'Allemagne du Sud à revenir également aux saines doctrines. A cet égard aussi, Castlereagh et les tories s'accordaient avec lui : la liberté était un privilège de l'aristocratie britannique et les peuplades du continent n'y pouvaient prétendre. Ils n'allaient pas tarder à s'apercevoir que l'esprit de la Révolution, qui avait cheminé avec les troupes de l'empereur, survivait à leur défaite. Dans le présent même, l'aristocratie européenne constatait avec fureur qu'on lui faisait sa part. On laissait des trônes à plusieurs usurpateurs, et elle y voyait un symbole. Murat, il est vrai, était condamné ; s'obstinant à conserver les Marches, il s'aliéna Metternich qui, en janvier 1815, l'abandonna secrètement à Castlereagh et à Talleyrand. Mais Bernadotte gardait la Suède et, avec l'appui de l'Angleterre, contraignit Christian de Danemark, élu roi par les Norvégiens, à lui céder la couronne, en novembre 1814. « Bonaparte » lui-même régnait sur l'île d'Elbe et son « bâtard », comme disait Wellington, serait un jour duc de Parme. Les réacteurs estimaient beaucoup plus grave encore que, dans les Pays-Bas, en Rhénanie, dans l'Allemagne du Sud, en Suisse, on se crût obligé de respecter tout ou partie des nouveautés françaises. Pour obliger Guillaume d'Orange à ménager les Belges, Castlereagh avait jugé nécessaire de lui imposer une constitution. Le tsar en avait promis une aux Polonais. En France, le roi légitime, restauré avec tant de peine, loin de rétablir l'absolutisme et les privilèges, s'était résigné lui-même à conserver l'œuvre de la Révolution et de l'Empire, et à s'associer la bourgeoisie pour gouverner l'État.

Encore le retour foudroyant de l'empereur allait-il montrer la fragilité de cette restauration tempérée.

II. — *LA PREMIÈRE RESTAURATION EN FRANCE ET LE RETOUR DE L'ILE D'ELBE*[1].

Louis XVIII était arrivé à Calais le 24 avril 1814. Qu'il acceptât la constitution du Sénat qui l'appelait au trône au nom

---

1. OUVRAGES A CONSULTER. — Voir S. CHARLÉTY, cité p. 567 ; J. THIRY, *La chute de Napoléon*, t. III : *La première Restauration* ; t. IV : *Le vol de l'aigle* (Paris, 1941 et 1942, in-8°) ; P. BARTEL, *Napoléon à l'île d'Elbe* (Paris, 1947, in-8°) ; Mémoires de MARCHAND, I : *L'île d'Elbe. Les Cent Jours*, publiés par J. BOURGUIGNON (Paris [1952], in-8°). A titre d'étude régionale, P. LEUILLIOT, *La première Restauration et les Cent Jours en Alsace* (Paris, 1959, in-8°). Sur l'attitude et le rôle de Carnot, voir les derniers chapitres de sa biographie par M. REINHARD, *Le grand Carnot*, t. II : *L'organisateur de la victoire, 1792-1823* (Paris, 1952, in-8°).

de la nation, cela ne se pouvait pas. Le 2 mai, dans sa déclaration de Saint-Ouen, il la traita comme un projet ; il en retint les dispositions essentielles : les libertés et l'égalité civiles, la vente des biens nationaux, le maintien des institutions impériales, les principes du gouvernement constitutionnel ; mais la souveraineté du peuple disparut du droit public : le roi « octroierait » une « charte ». Une commission l'élabora du 22 au 27. L'organisation politique fut empruntée aux Anglais : le roi exerce le pouvoir exécutif par l'intermédiaire de ministres responsables ; l'initiative des lois lui appartient aussi sans partage ; une Chambre des pairs et une Chambre des députés votent l'impôt et les lois : le roi nomme les premiers et ils peuvent être héréditaires ; les seconds sont élus au suffrage censitaire, 300 francs d'impôts directs conférant le droit de vote et 1.000 francs l'éligibilité. Mais, pour le moment, le Corps législatif de l'Empire se transforma tel quel en Chambre des députés ; l'aristocratie nouvelle fournit aussi la majorité des pairs : 84 sénateurs et plusieurs maréchaux. La Charte fut lue aux chambres le 4 juin.

La grande bourgeoisie l'accueillit avec satisfaction, car, d'une part, elle écartait la contre-révolution et, de l'autre, elle privait le peuple de toute influence politique. Toutefois, la question restait de savoir si Louis XVIII abandonnerait le gouvernement aux notables, c'est-à-dire s'il choisirait ses ministres au gré de la majorité parlementaire, comme le roi d'Angleterre. Or il n'y songeait pas : il avait rétabli les anciens conseils « d'en haut » et « des parties », et ses ministres n'étaient que des commis qui l'entretenaient séparément et ne formaient point un cabinet homogène et solidaire. La bourgeoisie fut déçue. De surcroît, Louis XVIII ne s'intéressait pas aux affaires et les ambassadeurs étrangers, Wellington et Pozzo di Borgo surtout, prétendaient s'en mêler : le régime n'eut pas de gouvernement et en fut affaibli d'autant.

La masse de la nation demeura indifférente. Les Bourbons n'étaient plus rien pour elle : les alliés et les émigrés l'avaient constaté avec stupéfaction. Louis XVIII revenait sans qu'on l'eût consultée : elle l'accepta parce que les étrangers lui paraissaient l'imposer comme une condition de la paix et de l'évacuation du territoire. De cette paix, elle ne lui sut naturellement aucun gré : tout au contraire, le drapeau blanc lui parut le symbole de l'humiliation nationale. Mais rien, dans la Charte, ne pouvait l'émouvoir : elle ne se souciait pas du pouvoir politique, du moment qu'on ne rétablissait ni les privilèges, ni la dîme, ni les droits féodaux.

C'était à quoi justement les nobles et les prêtres ne pouvaient se résigner et ces derniers, en particulier, ayant fait proclamer le catholicisme religion de l'État, n'entendaient pas que ce fût là une formule d'apparat. Tous regardaient la Charte comme une concession passagère et le comte d'Artois était de même opinion. Louis XVIII leur devait des satisfactions. Aux nobles, il distribua des places à la cour, dans sa maison militaire, l'administration et l'armée, alors que des milliers d'officiers se voyaient licencier à demi-solde et qu'on invoquait l'état des finances pour maintenir les « droits réunis » dont le comte d'Artois avait promis l'abolition. Le clergé fit décréter l'observation du dimanche, exempter les écoles ecclésiastiques de toute redevance et de tout contrôle, supprimer le grand-maître de l'Université. Le gouvernement ne put se refuser à quelques gestes symboliques : l'érection d'un monument aux morts de Quiberon, l'anoblissement de Cadoudal ; à plus forte raison, il fut indulgent aux propos des nobles et aux sermons des prêtres : tous les Français surent bientôt que, pour les satisfaire, il ne fallait rien de moins que rétablir l'Ancien Régime. La résignation fit place à la colère. Quant aux soldats, le gouvernement ne pouvait pas compter sur eux.

On ne tarda pas à conspirer. Fouché, convaincu que l'Europe ne tolérerait pas le retour de Napoléon, opinait pour le duc d'Orléans ou pour la régence de Marie-Louise à laquelle on gagnerait l'Autriche. Maret, au contraire, travaillait pour l'empereur et, en février 1815, lui envoya Fleury de Chaboulon pour le mettre au courant. Des généraux préparaient une sédition militaire : le 5 mars, Lallemand et Drouet essayèrent de la provoquer dans le nord. Ils échouèrent ; mais, au même moment, on apprit qu' « Il » était revenu.

Napoléon ne se résigna jamais à son sort ; mais il avait de bonnes raisons pour se plaindre. On refusa de lui rendre son fiis, et Marie-Louise avait déjà pris Neipperg comme amant. Louis XVIII déclara qu'il ne lui verserait pas la dotation promise. Napoléon savait probablement qu'on parlait à Vienne de sa déportation à Sainte-Hélène. Le 26 février, deux jours après le départ de Chaboulon, il s'embarqua pour la France. Il ne pouvait lui apporter que de nouveaux malheurs.

Le 1er mars, il parvint sans encombre au golfe Jouan. De là, il marcha sur Grenoble où l'attendait le colonel La Bédoyère qui lui livra la place. Le 10, les ouvriers de Lyon le reçurent en triomphe. Ney, qui avait promis de le capturer, fit à son tour défection, le 14, à Lons-le-Saulnier, et le rejoignit à Auxerre. A ce coup, Louis XVIII, qui affectait jusqu'alors la confiance, jugea la partie perdue ; dans la nuit du 19 au 20, il partit pour Lille d'où il gagna Gand. Le 20 mars, Napoléon rentra aux Tuileries. L'aigle, avec les trois couleurs, venait de voler de clocher en clocher jusqu'aux tours de Notre-Dame.

III. — LES CENT JOURS[1].

Aucune résistance sérieuse ne lui fut opposée. Le duc de Bourbon et la duchesse d'Angoulême essayèrent en vain d'en-

1. OUVRAGES A CONSULTER. — Voir S. CHARLÉTY, cité p. 567. Le livre classique est celui de Henry HOUSSAYE, *1815* (Paris, 1895-1905, 3 vol. in-8°) ; J. THIRY, *La chute de Napoléon*, t. V : *Les Cent jours* ; t. VI : *Waterloo* ; t. VII : *La seconde abdication* (Paris, 1943 et 1945, in-8°). — Sur l'histoire intérieure, ajouter E. LE GALLO, *Les Cent Jours* (Paris, 1924, in-8°) ; L. RADIGUET, *L'acte additionnel aux constitutions de l'Empire* (Caen, 1911, in-8°) ; Ch. DURAND, *La fin du Conseil d'État napoléonien*, cité p. 79 (le Conseil se rallia à peu près unanimement à Napoléon lors des Cents Jours ; il recommença à fonctionner selon ses attributions d'avant 1814, mais ne contribua guère à la préparation de l'Acte additionnel, dû à Benjamin Constant nommé membre du Conseil à cette occasion) ; Ch. ALLEAUME, *Les Cent Jours dans le Var* (Draguignan, 1938, in-8° ; « Mémoires de la Société d'études scientifiques et archéologiques de Draguignan », t. XLIX) ; P. LEUILLIOT, *La première Restauration et les Cent Jours en Alsace*, cité p. 571. — Sur la campagne, COUDERC DE SAINT-CHAMANT, *Les dernières armées de Napoléon* (Paris, 1902, in-8°) ; commandant J. REGNAULT, *La campagne de 1815. Mobilisation et concentration* (Paris, 1935, in-8°) ; col. A. GROUARD, *La critique de la campagne de 1815* (Paris, 1904, in-8°) ; DU MÊME, *La critique de la campagne de 1815. Réponse à Monsieur Houssaye* (Paris, 1907, in-8°) ; DU MÊME, Les derniers historiens de 1815, dans la *Revue des études napoléoniennes*, t. III (1913), p. 235-258, 367-390 ; t. XI et XII (1917), p. 163-198, 180-206, 300-323 ; E. LENIENT, *La solution des énigmes de Waterloo* (Paris, 1915-1918, 2 vol. in-8°) ; A. F. BECKE, *Napoleon and Waterloo* (Londres, 1915, in-8° ; nouv. éd., 1936) ; J. HOLLAND ROSE, Wellington dans la campagne de Waterloo, dans la *Revue des études napoléoniennes*, t. VIII (1915), p. 44-55 ; DU MÊME, The Prussian cooperation at Waterloo, dans son livre *Napoleonic studies* (cité p. 155), p. 274-304 ; CAVALIA MERCER, *Journal de la campagne de Waterloo*, trad. M. VALÈRE (Paris, 1933, in-8°) : l'auteur était officier d'artillerie dans l'armée anglaise. — *Napoléon à bord du Bellérophon* et *Napoléon à bord du Northumberland*, souvenirs d'officiers britanniques traduits par H. BORJANE (Paris, 1934 et 1936, in-8°). — Sur Sainte-Hélène, Frédéric MASSON, *Napoléon à Sainte-Hélène* (Paris, 1912, in-8°) ; DU MÊME, L'énigme de Sainte-Hélène, dans la *Revue des Deux Mondes*, 1917, t. II, p. 756-788 ; O. AUBRY, *Sainte-Hélène* (Paris, 1935, 2 vol. in-8°) ; D. M. BROOKES, *St Helena story* (Londres, 1960, in-8°) : ouvrage en partie fondé sur des documents et des traditions de famille, l'auteur descendant de William Balcombe, le représentant de la Compagnie des Indes, dans la demeure duquel Napoléon séjourna pendant les premiers mois de sa captivité. — Sur la légende napoléonienne, les écrits de Napoléon à Sainte-Hélène, cités p. 66 ; comte DE LAS CASES, *Mémorial de Sainte-Hélène* (Paris, 1823, 2 vol. in-8°) ; nombreuses rééditions, les plus récentes par M. DUNAN (Paris, 1951, 2 vol.

traîner les troupes. Le duc d'Angoulême s'avança du Languedoc jusqu'à la Drôme ; mais, bientôt cerné, il se vit embarquer pour l'Espagne. S'il ne rencontra guère d'adversaires déclarés, Napoléon trouva pourtant la France bien changée ; la vie politique, durant les Cent jours, prit une animation qui le déconcerta.

L'esprit révolutionnaire reparut au grand jour et renoua sa tradition. Au cours de sa chevauchée, Napoléon n'avait pas craint de recourir à lui et d'attaquer avec violence les nobles et les prêtres qui voulaient rétablir l'Ancien Régime : « Je les lanternerai », s'était-il écrié à Autun. Un vif mouvement populaire se prononça en effet contre eux. La bourgeoisie jacobine, d'autre part, ressuscita les fédérations ; elles y réussit en Bretagne à la fin d'avril, à Paris le 14 mai, et surtout dans l'est : en Lorraine et à Strasbourg, en Bourgogne et en Dauphiné. On y rappela le souvenir du Comité de salut public et de l'armée de l'an II ; on y chanta la *Marseillaise* et le *Chant du départ*. L'administration s'en effaroucha et s'appliqua consciencieusement à priver ce réveil de toute conséquence pratique. Napoléon l'approuva ; il ne se souciait pas de recommencer la Révolution ; le monarque absolu et héréditaire s'était retrouvé : le peuple n'avait qu'à se taire en attendant d'aller se battre.

Il n'osa pas traiter aussi cavalièrement les libéraux. Dès son arrivée à Lyon, averti sans doute par La Bédoyère, il commençait à prodiguer les promesses, sans leur attacher probablement beaucoup d'importance non plus. Mais, à Paris, les journaux, les corps constitués et le Conseil d'État lui-même réclamèrent un gouvernement constitutionnel. « Ce diable d'homme m'a gâté la France », disait-il de Louis XVIII. Ce dernier n'en pouvait mais : il avait dû s'accommoder, bien malgré lui, de la puissance que les notables

in-8º), et par A. Fugier (Paris, 1961, 2 vol. in-8º ; coll. « Classiques Garnier ») ; voir comte Em. de Las Cases, *Las Cases, le mémorialiste de Napoléon* (Paris, 1959, in-8º ; d'après des documents inédits d'archives familiales) ; Gourgaud, *Journal* (Paris, 1899, in-8º) ; *Cahiers de Sainte-Hélène* (journal du général Bertrand), présentés et annotés par P. Fleuriot de Langle, t. I : *1816-1817*, t. II : *1818-1819*, t. III : *1821* (Paris, [1951], 1959, [1949], 3 vol. in-8º) ; Ph. Gonnard, *Les origines de la légende napoléonienne. L'œuvre historique de Napoléon à Sainte-Hélène* (Paris, 1906, in-8º) ; J. Dechamps, *Sur la légende napoléonienne* (Paris, 1931, in-8º) ; J. Lucas-Dubreton, *Le culte de Napoléon, 1814-1848* (Paris, 1960, in-8º) ; P. Holzhausen, *H. Heine und Napoleon I* (Francfort, 1903, in-8º) ; G. Lote, Napoleon und die französische Romantik, dans les *Romanische Forschungen*, t. XXXVIII (1913), fasc. 1 ; W. Klein, *Der Napoleonkult in der Pfalz* (Munich, 1934, in-8º, fasc. 5 des « Münchener historische Abhandlungen ») ; Maria dell'Isola, *Napoléon dans la poésie italienne à partir de 1821* (Paris, 1927, in-8º).

devaient en partie à la politique impériale ; Napoléon, ne voulant pas s'appuyer sur le peuple, fut obligé d'en faire autant. Pour ne pas se désavouer, il accepta seulement de promulguer un « Acte additionnel aux constitutions de l'Empire » et le rédigea lui-même avec Benjamin Constant qui, après avoir, le 19 mars encore, publié contre lui, dans les *Débats*, un violent article, céda au premier appel. L'Acte additionnel imita d'assez près la Charte et, comme elle, apporta un compromis. La bourgeoisie libérale n'obtint pas le maintien du cens : Napoléon rétablit le suffrage universel et les collèges électoraux ; mais il concéda au Sénat la pairie héréditaire qu'il lui avait refusée en l'an XII. Le résultat ne contenta personne. On vota peu lors du plébiscite, et plus de la moitié des électeurs s'abstinrent quand on élut les députés. La pairie héréditaire avait glacé le parti patriote dont l'élan fut brisé net. Quant à la bourgeoisie libérale, elle ne se fiait pas à Napoléon et reprit bientôt l'offensive. Après que l'Acte eut été promulgué en grande pompe dans un « Champ de mai » qui ne put se tenir que le 1er juin, les députés entreprirent de se transformer en constituants et de le reviser. Bref, Napoléon s'aliéna les Français disposés à le soutenir avec ardeur, sans se concilier les notables.

L'opposition libérale énerva le gouvernement. A la Police, Fouché ménageait tout le monde et, d'ailleurs, négociait secrètement avec Metternich. A l'Intérieur, Carnot remplaça peu de fonctionnaires. Les commissaires extraordinaires n'agirent pas avec plus d'énergie qu'en 1814. La censure, conservée par Louis XVIII, avait été abolie et les royalistes en profitèrent. Ils exploitèrent la crise économique, la crainte de la conscription et la guerre inévitable. Au début de mai, la Vendée s'insurgea encore une fois et les chouans reparurent en Bretagne. Les rebelles prirent Bressuire et Cholet ; Napoléon dut confier à Lamarque une armée de l'ouest. La répression fut rapide : écrasés près de Légé, le 20 juin, les chefs vendéens conclurent la paix, le 25. Ils n'en avaient pas moins immobilisé 30.000 hommes et bien mérité, jusqu'au bout, de la coalition dont, à Waterloo, les troupes de Lamarque eussent assuré la défaite.

Quelque intérêt que présentent pour l'historien ces mouvements d'opinion, ce fut la menace étrangère qui, durant ces trois mois, préoccupa surtout les Français. Pendant sa marche sur Paris, Napoléon avait assuré qu'il était d'accord avec l'Autriche ; on a pourtant peine à croire qu'il se soit fait illusion. Redevenu empereur, il offrit la paix aux alliés et leur envoya quelques émissaires. Aucune réponse ne lui vint. Dès le 13 mars, on le mettait, à Vienne, au ban de l'Europe et, le 25, l'alliance de Chaumont fut confirmée. Dans cette lutte suprême, les rois et l'aristocratie prétendirent encore une fois défendre l'indépendance des peuples et la liberté même de la nation française subjuguée par un tyran. En fait, ils savaient bien que telle n'était plus la question : il s'agissait d'écraser définitivement la Révolution en abattant l'homme qui, pour eux, la personnifiait. « Napoléon s'avance sur Paris, avait écrit Pozzo di Borgo, les torches révolutionnaires à la main. La lie du peuple est avec lui ainsi que l'armée... Les puissances étrangères doivent se hâter d'étouffer le mal dans son principe qui peut de nouveau miner toutes les bases de l'ordre social » ; c'est « l'amour du pillage et de la violence contre la propriété et les lois ». L'Europe allait fondre sur la France comme une avalanche : elle avait 7 à 800.000 hommes sur pied, des réserves considérables et toutes les ressources de l'Angleterre à sa disposition.

La Restauration laissait une armée d'environ 160.000 hommes ; 100.000 autres se trouvaient en outre dans leurs foyers avec ou sans permission : Napoléon les rappela et leur assimila les conscrits de 1815, qu'il avait convoqués le 9 octobre 1813. Il fit aussi appel aux volontaires et aux officiers licenciés, maintint à la garde nationale l'organisation qu'elle lui devait et en mit une partie en activité pour garder les forteresses ou former des divisions de réserve. Au total, il appela 700.000 hommes. Malheureusement, les armes, les munitions, les chevaux n'abondaient pas, et l'argent moins encore. Le pire fut que l'esprit national, quoique meilleur qu'en 1814, ne se montra pas enthousiaste : les appelés répondirent avec lenteur et tous ne rejoignirent pas, tant s'en faut. Peut-être Napoléon eût-il réussi à réchauffer l'opinion en favorisant les fédérations ; désavouant l'élan révolutionnaire et l'exemple du Comité de salut public, il n'osa rétablir ni la conscription ni l'amalgame, lequel, en versant les gardes nationaux dans l'armée, aurait aisément permis d'amener au moins 200.000 hommes en Belgique. Néanmoins, il faut reconnaître que le temps lui aurait manqué pour faire mieux : il était urgent de prendre l'offensive pour reconquérir la ligne du Rhin avant que les coalisés fussent en mesure.

Sa dernière armée rompit donc avec la tradition de la Révolution : composée d'hommes exercés et même, pour la plupart, ayant déjà fait campagne, elle était plus solide que celle de 1813 et d'ailleurs bien pourvue d'artillerie et de cavalerie ; mais il lui manqua le nombre. Déduction faite des gardes nationaux et des troupes assignées aux différentes frontières, il ne resta pour l'armée du nord que 126.000 hommes : soit six corps, la garde et quatre groupes de cavalerie. L'état-major et le commandement supérieur ne se montrèrent pas de première valeur et, même, la veille de Ligny, Bourmont passa aux ennemis. Quant à l'empereur, il semble bien, quoi qu'on en ait dit, que sa santé, son activité et même sa confiance n'étaient plus les mêmes qu'autrefois.

Des armées qui avaient évacué la France, deux cantonnaient encore en Belgique. L'une formée d'Anglais et de Hanovriens, de Belges et de Hollandais, comptait 96.000 hommes : Wellington en était venu prendre le commandement ; l'autre, celle de Blücher, comprenait 124.000 Prussiens. Elles possédaient donc la supériorité numérique ; mais elles demeuraient éparpillées et on pouvait espérer les surprendre ou, au moins, les battre séparément : c'était la seule carte à jouer. Une victoire, même écrasante, n'aurait d'ailleurs rien décidé.

A partir du 6 juin, l'empereur mit en mouvement ses troupes, de Lille à Metz, pour les concentrer au sud de la Sambre et, le 15, déboucha par Charleroi pour se jeter entre les deux armées ennemies. Mais ses ordres furent médiocrement exécutés : Ligny et les Quatre-Bras ne furent pas enlevés. De son côté, il admit que ses adversaires battaient en retraite et perdit toute la matinée du 16. En réalité, Blücher et Gneisenau, ayant rassemblé 84.000 hommes, étaient décidés à risquer la bataille et Wellington, qui n'avait fait aucun mouvement jusqu'au 12 et qui, le 15, attendait encore l'attaque du côté de Mons, poussait rapidement ses divisions vers l'est, pour tomber dans le flanc des Français. Enfin, au début de l'après-midi du 16, Napoléon se rendit compte que les Prussiens se trouvaient en force à Ligny ; il engagea le combat en ordonnant à Ney et à Drouet de se rabattre, des Quatre-Bras, sur leur droite. Mais il avait laissé à Charleroi le corps de Lobau, qui ne le rejoignit qu'au soir, et il ne disposait que de 68.000 soldats ; Ney, assailli par les forces croissantes de Wellington, ne put se dégager ; la transmission des ordres se fit mal, en sorte que Drouet manœuvra entre les deux champs de bataille sans servir à rien. L'armée de Blücher fut enfoncée au centre et contrainte à la retraite, mais non pas détruite. Napoléon, souffrant, quitta le champ de bataille et on ne poursuivit pas ; le 17, à la fin de la matinée, Grouchy fut enfin lancé à la recherche des vaincus ; dans la nuit, il finit par savoir que, loin de se retirer sur Namur, ils marchaient sur Wavre ; au lieu de franchir la Dyle et de leur barrer la route, il les suivit, si bien que rien n'empêcha Blücher de marcher au secours de Wellington. Ce dernier s'était retiré vers le nord. Il avait pris position en avant de la forêt de Soignes, sur le plateau de Mont-Saint-Jean, avec 67.000 hommes, la droite fortement couverte par le château de Hougoumont et la ferme de la Haie-Sainte, le centre bien défilé. Sa gauche se trouvait plus exposée ; mais, de ce côté, il attendait les Prussiens. Napoléon se reporta contre lui dans la journée du 17, avec 74.000 hommes ; gêné par la pluie, il ne l'attaqua, le 18 juin, que vers midi : il en résulta que, dès une heure, Bülow apparut sur le flanc des Français. L'attaque frontale des positions anglaises, abandonnée à Ney, fut déplorablement conduite ; dirigée d'abord contre la droite, elle s'arrêta au château de Hougoumont ; reportée sur le centre, elle s'entrava jusqu'à trois heures et demie devant la Haie-Sainte ; ensuite, l'infanterie, s'avançant en colonnes profondes, fut mitraillée, chargée et culbutée ; la cavalerie, à son tour, se précipita sur les carrés anglais, qui la repoussèrent ; enfin l'infanterie, ralliée, revint à l'assaut et ébranla la ligne ennemie. Ney réclama la garde pour porter le coup final. Mais Napoléon avait dû en engager une grande partie pour soutenir Lobau refoulé lentement par les forces croissantes de Bülow ; il ne put envoyer que cinq bataillons de la vieille garde, dont la garde anglaise, dernière réserve de Wellington, suspendit l'assaut. A ce moment, Ziethen déboucha à l'extrême droite des Français et les Anglais passèrent à l'offensive. Toute l'armée de Napoléon plia et, prise de panique, s'enfuit en déroute, perdant 30.000 hommes et 7.500 prisonniers. Grouchy, qui avait été tenu en respect à Wavre, put se dégager. Les débris vinrent se rassembler à Laon et se retirèrent derrière la Seine.

Rentré à Paris le 21, Napoléon voulait organiser la résistance. Mais la Chambre lui manifesta de l'hostilité et il abdiqua le lendemain. On élut une commission exécutive dont l'âme fut Fouché : il décida Napoléon à quitter la Malmaison le 29. La Chambre se prononça contre les Bourbons et envoya une délégation à Wellington qui arriva, le 30 juin, devant la capitale : on inclinait à substituer le duc d'Orléans à Louis XVIII et Talleyrand, demeuré à Vienne, opinait dans ce sens. Les alliés ne se résignaient qu'avec difficulté à restaurer le roi déchu ; Alexandre restait très animé contre lui. Mais il n'était pas là : le désastre inattendu de Napoléon plaçait la solution entre les mains de Louis XVIII et de Wellington. Le roi s'était mis en route aussitôt et, de Cambrai, le 28, il promit une amnistie ; Wellington répondit aux députés qu'un changement dynastique serait un acte révolutionnaire qui entraînerait le démembrement de la France ; les Chambres et la commission se séparèrent ; Davout, chargé du commandement de l'armée, signa la capitulation de Paris, le 3 juillet, et se retira derrière la Loire. Louis XVIII se réinstalla, le 8.

Cependant, Napoléon était arrivé à Rochefort le 3. Il avait demandé des frégates pour le mener aux États-Unis : alléguant la présence d'une croisière anglaise, la commission exécutive prescrivit de l'embarquer et, en fait, de le retenir prisonnier. Le 14, Louis XVIII ordonna de le livrer aux Anglais. On n'en fut pas réduit là : le 9, il avait commencé à négocier avec eux pour être conduit en Amérique ou en Angleterre : le 15, il se remit entre leurs mains sur le *Bellérophon*.

Le gouvernement anglais, les Prussiens et même Metternich prétendaient arracher à la France plusieurs provinces. Castlereagh, soutenu par Wellington et par Alexandre, s'y opposa résolument. Il finit par convertir Liverpool, tandis que le tsar ramenait l'Autriche. Les Prussiens isolés durent céder. Le projet de traité, présenté le 26 septembre, fut rejeté par Talleyrand ; mais Louis XVIII renvoya celui-ci et signa, le 20 novembre, le second traité de Paris, qui enlevait à la France Philippeville et Marienbourg, Sarrelouis, Landau et la Sarre, tout ce qu'elle avait conservé de la Savoie ; on la frappa d'une contribution de 700 millions à quoi s'ajoutèrent 240 millions de réclamations privées ; elle devait rester occupée de trois à cinq ans ; en outre, on lui reprit cette fois les objets d'art amenés de l'étranger. Le même jour, les alliés confirmèrent leur alliance et exclurent à jamais les Bonaparte du trône de France ; Castlereagh fit ajouter qu'ils se réuniraient périodiquement en congrès pour examiner la situation de l'Europe. Dès le 26 septembre, Alexandre avait conclu avec la Prusse et l'Autriche un pacte mystique, la Sainte-Alliance, pour maintenir la paix et assurer le bon gouvernement du continent selon les principes du christianisme.

Quant à Napoléon, il voguait vers Sainte-Hélène où les alliés avaient décidé de l'interner. Cet exil tragique, dans une île lointaine, perdue, sous le soleil équatorial, au milieu de l'Océan, acheva de parer son destin de ce prestige romantique qui séduira toujours l'imagination des hommes. Il aida aussi à faire germer la légende qui transfigura son rôle historique. Martyr des rois, il redevint pour la France le héros de la nation révolutionnaire. S'ils le tenaient captif, ce n'était pas seulement parce que son nom seul suffisait à les apeurer : ils se vengeaient du soldat parvenu qui osa se faire livrer une archiduchesse. Lui-même, par un dernier éclat de son génie, et non le moindre, il oublia, dictant ses souvenirs, tout ce que sa politique eut de personnel, pour rester uniquement le chef de la Révolution armée, libératrice de l'homme et des nations, qui, par ses mains, avait rendu son épée.

Le 5 mai 1821, il ferma les yeux.

CONCLUSION

Le grand œuvre napoléonien — l'instauration d'une nouvelle dynastie et l'édification d'un empire universel — ayant avorté, l'empereur est devenu, dans l'imagination des poètes, un second Prométhée dont la divinité a puni l'audace, le symbole du génie humain aux prises avec la Fatalité. D'aucuns ont voulu, au contraire, faire de lui le jouet du déterminisme historique, sous prétexte que la Révolution menait nécessairement à la dictature et que l'acquisition des frontières naturelles condamnait la France à la guerre éternelle. Sans se risquer aux considérations métaphysiques, l'historien incline à donner raison aux premiers. Qu'un gouvernement autoritaire fût indispensable au salut de la Révolution, aussi longtemps que ses adversaires pactiseraient avec l'étranger, et que la bourgeoisie eût besoin de Bonaparte pour l'établir, ce lui semble un fait ; que l'annexion de la Belgique et de la rive gauche du Rhin l'exposât à de nouvelles attaques, il doit le tenir pour probable. Mais la dictature militaire elle-même ne comportait pas en soi le rétablissement de la monarchie héréditaire et moins encore d'une aristocratie nobiliaire ; le meilleur moyen de défendre les frontières naturelles n'était pas non plus de provoquer les coalitions en les dépassant. Telle fut, pourtant, l'initiative personnelle de Napoléon ; les circonstances assurément ont favorisé son essor ; elle n'en a pas moins jailli du plus profond de sa nature. C'est, d'autre part, une opinion fort répandue qu'elle était vouée à l'échec ; pour l'instruction des apprentis Césars et pour le bien de l'humanité, peut-être vaudrait-il mieux que ce jugement fût hors de conteste. C'est ce qu'on ne peut accorder : à Moscou, la volonté d'Alexandre aurait pu défaillir ; à Lützen, l'armée alliée aurait pu être détruite. Il reste seulement que les risques étaient effrayants et que, dans l'aventure, la France a perdu les conquêtes de la Révolution.

Si les ambitions individuelles de Napoléon ne se sont point réalisées, son action n'en a pas moins laissé des traces profondes.

En France, l'État nouveau n'avait pas encore trouvé son assiette : il lui a donné ses cadres administratifs, et de main de maître. La Révolution de 1789 avait poussé la bourgeoisie au pouvoir, mais la démocratie le lui avait ensuite contesté : sous la tutelle de l'empereur, les notables l'ont récupéré ; leur richesse et leur influence se sont accrues ; débarrassés de la menace populaire, ils se sont préparés à gouverner et à restaurer le libéralisme. En Europe, la propagation des idées françaises, l'influence de l'Angleterre, les progrès du capitalisme et par conséquent de la bourgeoisie tendaient au même résultat : il a singulièrement précipité l'évolution, en détruisant l'Ancien Régime et en introduisant les principes de l'ordre moderne. L'épanouissement de la culture, la proclamation de la souveraineté populaire, l'expansion du romantisme laissaient prévoir l'éveil des nationalités : par ses remaniements territoriaux, par ses réformes, il l'a encouragé. Le capitalisme s'implantait en Occident : le blocus en a protégé les débuts. Le romantisme fermentait depuis longtemps en Europe : Napoléon a été par excellence le héros de ses poètes. Mais, si son influence a été considérable, c'est dans la mesure où elle s'exerça dans le sens des courants qui entraînaient la civilisation européenne. Veut-on mettre en cause le déterminisme historique ? C'est ici qu'il se manifeste.

Puisque, à cet égard, il fut l'homme du siècle, on s'explique que sa légende ait germé si vite et se soit profondément enracinée. Néanmoins, entre ses tendances personnelles et ce qu'il y eut de durable dans son œuvre, et que la légende retint seul, la contradiction éclate. Il était devenu de plus en plus hostile à la Révolution, au point que, si le temps le lui eût permis, il aurait fini par répudier en partie l'égalité civile ; pourtant, l'imagination populaire fit de lui le héros de la Révolution. Il a rêvé d'un empire universel, et il resta pour les Français le défenseur des « frontières naturelles », tandis que les libéraux d'Europe l'ont opposé aux rois de la Sainte-Alliance comme le défenseur des nationalités. Il avait institué le despotisme le plus rigoureux, et on a combattu, en son nom, les Bourbons constitutionnels. Il a été l'idole des romantiques, tandis que, par les méthodes de sa pensée comme par ses goûts littéraires et artistiques, il se rattachait au pur classicisme. Au point de vue politique et national, l'équivoque valut à la France Napoléon III.

Seuls, les romantiques ne se trompaient pas tout à fait, car il ne fut classique que par la culture et par les formes de l'intelligence. Le ressort de son action était l'imagination, la poussée invincible du tempérament. C'est le secret du charme qu'il exercera éternellement sur les individus. Ne serait-ce que dans l'ardeur fugitive et trouble de leur jeunesse, les hommes seront toujours hantés par les rêves romantiques de puissance. Il n'en manquera jamais pour venir, comme les héros de Barrès, s'exalter devant le Tombeau.

INDEX

A

Abd-ul-Aziz, chef wahabite, 30, 333.
Abensberg (combat d'), 306.
Abercromby, général anglais, 97, 109.
Aberdeen (lord), 557.
Abo (entrevue d'), 533.
Aboukir, 35.
Abrantès (duchesse d'), 273.
Abrial, ministre de la Justice, 89.
académies. Voir : Institut de France.
Acapulco, 329.
accapareurs, 157.
Achard, industriel prussien, 357.
Aché (vicomte d'), chouan, 303.
A'Court, diplomate, 497.
Acte additionnel, 576 ; — *de la Mal-maison*, 115, 116 ; — *de médiation*, 162, 440, 558 ; — *de navigation*, 44.
Acton, ministre napolitain, 189.
Adair, diplomate anglais, 244.
Adamitch, négociant, 355.
Adams, président des Etats-Unis, 104.
Addington, ministre anglais, 107, 110, 117, 154, 164, 166, 167, 174, 175, 188 ; — devenu lord Sidmouth, 230.
Adelspare (baron d'), général suédois, 312.
Aderklaa (combat d'), 310.
Adige, 101, 102, 196, 219, 308, 311, 553.
administration (organisation de l'), 79-89 ; — départementale, 114 ; — municipale, 114 ; — provinciale, 85 ; — militaire en Angleterre, 34.
Adriatique, 181, 260, 273, 332.
Affry (Louis d'), landamman suisse, 163.
Afghanistan, Afghans, 57, 275, 328, 333.
Afrique, 57.
Agar, comte de Mosbourg, ministre des Finances de Murat, 451.
agents de change, boursiers, 142, 143.

agriculture, 53, 524 ; — en Angleterre, 53, 54, 181, 355, 521 ; — en France, 46, 156, 406, 408 ; — aux Etats-Unis, 54 ; — dans les pays baltes, 54. Voir aussi : paysans.
Aisne, 564.
Aix (île d'), 304, 326.
Aix-en-Provence, 132.
Aix-la-Chapelle, 431, 460, 520.
Akhalkalaki (Caucase), 389.
Aland (îles d'), 275.
Alaska, 525.
Alba de Tormès (combat d'), 344.
Albanie, 30, 232, 332.
Albini, ministre de Dalberg, 465.
Albuera (combat d'), 344.
Albuquerque, général espagnol, 344.
Alcantara (pont d'), 343.
Alcolea (Andalousie), 270.
Aldini, homme politique cisalpin, 112, 114.
Alençon, 91.
Alep, 333.
Alexandre Ier, tsar de Russie, avènement, 108 ; — caractère, 105, 185 ; — politique intérieure, 492-493 ; — politique extérieure, 108, 109, 160, 164, 165, 166, 167, 169, 185-188, 195, 221, 222, 231-233, 236, 239, 244-246, 248, 249-251, 258, 259, 261, 273-277, 296, 301-302, 312-314, 315-316, 323-324, 367-368, 384-386, 388-390, 441, 515, 517, 525, 529-535, 536-539, 541, 543, 546, 549, 554, 556, 557, 559, 568, 569, 570, 580, 583.
Alexandrie (Egypte), 109, 246-247.
Alexandrie (Italie), 98, 99.
Alien-bill (loi sur les étrangers), 6.
Algarves (les), 264.
Alger (dey d'), 162.
Alicante, 346.
Ali-Tebelen ou Tepelini, 30, 246, 332, 355.
Allart, manufacturier, 409.
Alle, rivière, 247.

Index

Q

TABLE DES MATIÈRES

LIVRE III

LA CONQUÊTE IMPÉRIALE JUSQU'A TILSIT (1802-1807)

LIVRE IV

LA CONQUÊTE IMPÉRIALE APRÈS TILSIT (1807-1812)

LIVRE VI

LA CHUTE DE NAPOLÉON (1812-1815)

1969. — Imprimerie des Presses Universitaires de France. — Vendôme (France)

ÉDIT. N° 30 459   IMPRIMÉ EN FRANCE   IMP. N° 21 085